P9-EDM-501

DIE GROSSEN MEISTER
Deutsche Erzähler des 20. Jahrhunderts

DIE GROSSEN MEISTER
Deutsche Erzähler
des 20. Jahrhunderts

BAND I

IM BERTELSMANN LESERING

Ausgewählt von Rolf Hochhuth

Inhalt

Zu dieser Sammlung

Wir haben uns der überwältigenden Zahl bedeutender deutscher Erzähler der ersten Jahrhunderthälfte nicht anders zu erwehren gewußt als durch folgendes Auswahlprinzip: es wurden ausschließlich Autoren in diese beiden Bände aufgenommen, deren Werk vollendet ist – oder sagen wir unpathetisch, da ja Kriege und andere Katastrophen einer erschreckend hohen Zahl deutscher Dichter gerade dieses Jahrhunderts eben ihre Vollendung versagt haben: es wurden nur Autoren berücksichtigt, deren Werk abgeschlossen ist, ganz überschaubar. Demnach Autoren, die entweder *vor* der Jahrhundertwende geboren sind, also heute – sofern sie noch leben – bereits im siebenten Jahrzehnt ihres Lebens stehen; oder aber, wenn sie erst nach der Jahrhundertwende zur Welt kamen, diese Welt schon wieder verlassen mußten.

Wie immer man dieses Prinzip beurteilen mag: wer Anthologien macht, der muß verzichten lernen, ja er muß unrecht tun – die Bevorzugung oder Benachteiligung liegt oft schon im großen oder – vergleichsweise – im zu geringen Umfang eines einzelnen Beitrages. Und keineswegs geistig, nur äußerlich technisch ist natürlich zu rechtfertigen, daß – um Beispiele zu nennen – Anna Seghers und Joachim Maass, Jahrgang 1900 und 1901, diesem Prinzip entsprechend keine Aufnahme mehr gefunden haben; mögen die Leser die Sammlung so günstig aufnehmen, daß einmal ein dritter Band erscheinen kann, der wenigstens die wertvollsten der jüngeren, noch lebenden Prosaisten vereinigt. Aber auch der verpflichtende Titel mag es rechtfertigen, daß in diesen beiden Bänden nur Autoren vertreten sind, deren Werk dem Streit des Tages schon so weit entrückt ist, daß seine sachliche Betrachtung, unabhängig von den Lebensumständen und Prestigebedürfnissen des Verfassers möglich ist. »Die Großen Meister« – was für ein

Anspruch, mag der Leser bei diesem oder jenem Autorennamen mißbilligend ausrufen, etwa bei den allzu früh Verstorbenen, die als Prosaisten – wie Heym – nur Studien hinterlassen haben; oder bei Spengler, der als Erzähler nach seiner Jugend überhaupt nicht länger produktiv blieb, sondern sich völlig der Aufgabe widmete, für die er geboren war. Überhaupt wollten wir neben den Fixsternen auch ihre Trabanten zeigen: der weitgespannte Reichtum, der allein ein ungefähres Bild dieses großen Halbjahrhunderts deutscher Dichtung vermittelt, schien uns wesentlicher als eine zu strenge und deshalb nur noch fragwürdigere Auslese, die ohnehin erst in einem viel größeren zeitlichen Abstand und mit der ganzen Erbarmungslosigkeit der Nachgeborenen getroffen werden kann.

Am Anfang dieser Anthologie steht Eduard Graf Keyserling, der vor über einem Jahrhundert im Baltikum geboren wurde. Er ist der Senior jener deutschen Erzählergeneration, die den sogenannten poetischen Realisten folgt, und wenigstens einer von ihnen, Fontane, hat Keyserling – und nicht nur ihn, sondern auch den noch zwanzig Jahre jüngeren Thomas Mann – so nachhaltig beeinflußt, daß hier einmal von direkter, von traditionsbildender Überlieferung gesprochen werden darf. »Und doch sind die Unterschiede der Generationen deutlich«, schrieb Thomas Mann 1918 in seinem Nekrolog auf Keyserling: »Es fehlt die gesunde Furchtlosigkeit vor dem Langweiligen, die der Erzählkunst von 1860 noch eignete. Keyserlings Werk ist schmaler, graziler, später, wählerischer, es hat nervöseren Puls; der Blick auf das Leben ist kälter geworden, die Ironie geistiger, das Wort präziser, der Gesamthabitus ungemütlicher, künstlerischer und weltläufiger – man spürt die Europäisierung der deutschen Prosa seit 1900.« So selbstverständlich also sich der Verfasser von »Beate und Mareile«, von »Bunte Herzen« und von »Fürstinnen« als Galionsfigur dieser Sammlung von siebenundsiebzig Erzählungen anbot, so umstritten muß notwendigerweise die Abgrenzung dieser Auswahl nach unserer Gegenwart hin bleiben: wo soll man schließen bei dieser Fülle kontinuierlich nachgewachsener, immer wieder interessanter Fabulierer, da man doch einmal schließen *muß*, weil selbst 1216 Seiten noch viel zu rasch ein Ende nehmen!

Nach 1945 wurde Deutschland wiederum ein halbes Dutzend sehr eigenständiger Prosaisten geschenkt, die noch heute schreiben – doch nur ihre bereits wieder abberufenen Generationsgenossen, meist Opfer des Krieges, wie Lampe, Hartlaub und – indirekt – Borchert, finden, wie schon begründet, die Leser in diesen Bänden. Wer noch in der Mitte seines Lebens steht und schreibt oder gar

8

erst am Beginn seines Schaffens, der müßte ohnehin davon erschrecken, schon in einer Versammlung großer Meister Platz nehmen zu dürfen; werden doch bekanntlich nur zu oft gerade diese scheinbar so Bevorzugten nach ihrem Tode überraschend schnell aus der Ruhmeshalle wieder ausquartiert. Nicht zuletzt deshalb wurden mit Nachdruck Autoren geprüft – vermutlich aus Unkenntnis bei weitem nicht alle – die nahezu verschollen sind, ohne zunächst zu fragen, ob ihr Vergessensein legitim oder – wie bei Sudermann – durch Ignoranz der meinungsbildenden Mächte verschuldet ist. Manchmal mußte eine vom Herausgeber ausgesuchte Erzählung aus verlagsrechtlichen Gründen gegen eine andere des gleichen Autors ausgetauscht werden, so bei Stefan Zweig und Zuckmayer. Auf die Novelle »Der Patriot« von Alfred Neumann wurde nur verzichtet, weil sie zu umfangreich ist. Der bedeutendste Humorist der Epoche, Ludwig Thoma, fehlt zu unserem großen Bedauern aus lizenzrechtlichen Gründen – ebenso wie Emil Strauß, wie Hans Fallada und wie Friedrich Georg Jünger, dessen Meisternovelle »Der weiße Hase« durch keinen anderen Beitrag ersetzlich ist. Von Ernst Weiß waren – noch immer eine Folge der katastrophenreichen Jahre und beispielhaft für das Schicksal dieses und manches anderen Emigranten – weder die Erben rechtzeitig vor Redaktionsschluß zu ermitteln, noch auch nur alle seine Bücher oder der Nachlaß aufzufinden. Annette Kolbs »Präludium zu einem Traumbuch« fehlt, weil die Autorin selbst ihre Zustimmung versagt hat. In einigen wenigen Fällen – Carossa, Musil, Bronnen, Friedrich Schnack – wurden aus Lebensberichten und Romanen Kapitel ausgewählt, deren Rang oder Schönheit, wie es uns scheint, kaum von einer selbständigen Erzählung im Werk dieser Autoren wieder erreicht wurde. Aus technischen Gründen mußte die Erzählung von Gerhart Hauptmann die chronologische Folge der Beiträge durchbrechen und an den Anfang gestellt werden.

Basel, Dezember 1963   *Rolf Hochhuth*

GERHART HAUPTMANN *1862–1946*

Der Schuß im Park

I

Eines schönen Herbstmorgens kam mir der Gedanke, einen alten Onkel zu besuchen, den ich seit zwanzig Jahren nicht gesehen hatte. Es war die Zeit des Zweirads. Automobile machten die Straßen noch nicht unsicher. Ich wohnte damals etwa achthundert Meter über dem Meeresspiegel im Riesengebirge, mein Onkel dagegen an seinem Fuß, und zwar in Jauer, einer alten schlesischen Stadt. Ich bestieg mein Zweirad und ließ es bergab laufen.

Das tat es nun wohl zwei bis drei Stunden lang.

Was bei der leichten Bewegung an frischer Bergluft in meine Lungen drang, was an landschaftlicher Schönheit und Weite überall meine Augen entzückte, erneuerte mich und gab meinem wohl ein wenig belasteten Geist die Befreiung, die er gesucht hatte.

Ich fand meinen Onkel in seinem Herbarium. Der Forstmann, über die Siebzig hinaus, befand sich seit kaum einem Jahr im Ruhestand. Bis dahin war er Förster, Oberförster, zuletzt Verwalter eines mächtigen Güterkomplexes des Fürsten P. an der polnischen Grenze.

Seine Freude über mein Kommen war groß.

Es gingen von ihm, nicht nur im Familienkreis, allerlei Geschichten um, die ihn als Original kennzeichneten und übrigens seinen Humor und seinen Appetit zum Gegenstand hatten. Was nun den Humor betraf, so funkelte er noch jetzt aus seinen hervorgequollenen Augen, obgleich dabei die Züge um seinen Mund nicht mitsprechen konnten, da sie von einem immer noch rötlichen, gewaltigen Vollbart verdeckt waren.

Nachdem, immer unter einem trompetenden Lachen, die Zere-

monie des Wiedersehens erledigt war und ich seine seit dreißig
Jahren gelähmte Frau, Tante Ida, begrüßt hatte, wurde – es war
gegen elf Uhr am Vormittag – im Herbar eine Flasche Burgunder
geöffnet; wir setzten uns nieder und stießen an.

Der Onkel, im Familienkreis Adolf genannt, war ein großer
Botaniker, als Weiden- und Rosenforscher bekannt. »Siehst du,
mein lieber Neffe«, sagte er, auf die Regale weisend, die alle vier
Wände des kleinen Zimmers bedeckten und in denen, zwischen
Bündeln von grauen Löschblättern, seine Sammlung getrockneter
Pflanzen verborgen lag, »siehst du, mein lieber Neffe, das ist
alles, was mir von einem langen Leben geblieben ist. Ich war ja
allerlei anderes gewöhnt: Auerhähne schießen, Hirsche, Dachse,
Lüchse, Füchse, wie man sagt; Holzschläge kontrollieren, in die
Kreisstädte fahren und die Verkäufe bewerkstelligen, und so fort
und so fort. Als junger Leibjäger, wie du ja weißt bin ich mit
dem Bruder meines Fürsten – er nannte sich van der Diemen –
herumgereist. Ich war sogar mit ihm in Afrika und habe dort
Antilopen geschossen, einmal sogar einen Wasserbock. Auch
sonst, lieber Neffe, war ich nicht faul. Ich habe mich, Gott sei
Dank, tüchtig 'rangehalten. Nein, das muß wahr sein, mir haben's die hübschen Mädels nicht schwergemacht. Beinah war es
zuviel, doch man hatte ja eben was zuzusetzen... nun, wie gesagt: geblieben ist das Herbarium.«

»Getrocknete Blumen«, sagte ich, »das ist ja wohl immer alles,
was bleibt.«

»Nein, lieber Konrad, das meine ich nicht. Sieh mal: Jauer bietet mir nichts. Ich kenne hier niemand und will niemand kennenlernen. Ich gehe nicht aus, ich meine, in keine Gesellschaft und
kein Lokal. Man könnte vielleicht den Eindruck gewinnen, daß ich
hier verlassen und trostlos vereinsamt mein Ende erwarte. Nun,
sieh mal hierher, betrachte dir diese Briefschaften! Ich stehe in
Verbindung mit Botanikern aller Welt. Hier hast du ein Schreiben aus Paris, das ist aus Wien, andere kommen aus Rom, Prag,
Budapest, da ist eine Sendung aus Athen, hier eine aus Christia-
nia, und so fort und so fort. Überallher kommen getrocknete
Pflanzen und erzählen mir von ihren Standorten. So sitze ich hier
und klettere bald in den Felsen an einem norwegischen Fjord
herum oder am Col di Tenda, wo ich aufs Mittelmeer niederblicke;
eines Morgens streiche ich auf einer Donauinsel umher, am andern Tage bin ich vielleicht auf Java gelandet. Meine Freizügig-
keit geht sogar bis Tokio; in Tibet selbst unterhalte ich Beziehungen.«

Als wir die erste Flasche Wein vertilgt hatten und mein Onkel die zweite entkorkte, wußte ich, daß er ein Krater war, der ununterbrochen aus den Tiefen seiner Vergangenheit, gleichsam achtlos, Schätze emporschleuderte. Das tat er, obgleich er am Sprechen merklich behindert war und wieder und wieder nach Atem ringen mußte. Die Tage des Onkels waren bemessen, zufolge der heimlichen Nachrichten, die sich im Kreis der Verwandten herumsprachen, und einer schlimmen Prognose, die eine Autorität gestellt hatte. Wie seltsam, daß die gelähmte Frau aller Voraussicht nach ihren zeitlebens von gesunden Kräften strotzenden Mann wahrscheinlich überleben würde!

Trotzdem war es nicht möglich, diesem unverwüstlich fröhlichen Mann gegenüber anders als fröhlich zu sein. Etwas wie Furcht vor einem nahen Ende bemerkte man nicht. Er schien seiner Atemnot nicht zu achten. Er behandelte sie wie ein widerspenstiges Tier, das man mit einigem Aufwand zur Räson bringen muß. Nachdem er mir noch ein Faszikel geöffnet und die zahllosen Verbastardierungen einer Distel gezeigt und erklärt hatte, fragte er, ob es mir recht sei, ihn bei seinem ärztlich befohlenen kurzen Morgenspaziergang zu begleiten.

Die Wohnung des Onkels lag am Markt, der nur wenig Bewegung zeigte. Die alten Gebäude, Rathaus, Kirche und dergleichen, die ihn begrenzten, schliefen ringsherum. Sie schraken nur scheinbar auf, wenn mit ohrenbetäubendem Lärm ein Wagen über das Pflaster rumpelte. Wir bogen in irgendeine Gasse, die irgendwohin führte und sich auf einen Friedhof öffnete. Die Straße setzte sich dann zwischen Grabhügeln fort, Grabtafeln aller Art aus Stein und Metall, Kreuzen aus gleichem Material oder auch aus Holz, nur mit Inschriften oder mit dem Kruzifixus daran. Die Hügel waren mit Efeu bedeckt, da und dort von Zypressen bewacht; ein frisches Grab lag unter einem Haufen von Kränzen.

Ich hatte meinen Onkel wieder auf seine Reise mit van der Diemen gebracht, über die im Verwandtenkreise manches im Schwange ging, und konnte zu meiner Freude bemerken, daß mein Interesse an diesem Thema dem seinen entgegenkam. Die Art, wie er sich darüber verbreitete, bewies, wie gern er sich dieser Epoche erinnerte.

Ich weiß nicht, was sich die Leute gedacht haben, die im Vorübergehen zuhörten, wie der alte Rotbart immer wieder stillestand und trompetete und dann wieder nach Atem rang und ich mich dabei vor Lachen bog: zwei Schritt von den Kränzen und Schleifen des frischen Grabhügels.

»Ach«, rief er, »was war das für eine Zeit! Wenn ich alles in allem nehme: unsere Besuche auf den Schlössern in Ungarn bleiben doch der Höhepunkt. Donnerwetter, Konrad, ich bin auch kein übler Kerl gewesen! So 'n Leibjäger, alias Adjutant, muß irgend etwas sein. Mit einem Schneidergesellen läßt sich auf solchem Posten kein Staat machen. Wir standen sehr gut, der Graf und ich, schließlich waren wir drei Jahre zu zweien. Es ist nicht zu leugnen, daß man manchmal was Ähnliches wie Kammerdiener ist. Aber doch nur was Ähnliches. Ich war van der Diemens Reisemarschall. In Afrika wuchs sich der Posten beträchtlich aus. Ich befehligte schockweise Eingeborene. Ich stand ihm auch wissenschaftlich nicht nach. Als Jäger war ich ihm überlegen. Einmal hab' ich sogar sein Leben gerettet. Er hatte ein Nashorn angeschossen. Es nahm ihn an, er war verloren, hätte ich das Luder nicht mit einigen gutsitzenden Kugeln zur Strecke gebracht.«

Er kam ins Lachen, und ich merkte, daß dieser unaufhaltsame Ausbruch seiner Heiterkeit sich auf etwas bezog, was in seiner Erinnerung eben auftauchte.

»Ja, Ungarn, Ungarn!« sagte er. »Wir trafen in der Nähe von Szegedin auf der Poststation ein. Ein Wagen des Fürsten X. wartete auf dem Vorplatz. Es war eine windige, offene Karrete mit drei Pferden davor. Der Ungar in Nationaltracht, der das Gespann lenkte, lehnte den Rücken an unsere Knie. Die ganze Geschichte war nicht sehr einladend. Wir sahen uns recht bedenklich an, van der Diemen und ich, aber schon war es losgegangen. Ja, losgehen ist das richtige Wort. Eine Flinte geht los, und so unser Wagen. Der Ungar hieb auf die Pferde ein, und es ging in Karriere vom Flecke weg. Es war wie ein Kutschbock, auf dem wir saßen. Wir klammerten uns an die niedrigen Eisenstäbe an. Wir dachten, die Pferde sind durchgegangen. Was sollten wir anders denken? Nichts. Und wir dachten auch nichts, als daß wir nun bald überhaupt nichts mehr denken würden. So befahlen wir unsere Seelen Gott. Denn in der Tat waren die Gäule durchgegangen. Es waren Teufel und sahen wie Himmelsziegen aus. Natürlich verließen sie den Weg und rasten ziellos in die Pußta hinein. Pferde, die durchgehen, haben kein Ziel. Bodensenkungen, Gräben bildeten ihnen kein Hindernis. Seltsamerweise: der Wagen hielt aus, er zerbrach nicht in tausend Stücke. Wir wurden in die Luft geworfen, kamen aber, wie durch ein Wunder, mit dem Hintern wieder auf unsern luftigen Kutschbock zurück.«

Der Onkel schwieg und rang lachend in heftiger Atemnot.

»Donnerwetter, das war eine Fahrt!« fuhr der Onkel fort. »Allmählich begriffen wir, daß wir uns geirrt hatten: so drauflos zu preschen und zu kaleschen war hier der übliche Schnellpostbetrieb. So klammerten wir uns krampfhaft fest und waren denn auch, als das Schloß in der Ferne auftauchte, noch nicht über Bord. War nun der Schlag einer Uhr herübergedrungen, und glaubte der Kutscher vielleicht, sich verspätet zu haben, kurz, er peitschte nun erst recht auf die Pferde ein, so daß wir unsere Geschwindigkeit verdoppelten. ›Er hat sie geweckt!‹ brüllte mein Graf mich an, ›denn sie haben ja wirklich bis jetzt geschlafen.‹ Endlich rasten wir mit unverminderter Schnelligkeit durch eine lange Pappelallee, rauschten durch den ersten, den zweiten Torbau in einen weiten Hof des gewaltigen Schlosses hinein, in dessen einem Winkel vor dem Eingang des Treppenhauses unser fürstlicher Gastgeber mit einer Menge vornehmer Gäste, Herren und Damen, auf uns wartete. Gott sei Dank verlangsamte nun unser Rosselenker mehr und mehr die Fahrt. Aber als wir dachten, er würde nun halten, und wir könnten aussteigen, fuhr er den Gästen im Hof zwei oder drei kunstreiche Achten vor. Dies war eine Probe seiner Kunst, die wir gewiß mit dem gleichen Wohlwollen wie die Zuschauer betrachtet hätten, wären wir nur von der schauderhaften Karrete, mit der sie ausgeführt wurde, herunter gewesen. So balancierte der Wagen bald auf den zwei Rädern der rechten, bald auf der linken Seite, wir prallten gegeneinander an, und es ist nur natürlich, daß wir dabei keine gute Figur machten. Diese Sache jedoch schien hier üblich zu sein, denn die Tragikomik wurde – das merkten wir, als wir endlich ausstiegen – von der Gesellschaft nicht empfunden.

Auf diesem Schloß«, fuhr der Onkel fort, »haben wir dann acht Tage gelebt, und ich will nicht mit Vornamen Adolf heißen, wenn ich in dieser Woche auch nur zwölf Stunden ruhig geschlafen habe. Du bist ja verheiratet, lieber Konrad, und nicht zimperlich: in meinem Zimmer standen statt des Trinkwassers gefüllte blinkende Karaffen mit rotem und weißem Wein. Am Morgen nach der ersten Nacht – halte mich meinethalben für einen Aufschneider: es war die einzige, die ich allein in meinem Bett zubrachte –, also am ersten Morgen, nachdem ich geklingelt hatte, brachten einige Diener mein Frühstück herein. Konrad, wahrhaftig, ich mußte mich festhalten. Schließlich brach ich, ich konnte mir anders bei diesem Eindruck nicht helfen, in ein den Dienern völlig befremdliches Lachen aus. In großen silbernen Kannen wurde mir Kaffee und Schokolade serviert, Tee in chinesischem Porzellan, gekochte Eier, unter dem Dutzend ging es nicht, kalter gekochter

Schinken, Rebhuhn, Fasan, Honig und allerlei Marmeladen, drei- oder viererlei Gebäck, allerhand Kuchen, was weiß ich.

Nun, Konrad, ich ließ mich nicht lange bitten, ein Kostverächter bin ich noch heute nicht. Ich hieb also ein, daß es eine Art hatte. Ich weiß wahrhaftig nicht, ob von dem ganzen Kram sehr viel übriggeblieben ist.

Aber nun, Konrad, die Weiber! Du kannst dir nicht denken, wie die, mir nichts, dir nichts, drauflosgingen – und Donnerwetter, wie schön feurig und lustig sie waren. Parlamentieren war völlig überflüssig, wenigstens bei einem hübschen Kerl, der ich damals gewesen bin. In dem ungeheuren Keller beim Kellermeister habe ich mit ihm alle Weine durchprobiert – und dann oben im Schloß und ringsherum die fuchsteufelswilden Mädels und Weiber. Dann ging es wieder zurück zur Weinprobe, dann wieder hinauf, dann wieder hinunter, und so fort und so fort. Ich schweige davon, bis in welche Höhen ich hinaufgestiegen bin, Konrad; man wurde einfach befohlen. Es geht einem manchmal gegen den Strich, aber wenn man dann eben doch von einer schönen, übermütigen jungen Gräfin in lockerer Gewandung empfangen wird, setzt man sich über allerlei Bedenken hinweg. Ich war wie in Mohammeds Paradiesen.

Tokaier, Gulyas, Paprika!

Nach dem Souper, etwa so gegen elf Uhr nachts, gingen die Herren zu den Zigeunern. Da wurde die wilde, betäubend schöne Musik gemacht, wovon etwas in die fünfte Rhapsodie von Liszt geraten ist« – mein Onkel war ein recht guter Klavierspieler –, »es wurde getanzt. Die schönsten Mädchen, und du kannst dir nicht denken, welche geradezu brennende Schönheit ihnen mitunter eigen ist, saßen auf den Knien der Kavaliere. Dukaten wurden dem Primas zugeworfen und den Mädels in den Busen gesteckt. Es ging manchmal recht weit – aber wer könnte sich da, wenn er ein Mann ist, zurückhalten? Meist wurde bei den Zigeunern bis zum lichten Morgen durchgetobt.« –

Dies ist nur ein kleiner Auszug aus den Erinnerungen, die meinen Onkel mitten auf dem Kirchhof und dicht an dem frischen Grabhügel überwältigten. Es war nicht möglich, über den Kontrast zwischen seinem körperlichen Zustand und seiner feurigen Erzählung sowie zwischen ihrem, ganz dem vollen Leben gehörenden Inhalt und der todgeweihten Stätte des Friedhofs hinwegzusehen. Hier ist er kaum anderthalb Monate später begraben worden.

Wir schritten nun eine Weile fort, bis wir an eine breite Straße kamen, die vom Lande in die Stadt führte. Die Turmuhren schlugen die Mittagsstunde. Mein Onkel zeigte sich plötzlich gerührt und sagte, indem er mir seinen linken Arm um die Schultern legte: »Ich freue mich wirklich sehr, mein lieber Konrad, daß du deinen alten Onkel, ehe es zu spät ist, noch einmal besuchen gekommen bist.« Seine Rührung ging auf mich über, und ich fühlte mich gedrängt zu erwidern: »Es ist doch jammerschade für mich, Onkel Adolf – ich bin heute über dreißig Jahre –, daß ich so wenig, und zwar nur vom Hörensagen, von dir gewußt habe. Ich muß bedauern, daß ich durch fünfzehn Jahre nicht wieder, wieder und wieder mit dir zusammen gewesen bin und deine Gegenwart genossen habe.«

Er schwieg und klopfte mir nur auf die Schulter.

In diesem Augenblick wurden wir durch eine herrschaftliche Equipage gleichsam aufgeweckt: Kutscher und Diener in Livree und eine nicht mehr ganz junge vornehme Dame im Fond der Halbchaise. »Donnerwetter«, sagte mein Onkel, »das ist ja...« Er schwieg, als der Wagen, die Pferde in abgezirkeltem Trab, vorüberfuhr. Nun aber neigte die Dame sich und grüßte mit freundlichem Lächeln herüber.

»Herrgott, wie seltsam«, sagte der Onkel, als das Gefährt verschwunden war. »Gerade jetzt, wo wir so viel von van der Diemen gesprochen haben, fährt diese Baronin Weilern vorüber. Sie hat wohl das seltsamste Schicksal gehabt. Der Zufall machte mich zum Zeugen der Katastrophe in ihrem Leben: der unwahrscheinlichsten, seltsamsten übrigens, die es geben kann. Aber Mutter wartet, es ist zwölf Uhr, und wir sind mit dem Essen sehr pünktlich. Doch, Konrad, es lohnt. Ich erzähl' dir später mal mehr davon.«

Die Tante und der Onkel hielten auf einen guten Mittagstisch. Wir aßen Rebhühner, die aus den alten Jagdgründen stammten, deren oberster Verwalter Onkel Adolf gewesen war. Er wurde von dort noch regelmäßig versorgt.

Der alte Barbarossa hatte trotz seines Leidens den Appetit nicht eingebüßt. Sein drittes Rebhuhn war aufgezehrt, als ich mit meinem ersten zu Rande gekommen war. Er trank dabei Mosel in vollen Schlucken.

Die Tante, von der Magd im Nebenzimmer bedient, blieb unsichtbar. Aber sie hatte Mausöhrchen und nahm an der Unterhaltung teil. Sie tat es mit lauten Einwürfen und Zurufen, die der Onkel gleich laut beantwortete.

Nach dem Käse wurde Obst und hernach Likör und Kaffee gebracht, wobei der Onkel sich heiter ächzend erhob und umständlich eine lange Pfeife in Brand steckte. Er war an den Pfeifenständer getreten und hatte sie sorgsam ausgewählt. Nachdem er die ersten Züge mit Behagen und stehend gepafft hatte, öffnete er die Glastür eines Bücherschranks: »Das ist nur der kleine Teil meiner großen Bibliothek, der mir unentbehrlich ist. Die gesamte unterzubringen, würde ich ein kleines Haus brauchen. So liegt sie denn in Kisten verstaut...«

Ich war zu ihm getreten und las die Buchtitel: Musikerbiographien, Afrikareisen, Schlagintweit, Nachtigal, Schweinfurth und andere. Natürlich auch van der Diemen war da. Ein ganzes Regal nahm Brehms Tierleben ein. Von den Dichtern war nur Scheffel vertreten.

Mir ging durch den Kopf, daß die einige tausend Bücher, die den Onkel durchs Leben begleitet hatten, nun aber in Kisten begraben lagen, ein Wiedersehen mit ihm wohl in dieser Welt nicht mehr feiern würden. Dabei griff ich mir einen Band von Brehms Tierleben und erzählte dem Onkel, wie ich einmal in einem Bahnkupee mit einem nahen Freunde Brehms ins Gespräch gekommen war und von ihm allerlei Einzelheiten über seine Reisen mit dem österreichischen Kronprinzen Rudolf erfahren hätte. Es wäre so ein bißchen »als wie, als ob, als wenn« gewesen – wobei Brehm sich recht überflüssig gefühlt hätte.

Der Onkel nahm mir das Buch aus der Hand – die Magd hatte einen Lehnstuhl herangezogen – und machte sich's wieder am Tisch bequem. »Das mag stimmen«, sagte er. »Ein Sprichwort sagt: ›Herrendienst – Narrendienst.‹ Van der Diemen war keineswegs zimperlich, aber es war mit seinen Forschungen immer doch auch nur soso lala.«

»Warum existiert eigentlich von dir, Onkel, kein Buch über Afrika?«

»Ich konnte dem Grafen nicht Konkurrenz machen.«

»Aber du erzählst doch so fabelhaft, schilderst so anschaulich, ganz vorzüglich.«

»Mündlich, Konrad, schriftlich nicht. Sieh mal, ich bin so 'n alter Forstbüttel, denen stecken ja immer allerhand Flausen im Kopf. Wir machen uns ja gegenseitig manchmal bis zum Morgen ganz blöd und dumm mit Jagdgeschichten. Aber es gab ja in der Tat bis vor kurzem auch noch eine mündliche Erzählerkunst. Heut ist sie vollständig ausgestorben. Diese Kunst sozusagen in ihrer Entfaltung habe ich zweimal erlebt: das eine Mal bei einem Balten, einem Baron, das andere Mal bei niemand Geringerem als Alfred Brehm, den ich gekannt habe.«

Er leerte nunmehr seine Kaffeetasse und setzte einen Kognak darauf. »Ja«, sagte ich, »Brehm soll ein Meistererzähler gewesen sein. Auch das erfuhr ich von seinem Freunde.«

»Ich habe ihn selbst gehört, Konrad. Doch der andere, der Balte, war auch nicht von Pappe. Der Balte hieß Baron Degenhart. Und da muß ich dir wenigstens etwas andeuten. Er steht nämlich in sehr enger Verbindung mit dem seltsamen Schicksal der Baronin Weilern, die du vorhin in der Kalesche gesehen hast. Ich will dir davon nur einiges andeuten.

Wir, van der Diemen und ich, stießen zuerst auf den Baron Degenhart im Inneren von Afrika. Hatte er sich dort irgendeiner Expedition angeschlossen oder sich auf eigene Faust weitergeholfen, kurz, er saß eines Abends an unserem Lagerfeuer. Male dir die Szenerie nach Belieben aus! Du kannst dir Löwen, Hyänen, Schakale, Zebras, Antilopen, kurz, was du willst, einbilden, ich überlasse dir alles ad libitum. Woher der Baron plötzlich kam, was er trieb? Entweder hatte er es uns gesagt, und ich habe es vergessen, oder er ließ uns darüber im unklaren. Kaum war er da und hatte seine Freude über unser Erscheinen ausgedrückt, auch uns sein ungefähres Signalement gegeben, als er auch schon zu erzählen begann. Wir konnten ihm, ohne gelangweilt zu sein, mehrere Stunden zuhören. Wir hatten ungefähr hundert schwarze Träger mit, dazu eine Anzahl Lasttiere, so daß unsere Versorgung mit Konserven und allerhand Genußmitteln nichts zu wünschen übrigließ. An Geld war ja auch bei van der Diemen kein Mangel.

Da wir einige Tage Rast machten, nützte der Baron unsere Gegenwart weidlich aus, wir dagegen die seine desgleichen. Er konnte uns manchen guten Rat geben, da er den Charakter der Eingeborenen, ihre Lebensweise und Sitten recht genau studiert hatte, ja sogar ihre Sprache verstand. Seltsam genug: mitten in Afrika wurden wir durch seine Erzählungen nach Rußland versetzt, reisten mit ihm in der Troika oder im Schlitten von Petersburg bis Sibirien, kämpften Schlachten mit Wölfen und Räubern, jagten Schneehühner und Wisente, schossen Hermeline, Zobel und was nicht sonst. Wirklich, wir klapperten fast vor Frost, während die afrikanische Hitze um uns brodelte.«

Onkel Adolf trompetete dies, zugleich herzlich lachend in der Erinnerung. Er sog schweigend an der Pfeife und wurde nachdenklich. Dann stieß er hervor und hatte dabei einen Hustenanfall zu überstehen:

»Ja, ja, der Baron! Eine gar nicht alltägliche Sache, dieser Baron Degenhart. Am zweiten Tage, den der Baron bei uns zubrachte – er blieb auch nachts bei uns im Zelt –, trat eine junge Farbige in Erscheinung. Sie suchte jemand und fragte nach ihm. Da niemand von uns Kisuaheli verstand und der Dolmetscher nicht zugegen war, konnten wir nicht herauskriegen, wen sie meinte. Bis dann der Baron aus dem Zelte trat und das junge Geschöpf mit dem blitzschnellen Sprung eines Panthers plötzlich zu seinen Füßen lag. Sie umklammerte seine Knie. ›Sie ist so ein kleines Spielzeug von mir‹, sagte er, zu uns gewandt, in einem brutalen und leichtfertigen Ton, der uns aufs äußerste mißfiel. ›Ich habe die Kleine Käthchen genannt. Sie ist wirklich ein schwarzes Käthchen von Heilbronn. Sie klebt, man kann sie nicht loswerden. So hat sie mich nun auch wiederum aufgespürt. Ich bitte mich deshalb zu entschuldigen.‹

Diese kleine Episode, lieber Konrad, die damals bei uns kaum Beachtung fand, sollte sich später seltsam auswirken. Donnerwetter«, so unterbrach er sich, »Donnerwetter, sehr seltsam! Überaus seltsam! Weiß der liebe Gott!

Als wir einige Tage mit dem Baron zusammen gewesen waren, setzten wir unsere Reise fort, wir haben kaum noch von ihm gesprochen. Dergleichen Abenteurer trifft man ja in der ganzen Welt und so auch im afrikanischen Busch. Und wahrhaftig: er war einer. Aus seinen Erzählungen ging hervor – und wir zweifelten keineswegs daran –, wie er den Gegenwert von fünf oder sechs Erbgütern durchgebracht hatte. Den Hauptteil hatten die Pariser Kokotten verzehrt, die Spielbank von Monte Carlo den anderen, raffinierte Diners, bei denen Champagner in Strömen floß, rissen nicht ab. Immerhin, ein gewöhnlicher Verschwender war er nicht, dazu hatte er zu viel Geist. Mit großer Entschlossenheit hatte er sich einem Kultus des rücksichtslosen Lebensgenusses verschrieben, in den auch Kunst, Literatur und Musik verflochten waren. Einmal schloß er sich Zigeunern an, die auf einem Wolgaschiff reisten: er unterhielt sie durch mehrere Monate.

Nun aber genug, und ein andermal mehr von diesem Baron.« –

»Onkel, ich will nicht in dich dringen«, sagte ich. »Aber du sprachst vorhin von dem Schicksal der Baronin Weilern, in das der Baron Degenhart verflochten ist. Ich sehe ja ein, ich darf dich nicht länger belästigen. Ich werde auch im Augenblick aufbrechen. Aber wenn du mir nicht wenigstens einen kleinen Hinweis gibst, wie die Verflechtung des innerafrikanischen Abenteurers und der schlesischen Gutsfrau möglich geworden ist, so entläßt du mich mit einem quälenden Fragezeichen, das mir vielleicht auf Wochen den Schlaf rauben wird.«

Aus dem Nebenzimmer ertönte die Stimme der Oberforstmeisterin: »So erzähl ihm doch die Geschichte, Mann!«

»Gut, Alte«, parierte sogleich mein Onkel. »Bedingung: du mußt uns noch eine Flasche Wein zubilligen.«

»Na ja, na ja, warum denn nicht?«

»Siehst du« – der Onkel schlug mit der Hand auf den Tisch –, »da stimmen wir mal genau zusammen. Das Leben ist doch bald zu Ende gelebt, wofür will man sich aufsparen? Man muß die Feste feiern, wie sie fallen. Und heute feiern wir eben ein Fest. Ist es ein Wunder, wenn man jemand, den man als dreizehnjährigen Nichtsnutz zuletzt gesehen hat, als einen Mann von Geltung wiedersieht und neben sich sitzen hat? Warum sollen wir mit dem Abschied eilen: da man sich diesmal doch wohl für immer trennen wird.«

Er sagte dies alles mit Heiterkeit. Die Flasche kam, ich entkorkte sie, ein volles Glas trug die Magd in das Zimmer der Tante. Der Onkel trank, entleerte und stopfte von neuem den Pfeifenkopf und begann dann nach kurzem Besinnen die Geschichte, die meine Tante vorhin verlangt hatte. An ihrem Aufbau und einigermaßen klugen Zusammenhalt konnte man merken, daß er sie oft erzählt und so in der Form mehr und mehr vervollkommnet hatte.

II

»Die Herrschaft Konern, die heute noch im Besitz der Baronin Weilern ist, besteht aus ungefähr dreizehntausend Morgen, Äkker, Wiesen und Wald zusammengenommen.

Ich hatte die Dame durch van der Diemen kennengelernt, der ohne Zweifel ein Auge auf die schöne, begüterte Baroneß geworfen hatte. Ich weiß nicht, woran die Verbindung scheiterte.

Ihre Mutter befand sich seit Jahren im Irrenhaus, ihr Vater starb, als sie gerade zur Not majorenn geworden war. So trat sie in den Besitz der Güter. Noch im Todesjahr des Vaters, also im Trauerjahr, verkehrten der Graf und ich in seinem Gefolge oft bei ihr. Ich bin ja einigermaßen durchgesiebt in der Land- und Forstwirtschaft und konnte ihr manchen guten Rat geben. Zwei Jahre nachher starb leider van der Diemen, ohne, wie gesagt, in seiner ziemlich deutlichen Werbung mit ihr weitergekommen zu sein.

Ich wurde dann bald an die polnische Grenze versetzt und verlor die Weilern ganz aus den Augen.

Dann, nach fünf Jahren, erfuhren wir wieder etwas von ihr durch – ja, warte mal! –, Alte, wer war das doch?«

Die Antwort erklang: »Ökonomierat Grieshammer.« –

»Na also, durch Ökonomierat Grieshammer. Sie hatte Scherereien gehabt. Sie war in einen Prozeß verwickelt. Ein Zweig der Familie Weilern erklärte, nur männliche Erbfolge bestünde zu Recht, sie müsse die Güter an ihren Onkel, den Bruder ihres Vaters, abtreten. Man weiß ja – bitte sehr um Entschuldigung –, daß gewisse vornehme Leute einander wie die Geier anfallen, wo sie vermuten, daß irgendwie eine Beute zu machen ist.« – »Wie die Geier!« Vom Nebenzimmer erscholl die Bestätigung. –

»Baronin Weilern ist heute eine Landfrau, die sich gewaschen hat. Die Zeit war ihr unbarmherziger Lehrmeister. Die Habgier umgab sie mit hundert glühenden Augen, als sie den Besitz angetreten hatte. Aber sie hat sich durchgekämpft.

Meine Verwaltung an der polnischen Grenze lag eine Stunde weit von der nächsten Ortschaft entfernt, mitten in einer Lichtung der Forsten. Die Ställe mit den Pferden und dazugehörigen Heuböden, einige Förstereien, die Büros und mein Wohnhaus umgaben einen weiten Hof. Als Selbstversorger trieben wir einige Schweine auf Eichelmast, machten uns auch im Stalle fett, züchteten Hühner, Enten und Gänse. Not, lieber Konrad, kannten wir nicht. Wer uns besuchte, blieb meistens über Nacht bei uns – öfters auch mehrere Tage und Nächte.

Was der Ökonomierat von der Baronin Weilern erzählte, zeigte, daß allerlei um sie her und mit ihr vorgegangen war. Vor allem: sie hatte sich verheiratet. Sie hieß nun nicht mehr Baroneß Weilern, sondern Baronin Degenhart. Ich habe ein schlechtes Namensgedächtnis, deshalb brauchte es Tage, bevor ich mich an den Baron gleichen Namens erinnerte, den wir in Innerafrika getroffen hatten. Solange der Ökonomierat da war, dachte ich mit keinem Gedanken daran.

Der Gatte der Baroneß war arm. Deshalb und aus Gott weiß welchen Gründen hatte sich die ganze Verwandtschaft gegen die Heirat aufgelehnt. Die Hochzeit hatte denn auch fast ohne Beteiligung dieser Kreise stattgefunden. Sie wurden dann insofern enttäuscht und ins Unrecht gesetzt, als die Ehe geradezu exemplarisch glücklich wurde. Nach dem ersten, ungetrübten Ehejahr kam ein Knabe zur Welt, der Stammhalter. Der Vorname des Großvaters Weilern, Ulrich, wurde ihm beigelegt – heut ein prächtiger Junge von sieben Jahren, wie der Ökonomierat versicherte. Als zweites Kind erschien dann ein Mädchen, heute sechsjährig und, sagt man, wie ein Engel so schön. Das dritte Kind, wieder ein junger Baron, war nach Grieshammer schon fünfjährig. Mit ihm schnitt der Kindersegen einstweilen ab.

Der Ökonomierat reiste ab, und die Angelegenheit der Weilern geriet abermals bei mir in Vergessenheit. Ich wußte vor Arbeit kaum ein und aus. Die Forstverwaltung von über sechzigtausend Morgen, die völlig in meinen Händen lag, sog mich auf. Ich habe der Herrschaft, der ich diente – dies, lieber Konrad, sage ich beiläufig –, alle meine Jahre gewidmet und unter dem Druck der Verantwortung den Arbeitstagen unzählige Nächte zugelegt. Wahrhaftig, ich konnte Bäume ausreißen. Aber da ich es immer wieder tun mußte und gerne tat, habe ich es nur mit Dreingabe meiner Gesundheit durchgeführt. Lassen wir das! Wovon sprachen wir doch? Richtig: immer noch von der Weilern.

Eines schönen Herbsttages, etwa wie heut, lag – ich war nicht wenig erstaunt – ein Brief der Baronin auf meinem Arbeitstisch. Sie bat mich darin, sobald es mir möglich wäre, zu ihr zu kommen, um sie in einigen Punkten ihrer Forsten wegen zu beraten. Es handelte sich unter anderem um Maßnahmen gegen gewisse Forstschädlinge, darin ich große Erfahrung besaß. Auch würde sich ihr Mann freuen, so schrieb sie, einen engen Bekannten des verstorbenen Afrikareisenden van der Diemen kennenzulernen, dem er im afrikanischen Busch einmal begegnet sei. Es stand bei mir fest, daß ich der Einladung folgen würde. Nicht nur die Achtung für die Baronin gebot mir das, sondern die Pflicht, nach Kräften wo immer in der deutschen Forstwirtschaft nützlich zu sein. Und schließlich, die Eröffnung über Degenhart ließ keinen Zweifel, daß dieser Degenhart mit dem afrikanischen, der an unserem Feuer gesessen hatte, ein und derselbe sei, was mich einigermaßen aufregte.

Die Besonderheit dieser Aufregung war mir neu, und ich habe sie nachher nie wieder erlebt. Sie wuchs und wuchs, je mehr ich über Degenhart nachdachte und mir Einzelheiten meiner Begegnung mit ihm ins Gedächtnis rief. Also dieser Mann war der glückliche und beneidete Gatte der schönen und reichen Weilern geworden und hatte sich in ihren prächtigen Grundbesitz als Herr mitten hineingesetzt. Wie kam dieser Mann überhaupt nach Schlesien? Richtig, da fiel mir plötzlich ein: es gab im Waldenburger Gebirge irgendwo die letzten Trümmer einer Ruine, die er das Stammschloß seines Geschlechtes genannt hatte. Möglicherweise hatte seine Begegnung mit uns den Gedanken, seine Urheimat einmal wiederzusehen, in dem Abenteurer aufgeweckt.

Ich erschrak bei dem Wort Abenteurer. Heute war er ein großer Herr und nach dem, was der Ökonomierat gesagt hatte, auch in seinem Wesen über das Abenteurertum weit hinaus: ein rührender Gatte, ein rührender Vater. In dieser letzten Eigenschaft ging er so weit, erzählte Grieshammer, daß er im Schloß und in den Kreisen des Adels ringsum belächelt wurde. Es wurde gesagt, er habe die Kleinen nicht selten gebadet und trockengelegt. Die Kinderfrauen und Ammen durften nur zuschauen. Die Baronin, also die Mutter selbst, war durch ihn fast völlig entlastet. Er wählte die Anzüge für die Buben, ja selbst die Kleidchen der kleinen Tochter aus, die er Solveig genannt hatte. Bei alledem – wie sagte doch Grieshammer? – lege er seiner Gattin die Hände unter den Fuß, damit sie sich nicht an einen Stein stoße, so daß die kluge Baronin ihrerseits ebenfalls mitunter lächle. Hatte der Ökonomierat recht, so hielt die Baronin, trotzdem er auch in Hof, Feld und Wald gesehen wurde, doch unmerklich die Zügel.

Ich sprach von der Seltsamkeit meiner Aufregung. Sie wuchs und irritierte mich fast, je mehr sich der Tag meiner Reise nach Schloß Konern näherte. Der Graf, genannt van der Diemen, war sieben oder acht Jahre älter als ich. Unsere Besuche bei der Baroneß Weilern hatten stattgefunden, als ich schon längst nicht mehr sein Leibjäger war, sondern bereits in Vertretung eines Forstmeisters amtierte. Unser Verhältnis von Diener und Herr hatte sich in Freundschaft verwandelt. Wir sahen uns oft und standen uns bei mit Rat und Tat. So war ich auch bei seiner Werbung um die Baroneß Vertrauensmann. Die junge Schloßherrin wußte das. Sie suchte deshalb nicht selten Gespräche unter vier Augen. Sie wollte von mir allerlei wissen über des Grafen Charakter, Gesundheit und Lebensart, und ich hatte die schwierige Aufgabe, allerlei zu verschweigen, ohne sie merken zu lassen, daß ich verschwieg. Die Gespräche – es ist nicht zu leugnen – trugen mir ihr Vertrauen ein. Ich war drauf und dran, wie mir schien, auch für sie eine Art Vertrauter zu werden. Ja, hätte ich etwa ein kleines ›von‹ vor meinem Vatersnamen gehabt: wer weiß, ob mich nicht schließlich mein Freund van der Diemen einen schleichenden Schurken und Verräter genannt hätte? In meiner Aufregung also verdichtete sich ein Gefühl, als ob ich vielleicht nicht nur wegen der Fichtenspanner und Nonnenraupen berufen würde, sondern in einem gewissen früheren Sinne als allgemein menschlicher Ratgeber. Dann müßte auf Konern etwas wie eine Krise im Gange sein.

Dies war mir, als ich die Bahn bestieg, um nach Konern zu reisen, schon irgendwie zur Gewißheit geworden. Warum, das weiß ich wahrhaftig nicht.

Ich selbst hatte nun einen jungen Forstmann zur Seite, so wie dereinst van der Diemen mich. Ich mochte ihn bei den geplanten Waldgängen nicht entbehren. Er war in der Schädlingsbekämpfung praktisch geschult und konnte die Mikroskope bedienen, die er im Koffer mit sich führte, nebst Büchsen, Flaschen, Kruken mit Chemikalien aller Art.

Die Reise war lang und ziemlich umständlich. Aber endlich, nach sechs oder sieben Stunden, landeten wir an der Bahnstation, auf der uns der Wagen von Konern erwarten sollte.

Statt eines aber warteten zwei: ein mit grauem Atlas gepolsterter Phaeton mit zwei köstlich geschirrten vierjährigen Litauern, Kutscher und Diener in Livree auf dem Bock, der andere ein zweispänniger Gepäckwagen, der das schwere Gepäck von zwanzig Reisenden bequem hätte aufnehmen können. Mein kleiner Koffer und zwei Handtaschen, eine dem jungen Forstmann gehörig, wurden ihm anvertraut.

Konern hatte ein Schloß mit Anbauten aus mehreren Jahrhunderten. Der Haushalt wird nahezu fürstlich geführt. Allein für den Luxusgebrauch stehen im Marstall vierzig bis fünfzig Pferde. Ein Stallmeister und ein oberster Bereiter ist da. Berühmt sind die Warmhäuser der Gärtnerei. Man nimmt dort im Winter Brüsseler Weintrauben von den Spalieren. Eine ganze Armee von Gärtnern und Gartengehilfen steht im Dienst. Die Küche besorgt ein Franzose als Küchenmeister. In Zimmern und Sälen bedient eine erbliche Dienerschaft. Ihr Majordomus ist ein Deutscher, dessen rangnächster Diener ein Engländer. Es ist in allem Wesentlichen die unveränderte Erbschaft des verstorbenen Barons Weilern, die von seiner Tochter, nunmehr Baronin Degenhart, pietätvoll unangetastet gelassen wurde.

Wie eine Insel feinster Kultur liegt das Schloß mit seinen Türmen, Terrassen, gepflegten Gärten und Parkanlagen mitten in einer reichen, aber baumlosen Nutzgegend. Sommers bilden die Getreidefelder das unendliche wogende Meer ringsum. Dieser Herrschafts- und Herrensitz mutet fast wie ein Märchen an. Aber Schlesien hat dieser Märchen viele, dieser Wunder aus Tausendundeiner Nacht, die sich aus der Provinz herausheben und Ausdruck der besten Kultur von Europa sind.

Was mir bevorstand, wußte ich. Man wird nach der Ankunft, solange man wünscht, allein gelassen. Eine Schaffnerin meldet das warme Bad, man hat sein Wohnzimmer und sein Schlafzimmer. Man hat einen Kammerdiener zur Seite, der jeden unausgesprochenen Wunsch errät und sogleich erfüllt. So stand ich denn bald gescheuert, gebürstet, geschniegelt und gebügelt, hatte meinen Leichnam in die Galauniform gepreßt und wurde, kaum war ich fertig, zur Tafel gerufen.

Doch ich wurde zunächst in das Zimmer des Hausherrn geführt. Als ich eintrat, schien mir, ich wäre allein. Der hohe, getäfelte Raum ward flackernd erhellt von einem Kaminfeuer. Außerdem, ich erinnere mich dessen genau, sah ich durchs Fenster den Vollmond wie einen riesigen Ball kirschrotglühenden Metalls über den noch dämmrigen Feldern aufgehen. Im nächsten Augenblick erhob sich blitzschnell eine Gestalt am Kamin, die wohl kein anderer als der Hausherr sein konnte. Er war im Frack, der im Schlosse gebotenen Abendtracht. Dies und die vornehme Eleganz der Erscheinung machten mir in den ersten Minuten meinen einstigen Afrikaner unkenntlich. Es ging ihm mit mir, wie er später bekannte, ebenso. Nun ja, ich war stärker geworden und hatte mir einen Bart wachsen lassen – meine Galauniform mit Schnüren und allerlei Krimskrams kam hinzu. Durch diese Vermummung mußte auch er sich erst durchfinden.

Kleider machen Leute, wie ein Sprichwort sagt; aber inwieweit diese Behauptung zu Recht besteht, ist von nicht allzu vielen Menschen erkannt worden. Allerdings ist mit dem Begriffe Bekleidung nicht allein Rock, Weste, Hose und Stiefel gemeint, sondern die Umwelt im engeren Sinne, der Franzose nennt es Milieu.

Der afrikanische Degenhart und dieser waren zwei völlig verschiedene Leute. Der flotte, abgehärtete, im Denken und Tun verwegene Fallensteller und Löwenjäger war nicht mehr. An seine Stelle trat, als der englische Kammerdiener zwei silberne Armleuchter mit brennenden Kerzen brachte, ein mittelgroßer, schlanker Herr, dem der Friseur einen Scheitel von der Stirnmitte bis zum Nacken gezogen, das glattanliegende Haar und das Schnurrbärtchen pomadisiert hatte, der zwei dicke Perlen als Hemdknöpfe und noch zwei dickere an den Manschetten trug, dazu schwarzseidene Strümpfe und niedere Lackschuhe. Seine Hände, mit vielen Ringen geziert, schienen in einer chemischen Waschanstalt gereinigt zu sein. Dazu kamen sorgsam polierte Nägel. Er roch, ich weiß nicht nach welchem Parfüm; ja eine Art Narzissenarom – du weißt ja, Konrad, ich bin Botaniker – strömte sogar aus seinem Munde.

Wir erkannten uns also nach und nach und richteten uns miteinander ein. Wenn ich geglaubt hatte, wir würden in Erinnerungen an den Schwarzen Erdteil schwelgen, so hatte ich mich durchaus getäuscht. ›Wir kennen uns ja, jawohl! jawohl?! Ach Gott, wie weit liegt das alles zurück.‹ Das waren so ungefähr die Worte, mit denen er seine Begegnung mit uns, van der Diemen und mir, streifte. Er wurde alsdann sehr liebenswürdig, aber doch wohl auf eine Art, die an Herablassung grenzte. Es war irgendwie eingelernte Leutseligkeit. Ich war verblüfft, wenn ich an denselben Mann am Lagerfeuer im afrikanischen Busch dachte, an seine Einfachheit, seine Offenheit, die Enthüllungen seiner vielen, mitunter gewagten Abenteuer.

›Also, was werden Sie unternehmen, Herr Oberforstmeister? Die Nonne greift meine Wälder an.‹ Damit ging er sehr bald zur Sache über. Er hat umgelernt, sehr schnell umgelernt, dachte ich. Er spielt seine Rolle ausgezeichnet.

Dann war an mir wiederum das Umlernen.

Plötzlich hörte ich Lachen von Kindern. Der Thronerbe Ulrich, die kleine Solveig und der jüngste Bube von fünf stürzten herein. Kaum konnte der Vater sich ihrer erwehren. Die Liebe der Kinder war grenzenlos. Er wurde mit Armen und Beinen umhalst, sie behandelten ihn als Kletterstange, was er sich alles geduldig gefallen ließ. Noch mehr: er vergaß seine Künstelei. Er wurde wahrhaft zärtlich mit ihnen. Auf ihr Geschwätz ging er lachend ein. Man sah seinen Stolz, als er die reizend gekleideten Sprößlinge einzeln vorstellte. Ulrich, sagte er, sehe der Mutter ähnlich, und manches dergleichen. In diesen Minuten kam es mir vor, als ob sich der einstige Afrikaner wiedergefunden habe.

Immerhin blieb noch ein Rest, soll ich sagen: eine leichte Befangenheit in ihm zurück. Zwei oder drei Diener mit Bürsten und ein altes Fräulein mit einer weißen Haube und Fleckwasser stellten, nachdem die Kinder fort waren, den Anzug des Barons ziemlich umständlich wieder her.

Nun kam die Baronin mit ihrer Hausdame.

Anders, aber ebenso groß war die Veränderung, die sie von der Baroneß Weilern zur Baronin Degenhart durchgemacht hatte. Heliodora – kein geringerer Name war ihr in der Taufe zuteil geworden – rauschte in einer braunatlaßnen Abendtoilette herein, mit langer Schleppe und tiefem Dekolleté. Das seidige Gold des Haupthaares stimmte in seinem Glanz prächtig dazu. Ihre Schühchen trugen Glasknöpfe, während ihre reine und schöne Stirn von einer Spange mit echten Brillanten gekrönt wurde. Ich erfuhr später, daß die Eheleute, auch wenn sie allein waren, abends immer in großer Toilette zu Tisch gingen. Aber der Pomp solchen Auftretens machte bei der Baronin nicht die Veränderung, vielmehr war aus dem klugen, jungen Mädchen eine selbstbewußte, schöne Frau geworden, in der man auch nicht sogleich das Wesen von einst wiederzuerkennen vermochte. Ihr Betragen war sicher und frei und nicht, wie beim Baron, künstlich angenommen. Sie ging, mir beide Arme entgegenstreckend, auf mich zu mit dem unverhohlenen Ausdruck der Freude darüber, daß ich ihrem Ruf gefolgt und überhaupt ihr Gelegenheit gegeben hätte, mich nach so langen Jahren wiederzusehen.

›Ich habe für heut abend nur unseren Generaldirektor, Geheimrat Kranz, und eine alte Tante von mir, Gräfin Feldheim, gebeten. Ich dachte, es würde Ihnen lieber sein, wenn wir uns ein bißchen intim unterhalten können. Eine größere Herrengesellschaft, ein Frühstück, das mein Mann morgen seinen Jagdfreunden gibt, wird allerdings nicht zu umgehen sein.‹

Entschuldige, Konrad«, unterbrach sich der Onkel, »wenn ich mich nun indirekt loben muß. Baronin Heliodora setzte hinzu: ›Man darf Sie den Herren nicht vorenthalten. Sie sind Jäger, nicht nur von Beruf, sondern haben den größten Ruf in der Jägerei und den Forstwissenschaften. Sie sind Afrikaner und Löwentöter, von dessen nie fehlender Büchse van der Diemen Wunderdinge verbreitet hat.‹ Sie schloß: ›Ach ja, der arme van der Diemen! Er hat früh fort müssen. Er hat sich doch wohl aus Afrika den Todeskeim mitgebracht.‹

Wir saßen also zu fünfen bei Tisch. Über die Speisen ist nichts zu sagen. Ich hatte immer nur von Lampreten gehört – ›Ich werde dir wohl Lampreten kochen‹, schalt meine Mutter, wenn ich mit ihrer Brotsuppe nicht zufrieden war –, aber hier gab es wirklich Lampreten. Wirklich ein ganz vorzüglicher Fisch. Die Unterhaltung ging gut vonstatten, nur daß sie im Anfang vom Generaldirektor und mir allein bestritten wurde. Seltsam, wie wenig der Hausherr sich einmischte. Ein Beobachter ist ein Jäger ja wohl, und so war es zu bemerken, wie die Baronin heimlich forschende Blicke bald auf ihren Gemahl, bald auf mich richtete: als liege da etwas heimlich Verbindendes über uns, hinter das sie zu kommen wünschte. Was die Weine betraf, so begann es mit einem Champagner rosé, es folgte darauf ein unvergeßlicher alter Burgunder, hernach ein Steinberger Kabinett. Beim Braten dann wiederum trat der Champagner in sein Recht, mit dem man die Gläser der Herren fortwährend nachfüllte. Der Hausherr tat es im Trinken uns allen voran.

Aber dieser am Lagerfeuer so geistig rege und gesprächige Mann, der Meistererzähler seiner Abenteuer in drei Erdteilen, blieb hier, wo er als Regierender inmitten eines märchenhaften Reichtums saß, in Glücksumständen, die man wohl ebenfalls märchenhaft nennen darf, besonders in Anbetracht seiner Vergangenheit, einsilbig.

Ich wagte mich um so mehr hervor, besonders da ich bei meinem unter dem Einfluß des Weines zunehmenden Übermut immer mehr die dankbare Teilnahme der fürstlichen Heliodora und der Gräfin Feldheim buchen konnte. Man lachte viel, manchmal sogar der Baron, ja selbst der Generaldirektor mitunter in sich hinein. Wenn mich nämlich der Teufel reitet, Konrad, so setzt mein Humor über alle Barrieren. Nun war es nicht anders an jenem Abend, ich gebe es zu, als daß mich der Teufel ritt.

Die Feldheim war etwas plump und geradezu. Mehrmals sagte sie in befehlendem Ton: ›Erzählen Sie uns Pikantes von Afrika!‹

Einmal gab ich darauf zur Antwort: ›Da darf ich denn doch dem Hausherrn nicht vorgreifen.‹

Ich traf auf einen erstaunten Blick.

Hier räusperte sich der Generaldirektor. Er meldete sich so gleichsam zum Wort: ›Ist Ihnen denn bekannt, meine Herrschaften, daß seit einigen Tagen ein farbiges Weib, eine Art Negerin, mit einem zwölfjährigen Sohn, der heller ist als sie, die Gegend unsicher macht?‹

Die Nase des Barons war weiß geworden. Aber es schien, als wollte er nun das Reden nicht mehr ausschließlich den andern überlassen, sondern der Unterhaltung Richtung und Inhalt aufzwingen. ›Sie wollten Pikantes hören, Gräfin‹, sagte er zur Feldheim. ›Pikantes von Afrika?‹ Und er gab sich den Anschein, herzlich und überlegen zu lachen. ›Pinsler, Moralisten – Heliodora, du wirst mir recht geben – sind wir nicht. Wir sind Männer, die die Welt kennen.‹

Er stieß mit seiner Gemahlin an.

›Meinethalben, was wollt ihr hören? Ein Geschichtchen im Kopf fertigzumachen, ist eine Kleinigkeit.‹

Ich sagte schon, daß mich der Teufel ritt, und so war es, als ich eine taktlose Dummheit begangen hatte und begriff, daß es eine war, unmöglich, sie wiedergutzumachen.

Ich hatte nämlich mein Glas erhoben, und zwar gegen den Baron, meinen Gastgeber, und dazu die Worte gesagt: ›Erzählen Sie uns die Geschichte vom Käthchen von Heilbronn.‹

Es sind neun Worte. Aber sie waren verhängnisvoll. Ich hätte sie morden sollen vor der Geburt. Es entstand eine allgemeine Betretenheit, die zunächst das Ehepaar ergriffen hatte.

Dem Hausherrn aber verschlug es die Sprache.

Er faßte sich dann und sagte mit scharfem und schnödem Ton: ›Käthchen von Heilbronn ist, soviel ich weiß, ein ziemlich läppisches Drama von Kleist. Ich interessiere mich nicht für dergleichen poetische Luftblasen.‹

Dann schloß er, zu der Baronin gewandt: ›Ich denke, wir wollen die Tafel aufheben.‹ – Wir Männer blieben noch ein kleines halbes Stündchen in einem hohen, mit Jagdtrophäen ausgestatteten Raum, wo Kaffee und Likör gereicht wurden. Die Damen hatten sich verabschiedet, Heliodora mit den Worten: ›Also auf morgen, Herr Oberforstmeister.‹

Im Anfang ging der Baron noch ein wenig erregt auf und ab. Dann schien die Importe ihn zu beruhigen, deren Rauch er genießerisch einsog und in Ringen von sich blies. Er lud uns alsdann zum Sitzen ein und nahm selber Platz am Kaminfeuer.

Ich war höchst unzufrieden mit mir und entschlossen, kein Gespräch zu beginnen, sondern nur auf ein solches einzugehen, das der Baron begonnen und dessen Gegenstand er gewählt hatte. Afrika schien bei ihm nicht beliebt zu sein. Also warten wir ab, dachte ich, ob er für sein schroffes Verhalten mir gegenüber eine Erklärung vorbringen oder ob er den Vorfall ignorieren wird.

Das tat er und sprang auf die Jägerei über.

Er sprach von den Wisenten des Fürsten Pleß, von dem Sechzehnender, den er zuletzt erlegt hatte, von dem Wildbestand seiner Felder und Forsten, sprach von seiner Fasanerie, erging sich in Bewunderung für die Leistungen eines Vorstehhundes und ließ durch einen jungen Förster zwei weiß und braun gefleckte Dackel hereinbringen, die ihm sogleich auf den Schoß, ja ins Gesicht sprangen: stürmische Liebkosungen, die er sich, wie jene der Kinder, geduldig gefallen ließ.

Wir kamen dann auf Gewehre, die neuen und neuesten Erfindungen auf dem Gebiet der Jagdwaffen, und er gestand eine ihn mitunter quälende Schießleidenschaft: er habe schon als Knabe nicht nur auf Goldfische, sondern auf Frösche und Unken gezielt; manchmal sei es ihm schwer geworden, das zu unterlassen, was ein Herzog von Ansbach getan habe, nämlich einen Schornsteinfeger, wenn er ihn zufällig sah, vom Dach zu schießen. Er redete sich, wohl um dieses irgendwie zu rechtfertigen, in einen allgemeinen Pessimismus gegen Welt und Menschen hinein, für den gerade er, wie mir schien, durchaus keinen Grund hatte.

Es hatte vom Schloßturm noch nicht zehn geschlagen, als wir beiden Beamten, der Generaldirektor und ich, im Mondschein über
den Schloßhof gingen, dann fünf oder sechs Minuten durch den
Park, wo Geheimrat Kranz in einem von Efeu umsponnenen,
traulichen Haus eine Dienstwohnung hatte. Seine Frau war abwesend. Sie gebrauchte in Bad Salzbrunn die Kur.

Es war mir sehr lieb, daß der kluge und gebildete Rheinländer
mich mit sich nahm, denn ich war doch ein wenig aus dem Lot
und mochte mich gern noch mit ihm aussprechen. Dazu kam es
denn auch sehr bald in seinem behaglichen Heim, wo wir ungestört plaudern konnten. Wir tranken Rheinwein, köstliche Flaschen, die von ihm in die Gläser gleichsam zelebriert wurden.

›Machen Sie sich nur nichts aus dieser Eskapade des Barons‹,
sagte er, als ich mein Befremden über sein Verhalten ziemlich
frei von der Leber weg geäußert hatte. ›Was der Grund ist, wissen wir nicht; aber seit einiger Zeit hat sich unser Herr auf seltsame Weise verändert. Ich bin gewiß, daß die Baronin davon betroffen ist und darunter zu leiden hat. Sehen Sie‹ – der Geheimrat
wurde nun leiser –, ›dieser Mann, der doch nicht mehr, sagen wir,
im Vollbesitz eines jugendlichen Haarschopfes ist, hat ein immen-
ses Glück gemacht. Das wird ihm naturgemäß geneidet. Auch ist
leider wahr, daß die Neider nicht müßig sind. Die Onkel und
Tanten der Baronin und deren weiterer Anhang sind gemeint. Es
wird spioniert. Auch die Gräfin Feldheim, die heute bei Tische
war, ist in dieser Hinsicht nicht zwecklos hier. Nichts entgeht ihr,
und so entging ihr denn auch, wie ich deutlich an ihrem Blinzeln
bemerkte, der heutige kleine Auftritt nicht. Du lieber Gott: der
Baron ist kein unbeschriebenes Blatt, bei seinem Alter ganz selbstverständlich . . .‹

Aber ich heiße ja schließlich nicht Kranz, bin weder Geheimrat
noch Generaldirektor, und so will ich nur sagen, daß er allerlei
Dinge berührte, die sehr nahe an das streiften, was van der Diemen und ich über des Barons Vorleben aus seinem eigenen Munde
erfahren hatten.

Unter anderem fragte mich Kranz, ob ich gesehen hätte, wie
der Baron bei der Erwähnung einer Afrikanerin, die sich mit
ihrem Kinde seit einigen Tagen in der Gegend herumtrieb, kalkweiß geworden sei.

Nein, ich hätte das nicht gesehen. Aber als ich nachdachte, trat
mir sogleich wieder ins Bewußtsein, daß, als der Geheimrat von
einer Farbigen erzählte, der Baron eine irgendwie befremdliche
Erregung gezeigt hatte.

›Gut‹, sagte ich, ›eine Afrikanerin ist aufgetaucht. Darum braucht der Baron doch nicht kalkweiß zu werden.‹

›Freilich nicht‹, unterstrich der Geheimrat, ›doch man sieht jedenfalls daraus, unser hoher Herr hat gegen die afrikanische Periode seines Lebens eine allmählich ins Pathologische gesteigerte Abneigung. Ob sich da eine Nervenkrisis vorbereitet oder ob die Sache harmlos ist, kann ich nicht sagen. Jedenfalls bin ich wirklich beunruhigt, wie auch die Baronin – es ist nicht zu leugnen – deshalb beunruhigt ist.‹

Und nun sagte er mir, ich würde ja selbst Gelegenheit haben, mich von dieser Besorgnis der Dame zu überzeugen, da sie mich nicht nur wegen der Insektenplage hergebeten habe, sondern einer geheimen Aussprache wegen, um die sie mich bitte. Dabei handele es sich um ihren Mann.

Da mußte ich nun daran denken, lieber Konrad, daß ich von dieser Wendung schon zu Hause ein Vorgefühl, eine Ahnung gehabt hatte. Vor der Ausholung aber durch die Baronin unter vier Augen grauste mir, weil ich schon einmal in ähnlicher Weise – mit Bezug auf van der Diemen – von ihr ins Gebet genommen worden war und der neue Fall weit gravierender als der vergangene, dazu auch viel gefährlicher schien, weil er die Einmischung in eine Ehe bedeutete. Aber ich beruhigte mich, indem ich mir schwor, nur alltägliche Belanglosigkeiten über meine Begegnung mit dem Hausherrn im afrikanischen Busch auszusagen.

Der Geheimrat hatte ein Fenster geöffnet, es ging auf den Park, über dem eine jener sommerlich warmen Mondnächte aufgegangen war, die der Spätherbst zuweilen zeitigt. Käuzchen greinten durch die Hunderte von Jahren alten Baumriesen, die ihre Blätter meist noch nicht abgeworfen hatten. Ich drückte meine Verwunderung darüber aus, daß dies kleine Raubzeug hier so zahlreich vorkomme. Die Antwort war: ›Nur in diesem Jahr.‹ Der Geheimrat führte dann aus, wie sich das fliegende Gespenstergesindel in diesem Herbst fast zur Plage entwickelt habe. Die Baronin sei davon beunruhigt. Nur zweimal hätten die kleinen Eulen in solchen Mengen um den Schloßbau reviert. Im Jahre, da ihre Mutter starb, und in dem, als der Tod ihr den Vater genommen habe.

Nun ja, dergleichen gruslige Erfahrungen und Behauptungen sind alten Schlössern und Schloßbewohnern nicht fremd.

Mitten im Zimmer stand ein Klavier. Um die Lampe flatterten Nachtschmetterlinge. Wir beiden Strohwitwer stimmten, wie sich zeigte, auch darin überein, daß uns gelegentlich ein außerberuflicher Zug anwandelte. So sahen wir beide die Natur mitunter

32

nicht nur vom land- und forstwirtschaftlichen Standpunkt an, sondern verwandelten uns in Romantiker. Der Geheimrat besaß Autographen von Bach, Haydn, Gluck, Mozart und Beethoven, und ich schämte mich nicht, am Feierabend auf dem Piano zu dilettieren. Der Wein hatte die Fremdheit zwischen uns neuen Bekannten einigermaßen aufgehoben, wir stießen auf unsere Frauen an, die Gegenwart mit ihrem Dienst- und Abhängigkeitsverhältnis versank, wir erinnerten uns unserer Steckenpferde, er zog das seine, ich meins hervor, und so saß ich denn plötzlich am Klavier und spielte die Mondschein-Sonate mit schmelzender Hingabe.

Das war die Lage, in der eine Detonation, ein Schuß im Park, uns aufstörte.

Der Geheimrat erklärte: es sei der Baron.

›Was jagt der Baron um diese Zeit?‹ fragte ich.

Er hole die Käuze herunter, fuhr der Geheimrat fort. Ihn erfülle mit Haß, was die Hausfrau ängstige. Im übrigen komme es ihm, dem Geheimrat, vor, als gehe die nächtliche Parkjagd auf eine afrikanische Gewohnheit des Hausherrn zurück: wo er vielleicht seinen Kral bewachen mußte. Der Generaldirektor lächelte: ›Bei uns hier ist das natürlich überflüssig. Wir unterhalten sechs Nachtwächter, die mit Revolvern ausgestattet sind. Diese Neuerung hat der Baron eingeführt.‹ Vielleicht habe ein langes Jägerleben ihm die Sicherungsinstinkte der in Freiheit lebenden Tierwelt wieder ins Blut gebracht – leider, wieder dämpfte der Geheimrat die Stimme, sei diese noble Passion des Barons zur Nachtwache nicht immer durchaus ganz harmloser Art. So habe er vor fünf Jahren einen harmlosen Bauern angeschossen, der betrunken aus dem Kretscham kam und, weil er glaubte, vor seiner eigenen Tür zu sein, am Parktor rüttelte, vor zwei Jahren einen Postboten, der, fremd am Ort, den rechten Zutritt ins Schloß nicht wußte und eine Depesche abgeben wollte. Die Verhandlung habe viel Geld verschluckt.

›Ich dachte daran, noch etwas im Park Luft zu schöpfen‹, sagte ich, ›aber nun will ich das lieber unterlassen.‹ – Der Geheimrat sagte: ›Ich kann Sie in diesem Entschluß nur bestärken.‹

Ich war Erregungen nicht mehr gewohnt, deshalb hat es eine Stunde und länger gedauert, bevor ich, in meinem Bett liegend, einschlafen konnte. Mit dem Bärenschlaf, den ich von zu Haus gewohnt war, hatte der dieser Nacht keine Ähnlichkeit. Ich schlief wie der Hase mit offenen Augen.

Ich hatte den jungen Forstmann, der mich begleitete – wie hieß er doch gleich?, wahrhaftig, ich weiß seinen Namen nicht mehr –, also ich hatte ihn nach dem Frühstück zu mir bestellt. Ich wollte das Tagesprogramm mit ihm durchsprechen. Aber da fiel mir das große Jagdessen ein, das mittags um ein Uhr beginnen sollte. Ein solches Bankett dehnt sich ja meist bis zum Abend aus. So sagte ich mir, es werde sich schwerlich heut etwas Rechtes tun lassen. Als ich meinem strebsamen Forstgehilfen einige Instruktionen für gewisse wichtige Vorarbeiten gegeben hatte und ihn eben entlassen wollte – sonderbarerweise entlud sich an diesem Morgen mit Blitz, Donner und Regen ein kurzes Gewitter –, fragte er mich, ob ich von dem Vorfall gehört hätte, von dem man allenthalben im Schlosse munkele.

Nein, ich hatte davon nichts gehört.

Man habe im Park eine bewußtlose Frau im Grase liegend gefunden, deren linker Arm geschweißt habe. Sie trug ein einfaches Straßenkleid, und der linke Ärmel war feucht. Zufällig hatte mein Assistent den Wächter selbst soeben im Park gesprochen. Er hatte ihn noch sehr erregt gefunden und von ihm erfahren, wie er einen Kollegen zum Polizeiwachtmeister geschickt habe, wie dieser dann gekommen war, nachdem er den Amtsvorsteher verständigt hatte, wie am Ende auch dieser mit einigen Leuten kam, worunter sich der Kreisarzt befand, und wie man die langsam zu sich kommende Fremde abtransportierte. Der Forstgehilfe setzte hinzu: mit der Rechten habe das Weib, das wahrscheinlich eine Zigeunerin sei, den Griff eines scharfgeschliffenen dreikantigen Dolches so fest umklammert gehalten, daß man die Waffe ihr kaum entwinden konnte.

›Nun, und was weiter?‹ fragte ich.

Aber weiter hatte er nichts erfahren.

Da an dem Bericht meines Gehilfen nicht zu zweifeln war – er hatte den Wächter, der das Weib gefunden, selbst gesprochen –, blieb mir beinahe der Bissen, ich war mit dem Frühstück noch nicht fertig, im Halse stecken. Die Mondschein-Sonate, der Schuß im Park gingen mir durch den Sinn; doch vermochte ich mich zu beherrschen und entließ den Berichterstatter mit den Worten, die Geschichte scheine mir, was den Dolch betreffe, ausgeschmückt. Unglücksfälle und Eifersuchtsdelikte kämen überall vor. Ich sei ja selbst Amtsvorsteher gewesen und könne ein kleines Buch etwa unter dem Titel schreiben: Diebstahl, Bettel, Lumpengesindel und Mordgelichter – kurz, was die Landstraße mit sich führt.

Als ich allein war, stockte mir das Herz. Ich hätte nicht sagen können, warum. Aber zwischen der Angeschossenen im Park, dem Schuß und dem Verhalten des Barons erzeugte sich in meinem Geist ein Zusammenhang. Es spukte ja überdies eine Farbige in der Gegend herum. Schließlich war ich damals ein forscher robuster Kerl, und trotzdem, ich sah es im Spiegel, hatte eine wunderliche Erregung mich unnatürlich blaß gemacht. So stand es mit mir, als die Baronin mich bitten ließ, mit ihr eine kleine Ausfahrt zu machen.

Bald saß ich nun also neben ihr, vielleicht in ebenderselben Kutsche, in der die Baronin heut vorüberfuhr.

Seitdem ist sie freilich älter geworden. Ihr ältester Sohn steht als Offizier bei den Breslauer Kürassieren, der zweite studiert und ist Bonner Borusse. Die Tochter ist ein liebes Ding, ist aber viel in den Händen von Orthopäden; denn sie hat mit dem Hüftgelenk etwas zu tun. Aber dies beiseite, ich will nicht abschweifen.

Ich habe mich natürlich gehütet, als ich, zur Linken der Baronin sitzend, durch die Felder und Wälder fuhr, auch nur andeutungsweise von dem zu sprechen, was zwischen dem Generaldirektor und mir verhandelt wurde; ebenso von dem Schuß in der Nacht und dem häßlichen Fund, den der Wächter im Park gemacht hatte. Auch sprach die Baronin kein Wort davon, was mir bewies, daß sie nichts davon wußte.

Als wir die üblichen Anfangsphrasen einer Begegnung hinter uns hatten, sagte sie ungefähr dies in lückenlosem Zusammenhang: ›Es ist vielleicht eine Wunderlichkeit in unseren Kreisen, Herr Oberforstmeister, gleichviel, es ist wahr: nämlich ich liebe meinen Mann. Ich habe Alfons aus Liebe geheiratet. Es ist keine Änderung eingetreten in nahezu einem Jahrzehnt, seit wir verheiratet sind. Indessen seit einem Jahr oder anderthalb Jahren vielleicht kommt mir vor, nicht in seiner Neigung zu mir, aber in seinem Wesen zeige sich eine Veränderung. Sie ist langsam, langsam fortgeschritten. Es kam eine Zeit, wo sie zu übersehen nicht mehr möglich war. Es drängte zugleich sich die Frage auf: von welcher Art ist ihre Ursache? Ist sie körperlich-seelisch, dann wäre er krank. Dann sollten Sie mir zu seiner Behandlung raten. Man muß dann die ersten ärztlichen Autoritäten heranziehen. Ist aber wirklich etwas in seiner Vergangenheit, das sein Gewissen drückt, so muß man mir helfen, es aufzudecken. Ich würde in diesem Fall gemeinsam mit ihm an der, wie soll ich sagen, Ausradierung dieses dunklen Punktes arbeiten. Ich habe Charakter, bin nicht die erste beste und nicht zimperlich. Ich bin entschlossen, mit meinem Mann, an seiner Seite, für meinen Mann zu kämpfen. Meine

Onkels und Vettern sollen sich nur nichts einbilden; ihre Schnüffeleien sozusagen über den ganzen Erdball machen keinen Eindruck auf mich. Sie infizieren nichtsnutzige Menschen zu anonymen Briefen an mich, wüstes Geschreibsel, hundsgemein. Ich habe sie in den Kamin geworfen. Einige sind bereits wieder eingelaufen. Sie sollen sie lesen, ich stelle es Ihnen anheim. Sie enthalten Verleumdungen meines Mannes, wilde Behauptungen, die sich widersprechen. Einer dieser verächtlichen Schmierer nennt ihn sogar einen Zuchthauskandidaten. Ich habe bisher weder meinem Mann noch irgend jemandem etwas von diesen Briefen mitgeteilt. Wenn ich zu Ihnen darüber spreche, so werden Sie, unnütz zu sagen, mein Vertrauen gewiß zu würdigen wissen. Es geht manchmal über meine Kraft. Ich fühle bereits, wie es mich erleichtert, mit einem Freunde, als den ich Sie schätze, davon zu sprechen. Zum ersten, zum allerersten Male, bedenken Sie das!‹

Nun, Konrad, du kannst dir denken, das war für mich ein seltsamer Augenblick. Die Baronin hatte zwar nichts Bestimmteres über die Briefe geäußert, als daß es eben Schmähbriefe waren. Aber meine Beobachtung bei der Abendtafel, das Auftauchen einer Afrikanerin, das Gerücht von dem angeschossenen Weibe im Park, alles das rumorte in mir, während wir lautlos auf Gummireifen durchs Land fuhren und nur der abgezirkelte Hufschlag des Trakehnergespanns zu vernehmen war. Wilde Vermutungen stiegen in mir auf, obgleich ich wahrhaft nicht wußte, welche so arg gravierende Verfehlung in der Vergangenheit des Barons sich herausstellen sollte.

Aber weiter im Text. Jetzt höre gut zu!«

Das sagte mein Onkel, indem er mich mit seinen wunderbar sprechenden Kuhaugen gleichsam durch und durch blickte. –

»Es fängt nun an und wird interessant. Nachdem die Baronin gesprochen hatte, war an ihrer tiefen Bewegung, als sie schwieg, unschwer zu erkennen, daß irgendeine Katastrophe zwischen den Eheleuten, ohne Zusammenhang mit der Farbigen, nahe war. Aber diese Frau neben mir erregte meine tiefe Bewunderung durch die entschlossene Art, mit der sie ihr begegnen wollte. Ich weiß nicht, was mich dabei mehr ergriff: die Klugheit, die darin zutage trat, die Selbstüberwindung, die unverbrüchliche, liebende Hingabe?

Diese Bewunderung sprach ich ihr aus. Bei solcher Gesinnung, sagte ich, sei ich gewiß, was auch immer im Gange sei, welches Gewölk sich ballen mochte, sie, diese Gesinnung, werde dessen gewiß Herr werden. Wir sprachen dann über praktische Dinge,

Wald, Feld, Wiese, Wasser und Moor. Allein als wir ausstiegen, hatte ich ihr versprochen zu versuchen, dem Baron sein Geheimnis zu entlocken oder wenigstens ihn zu überzeugen, seine Frau stünde allzeit fest und ohne Wanken neben ihm, es möge sein, was es wolle. Gewönne ich aber die Überzeugung, er sei einfach nervenkrank, so sollte ich ihn bewegen, endlich Heilung bei großen Ärzten zu suchen. Ich gab das Versprechen, obgleich ich mich keineswegs als den rechten Mann für eine solche Aufgabe fühlte, weil eine Stimme mir sagte, ich käme wohl kaum in die Lage, es auszuführen.

Als ich den von Efeumauern umgebenen Schloßhof kreuzte, setzten bereits Jagdwagen auf Jagdwagen Bankettgäste vor dem Portal ab. Die grünen steirischen Hüte mit Spielhahnfedern und Gamsbart mehrten sich in der weiten Garderobe. Ebenso Stöcke mit Hirschhornkrücken und Lodenjacketts. Die Jäger sollten als Jäger kommen, war vereinbart worden.

Die Tafel für etwa achtzig Personen war in einem Saal aufgestellt, dessen vier Wände von der Decke bis zum Fußboden mit Hirschgeweihen behängt waren. Die Kerzen steckten auf einer Reihe von Kronleuchtern, jeder ein Kranz ineinander verschlungener Hirschgeweihe. Sie wurden, als ich im Vorübergehen vom Flur aus in den Saal blickte, unter Aufsicht des Barons in Brand gesteckt. Es kann natürlich nicht anders sein; denn selbst am Tage wirkt ein Kronleuchter, der nicht brennt, wie ein toter Fremdkörper.

Konrad, wenn ich an diesen Anblick denke, hüpft mir mein Jägerherz. Die Jagdtrophäen von Generationen, Sechzehnender aus Jahrhunderten der Jägerei, mit den Schädeln daran, dicht bei dicht, wie gesagt, an der Wand! Wie eine wunderbare Zaubergrotte, meinethalben unter Wasser, sagen wir, ein Korallensaal im Schloß Neptuns, aber wärmer, sah es sich an. Man hörte jahrhundertelang gesammeltes und gehäuftes Waldrauschen. Ich gäbe, könnte ich ein solches Fest, wie es damals im ersten Teile war, noch einmal mitfeiern und nach Herzenslust Champagner trinken und Wildbret essen, die Hälfte meines noch übriggebliebenen kurzen Lebens darum. Aller Spuk des Waldes war gegenwärtig, die Quellnymphen und Baumnymphen, alle Rotkäppchen und Dornröschen. – Dann klangen plötzlich im Hofe die Jagdhörner...

Ja, aber das war der Augenblick.

Ich wurde nämlich hinausgerufen. Die Baronin war nicht beim Bankett. Dagegen hatte mich das Verhalten des Barons über die

Sachlage insofern beruhigt, als er sich freier und sorgloser als am Abend vorher betrug. Er lachte viel, trank und aß nicht wenig, schüttelte aus dem Ärmel Jagdgeschichten. Als er als erster den mächtigen, mit jagdlichen Bildern gezierten Silberhumpen zum Umtrunk an die Lippen hob, improvisierte er ein Gedicht, das durch tosenden Beifall geehrt wurde. Er war lauter und lauter geworden, ja schließlich – ich glaubte nicht recht zu hören – sprach der Baron von Ostafrika.

Wie gesagt, ich wurde hinausgerufen.

Die Stimmung war bereits fortgeschritten, niemand hatte beachtet, daß sich der Generaldirektor entfernt hatte. Ich wurde in sein Büro geführt. Dort traf ich ihn, den Kreisarzt Talmüller und den ortsansässigen Amtsvorsteher. Man erhob sich, man tat es mit ernster Miene, von fern drang der Lärm des Gelages herein.«

III

Als der Onkel in seinem Bericht bis zu diesem Punkt gekommen war, trat etwas ein, was mich nicht nur obenhin überraschte, sondern gewissermaßen bestürzte, weil mit einem Male fraglich wurde, ob ich das Ende dieser Geschichte je erfahren würde. Der Onkel ließ die erkaltete Tabakspfeife los, die jedoch an seinem sogenannten Großvaterstuhl lehnen blieb, legte den Kopf zurück und schlief ein.

Ich schlich mich zu Tante Ida, um mich – was sollte ich anderes tun? – zu verabschieden. »Aber Junge, was ist denn los?« fragte sie. Worauf ich den Stand der Dinge berichtete. »Ach, nicht doch«, sagte sie, ohne die Stimme zu dämpfen, »er macht sein Nickerchen, und in fünf Minuten wacht er gestärkt wieder auf.«

Und wahrhaftig, so war es auch!

Als ob der Onkel von seiner kurzen Bewußtlosigkeit nichts wüßte, leerte und stopfte er wiederum seine Pfeife und entzündete sie mit dem Fidibus. Dann setzte er, als ob er sich nicht unterbrochen hätte, seine Erinnerungen fort. Mit seinen sinnenden Glotzaugen las er weiter die Geschichte der Vergangenheit gleichsam aus den quellenden, sich vor ihm lagernden und über ihm verschlingenden Rauchwolken. –

»›Wer wünscht zu sprechen?‹ fragte der Generaldirektor. ›Ich denke, Herr Amtsvorsteher, Sie haben zunächst das meiste zu sagen. Wir wollen uns setzen, denn Übereilen und Überhasten führt zu nichts. Die Sache muß im Interesse der Herrschaft nicht nur geheimgehalten, sondern in Ruhe allseitig durchdacht werden.‹

Ich erfuhr also nun zunächst alles das, was der Nachtwächter meinem Forstassistenten gesagt hatte. Der Vorfall mit dem angeschossenen Weib, den ich gerüchtweise kannte, hatte sich wirklich zugetragen. Nur der Dolch war hinzugedichtet, wie ich bereits vermutet hatte. Die gefundene Frau war tatsächlich Mischblut, eine Farbige. Man hatte sie in ein Gasthaus getragen, wohin sie verlangt hatte. Es lag ziemlich einsam an der Landstraße. Man fand dort ihren Sohn, den sie Scipio nannte, einen schönen zwölfjährigen Knaben von hellerer Farbe, schlummernd vor, dessen Gesichtsschnitt erstaunlich europäischen Charakter hatte.

Der Generaldirektor bat jetzt den Kreisarzt, zu sprechen. Er stellte sich vor, er sei Kreisarzt Talmüller. Er habe die Armwunde untersucht, die nicht bedeutend sei, und einen Verband angelegt. Freilich habe der Blutverlust die Fremde geschwächt, und sie habe auch Temperatur. Nicht zu verwundern, sie habe ja die Nacht auf der Erde im feuchten Grase zugebracht. Sie liege zu Bett, und er habe ihr eine Pflegerin beigeben müssen.

Dies sei der Punkt, sagte Kreisarzt Talmüller, um dessentwillen er und der Amtsvorsteher den Herrn Generaldirektor aufgesucht hätten. Die Fremde sei nicht angemeldet, das Wirtshaus sei sehr abseits gelegen. Wirte an solchen Plätzen, wenn sie von ihren Gästen bezahlt werden, beachteten meistens Polizeiverordnungen nicht. Die Kranke, die ein wenig Deutsch mit englischem Akzent spreche, habe der Pflegeschwester gegenüber erklärt, sie sei eine Baronin Degenhart. Der Kreisarzt zuckte die Achseln und lachte: ›Diese Behauptung läßt verschiedene Schlüsse zu. Erstens auf eine Abenteurerin, zweitens auf einen typischen Fall von Irresein. Daß diese Frau eine Geisteskranke ist, hat für mich neunzig Prozent Wahrscheinlichkeit. Ihre Wunde ist eine Schrotwunde; eine entsprechende Waffe fand man bei ihr nicht. Es kann eine Art Revolver gewesen sein, und den hat sie dann eben fortgeworfen, ich nehme an, man findet ihn noch. Denn ihr Mann, sagt sie, habe sie angeschossen, was den Schloßherrn von Konern betreffen würde. – Eine Absurdität, wodurch sich das typische Bild einer Paranoia abrundet.‹

Sie seien gekommen, sagte wieder der Amtsvorsteher, um den Generaldirektor zu veranlassen, den Fall persönlich in Augenschein zu nehmen, um gemeinsam zu verhüten, daß die Herrschaft davon belästigt werde, ja davon auch nur erfahre.

Sogleich erhob sich Geheimrat Kranz. Er habe den Eindruck,

daß ich als alter Afrikaner ihnen bei Untersuchung des Falles sehr nützlich sein könnte.

Und so ward beschlossen, ohne Verzug nach dem einsamen Wirtshaus aufzubrechen. Daß man uns vermissen würde, war bei dem Toben des Jagdfestes keine Gefahr. Wir entfernten uns durch ein Seitentor, der Generaldirektor und ich auf dem schnellsten Gefährt, das im Schlosse zu finden war, der Kreisarzt mit dem Amtsvorsteher in eigener Kutsche.

Während des Fahrens sagte der Geheimrat zu mir: ›Unser allerhöchster Herr Baron ist doch überaus sonderbar. Im Stall steht zu einer Stunde jedes Tages sein Leibpferd gesattelt und gezäumt, eine Trakehner Stute, fünfjährig, die unter ihm alles tut, was beinahe unmöglich ist. Sie nimmt zunächst jedes Hindernis. Sie stürzt sich mit ihrem Reiter in jeden Strom, ich würde mich nicht wundern, wenn sie wie eine Eichkatze an den Bäumen hinaufkletterte. Und ihre Schnelligkeit auf kupiertem Gelände ist märchenhaft.‹

Unwillkürlich zitierte ich, ich erinnere mich genau, indem ich den Geheimrat bedeutsam anblickte:

> ›Knapp‘, sattle mir mein Dänenroß,
> daß ich mir Ruh‘ erreite.
> Es wird mir hier zu eng im Schloß,
> ich will und muß ins Weite.‹

Wie sehr sollte ich, was ich nicht ahnte, recht behalten!

Nun, lieber Neffe, würde ich, wenn ich ein Schriftsteller wäre und von diesen ereignisreichen zweimal vierundzwanzig Stunden nicht nur wie jetzt so unverantwortlich vor mich hin schwatzte, sondern ihnen eine schriftliche Kunstform gäbe, ein neues Kapitel anfangen.«

Er schmauchte und lachte in sich hinein.

»Der Mensch ist ja eben sehr zwiespältig. Daß ich einen Stiefel vertrug, ist ja selbstverständlich. Immerhin hatte mich der Wein in eine etwas gehobene Stimmung versetzt, weshalb mir denn auch der Vierzeiler über die Lippen rutschte. Von dem nackten Ernst, der dahinter steckte, ahnte ich in der Tat noch nichts.

Es ist keine halbe Stunde vergangen, eh wir uns in der Schenke des kleinen, entlegenen Wirtshauses wiederum gegenüberstanden, der Amtsvorsteher, der Arzt, der Geheimrat und ich. Ich sollte mit dem Arzt zu der Patientin hinaufgehen, wurde beschlossen, da ich etwas Englisch und einige Worte Kisuaheli verstand.

Bevor ich mich aber zu ihr begab, erschien plötzlich bei uns, ziemlich erregt, die Pflegerin, die einesteils nicht genug Liebes und Gutes von ihr erzählen konnte, dann aber, sehr erschrocken, ja bleich, eine lederne Aktentasche auf den Tisch legte, und zwar mit den Worten: ›Herr Amtsvorsteher, prüfen Sie selbst, der Inhalt ist fürchterlich.‹

Die Tür der Schenkstube wurde geschlossen, wir alle vier gelobten Stillschweigen, auch die Pflegerin wurde darauf verpflichtet und hernach – es vergingen drei viertel Stunden darüber – der Inhalt der Tasche durchgeprüft.

Nun, Konrad, zum Donnerwetter noch mal, das fuhr uns doch allen recht stark in die Glieder. Die Prognose des Kreisarztes Talmüller erwies sich als falsch, sie wurde durch den schrecklichen Inhalt der Tasche völlig über den Haufen geworfen.

Der Generaldirektor kannte genau die Handschrift des Barons Degenhart. In etwa dreißig Briefen an eine Geliebte, deren Namen nicht zu entziffern war, konnte er sie feststellen, völlig gestützt durch die Unterschrift des Barons: Alfons Degenhart.

Die Briefe waren ein seltsames Sprachgemisch, Englisch, Kisuaheli und Deutsch. Zwanzig Briefe ungefähr, die unzweifelhaft die gleiche Adressatin hatten, zeigten auf den Umschlägen, die erhalten waren, den Namen Baronin Degenhart und hatten Daressalam als Bestimmungsort. Das Schlimmste aber war eine Heiratsurkunde, von einem Missionar ausgestellt und von einer englischen Behörde gestempelt. Die Heirat hatte stattgefunden zwischen der Tochter eines eingeborenen Großkaufmanns und Baron Alfons Degenhart.

Du kannst dir denken, wie wir uns anstarrten.

Die Frage war: gibt es auf der Welt außer unserem noch einen anderen Baron Degenhart?

Aber da griff die Pflegerin ein und nahm aus einem getrennten, mit einem Knopf geschlossenen Fach zwei Fotografien, die leider unverkennbar unseren, wenn auch erheblich jüngeren Degenhart vorstellten. Auf der einen trug er die sehr mitgenommene Tropenuniform, mit der er bei uns am Lagerfeuer gesessen hatte.

Es war auch für mich nicht mehr möglich zu zweifeln, wen ich vor mir hatte.

Also die Lage, mein Junge, war eindeutig.

Auch damals standen die Inhaber solcher Herrensitze wie Konern nicht über dem Gesetz, weshalb selbst der Amtsvorsteher, vom Generaldirektor und von uns anderen nicht zu reden, die wir die gar nicht abzusehenden schlimmen Folgen von dem Baron und besonders seiner Gattin und deren Kindern abhalten wollten, an dem Gelingen dieser Absicht zweifelte. Wurde der Sachverhalt mit der Bigamie ruchbar, so war der Baron nicht zu retten, so hoch seine Stellung auch sein mochte.

Das Wort Zuchthaus ist schauderhaft auszusprechen, und doch hing die Zuchthausstrafe zweifellos über ihm. Was ist das Damoklesschwert dagegen: es droht ja nur mit dem physischen, nicht aber mit dem bürgerlichen Tod.

Die ersten Schritte zur Rettung des schlesischen Hauses Degenhart-Weilern hatten festzustellen, ob Bibi – so ward in den Briefen die farbige Gattin von dem Baron genannt – irgendwie mit sich reden ließe. Die Lage war wohl so gut wie gerettet, wenn sie, meinethalben mit einer gehörigen Abfindungssumme, stillschweigend, wie sie gekommen, wieder im dunklen Erdteil verschwand.

Sie konnte jedoch ein Werkzeug sein, eine Puppe, in Händen von rücksichtslosen Drahtziehern. Dann freilich erschwerte sich die Aufgabe.

Der Geheimrat befürchtete es.

Er deutete an, alles wäre einem bestimmten, unversöhnlichen Konsortium naher Verwandter der Herrin von Konern zuzutrauen. Sie hatten es sich Geld kosten lassen, dem Vorleben Degenharts nachzuspüren, und hatten vielleicht, ja sehr wahrscheinlich den schwarzen Schatten der glänzenden Glücksumstände des Barons in Ostafrika aufgestört. Im Zusammenhang hiermit hatte der Geheimrat, wie er mir später sagte, auf einen vielgereisten Pastor und Missionsdirektor Leblanc Verdacht.

Ich ging dann also, und zwar allein – man hielt es für gut –, zu Bibi hinauf.

Konrad, der Eindruck war fürchterlich. Eine Frau lag da im Bett, deren Körper und Geist, wie sich bald herausstellte, Entbehrungen, Mühsale und Überanstrengungen aller Art zerrüttet hatten. Das zerfaltete, europäischen Formen angenäherte alte Gesicht hatte vom Negertyp eigentlich nur das Kraushaar behalten. Um die keineswegs wulstigen Lippen liefen viele Fältchen zusammen; das war äußerst ausdrucksvoll und zeugte von harter Verbitterung. Alle Leiden und Qualen der Seele, die möglich sind, hatten sich mit deutlichen Schriftzeichen in ihre ausgebildete Stirn gegraben.

Sie lag mit geschlossenen Lidern da. Als sie aber die Augen öffnete und mich ohne Verständnis anblickte, schienen diese Augen an sich durch und durch Schmerz zu sein.

Die kleine Mansarde war von der Pflegeschwester in einen leid-

42

lich wohnlichen Zustand versetzt worden. Die Lappen, Lumpen und Kleiderfetzen der erbarmungswürdigen Frau hingen nebenan in der Dachkammer. Dort lag auf einem Strohsack ohne Bettstelle ihr ebenfalls ausgemergelter, etwa zwölf Jahre alter Sohn, genannt Scipio, bei dem der Kreisarzt schwere Unterernährung, leichten Lungenspitzenkatarrh und Temperatur festgestellt hatte. Es blieb ein Rätsel, wie diese Frau den Weg bis hierher gefunden, zurückgelegt und überlebt hatte. Später wurde dann festgestellt, daß sie mit einer Hamburger Dampferlinie gekommen war. Ihre Zwischendeckkarten waren in Daressalam gekauft, und dort hatte sie auch das Schiff bestiegen. Sie hat, wie man heute annimmt, die Fahrt um das Kap bis Hamburg aus eigenen, mühsam ersparten Mitteln bezahlt.

Von dort aus hat sie sich mit Scipio auf alle möglichen Arten und Weisen zäh bis an das ihr fest im Sinne sitzende Ziel durchgeschlagen. Meist hatte sie gebettelt und wurde mit ihrem Sohn deshalb mehrmals festgesetzt. Die Nächte wurden im Freien, manchmal in Strohschobern, manchmal in verfallenen Baracken zugebracht. Eine Gruppe Zigeuner hatte die seltsame Mutter und ihren Sohn aufgegriffen und mehrere Tage lang in den Wagen mit sich geführt. Dann hatte sie hier, in Konern angelangt, und zwar in diesem Gasthaus, zuerst eine eiserne Ration angegriffen, die sie versteckt mit sich führte und die aus fünf oder sechs alten Dukaten und ebenso vielen Zwanzigmarkstücken in einem seidenen Beutel bestand.

Es war nicht viel mit ihr anzufangen, das hatte mir schon der Arzt vorausgesagt, der gleich bei der Ankunft seine Patientin besucht hatte.

Das Wundfieber hatte zugenommen.

Sie stützte sich auf den gesunden Arm und durchbohrte mich mit den qualvollen Augen, vergeblich bemüht zu wissen, was oder wer ich war.

Sie verfiel darauf in ein Kauderwelsch, mischte Kisuaheli, Englisch und Deutsch durcheinander und erzählte mir so sehr hastig, dringlich, dabei intim und geheimnisvoll: eine Baronin Degenhart sei hier eingetroffen, sehnlich von ihrem Mann erwartet, den böse Dämonen von ihr getrennt hätten.

Bald saßen wir wieder in der Kutsche, der Geheimrat und ich. In beschleunigtem Tempo mußten die Pferde uns nach dem Schloß zurückbringen. Mir lag der furchtbare Eindruck im Sinn, den ich in der Mansarde gehabt hatte. Ich vertrug einen Puff, doch hatte mich diese Wirklichkeit, die einer gänzlich unwahrscheinlichen Erdichtung an Unwahrscheinlichkeit überlegen war, völlig aus der Fassung gebracht.

›Ich kann nicht denken‹, sagte ich, ›daß irgendein Mensch die Lage, in der sich unser Baron jetzt sieht, zu überleben imstande ist. Ein Haufen Lumpen, ein mit Haut überzogenes Skelett, unzweifelhaft seine erste Frau und sein wahrscheinlich todgeweihter Sohn, beide von ihm zugrunde gerichtet.‹

›Ich denke darüber nicht nach‹, sagte der Geheimrat.

Die Papiere der Fremden waren in seiner Hand. Ich merkte, er schwieg in tiefem Nachsinnen. Wie zu sich selber bemerkte er dann, es wäre ja möglich, ja beinahe wahrscheinlich, daß es mit der Fremden zu Ende ginge. Auch der Kreisarzt deutete das an. Auch ich vermochte das nur zu bestätigen. Ich hatte tatsächlich den Eindruck einer vom Tode Gezeichneten.

So bereichert durch ein bleiernes Wissen, das wir gern von uns geworfen hätten, bogen wir in den Schloßhof ein, wo uns die Musik und der Lärm des Banketts, als wäre durchaus nichts geschehen, entgegenrauschten.

Unterwegs hatte ich dem Geheimrat auch noch meine Unterredung mit der Schloßherrin von Konern genau erzählt und ihm dabei zu bedenken gegeben, ob man nicht diesen edlen und starken Geist von allem sofort unterrichten solle. Sie wisse, was für sie und ihre Kinder auf dem Spiele stehe. Sie werde gewiß ihren Mann nicht preisgeben und ihrerseits in der Berührung mit der armseligen Mitschwester von Frau zu Frau das Richtige tun.

Darauf kam der Geheimrat zurück.

Wir wollten ein halbes Stündchen verschnaufen, in seinem Haus uns wieder treffen, meinen Vorschlag nochmals erwägen und, falls wir ihn gelten ließen, ihn ohne alles Zögern ausführen. Der Baron selber konnte für irgendeine Mitwirkung in der Sache – darüber waren wir beide uns einig – zunächst durchaus nicht in Betracht kommen.

Um mich ein wenig abzukühlen, suchte ich meinen Adlatus, den bei gegebenen Umständen gänzlich überflüssigen Forstgehilfen, auf, der in einem Zimmer über dem Marstall wohnte. Ein Bereiter, gestiefelt und gespornt, stand vor der Tür. Er sah mich und schlug die Hacken zusammen.

Die Pferde von Konern waren berühmt; ich sagte dem Bereiter etwas dergleichen. Sie hätten, war seine Antwort, wieder ganz herrliche Dreijährige. Er würde dies und das gern vorführen. Die Stallknechte führten mir Pferde vor. Es tat mir gut, denn es konnte mich ablenken. Ich vergaß für Minuten die schwarze Wolke, die niedrig über dem Haus hing.

Ich tat auch einen Blick in den Stall.

In der ersten Box stand ein gesatteltes und gezäumtes Pferd. Es war Bibi, das Leibpferd des Barons. Wehe, wer sich auf Bibi setzen wollte, sagte der Bereiter, er bekäme es mit unserem gnädigen Herrn Baron zu tun.

Bibi! Bibi hatte der Baron in den Briefen das afrikanische Käthchen von Heilbronn immer wieder genannt.

Weshalb das Pferd so gesattelt stehe? Obgleich ich es wußte, fragte ich. Der Baron wolle, hieß es, gegen Schluß des Banketts ausreiten. Er habe von ihm konstruierte Satteltaschen mit einigem Inhalt heruntergeschickt. Der Bereiter zeigte mir, wie sie festgemacht waren.

Mein Forstjüngling war nicht aufzufinden, und die Zeit zur Wiederbegegnung mit dem Geheimrat war da.

›Man darf keine Zeit verlieren‹, sagte er. ›Wenn Sie meiner Meinung sind, suchen wir die Baronin auf.‹

Wir wurden sogleich vorgelassen.

In den entlegenen Flügel, dahin sie sich zurückgezogen hatte, drang von dem wilden Bankett kein Laut.

›Seltsam, da sind Sie‹, sagte die schöne Schloßfrau, indem sie uns forschend anblickte. ›Ich weiß nicht, wieso, aber daß Sie kommen würden, wußte ich.‹

Wir schwiegen zunächst, weil wir spürten, daß sie noch mehr zu sagen wünschte.

Sie sei, sagte sie, voller Unruhe. Seit dem Beginn des Banketts habe sie allerhand anzufassen versucht, aber alles wieder fortgeworfen. Sie habe über allerlei nachgedacht und sei dabei mit ihren Gedanken vom Hundertsten ins Tausendste geraten. Plötzlich jedoch unterbrach sie sich und erklärte, uns scharf anblickend, sie glaube sich nicht zu täuschen, wenn sie annähme, wir seien gekommen, weil wir den dunklen Punkt im Vorleben ihres Gatten entdeckt hätten.

Wir waren von so viel Sicherheit konsterniert und konnten nicht einmal mit dem Kopfe nicken.

›Nehmen Sie also Platz, meine Herren‹, sagte sie, und als es geschehen war, ohne Übergang: ›Diese angeschossene Frau im Park, was ist das denn nun für eine Geschichte?‹

Ich hörte den Geheimrat sagen: ›Frau Baronin haben davon gehört?‹

›Ja‹, gab sie zur Antwort, ›mir nicht genug.‹

Wir wüßten Genaues darüber nicht.

›Ich will Ihnen etwas sagen, meine Herren, doch es bleibt unter uns: Der Baron hat sie angeschossen.‹

Wir hatten das wohl für möglich gehalten, aber ohne Beweise dafür. Wir konnten es deshalb füglich bezweifeln.

Sie wies uns ein kleines Vogelgewehr, das man im Park gefunden hatte. Es war ein Geburtstagsgeschenk von ihr an den Gatten. Ihr Vorname Heliodora war in den Lauf graviert und das soundsovielte Geburtstagsdatum des Barons.

Nun, Konrad, wir gingen an unser Werk.

Einer Frau, die von sich aus bereits so weit vorgedrungen war und dabei die Entschlossenheit der Baronin, hinter alles zu kommen, zeigte, durfte man die ganze Wahrheit nicht vorenthalten. Wenn irgend jemand, so war sie selber dazu geschaffen, in dieser Sache sich und ihr Haus zu vertreten.

Zunächst hatte das Wort der Generaldirektor. Er trug das ganze Geschehnis, angefangen mit der Auffindung der Verwundeten, den Vermutungen des Kreisarztes, dem Besuch im Waldwirtshaus bis zum Fund der schrecklichen Dokumente und ihrer Untersuchung vor. Die mit ihnen gefüllte Mappe legte er auf das Nähtischchen.

Hiernach schilderte ich meine Eindrücke.

Während des Zuhörens ließ die Baronin sich einmal auf einen Stuhl nieder und legte die Hände vor das Gesicht. Das andere Mal, als ich ihr den erbarmungswürdigen Zustand der Mulattin und ihres Sohnes schilderte, preßte sie beide Fäuste vor den Kopf. Dann aber – allen Respekt vor dem männlichen Geist und Charakter – fragte sie uns mit Entschiedenheit, ob wir schweigen und ob wir ihr beistehen wollten.

Nachdem wir bejaht hatten, sagte sie, sie danke uns, wir hätten ihr einen wahrhaften, nie zu vergessenden Dienst getan. Alle weiteren Schritte seien ihr nun auf das bestimmteste vorgezeichnet. Es sei zu bedauern, daß der Amtsvorsteher und der Kreisarzt von der Existenz dieser Briefe und der anderen Papiere wüßten. Aber wie es auch sei, niemand werde je wieder Einblick in sie erhalten. Sie sterbe lieber, als daß sie ihre Kinder mit Schmach bedeckt, enterbt und verachtet sähe. Sie bäte den Geheimrat, sofort die Überführung des armen Weibes und ihres Sohnes in die Wege zu leiten, und zwar die Überführung ins Schloß. Sie nannte den Trakt, in dem man sie unterbringen, mit den besten Ärzten und Pflegerinnen versehen und alles tun werde, um sie wiederherzustellen. Sie selber werde nicht müßig sein und bei dieser Arbeit nach bestem Vermögen mithelfen. Sie fahre sofort mit ihrem Juckergespann zu dem Weibe hinaus.

Das alles geschah in der gleichen Stunde, nachdem sie uns verpflichtet hatte, dem Baron gegenüber von allem zu schweigen: ›Wie mein Mann sich aus der Affäre ziehen wird, weiß ich nicht. Ich kann ihm das nicht vorschreiben. Wenn ich aber meinen Charakter besäße und er wäre, so gäbe es für mich nur einen Weg. Der eine liebt mehr das Leben und der andere die Ehre.‹

Am folgenden Morgen ließ die Baronin mich zu sich rufen. Es war für zwanzig und mehr Jahre mein Abschiedsbesuch. Er brachte die Schlußsensation.

Der Baron war nach dem Bankett auf Nimmerwiedersehen davongeritten.

Ich darf dies heute sagen, denn in Wahrheit hat man bis heute nie wieder etwas von ihm gehört.

Die Baronin zeigte mir seinen Abschiedsbrief.«

Der Onkel stand auf und nahm die Kopie aus einem Schreibpult. Er setzte sich wieder, griff eine Brille, setzte sie auf und las:

»Forsche nicht nach mir, gräme Dich nicht um mich, vergiß mich. Sei sicher, daß ich nie mehr auftauche.«

Dann sagte er: »Zwar die verwitwete Frau las diese Worte unter Tränen vor, auch gelang es ihr nicht, einen Schluchzer zu unterdrücken. Dann aber sah sie mich klar, entschieden und, wenn ich nicht irre, befriedigt an.

Du magst noch erfahren, lieber Neffe, daß die Baronin ihre afrikanischen Gäste völlig gesund pflegen ließ und pflegte. Erst nach zwei oder drei Jahren ging die Mulattin, die an der Baronin mit rührender Liebe hing, aus Heimweh nach Daressalam zurück. Die Baronin ließ sie auch dort nicht aus den Augen.

Scipio ist von der Baronin zu Verwandten in England gegeben und dort mit aller Sorgfalt erzogen worden.

Von den Papieren in der Mappe hat niemand mehr gehört.«

Mein Onkel schloß: »Plaudite, amici, comoedia unita est!«

IV

Die Erzählung von Onkel Adolf im Kopf, machte ich am nächsten Tag den langsamen Anstieg vom Fuße des Gebirges durch die Vorberge über Bolkenhain und Hirschberg bis Schreiberhau zurück. Ich führte mein Zweirad oder nahm es bei ebenen Strecken in Anspruch. Ich dachte natürlich auf meine Art über alles Gehörte nach, hatte zuletzt auch noch den Erzähler mit dieser und jener Frage belästigt. So wollte ich wissen, was nach der Vermutung des Onkels aus dem Baron geworden sei?

Der Onkel zuckte die Achseln: »Er ist gestorben, wenn er gestorben ist, Konrad, und lebt, wenn er lebt. Das Leben selber genommen hat er sich nicht. Dazu hing er zu sehr daran und nahm es durchaus als ein ihm aufgedrängtes Abenteuer. Er ist meiner Ansicht nach aus seiner schlesischen Ehe wie ein Wildpferd aus dem prunkenden Marstall gesprungen, in den man ihn eingeschlossen hatte und wo er Hafer und Heu und – Gott weiß – ad libitum zu essen bekam. Lebt der Baron, dann wiederum nur versteckt und ohne Namen in irgendeinem Teil von Afrika. Keinesfalls aber in einer unserer jüngst erworbenen Kolonien. Vielleicht im Süden, bei den Buren als Knecht oder in einem Kafferndorf unter Kaffern – möglicherweise auch irgendwo am Kongo versteckt.«

Mein Besuch beim Onkel, so überaus denkwürdig durch sein Gastgeschenk, hatte Ende September stattgefunden.

Gegen Ende November wiederholte ich ihn.

Aber der Onkel war tot. Eine schwarzgeränderte Anzeige hatte sein Ableben mitgeteilt und das Datum, an dem er begraben wurde.

Diesmal erreichte ich Jauer mit der Bahn.

Dem Sarge folgte zunächst eine Abordnung der fürstlich P.schen Jägerei, hernach der ganze Kriegerverein, diesem ein halbes Hundert nicht sehr tragisch gestimmter Zylinderhüte und Schwarzröcke. Dazwischen gingen auch einige Frauen. Im ersten Wagen saß die Tochter des Onkels, meine Base, mit ihrem Mann. Er war ein einfacher junger Revierförster. Der Rücksitz war mit Kränzen belegt. Im zweiten Wagen saßen der Sohn des Onkels und ich. Kaum fünfunddreißigjährig, war mein Vetter schon Oberlehrer. Die Equipage der Baronin Degenhart, in der sie mit einer Begleiterin saß, folgte.

Die Honoratioren der Stadt Jauer schlossen sich in einer Reihe anderer Kutschen an. Zuletzt kam der leere Galawagen des Fürsten, in dessen Dienst mein Onkel gelebt hatte und gestorben war.

Die Exequien am offenen Grabe, über dem der geschlossene Sarg zu schweben scheint, sind bekannt. Das des Onkels lag seltsamerweise neben dem Grabhügel, über dem noch die frischen Kränze geraschelt hatten, als der Onkel, mit den Stiefeln an sie streifend, mir von den Tagen in Ungarn erzählte. Zwangsweise dachte ich daran und hatte Not, meinen Ernst zu bewahren, während der Pastor mit gefalteten Händen gleichsam auf den Sarg und den darin Ruhenden einredete.

Mir war, als hätten wir beide ein Geheimnis, der Tote und ich, und wären durch eben das gleiche verhaltene Lächeln verbunden.

Mein Vetter und sein Vater verstanden einander nicht, ihre Naturen waren zu gründlich verschieden. Der Sohn besaß eine mimosenhafte, schwer zu erfassende Innerlichkeit, der Vater war mit überschäumender Kraft dem Leben verschworen. Er hätte wie Tizian am Südabhang der Alpen geboren sein können, das Meer und die Sonne, Bewegung und Glut in den Adern.

Ich hatte Tante Ida besucht, die wie immer in ihrer Kammer lag. Wo stammte sie her? Es war ein volles Deutschtum in ihr, aber irgendwo in der Fremde aufgesäugt und mit tschechischem oder ruthenischem Blut gekreuzt. Ihre hohe Stirn, ihre gewölbten Schläfen, die bleiche Haut und die blauen Adern darin, ihren Ernst, ja die Melancholie ihres Organs hatte der Sohn.

Wie seltsam, daß seine Mutter ihn dem Vater ferner gerückt, meine Mutter, die dessen Schwester war, mich seinem Vater näher. Ich hatte ihn als Erwachsener nur einmal gesehen, und es gab keine Fremdheit zwischen uns.

Mir gegenüber unter den Leidtragenden, am anderen Rande des Grabes, stand, in einen kostbaren Pelz vermummt, die Baronin Degenhart. Die Erde war hart, frühzeitiger Frost war eingebrochen. Ich konnte die Dame in Ruhe beobachten. Der Sermon des Geistlichen war vorüber. Der Generaldirektor des Fürsten sprach, es folgte ein Oberförster; eine Ehrensalve ward über dem Grab gelöst, und schließlich erfolgte eine musikalische Huldigung der Jägerei, es ertönten die Jagdhörner.

Während dieser ganzen Zeit konnte ich nur die Baronin anblicken, die hie und da mit einem befremdeten Blick gleichsam herüberfunkte. Mir war dabei, als ob mir der Tote im Sarge ununterbrochen mit leisen Geflüster zuspräche:

»Sie lud mich ein, als ich in Jauer auftauchte. Sie bewohnt noch immer ihr altes Mädchengelaß. Sie hat in der schwierigen Sache reine und gründliche Arbeit gemacht. Der Amtsvorsteher ist gestorben. Er erhielt bis zuletzt sein Deputat, Milch, Butter, Eier, Kartoffeln. Der Kreisarzt Talmüller, der sein Amt aufgegeben hat, ist in der Familie Leibarzt geworden. Er bezieht Jahr für Jahr ein festes Gehalt.«

Als der Sarg in die Tiefe der Erdöffnung niedergesunken war, auch ich meine Erde auf ihn geworfen hatte, trat auf der Gegenseite die Baronin heran, um das gleiche zu tun.

Meine Nerven waren sehr aufgepeitscht. Deutlich, so daß ich diese Erscheinung noch heute, wäre ich ein Maler, malen könnte, blickte über ihre linke Schulter der Baron, die Afrikanerin über die rechte.

Geschrieben Dezember 1938

EDUARD VON KEYSERLING *1855–1918*

Schwüle Tage

Schon die Eisenbahnfahrt von der Stadt nach Fernow, unserem Gute, war ganz so schwermütig, wie ich es erwartet hatte. Es regnete ununterbrochen, ein feiner, schief niedergehender Regen, der den Sommer geradezu auszulöschen schien. Mein Vater und ich waren allein im Kupee. Mein Vater sprach nicht mit mir, er übersah mich. Den Kopf leicht gegen die Seitenlehne des Sessels gestützt, schloß er die Augen, als schlafe er. Und wenn er zuweilen die schweren Augenlider mit den langen, gebogenen Wimpern aufschlug und mich ansah, dann zog er die Augenbrauen empor, was ein Zeichen der Verachtung war. Ich saß ihm gegenüber, streckte meine Beine lang aus und spielte mit der Quaste des Fensterbandes. Ich fühlte mich sehr klein und elend. Ich war im Abiturientenexamen durchgefallen, ich weiß nicht durch welche Intrige der Lehrer. Bei meinen bald achtzehn Jahren war das schlimm. Nun hieß es, ich wäre faul gewesen, und statt mit Mama und den Geschwistern am Meere eine gute Ferienzeit zu haben, mußte ich mit meinem Vater allein nach Fernow, um angeblich Versäumtes nachzuholen, während er seine Rechnungen abschloß und die Ernte überwachte. Nicht drüben mit den anderen sein zu dürfen, war hart; eine glatt verlorene Ferienzeit. Schlimmer noch war es, allein mit meinem Vater den Sommer verbringen zu müssen. Wir Kinder empfanden vor ihm stets große Befangenheit. Er war viel auf Reisen. Kam er heim, dann nahm das Haus gleich ein anderes Aussehn an. Etwas erregt Festliches kam in das Leben, als sei Besuch da. Zu Mittag mußten wir uns sorgsamer kleiden, das Essen war besser, die Diener aufgeregter. Es roch in den Zimmern nach ägyptischen Zigaretten und starkem englischem Parfüm. Mama hatte rote Flecken auf den sonst so bleichen Wangen.

Bei Tisch war von fernen, fremden Dingen die Rede, Ortsnamen, wie Obermustafa, kamen vor, Menschen, die Pellavicini hießen. Es wurde viel Französisch gesprochen, damit die Diener es nicht verstehen.

Ungemütlich war es, wenn mein Vater seine graublauen Augen auf einen von uns richtete. Wir fühlten es, daß wir ihm mißfielen. Gewöhnlich wandte er sich auch ab, zog die Augenbrauen empor und sagte zu Mama: »Mais c'est impossible, comme il mange, ce garçon!« Mama errötete dann für uns. Und jetzt sollte ich einen ganzen Sommer hindurch mit diesem mir so fremden Herrn allein sein, Tag für Tag allein ihm gegenüber bei Tisch sitzen! Etwas Unangenehmeres war schwer zu finden.

Ich betrachtete meinen Vater. Schön war er, das wurde mir jetzt erst deutlich bewußt. Die Züge waren regelmäßig, scharf und klar. Der Mund unter dem Schnurrbart hatte schmale, sehr rote Lippen. Auf der Stirn, zwischen den Augenbrauen, standen drei kleine, aufrechte Falten, wie mit dem Federmesser hineingeritzt. Das blanke Haar lockte sich, nur an den Schläfen war es ein wenig grau. Und dann die Hand, schmal und weiß, wie eine Frauenhand. Am Handgelenk klirrte leise ein goldenes Armband. Schön war das alles, aber Gott! wie ungemütlich! Ich mochte gar nicht hinsehn. Ich schloß die Augen. War denn für diesen Sommer nirgends Aussicht auf eine kleine Freude? Doch! Die Warnower waren da, nur eine halbe Stunde von Fernow. Dort wird ein wenig Ferienluft wehn; dort war alles so hübsch und weich. Die Tante auf ihrer Couchette mit ihrem Samtmorgenrock und ihrer Migräne. Dann die Mädchen. Ellita war älter als ich und zu hochmütig, als daß unsereiner sich in sie verlieben konnte. Aber zuweilen, wenn sie mich ansah mit den mandelförmigen Samtaugen, da konnte mir heiß werden. Ich hatte dann das Gefühl, als müßte sich etwas Großes ereignen. Gerda war in meinem Alter, und in sie war ich verliebt – von jeher. Wenn ich an ihre blanken Zöpfe dachte, an das schmale Gesicht, das so zart war, daß die blauen Augen fast gewaltsam dunkel darin saßen, wenn ich diese Vision von Blau, Rosa und Gold vor mir sah, dann regte es sich in der Herzgrube fast wie ein Schmerz und doch wohlig. Ich mußte tief aufseufzen.

»Hat man etwas schlecht gemacht, so nimmt man sich zusammen und trägt die Konsequenzen«, hörte ich meinen Vater sagen. Erschrocken öffnete ich die Augen. Mein Vater sah mich gelangweilt an, gähnte diskret und meinte:

»Es ist wirklich nicht angenehm, ein Gegenüber zu haben, das immer seufzt und das Lamm, das zur Schlachtbank geführt wird, spielt. Also – etwas Tenue – wenn ich bitten darf.«

Ich war entrüstet. In Gedanken hielt ich lange, unehrerbietige Reden: »Es ist gewiß auch nicht angenehm, ein Gegenüber zu haben, das einen immer von oben herunter anschaut, das, wenn es was sagt, nur von widrigen Dingen spricht. Ich habe übrigens jetzt gar nicht an das dumme Examen gedacht. An Gerda habe ich gedacht, und ich wünsche darin nicht gestört zu werden.«

Jetzt hielt der Zug. Station Fernow! – »Endlich«, sagte mein Vater, als sei ich an der langweiligen Fahrt schuld.

Es hatte aufgehört zu regnen. Die Linden um das kleine Stationsgebäude herum waren blank und tropften. Über den nassen Bahnsteig zog langsam eine Schar Enten. Mägde standen am Zaun und starrten den Zug an. Es roch nach Lindenblüten, nach feuchtem Laub. Das alles erschien mir traurig genug. Da stand auch schon die Jagddroschke mit den Füchsen. Klaus nickte mir unter der großen Tressenmütze mit seinem verwitterten Christusgesichte zu. Der alte Konrad band die Koffer auf. »Lustig, Grafchen«, sagte er, »schad nichts.« Merkwürdig, wir tun uns selber dann am meisten leid, wenn die andern uns trösten. Ich hätte über mich weinen können, als Konrad das sagte. »Fertig«, rief mein Vater. Wir fuhren ab. Die Sonne war untergegangen, der Himmel klar, bleich und glashell. Über die gemähten Wiesen spannen die Nebel hin. In den Kornfeldern schnarrten die Wachteln. Ein großer rötlicher Mond stieg über dem Walde auf. Das tat gut. Beruhigt und weit lag das Land in der Sommerdämmerung da, und doch schien es mir, als versteckten sich in diese Schatten und diese Stille Träume und Möglichkeiten, die das Blut heiß machten.

»Bandags in Warnow müssen wir besuchen«, sagte mein Vater. »Aber der Verkehr mit den Verwandten darf nicht Dimensionen annehmen, die dich von den Studien abhalten. Das Studium geht vor.«

Natürlich! das mußte gesagt werden, jetzt gerade, da ein angenehmes, geheimnisvolles Gefühl anfing, mich meine Sorgen vergessen zu lassen.

Es dunkelte schon, als wir vor dem alten, einstöckigen Landhause mit dem großen Giebel hielten. Die Mamsell stand auf der Treppe, zog ihr schwarzes Tuch über den Kopf und machte ein ängstliches Gesicht. Die freute sich auch nicht über unser Kommen. Die Zimmerflucht war still und dunkel. Trotz der geöffneten Fenster roch es feucht nach unbewohnten Räumen. Heimchen hatten sich eingenistet und schrillten laut in den Wänden. Mich fröstelte ordentlich. Im Eßsaal war Licht. Mein Vater rief laut nach dem Essen. Trina, das kleine Stubenmädchen, von jeher ein freches Ding, lachte mich an und flüsterte: »Unser Grafchen ist unartig gewesen, muß nu bei uns bleiben?« Die Examengeschichte war also schon bis zu den Stubenmädchen gedrungen. Ich spürte Hunger. Aber in dem großen, einsamen Eßsaal meinem Vater gegenüberzusitzen, erschien mir so gespenstig, daß das Essen mir nicht schmeckte. Mein Vater tat, als sei ich nicht da. Er trank viel Portwein, sah gerade vor sich hin, wie in eine Ferne. Zuweilen schien es, als wollte er lächeln, dann blinzelte er mit den langen Wimpern. Es war recht unheimlich! Plötzlich erinnerte er sich meiner. »Morgen«, sagte er, »wird eine praktische Tageseinteilung entworfen. Unbeschadet der Studien, wünsche ich, daß du auch die körperlichen Übungen nicht vernachlässigst. Denn...«, er sann vor sich hin, »zu – zum Versitzen reicht's denn doch nicht.« – »Was?« fuhr es mir zu meinem Bedauern heraus. Mein Vater schien die Frage natürlich zu finden. Er sog an seiner Zigarre und sagte nachdenklich: »Das Leben.«

Es folgte wieder ein peinliches Schweigen, das mein Vater nur einmal mit der Bemerkung unterbrach: »Brotkügelchen bei Tische zu rollen ist eine schlechte Angewohnheit.« Gut! mir lag gewiß nichts daran, Brotkügelchen zu rollen! Endlich kam der Inspektor, füllte das Zimmer mit dem Geruch seiner Transtiefel und sprach von Dünger, von russischen Arbeitern, vom Vieh, von lauter friedlichen Dingen, die da draußen im Mondenschein schliefen. Zerstreut hörte ich zu und blinzelte schläfrig in das Licht. »Geh schlafen«, sagte mein Vater. »Gute Nacht. Und morgen wünsche ich ein liebenswürdigeres Gesicht zu sehn.« – Ich auch, dachte ich ingrimmig.

Meine Stube lag am Ende des Hauses. Ich hörte nebenan in der leeren Zimmerflucht das Parkett knacken. Die Heimchen schrillten, als feilten eifrige kleine Wesen an feinen Ketten. Meine Fenster gingen auf den Garten hinaus und standen weit offen. Die Lilien leuchteten weiß aus der Dämmerung. Der Mond war höher gestiegen und warf durch die Zweige der Kastanienbäume gelbe Lichtflecken auf den Rasen. Unten im Parkteich quarrten die Frösche. Und dann drang noch ein Ton zu mir, dort aus dem Dunkel der Alleen, eine tiefe Mädchenstimme, die ein Lied sang, eine eintönige Folge langgezogener Noten. Die Worte verstand ich nicht, aber jede Strophe schloß mit »Rai-rai-rah-r-a-h«. Das klang einsam und traurig in die Sommernacht hinaus. Ich mußte wirklich

weinen. Es tat mir wohl, dabei das Gesicht zu verziehn wie als
Kind. Dann legte ich mich zu Bett und ließ mich von der fernen
Stimme im Park in den Schlaf singen: »Rai-rai-r-a-h.« –

Ich hatte den Tisch an das Fenster gerückt und die Bücher aufgeschlagen; denn es war Studierzeit, wie mein Vater es zu nennen
liebte. Draußen sengte die Sonne auf die Blumenbeete nieder. Der
Duft der Lilien, der Rosen drang heiß zu mir herein, benahm mir
den Kopf wie ein sehr süßes, warmes Getränk. Dabei leuchtete
alles so grell. Die Gladiolen flammten wie Feuer, die Scholtias
waren unerträglich gelb. Der Kies flimmerte. Alle standen sie unbeweglich in der Glut, müßig und faul unter dem schläfrigen
Summen, das durch die Luft zog. Mir wurden die Glieder schlaff.
Das Buch vor mir atmete einen unangenehmen Schulgeruch aus.
Nicht einmal denken konnte ich: selbst die Träume wurden un-
deutlich und schläfrig. Gerda – Gerda – dachte ich. Ja, dann kam
das angenehm gerührte Verliebtheitsgefühl in der Herzgrube. Ach
Gott! mir fallen die Augen zu! Nichts geschieht. Etwas muß doch
kommen, etwas von dem, was da draußen hinter der warmen
Stille steckt, etwas von den Heimlichkeiten. Plötzlich fielen mir
Geschichten ein, die wir uns in der Klasse erzählten, wenn wir die
Köpfe unter die Bänke steckten, weil wir herausplatzen mußten
mit dem Lachen. Ach nein – pfui! häßlich! Also »Gerda« – Der
Kies knirschte. Langsam ging das Hausmädchen Margusch am
Fenster vorüber. Vorsichtig setzte sie die nackten Füße auf den
Kies, als fürchtete sie, er sei zu heiß. Sie wiegte sich träge in den
Hüften. Die Brüste stachen in das dünne Zeug des weißen Kami-
sols. Das Gesicht war ruhig und rosa. Die Arme schaukelten
schlaff hin und her. Teufel! Wohin mochte die gehn? Ach, die ging
gewiß auch zu den Heimlichkeiten, die draußen in der Mittagsglut
liegen und schweigen und an denen nur ich keinen Anteil habe!

Konrad kam. »Ankleiden«, sagte er, »wir fahren nach Warnow.«

»Hat er's gesagt?«

»Wie denn nich'.«

»Wie fahren wir?«

»Jagdwagen und die Braunen.«

Unterwegs war es so staubig, daß mein Vater und ich die Ka-
puzen unserer Staubmäntel über den Kopf ziehn mußten. Ganz
eingehüllt waren wir in die warme, blonde Wolke, die leicht nach
Vanille roch und unleidlich in der Nase kitzelte. Ich wunderte
mich, daß mein Vater heiter darüber lachte. Er sprach viel, kameradschaftlich, fast sympathisch: »Was? Antigone hast du studiert?

Na, die wird dir heute auch ledern vorgekommen sein. Bei diesen Damen kommt es doch auch auf Beleuchtung an, und Mittagssonne, die ist gefährlich. Was?« Was war es mit ihm heute? Freute er sich am Ende auch auf Warnow? Links und rechts flimmerten die Kornfelder. Der Klang der Sensen drang herüber. Arbeiter, die Gesichter von Hitze entstellt, standen am Wegrain und grüßten. »Arme Racker!« sagte mein Vater. Nun bemitleidete er sogar die Arbeiter!

Vom Hügel aus sahen wir Warnow vor uns liegen: die Lindenallee, das weiße Haus zwischen den alten Kastanienbäumen, die weiß und roten Jalousien niedergelassen, alles in kühle grüne Schatten gebettet. Es wehte ordentlich erfrischend in unsere Sonnenglut herüber, als ob Ellita mit ihrem großen schwarzen Federfächer uns Luft zufächelte.

In Warnow war alles, wie es sein mußte. Ein jedes Zimmer hatte noch seinen gewohnten Geruch. Der Flur roch nach Ölfarbe und dem Laub der Orangenbäume, die dort standen, der Saal nach dem von der Sonne gewärmten Atlas der gelben Stühle, das Bilderzimmer nach der Politur des großen Schrankes, und bei der Tante roch es nach Melissen und Kamillentee. Die Tante lag auf ihrer Couchette. Sie trug ihren weinroten Morgenrock, die Perlenschnur um den unheimlich weißen Hals. Das Gesicht war mager, freundlich, weiß von Poudre de riz, das rotgefärbte Haar sehr hoch aufgebaut. Neben ihr auf dem Tischchen stand die Alt-Sèvre-Tasse mit ein wenig Kamillentee darin.

»Da bist du, mein lieber Gerd«, sagte die Tante mit ihrer klagenden Stimme, »Gott sei Dank! jetzt werde ich ruhig. Du wirst Ordnung schaffen.« Mein Vater behielt die Hand der Tante in der seinen und nickte zerstreut. »Ach«, fuhr die klagende Stimme fort, »ich, ein einsames altes Frauenzimmer, was kann ich tun? Da ist auch mein kleiner Bill«, wandte sie sich an mich, »armer Jung, muß zu uns in die Einsamkeit. Aber quält ihn nicht. Nur nicht quälen!« Dann wurde von der Landwirtschaft gesprochen. Ich durfte Chéri, das Hündchen der Tante, streicheln. »Heute ist Chéris Geburtstag –«, erzählte sie, »ich habe einen Kringel backen lassen, und alle großen Hunde haben auch davon bekommen. Er wird acht Jahre alt. Ja, wir werden alt. Bill, willst du nicht hinausgehn zu den anderen? Die Marsowschen sind auch da. Jugend will zu Jugend. Was sollst du hier bei einer alten, kranken Frau. Gerd, willst du nicht auch die Mädchen begrüßen? Später haben wir viel miteinander zu sprechen. Ja – geht – geht.«

Unten auf dem Tennisplatz fanden wir die anderen. Die Mädchen in hellen Sommerkleidern, die Tenniskappen auf dem Kopf, ganz von wiegendem Blätterschatten umschwirrt.

»Oho, Bill!« rief Gerda und schwenkte ihr Rakett. Alles glänzte an ihr wieder zart und farbig. Ellita stand sehr aufrecht da und schaute uns entgegen. Als mein Vater ihre Hand küßte, wurde sie ein wenig blaß und blinzelte mit den Wimpern. Dann lachte sie nervös und griff mir in das Haar: »Da ist ja unser großer fauler Junge«, sagte sie. Das mit dem faulen Jungen war taktlos. Aber wenn Ellita einem in die Haare faßte, so war das doch eigen. Die beiden Marsowschen Mädchen, in rosa Musselinkleidern mit goldenen Gürteln, waren wieder zu rosa. Dazu die blonden Wimpern, wie bei Ferkelchen. Mein Vater machte Witze, über die alle lachten. Er hatte es leicht, Witze zu machen! »Komm«, sagte Gerda mir leise. Sie lief mir voran die Kastanienallee hinunter. In der Fliederlaube setzte sie sich auf die Bank, ein wenig atemlos, sie hustete, dabei wurden ihre Augen feucht und rund, und sie lächelte dann so hilflos: »Gut, daß du da bist, Bill«, sagte sie. Wir schwiegen. »Warum sprichst du nicht?« fragte sie dann. »Ach ja! es ist schade, daß du dein Examen nicht gemacht hast. Warum konntest du auch nicht lernen?« Das empörte mich: »Hast du mich gerufen, um davon zu sprechen?« Gerda erschrak.

»Nein, nein. Es ist ja ganz gleich. Aber weißt du, der Vetter Went kommt.«

»So? Na gut«, warf ich hin.

»Freust du dich?«

Ich zuckte die Achseln: »Ich liebe solche hübsche Männer nicht.«

Das ärgerte wieder Gerda: »Das finde ich dumm«, sagte sie und errötete, »er kann doch nichts dafür, daß er hübsch ist. – Er – er soll Ellita heiraten.«

»Oh!«

»Ja, es ist alles hier so unverständlich. Ellita ist böse und traurig. Und ich weiß nicht ... Vielleicht kannst du etwas lustig sein. Nimm dich recht zusammen.« Damit lief sie wieder die Allee hinab. Die Füße in den gelben Stiefelchen spritzten den Kies um sich, sorglos wie Kinderfüße. Die blaue Schärpe flatterte im Winde. Den Nachmittag über mußten wir mit den Marsowschen Tennis spielen. Angenehm wurde es erst, als die Sonne unterging. Ich spazierte mit den Mädchen langsam an den Blumenbeeten entlang und machte sie lachen. Am Gartenrande blieben wir stehn und sahen über die Felder hin. Rotes Gold zitterte in der Luft. Der Duft von reifem Korn, blühendem Klee wehte herüber. Die blauen Augen der Mädchen wurden im roten Lichte veilchenfarben. Die

Marsowschen Mädchen ließen in tiefen Atemzügen ihre hohen Busen auf- und abwogen und sagten: »Nein – sieh doch!« Ihre Mieder krachten ordentlich; denn sie trugen noch hohe, altmodische Mieder. Gerda lächelte die Ferne an. Ich wollte etwas Hübsches sagen, aber wo nimmt man das gleich her! Durch die Kornfelder kamen Ellita und mein Vater gegangen. Ellita ohne Hut unter ihrem gelben Sonnenschirm. Mein Vater sprang über einen Graben wie ein Knabe. Ellita beschäftigte sich mit der Landwirtschaft und hatte meinem Vater wohl die Felder gezeigt.

Beim Mittagessen trank ich etwas mehr von dem schweren Rheinwein als sonst. Das Blut klopfte mir angenehm in den Schläfen, als ich später draußen auf der Veranda saß. Die Nacht war sternhell. Alle Augenblicke lief eine Sternschnuppe über den Himmel und spann einen goldenen Faden hinter sich her. Fledermäuse, tintenschwarz in der Dämmerung, flatterten über unseren Köpfen. Aus der Ferne kamen weiche, schwingende Töne. Die Mädchen saßen vor mir in einer Reihe und hielten die Arme um die Taillen geschlungen, helle Gestalten in all dem Dunkel. Schön, schön! Ich hatte das Gefühl, Emmy Marsow sei in mich verliebt, und Gerda – Gerda auch; alle. Warum bestand nicht die Einrichtung, daß man in solchen Sommernächten die Mädchen in die Arme nehmen durfte und küssen.

Ellita kam aus dem Hause. Sie blieb einen Augenblick stehn, aufrecht und weiß. »Bill«, sagte sie dann, »komm mit mir ein wenig in den Garten hinunter, es ist so schön.«

»Gut!« erwiderte ich ein wenig verdrossen. Sie legte ihren Arm um meine Schultern und faßte meinen Rockaufschlag, was mich daran erinnerte, wie klein ich für meine achtzehn Jahre war. So gingen wir zwischen den Lilienbeeten den Weg hinunter. Ellitas Arm lag schwer auf meiner Schulter. Ich glaubte zu spüren, wie das Blut sich in ihm regte. Lieber wäre ich eigentlich auf der Veranda geblieben. Ellita war nie recht gemütlich. Jetzt aber begann ich langsam die Hand, die meinen Rockaufschlag hielt, zu küssen. Ellita sprach schnell, ein wenig atemlos von gleichgültigen Dingen: »Gut, daß du diesen Sommer bei uns bist. Auch für Gerda. Sie ist so einsam. Wir reiten zusammen aus, nicht? Denk dir, den Talboth darf ich nicht mehr reiten, er ist so unsicher geworden.«

Über dem Gerstenfelde auf dem Hügel stieg eine rote Mondhälfte auf, es war, als schwimme sie auf den feinen schwarzen Grannen: »Das ist schön«, meinte Ellita; »machst du noch Gedichte? Ach ja, das mußt du.« Während sie zum Monde hinüberschaute, blickte ich in ihr Gesicht. Es mußte sehr bleich sein; denn die Augen erschienen ganz schwarz und glitzerten in dem spärlichen Lichte.

Schritte hörte ich hinter uns. Ellitas Arm auf meiner Schulter zitterte ein wenig. Der Duft einer Zigarre wehte herüber, dann hörte ich meinen Vater sagen: »Ah, ihr laßt euch vom Monde eine Vorstellung geben.«

»Ja, er ist so rot«, erwiderte Ellita, ohne sich umzuschauen.

Als wir den Weg zurückgingen, schritt mein Vater neben uns her. Ich hätte mich gern zurückgezogen, die Lebenslage verlor für mich an Reiz, allein Ellita hielt meinen Rockaufschlag fester als vorher. Ich sollte also bleiben. Mein Vater zog die Augenbrauen empor und sog schweigend an seiner Zigarre.

»Wie stark die Lilien duften«, bemerkte Ellita.

Da begann er zu sprechen. Seine Stimme hatte heute einen wunderlichen Celloklang, den ich bisher nicht bemerkt hatte, so etwas wie eine schwingende Saite. »Hm – ja. Sehr hübsch – alles sehr hübsch. Weich und süß. Nur – so süße Watte ist mir immer ein wenig verdächtig.«

»Süße Watte, wieso?« fragte Ellita gereizt.

Mein Vater lachte, nicht angenehm, wie mir schien: »Hm! Sommernacht und Lilien und Einsamkeit, das ist ja schön; aber, mir, auf meinen Reisen, geht es so, wenn's ganz weich und süß um mich wird, dann denke ich an das Packen. Ich fürchte mich davor, mich zu versitzen, nicht weiter zu wollen, verstehst du? Man läßt sich gern von dem, was einen etwas glücklich macht, überrumpeln. An allem, was uns binden will, glaube ich, müssen wir ein wenig herumzerren, um zu sehen, ob wir nicht zu fest gebunden sind. Nicht?«

»Nein«, sagte Ellita hart. Ich hörte ihrer Stimme an, daß sie böse war. Warum? Gleichviel. Ich nahm jedenfalls leidenschaftlich für sie gegen meinen Vater Partei: »Nein. Ich behalte, was ich habe. Wenn es auch häßlich ist – oder meinetwegen gestohlen, wenn es mich ein bißchen glücklich macht... Ein anderes? weiß ich denn...?« Es war, als könne sie vor Erregung nicht weitersprechen. Sie stützte sich schwerer auf mich; ich spürte, wie dieser Mädchenkörper von einem innerlichen Schluchzen sachte geschüttelt wurde. Ich hätte mitweinen mögen. Mein Herz klopfte mir bis in die Kehle hinauf.

Mein Vater sann vor sich hin, dann sprach die wunderlich schwingende Stimme weiter: »Ich habe einen guten Freund in Konstantinopel, einen Türken. Der sagte mir, wenn er ein Pferd

ganz zugeritten hat, wenn er es ganz in seiner Hand hat, dann
gibt er es fort und nimmt sich ein frisches. Zugerittene Pferde,
an die man sich gewöhnt hat, meint er, sind gefährlich. Man wird
unaufmerksam, und dann passiert ein Unglück.«

»Er ist sehr vorsichtig, dein alter Türke«, meinte Ellita.

». . . Ja – hm«, mein Vater schlug einen leichtern Ton an, »er
scheint dir nicht sympathisch zu sein, mein Türke? Aber richtig
ist es, das Im-Zügel-Halten ist doch ein Genuß. Und das verstehen
die Frauen so schön, ihr – unsere Frauen. Gut, was wild ist, läßt
man eine Weile laufen und dann – ein Ruck – und es steht still,
und es geht wieder, wie *wir* wollen . . .«

»Wie kannst du das sagen!« Ellita schüttelte leidenschaftlich
meinen Rockaufschlag. »Du glaubst, wenn du immer wieder sagst,
ihr – könnt das, ihr seid solche herrliche Wesen, es ist eure Eigen-
tümlichkeit, so zu sein – dann – dann werden wir so, wie du
willst, dann tun wir, was du willst. Und wenn wir dann zu gefügig werden –; was – dann? wie sagt der alte Türke –?«

»Ellita«, unterbrach mein Vater sie hastig, dann lachte er gezwungen laut: »Ich denke, wir wollen uns über diese Philosophie
nicht ereifern. Ich werde nicht so bald mehr deine Lilien angrei-
fen. Übrigens ist es spät; Bill, geh und laß anspannen.«

Als ich mich von den beiden trennte, hörte ich deutlich, wie
Ellita sagte: »Gerd, warum quälst du mich?«

Auf dem Heimwege sprachen wir kein Wort miteinander. Die
Nacht hatte ihr einsames Singen in den Feldern und an den Was-
sern. Das Land lag farblos im Mondlichte da. Mir war, als hätte
ich etwas Schmerzliches erlebt. Zu Hause kroch ich zu Bette, sehr
schnell, als wollte ich mich vor etwas flüchten. Unten im Park
sang wieder die Mädchenstimme ihr »Rai-rai-rah«. Nebenan hörte
ich das Parkett knarren. Es war mein Vater, der ruhelos durch die
mondbeschienene Zimmerflucht auf und ab schritt.

Nach jenem mir so unverständlichen Gespräch mit Ellita war
mein Vater mir zwar nicht sympathischer, aber interessanter geworden. Ich sah ihn mir den nächsten Tag besonders genau an.
Er war ein wenig gelber in der Gesichtsfarbe, an den Augen zeigten sich die feinen Linien deutlicher. Sonst war er wie immer.
Keine Spur von Celloklang in der Stimme. Beim Frühstück fragte
er Konrad: »Wer singt da des Nachts unten im Garten?«

»Ach«, meinte Konrad, »das is nur die Margusch, das Hausmädchen.«

»Was hat die des Nachts zu singen?«

Konrad lächelte verachtungsvoll: »Das is so 'ne melancholische

60

Person. Sie ging mit dem Gartenjungen, nu' is der auf dem Vorwerk, hat woll 'ne andere gefunden. Nu is die Margusch toll.«

Mein Vater winkte mit der Hand ab, was soviel hieß als: »Das ist ja gleichgültig.« Ich mußte darüber nachdenken. Um alle, auch um die Hausmädchen, spannen sich diese sommerlich verliebten Dinge, die uns unruhig machen und des Nachts nicht schlafen lassen.

Am Nachmittage ging ich auf das Feld und legte mich auf ein Stück Wiese, das wie eine grüne Schüssel mitten in das Kornfeld eingesenkt lag. Die glatten Wände aus Halmen dufteten heiß und stark. Um mich summte, flatterte und kroch die kleine Geschäftigkeit der Kreatur. Ich schloß die Augen. Gab es denn nichts Verbotenes, das ich unternehmen konnte? Das geschähe meinem Vater schon recht, wenn ich einen ganz tollen Streich beginge. Zügeln, sagte er, das Wilde zügeln. Ich möchte wissen, was ich zügeln soll, wenn ich so abgesperrt werde? Nun kommt noch dieser Went. Die Mädchen sind immer um ihn herum, ekelhaft! Gerda machte ein besonderes Gesicht, als sie von ihm sprach. Unruhig warf ich mich auf die andere Seite. In der Nacht mußte etwas unternommen werden, wobei man aus dem Fenster steigt, Bier trinkt, zum Raunen der Sommernacht gehört.

Auf der Landstraße klapperten Pferdehufe. Ich spähte durch die Halme. Mein Vater und Ellita ritten dem Walde zu; sie im hellgrauen Reitkleide, den großen weißen Leinwandhut auf dem Kopfe. Sitzen kann die auf dem Pferde! Stunden könnte man sie ansehn. Ich wollte, ich wäre der dumme Went. Ob das immer so mit den Weibern ist, daß, wenn wir sie ansehn, es uns die Kehle zusammenschnürt, als müßten wir weinen? Mein Vater, der wird sich nicht versitzen. Immer ein Mädchen wie Ellita zur Seite und in den Wald geritten, keine Gefahr, daß der sich langweilt. Ich wollte gleich zu Edse, dem kleinen Hilfsdiener, gehn, der mußte sich für die Nacht etwas ausdenken.

Edse saß am Küchenteich, hatte Schuh und Strümpfe ausgezogen und kühlte seine Füße im Wasser.

»Du, Edse, können wir heute nacht nicht etwas tun?«

»Was denn, Grafchen?« Edse bog seinen großen blonden Kopf auf die Seite und blinzelte mit den wasserblauen Augen.

»Irgendwas. Ich steig' zum Fenster hinaus. Er merkt's nicht.«

Edse dachte nach: »Wenn kein Wind is, kann man Fische stechen auf dem See.«

Das war es: »Gut, und Bier muß dasein – und – und, werden auch Mädchen dasein?«

Edse spritzte ernst mit den Füßen das Wasser um sich: »Nee —«, meinte er, »beim Fischestechen sind keine Mädchen. Der Krugs-Peter und ich.«

»Gut, gut. Ich weiß«, sagte ich befangen.

Es ging bereits auf Mitternacht, als ich aus meinem Fenster in das Freie hinausstieg. Der Himmel war leicht bewölkt, die Nacht sehr dunkel. Wie ein warmes, feuchtes Tuch legte die Luft sich um mich. In den Kronen der Parkbäume raschelte der niederrinnende Tau und flüsterte heimlich. Ein Igel ging auf die Mäusejagd den Wegrain entlang. Eine Kröte saß mitten auf dem Fußpfad und machte mir nicht Platz. Alles nächtliche Kameraden des Abenteurers. Vom See her leuchtete ein flackerndes Licht. Edse und Peter waren schon bei dem Boot und machten Feuer an auf dem Rost. Ich ging quer durch ein feuchtes Kleefeld, dann durch einen Sumpf, in dem jeder Schritt quatschte und schnalzte. Das war gut, das gehörte dazu.

»Aha«, sagte Edse und wischte sich mit dem Ärmel die Tränen fort, die der Rauch ihm in die Augen getrieben hatte. »War woll nich leicht, wegzukommen?«

»Ja, es dauerte«, sagte ich kühl. Edsens Vertraulichkeit mißfiel mir: »Nun können wir losfahren.«

Peter stieß mit einer langen Stange das Boot lautlos über das Wasser. Edse und ich standen mit unseren Dreizacken am Bootsrande und lauerten auf die Fische. Das Feuer auf dem Rost an der Bootsspitze erfüllte die Luft mit Rauch und Harzgeruch. Lange Schwärme von Funken zogen über das schwarze Wasser, zischten und flüsterten beständig. Wir schwiegen alle drei, sehr aufmerksam in das Wasser starrend. Wunderlich war die Glaswelt unten in den fetten Moosen, den fleischfarbenen Stengeln, dem lautlosen Ab-und-zu langer Beine, dünner, sich schlängelnder Leiber. Zwischen den Schachtelhalmen zogen die Karauschen hin, breite, goldene Scheiben. Wo es klar und tief war, lagen die Schleien tintenschwarz im schwarzen Wasser: »Fettes Schwein«, sagte Edse, wenn er einen am Eisen hatte. Nahe dem Ufer aber, auf dem Sande, schliefen die Hechte, lange, silbergraue Lineale. Ein angenehmes Raubtiergefühl wärmte mir das Herz. Wenn wir in das Röhricht gerieten, dann rauschte es an den Flanken des Bootes, als führen wir durch Seide, und hundert kleine, erregte Flügel umflatterten uns. Ein Taucher erwachte und klagte leidenschaftlich. Edse und Peter kannten das alles, sie waren Stammgäste in dieser wunderlichen Nachtwelt: »Aha, die Rohrschwalben«, sagte Edse. »Na, na, geht nur wieder schlafen, kleine Biester. Was schreit der Taucher heute so, als wenn einer ihm seine Mutter abschlachtet?« Plötzlich wurde das Wasser von unzähligen Punkten getrübt. »Es regnet«, meldete Peter. »Nicht lange«, entschied Edse. Das Boot wurde unter eine überhängende Weide gestoßen, wir legten die Eisen fort und begannen zu trinken. Selbst das Bier schmeckte nach Rauch und Harz. Edse sprach von den Fischen, blinzelte in das Feuer, und wenn er trank, wurden seine Augen klein und süß. Zuweilen horchte er in die Nacht hinaus und deutete die Geräusche: »Das is der Kauz. Jetzt bellen die Hunde am schwarzen Krug. Die fremden Arbeiter gehn jede Nacht zu den Marjellen.« Ich war ein wenig enttäuscht. Das Fischestechen war ja gut; aber es sollte doch noch etwas Besonderes kommen. Jetzt gähnte Peter, seinen Ho-ho-ho-Laut auf den See hinausrufend. Nein, so ging es nicht. Ich begann schnell zu trinken. Das half. Ein leichter Schwindel wiegte mich. Die Gegenstände nahmen eine wunderliche Deutlichkeit an, rückten mir näher; die schwarzen Zweige, der Frosch auf dem Blatt der Wasserrose. Dabei hatte ich das Gefühl, als säße ich hier in einer gewagten und wüsten Lebenslage. Wenn Gerda mich so sähe, ihre Augen würden ganz klar vor Verwunderung werden. Mit der mußte ich auch anders sprechen, sie war doch auch nur ein Weib: »Warum sprecht ihr nicht? Erzählt was!« befahl ich.

Edse grinste. »Ja«, begann er langsam, »morgen wird's wieder gut, das Wetter.«

»Nicht so was«, unterbrach ich ihn und spie mit einem Bogen in den See, »was anderes. Sag, was ist denn die Margusch für 'ne Person?«

»Dumm is sie«, meinte Edse.

Peter kicherte: »Da wollt' ich mal heran zu ihr...«, aber Edse unterbrach ihn: »Das wollen Herrschaften nich' hören.« Hören wollte ich es zwar, allein ich sagte nichts. Der Regen hatte aufgehört. Wir griffen zu den Eisen. Aber die Glieder waren mir schwer, und die Fische wurden mir gleichgültig. Auch kroch schon eine weiße Helligkeit über das Wasser und machte es spiegeln: »Ans Ufer!« kommandierte ich.

Während ich am Ufer auf einem Baumstumpf saß und zuschaute, wie die Jungen die Fische zählten, merkte ich, daß ich anfing traurig zu werden. Wie die Nacht sich langsam erhellte, wie sie anfing grau und durchsichtig zu werden und die Gegenstände farblos und nüchtern dastanden, das war mir unendlich zuwider. »Jetzt noch was«, sagte ich mit Anstrengung. »So?« meinte Edse und gähnte. »Gähne nicht«, befahl ich, »dazu bin ich nicht hergekommen. Zu Mädchen gehen wir.« Die Jungen schauten sich schläfrig an. Ich hätte sie schlagen mögen.

»Na, dann gehen wir zum Weißen Krug. Die Marrie und die Liese schlafen im Heu«, beschloß Edse gleichmütig.

Wir schritten quer durch den Wald, schlichen gebückt durch das Unterholz, das seine Tropfen auf uns niederregnete, die Farnwedel schlugen naß um unsere Beine. Das war heimlich, das gab wieder Stimmung. Jetzt noch durch einen Kartoffelacker, dann lag der Weiße Krug vor uns auf der Höhe der Landstraße. Sehr still schlief er in dem grauen Lichte des heraufdämmernden Morgens, selbst grau und schäbig. An dem Gartenzaun entlangkriechend, gelangten wir zum Stall: »Rauf«, sagte Edse und wies auf die Leiter, die zum Futterboden hinaufführte.

Oben war es finster und warm. Das Heu duftete stark. Überall knisterte es seidig: »No«, sagte Edse wieder. Vor mir lagen zwei dunkle Gestalten. Also die Mädchen. Ich setzte mich auf das Heu am Boden. Das Blut sang mir in den Ohren. Die Augen gewöhnten sich an die Dämmerung. Die Jungen raschelten im Heu und flüsterten. Jetzt mußte ich etwas tun. Ich streckte die Hand aus und ergriff einen heißen Mädchenarm. Das Mädchen richtete sich schnell auf, griff nach meiner Hand, befühlte langsam jeden Finger. Dann kicherte sie, ich hörte, wie sie dem anderen Mädchen zuflüsterte: »Du, Liese, der Jungherr.« Nun hockten beide Mädchen vor mir, große, erhitzte Gesichter, von weißblonden Haaren umflattert, die nackten Arme um die Knie geschlungen. Sie sahen mich mit runden, wasserblauen Augen an und lachten, daß die Zähne in der Dämmerung glänzten. »Was der für Hände hat!« sagte Marrie. Nun griff auch Liese nach meiner Hand, befühlte sie, betrachtete sie wie eine Ware und legte sie dann vorsichtig auf mein Knie zurück. »Sei nicht dumm, komm«, sagte ich mit heiserer Stimme. Aber sie entzog sich mir: »Es is Zeit, runterzugehn«, meinte sie.

Raschelnd, wie die Wiesel, schlüpften die Mädchen durch das Heu und glitten die Leiter hinunter.

»Es ist zu hell, da sind die Biester unruhig«, behauptete Edse.

»Sie haben den Jungherrn an den Händen erkannt«, meinte Peter und gähnte wieder sein lautes Ho-ho: »Muß man auch runter.«

Unten im kleinen Garten standen die Mädchen zwischen den Kohlbeeten. Sie traten von einem Fuß auf den anderen; denn die nackten Füße froren in dem taufeuchten Kraut. Die Arme kreuzten sie über den großen, runden Brüsten und sahen mich ernst und neugierig an.

»Stehn wie so 'n Vieh«, äußerte Edse. Da ging Marrie zu einem umgestürzten Schiebkarren, wischte mit ihrem Rock den Tau fort und sagte: »So, hier kann der Jungherr sitzen.«

Ich thronte auf dem Schiebkarren. Peter hatte angefangen, mit Liese zu ringen. Sie fielen zu Boden und wälzten sich auf dem nassen Grase. »Er ist nicht schläfrig«, bemerkte Marrie zu Edse und deutete auf mich, wie man von einem Kinde in seiner Gegenwart zu einem Dritten spricht. Dann brach sie einige Stengel Rittersporn und Majoran ab. »Da«, sagte sie, »damit Sie auch was haben.« Als ich meine Hand auf ihre Brust legen wollte, trat sie zurück und lächelte mütterlich.

Peter und Liese hatten sich durch den Garten gejagt und waren hinter dem Holzschuppen verschwunden. Marrie wandte sich jetzt ruhig ab und ging, die Füße hoch über die Kohlpflanzen hebend, ihnen nach. Dann war auch Edse fort. Hinter dem Schuppen kicherten sie. Es wurde schon ganz hell, solch eine nüchterne, strahlenlose Helligkeit, die müde macht. Über mir sangen die Lerchen in einem weißen Himmel unerträglich schrill und gläsern. Ich fühlte mich sehr elend und allein mitten unter den Kohlpflanzen. Ein großer Zorn stieg schmerzhaft in mir auf; aber ein Zorn, wie wir ihn als Kind empfinden, wenn wir am liebsten die Hände vor das Gesicht schlagen und weinen. Ich stand auf und schlich mich durch den aufdämmernden Morgen heim.

Vetter Went war in Warnow angekommen. Von der kleinen Wiese im Gerstenfelde aus sah ich ihn, Ellita und meinen Vater wie eine Vision von bunten Figürchen fern am Waldessaum entlangreiten. Ich war so gut wie vergessen, an mich dachte niemand. Dann kam Went eines Tages zum Frühstück herübergeritten. Ich liebte ihn nicht sonderlich. Er war von oben herab mit mir und nannte mich Kleiner. Dennoch war es angenehm, ihn anzusehen. Die scharfen, ruhigen Züge hatten etwas Festliches. Dazu das krause, blonde Haar, der ganz goldene Schnurrbart. Es mußte etwas wert sein, mit dieser Figur und diesem Gesichte am Morgen aufzustehn, sie den ganzen Tag über mit sich herumzutragen, nachts damit schlafen zu gehn. Mit dieser Figur und diesem Gesicht konnte keiner sich ganz gehnlassen. »Also durchgefallen?« sagte er mir. »Na, so beginnen wir alle unsere Karriere.«

Während des Essens sprach er mit meinem Vater über militärische Sachen. Mein Vater war heute besonders ironisch. Er widersprach Went beständig, setzte ihn mit kurzen Warums und Wiesos in Verlegenheit und lachte unangenehm. Wents: »Nein, bitte sehr, lieber Onkel!« klang immer gereizter und hilfloser!

Später ging ich mit Went die Gartenallee hinab. Wir schwiegen. Went köpfte mit seiner Reitgerte die roten Phloxblüten.

»Er hat was gegen mich«, murmelte er endlich.

»Ja, natürlich«, erwiderte ich, »gegen mich auch. So ist er immer.«

»Gegen dich?« Went lachte: »Ja so, wegen des Nachlernens.«

Das ärgerte mich: »Dir kann es gleich sein; aber ich bin in seiner Macht. Hier eingesperrt zu werden wie ein Kanarienvogel, ist lächerlich. Er ist ja gewiß ein feiner, patenter Herr; aber er denkt nur an sich. Die anderen liebt er nicht, wenn – wenn es nicht zufällig Damen sind.«

Went schaute überrascht auf: »Na, Kleiner, du machst dir keine Illusionen über deinen Erzeuger. Du hast übrigens unrecht. Hier ist es hübsch.«

Ich zuckte die Achseln: »Ach, so 'ne süße Watte.«

»Süße Watte? Wo hast du das her?« bemerkte Went.

Nach einigen Tagen sagte mein Vater mir beim Frühstück: »Wir fahren heute nach Warnow. Deine Cousine Ellita hat sich mit Went verlobt. Heute ist Verlobungsdiner.«

Ich brachte nur ein »Ach wirklich?« hervor.

Mein Vater beugte sich über seinen Teller und murmelte: »Wieder ist das Filet hart – ja«, fügte er dann hinzu: »Ein freudiges Ereignis. Ich freue mich.«

Er sah heute müde aus, aber das stand ihm gut. Er bekam dadurch einen fein unheimlichen Römerkopf. Behaglich war es nicht, ihm gegenüberzusitzen, aber nicht alltäglich. Es war etwas an ihm, das neugierig machte.

Daran dachte ich, als ich im Wohnzimmer mich auf dem Diwan ausstreckte. Die grünen Vorhänge waren vor der Mittagssonne zurückgezogen. Die Fliegen kreisten summend um den Kronleuchter. Die Blumen welkten in den Vasen. Draußen kochte der Garten in der Mittagsglut. Ich hörte es ordentlich durch die Vorhänge hindurch, wie das leise Singen eines Teekessels. Ich schloß die Augen. Heute war wenigstens etwas Angenehmes vor. Ich dachte an Gerda, ließ das schöne Liebesgefühl mir sanft das Herz kitzeln. Dann standen die beiden Krugsmädchen deutlich vor mir – in den graublauen Kohlpflanzen, die Haare voller Halme, und gleich darauf war es wieder Ellita, sie legte ihren warmen, königlichen Arm um meine Schultern und duftete nach Heliotrop. Ach ja, alle diese Mädchen, diese lieben Mädchen! Die Welt ist voll von ihnen! Das ließ mich tief und wohlig aufatmen.

Ich fuhr aus dem Halbschlummer auf. Es mußte Zeit sein, sich anzukleiden. Die tiefe Ruhe im Hause war mir verdächtig. Daß die Fahrt nur nicht in Vergessenheit gerät! Ich beeilte mich mit dem Ankleiden, lief in den Stall, um Kaspar anzutreiben. Ich war froh, als der Wagen vor der Tür hielt. Konrad stand auf der Treppe und sah nach der Uhr.

»Kommt er?« fragte ich.

»Fertig is er«, meinte Konrad.

So warteten wir. Die Pferde wurden unruhig. Kaspar gähnte.

»Er hat's vergessen«, bemerkte ich.

Konrad zuckte die Achseln: »Gemeldet hab' ich. Noch 'n mal geh' ich nicht.«

»Dann geh' ich«, beschloß ich.

Ich lief zu dem Arbeitszimmer meines Vaters, öffnete zaghaft die Türe und blieb regungslos stehen. Dort geschah etwas Unerklärliches. Mein Vater, in seinem Gesellschaftsanzuge, saß am Schreibtisch auf dem großen Sessel. Er stützte die Ellbogen auf die Knie, barg das Gesicht in die Hände, wunderlich in sich zusammengekrümmt, und weinte. Ich sah es deutlich – er weinte; die Schultern wurden sachte geschüttelt, die Stirn zuckte, das Haar war ein wenig in Unordnung geraten, der Saphir an dem Finger der über das Gesicht gespreizten Hand leuchtete in einem Sonnenstrahl, der sich durch den Vorhang stahl. Angst erfaßte mich, eine Angst, wie wir sie im Traum empfinden, wenn das Unmögliche vor uns steht. Ich zog mich zurück und schloß leise die Türe. Vor der Türe stand ich still. Ich fühlte, wie meine Mundwinkel sich verzogen, als müßte auch ich weinen.

»Er kommt schon«, meldete ich draußen.

»Wie sehen Sie denn aus, Jungherr?« fragte Konrad.

»Ich sehe aus, wie ich will«, antwortete ich hochmütig.

Ich setzte mich auf die Treppenstufen und sann dem Bilde nach, das ich eben gesehen hatte. Hier lag wieder alles unverändert alltäglich im gelben Sonnenschein vor mir, und dort drinnen saß die in sich zusammengekrümmte Gestalt mit den tragisch über das Gesicht gespreizten Händen. Etwas Unbegreifliches war in der Verschwiegenheit der Mittagsstunde entstanden.

Dann kam mein Vater, in seinen weißen Staubmantel gehüllt, das Gesicht ein wenig gerötet vom Waschen: »Du schimpfst wohl schon«, sagte er lustig. Auf der Fahrt unterhielt er mich liebenswürdig. Er sprach ernsthaft mit mir über Familienangelegenheiten. Er freute sich über die gute Partie, die Ellita machte. Für eine starke Natur wie Ellita war es ungesund, Jahr für Jahr in der ländlichen Einsamkeit zu sitzen und sich in den kleinen Verhält-

67

nissen abzumühen. Solche Frauen müssen mitten in der großen
Welt auf hohen, kühlen Postamenten stehen, sonst wird ihr Ge-
mütsleben krank.

In Warnow saß die Tante in großer Toilette unter ihren Gästen
auf der Veranda; neben ihr der alte Hofmarschall von Teifen, das
Haar kohlschwarz gefärbt und unerträglich stark parfümiert. Die
Mädchen trugen weiße Kleider und Rosen im Gürtel, die Herren
hatten sich Tuberosen in das Knopfloch gesteckt. Die Ranken des
wilden Weines streuten zitternde Schatten über all die Farben,
machten mit ihrem grünlichen Grau die Gesichter blasser, die
Augen dunkler. Der alte Marsow hatte eine weißseidene Weste
über seinen runden Bauch gezogen und sprach sehr laut schlecht
von den Ministern. Dazwischen erzählte die klagende Stimme der
Tante dem Hofmarschall von einer Gräfin Bethusi-Huk, die vor
langen Jahren in Karlsbad freundlich zu ihr gewesen war. Ellita
saß abseits. Sie streichelte nachdenklich die Federn ihres Fächers
und machte ihr schönes, mißmutiges Gesicht: »Ihr hättet alle auch
fortbleiben können«, stand darauf zu lesen.

»Wo ist der Bräutigam?« fragte mein Vater.

Er sei mit Gerda unten im Garten, hieß es.

»Der hat mit einer Schwester nicht genug«, dröhnte die Stimme
des alten Marsow. Niemand lachte über diese Taktlosigkeit.

»Bill, willst du nicht hinuntergehen, sie rufen«, sagte Ellita.

Ich fand die beiden unten bei der Hängeschaukel. Went stand
auf der Schaukel und schaukelte sich. Er flog sehr hoch, fast bis in
die Zweige der Ulme hinauf. Tadellos fein sah er aus. Sehr
schlank in seine blaue Uniform geknöpft, der Kopf in der Sonne
wie mit Gold bedeckt. Gerda schaute zu ihm auf, die Lippen halb
geöffnet, die Augen rund und wie in einen erregenden Traum
verloren. Die Hand legte sie auf die Brust in einer Bewegung, die
ich an ihr nicht kannte, ganz fest die rechte Brust zusammendrük-
kend. Sie bemerkte es nicht, daß ich neben ihr stand, und die
Eifersucht machte mich ganz elend.

»Tag, Gerda«, sagte ich heiser.

Sie schreckte zusammen und sah mich mit dem unzufriedenen
Blick eines Menschen an, der im Schlafe gestört wird. Das hatten
beide Warnower Mädchen, sie konnten plötzlich aussehen wie
schöne, böse Knaben.

»Ach du, Bill!« sagte sie. Freundlich klang das nicht.

»Ihr schaukelt hier?« fragte ich, um etwas zu sagen.

»Ja – sieh ihn«, erwiderte Gerda, schaute empor, und wieder
legte sich das Traumlächeln über ihr Gesicht.

Went hatte mit dem Schaukeln aufgehört und ließ die Schaukel ausschwingen. Er lehnte sich leicht gegen eine der Stangen, präsentierte seine gute Gestalt sehr vorteilhaft. Mir war er zuwider, wie er so dastand und sich von Gerdas Augen anstrahlen ließ.

»Statt zu schaukeln, solltest du zu den anderen gehen«, rief ich zu ihm hinauf, »Ellita fragt nach dir.«

Er sprang ab: »Ellita schickt dich? Ist sie unzufrieden?« fragte er.

»Natürlich«, log ich.

»So – so: Na, dann, Kinder, geh' ich voraus.« Ich fand, er sah aus wie ein ängstlicher Schuljunge. Eilig lief er dem Hause zu. Ich lachte schadenfroh.

»Er hat Angst vor ihr«, bemerkte ich.

»Er! Was fällt dir ein!« Gerda wandte sich böse von mir ab und setzte sich auf die Bank. Dann versank sie in Gedanken.

»Was habt ihr beide so viel miteinander zu besprechen?« fragte ich gereizt.

»Von Ellita sprechen wir natürlich, immer von ihr«, erwiderte Gerda noch immer sinnend. »Went hat mir viel zu denken gegeben.«

»Er sollte lieber selbst für sich denken!« Ich war so böse, daß ich ein Ahornblatt mit den Zähnen zerreißen mußte.

Gerda schaute auf. Wirklicher Kummer lag auf ihrem Gesichte, etwas Erstauntes und Hilfesuchendes. Die Augen wurden feucht: »Warum sprichst du so? du weißt doch nicht . . .«

»Was hat er dich traurig zu machen«, murmelte ich kleinlaut. Die Liebe schnürte mir die Kehle zusammen. Am liebsten hätte auch ich geweint, wenn das angängig gewesen wäre.

Gerda begann zu sprechen, schnell und klagend. Es war nicht für mich, das sie sprach, sie mußte es heraussagen: »Warum muß Ellita so schlecht gegen ihn sein? Er liebt sie doch. Und nun kann sie ja fort von hier, hinaus. Das will sie doch. Er tut ihr nur Gutes. Aber sie war immer so, ich weiß, jetzt wird sie nicht mehr einsam sein und arm.«

»Arm?«

»Ja, Ellita sagt, wir sind arm.«

»Aber es ist doch alles so fein hier bei euch?« wandte ich ein.

»Ach!« meinte Gerda, »das ist nur wegen der Mama, weil sie bei Hof war und eine Beauté, da muß sie das haben.«

»Ach ja, das war damals, als sie sich so schrecklich tief dekoltierte, wie auf dem Bilde im Saal«, bestätigte ich.

»Sei nicht dumm«, fuhr Gerda mich an. »Gewiß sind wir arm und müssen immer hier sitzen. Und wenn alles verschneit ist und keiner zu uns kommt und in den Zimmern die Öfen heizen und Kerzen gespart werden, dann geht Ellita durch die Zimmer, immer auf und ab wie ein Eisbär, und spricht mit keinem und sieht Mama und mich böse an. Oder sie geht in ihr Zimmer und tanzt stundenlang allein Bolero, in der Nacht weint sie. Ich hör' es nebenan. Sie tut mir leid, aber es ist auch zum Fürchten. Aber jetzt hat sie ja alles. Warum ist sie nicht froh? Warum quält sie Went? Warum weint sie nachts? Warum tanzt sie noch allein Bolero?« Jetzt hingen Tränen an Gerdas Wimpern, runde Tröpfchen, die in der Sonne blank wurden: »Ja – etwas Trauriges geht jetzt immer zwischen uns herum. Ich weiß nicht, was es ist.«

Ich wußte auf all das nichts zu sagen. Ich griff daher nach Gerdas Hand und begann sie zu küssen. Aber sie entzog sie mir: »Bill, sei nicht lächerlich. Komm, schaukle mich lieber.«

Sie setzte sich auf die Schaukel, bog den Kopf zurück, schaute mit verzückten Augen empor, ganz regungslos, nur die Füßchen in den weißen Schuhen bewegten sich nervös und ruhelos. Während ich die Schaukel hin und her warf, hing ich meinen trüben Gedanken nach: Natürlich war Gerda in diesen Went verliebt. Sie weinte um ihn, jetzt dachte sie an ihn und erlebte aufregende, traurige Dinge mit ihm, und ich war ein gleichgültiger Schuljunge, der arbeiten sollte und nicht mitzählte. Das kränkte mich so, daß ich nicht mehr schaukeln mochte.

»Warum schaukelst du nicht?« fragte Gerda aus ihrem Traum heraus.

»Weil ich nicht will«, erwiderte ich. »Weil«, ich suchte nach etwas Grausamem, das ich sagen könnte: »Weil ich nichts davon habe, dich zu schaukeln, damit du besser an deinen Went denken kannst.«

»Meinen Went?« Gerda errötete wie immer, wenn sie böse war, ein warmes Zentifolienrosa, das bis zu den blanken Stricheln der Haarwurzeln hinaufstieg.

»Gewiß, ihr seid alle in diesen Affen verliebt.« Es tat mir zwar leid, daß ich das sagte, aber gesagt werden mußte es.

Schweigend stieg Gerda von der Schaukel, zog ihre Schärpe zurecht, dann, sich zum Gehen wendend, bemerkte sie mit einer Stimme, die überlegen, erwachsen klang, die Gerda weit von mir fortrückte: »Weißt du, Bill, bei dem Allein-in-Fernow-Sitzen hast du recht schlechte Manieren bekommen. Es tut mir leid, daß ich mit dir gesprochen habe.«

»Bitte«, sagte ich trotzig.

Gerda ging. Ich blieb noch eine Weile auf der Bank sitzen. Also die einzige Freude, die ich diesen Sommer hatte, war mir auch verdorben. Nicht einmal mich ruhig zu verlieben hatte ich das Recht. Die anderen liebten und wurden geliebt, sie hatten ihre Geheimnisse und ihre Tragödien; ich hatte nur die verschimmelten Bücher. Denn, wenn Gerda sagte, ich hätte schlechte Manieren, so war das nicht einmal etwas, das man Schmerz nennen kann. Na, sie sollten sehen. Ich würde mir schon etwas ausdenken!

Während des Mittagessens versuchte ich mein Elend niederzutrinken. Das brachte wieder ein wenig Festlichkeit in mein Blut. Ich fand die lange Tafel lustig. Wenn ich an den großen Rosensträußen vorüber auf die Mädchengesichter sah, erschienen sie mir sehr weiß mit unruhigem Glanz in den Augen und zu roten Lippen. Alles zitterte vor meinen Augen. Ich mußte lachen und wußte nicht, worüber. Ich saß zwischen den beiden Marsows. Die fetten weißen Schultern streiften meinen Rockärmel. Ich glaubte die Wärme der runden Mädchenkörper zu spüren. Sie kicherten viel über das, was ich ihnen sagte.

Mein Vater hielt eine Rede. Während er dastand, die Tuberose im Knopfloch, das Sektglas in der Hand und ein wenig lächelte, wenn die andern über seine Witze lachten, versuchte ich an die Gestalt dort im Arbeitszimmer zu denken. Aber es schien, als hätten diese beiden Gestalten nichts miteinander zu tun.

Er sprach von Vorfahren und von der Ehe, daß sie ein beständiges Friedenschließen sei. Darüber wurde gelacht. Dann wurde es ernst. Aber – hieß es – sie ist auch ein Postament, ein Altar – »unsere Ehen«, auf dem die Frau – »unsere Frauen« geschützt und heilig steht. Denn unsere Frauen sind die Blüte unserer adeligen Kultur, sie sind Repräsentantinnen und Wahrerinnen von allem Guten und Edlen, das wir durch Jahrhunderte hindurch uns erkämpft. Das »unser« wurde mit einer weiten Handbewegung begleitet, welche die ganze Gesellschaft zusammenzuschließen und sehr hoch über die anderen, die nicht wir waren, emporzuheben schien. Alle hörten andächtig zu. Die alte Exzellenz nickte mit dem Köpfchen. Der alte Marsow lehnte sich in seinen Stuhl zurück, machte einen spitzen Mund und versuchte sehr würdig auszusehen. Ich fühlte selbst einen angenehmen Hochmutskitzel. Es war doch gut zu hören, daß man seine eigene Kultur hatte. Es wurde Hoch gerufen, und man stieß mit den Gläsern an. Der Schluß der Mahlzeit war für mich ein wenig verschwommen. Ich war froh, als es zu Ende war und ich auf die Veranda hinausgehen durfte. Ich setzte mich in den Mondschein wie unter eine Dusche. Angenehme Gedanken gingen mir durch den Kopf.

Gerda erschien auf der Veranda. Sogleich war ich bei ihr. Ich faßte das Ende ihrer Schärpe: »Oh, Bill, du bist es. Warum bist du hier allein?« fragte sie.

»Ich bin hier allein«, begann ich, »weil ich verzweifelt darüber bin, daß wir uns gezankt haben. Wollen wir uns versöhnen? Du weißt, wie sehr ich dich liebe?«

Sie trat ein wenig zurück, als wäre sie ängstlich: »Pfui, Bill«, rief sie, »du hast zuviel getrunken. Schäm dich!«

Dann war sie fort. Was sollte ich tun. Sie fürchtete sich vor mir. Sie sagte pfui zu mir. Nun war alles aus. Nun hatte ich meinen großen Schmerz. Ich setzte mich auf die Bank, schlug die Hände vor das Gesicht, saß da – wie – wie er – dort im Arbeitszimmer. Weinen konnte ich nicht. Es war mehr Grimm gegen die da drinnen, was mir das Herz warm machte. Ich stieg auf die Bank und schaute durch das Fenster in den Saal.

Da saßen sie alle beieinander. Wie sie die Lippen bewegten, ohne daß ich ihre Worte hörte, wie sie den Mund aufsperrten, ohne daß ein Ton zu mir drang, das sah gespenstisch aus. Die Tante in ihrem weißen Spitzenburnus lag in der Sofaecke wie eine abgespielte Puppe, die man neu bekleidet hat. Der alte Marsow streckte sich in einem Sessel aus, sehr rot im Gesicht. Die Exzellenz saß zwischen den Marsowschen Mädchen und schnüffelte mit der spitzen Nase wie eine Maus, die Zucker wittert. Und plötzlich machten sie alle andächtige, süße Gesichter; denn im Nebenzimmer sah ich Went am Klavier stehen. Er sang: »Sei mir gegrüßt – sei mir geküßt –«, die Augen zur Decke emporgeschlagen, wiegte er sich sachte hin und her, und sein Tenor goß den Zucker nur so in Strömen aus. Wie unverschämt diese süße Stimme war! Wie sie den Raum füllte, die Leute kitzelte, daß sie die Gesichter verzogen, die Mädchen auf die feuchten, halbgeöffneten Lippen zu küssen schien. Mir war zuwider. Währenddessen kamen, wie Bilder einer Laterna magica, zwei Gestalten vor meinem Fenster aufeinander zu. Ellita, aufrecht und weiß, den Kopf ein wenig zurückgebogen, die Lippen fest geschlossen. Oh! die ließ sich nicht von der schmachtenden Stimme küssen! Ellita hatte eine Art zu gehen, die ihr Kleid ganz gehorsam ihrer Gestalt machte. Es schien mir immer, als müßte der weiße Musselin warm von ihrem Körper sein. Von der anderen Seite kam mein Vater. Sie standen sich gegenüber. Er sagte etwas, lächelte, strich mit der Hand über den Schnurrbart. Sie aber lachte nicht, ihr Gesicht wurde streng, böse –

sie schaute meinem Vater gerade in das Gesicht wie jemand, der kämpfen will, der nach einer Stelle sucht, auf die eine Wunde gehört. Ich fühlte es ordentlich, wie ihr Körper sich spannte und streckte. Mein Vater machte eine leichte Handbewegung, sein Ausdruck jedoch veränderte sich, er biß sich auf die Unterlippe, seine Augen blickten scharf, erregt, gierig in Ellitas Augen, grell von der Lampe beleuchtet, sah ich, wie sie flimmerten, wie sie sich in Ellitas Gesicht festsogen. Sie beugte langsam den Kopf, schlug die Augen nieder, schloß sie. Sie wurde sehr bleich und stand da demütig, als wäre alle Kraft von ihr genommen. Ich konnte das nicht mit ansehen. An alledem war etwas, das mich seltsam verwirrte. Ich trat von dem Fenster zurück. Meine Gedanken irrten erregt um etwas herum, das ich doch nicht zu denken wagte. Gibt es so etwas? Er und sie? Er und sie? So etwas also kann man erleben – so unheimlich ist das Leben? ... Da sitzen sie alle ruhig, und Went girrt sein »Sei mir gegrüßt, sei mir geküßt« – und mittendrin steht etwas Wildes – etwas Unbegreifliches.

Jetzt rauschte eine Schleppe. Ellita kam durch die offene Glastüre die Stufen herab. »Ellita«, mußte ich sagen. – »Du, Bill?« fragte sie. »Bist du hier allein? Komm, gehen wir hinunter.«

Sie legte wieder ihren Arm um meine Schulter, und wir gingen die Lindenallee hinab. Ellita sprach leise und mit fliegendem Atem: »Warum gehst du von den anderen fort? Bist du traurig? Hat dir jemand etwas getan? Sag? Ist Gerda schlecht mit dir gewesen? Du liebst doch Gerda, nicht? Ja, lieb sie nur; es ist ja gleich, was geschieht! Das kann dir keiner verbieten. Gerda wird wieder gut werden, das arme Kind.«

Die leise, klagende Stimme rührte mich, erfüllte mich mit Mitleid mit mir selber. Die Tränen rollten mir über die Wangen. »Weinst du, kleiner Bill?« fragte Ellita. Es war so dunkel in der Allee, daß sie nicht sehen konnte. Mit ihrer kühlen Hand fuhr sie leicht über mein feuchtes Gesicht: »Ja, du weinst. Das schadet nichts. Weine nur. Hier sieht *er* uns nicht. Hier brauchen wir nicht Tenue zu haben.«

Schweigend gingen wir einige Schritte weiter. Hie und da huschte ein wenig Mondlicht durch die Zweige über Ellitas Haar, über das weiße Kleid, ließ den Ring an ihrem Finger, das kleine Diamantschwert an ihrer Brust aufleuchten, und dann wieder die weiche Finsternis voll Duft und Flüstern. Am Ende der Allee stand die alte Steingrotte, eine halbverfallene kleine Halle, die der Mond mit den sich sachte regenden Blätterschatten der Ulme füllte.

»Hast du mich Bolero tanzen sehen?« fragte Ellita plötzlich. »Komm, ich tanze dir vor.«

Ich setzte mich auf die Steinbank in der Grotte, und Ellita, mitten unter dem Blätterschatten, tanzte lautlos auf ihren weißen Schuhen, an denen die Schnallen im Mondschein aufblitzten. Sie warf die Arme empor, bog den Kopf, als hielte sie Trauben in die Höhe, und die halbgeöffneten Lippen dürsteten nach ihnen. Oder sie warf einen unsichtbaren Mantel stolz um die Schultern oder pflückte unsichtbare Blumen; alles mit dem weichen rhythmischen Biegen des Körpers, den die Musselinschleppe wie eine weiße Nebelwelle mit ganz leisem Rauschen umfloß. Schweigend und eifrig tanzte sie. Ich hörte, wie sie schneller atmete. Das war geisterhaft, unwirklich. Alle Aufregung verstummte in mir. Es war mir, als sei ich weit fort, an einem Orte, den ich aus irgendeinem Traume kannte; jetzt blieb sie stehen, strich sich das Haar aus der Stirn und lachte: »Sieh, so. Das war gut. Jetzt gehen wir wieder zu den anderen. Jetzt haben wir wieder Tenue.«

Während wir dem Hause zugingen, sprach Ellita wieder ruhig und ein wenig gönnerhaft wie sonst. Drinnen im Saal lächelte sie Went an und sagte: »Hast du dich ausgesungen, mein Lieber?« –

Zu Hause, in meinem Zimmer, fühlte ich mich bange und erregt. Das Leben erschien mir traurig und verworren. Schlafen konnte ich nicht. Aufdringliche und aufregende Bilder kamen und quälten mich. Die Nacht war schwül. Regungslos und schwarz standen die Bäume im Garten. In der Ferne donnerte es. Unten im Park sang Margusch wieder ihre ruhige, ein wenig schläfrige Klage. Diese Stimme tat mir wohl. Ich wollte ihr nahe sein, mich von ihr trösten lassen, die Augen schließen und nichts denken als: Rai-rai-rah.

Ich stieg aus dem Fenster und ging der Stimme nach. Über der Wiese stand ein schwarzer Wolkenstreifen, in dem es sich golden vom Wetterleuchten regte. Zuweilen schüttelte ein warmer Wind die Kronen der Linden. Am Teich unter den Weiden fand ich Margusch. Das große blonde Mädchen kauerte auf dem Rasen, hatte die Arme um die Knie geschlungen, wiegte sachte den runden Kopf und sang, eintönig, als säße sie an einer Wiege:

> Näh' ein Hemdchen auf der Weide,
> Mess' es an dem Eichenstamm
> Ach! mein Liebster, wachse, wachse,
> Wie die Eiche grad und stramm!
> Rai – rai – – rah ...

Ich kam leise heran und hockte neben ihr nieder. Sie schreckte ein wenig zusammen, dann sagte sie: »Gottchen, der Jungherr!«

»Ja, Margusch, sing weiter!«

Margusch schaute ruhig und müde über den Teich hin und zog die Knie fester an sich. »Ach!«, meinte sie, »wozu ist das Singen gut! Warum schlafen Sie nicht, Jungherr?«

»Ich konnte nicht. Ich wollte nicht allein sein. Ich hörte dich singen, da kam ich.«

Margusch seufzte: »Ja, ja, den Herrschaften geht es auch nicht immer gut. Alle haben was. Der Herr gibt nu auch sein Fräulein fort. Was kann man machen.«

»Sein Fräulein«, das klang in dem Munde dieses Mädchens wie eine klare, melancholische Geschichte, eine Geschichte wie die zwischen Jakob und Margusch. »Jeder hat was.« Ich drückte mich nah an Margusch heran. Dieser heiße Mädchenkörper schien mir Schutz zu geben vor allem Unheimlichen, das mich quälte. Sie lächelte, legte ihren schweren Arm um mich, wiegte mich langsam hin und her und wiederholte: »Unser Jungherr is traurig, unser Jungherr is traurig.« Dunkle Wolkenfetzen zogen über den Mond. Der Teich wurde schwarz. Die Frösche schwiegen, nur ab und zu ließ einer sich vernehmen, als riefe er jemanden.

Margusch streichelte meinen Arm: »Unser Jungherr is traurig.« Erregt und fiebernd klammerte ich mich an den warmen, ruhenden Mädchenkörper fest. Da gab sie sich mir hin, gutmütig und ein wenig mitleidig.

Es war finster geworden. Ein feiner Regen begann in den Weiden und im Schilf zu flüstern.

»Es regnet«, sagte Margusch, »man muß heimgehen.«

Ich weigerte mich. Nur nicht in das Haus gehen, nur nicht allein sein! So saßen wir eng umschlungen da. Margusch summte leise vor sich hin. Es begann zu dämmern. Enten hoben sich aus dem Teich und flogen mit pfeifendem Flügelschlage dem See zu. Auf der anderen Seite des Teiches ging eine dunkle Gestalt die Allee hinauf dem Hause zu.

»Der gnädige Herr«, flüsterte Margusch. »Der ist oft nachts draußen. Dort unten spaziert er auf und ab. Der kann auch nicht schlafen.«

Um die Mittagsstunde, als der Hof voll grellen Sonnenscheins lag, schlenderte ich langsam dem Stalle zu. Ich war müde, hatte Lust zu nichts, da war es das beste, zuzusehen, wie Kaspar die Pferde putzte, das beruhigt und strengt nicht an. Am Stallteich stand Margusch und wusch einen Eimer.

»Nun, Margusch«, sagte ich und blieb stehen. Sie hob den Kopf und sah mich mit den glasklaren Augen gleichgültig an.

»Heiß is«, bemerkte sie.

»Aber vorige Nacht«, setzte ich leise hinzu.

Sie lächelte matt, seufzte und beugte sich wieder über ihre Arbeit.

Mein Vater kam aus dem Stall, er sah flüchtig zu mir herüber und wandte den Kopf ab.

Später, während des Mittagessens, als Konrad hinausgegangen war, hielt mein Vater sein Portweinglas in der Hand und sagte, eh er trank, das war immer der Augenblick, in dem er unangenehme Dinge vorbrachte: »Sich hier mit den Bauernmädchen einzulassen, ist nicht empfehlenswert.« Ich errötete. Mein Vater trank und fuhr dann fort, indem er an mir vorbei zum Fenster hinaussah: »Abgesehen davon, daß diese Dinge für dich nicht zeitgemäß sind, du sollst nur deine Studien im Auge haben, so finde ich, daß Affären mit diesen Mädchen die Instinkte und Manieren vergröbern.« Eine peinliche Pause entstand. Mein Vater sann vor sich hin, dann sagte er, wie aus seinen Gedanken heraus: »Mein Freund in Konstantinopel sagte ger...« – Natürlich! dachte ich, wo ein unangenehmes Beispiel nötig ist, da hat der alte Türke es gegeben! »Er sagte, er sei nur deshalb der feine Weinkenner geworden, der er ist, weil er wegen des Verbotes seiner Religion in der Jugend sich die Zunge nicht mit schlechten Weinen verdorben habe.«

Ich verstand sehr wohl, was der alte Türke meinte, nur erschien es mir wunderlich, daß mein Vater das zu mir sagte. Es machte mich verlegen. Ob er das merkte? Jedenfalls tat er den Ausspruch, als er die Tafel aufhob: »Du bist jetzt in dem Alter, in dem man mit dir über diese Dinge vernünftig reden kann, hoffe ich.«

Das ließ sich hören.

Ich hatte die Erlaubnis erhalten, mit Went auf die Rehpürsch zu gehen. Wir zogen gleich nach Mitternacht in den Wald und saßen bei einem Feuer auf. Der Waldhüter schnarchte unter einem Wacholderbusch. Went hüllte sich in seinen grauen Mantel, lehnte sich an den Stamm einer Tanne und blickte nachdenklich in das Feuer.

Ich streckte mich behaglich in das Moos hin. Die Freude auf die Jagd war so stark, daß sie mich all meine Aufregungen vergessen ließ. Um uns herum war es sehr dunkel. Die heimlichen Töne des Waldes gingen unter den großen, stillen Bäumen hin, ein leichtes Knacken, ein vorsichtiges Gehen, ein plötzliches Flügelrauschen. Sehr ferne riefen zwei Käuzchen sich klagend an.

»So ist's doch gut?« fragte ich zu Went hinüber, »im Walde ist alles gleich.«

»Was ist gleich?« fragte Went streng zurück.

Ich hätte gewünscht, Went wäre heiter und kameradschaftlich gewesen, statt tragisch und erhaben zu sein. Gut sah er übrigens aus, wie er in das Feuer starrte.

»Du, Went«, begann ich wieder, »wie ist es eigentlich, wenn man so aussieht wie du, so – daß alle Weiber sich in einen verlieben?«

»Teufel, Kleiner, was du dir für Gedanken machst.« Jetzt lächelte Went, und das wollte ich. »Gehört das auch zu den Examensarbeiten?«

»Das Examen hat hierbei nichts zu tun...«, sagte ich gereizt, »man kann auch an die Weiber denken, wenn man nicht das Examen gemacht hat. Alle denken an Weiber.«

»Alle?«

»Ja, alle.«

»Dumm genug«, bemerkte Went.

»Das ist so«, fuhr ich fort, »ich habe das früher nicht gewußt, aber jetzt...«

Went schaute mich ironisch an: »Der Aufenthalt hier ist, scheint es, für deine Erziehung bedeutungsvoll.«

Ich errötete, ich hatte damals diese dumme Angewohnheit, und sagte heftig: »Denkst du auch schon über meine Erziehung nach? Das fehlt noch!«

»Trinken wir einen Kognak, Alter«, besänftigte mich Went. Er holte seine Flasche hervor und trank zwei Kognaks schnell hintereinander. »So, das ist gut und macht keine Umstände. Da«, meinte er befriedigt und reichte mir die Flasche. Wie gequält er dreinschaute! Er tat mir leid. Während ich mir den Kognak eingoß, tat ich den Ausspruch: »Ja, es ist gut, daß wir uns nicht darüber zu quälen brauchen, ob der Kognak auch von uns ausgetrunken sein will, ob er das liebt. Uns schmeckt er eben.«

Das gefiel Went nicht. Er kehrte mir den Rücken zu und brummte: »Unsinn! Schlafe lieber.«

Ich aber wollte mich unterhalten. »Du – Went, sag, es muß ganz fein sein, Soldat zu sein?«

Das regte ihn auf, er wurde heftig.

»Hol der Teufel das Soldatsein. Sei froh, daß du keiner bist.«

»Warum?«

»Weil, Gott! weil einen das sentimental macht!«

»Sentimental?« fragte ich. »Ich wüßte nicht, daß das für den Krieg nötig ist.«

»Mit dir kann man nicht vernünftig reden«, fuhr mich Went an. »Krieg? Wo ist denn Krieg? Natürlich sentimental«, seine Stimme klang, als zankte er sich mit jemandem. »Mit dem Dienst und den Rekruten und alldem, kommt dann so was, das nach Sentiment aussieht, so fallen wir jedesmal darauf herein. Man weiß nicht, wie man das anfassen soll. Ihr anderen hier habt Zeit, ihr könnt auf euren Gefühlen sitzen wie die Henne auf ihren Eiern, und werdet ihr so – so –, kein Teufel kann das verstehen.« Nach diesem Ausbruch schloß er die Augen und tat, als schliefe er. Ich schlang meine Arme um meine Knie und starrte in das Feuer.

In letzter Zeit hatte ich wunderliche Dinge erlebt, unheimliche und unverständliche. Wenn ich Went etwas davon sagte, würde er nicht mehr so ruhig daliegen. Seltsam ist es, wie ein Mensch von dem anderen nichts weiß, und doch sitzt und lauert in dem einen Menschen gerade das, was dem anderen Schmerz bereiten kann.

Das war eine Erkenntnis, die mir in jener Stunde plötzlich kam und mich ergriff, wie es in *den* Jahren zu geschehen pflegt. Es ist wie hier im Walde. Ich sitze auf dem kleinen, hellen Fleck. Um mich ist die Nacht ganz schwarz und voll von dem Knistern und Gehen unsichtbarer Wesen. Jeden Augenblick kann aus dem Dunkel etwas hervortreten, etwas Entsetzliches. Warum ist das so? Meiner jungen Seele tat es weh, diese Luft zu atmen, die voll drohender, unverstandener Schmerzen liegt. Ich drückte mich fest an den dicken Tannenstamm, legte die Hand auf seine taufeuchte Rinde. Diese Stillen hatte ich immer gern gehabt. Wenn auf der Treibjagd so eine alte Tanne mit ihren schwer niedergebogenen Zweigen und grauen Bärten dastand und mich vor dem Wild oder das Wild vor mir verbarg, da hatte ich sie als eine der großen Unparteiischen des Waldes empfunden, vornehm und kühl. Daran zu denken, beruhigte mich jetzt. Ich konnte mich darüber freuen, daß mir so tragische und seltsame Gedanken kamen. Ich war doch ein ganzer Kerl. Das vermutete wohl keiner hinter dem kleinen Bill. Wenn Gerda das wüßte, die würde mich dann anders anschauen!

Es dämmerte bereits. Aus den Föhrenwipfeln flogen die Krähen aus und riefen einander ihre heiseren Nachrichten zu. Es war Zeit, aufzubrechen. Ich weckte den Waldhüter, weckte Went. »Nu geht's los«, rief ich ihm zu. »Schon!« sagte Went, gähnte und blickte mißmutig in den aufdämmernden Morgen. Also nicht einmal die Aussicht auf einen Bock konnte ihn aufrichten. Dann stand es schlimm mit ihm!

Köstlich war es, leise und schweigend durch den Wald zu schleichen. An einer kleinen, sumpfigen Waldwiese nahm ich meinen Stand. Das Gras war grau von tauschweren Spinnweben. Eine Wasserratte schlüpfte durch die Halme, sprang mit leisem Geplätscher in die Wasserlöcher, kam mir ganz nahe. Sie hielt mich wohl für einen Baum, und das schmeichelte mir. Dann plötzlich standen zwei Rehe auf der Wiese, eine große Ricke und ein kleiner Bock. Die Ricke äste ruhig und sorgsam, den Kopf niedergebeugt, langsam vorwärts gehend. Der kleine Bock war zerstreut, hob häufig den Kopf, schüttelte ihn, machte kleine Sprünge. Vom Waldrand kam ein großer alter Bock herangetrabt. Ich sah deutlich sein ärgerliches, verbissenes Gesicht. Er begann sofort den jungen Bock zu jagen. Als dieser auf mich zusetzte, schoß ich. Ich hörte noch den alten Bock bellen. Der Kleine lag da und bewegte schwach die Läufe, wie steife, rote Bleistifte. Ich ging zu ihm, streichelte sein blankpoliertes Gehörn. Die Oberlippe war ein wenig hinaufgezogen. Das gedrungene, kindliche Gesicht sah aus, als lächelte es verschmitzt.

Als Went kam, war er verstimmt. Mein Schuß hatte auf der anderen Wiese seinen Bock verscheucht. Er sagte mir unangenehme Dinge, weil ich nicht den stärkeren Bock geschossen hatte, und wir zankten uns tüchtig auf dem Heimweg. Das verdarb mir die Freude. Mit müden, verdrossenen Augen sahen wir in die Sonne, die mit großem Aufwande von rosa Wolken und rotgoldenem Lichte über dem gelben Brachfelde aufging.

Nun kam eine stille Zeit. Die Leute klagten über zu große Trockenheit und fürchteten für die Wintersaat. Im Garten begannen die Stockrosen und Georginen zu blühen, und es roch nach Himbeeren und Pflaumen. Blauer Dunst lag über den Hügeln. Die Gänse wurden auf die Stoppeln getrieben. Davon, daß ich nach Warnow fahren sollte, war nie die Rede. Meinen Vater sah ich nur zu den Mahlzeiten. Sein Gesicht erschien mir grau und müde, er sprach wenig. Fiel sein zerstreuter Blick auf mich, so fragte er wohl: »Nun, wie geht es mit den Studien?« Aber die Antwort schien ihn nicht zu interessieren. Seine Gegenwart hatte für mich nicht mehr das Aufregende, das sie gehabt hatte. In diesen Tagen mit dem gleichmäßig blauen Himmel, dem gleichmäßig grellen Sonnenschein, den gleichmäßigen Geräuschen der Landwirtschaft verlor alles an Interesse und Farbe. Ich hörte, in Warnow würde gepackt, die Möbel seien schon mit weißen Bezügen bedeckt. Nächstens sollte die ganze Familie abreisen. Auch das noch! Margusch sang nicht mehr im Park. Ich sah sie mit Jakob an der Schmiede stehen und lachen. Mir blieben die Bücher. Ich lag auf der Heide und studierte. Das ἀκτὶς ἀελίου der Antigone verschmolz untrennbar mit dem Schnattern der Gänse, dem Dufte der sonnenheißen Wacholderbüsche. Antigone sah wie Ellita aus und die ängstliche Ismene wie Gerda. Ach! nicht einmal zu einem ordentlich verliebten Gefühle brachte ich es in dieser Zeit! Und kam der Abend, schlugen die Stalljungen mit den Milchmädchen sich in die Büsche, klang fern von der Wiese eine Harmonika herüber, dann fieberte all das unverbrauchte Leben in mir, und ich fluchte darüber, daß all die hübschen und heimlichen und die furchtbaren und erregenden Dinge nur für die anderen da waren.

Schweres rotgoldenes Nachmittagslicht floß durch die Parkbäume. Ich saß hoch oben auf einer alten Linde, die ihre Äste zu einem sehr bequemen Sitz zusammenbog. Der Baum war voll von dem Summen der Insekten wie von einem feinen, surrenden Geläute. Das macht schläfrig. Ich schloß die Augen. Unten auf dem Kiesweg wurden Schritte laut. Faul öffnete ich halb die Lider. Ellita und mein Vater kamen den Weg entlang. Ellita trug ihr blaues Reitkleid und den kleinen, blanken Reithut. Mit der Rechten hielt sie ihre Schleppe, in der Linken die Reitpeitsche, mit der sie nach Kümmelstauden am Wege schlug. An der Ulme mir gegenüber blieben sie stehen. Ellita lehnte sich an den Baum. Ihre Wangen waren gerötet. Ich sah es gleich, daß sie böse war. Die kurze Oberlippe zuckte hochmütiger denn je.

»Gut, ja. Ich gehorche dir, du siehst es«, begann sie.

Mein Vater stützte sich mit der Schulter leicht gegen ein Birkenstämmchen, kreuzte die Füße und klopfte nachdenklich mit seinem Stöckchen auf die Spitzen seiner Stiefel, jetzt neigte er den Kopf und sagte höflich: »Du weißt, wie sehr ich dir dafür danke.«

»Oh! Du hast mich wunderbar erzogen«, fuhr Ellita fort, »das hast du wunderbar gemacht! Als du wolltest, daß ich das einsame kleine Mädchen vom Lande sein soll, das nur an dich denkt und auf dich wartet, da war ich es. Und jetzt soll ich wieder – wie sagtest du doch – ›die Blüte der adeligen Kultur‹ – so war es – also – die Blüte der adeligen Kultur sein, gut – ich bin es.«

Mein Vater nahm seinen Strohhut vom Kopfe und fuhr sich mit der Hand über die Stirn. Er fing an zu sprechen, mit leiser, diskreter Stimme, als führe er eine Unterhaltung an einem Krankenbette.

»Ich komme jetzt nicht in Betracht. Nur du. Ist es dir ein Bedürfnis, mir all das zu sagen, mir Vorwürfe zu machen, bitte, tue es. Nur geh den vorgeschriebenen Weg weiter . . . nur das.«

»Ich will keine Vorwürfe machen«, sagte Ellita heftig. »Warum ließest du mich nicht weiter hier einsam sitzen? Ich hätte weiter auf dich gewartet und wäre schlecht gegen Mama und Gerda gewesen und hätte mich um das dumme Geld gesorgt, das nie da ist, wenn man es braucht . . . und, wenn du dann kamst, hätte ich geglaubt, ›das ist das höchste Glück‹ – schlecht sein –, mit dir schlecht sein, glaubte ich, sei groß . . .«

»Sag es nur heraus«, warf mein Vater ein und schaute wieder auf seine Stiefelspitzen.

»Gewiß«, fuhr Ellita fort, »darum hätte ich dir keine Vorwürfe gemacht. Aber jetzt, wo all das nur eine häßliche Inkorrektheit sein soll, die vertuscht wird, jetzt schäme ich mich. Wie deine Nippfigur komme ich mir vor, die du wieder in den Salon auf die Etagere zurückstellst – sie soll wieder ihre Pflicht tun, repräsentieren.«

»Sehr hübsch«, bemerkte mein Vater und lächelte matt. Das brachte Ellita noch mehr auf: »Du siehst, ich habe von dir und deinem alten Türken gelernt, Vergleiche zu machen. Ach, wie das alles häßlich ist! Was ging es dich an, was aus mir wurde. Wenn ich in den Parkteich gegangen wäre wie Mamas kleine Kammerjungfrau um den neuen Gärtner, das wäre schöner gewesen als all das jetzt.«

Mein Vater zuckte die Achseln. »Ich glaube«, sagte er, »du und ich sind zu gut erzogen, um in ein Drama hineinzupassen.« Da hob Ellita ihre beiden Arme empor, die Augen flammten, zwei große Tränen rannen ihre Wangen herab: »Gott, wie ich sie hasse, alle diese Worte – – nicht wahr, ich muß auf ein Postament – und bin ein Kunstwerk – und eine Kulturblüte, ich kenne deinen Katechismus gut. Wie ich das hasse!«

Gott! wie schön sie war! Mein Vater schien das auch zu sehn. Er blickte sie einen Augenblick mit gierigen, flackernden Augen an, wie an jenem Abend in Warnow.

Dann sagte er leise und sanft:

»Es schmerzt mich, dich leiden zu sehen. Das geht vorüber. Du bist von denen, die sicher ihren Weg gehn, wie – wie Nachtwandlerinnen –, die dabei vielleicht auch ein wenig wild träumen.«

»Und ich könnte mich peitschen, dafür, daß ich von denen bin«, antwortete Ellita und schlug mit der Reitgerte gegen ihr Knie. »Und dann – er – der arme Junge – er liebt mich doch?«

»Ehre genug für ihn«, meinte mein Vater.

»Du bist sehr genügsam für andere!« höhnte Ellita.

Er lächelte wieder sein müdes Lächeln: »Gott! ja – jetzt kommst nur du in Betracht.«

»Das klingt ja fast, als ob du mich noch liebtest?«

Mein Vater zuckte schweigend die Achseln. Sie schwiegen beide, Ellita ließ ihre Arme schlaff niedersinken, wie ermüdet, und müde klang auch ihre Stimme, als sie kummervoll sagte: »Wozu? Jetzt ist ja alles gleich. Ich tu' ja, was du willst. Das ist nun alles vorüber.«

»Ich danke dir, Kind«, die Stimme meines Vaters klang wieder metallig und warm. »Wenn *du* nur in Sicherheit bist – wenn *sie* dir nichts tun dürfen, nur das.« Er trat jetzt ein wenig vor, eine flüchtige Röte auf Schläfen und Wangen: »Ich danke dir dafür, Kind – und – auch für – für das, was hinter uns liegt ... für das letzte Glück – das du einem alternden Manne gabst – –« Jetzt zitterte seine Stimme vor Erregung – er breitete die Arme aus. Ellita drängte sich fester an den Baum, sie reckte sich an ihm hinauf – bleich bis in die Lippen: »Rühr mich nicht an, Gerd!« stieß sie leise hervor, und die rechte Hand mit der Reitgerte hob sich ein wenig. Mein Vater trat zurück, bückte sich, hob den Handschuh, der ihr entfallen war, von der Erde auf und überreichte ihn ihr. Dann schaute er nach seiner Uhr und sagte ruhig: »Es wird spät. Du mußt sehn, daß du vor dem Gewitter nach Hause kommst; denn wir kriegen es heute doch endlich.«

»Ja – gehn wir –« meinte Ellita.

Sie gingen wieder den Weg zurück. Wie friedlich und höflich diese beiden Gestalten nebeneinander herschritten; Ellita mit ihrem sachte wiegenden Gang, schmal und dunkel in dem Reitkleide, mein Vater ein wenig seitwärts gewandt, um sie beim Sprechen ansehen zu können; dabei machte er Handbewegungen, die seine hübschen Hände zur Geltung brachten.

Still auf meinem Aste zusammengekauert, blieb ich auf der Linde sitzen. Zuerst hatte ich das Gefühl eines Kindes, das sich fürchtet, bei einem Unrecht ertappt zu werden. Gedanken hatte ich nicht – Bilder kamen, begleitet von einer schmerzhaften Musik des Fühlens: das schöne, aufrechte Mädchen am Baum, das tränenfeuchte, böse Gesicht, die erhobene Hand mit der Reitgerte ... und der Mann mit dem kummervoll gebeugten Kopfe ... ich hörte die leise, heiße Stimme ... davon kam ich nicht los. Mit dem Herren, der zu Hause sagt: »Mais c'est impossible, comme il mange, ce garçon«, mit Ellita, die wohlerzogen mit meinem Vater

82

über die Landwirtschaft spricht, hatten diese beiden nichts gemein. Ich wollte gar nicht mehr von der Linde herunter. Die Welt da unten erschien mir jetzt unheimlich verändert und unsicher. Die Sonne sank tiefer. Die Linde stand voll roten Lichtes. Dann zog das Gewitter auf. Einzelne Tropfen klatschten auf die Blätter, die für Augenblicke schwarz und zitternd im blauen Lichte der Blitze standen. Im Garten hörte ich Konrads Stimme: »Jungherr – hu – hu!« Er rief zum Abendessen. Das gab es also noch wie immer. Widerwillig kletterte ich hinunter. Der Regen war stärker geworden, und eine Fröhlichkeit kam mit ihm über das müde Land. Alles duftete und bewegte sich sachte. Im Hof standen die Leute vor den Ställen und blickten lächelnd in das Niederrinnen. Die Mägde stapften mit nackten Füßen in den Pfützen umher und kreischten.

Im Eßzimmer, unter der großen Hängelampe, war der Tisch wie gewöhnlich gedeckt. Mein Vater ging im Zimmer auf und ab und sagte freundlich, als ich eintrat: »Nun, dich hat der Regen noch erwischt.«

Wir aßen die wohlbekannten kleinen Koteletts mit grünen Erbsen. Alles war wie sonst, als sei nichts geschehn. Ich dachte an ferne Kinderjahre, in denen das Kind deutlich in den dunklen Ecken unheimliche Gestalten sah, während die Erwachsenen unbekümmert sprachen und an den unheimlichen Ecken vorübergingen, als ob nichts dort stünde.

Mein Vater sprach vom Regen, von der Wintersaat, von der Abreise der Warnower. Er sprach ungewöhnlich viel und mit lauter, heiterer Stimme. Sein Gesicht war bleich, und die Augen glitzerten blank und intensiv graublau. Er goß sich reichlich Portwein ein, und seine Hand zitterte ein wenig, wenn er das Glas nahm. Als der Inspektor kam, wollte ich mich fortschleichen. Das Sitzen hier war mir eine Qual. Ich wollte zu Bette gehen. Vielleicht, wenn ich still im Dunkeln lag, konnte ich mich selbst als tragisch und wunderbar empfinden. Mein Vater jedoch sagte: »Bleib noch ein wenig, Bill, wenn du nicht zu müde bist.« Gehorsam setzte ich mich wieder. Der Inspektor ging. »Trink einen Tropfen«, sagte mein Vater und schob mir ein Glas hin. Dann schwiegen wir.

Es schien nicht, als hätte er mir etwas Besonderes mitzuteilen. Er dachte wohl über ein Thema nach. Als er endlich zu sprechen begann, war von Pferden, von dem neuen Schmied, dann von meinen Studien die Rede. Das hatte ich erwartet! Das schien ihn auch zu interessieren, er biß sich daran fest, pflegte seinen Stil. »Na, und wenn du dann das Examen hinter dir hast«, hieß es, »dann tritt also die Wahl eines Studiums an dich heran. Es ist wohl diese oder jene Wissenschaft, die dich besonders anzieht: Ja! aber meiner Ansicht nach darf das nicht bestimmend sein. Gott! unseren Neigungen entlaufen wir ohnehin nicht. Von Anbeginn muß ein Studium gewählt werden, das sozusagen als neutraler Ausgangspunkt dienen kann, von da aus kann dann zu dem, was wir sonst wissen und erleben wollen, übergegangen werden. In unserer Familie ist die Jurisprudenz traditionell. Ein ruhiger, kühler Ausgangspunkt, der sowohl zu anderen Wissenschaften wie zum praktischen Leben die Wege offenläßt.« Er sprach so fließend und betonte so wirksam, als hielte er eine Rede in einer Versammlung. Dabei sah er über mich hinweg, als stünde die Versammlung hinter mir. Er war recht unheimlich!

»Vor allem«, fuhr er fort und erhob die Stimme, »müssen wir von vornherein wissen, welch eine Art Leben wir leben wollen. Bei einem Hause, das wir bauen, entscheiden wir uns doch für einen Stil, machen einen Plan, nicht wahr? Na also! Wir bauen ein Haus, das einen besonderen Stil hat. Gut!« Er schnitt mit der flachen Hand durch die Luft, um vier unsichtbare Wände auf den Tisch zu stellen, dann wölbte er eine unsichtbare Kuppel über die unsichtbaren Wände: »Bin ich mir einmal des Stiles bewußt, dann kann ich an Ornamenten, Grillen, Liebhabereien manches wagen; denn ich werde all das mit dem Ganzen in Einklang zu bringen wissen. Weil ich mir des Stilgesetzes bewußt bin, kann ich jede Kühnheit wagen, ohne den Bau zu verderben.« Nun begann er mit der Hand an das Haus auf dem Tische die wunderlichsten Balkons zu kleben, zog Galerien die Wände entlang. »Irrtum ist Stillosigkeit«, rief er und funkelte mit den Augen die Versammlung hinter mir an. »Das ist es! Jede architektonische Waghalsigkeit ist erlaubt, wenn wir sie schließlich mit den großen, edlen Linien des Ganzen in Einklang zu bringen verstehn.« Er sann ein wenig vor sich hin, schien das Haus auf dem Tische zu betrachten, versuchte hie und da noch einen Balkon anzubringen. Das gefiel ihm jedoch nicht recht. »Und dann«, versetzte er langsam, »können wir auch genau den Zeitpunkt bestimmen, wenn es fertig ist, wenn es geschmacklos wäre, noch etwas hinzuzutun. Nur an stillosen Baracken kann man immer wieder anbauen. Unser Haus weiß, wann es fertig ist.« Er schlug mit der Hand auf den Tisch, mitten in das unsichtbare Haus hinein, als wollte er es zerdrücken, er lächelte dabei, nahm sein Glas, und während des Trinkens schaute er über sein Glas hin die Versammlung hinter mir an, trank ihr zu. Als er das Glas wieder niedersetzte, kam eine Veränderung über ihn. Er sank ein wenig in sich zusammen, das Gesicht wurde schlaff und alt, und die Hand klopfte müde und sanft die Stelle, auf der sie das Haus eingedrückt hatte. Als er mich ansah, war das flackernde Licht in seinen Augen erloschen. Er lächelte ein befangenes, fast hilfloses Lächeln. »Ja, mein Junge«, sagte er, und es schien mir, daß seine Zunge ein wenig schwer war, »du sagst nichts. Was meinst du zu alldem?«

Oh! ich meinte nichts! Ich hatte die ganze Zeit über dem Redner mit unsäglichem Grauen gegenübergesessen. Jetzt mußte ich etwas sagen, und ich sagte etwas Sinnloses, über das ich mich wunderte, wie wir uns im Traume über das wundern, was wir sagen.

»Ja – aber – der Turm von Pisa«, bemerkte ich.

Mein Vater schien nicht weiter erstaunt. »Der!« meinte er nachdenklich, »der ist soweit ganz hübsch. Weil er schief ist, meinst du? Ja, da hat er unrecht. Wenn man schief steht, soll man umfallen, das wäre logischer. Aber – Gott! Das ist seine Sache!« Über diesen Gedanken lachte er leise in sich hinein und sah mich von der Seite an, als seien wir im Einverständnis. Ich lachte auch, aber ich war mir selber so unheimlich wie mein Vater. Am liebsten hätte ich mich von beiden leise fortgeschlichen. »Ich bin müde«, brachte ich tonlos heraus.

»Müde?« wiederholte mein Vater, ohne aufzusehn, »das kann schon sein. Gute Nacht...« Dann bekam die Stimme wieder etwas von ihrem gewohnten Klange, als er hinzufügte: »Morgen dürfen die Studien nicht vernachlässigt werden.«

Wenige Tage später fuhren wir am Nachmittage zur Eisenbahnstation, um von den Warnowern Abschied zu nehmen. Mich regte das an. Daß die Mädchen fortreisten, war traurig; aber man wußte doch, warum man traurig war. Es würde geweint werden, man würde sich umarmen, hübsche, rührende Dinge sagen. Wie würde Ellita sich benehmen? Was würde er tun? Ich würde doch wieder ein wenig bewegte Dramenluft atmen dürfen. Später konnte ich dann ehrlich unglücklich sein, vielleicht konnte ich dichten.

Im Wartesaal war die ganze Familie versammelt. Die Tante weinte. »Ach, Gerd!« rief sie, »und du, mein kleiner Bill, jetzt geht es an das Scheiden.« Chéri kläffte unausgesetzt. Die Mädchen, in ihren grauen Sommermänteln, graue Knabenmützen auf dem Kopf, saßen auf den Bänken, die Hände voll Warnower Blumen. Ich setzte mich zu ihnen, wußte aber nichts zu sagen. Went rannte hin und her, um das Gepäck zu besorgen. Mein Vater sprach mit der Tante vom Umsteigen. Die Zeit verging, ohne daß etwas Besonderes getan und gesagt wurde. Ja, alle schienen heute verstimmter und alltäglicher denn je zu sein.

Endlich ging es an das Abschiednehmen. Da kam ein wenig Schwung in die Sache. Gerda küßte mich. »Wenn wir uns wiedersehn«, sagte sie, »wollen wir wieder lustig sein, armer Bill.« Das trieb mir die Tränen in die Augen. Ich hörte meinen Vater etwas sagen. Ellita lachte. Er hatte wohl einen Witz gemacht. Dann saßen sie alle im Wagen. Wir standen auf dem Bahnsteig und nickten ihnen zu. Zu sagen hatte man sich nichts mehr.

Mit einem widerlichen Gefühle der Leere und Enttäuschung blickte ich dem abfahrenden Zuge nach. Das war wieder nichts gewesen! Melancholisch pfiff ich vor mich hin. Der Stationsvorsteher stand mitten auf den Schienen und gähnte in den gelben Nachmittagssonnenschein hinein. Als seine dicken Enten langsam an mir vorüberzogen, nahm ich kleine Steine und warf nach ihnen. Das tat mir wohl.

»Wer wird nach Enten mit Steinen werfen?« fragte der Stationsvorsteher ärgerlich. Am liebsten hätte ich ihn selbst mit Steinen beworfen!

»Fahren wir?« fragte Konrad.

Ich ging in den Wartesaal, nach meinem Vater zu sehn. Da stand er und spritzte sich mit einer kleinen, goldenen Spritze etwas in das Handgelenk. Als ich kam, steckte er hastig die Spritze in die Westentasche und ließ sein goldenes Armband klirrend über das Handgelenk fallen.

»Wieder die Migräne«, meinte er.

Auf der Heimfahrt kutschte er selbst. Ich wunderte mich darüber, daß er den Blessen heute durchließ, daß er nicht zog und alles dem Braunen überließ. Gesprochen wurde anfangs nichts. Ich dachte daran, daß Gerda mich geküßt hatte. So etwas kann man lange Zeit immer wieder denken. Eine gute Einrichtung für einen, der gezwungen war, so freudlos zu leben wie ich.

Plötzlich wandte sich mein Vater zu mir. Er lächelte ein gütiges, sehr jugendliches Lächeln, wie damals, als er im Garten Ellita den Handschuh aufhob. »Na«, sagte er, »dir ist wohl auch ein bißchen trüb zumute?« Ich wunderte mich über das »auch«. Er lachte: »Ja, das verstehn sie alle famos, hinter sich so – so 'ne Leere zu lassen – ha – ha. Das haben sie so an sich.« Er knallte mit der Peitsche. »Da bleibt nun nichts anderes übrig, als sich fleißig an die Studien zu machen.« Der Anfang der Betrachtung war hübsch gewesen und hatte mich gerührt. Schade, daß der Schluß so trivial war!

Faul und mißmutig ging ich einige Tage umher. Ich war traurig, aber ohne sentimentalen Genuß. Wenn ich daran dachte, daß dort, wo die Mädchen – die anderen waren, das Leben bunt und ereignisvoll weiterging und ich das alles versäumte, dann bekam ich Wutanfälle und schlug mit dem Spazierstock den Georginen die dicken roten Köpfe ab. Meinen Vater sah ich wenig. Zu den Mahlzeiten war er oft abwesend oder aß in seinem Zimmer. Wenn wir uns begegneten, sah er mich fremd und zerstreut an und fragte höflich: »Nun – wie geht es?« Auch er begann uninteressant zu werden.

In einer Nacht hörte ich wieder Margusch unten im Park singen. Ich konnte nicht schlafen. Eine quälende Unruhe warf mich im Bette hin und her. So in der finstern Stille nahm alles, was ich erlebt hatte, und alles, was kommen sollte, eine wunderliche, feindselige Bedeutung an. Das Leben schien mir dann ein gefährliches, riskiertes Unternehmen, das wenig Freude bereitet und doch schmerzhaft auf Freuden warten läßt.

Die Nacht atmete schwül durch das geöffnete Fenster herein. Das »Rai-rai-rah« klang aus der Dunkelheit eintönig und beruhigt herüber, beruhigt, als wiederholte es beständig: »Es kommt ja doch nichts mehr.«

Es wurde mir unerträglich, dem zuzuhören. Ich kleidete mich an und stieg zum Fenster hinaus, um dem Gesange nachzugehn.

Die Nacht war schwarz. Einige welke Blätter raschelten schon auf dem Wege. Wenn ich auf die grüne Kapsel einer Roßkastanie trat, gab es einen leisen Knall. Plötzlich hörte ich Schritte hinter mir. Ich horchte, schlug mich zur Seite, drückte mich fest an einen Baumstamm. Der rote Punkt einer brennenden Zigarre näherte sich. Eine dunkle Gestalt ging an mir vorüber. Mein Vater war es. Er blieb stehn, führte die Zigarre an die Lippen. Im roten Schein sah ich einen Augenblick die gerade Nase. Ich hörte ihn leise etwas sagen. Als er weiterging, klang das eifrige Gemurmel noch zu mir herüber. Ich wartete eine Weile. Am liebsten wäre ich umgekehrt. Dieser einsame Mann, der der Nacht seine Geheimnisse erzählte, erschien mir gespenstisch. Es mußte furchtbar sein, jetzt von ihm angeredet zu werden. Aber zu Hause in meinem Zimmer war ich allein. Das konnte ich jetzt nicht. Dort unten am Teich, bei dem großen, warmen Mädchen, würde es sicherer und heimlicher sein. Ich schlich weiter.

Margusch hockte an ihrem gewohnten Platz. Als ich mich zu ihr setzte, sagte sie: »Ach! wieder der Jungherr!« – »Ja, Margusch. Du singst wieder?«

Sie seufzte. »Man muß schon«, meinte sie. »Ist deiner wieder fort?« fragte ich.

»Alle sind fort«, erwiderte sie mit ihrer tiefen, klagenden Stimme.

»Sieh, Margusch, deshalb müssen wir zusammen sein.« — »Ja, Jungherr, kommen Sie, was kann man machen?« Und wir drückten uns eng aneinander.

Ein später Mond stieg über den Parkbäumen auf. Mit ihm erhob sich ein Wind, der die Wolken zerriß und sie in dunkeln, runden Schollen über den Himmel und den Mond hin trieb. Es war ein Gehn und Kommen von Licht und Schatten über dem Lande. Das Schilf und die Zweige rauschten leidenschaftlich auf. Ein Enterich erwachte im Röhricht und schalt laut und böse in die Nacht hinein.

»Muß man nach Hause gehn«, beschloß Margusch und blinzelte zum Monde auf.

»Schon?« — »Ja, wenn sie alle hier unruhig werden«, meinte sie.

»Weißt du, daß er auch hier unten ist?« flüsterte ich. Margusch nickte: »Ja, ja — er is immer hier bei Nacht. Gehn Sie bei der großen Linde vorüber. Da geht er nicht. Ich komm' nach. Zusammen können wir nicht gehn.«

Nachdenklich schritt ich den Teich entlang. Das starke Wehen um mich her, das bewegte Licht taten mir wohl. Es war mir, als hätte mein Blut etwas von dem sichern, festen Takte von Marguschs Blute angenommen. Ich glaube zu spüren, wie es warm und stetig durch meine Adern floß, eine stille und sichere Quelle des Lebens.

Als ich scharf um die Ecke in die Lindenallee einbog, stutzte ich; denn ich stand dicht vor jemandem, der unten auf den Wurzeln der großen Linde saß. Es war dort so finster, daß ich nichts deutlich unterscheiden konnte; dennoch wußte ich sofort, es sei mein Vater. Ich trat ein wenig zurück und blieb stehn. Ich wartete, daß er mich anrede. Die Gestalt lehnte mit dem Rücken gegen den Baumstamm, etwas zur Seite geneigt. Der Kopf war gesenkt. Schlief er? Nein, ich fühlte es in der Dunkelheit, wie er mich ansah. Ich mußte etwas sagen.

»Ich bin ein bißchen spazierengegangen«, begann ich beklommen. »Es war so schwül drinnen.« Er antwortete nicht. »Ist dir vielleicht nicht wohl?« fuhr ich zaghaft fort. »Kann — ich für dich — etwas . . .«

Die Wolken waren am Monde vorübergezogen, etwas Licht sikkerte durch die Zweige, fiel auf den gebeugten Kopf des Sitzenden, beleuchtete den Schnurrbart, die dunkle Linie der Lippen, die, ein wenig schief verzogen, verhalten lächelten.

Macht er einen Scherz? Muß ich höflich mitlachen? – dachte ich. »Weil es so heiß war« – sagte ich stockend. Die Dunkelheit breitete sich wieder über die schweigende Gestalt. Ich lehnte mich gegen einen Baum. Die Knie zitterten mir. Ich muß zu ihm gehn, sagte ich mir; allein ich vermochte es nicht. In der leicht in sich zusammengefallenen Gestalt war etwas Fremdes, etwas Namenloses. Verlassen durfte ich ihn nicht; aber hier zu stehn war entsetzlich. Margusch bog um die Ecke. Als sie dort jemand stehn sah, zögerte sie. »Margusch«, rief ich, »Margusch – sieh – er – er – spricht nicht, ich weiß nicht . . .«

»Er schläft«, meinte sie. »Ach nein – ich – ich weiß nicht, ob er schläft.«

Margusch trat an ihn heran: »Gnädiger Herr« – hörte ich sie sagen, dann faßte sie ihn an, richtete ihn auf, lehnte ihn mit dem Rücken an den Baumstamm mit fester, respektloser Hand, wie man eine Sache aufrichtet. Etwas Blankes rollte über das Moos und klirrte auf einen Stein. Es war die kleine goldene Spritze.

»Er ist tot«, sagte Margusch. Sie trat wieder zu mir, seufzte und meinte: »Ach Gottchen! der arme Herr, der hat nu auch nich' mehr gewollt!«

Ich schwieg. Tot – ja, das war es, das hier so fremd bei mir gestanden hatte.

»Leute muß man rufen«, fuhr Margusch fort. »So 'n Unglück. Sie wollen wohl nich' allein bei ihm bleiben?«

»Doch!« stieß ich hervor. »Ich – ich bleibe. Geh nur!« Margusch ging. Gierig lauschte ich auf die Schritte, die sich entfernten; erst als sie verklungen waren, wurde ich mir bewußt, mit dem Toten allein zu sein. Das fahle Gesicht mit der hohen Stirn, die im Mondlicht matt glänzte, lächelte noch immer sein verhaltenes, schiefes Lächeln, die Augen waren geschlossen, die langen Wimpern legten dunkle Schattenränder um die Lider. Aber wenn der Mond sich verfinsterte, schien es mir, als bewegten sich die Umrisse der Gestalt, ich fühlte wieder, daß er mich ansah. Ein unerträglich gespanntes Warten und Aufhorchen wachte in mir; wie einem Feinde gegenüber. Ich glitt an dem Baumstamm, an dem ich lehnte, nieder, hockte auf der Erde und bedeckte mein Gesicht mit den Händen. Das, was mir dort gegenübersaß, hatte nichts mit dem, den ich kannte, zu tun; es war etwas Tückisches, Drohendes, etwas, das das Grauen, welches über ihm lag, gegen mich ausnützte und darüber lachte. Ich weiß nicht, wie lange wir uns so gegenübersaßen, endlich hörte ich Stimmen. Leute mit Laternen kamen. Ich richtete mich auf, gab Befehle, ruhig und gefaßt.

Ihn hatten sie drüben im Saal aufgebahrt. Die Zimmerflucht war voll hellen Morgensonnenscheines und feiertäglich still. Ich saß schon geraume Weile allein im Wohnzimmer und schaute zu, wie die Blätterschatten über das Parkett flirrten. Nebenan hörte ich zuweilen die Dienstboten flüstern. Sie vermieden es, durch das Zimmer zu gehn, in dem ich mich befand, und war es nicht zu vermeiden, dann gingen sie auf den Fußspitzen und wandten den Kopf rücksichtsvoll von mir ab. Sie wollten mich in meinem Schmerz nicht stören.

Dieser Schmerz, über den wachte ich die ganze Zeit. Er enttäuschte mich. Ich hatte seltsame, furchtbare Dinge erlebt, ich hatte also einen großen Schmerz. Ich glaubte, das müsse etwas Starkes sein, das uns niederwirft, uns mit schönen, klagenden Worten füllt, mit heißen, leidenschaftlichen Gefühlen. Gab es nicht Fälle, daß Leute, die so Furchtbares erlebten, nie mehr lachen konnten? Nun saß ich da und dachte an kleine, alltägliche Dinge. Wenn die Gedanken zu dem zurückkehrten, was sich ereignet hatte, dann war es wie ein körperliches Unbehagen, mich fror. Alles in mir schreckte vor den Bildern, die kamen, zurück, sträubte sich gegen sie. Wozu? All das war nicht *mein* Leben. Ich brauchte das nicht zu erleben. Ich kann das fortschieben. Das gehört nicht zu mir. Und wieder führten die Gedanken mich zu den Vorgängen des Lebens zurück, zu der bevorstehenden Ankunft der Meinigen, zu dem Begräbnis und den Leuten, die kommen würden, den Pferden, die an die Wagen gespannt werden sollten, dem schwarzen Krepp, der aus der Stadt geholt wurde und den Konrad um meinen Ärmel nähen mußte. Ich wußte wohl, ich sollte zum Toten hinübergehn, das wurde von mir erwartet. Allein ich schob es hinaus. Es war hier in der sonnigen Stille so behaglich, so tröstend, hinauszuhorchen auf die heimatlichen landwirtschaftlichen Geräusche, auf das Summen des Gartens. Ich wunderte mich darüber, daß ich nicht weinte. Wenn ein Vater stirbt, dann weint man, nicht wahr? Aber ich konnte nicht.

Der alte Hirte kam, um mir sein Beileid auszusprechen. Er faltete die Hände, sagte etwas von vaterloser Waise. Das rührte mich. Dann meinte er, nun würde ich wohl ihr neuer Herr sein, das freute mich, es machte mir das Herz ein wenig warm. Aber ich winkte traurig mit der Hand ab.

Der Pastor kam. Sein rotes Gesicht unter dem milchweißen Haar war bekümmert und verwirrt. Er klopfte mir auf die Schulter, sprach von harter Schickung, die Gott über meine jungen Jahre verhängt habe, und von Seinen unergründlichen Ratschlüssen: »Der Verstorbene war ein edler Mann«, schloß er. »Wir irren alle. Die ewige Barmherzigkeit ist über unser aller Verständnis groß.«

Nach ihm erschien der Doktor. Seine zu laute Stimme ging mir auf die Nerven. Er schüttelte mir bedeutungsvoll die Hand: »Ein großes Unglück«, meinte er, »dieses Morphium, das läßt einen nicht los. Mit dem Herzen des Seligen war es nicht ganz in Ordnung. Ein Unglück geschieht bald.« Er sprach unsicher und eilig, als wünschte er bald fortzukommen. Also er weiß es auch – dachte ich –, und wir machen uns etwas vor. Aber das würde der Selige loben. Das würde er Tenue nennen.

Als sie alle fort waren, beschloß ich, zu dem Toten hinüberzugehn. Es mußte sein. Ich hatte das Gefühl, als läge er dort nebenan und warte. Ich war noch nie mit einem Toten zusammen gewesen; denn das – gestern nacht, war kein Erlebnis, es war ein böser Traum. Als ich in das Zimmer trat, wo er aufgebahrt lag, war meine erste Empfindung: Oh! das ist nicht schrecklich!

Konrad war da. Er hatte noch an dem Anzug seines Herrn geordnet. Jetzt trat er zur Seite und stand andächtig mit gefalteten Händen da. Ich faltete auch die Hände, beugte den Kopf und stand wie im Gebete da. Als ich glaubte, dieses habe lange genug gedauert, richtete ich mich auf. Da lag der Tote, schmal und schwarz, in seinem Gesellschaftsanzuge, mitten unter Blumen. Das Gesicht war wachsgelb, die Züge messerscharf, sehr hochmütig und ruhig. Die feine, bläuliche Linie der Lippen war immer noch ein wenig schief verzogen, wie in einem verhaltenen Lächeln. Eine kühle Feierlichkeit lag über dem Ganzen. Und rund um die stille schwarze Gestalt die bunten Farben der Spätsommerblumen; Georginenkränze wie aus weinrotem Samt, Gladiolen wie Bündel roter Flammen, große Spätrosen und Tuberosen, eine Fülle von Tuberosen, die das Gemach mit ihrem schweren, schwülen Dufte erfüllten. Konrad schaute mich von der Seite an. Ob er sich darüber wunderte, daß ich nicht weinte? Ich legte die Hand vor das Gesicht. Da ging er leise hinaus.

Nein, ich weinte nicht. Aber ich war erstaunt, daß der Tote so wenig schrecklich war, daß er ein festliches und friedliches Ansehn hatte. Ich konnte mich hinsetzen und ihn aufmerksam, fast neugierig betrachten, die schwere, kühle Ruhe, die ihn umgab, auf mich wirken lassen. Wie überlegen er dalag; geheimnisvoll wie im Leben, mit seinem verhaltenen, hochmütigen Lächeln: »Man muß wissen, wenn das Haus fertig ist« – klang es in mir. Jetzt verstand ich ihn. Das hat er gewollt. Aber Widerspruch und Widerwille gegen diese Lehre regte sich in mir, wie damals, als er die Lehren des alten Türken vorbrachte oder über gute Manieren sprach. O nein, das nicht! Nicht für mich! Alles, was in mir nach Leben dürstete, empörte sich gegen die geheimnisvolle Ruhe. Es war mir, als wollte der Tote mit seinem stillen Lächeln mich und das Leben ins Unrecht setzen. Er hatte das gewollt; aber ich – ich wollte das nicht, noch lange nicht. Ich brauchte nicht zu sterben, ich lehnte den Tod leidenschaftlich ab. Leiden, unglücklich sein – alles – nur nicht so kalt und schweigend daliegen! Ich erhob mich und verließ eilig das Zimmer, ohne mich umzuschauen.

Der Sonnenschein dünkte mich hier nebenan wärmer und gelber als dort drinnen. Ich ging an das Fenster, beugte mich weit hinaus, atmete den heißen, süßen Duft des Gartens ein. Große Trauermäntel und Admirale flatterten über dem Resedebeet, träge, als seien ihre Flügel schwer von Farbe. Fern am Horizont pflügte ein Bauer auf dem Hügel, ein zierliches schwarzes Figürchen gegen den leuchtendblauen Himmel. Töne und Stimmen kamen herüber. Drüben hinter den Johannisbeerbüschen lachte jemand. Das Leben war wieder heiter und freundlich an der Arbeit; es umfing mich warm und weich und löste in mir alles, was mich drückte. Jetzt tat der stille, feierliche Mann dort nebenan mir leid, der all das nicht mehr haben sollte, der ausgeschlossen war. Ich mußte weinen.

Edse, der kleine Hilfsdiener, ging unten am Fenster vorüber. Er blickte scheu zu mir auf. Es war gut, daß er mich weinen sah; denn ein Sohn, der nicht um seinen Vater weinen kann, ist häßlich.

Erschienen 1906

Miks Bumbullis

I

Der Grigas und die Eve waren zum Johannisfeuer gegangen, hatten sich dann beim Heimweg irgendwo im Gebüsch noch aufgehalten, wie das junger Menschenkinder gutes Recht ist, und als sie sich dem Försterhause näherten, verschämt und verstohlen, da war es fast schon heller Tag.

Der Grigas bemerkte als erster, daß die Lampe im Wohnzimmer des Herrn noch brannte. Er winkte der Eve rasch, sich von hintenherum ins Haus zu schleichen, und tat so, als sei er schon bei der Arbeit. Er machte sich an dem Holzlager zu schaffen und warf mit großem Gepolter etliche Erlenkloben zwecklos übereinander.

Damit begehrte er die Aufmerksamkeit des alten Hegemeisters auf sich zu lenken und der Eve den heimlichen Wiedereintritt zu erleichtern. Aber der Anruf des strengen Brotherrn, den er erwartet hatte, blieb aus.

»Wird wohl auf dem Sofa eingeschlafen sein«, dachte er und setzte erleichtert die Pfeife in Brand.

Aber da sah er, wie vom Giebelende her die Eve mit heftigen Gebärden nach ihm zu rufen schien. Er begab sich vorsichtig in ihre Nähe und erfuhr zu seinem lebhaften Erstaunen, daß sie beim Nachsehen das Bettchen der kleinen Anikke leer gefunden habe.

Anikke war das vierjährige Kind eines weitläufigen Neffen, das der Alte zu sich genommen hatte, seit der Vater verschollen und die Mutter aus Gram darüber dem Lungenhusten erlegen war. Als erster Gedanke stieg dem Grigas auf, daß nur eine der

Laumen die Anikke entführt haben könne. Denn daß diese Feen sich mit dem Wegnehmen und Auswechseln von Kindern befassen, auch lange nachdem sie getauft sind, das weiß ja selbst der Dümmste.

Aber Eve, die sonst immer seiner Meinung war, wollte ihm nicht recht geben. Die brennende Lampe – und die Stille im Haus – und dazu kam noch eins, was sie vorhin beim Näherkommen bemerkt haben wollte: Das Fenster war geschlossen gewesen, aber in einer der Rauten hatten die Scherben gehangen.

So faßte er sich denn ein Herz und machte sich dicht vor der erleuchteten Stube zu schaffen.

Und beim Hineinschielen – was sah er da? Der alte Wickelbart lag auf dem Boden in seinem Blute, und in dem seitlich ausgestreckten Arme schlief das Kind.

Weinen und Wehklagen machen keinen Totgeschossenen wieder lebendig. Sie wußten auch gleich, wer's getan hatte: »Miks Bumbullis«, sagten sie fast in einem Atemzuge.

Der Miks Bumbullis war nämlich vor zwei Tagen von dem alten Hegemeister abgefaßt worden, wie er gerade ein frisch erlegtes Reh ausnahm und dazu ein »Tewe musso« betete. Denn das Vaterunser ist immer gut gegen das Abgefaßtwerden. Aber diesmal hatte es dem Miks nichts geholfen. Er hatte sogar noch seine Flinte hergeben müssen, und wenn der Alte ihn nicht gefangen mit sich führte, so geschah es nur darum, weil er genau wußte, daß sein Gefangener ihn während des Weges trotz seiner Schußwaffe überwältigen würde.

Und nun hatte er doch daran glauben müssen. Denn mit dem Miks Bumbullis war nicht zu spaßen. Wo man nachts beladen über die Grenze ging, wo dem Zamaiten das Fuhrwerk ausgespannt wurde, wo man dem Juden den Schnaps auf die Straße goß – der Miks war überall dabei. Nun gar das verdammte Wilddieben!

Und er hätte es so gut haben können! Die Wirtstöchter weit und breit waren nach ihm aus. Auch eine junge Witfrau sogar! Und was für eine! Mit einem Hof von hundertzwanzig Morgen. – Die hatte schon zweimal den Vermittler zu ihm geschickt.

Aber er? Nun, da sah man's ja.

Der Grigas und die Eve hoben das Kind aus dem starr gewordenen Arm, und als sie ihm das blutige und tränennasse Hemdchen vom Leibe zogen, da wachte es nicht einmal auf.

Nun lag es zwischen den rotbunten Kissen und lächelte wie so ein Engelchen.

94

Dann wollten sie an die Arbeit gehen, den Leichnam abzuwaschen und auf die Totenbahre zu legen. Da fiel dem Grigas zur rechten Zeit noch ein, daß man jeden, der eines unnatürlichen Todes gestorben ist, liegenlassen muß, wie er gefunden wurde, bis die Herren vom Gericht dagewesen sind. Und so geschah es auch.

II

Der Miks Bumbullis war bald gefunden. Er trieb sich in den Krügen umher und erklärte in seiner Betrunkenheit jedem, der es wissen wollte, er sei von dem Hegemeister beklappt worden. Darum müsse er jetzt auf ein paar Jahr' in die Kaluse. Aber von dem Morde wußte er nichts.

Dem Gendarm, der ihm Handschellen anlegte, streckte er die Zunge aus und bestand darauf, daß der Krüger sich das Geld für die Zeche selber aus der Hosentasche hole, denn er müsse die kostbaren Armbänder schonen, die der Staat ihm geschenkt habe.

Ein strammer, gedrungener Kerl war er mit einem blonden Unschuldsgesicht. Trug das Haar noch von der Soldatenzeit her glatt an der Seite gescheitelt und sah mit großen, ausgeblaßten Augen gelassen in die Runde.

Sein erstes Verhör verlief wesentlich anders, als der Untersuchungsrichter erwartet hatte. Der alte Hegemeister habe es zwar schon lange auf ihn abgesehen gehabt, im Walde Mann gegen Mann würde er auch sicherlich auf ihn abgedrückt haben, das hätte die Ehre von ihm gefordert, den Schuß durchs Fenster aber habe ein anderer getan.

Soweit war alles in Ordnung.

Wo er sich denn in der Mordnacht aufgehalten habe.

Und nun kam die merkwürdige Wendung.

Er sei irgendwo eingestiegen, sich eine neue Flinte zu beschaffen. Wo, sage er nicht.

Was er denn mit der Flinte habe anfangen wollen, da er doch sicher gewesen sei, alsbald verhaftet zu werden.

Er habe über die Grenze gehen wollen, und da drüben müsse man immer was in der Hand haben.

Der Untersuchungsrichter legte ihm ans Herz, daß, wenn er nicht angeben wolle, wo er den Einbruch verübt habe, sein Kopf sich schon als abgetan betrachten könne. Aber auch das half nichts.

Noch an demselben Tage wurde er zwischen zwei Gendarmen

auf einen Bretterwagen gesetzt und die zwei Meilen weit zur Mordstätte gefahren. Das Publikum in Heydekrug sammelte sich am Wege und starrte ihn an. Das schien ihm großen Spaß zu machen.

Grigas und Eve empfingen die Gerichtskommission mit der dienstfertigen Würde des guten Gewissens, die heftig in Verlegenheit umschlug, als ihnen die näheren Umstände der frühmorgendlichen Heimkunft abgefragt wurden.

Der Tatbestand war klar. Der Bruch der Fensterscheibe schien auf einen Schrotschuß hinzuweisen, obwohl nur *eine* Wunde – dicht über dem Herzen – sich vorfand. Genaueres festzustellen blieb der Leichenöffnung vorbehalten. Fußspuren ließen sich nicht entdecken.

Als Miks Bumbullis vor die Leiche geführt wurde, tasteten ein halbes Dutzend Augenpaare gierig nach seinem Angesicht. Der große Augenblick, der so manches Geständnis aus der Seele reißt, verging ungenutzt. Ruhevoll – ein wenig neugierig fast – blickte Miks auf den liegenden Körper nieder und sah sich dann, als suche er irgend etwas, in der Stube um.

Die üblichen Vorhaltungen, die der Dolmetsch, ein kluger, kleiner Mann, der in der Seele des fremden Volkes zu lesen gewohnt war, noch eindrucksvoller übersetzte, verhallten ungehört.

»Ich weiß von rein gar nuscht«, blieb die einzige Antwort.

Nur als hierauf die kleine Anikke weinend hereingeführt wurde, flog ein Schein wie von plötzlicher Ermüdung über die gestrafften Züge – einen Augenblick nur – dann war er wieder der alte.

Aus dem Kinde ließ sich, wie natürlich, vor den fremden Männern nichts herausbringen. Eve trat für sie ein und berichtete, was sie im Zwiegespräch ausgeplaudert hatte.

Weil Eve nicht dagewesen sei, habe sie vor Angst nicht einschlafen können und immerzu geweint. Da sei der Großvater gekommen, habe sie aus dem Bettchen genommen und zu sich aufs Knie gesetzt. Mit einmal habe es draußen geknallt, der Großvater sei aufgesprungen, und dann habe er sich auf die Erde gelegt und sei eingeschlafen. Und dann sei auch sie eingeschlafen.

Der Untersuchungsrichter wandte sich an Miks.

»Als Sie auf den Hegemeister anlegten und das Kind auf seinem Schoß sitzen sahen, schlug Ihnen da nicht das Gewissen, daß Sie statt seiner das unschuldige Wesen treffen könnten?«

»Ich weiß von rein gar nuscht«, war wie immer die Antwort. Aber etwas wie ein Schlucken oder Schluchzen lag darin. Und als das Kind hinausgeführt wurde, sah er ihm mit einem Blick nach wie der Hund nach der Wurst.

Am nächsten Tag bequemte sich Miks zu dem Geständnis, wo er in der Johannisnacht eingebrochen war. Sonderbarerweise hatte er sich den Hof jener Witfrau ausgesucht, die seit eineinhalb Jahren auf ihn Jagd machte. Er habe gehört, daß ihr verstorbener Mann im Besitz einer Flinte gewesen sei, und die habe er sich holen wollen. Es sei aber nichts zu finden gewesen.

Woher er das Haus so genau kenne, daß er den Einbruch mit Aussicht auf Erfolg habe unternehmen können?

Darauf blieb er die Antwort schuldig.

III

Nun trat – vorgeladen – Frau Alute Lampsatis in die Erscheinung. Eine hübsche Dreißigerin mit breit ausladenden Hüften und einem sorgfältig weggeschnürten Busen. In dem roten, fleischigen Gesicht saß ein Paar unruhig sinnlicher Augen, und unter dem zurückgeschlagenen Kopftuche glitzerte eine Art von Schuhschnalle hervor, obwohl das reiche rotblonde Haar keines Schmukkes bedurfte.

In gebrochenem Deutsch, doch mit großem Wortschwall versicherte sie, sie sei eine anständige Besitzerin und niemand könne ihr etwas Schlechtes nachsagen.

Darauf komme es hier gar nicht an, belehrte sie der Richter. Sie habe nur zu bezeugen, ob sie in der Johannisnacht oder nachher etwas von einem bei ihr verübten Einbruch bemerkt habe.

Aber sie blieb dabei, sie sei eine anständige Besitzerin und niemand könne ihr etwas Schlechtes nachsagen.

Der Richter wußte sich nicht anders zu helfen, als daß er den Dolmetsch holen ließ, der sie in ihrer Muttersprache so kräftig anschrie, daß ihr die Lust zu Ausflüchten verging.

Sie selbst habe zwar geschlafen, aber ihre Nichte – die Madlyne –, als die vom Johannisfeuer gekommen sei, da habe sie einen Mann aus dem Fenster der Klete steigen sehen, der in der Richtung nach dem Walde verschwunden sei.

Der Richter und der Dolmetsch lächelten sich an. Sie glaubten, den Schlüssel zu den Aussagen der ehrbaren Witwe gefunden zu haben.

Es traf sich gut, daß Frau Alute ihre Nichte gleich mitgebracht hatte. Sie wurde heraufgeholt und stellte sich als ein achtzehnjäh-

riges Püppchen dar mit wasserhellen Augen und einem Kirschen-
mund. Sie war im Sonntagsstaat, trug eine grünseidene Schürze
über der selbstgewebten Marginne und blütenweiße Hemdärmel,
die aus dem reichgestickten Mieder hervorquollen. Ein Bauernmädchen wie aus der Operette.

Mit ihr war nicht schwer zu verhandeln, denn sie sprach ein
ausgezeichnetes Deutsch, gab kurze, klare Antworten und konnte
auf der Stelle vereidigt werden.

Sie war – gleich Grigas und Eve – gegen Morgen vom Johannisfeuer gekommen –

»Allein?«

Sie senkte schämig die langwimprigen Lider.

»Ganz allein.«

– da habe sie schon von weitem den Hund bellen hören und
sich darum hinter dem Zaun versteckt gehalten. Und da sei auch
richtig ein Mann aus dem Fenster der »Kleinen Stube« gestiegen.

»Ich denke, der Mann kam aus der Klete?« fragte der Richter.

Die Klete – der Raum, in dem die haltbaren Vorräte aufbewahrt
werden – pflegt sich in den älteren Wirtschaften unter einem ge-
sonderten Dache zu befinden.

»Ak nei, ak nei«, versicherte Madlyne, und vor lauter Bekennt-
niseifer schoß ihr das Blut in das Wachspuppengesicht. »Akkrat
aus der Stubele is er gekommen, das kann ich beschwören.«

»Und wo schläft deine Tante, Madlyne?«

»Die schläft in der Stuba – der Großen Stube – das kann ich
beschwören.«

Die Große und die Kleine Stube liegen stets auf derselben Seite
des Hausflurs und sind durch eine Tür verbunden.

Der Richter und der Dolmetsch lächelten sich abermals an.

Madlyne wurde hinausgeschickt und statt ihrer Frau Alute wieder hereingerufen.

Nachdem der Richter ihr durch den Dolmetsch die schwerwie-
genden Folgen eines etwaigen Meineids hatte ausmalen lassen,
stellte er den Widerspruch klar, der zwischen der heutigen Aussage Madlynens und dem, was sie von ihr erfahren haben wollte,
bestand.

Frau Alute behauptete abermals, sie sei eine anständige Besitzerin und niemand könne ihr etwas Schlechtes nachsagen. Dabei
blieb sie jetzt auch der Beredsamkeit des Dolmetsch gegenüber,
der ihr sämtliche Höllenstrafen der Reihe nach vorführte.

Der Richter glaubte, weil er Madlynens Umfall fürchtete, auf
eine Gegenüberstellung der beiden Verwandten verzichten zu sol-

98

len, und beschränkte sich darauf, das Motiv des angeblichen Einbruchs der Klärung näherzubringen.

Ob sie eine Flinte im Hause habe.

Sie verneinte heftig.

Oder gehabt habe.

Auch das nicht. Zu Lebzeiten ihres Mannes sei wohl ein Schießgewehr dagewesen, womit der Selige die Karekles – die jungen Krähen – von den Fichten heruntergeholt habe, aber als er dann krank geworden sei, habe er es eines Tages an den Juden verkauft.

»An welchen Juden?«

Das konnte sie natürlich nicht wissen. »Der Jude ist der Jude, und einer sieht aus wie der andere.«

Der Richter, der bisher den Kern der Angelegenheit sorgsam umgangen hatte, hielt den Augenblick für gekommen, den Namen des Beschuldigten ins Treffen zu führen.

Ob sie den Miks Bumbullis kenne.

Sie zeigte sich nicht im mindesten bestürzt oder auch nur befangen. Wie sollte sie den Miks Bumbullis nicht kennen. Er war ja mit ihrem seligen Mann immer zusammen über die Grenze gegangen.

Der Dolmetsch sah den Richter verstehend an. Schmuggeln taten sie in den Grenzdörfern alle, und bewaffnet waren sie gelegentlich auch. Der Miks konnte sich also wohl der Flinte erinnert haben, die sein ehemaliger Kumpan mit sich geführt hatte. Wenn er von ihrem Verkauf nichts wußte, durfte er mit etlichem Recht annehmen, daß sie noch unbenutzt herumstand.

Ob der Miks Bumbullis bereits in ihrem Hause gewesen sei.

Aber ja doch. Er habe manches schöne Mal den seligen Mann des Abends abgeholt.

»Wozu abgeholt?«

»Nun, über die Grenze zu gehen.«

Ob sie noch wisse, wo der selige Mann damals die Flinte aufbewahrt habe.

Sie stutzte und besann sich, als wittere sie den heimlichen Zusammenhang der scheinbar ziellos durcheinanderschwirrenden Fragen.

Und dann fing sie an zu wehklagen und zog sich auf die Plattform der anständigen Besitzerin zurück, der man nichts Schlechtes nachsagen könne.

Von diesem Augenblick an war nichts mehr aus ihr herauszuholen. Auf ihre Vereidigung wurde verzichtet.

Die Verhandlung vor dem Schwurgericht kam heran. Eine große Zeugenschar war aufgeboten. Das Bild des erschossenen Hegemeisters entwickelte sich als das eines rücksichtslos strengen Verfolgers, dem schon viele Rache geschworen hatten und dem es nie in den Sinn gekommen war, selbst harmlose Gelegenheitswilderer zu verschonen. So war zum Beispiel, wie sich zufällig herausstellte, auch der selige Mann der Frau Lampsatis durch ihn ins Gefängnis geraten. Der hatte also, wie es schien, seine Flinte nicht bloß zum Krähenschießen benutzt.

Jedenfalls ließ die Wahrscheinlichkeit sich nicht übersehen, daß, wenn Miks ein leidliches Alibi beibringen konnte, statt seiner ein anderer als Täter in Frage kam.

Er saß in seinem Sonntagsstaat schweigsam und häufig teilnahmslos auf der Armsünderbank. Weniger in seinen rosig gebliebenen Zügen als in den blaß hinstarrenden Augen malte sich die geistige Übermüdung, die diese des scharfen Denkens ungewohnten Naturkinder oft überfällt, wenn sie ihr Schicksal dem Spiel und Widerspiel der Zeugenschaften anheimgegeben sehen.

Frau Alute, unter deren Kopftuch sich heute keine Schuhschnalle hervorschob, war wieder ganz gekränkte Unschuld, und Madlynens wippende Appetitlichkeit erregte ein wohlgefälliges Schmunzeln selbst bei den Greisen der Geschworenenbank.

Zwischen den Aussagen der beiden Frauensleute ließ sich auch heute keine Einigung erzielen. Alute erinnerte sich aufs bestimmteste, daß ihre Nichte ihr am Morgen nach dem Einbruch erzählt hatte, der Mann, den sie gesehen habe, sei aus der Klete gekommen, und Madlyne behauptete, daß sie so etwas nie gesagt haben könne, denn es wäre ja nicht die Wahrheit gewesen.

Miks Bumbullis beschrieb nun selber den Weg, den er genommen haben wollte. Er habe die unverschlossene Haustür geöffnet, habe sich in die Große Stube hineingetastet –

In der *Großen* Stube schlief Frau Alute! Sie hätte bei seinem Kommen erwachen müssen!

Sie sei eben nicht erwacht. Dann habe er sich in die Kleine Stube geschlichen, habe Wände und Winkel abgetastet und sei schließlich, als das Gewehr nirgends zu finden gewesen sei, zum Fenster hinausgeklettert.

Warum er nicht den bequemeren Rückweg durch Große Stube und Hausflur gewählt habe.

Frau Alute habe sich in ihrem Bette gerührt.

Das klang einigermaßen glaubhaft und stimmte mit Madlynens Aussage überein. Aber der Widerspruch zwischen dem, was sie ihrer Tante erzählt haben sollte, und ihrer beschworenen Aussage klaffte noch immer. Und dann war auch noch der Vermittler da, der bezeugt hatte, daß er in Frau Alutes Auftrag zweimal bei Miks gewesen war, ihm ihre Hand anzubieten.

Wie dem auch sein mochte, Frau Alute mußte vereidigt werden. Sie wurde noch einmal ausdrücklich ermahnt und streckte bereits die Schwurfinger in die Höhe, da geschah das Unerwartete, daß Miks in die Eidesworte hineinzusprechen anfing.

Der Präsident herrschte ihn an, aber er sprach weiter. Schwerfällig, tropfenweise fielen die litauischen Worte aus seinem Munde.

Frau Alute horchte auf und – brach dann weinend zusammen.

Was er ihr gesagt hatte, wurde verdolmetscht und lautete: »Ich habe dir zwar bei Gott und bei deinem Mann geschworen, auch vor Gericht nichts davon zu sagen, aber es ist doch besser, daß du deine Seele nicht mit einem Meineide beschwerst und mich aufs Schafott bringen läßt. Drum sage doch lieber die Wahrheit.«

Unter Schreien und Händeringen kam, was geschehen war, nunmehr ans Tageslicht.

Alute Lampsatis lag abends halb eingeschlafen in ihrem Bette. Da wurde sie plötzlich durch Männerschritte aufgeschreckt, die im Hausflur näher kamen. Sie wußte, daß Schreien nichts helfen würde, denn Madlyne und die Magd und der Knecht waren zum Johannisfeuer gegangen. Da fing sie zu beten an und erwartete ihr Ende. Aber dann hörte sie plötzlich ihren Namen nennen und erkannte Miksens Stimme. »Geh weg«, sagte sie, »wenn ich auch nach dir geschickt habe, ich bin eine anständige Besitzerin, und niemand soll mir was Schlechtes nachsagen können.« – »Ich will gar nicht bei dir schlafen«, antwortete er, »ich will bloß, daß du mir das Gewehr gibst, das deinem Mann gehört hat, denn der Hegemeister hat mir meines weggenommen.« – »Das Gewehr ist nicht mehr da«, sagte sie, »und wenn es da wäre, würde ich es dir nicht geben, denn du willst damit bloß den Hegemeister umbringen.« Das bestritt er, aber sie glaubte ihm nicht. Und als er sich daraufhin wieder entfernen wollte, sprang sie in ihrer Angst aus dem Bette und verlegte ihm den Weg. Da fühlte er, daß sie im Hemd war, und blieb bei ihr bis an den Morgen.

Die große Spannung löste sich. Die Unschuld Miksens schien erwiesen. Und auch die Frage, warum er, da er doch mit Wissen der Wirtsfrau da war, statt einfach durch die Haustür zu gehen, durch das Kleinestubenfenster geklettert war, wurde nach einigem Zaudern und Drumherumreden hinreichend aufgeklärt. Man war des Glaubens gewesen, Madlyne sei inzwischen heimgekommen, und da ihre Kammer auf der anderen Seite des Hauses lag, hätten die Männerschritte im Hausflur ihr nicht entgehen können.

»Das hättet ihr gleich sagen können«, meinte der Vorsitzende. Und da auf weitere Zeugenvernehmungen verzichtet wurde, begann der Staatsanwalt gleich seine Rede.

Alles übrige rollte ohne Kampf und Zwischenfälle wie von selber dem Richterspruche zu. Der Losmann Miks Bumbullis wurde von der Anklage des Mordes freigesprochen und wegen Wilderns zu zwei Jahren Gefängnis verurteilt.

Miks Bumbullis verzog keine Miene. Auch als Frau Alute, die sich inzwischen von ihren Schreikrämpfen erholt hatte, glückwünschend auf ihn zutrat, ging kein Lächeln über sein Gesicht. Sein Blick hing wie erstarrt an einem Platze der Zeugenbank, wo neben Eve, der Magd, schmutzig und abgerissen die kleine Anikke saß, an den grünen Äpfeln nagend, die eine der Dorffrauen ihr geschenkt hatte. Sie war der Vollständigkeit halber mit vorgeladen worden, und Eve hatte für sie ausgesagt.

Als Miks abgeführt werden sollte – an Haftentlassung war natürlich nicht zu denken –, wandte er sich noch einmal nach dem Kinde um, als wollte er irgend etwas zu ihm hinübersagen. Aber der Gerichtsdiener stieß ihn hinaus.

V

Der Grabhügel des alten Hegemeisters begann zu verfallen, denn niemand war da, der sein Andenken hochhielt. Um das Schicksal der kleinen Anikke entspann sich ein Prozeß zwischen dem Forstfiskus und der Gemeinde, der ihr verschollener Vater angehört hatte. Beide wollten die Erziehungspflicht einander in die Schuhe schieben. Und da der Fiskus an allzuviel Gemüt nicht krankt und die Weitläufigkeit der Verwandtschaft zwischen dem Toten und dessen verwaistem Pflegling ihm als ausreichender Grund zustatten kam, so blieb die kleine Anikke als unwillkommener Gast an jener Gemeinde hängen, die ihrerseits froh war, sie für ein kleines Entgelt an den Ort abschieben zu können, an dem sie die letzte Zeit über gehaust hatte.

So wurde sie eines Tages beim Ortsschulzen öffentlich versteigert und kam an den Mindestfordernden, den Häusler Kibelka, einen wenig vertrauenerweckenden Zeitgenossen, der die paar Groschen brauchte, um sie in Branntwein anzulegen.

Wie so ein armes kleines Tierchen, von dem Gott und Menschheit die sorgenden Augen abgewandt haben, in seinem stummen Jammer leidet, das hat noch niemand erkannt und beschrieben, und niemand wird es je erkennen und beschreiben können. Was Hunger und Schmutz, was Prügel und Kälte, was vor allem das Fehlen jedes streichelnden Wortes in der noch nicht erschlossenen Seele ersticken und zerfressen, bis aus dem in unbewußter Zuversicht aufjauchzenden jungen Leben ein scheu zitterndes, in sich verkrochenes, kaum noch des Atmens fähiges Halbdasein geworden ist, das verliert sich in Dunkel und Schweigen. Alljährlich wird ein unermeßlicher Haufe von solchem Menschenkehricht ins Grab geschaufelt, wo es zu seinem Besten hingehört. Und nur wie durch ein Wunder senkt sich bisweilen von der Sonne eine Hand hernieder und hebt eins oder das andere der schon fast abgestorbenen Kümmerlinge zum Licht empor.

Ja, wenn die Sonne nicht wäre! Und der Hofhund allenfalls!

Neben dem Hofhund zu liegen und sich wie er von einem gutgesinnten Mittagssonnenschein sanft anwärmen zu lassen, bleibt schließlich das einzige Glück so eines glücklosen Schattengeschöpfes. – – –

Und plötzlich spitzte der Hofhund die Ohren, sprang anschlagend auf und fegte mit schleppender Kette den Kreis des ihm zugewiesenen Reiches.

Anikke, die allein zu Hause war, sah einen Menschen durch das Hoftor kommen, der sich vorsichtig umsah und dann auf die Hundehütte zuschritt, an der sie sich schutzsuchend festhielt.

Dicht vor den Zähnen des Hundes machte er halt und sagte: »Ist der Wirt zu Hause?«

Anikke wußte wohl, daß alle draußen Kartoffeln gruben, aber um nichts in der Welt hätte sie antworten können.

»Wie heißt du?« fragte er weiter.

In ihrer Angst hatte sie den eigenen Namen vergessen. Der Hund belferte dazwischen, und erst als der fremde Mensch ihm mit seinem Stock eins überriß, zog er sich heulend gegen die Hütte zurück.

Dann kam der Fremde näher an sie heran, immer den Stock vorhaltend, in den der Hund sich verbiß. Sie wußte nun, daß sie geraubt werden sollte, und fing furchtbar zu weinen an.

Und dann fühlte sie sich am Arm erfaßt und mit jähem Ruck fortgezogen, während der Hund, von einem neuen Schlage getroffen, sich um und um kugelte.

»Wein nicht, wein nicht, ich tu' dir nichts«, hörte sie seine Stimme. Denn vor lauter Tränen sah sie nichts mehr. Aber in dieser Stimme klang irgend etwas, dessen sie nicht gewohnt war. Sie hörte zu weinen auf.

»Bist du die Anikke?«

»Ja–a.«

»Willst du ein Lakritzenholz haben?«

Lakritzenholz wollte sie gern, denn das aßen die großen Kinder manchmal, wenn die Schule aus war, aber sie bekam natürlich nichts davon ab.

Und dann gab der fremde Mann ihr aus einer Tüte eine schöne gelbe Stange, in die sie auch gleich hineinbiß, denn sie hatte jetzt kaum noch Angst vor ihm.

Und nun wagte sie ihn sogar anzusehen. Böse sah er nicht aus. Viel guter als der Wirt. Und er roch auch nicht nach Schnaps. Sandfarbiges Haar hatte er und einen ebensolchen Schnurrbart. Und sie wußte jetzt auch, wo sie ihn schon gesehen hatte. Ein großer Saal war es gewesen wie in der Kirche. Aber statt *eines* Pfarrers im Talar hatte gleich ein ganzer Tisch voll dagesessen.

»Wie alt bist du, Anikke?«

»Ich werd' sieben.«

»Gehst du schon in die Schule?«

»Nein.«

»Warum nicht?«

»Ich hab' nichts anzuziehen, sagt die Frau.«

Nun blickte er an ihr nieder und betrachtete lange das Lumpengezottel, in das sie notdürftig gehüllt war. Dann fragte er, wo er den Wirt wohl finden könne. Sie zeigte ihm die Richtung des Feldes und geleitete ihn auch ein Stück, denn sie mochte nun gar nicht mehr von ihm gehen.

Als er die Arbeitenden gewahrte, schenkte er ihr die ganze Tüte, die er solange in der Hand gehalten hatte, und sagte: »Versteck's, daß die anderen es dir nicht wegessen.«

Damit schickte er sie zurück und schritt in der Kartoffelfurche weiter, bis er auf den Wirt stieß, der mit Weib und drei Kindern kniend nach Kartoffeln wühlte. Und jedes von ihnen schimpfte und stöhnte auf seine Art.

Kibelka erkannte ihn gleich, und den Schmutz von den Hosen abschüttelnd, stand er auf, ihm die Hand zu bieten. Denn wenn er auch nicht der Mörder war, so hätte er doch immer der Mörder sein können. Sich mit ihm gut zu stellen, war geraten.

»Du hast es natürlich immer sehr leicht gehabt«, sagte er, »denn wen der Staat ernährt, der ist geborgen.« Dabei lachte er höhnisch und einschmeichelnd zugleich, und das schwarzstoppelige Maul ging ihm bis an die Ohren.

»Ihr habt es hier um so schwerer«, sagte Miks Bumbullis, die Fläche überblickend, die in ihrem dürren Kraut unausgegraben dalag.

Auch das Weib war aufgestanden und wischte sich die Hand an dem sacktuchenen Schurzfell. Sie war eine vermickerte, gelbe Ziege mit scharfen, mitleidlosen Augen. Und die drei Rotznasen gafften.

Die beiden Kibelkas hoben ein Klagelied an. Der nasse September – und schon alles im Faulen – und fremde Hilfe zu teuer.

»Wenn ihr billige Hilfe braucht«, sagte Miks, »ich wüßte wohl eine.«

»Wer wird so dumm sein!« lachte der Wirt. »Selbst der Henker läßt sich bezahlen.«

»Ich hab' mir einiges gespart«, sagte Miks, »und wenn man mir sonst freie Hand läßt, bring' ich noch ab und zu was in die Wirtschaft.«

Die beiden sahen sich an. Dann schlugen sie rasch und gierig ein und fragten nichts weiter. – So wurde Miks Bumbullis Knecht bei dem Pfleger Anikkes.

Anfangs schien er sich nicht viel um sie zu kümmern, und es vergingen drei Tage, ehe er sich erkundigte, was das für ein kleines Ungeziefer sei, das da immer im Hause herumkrieche.

Die beiden Kibelkas wollten nicht recht mit der Sprache heraus, denn der Mordverdacht saß ihnen stets in den Gliedern. Aber schließlich erzählten sie doch, wie sie zu dem Kinde gekommen waren und daß sie es eigentlich bloß um Gottes Barmherzigkeit willen bei sich behielten.

Er nahm die Nachricht sehr gleichmütig auf und sagte nur: »Der Vater soll in Amerika sein. Wenn der einmal reich zurückkommt, wird er jeden belohnen, der gut zu dem Kinde gewesen ist.«

Das gab den Kibelkas zu denken. Am nächsten Mittag durfte das kleine, bleiche Lumpenbündelchen, das sonst von dem Ofenwinkel her stumm wartend herübersah, mit den Kindern zu Tische sitzen.

Als der Sonnabendabend kam, verschwand Miks Bumbullis und kam am Sonntagvormittag mit einer Flinte wieder, die sehr verrostet und in den Spalten mit Erde verklebt war.

Die Kibelkas fragten nicht, wo er sie hergeholt hatte, und alle standen ringsum und sahen voll Hochachtung zu, wie er mit dem Schraubenschlüssel die Teile auseinandernahm und jeden einzelnen putzte und ölte, bis die Waffe blitzblank und schußbereit wiedererstand.

Und wiederum am Sonntag gab es bei den Kibelkas ein Rehstück zu Mittag, was nicht passiert war, solange die Welt stand. Alle schwelgten, und selbst der Hofhund bekam seinen Knochen.

Die kleine Anikke saß in einem neuen, rotbunten Kleidchen da, das der Miks ihr mitgebracht hatte, wurde von den Hauskindern mit neidischen Liebkosungen versehen und wußte nicht, wie ihr geschah.

»Ich verstehe ja deine Meinung«, sagte der Wirt, »aber wenn der Vater *nicht* aus Amerika kommt, dann hast du dich sehr verrechnet.«

»Dann tu' ich's wie ihr um Gottes Lohn«, erwiderte Miks, »man muß sich immer ein Beispiel nehmen.«

Kibelka lachte geschmeichelt und prostete seinem Knecht zu, denn die Schnapsbuddel saß ihm allzeit locker.

»Nun solltet ihr sie aber auch zur Schule schicken«, meinte Miks Bumbullis so nebenbei.

Die Frau hub wie gewöhnlich zu klagen an. Der Gendarm sei schon zweimal dagewesen, und sie schlafe nicht mehr bei dem Gedanken, man könne schließlich noch Strafe zahlen.

Diese Angst wurde nun überflüssig. Und als Anikke am Montagmorgen die Kinder zur Schule begleiten sollte, fand sich an ihrer Lagerstatt sogar eine Schiefertafel.

VI

Der Winter kam. Miks Bumbullis war nun höchst angesehen im Hause. Er pflegte das Pferd blank, er fütterte die Kühe rund, und wenn die Dreschflegel gingen: »Ubags, ubags, ubags« – sein Schlag war immer herauszuhören.

Lohn forderte er nicht, und er hätte auch keinen bekommen, denn der Wirt vertrank jeden Groschen. Dafür sah keiner hin, wenn Miks sich ab und zu in der Morgen- oder der Abenddämmerung hinter der Scheune zu schaffen machte und vorläufig nicht mehr wiederkam.

Den drei Rangen hatte er neue Anzüge geschenkt, so daß sie nun ebenso fein aussahen wie Anikke, und sogar einen Lausekamm brachte er mit, dem einer nach dem anderen standhalten mußte.

Kibelka meinte zwar, es sei sündhaft, es den Herrenkindern gleichtun zu wollen, aber schließlich lieh auch er sich den Kamm aus.

Die kleine Anikke ging umher wie im Traum. Die warme Schule – und das reichliche Essen – und fast gar keine Schläge mehr! Wohl bekam sie hie und da noch einen Stirnicksel, aber der tat kaum einmal weh, denn sie fühlte in seliger Geborgenheit, daß einer da war, der sie vor Schlimmerem beschützte.

Hinter dem Miks lief sie her wie ein Hündchen, aber ihm ganz nahe zu kommen, wagte sie nicht, denn er ermunterte sie nie.

Bei den Mahlzeiten hing ihr Blick immer an seinem Gesicht, und als sie die Geschichte vom lieben Herrn Jesus lernte, wußte sie sogleich, daß der ebenso ausgesehen hatte wie er.

Eines Abends, als der Kienspan brannte, war er besonders vergnügt und sagte zum Ältesten, dem Jons: »Willst du reiten?« Der wollte natürlich gern, und er nahm ihn auf sein Knie und sang dazu: »Apappa, upappa.« Dann kam die Katrike an die Reihe und dann der Jendrys. Und sie stand im Winkelchen und dachte, die Tränen verbeißend: »Ich bin ja nur das Ziehkind, und darum will er mich nicht.«

Aber da sagte er auch schon: »Die Anikke muß auch.«

Da kam sie ganz langsam auf ihn zu, denn sie traute sich nicht. Dann, als er sie hochhob, war es ihr, als flöge sie geradeswegs in die Wolken. So gründlich durfte sie nun reiten, daß ihr ganz schwindlig wurde, bis der Jons, abgünstig geworden, einmal über das andere schrie: »Ich will auch so lange!«

Diese Augenblicke waren das Schönste, was sie je erlebt hatte, denn daß schon einmal einer dagewesen war, der sie auf dem Schoß gehalten hatte, das war ihr inzwischen aus dem Sinne verschwunden. Nur eines langen weißen Bartes erinnerte sie sich noch, aber sie glaubte, das sei der Weihnachtsmann gewesen, von dem der Lehrer erzählte.

Es war nun inzwischen sehr kalt geworden, und wenn man gegen den Schneesturm laufend bis zu der weitabgelegenen Schule mußte, kostete das manche Träne. Aber der gute Miks hatte Fausthandschuhe gekauft und eine wollengefütterte Mütze mit Ohrenklappen, die unter dem Kinn festzubinden sind. Die drei Hauskinder bekamen die gleichen, so daß ein Neid nicht entstehen konnte. Nur die scharfblickende Frau ließ sich kein X für ein U machen und sagte mit süßsaurem Lächeln: »Meine Kinder haben es ja sehr gut bei dir, aber der liebe Gott wird schon wissen, was du damit verhehlen willst.«

Miks sagte darauf: »Wenn einer Kinder liebhat, was braucht er da zu verhehlen?« und wandte sich ab.

Anikke schlief nicht mit den dreien zusammen in der Kleinen Stube, die gut geheizt wurde, sondern auf der anderen Seite des Hausflurs, wo es jetzt fürchterlich kalt war. Das hatte sich aus den Zeiten ihrer Zurücksetzung so erhalten, und sie wünschte es sich gar nicht anders, denn in der Kammer nebenbei schlief der Miks.

Aber nun der Winterfrost gekommen war, konnte sie gar nicht recht einschlafen und lag in ihren Kleidern unter der harten Pferdedecke frostbebend und halbwach zuweilen bis gegen Morgen.

Eines Nachts, wie sie so dalag, hörte sie von der Knechtskammer her ein leises Knirschen und Stöhnen. Es war, als wenn einer furchtbare Schmerzen hat und nicht weiß, wie er sich wenden soll.

Da faßte sie sich ein Herz. Sie schob mitten in ihrem Frieren die Decke vom Leibe, ging in die Kammer und sagte zitternd vor Furcht noch mehr als vor Kälte:

»Miks, tut dir was weh?«

Aus der Finsternis kam etwas wie ein Freudenschrei. Und dann griffen zwei Arme nach ihr. In denen lag sie nun still und glücklich und wärmte sich auf und schlief auch bald ein.

Von nun an kroch sie jede Nacht zu ihm und war da wie in Abrahams Schoß.

Des Morgens weckte er sie zeitig, so daß niemand etwas davon merken konnte. Auch beachtete er sie bei Tage nicht häufiger als früher. Aber nun grämte sie sich nicht mehr darüber, denn sie wußte ja zu allen Zeiten, wie gut er's mit ihr meinte.

Und niemals mehr hatte sie ihn stöhnen hören. Manchmal schlief er sogar noch früher ein als sie selber.

VII

Es war eines Abends um die Weihnachtszeit, da wurde Miks Bumbullis auf einem seiner Wege zum Walde von einer Frauensperson angerufen, die bis zur Nase eingemummelt auf dem Grabenrande im Schnee saß.

Er schrak hoch auf. Er hatte die Stimme gleich erkannt.

»Es ist gut, daß du da bist, Alute Lampsatis«, sagte er. »Ich habe schon immer einmal zu dir kommen wollen.«

»Du hast dir drei Monate Zeit gelassen«, erwiderte sie, »und hätte ich dir nicht aufgelauert, so wären auch noch drei weitere verstrichen.«

»Das ist wohl möglich«, meinte er. »Was man nicht gern tut, verschiebt man immer wieder.«

»Sagst du mir das ins Gesicht?« knirschte sie, und ihre Augen blitzten ihn an.

»Ich sage, was wahr ist«, erwiderte er.

»Dann will ich dir *auch* sagen, was wahr ist!« schrie sie. »Daß *du* den Hegemeister erschossen hast – daß deine Flinte da, mit der du's getan hast, *meine* Flinte ist – und daß ich meine Seele dem ewigen Verderben verkauft habe – und Madlynens Seele dazu, die meine Schwestertochter ist und die mir zuliebe schwur, was ich wollte. *Das* ist die Wahrheit.«

»Und dann ist die Wahrheit«, fuhr er fort, »daß du mir die Flinte in die Hand gegeben hast und zu mir gesagt hast: ›Mein Seliger hat es schon tun wollen, da hat ihn die Krankheit gehindert. Nun tu du es, sonst hast du keine Ehre im Leibe.‹ Das ist die Wahrheit.«

»Und ferner ist die Wahrheit«, nahm sie ihm die Rede aus dem Munde, »daß ich einen Tag und eine Nacht lang nachgesonnen habe, wie ich dich am besten vor der Leibesstrafe bewahren konnte, denn wenn ich einfach ausgesagt hätte: ›Er ist zu der Zeit bei mir gewesen‹, dann hätte mir keiner geglaubt. Darum hab' ich der Madlyne eingegeben, sie habe dich aus dem Stubenfenster steigen sehen, während ich alles bestritt. Darum habe ich dir zehnmal vorgesprochen – alles – auch was du zu sagen hast, wenn ich die Schwurfinger erhebe. Denn du bist ja so dumm wie ein Deutscher.«

»Und du bist so klug wie der Teufel«, erwiderte er.

»Es ist gut«, sagte sie, in die Runde schauend, »daß uns hier niemand hören kann außer den Krähen, sonst wäre es um uns alle drei geschehen. Aber man weiß nie, was noch werden kann, wenn sich einer im Zorn vergißt. Darum frage ich dich zum ersten und zum letzten Male: Willst du dein Versprechen halten?«

»Ich weiß von keinem Versprechen«, stöhnte er.

»Natürlich weißt du von keinem Versprechen, aber *ich* weiß, daß seit zwei Jahren die Menschen mit Fingern nach mir zeigen und daß sich kein Freiwerber mehr bei mir sehen läßt – nicht für mich und auch nicht für die Madlyne, und seit Michaeli treffe ich keinen, der nicht speilzahnig fragt: ›Weißt du, wer in Wiszellen bei den Kibelkas den Knecht spielt?‹ Darum frage ich dich zum überletzten Male: Wann wirst du einen schicken, der die Heirat zwischen uns in Ordnung bringt?«

Er wand sich wie ein Aal unter dem Messer.

»Laß mir Zeit bis nach Fastnacht«, bat er.

»Jawohl«, höhnte sie, »erst bis nach Fastnacht – und dann bis zum Palmsonntag – und dann immer so weiter. – Aber es soll gut sein. Bis nach Fastnacht werd' ich warten. Schickst du dann keinen, dann weiß ich, woran ich mit dir bin.«

Und es klang noch fast wie ein Schöndank, was er da stammelte.

Schon im Gehen, kehrte sie sich noch einmal um und sagte: »Die Leute erzählen sich, daß du das Kind, das bei den Kibelkas in Pflege ist, hältst wie eine Prinzessin. Laß das lieber sein. Deine Seele kaufst du doch nicht los, und der Gendarm wird aufmerksam, wenn er es hört.«

Damit schritt sie von dannen.

Miks Bumbullis war von dem allem zumute, als hätte er mit der Axt eins vor den Kopf bekommen. Er stand erst eine Weile ganz still, dann taumelte er in den Wald hinein. Aber er schoß nichts, und er sah auch nichts. Er dachte bloß immer das eine: »Ich bin bis heute sehr glücklich gewesen und habe es nicht gewußt.«

Dann packte ihn ein heißes Verlangen, das Kind in der Nähe zu haben. Er sicherte die Flinte und wußte nicht, wie rasch er nach Hause kommen konnte.

Und als er auf seiner kalten Schlafstatt lag und die leisen, kleinen Schritte näher tappten und das weiche Gesichtchen sich in seinen Arm hineinschob, da war er wieder wie im Himmel. Er fing so bitterlich zu weinen an, wie ein Mann sonst nur in der Kirche tut.

Da weinte auch das Kind und wußte doch gar nicht, warum. Er tröstete sie, und sie streichelte ihn. Und ihm war beinahe, als hätte er es nicht getan.

VIII

Fastnacht kam heran. Aber er konnte sich zu keinem Handeln entschließen. Den Freiwerber zu schicken, wie es Sitte war, schämte er sich, denn jedermann wußte, wie die Dinge standen. Er mußte also den Gang schon selber machen. Wenn ein Sonntag da war, sagte er zu sich: »Also nächsten Sonntag.« Und dabei blieb es.

Er ging auch nicht einmal in die Kirche, denn dort hätte er ihr ja begegnen können.

So war also richtig der Stillfreitag herangekommen. Er saß am

Vormittag in seiner Kammer und schnitzelte für Anikke an einem Springbock. Da kam der Älteste, der Jons, eilfertig zu ihm herein und sagte: »Es ist eine draußen, die will dich sprechen – eine Feine.«

Ihm ahnte gleich nichts Gutes, aber er legte die Arbeit hin und ging.

Da stand vor dem Hofzaun mit einem schneeweißen Kopftuch und einer seidenen Schürze die Madlyne. Auch weiße dünne Strümpfe hatte sie an, obgleich es noch ziemlich rauh war, und alles an ihr sah rund aus und quoll und wippte.

Sie lächelte ihn auch ganz freundlich an und fragte, ob er wohl einen kleinen Spaziergang mit ihr machen wolle.

»Ich will nicht, aber ich muß wohl«, sagte er.

Und dann gingen sie zusammen zum Walde, dorthin, wo er vor einem Vierteljahr die Alute getroffen hatte, und keiner sprach ein Wort.

»Du wunderst dich wohl, warum ich noch nicht verheiratet bin«, begann sie endlich. »Ich kann soviel Männer haben, wie ich will, aber ich will nicht.«

»Deine Mutterschwester sagt, es kommt keiner«, erwiderte er, »und ich soll daran schuld sein.«

»Schuld magst du schon sein«, erwiderte sie und lächelte, »aber anders, als sie denkt. Wenn du Wirt bei uns bist, wirst du mich schon mit durchfüttern müssen.«

»Ich will gar nicht Wirt bei euch sein«, sagte er.

»Nach menschlichem Willen geht es meistens nicht«, erwiderte sie. »Und wenn du einen guten Rat annimmst, dann warte nicht mehr lange. Meiner Mutter Schwester macht falsche Redensarten. Es könnte sein, daß es eines Tages zu spät ist.«

»Wenn sie mich angibt, gibt sie zugleich auch sich selber an«, warf er ein.

»Und mich genau ebenso«, erwiderte sie, immer in der gleichen lächelnden Weise. »Aber seit Fastnacht sitzt der Böse in ihr, und sie spricht allerhand von dem Kinde, das auf dem Schoß des Hegemeisters gesessen hat, als das Unglück geschah, und das jetzt immer auf deinem Schoße sitzt. Und wie das wohl zu erklären ist, fragt sie dazu. Und keiner weiß. Aber ein bedenkliches Gesicht macht ein jeder.«

Er sah plötzlich in Tageshelle den Weg, den dieses rachsüchtige Geschwätz gehen würde. Und sah auch das Ende. Alute Lampsatis, die sonst so klug war, grub in ihrem sinnlosen Zorne ihm und sich selber die Grube.

»Ich werde ja noch am leichtesten wegkommen«, sagte Madlyne mit ihrem lieblichen und verschämten Lächeln, als ob sie von Blumen oder Singvögeln spräche statt von Zuchthaus oder noch Schlimmerem gar. »Denn ich war ja noch sehr jung und bin auch dazu angestiftet worden. Aber du, Miks Bumbullis, tust mir leid. Darum bin ich der Meinung, du läßt keinen Tag mehr verstreichen und kommst heute nachmittag zu uns auf den Hof. Dann wird sie schon Ruhe geben.«

»Wirt bei euch«, sagte er, »kann ich nur sein unter einer Bedingung: daß Alute gut zu dem Kinde ist.«

»Das willst du mitbringen?« fragte sie, und in ihrem Erschrekken verschwand zum ersten Male das Lächeln von ihrem Angesicht.

»Das will ich mitbringen«, erwiderte er beinahe feierlich, »sonst komm' ich nie und nimmermehr.«

Sie lehnte sich gegen einen Baumstamm und sah stumm in die Höhe. Und ihre wasserhellen Augen waren jetzt so blau wie der Osterhimmel. Dann sagte sie: »Zur Zeit ist sie freilich dem Kinde noch bös gesinnt, denn sie meint, daß du es lieber hast als sie. Aber wenn du ihr den Willen tust und die Scham von ihr nimmst, wird sie sich wohl mit ihm versöhnen. Außerdem bin ich ja auch noch da, und ich hab' Kinder sehr lieb.«

»Du wirst einen Mann nehmen und weggehen«, entgegnete er finster.

»Wann hast du schon das Farnkraut blühen gesehen, daß du so allwissend tust?« fragte sie und sah ihn neckend von unten auf an.

In diesem Augenblick erschien ihm sein Schicksal und das des Kindes nicht gar so drohend mehr, und er sagte: »Ich werd' also kommen.«

IX

So geschah's, daß am Himmelfahrtstage Miks Bumbullis und Alute Lampsatis im Brautwinkel saßen und die Hochzeitsgäste in hellen Haufen um sie her. Auf dem Tische standen leckere Speisen in Menge, und über ihm hing von der Decke herab die künstlich geflochtene Krone, in der silberglänzende Vögel sich wiegten.

Die Ehrengäste waren mit Handtüchern und Spruchbändern reichlich beschenkt worden, und das biergefüllte Glas, in das die Gastgabe geworfen wird – denn niemand soll wissen, wieviel ein jeder gegeben hat –, dieser unwillkommene Mahner, machte so flüchtig die Runde, daß die meisten ihren guten Taler nicht loswerden konnten.

Das schuf natürlich eine wohlbehäbige Stimmung, die, was einst geschehen war, mit dem Mantel der Nächstenliebe bedeckte.

Die Kibelkas waren auch geladen, und der Ehemann lag schon längst in seligem Schlaf hinter der Scheune. Aber die kleine Anikke hatten sie nicht mitbringen dürfen. Das hatte Alute so bestimmt. Und sie erwies sich damit wieder einmal als die klügste von allen. Denn wenn die ortsarme Waise sich gleich wie ein Kind des Hauses unter den Gästen herumbewegt hätte, so wären Befremden und Verdacht alsbald am Werke gewesen, den verständnislosen Klatsch noch mehr ins Böse zu wenden.

Als nun aber die Brautsuppe kam, deren Branntwein Alute mit Kirschsaft und Honig üppig gesüßt hatte, und hierauf die Neckereien selbst unter den Frauen immer kühner aufflackerten, da wurde auch lächelnd des armen Kindes gedacht, das gestern noch ein Stein des Anstoßes gewesen war.

»Sonst bringt wohl eine Witfrau immer was Lebendiges mit in die Ehe«, sagte eine der Nachbarinnen. »Hier tut es der Bräutigam, obwohl er noch Junggesell' ist.«

Und eine andere sagte: »Ihr braucht euch gar nicht erst selbst zu bemühen. Euch fliegen die Kinder nur so vom Himmel.«

Und eine dritte: »Kauft's den Kibelkas ab. Für eine Buddel Schnaps gibt er euch auch die drei eigenen dazu.«

Alute, die heute das rotblonde Haar würdig unter dem Frauentuch versteckt hielt und auf deren Weste eine goldene Brosche strahlte, so groß wie auf der Brust einer Königin, hörte das alles mit nachsichtigem Lächeln an und sagte dann gleichsam überlegend: »Ihr habt eigentlich recht. Ich wollte es meinem Mann schon selber anbieten, aber ich glaube, er wird es nicht zugeben, weil es gar zu sonderbar aussieht.«

Darauf erhob sich ein Widerspruch, der diesmal ganz harmlos und aufrichtig war. Was denn dabei sei! Und »wenn er das Kind doch nun einmal gern hat«?

Eine besonders Eifrige erbot sich sogar, anspannen zu lassen und die kleine Anikke sofort aus Wiszellen zum Feste zu holen.

Dem Miks Bumbullis, der in angstvoller Freude schweigend dasaß, stieg das Herz hoch, aber Alute winkte beruhigend ab. Dazu sei auch später noch Zeit, und niemand dürfe sich ihr zu Dank die Stunden des Festes verkürzen.

Madlyne, die als die oberste Ordnerin zwischen den Gästen

herumhuschte und wegen ihrer niedlichen Fixigkeit und ihrer wippenden Röcke von den Burschen »Melinoji kielele« – das Bachstelzchen – gerufen wurde, war, als sie in dem Brautwinkel von dem Kinde reden hörte, lauschend stehengeblieben und sagte nun mit einem Lachen hinüber: »Wenn ihr es alle durchaus begehrt, dann bin ich die erste, die sich den Dank der Wirtin verdienen muß, und das werde ich morgen auch tun.«

Frau Alute warf ihr einen Blick zu, in dem von Dank nicht viel zu lesen stand, aber sie war schon weitergelaufen und wehrte sich fröhlich gegen drei Burschen, die ihre Mädchen im Stich gelassen hatten, um sich mit ihr ein bißchen herumzureißen.

Am nächsten Tage gab es noch Hochzeitstrubel genug auf dem Hofe und am dritten auch. Als aber alles still geworden war und die jungen Eheleute nicht zum Vorschein kamen, da machte sich Madlyne auf den Weg und kam zwei Stunden später mit der kleinen Anikke wieder, die ein neues, grüngesticktes Miederchen anhatte und mit großen, sehnsüchtig ängstlichen Augen der künftigen Heimat entgegensah.

Hinterher ging der zwölfjährige Jons mit einem Bündel, in dem die Siebensachen des Ziehkindes eingebunden waren. Als das Hoftor in Sicht kam, mußte er Schuhchen und Strümpfchen daraus hervorholen, damit sie nicht etwa barfuß ankam.

Es war nun wirklich so, als ob eine kleine Prinzessin ihren Einzug hielt.

Unter der Ulme vor der Tür saß das Ehepaar und aß dicke Milch mit Zucker, denn es war Vesperzeit.

Anikke löste sich von Madlynens Hand und wollte auf Miks zueilen, da sah sie ein paar Augen, deren Blick sie mitten im Laufe erstarren machte, sie wußte nicht mehr, sollte sie vorwärts oder zurück.

Aber da kam auch schon die lustige Madlyne ihr nach und sagte: »Warum hast du Angst vor deiner Pflegemutter, mein Vögelchen? Die hat versprochen, sie tut dir nichts.«

Anikke machte einen schönen Knicks, wie sie ihn in der Schule gelernt hatte, und wartete auf ein Willkommen.

Wenn sie noch lebte, würde sie auch heute noch darauf warten.

X

Wer aber nun glauben wollte, daß die kleine Anikke es schlecht gehabt hätte, der würde sehr im Irrtum sein. Frau Alute war eine viel zu kluge Frau, um nicht zu wissen, daß sie durch ein sichtbares Hervorkehren ihrer Abneigung dem Manne, mit dem sie nun einmal Tisch und Bettstatt teilte, die Lust an ihr selbst von vornherein verderben mußte. Sie tat darum so, als ob sie das Kind um seinetwillen nicht ungern duldete, und ließ sich jede Brosame ihrer Gutwilligkeit durch doppelte Liebesdienste von ihm bezahlen.

Miks Bumbullis war ein umsichtiger Wirt und ein treuer Verwalter. Er arbeitete von früh bis spät und dachte an alles. Die Kartoffeln gediehen, das Heu kam trocken in Käpsen, und als die Roggenaust begann, wurde beim Mähen sein Kreuz nicht müde. In seinem Wesen war eine große Veränderung vor sich gegangen. Er trieb sich nicht mehr in den Krügen herum und kam selbst vom Wochenmarkt nüchtern nach Hause. Auch das Wilddieben hatte er aufgegeben, und wenn die Versuchung an ihn herantrat, nachts über die Grenze zu gehen, so sagte er, seine Frau wünsche es nicht.

Das war aber keineswegs so. Im Gegenteil, was der Alute einst an ihm gefallen hatte, war sein ungebärdiges und zügelloses Treiben gewesen. Sie hatte gedacht, in ihm den Hitzigsten und Forschesten von allen zu eigen zu haben, und war nun bitter enttäuscht, daß er wie irgendein Kopfhänger neben ihr herging.

Daß er auch spaßen und lustig sein konnte, blieb ihr freilich verborgen, denn das geschah nur, wenn er mit dem Kinde allein war. Dann spielte er mit ihm alle die Spiele, zu denen mehr als zweie nicht nötig sind, und ersann sich täglich neue dazu.

Da war eines, das hieß »die Katzenfalle«. Dabei muß einer durch die hohlen Arme des anderen hindurchkriechen, und weil er natürlich für ihre Kinderärmchen viel zu dick war, so gab das des Lachens kein Ende. Und ein anderes, »die Windmühle«. Wenn man die darstellen will, muß man sich zwei Hopfenstangen kreuzweis am Leibe festbinden lassen und sich nun ganz rasch um sich selber drehen. Kann der andere eine der Stangen ergreifen und so die Mühle zum Stillstehen bringen, dann hat er gewonnen.

So trieben sie ihre Kurzweil oft bis in die Dämmerung hinein, aber beileibe nicht auf dem Hofe, sondern weit draußen, damit ihr Lachen nirgends zu hören war. Denn sie hatten immer das Gefühl, als sei dies nicht wohlgelitten.

Nur vor Madlyne schämten sie sich nicht. Ja, die durfte sogar die Dritte im Bunde sein. Und dann ging es erst recht hoch her.

Aber Madlyne war um die Abendzeit meistens woanders heftig beschäftigt. Denn hinter dem Gartenzaun lauerten die Burschen von weit und breit, und immer war ein Gejacher um sie herum und ein Gegluckse, das nahm kein Ende.

Aber wenn es zum Heiraten kommen sollte und der Freiwerber die Stube betrat, dann konnte er auch bald wieder gehen. Kaum daß er noch den Kirschschnaps austrank, so sehr lachte Madlyne. Hinterher machte Alute ihr stets Vorwürfe, aber sie kehrte sich nicht im mindesten daran.

»Was willst du von mir?« sagte sie. »Arbeite ich nicht ebenso fleißig wie eine Magd? Und weil mein Mütterliches mit in der Wirtschaft steckt, so arbeite ich auch für mich selber.«

Davon ließ sich nichts abdrehen, denn es war alles die Wahrheit.

Seit der Hochzeit hatte Madlyne drüben in der Klete geschlafen, denn sie meinte, die jungen Eheleute möchten im Hause am liebsten allein sein. Aber weil die Burschen ihr dort bis in den Morgen keine Ruhe ließen und der Hofhund aus dem Bellen nicht mehr herauskam, so siedelte sie wieder in die Kammer jenseits des Hausflurs über. Und Miks war neidisch auf sie, denn in dem Raume daneben schlief das Kind. Zudem nahm er an, daß die Burschen ihr selbst hierhin folgten, und er wollte nicht, daß Anikke erwachte, wenn ein Begünstigter zu ihr hereinstieg. Noch hatte er freilich keinen ertappt, aber wie sollte es anders sein.

Und so verliebter Natur war Madlyne, daß sie es nicht unterlassen konnte, selbst ihm von ihrer Zärtlichkeit hie und da ein Zeichen zu geben. Es lag nie etwas Grobes oder Dreistes darin. Wie ihr ganzes Wesen, so war auch dies von einer zarten und behutsamen Zierlichkeit, so daß man es sich gern gefallen ließ, auch wenn man nicht darauf eingehen wollte.

Ihr Lächeln und ihr Um-ihn-Sein wurde allgemach eine einzige große Liebkosung, die um so wohler tat, als man nicht nötig hatte, sie ernst zu nehmen. Denn die Lustigkeit, mit der sie sich an ihn heranschmeichelte, machte jeden Gedanken an künftige Buhlschaft zuschanden.

Dann einmal, als er unbemerkt dazukam, hörte er sie eine Daina singen, die lautete umgedeutscht etwa so:

Liegt mir ein Lämmlein
Im reißenden Strome,
Frag' ich nicht lange,
Ob ich's errette,
Nein doch, ich springe ihm nach.

Liegt der Geliebte
Im Arme der Muhme,
Frag' ich mich täglich,
Ob ihn erretten,
Und ich weiß doch nicht wie.

Gönn' ich den Lieben
Der bösen Muhme,
Die ihm mit Tränkchen,
Aus Giftkraut bereitet,
Zankend den Schlummer verdirbt?

Oder ich sage:
»Komm, lieber Schwager,
In meiner Kammer
Steht eine Bettstatt
– Ach, so schmal ist das Bett! –

Aber zur Mauer,
Der eiskalten Mauer,
Rück' ich geschwinde,
Daß du es warm hast
Und mich im Arm hast und schläfst.«

Soll ich's ihm sagen,
Oder verschweig' ich's,
Bis einst der Kummer
Vom Lager der Muhme
Nach dem Strome ihn treibt?

Und hätt' ich tausend
Der Lämmlein errettet,
Ihn, den ich liebe,
Ließ ich verderben,
Und ich sprang ihm nicht nach.

Sachte schlich Miks sich aus ihrer Nähe, denn er wollte sie nicht wissen lassen, daß sie von ihm belauscht worden war. Und als er sie wiedersah und ihr lachendes, glattes Gesichtchen betrachtete, konnte er es nicht fassen, daß sie ein so finsteres und hitziges Lied gesungen hatte. Und ein anderes Mal, als sie die kleine Anikke auf dem Schoße hielt, sang sie folgendes:

> Kindchen, mein Kindchen, gehörtest du mir,
> Ich schenkte dir Kleider und goldene Zier,
>
> Ich schenkte dir Betten von Seide so weich
> Und schenkte dir Gott und das Himmelreich.
>
> Auch einen Liebsten schenkt' ich dir wohl,
> Der dich zur Kirche hinführen soll.
>
> Du aber, Kindchen, was schenktest du mir?
> Ich lieg' alleine und bang' mich und frier',
>
> Und der, der dich liebt wie sein Augenlicht,
> Der siehet mich nicht und höret mich nicht.
>
> Wenn der mich wollte und ließe von ihr,
> Dann Kindchen, mein Kindchen, gehörtest du mir.

Von nun an fing Miks an zu überlegen, ob er sie nicht einmal in die Arme nehmen sollte. Aber er bezwang sein Gelüste, denn wenn er an all die jungen Leute dachte, die bei ihr angeklopft hatten, erschien es ihm nicht gut genug, ein »Kuszbendris« – ein Weibsteilhaber – zu sein, auch mochte er um des Kindes willen das Haus nicht mit Verdacht und Unfrieden erfüllen. – Aber der Unfriede kam auch ohnedies.

Als es kalt wurde, siedelte Madlyne mit dem Kinde von der anderen Seite des Hauses her in die gutgeheizte Kleine Stube über, deren Zwischentür kein Schloß und keine Klinke hatte und darum immer ein wenig offenstand.

Von nun an schämte er sich, bei seiner Frau zu liegen, und machte allerlei Ausflüchte, um sich irgendwo anders einzuquartieren. Und da ihm nichts Besseres einfiel, fing er das Leben wieder an, das er einst geführt hatte, als das große Unglück noch nicht geschehen war. Denn nur so konnte er die Nacht zum Tage machen.

Er suchte die Krüge auf, von wo aus im Schutze der Dunkelheit der Schmuggel über die Grenze ging, und da es nicht immer was zu tragen gab, nahm er auf alle Fälle die Flinte mit, um das Frühmorgenlicht für einen Rehbock auszunutzen.

So konnte es nicht ausbleiben, daß er wieder in schlechten Ruf kam, und Alute, die deswegen gerade einstmals ihr Herz an ihn gehängt und ihn noch kurz vorher einen »Schwanzeinkneifer« genannt hatte, schalt ihn nun heftig aus, weil ihre ehrliche Wirtschaft durch ihn zu einer Räuberhöhle würde.

Aber er kehrte sich nicht daran.

Eines Tages nahm ihn die Madlyne beiseite und sagte: »Es tut nicht gut, Miks, daß du so oft unterwegs bist, du solltest dich mehr zum Hause halten.«

»Aus welchem Grunde wünschst du mir das?« fragte er.

»Sieh dir das Kind an«, erwiderte sie und wandte sich ab.

Er erschrak, denn er hatte es bisher für selbstverständlich genommen, daß es der kleinen Anikke gut ging. Tagsüber war sie in der Schule, die Nacht schlief Madlyne mit ihr. Zudem hatte seine Frau noch nie etwas Feindseliges gegen sie unternommen. Höchstens, daß sie sie nicht beachtete.

Jetzt aber, da er das Kind im Auge behielt, fiel ihm auf, daß es ungerufen nicht mehr an ihn herankam, sondern sich zaghaft in den Winkeln herumdrückte. Auch sah es blaß und schwächlich aus und hatte doch während des Sommers geblüht wie ein Tausendschönchen.

Er versuchte, es ins Gebet zu nehmen, aber es wollte nicht mit der Sprache heraus. Nur weinen tat es bitterlich.

Da legte er sich eines Abends auf die Lauer und mußte erleben, daß Alute das Kind mit einem Lederzaum schlug, in dem noch die messingnen Schnallen steckten.

Er stürzte aus seinem Versteck hervor, riß der Armen Kleider und Hemde herunter und fand das Körperchen von oben bis unten mit Striemen und blauen Flecken bedeckt.

Da hob er den Zaum auf, den das wütende Weib von sich geworfen hatte, und prügelte es so lange, bis es sich winselnd am Boden krümmte. Auch gegen Madlyne wandte er sich in seinem Zorn, und von nun an saß der Teufel im Hause.

Madlynens Lied wird recht behalten, dachte er oft, wenn der Kummer ihn zur Nacht aus dem Hause trieb.

XI

So geschah es eines Novembermorgens kurz vor dem roten Sonnenaufgang, als er durchfroren im jungen Schnee saß und gerade
auf einen schönen Bock anlegen wollte, daß er rückschauend eine
Flintenmündung auf sich gerichtet sah und einen grünbändrigen
Hut dahinter, den er wohl kannte.

Er wollte sein Gewehr an die Backe reißen, aber er wußte: es
war zu spät. Darum stand er ganz gemächlich auf und sagte: »Na,
wieviel Jahr' wird es kosten?«

»Nicht halb soviel, wie du mich Nächte gekostet hast, Miks«,
erwiderte der stämmige Förster, der des erschossenen Hegemeisters Nachfolger war, und er fügte hinzu: »Die Flinte laß liegen.
Die hol' ich mir später. Sonst könnte es passieren, daß du sie mir
beim Transport wieder abnimmst und meine dazu.«

»Ich bin gar nicht so schlimm, wie die Leute es machen«, lachte
Miks und schlug, ohne erst viel zu fragen, den Weg zum Gendarmen ein, dem er ja doch abgeliefert werden mußte. Der Förster
ging zehn Schritt weit hinterdrein und hielt die Flinte schußbereit.

»Dreh dich lieber nicht um«, sagte er ganz freundlich, als Miks
das Gespräch fortsetzen wollte, »sonst sitzt dir doch gleich eine
Kugel im Genick.«

Miks hatte nun eine halbe Stunde Zeit, über das Geschehene
nachzudenken. Daß er von der Alute wegkam, war eigentlich ein
Segen. Aber dann plötzlich gab ihm das Herz einen Stoß bis in
die Kniekehlen hinein. Das Kind! Was wird nun aus dem Kinde?

»Ich Dummerjan«, dachte er, »schon wegen des Kindes allein
hätt' ich es nicht dürfen.«

Und er fing tausend Pläne zu schmieden an, wie er von der
Untersuchungshaft aus die kleine Anikke in andre Pflegschaft
bringen könnte. Aber er verwarf sie alle. Wenn er die Aufmerksamkeit der Behörden auf das Kind zurücklenkte und in den
Verhören irgendein Widerspruch laut wurde, so konnte das künstliche Fachwerk, das Alute damals aufgebaut hatte, davon zusam-
menfallen wie eine Haferhocke.

Bald begegneten ihnen auch Leute, die halb mitleidig, halb
schadenfroh den Zug begleiteten. Reden durften sie nicht mit ihm.
Das verbat sich der Förster. So gingen sie in halblauten Gesprächen neben dem Miks daher, und weil sie wußten, daß der Förster
kein Litauisch verstand, erwogen sie auch ohne Scheu, ob er nicht
doch den Mord auf dem Gewissen habe.

Miks Bumbullis hörte das alles. Es war ein rechter Leidensweg.

Die Schar der Neugierigen wuchs mit jedem Schritt, und als er vor dem Hause des Gendarmen ankam, hatte er ein Gefolge wie ein König. – –

Miks bestritt natürlich alles. Von dem Bock wisse er nichts. Er habe nur ein paar Krähen schießen wollen, und das könne unmöglich ein großes Verbrechen sein.

Ob er sich nicht schäme, so faule Ausreden zu machen, fragte der Richter.

O nein, er schämte sich nicht. Er wollte ja bei dem Kinde bleiben.

In der Hauptverhandlung kam er mit seinem Weibe und Madlyne wieder zusammen. Er hatte bisher in seinem Innern gewünscht, das Kind möchte nicht geladen sein, denn es war nun schon groß genug, um zu verstehen, welche Schande er ihm antat. Aber nun es wirklich nicht da war, tat ihm das Herz weh. Er hätte es so gern einmal wiedergesehen.

Madlyne gab sich lange nicht so adrett und fixniedlich wie dazumal, und ihre Augen waren klein und verheult. Aber ihre Antworten kamen auch diesmal wie aus der Pistole geschossen.

Die Flinte habe er wohl gehabt, aber nie in Gebrauch genommen. Ja, richtig! Einmal habe er eine Eule geschossen. Das war alles.

Alute schien ihm die schlechte Behandlung längst wieder vergessen zu haben. Nie sei er zu ungewöhnlichen Zeiten aus dem Hause gewesen, nie habe er die Flinte vom Nagel geholt, nie habe er ein Stück Wild oder das Geld dafür von seinen Wegen nach Hause gebracht.

Schade, daß die Frauensleute nicht schwören durften!

Alute zögerte zwar keinen Augenblick, von ihrem Eidesrecht Gebrauch zu machen, aber der böse Staatsanwalt wußte es zu verhindern, ebenso wie bei Madlyne, die ihm als Hehlerin verdächtig erschien, und so blieben beider Aussagen wirkungslos.

Doch auch die andern, die vereidigt wurden, hielten sich wakker. Selbst diejenigen, die ihn soundso viele Male wegen seiner Schießereien geneckt hatten, konnten sich nicht erinnern, je davon gehört, geschweige denn eine Flinte an ihm gesehen zu haben.

Aber was half das alles! Seine einstige Bestrafung richtete sich drohend hinter ihm auf, und der unaufgeklärte Mord schwebte mit dunklen Flügeln über ihm. Wenn auch nur der Staatsanwalt mit argwöhnischer Anspielung darauf Bezug nahm, ein jeder fühlte, daß um ihn herum Geheimnisse verborgen lagen, die nur eines rächenden Anlasses bedurften, um gegen ihn loszubrechen.

Als der Richterspruch verkündet wurde, der ihm drei Jahre Gefängnis zuerkannte, erhob sich Alute, die bis dahin vermieden hatte, seinem Auge zu begegnen, langsam von der Zeugenbank und nickte, den Kopf feierlich wiegend, eine ganze Weile lang zu ihm herüber.

Er schauderte noch tags hinterher, wenn er dran dachte.

Trotzdem bezwang er sich und erlangte, daß, bevor er in die Strafanstalt überführt wurde, die Seinen ihn besuchten, denn er wußte, daß dies die einzige Möglichkeit war, die kleine Anikke noch einmal zu sehen.

Madlyne hatte ihn wohl verstanden. Denn als die Zellentür sich öffnete und hinter der Alute auch sie hereintrat, da hielt sie richtig das Kind an der Hand.

Miks Bumbullis mußte sich sehr zusammennehmen, sonst wäre er vor dem Kinde niedergekniet und hätte geweint und geweint.

Nun aber sagte er bloß: »Da seid ihr ja alle«, und begrüßte sie freundlich der Reihe nach.

Alute, die einen neuen weißen Schafspelz trug und auch sonst sehr unternehmend aussah, sagte zu ihm: »Ich könnte mich jetzt von dir scheiden lassen, aber das werde ich nicht tun. Nein, das werde ich nicht tun.«

Er antwortete: »Tu, was du für recht hältst. Wenn du nur gut zu dem Kinde sein willst.«

»Ich bin gut zu dem Kinde gewesen«, erwiderte sie, »aber da hast du alles verdorben.«

Er demütigte sich vor ihr und sagte: »Ich werde meine Fehler bereuen und ablegen, wenn du mir versprichst, daß du gut zu dem Kinde sein willst.«

Sie machte ein hochmütiges Gesicht und antwortete: »Ich verspreche es.« Dann reichte sie ihm die Hand und verlangte von dem Aufseher, er möge sie hinauslassen.

Der Aufseher tat es und wollte auch die andern auffordern fortzugehen, da bemerkte er, daß Miks vor dem Kinde niedergekniet war und weinte und weinte. Und weil er ein guter und aufrichtiger Mann war, so schloß er die Tür noch einmal und ließ ihn gewähren.

Miks streichelte Madlynens Rock und sagte: »Erbarm dich des Kindes!«

Madlyne beugte sich zu ihm nieder und sagte: »Ich schwöre dir, daß ich auf das Kind achtgeben werde.«

»Und wenn du heiratest und weggehst – schwöre mir, daß du das Kind mitnehmen wirst.«

Madlyne beugte sich noch tiefer zu ihm und sagte: »Ich werde nicht heiraten.«

Da wurde Miks wieder ruhig und küßte das Kind und küßte auch Madlyne. Und dann war die Besuchszeit um.

XII

Nach zwei Jahren erhielt Miks Bumbullis die Nachricht, daß das Kind gestorben war. Er wunderte sich nicht, denn es war ihm schon einige Male im Traume erschienen.

Der Brief, in dem Alute ihm von dem Unglück Mitteilung machte, lautete so:

»Nunmehr will ich Dich wissen lassen, daß die kleine Anikke ein seliges Hinscheiden erlitten hat. Ich und Madlyne haben sie gepflegt, wie es unsre Schuldigkeit war. Um ihr die fallende Sucht zu vertreiben, habe ich Madlyne zu einer weisen Frau geschickt, die sie nach den Regeln besprochen hat. Auch eine Kreuzotter habe ich abgekocht und ihr den Saft mit getrockneten Quitschen zu trinken gegeben. Kurz, es ist nichts versäumt worden. Ein Begräbnis habe ich ihr ausgerichtet wie meinem eigenen Kinde. Die Festlichkeiten haben zwei Tage gedauert, und es sind dabei drei Fässer Alaus und zwanzig Stof Branntwein ausgetrunken worden. Nicht zu rechnen, was die Gäste alles aufgegessen haben. Einen Sarg habe ich ihr machen lassen, in dem sie sich ordentlich ausstrecken kann. Auch ist sie in ihren besten Sonntagskleidern beerdigt worden. Du siehst also, daß ich mein Versprechen gehalten habe, und wenn du die Madlyne fragen wirst, so kann sie es nicht anders sagen.«

Von nun an erschien die kleine Anikke dem Miks Bumbullis in jeder Nacht. Er brauchte nur die Augen zuzumachen, und sie war da. Und in vielerlei Gestalt erschien sie ihm – manchmal im Sarge liegend, manchmal als eine Braut mit dem Rautenkranz im Haar, manchmal als ein Engelchen mit gläsernen Flügeln, manchmal auch im Hemdchen, blutend oder mit einem Strick um den Hals. Und immer wieder in neuen Gestalten.

Als ein großes Glück empfand er es, daß Alute nun doch gut zu dem Kinde gewesen war. Auch das große Begräbnis sprach dafür. Denn wenn sie das Licht der Welt zu scheuen gehabt hätte, würde sie die Tote so heimlich wie möglich eingescharrt haben. Aber vor allem war ja Madlyne dagewesen, auf die er sich ganz verlassen konnte.

Und doch mußte etwas versäumt worden sein, sonst würde die kleine Anikke Ruhe im Grabe gehabt haben und ihm nicht immer von neuem erschienen sein.

Das ging so Nacht für Nacht, bis eines Tages der Anstaltsarzt zu ihm trat und ihn fragte, was ihm eigentlich fehle.

»Was soll mir fehlen?« erwiderte Miks. »Ich habe satt zu essen, und keiner ist schlecht zu mir.«

Der Arzt befahl ihm darauf, sich auszuziehen. Miks tat es, aber der Arzt fand eine Krankheit nicht an ihm. Ob ihm vielleicht ein Kummer zugestoßen sei, fragte er dann.

»Ich habe ein Kind verloren«, antwortete Miks. Aber von den Erscheinungen sagte er nichts, denn vor diesen Deutschen muß man sich immer in acht nehmen.

Einige Tage später besuchte ihn der Pfarrer, derselbe, der am Sonntag gewöhnlich predigte.

Der fing ihm eine schöne Trostrede zu halten an, aber er hatte sich nicht einmal die Mühe genommen, die Akten durchzusehen, sonst würde er gewußt haben, daß Miks ein eigenes Kind gar nicht besaß.

Miks beließ ihn in seinem Irrtum und küßte ihm die Hand, um ihn glauben zu machen, daß er nun ganz getröstet sei. Er war nun so weit, daß er sich schon den ganzen Tag über auf die Erscheinung freute. Aber dann machte er sich wieder Vorwürfe um dieser Freude willen, denn wenn es der Anikke im Grabe an gar nichts fehlte, so würde sie ihm nicht erschienen sein. Entweder drückte sie der Sargdeckel, oder man hatte ihr etwas Erstickendes auf den Mund gelegt. Vielleicht gar auch war die Giltinne – die Todesgöttin – nicht versöhnt worden, wie es nach dem Glauben vieler geschehen muß, so daß sie aus Rache die arme Tote allnächtlich aus ihrem Frieden scheuchte.

Er wollte der Alute deswegen schreiben, aber er schämte sich vor den Deutschen, die den Brief durchlesen und in ihrer Dummheit über ihn lachen würden.

Darum war es ihm ganz recht, daß der Anstaltsdirektor ihn eines Tages rufen ließ und ihm eröffnete, der Rest seiner Strafe sei ihm vorläufig erlassen, und wenn er sich ordentlich führe, brauche er sie auch später nicht mehr abzusitzen.

Er dachte: »Da kann ich nun selber nach dem Grabe sehen«, und machte sich auf den Heimweg.

XIII

Die Kartoffeln wurden gerade gesetzt, und alle arbeiteten auf den Feldern. Kaum einer sah sich nach ihm um, und so kam er unbeachtet bis nach Hause.

Der Hofhund bellte ihm freudig entgegen, und er streichelte ihn, denn das Kind hatte ihn liebgehabt.

Das Haus war leer und alles offen. Ihn hungerte, aber er wagte nicht, sich ein Stück Brot zu schneiden, so fremd kam er sich vor auf seinem eigenen Besitz. Er sah sich erst in der Kleinen Stube um, wo das Bettchen zuletzt gestanden hatte. Aber nichts mehr war davon zu bemerken. Sie schien ganz ausgelöscht aus der Welt. Aber dann fand er auf Madlynens Bett ihre Schiefertafel stehen und eine Schnur mit Griffen daran zum Drüberspringen, wie er sie ihr einmal gemacht hatte.

Wenn er nicht so müde gewesen wäre, so wäre er auf den Kirchhof gegangen. Und so setzte er sich vor das Haus auf die Milcheimerbank, dort, wo die Sonne schien, und wartete. Dabei schlief er ein und wachte erst auf, als die Stimmen der Heimkehrenden im Hoftor laut wurden.

Die Alute war die erste, die ihn bemerkte. Sie richtete sich hoch auf und schritt in ihren Klotzkorken mit geraden Schritten auf ihn zu, während sie ihm ganz starr in die Augen sah. Sie freute sich nicht, aber sie hatte auch keine Furcht.

»Sie haben dich zur rechten Zeit freigelassen«, sagte sie, ihm die Hand reichend, »der Wirt ist gerade sehr nötig im Hause.«

»Ich werde schon arbeiten«, entgegnete er.

Dann ging sie, das Abendbrot zu machen.

Madlyne war hinter ihr gekommen. Er bemerkte, daß sie ganz schmal geworden war und daß um ihren Mund herum allerhand kleine Falten standen.

Sie reichte ihm die Hand und lief dann rasch fort.

Ein fremder Knecht war da, ein älticher Mann, mit dem die Alute sicher nichts vorgehabt hatte – »Drum werd' ich ihn ruhig behalten können«, dachte er –, und eine Magd, die ihn schief ansah, weil sie nicht wußte, was sie aus ihm machen sollte.

Zum Abendbrot hatte die Alute rasch einen Hahn geschlachtet. »Damit alle erfahren, daß der Herr wieder da ist«, sagte sie.

Sie war nun ganz freundlich und sah ihn immer von unten auf an, wie eine Bittende.

Er tunkte die Kartoffeln ins Fett, ließ aber das Fleisch auf dem Rande liegen.

»Warum ißt du nicht?« fragte die Madlyne, der immer die Augen voll Wasser standen.

»Ich will's mir bis nachher verwahren«, erwiderte er, »denn ich hab' so was Gutes lang nicht gehabt.«

Auch ein Glas Alaus bat er sich aus, rührte es aber nicht an.

Nach dem Essen trug er beides in die Kammer hinüber, wo er sich still hinsetzte, bis es dunkel wurde. Dann holte er sich einen Topf von der Herdwand und eine leere Flasche, tat Essen und Trinken hinein und verbarg es unter seinem Rocke.

»Ich will nur noch einen kleinen Gang machen«, sagte er, und die beiden Frauen fragten ihn nicht, wohin.

Das kleine Grab hatte er bald gefunden. Ein neues Holzkreuz stand zu Kopfenden mit einem Dachchen darauf, wie es die jungfräulich Entschlafenen haben sollen, und zwei Vögelchen an den schrägen Enden. Die hatte sicherlich die Madlyne angebracht als Spielzeug für die Tote in der langen Ewigkeit.

Er wühlte in dem Sande des Grabhügels eine kleine Kaule aus und stellte Topf und Flasche hinein. Dann glättete er den Sand wieder, so daß nicht das mindeste zu bemerken war.

Manche sind der Meinung, daß dies zur Nahrung für den Geist der Toten gut ist, andere aber – und die sind wohl in der Wahrheit – meinen, daß die böse Giltinne damit besänftigt wird, so daß sie der abgeschiedenen Seele die Ruhe nicht fortnimmt.

Und dann saß er noch eine Weile und dachte bei sich: »Hier ist gut sein.« Und ihm war, als sei er erst jetzt in die Heimat gekommen.

Als er wieder im Hause war und alle sich zum Schlafengehen bereiteten, sann er darüber nach, wohin er sich wohl legen sollte. Er wußte genau, daß, wenn er sich absonderte, der Hader von neuem losgehen würde. Darum kroch er in seines Weibes Bett, und sie tat so, als sei er nie weggewesen.

Nun fing sie auch aus freien Stücken von dem Kinde zu reden an. Gegen Gottes allmächtigen Willen sei Menschenkraft ohnmächtig, man müsse zufrieden sein, wenn man sich nichts vorzuwerfen habe.

Und sie weinte.

Er sagte nur: »Erzähle mir nichts.« Denn er wußte, daß er es nicht ertragen würde.

In dieser Nacht erschien der Geist des Kindes ihm nicht. Er freute sich, daß er mit der Gabe an die Giltinne das Rechte getroffen hatte.

Als er am nächsten Morgen den Spaten schulterte, um mit den

andern in die Kartoffeln zu gehen, sagte die Madlyne zu ihm: »Ruh dich erst aus, du bist noch zu schwach.«

Und er wunderte sich, daß sie so wenig von seinen Kräften hielt.

Aber als er eine Weile vorgegraben hatte, mußte er sich setzen, denn der Atem fing an, ihm zu fehlen, und die Madlyne sah ihn an wie die Mutter ihr krankes Kind. – – –

Auch die Alute war von nun an immer gut zu ihm. Sie brachte ihm Paradieskörner in Essig und andere stärkende Sachen, und er dachte: »Wenn das Kind noch lebte, was würde es jetzt für gute Tage haben!«

Die Erscheinung war nun nicht mehr wiedergekommen, und er begann schon, der Giltinne mit geringerer Ehrerbietung zu gedenken.

Und so vertraut war er inzwischen mit der Alute geworden, daß er sich eines Abends ein Herz faßte und zu ihr von den Erscheinungen sprach. Auch von dem Mittel, das sich dagegen bewährt hatte.

Sie lachte und sagte: »Wenn das so leicht ist, will ich dir Hähne schlachten, soviel du willst.«

Ja, so gut war sie jetzt immer zu ihm. Und er fragte sich manches Mal, warum er sich früher eigentlich vor ihr gefürchtet hatte.

Auch von der Krankheit des Kindes wollte er jetzt Näheres wissen. Nicht daß sein Kummer geringer gewesen wäre als in der ersten Nacht, nur hielt er sie jetzt so wert, daß er glaubte, sie würde die richtige Teilnahme haben.

Aber Alute erwiderte: »Du Armer würdest es auch heute noch nicht ertragen, drum warte noch eine kleine Weile.« Und so sagte sie immer aufs neue.

Da kam er auf den Gedanken, die Madlyne zu fragen. Aber die Madlyne war jetzt wie umgewandelt. Sie ging ihm aus dem Wege, wo sie nur konnte, sprach bei Tisch kein Wort und bohrte mit den Augen Löcher ins Holz.

Auch der Alute fiel das auf, und einmal sagte sie: »Die Madlyne muß aus dem Hause, und schickt sie auch die nächsten Freier zurück, die ich ihr aussuche, so setze ich ihr eines Tages Bettsack und Kasten vors Hoftor.«

Er erschrak, daß er an einem so bösen Ende die Schuld tragen sollte, und beschloß, das Seine zu tun, um alles zum Bessern zu wenden. Darum ging er der Madlyne eines Morgens zum Melken nach und sagte: »Du mußt nicht denken, Madlyne, daß ich dir vom Tode des Kindes etwas nachtrage.«

Sie stand von der Hocke auf und sagte: »Aber ich trage es mir nach.«

Er antwortete, die Rede Alutes nachsprechend, daß gegen Gottes allmächtigen Willen Menschenkraft ohnmächtig sei, und man müsse zufrieden sein, wenn man sich nichts vorzuwerfen habe.

Da legte sie plötzlich beide Hände auf seine Schultern, sah ihn lange mit den bohrenden Augen an, die sie jetzt immer machte, und sagte dann: »Schlaf bei mir, Miks Bumbullis! Dann werd' ich dir etwas erzählen, was zu wissen dir not tut.«

Er fühlte eine große Unruhe und antwortete: »Mir ist nach lockeren Streichen nicht zumut'. Erzähl es mir auch so.«

»Nein«, sagte sie, »anders tu' ich es nicht.«

»Ich werd' es mir überlegen«, antwortete er und ging aus dem Stalle.

In derselben Nacht kam die Erscheinung wieder. Sie war in ihrem Hemdchen, hatte auf jeder Achsel einen Vogel sitzen und trug einen Stengel in der Hand, aber das war ein Schierlingsstengel.

Er sagte der Alute nichts davon. Und als der Abend kam, sparte er wieder sein Essen auf, holte sich heimlich einen Topf und trug es darin zum Kirchhof hinaus.

Er war des Glaubens, das alles sei unbemerkt geschehen, aber hinter dem Hofzaun stand Alute und sah ihm nach.

Diesmal gab die Giltinne sich nicht so leicht zufrieden, denn das Kind erschien ihm auch in der nächsten Nacht.

»Es wird wohl wieder ein Hahn sein müssen«, dachte er, aber ein unbestimmtes Gefühl hielt ihn ab, Alute zu bitten, daß sie ihn schlachte.

Die Erscheinung kam immer wieder, und die Unruhe verließ ihn nicht mehr.

Da faßte er sich ein Herz, und während die Frau noch auf dem Felde war, ging er der Madlyne nach in die Kammer. Als sie ihn kommen sah, stieß sie einen Seufzer aus und faltete die Hände wie eine, die sich bereitmacht, selig zu sterben.

So schlief er also bei ihr, und als ihr Kopf an seiner Schulter lag, da kam es ihm zur Klarheit, daß er immer und immer nur nach ihr verlangt hatte.

Sie weinte ohne Aufhören und küßte ihm beide Hände.

Und dann ermahnte er sie, daß sie nun ihr Versprechen erfüllen solle.

Sie kniete vor dem Bette nieder und flehte: »Verlange es nicht! Verlange es nicht!«

Aber er verlangte es immer wieder.

Da sah sie, daß es kein Entrinnen mehr gab, und erzählte ihm, auf welche Art Alute das Kind umgebracht hatte. Und sie würde nie und nimmer zu überführen sein.

In seinem ersten Zorn griff er nach Madlynens Halse, um sie zu erwürgen, weil sie die Tat nicht verhindert hatte.

Sie sagte: »Drück nur zu! Drück nur zu! Oben am Hühnerbalken kannst du die Schlinge sehen, mit der ich mich aufhängen wollte. Und wärest du nicht so plötzlich gekommen, hätte ich es auch getan.«

Da sprang er aus dem Bette und lief nach dem Schleifstein. – –

Alute arbeitete noch in den Kartoffeln, da sah sie einen Menschen auf sich zustürmen, der halb angezogen war und eine Axt schwang.

Und als sie ihren Mann erkannte, da wußte sie sofort, was geschehen war, und daß es ihr nun ans Leben ging.

Sie rannte schreiend nach der Richtung des Dorfes hin, und er mit der erhobenen Axt hinter ihr drein. – Aber sie wagte nicht, nach einem der verstreuten Höfe einzubiegen, denn sie wußte, daß kein Türschloß und keine Menschenhand ihn hindern würde, die Tat zu begehen.

So lief sie weiter, und der Raum zwischen ihr und ihm verkürzte sich immer mehr.

Da sah sie nicht fern das Haus des Gendarmen und erkannte gleich, daß sie sich für heute und künftig nur retten konnte, wenn sie alles gestand. Die Anstiftung würde ihr niemand nachweisen, und der Meineid war bald gebüßt.

Als ihr Verfolger einsah, wohin sie steuerte, da ließ er von ihr ab, denn des Wachtmeisters Pistolen waren immer geladen. Er kehrte in seinen Fußtapfen um, und die Leute, die ihm gefolgt waren, gingen in großem Bogen um ihn herum.

Das Haus war jetzt so leer, wie er es bei seiner Heimkehr gefunden hatte. Auch nach Madlyne rief er umsonst.

Er zog sich einen warmen Rock an, steckte Geld in die Tasche, holte ein altes Gewehr hinter den Sparren hervor, das seit seiner Wilddiebszeit dort noch versteckt lag, und kroch auf dem Bauche von Graben zu Graben.

Als es finster geworden war, floh er über die Grenze. Rußland ist groß.

XIV

Der Gendarm erstattete die Anzeige.

Die Herren vom Gericht nahmen sich der Sache mit großem Eifer an. Ein Steckbrief wurde erlassen, Polizisten hielten Nachforschungen hüben und drüben, auch wurden Auslieferungsverhandlungen angebahnt, damit, wenn man ihn faßte, kein Aufschub entstand.

Alute, die trotz ihrer Selbstbezichtigung noch immer frei herumlief, lachte zu alledem und sagte: »Was gebt ihr euch für Müh'! Das Kind wird ihn schon holen gehn.« Sie hütete sich wohl, in ihrem Hause zu bleiben, und selbst für kurze Zeit ging sie nur in Begleitung hinein, denn sie fürchtete, daß Miks ihr dort auflauern würde.

Nacht für Nacht hielt sie sich mit dem Gendarmen und ein paar Männern, die dazu aufgeboten waren, hinter dem Kirchhofzaune versteckt. Die Männer wechselten ab, denn keiner konnte für die Dauer die Nachtwachen vertragen. Sie aber war immer zur Stelle. Bei Tage streifte sie herum wie ein wildernder Jagdhund. Wo und wann sie schlief, wußte keiner.

Wenn einer von den fremden Gendarmen, die den hiesigen jede zweite Nacht ablösen kamen, gegen Morgen hin frierend und mißmutig sagte: »Ich denke, wir stellen die vergebliche Arbeit ein, denn er müßte schön dumm sein, uns freiwillig in die Arme zu laufen«, dann wehklagte sie und flehte mit erhobenen Armen: »Erbarmen, Pons Wackmeisteris! Ich weiß, das Kind wird ihn schon holen gehn – wird ihn schon holen gehn.«

Was sie aber nicht wußte, war, daß zu gleicher Zeit und gar nicht weit vom Kirchhof Madlyne im Graben lag – dicht an dem Wege, der von der Grenze her auf das Dorf zuführte. Sie hielt sich heimlich in dem Hause eines früheren Bewerbers auf, dessen Frau ihr dankbar war, weil sie ihn nicht genommen hatte. Und allabendlich, wenn es dunkel wurde, schlich sie sich hinaus auf Wache für den Fall, daß er vorbeikommen sollte.

Manchmal war es noch kalt, und manchmal regnete es, aber sie fror nicht und ließ sich ruhig durchweichen. Nur gegen den Schlaf anzukämpfen fiel ihr schwer. Darum legte sie sich gewöhnlich eine ihrer Klotzkorken auf den Kopf, die ihr gegen die Knie fiel, wenn sie ihn einschlafend nach vornüber neigte. Und von dem Schmerze wurde sie dann wieder wach.

Ab und zu ließ vom Kirchhof her ein leises Stimmengeräusch oder ein Säbelklirren sich hören, ab und zu, wenn der Wind danach stand, zog auch ein Tabaksgeruch über sie hin. Dann lachte sie höhnisch und schüttelte die Fäuste in das Dunkel hinein. Solange sie wachte, war keine Gefahr.

Aber in der Nacht – es mag die vierzehnte oder fünfzehnte ihres Dienstes gewesen sein –, da muß der Schlaf sie doch überwältigt haben, oder aber er war nicht auf dem Wege, sondern quer über die Felder gegangen, denn plötzlich hörte sie auffahrend vom Kirchhof her Knallen und Männergeschrei. Und die Stimme Alutens mischte sich keifend darein.

Da wußte sie: sie hatten ihn.

Weinend lief sie auf den Lichtschein los, der plötzlich aufgeflammt war.

Und da sah sie ihn auch schon kommen. Zwei Männer brachten ihn geführt, und Alute tanzte um ihn herum, indem sie ihm die Zähne zeigte und die Zunge ausstreckte.

In seinem Gürtel hing der Oberteil einer breithalsigen Flasche, die wohl beim Kampfe mitten durchgeschlagen war. Darin war das Opfer für die Giltinne gewesen, mit dem er dem Kinde noch einmal die ewige Ruhe hatte erkaufen wollen.

Madlyne warf sich ihm in den Weg und küßte die eisernen Ringe, in die sie seine blutigen Hände gesteckt hatten.

Er sah gleichsam mitten durch sie hindurch und schritt weiter – seinem Schicksal entgegen.

Erschienen 1917

ARTHUR SCHNITZLER *1862–1931*

Spiel im Morgengrauen

I

»Herr Leutnant!... Herr Leutnant!... Herr Leutnant!« Erst beim
dritten Anruf rührte sich der junge Offizier, reckte sich, wandte
den Kopf zur Tür; noch schlaftrunken, aus den Polstern, brummte
er: »Was gibt's?«, dann, wacher geworden, als er sah, daß es nur
der Bursche war, der in der umdämmerten Türspalte stand, schrie
er: »Zum Teufel, was gibt's denn in aller Früh'?«

»Es ist ein Herr unten im Hof, Herr Leutnant, der den Herrn
Leutnant sprechen will.«

»Wieso ein Herr? Wie spät ist es denn? Hab' ich Ihnen nicht
g'sagt, daß Sie mich nicht wecken sollen am Sonntag?«

Der Bursche trat ans Bett und reichte Wilhelm eine Visitenkarte.

»Meinen Sie, ich bin ein Uhu, Sie Schafskopf, daß ich im Finstern lesen kann? Aufziehn!«

Noch ehe der Befehl ausgesprochen war, hatte Joseph die inneren Fensterflügel geöffnet und zog den schmutzigweißen Vorhang
in die Höhe. Der Leutnant, sich im Bette halb aufrichtend, vermochte nun den Namen auf der Karte zu lesen, ließ sie auf die
Bettdecke sinken, betrachtete sie nochmals, kraute sein blondes,
kurz geschnittenes, morgendlich zerrauftes Haar und überlegte
rasch: »Abweisen? – Unmöglich! – Auch eigentlich kein Grund.
Wenn man wen empfängt, das heißt ja noch nicht, daß man mit
ihm verkehrt. Übrigens hat er ja nur wegen Schulden quittieren
müssen. Andere haben halt mehr Glück. Aber was will er von
mir?« – Er wandte sich wieder an den Burschen: »Wie schaut er
denn aus, der Herr Ober–, der Herr von Bogner?«

Der Bursche erwiderte mit breitem, etwas traurigem Lächeln: »Melde gehorsamst, Herr Leutnant, Uniform ist dem Herrn Oberleutnant besser zu G'sicht gestanden.«

Wilhelm schwieg eine Weile, dann setzte er sich im Bett zurecht: »Also, ich lass' bitten. Und der Herr – Oberleutnant möcht' freundlichst entschuldigen, wenn ich noch nicht fertig angezogen bin. – Und hören S' – für alle Fälle, wenn einer von den anderen Herren fragt, der Oberleutnant Höchster oder der Leutnant Wengler oder der Herr Hauptmann oder sonstwer – ich bin nicht mehr zu Haus – verstanden?«

Während Joseph die Tür hinter sich schloß, zog Wilhelm rasch die Bluse an, ordnete mit dem Staubkamm seine Frisur, trat zum Fenster, blickte in den noch unbelebten Kasernenhof hinab; und als er den einstigen Kameraden unten auf und ab gehen sah, mit gesenktem Kopf, den steifen, schwarzen Hut in die Stirne gedrückt, im offenen, gelben Überzieher, mit braunen, etwas bestaubten Halbschuhen, da wurde ihm beinah weh ums Herz. Er öffnete das Fenster, war nahe daran, ihm zuzuwinken, ihn laut zu begrüßen; doch in diesem Augenblick war eben der Bursche an den Wartenden herangetreten, und Wilhelm merkte den ängstlich gespannten Zügen des alten Freundes die Erregung an, mit der er die Antwort erwartete. Da sie günstig ausfiel, heiterten sich Bogners Mienen auf, er verschwand mit dem Burschen im Tor unter Wilhelms Fenster, das dieser nun schloß, als wenn die bevorstehende Unterredung solche Vorsicht immerhin verlangen könnte. Nun war mit einem Male der Duft von Wald und Frühjahr wieder fort, der in solchen Sonntagsmorgenstunden in den Kasernenhof zu dringen pflegte und von dem an Wochentagen sonderbarerweise überhaupt nichts zu bemerken war. Was immer geschieht, dachte Wilhelm – was soll denn übrigens geschehen?! – nach Baden fahr' ich heute unbedingt und speise zu Mittag in der »Stadt Wien« – wenn sie mich nicht wie neulich bei Keßners zum Essen behalten sollten. »Herein!« Und mit übertriebener Lebhaftigkeit streckte Wilhelm dem Eintretenden die Hand entgegen. »Grüß dich Gott, Bogner. Es freut mich aber wirklich. Willst nicht ablegen? Ja, schau dich nur um; alles wie früher. Geräumiger ist das Lokal auch nicht geworden. Aber Raum ist in der kleinsten Hütte für ein glücklich ...«

Otto lächelte höflich, als merke er Wilhelms Verlegenheit und wolle ihm darüber weghelfen. »Hoffentlich paßt das Zitat für die kleine Hütte manchmal besser als in diesem Augenblick«, sagte er.

Wilhelm lachte lauter, als nötig war. »Leider nicht oft. Ich leb'

ziemlich einschichtig. Wenn ich dich versicher', sechs Wochen mindestens hat diesen Raum kein weiblicher Fuß betreten. Der Plato
ist ein Waisenknabe gegen mich. Aber nimm doch Platz.« Er
räumte Wäschestücke von einem Sessel aufs Bett. »Und darf ich
dich vielleicht zu einem Kaffee einladen?«

»Danke, Kasda, mach dir keine Umstände. Ich hab' schon gefrüh-
stückt... Eine Zigarette, wenn du nichts dagegen hast...«

Wilhelm ließ nicht zu, daß Otto sich aus der eigenen Dose bediente, und wies auf das Rauchtischchen, wo eine offene Papp-
schachtel mit Zigaretten stand. Wilhelm gab ihm Feuer, Otto tat
schweigend einige Züge, und sein Blick fiel auf das wohlbekannte
Bild, das an der Wand über dem schwarzen Lederdiwan hing und
eine Offiziers-Steeplechase aus längst verflossenen Zeiten vorstellte.

»Also, jetzt erzähl«, sagte Wilhelm, »wie geht's dir denn? Warum
hat man so gar nichts mehr von dir gehört? – Wie wir uns – vor
zwei Jahren oder drei – Adieu gesagt haben, hast du mir doch
versprochen, daß du von Zeit zu Zeit –«

Otto unterbrach ihn: »Es war vielleicht doch besser, daß ich
nichts hab' von mir hören und sehen lassen, und ganz bestimmt
wär's besser, wenn ich auch heut nicht hätt' kommen müssen.«
Und, ziemlich überraschend für Wilhelm, setzte er sich plötzlich
in die Ecke des Sofas, in dessen anderer Ecke einige zerlesene Bücher lagen –: »Denn du kannst dir denken, Willi« – er sprach
hastig und scharf zugleich –»mein Besuch heute zu so ungewohn-
ter Stunde – ich weiß, du schläfst dich gern aus an einem Sonntag –, dieser Besuch hat natürlich einen *Zweck*, sonst hätte ich mir
natürlich nicht erlaubt – kurz und gut, ich komm', an unsere alte
Freundschaft appellieren – an unsere Kameradschaft darf ich ja
leider nicht mehr sagen. Du brauchst nicht blaß zu werden, Willi,
es ist nicht gar so gefährlich, es handelt sich um ein paar Gulden,
die ich halt morgen früh haben muß, weil mir sonst nichts übrig-
bliebe als –« seine Stimme schnarrte militärisch in die Höhe –,
»na – was vielleicht schon vor zwei Jahren das Gescheiteste gewesen wäre.«

»Aber, was red'st denn da«, meinte Wilhelm im Ton freund-
schaftlich-verlegenen Unwillens.

Der Bursche brachte das Frühstück und verschwand wieder.
Willi schenkte ein. Er verspürte einen bitteren Geschmack im
Mund und empfand es unangenehm, daß er noch nicht dazu gekommen war, Toilette zu machen. Übrigens hatte er sich vorgenommen, auf dem Weg zur Eisenbahn ein Dampfbad zu nehmen.

Es genügte ja vollkommen, wenn er gegen Mittag in Baden eintraf. Er hatte keine bestimmte Abmachung; und wenn er sich verspätete, ja, wenn er gar nicht käme, es würde keinem Menschen sonderlich auffallen, weder den Herren im Café Schopf noch dem Fräulein Keßner; vielleicht eher noch ihrer Mutter, die übrigens auch nicht übel war.

»Bitt' schön, bedien dich doch«, sagte er zu Otto, der die Tasse noch nicht an die Lippen gesetzt hatte. Nun nahm er rasch einen Schluck und begann sofort: »Um kurz zu sein: du weißt ja vielleicht, daß ich in einem Büro für elektrische Installation angestellt bin, als Kassierer, seit einem Vierteljahr. Woher sollst du das übrigens wissen? Du weißt ja nicht einmal, daß ich verheiratet bin und einen Buben hab' – von vier Jahren. Er war nämlich schon auf der Welt, wie ich noch bei euch war. Es hat's keiner gewußt. Na also, besonders gut ist es mir die ganze Zeit über nicht gegangen. Kannst dir ja denken. Und besonders im vergangenen Winter – der Bub war krank –, also, die Details sind ja weiter nicht interessant – da hab' ich mir etliche Male aus der Kasse was ausleihen müssen. Ich hab's immer rechtzeitig zurückgezahlt. Diesmal ist's ein bissel mehr geworden als sonst, leider, und«, er hielt inne, indes Wilhelm mit dem Löffel in seiner Tasse rührte, »und das Malheur ist außerdem, daß am Montag, morgen also, wie ich zufällig in Erfahrung gebracht habe, von der Fabrik aus eine Revision stattfinden soll. Wir sind nämlich eine Filiale, verstehst du, und es sind ganz geringfügige Beträge, die bei uns ein- und ausgezahlt werden; es ist ja auch wirklich nur eine Bagatelle – die ich schuldig bin –, neunhundertsechzig Gulden. Ich könnte sagen tausend, das käm' schon auf eins heraus. Es sind aber neunhundertsechzig. Und die müssen morgen vor halb neun Uhr früh dasein, sonst – na – also, du erwiesest mir einen wirklichen Freundschaftsdienst, Willi, wenn du mir diese Summe –« Er konnte plötzlich nicht weiter. Willi schämte sich ein wenig für ihn, nicht so sehr wegen der kleinen Veruntreuung oder – Defraudation, so mußte man's ja wohl nennen, die der alte Kamerad begangen, sondern vielmehr, weil der ehemalige Oberleutnant Otto von Bogner – vor wenigen Jahren noch ein liebenswürdiger, wohlsituierter und schneidiger Offizier – bleich und ohne Haltung in der Diwanecke lehnte und vor verschluckten Tränen nicht weiterreden konnte.

Er legte ihm die Hand auf die Schulter. »Geh, Otto, man muß ja nicht gleich die Kontenance verlieren«, und da der andere auf diese nicht sehr ermutigende Einleitung hin mit trübem, fast erschrecktem Blick zu ihm aufsah – »nämlich, ich selber bin so ziemlich auf dem trockenen. Mein ganzes Vermögen beläuft sich auf etwas über hundert Gulden. Hundertzwanzig, um ganz so genau zu sein wie du. Die stehen dir natürlich bis auf den letzten Kreuzer zur Verfügung. Aber wenn wir uns ein bißl anstrengen, so müssen wir doch auf einen Modus kommen.«

Otto unterbrach ihn. »Du kannst dir denken, daß alle sonstigen – Modusse bereits erledigt sind. Wir brauchen also die Zeit nicht mit unnützem Kopfzerbrechen zu verlieren, um so weniger, als ich schon mit einem bestimmten Vorschlage komme.« Wilhelm sah ihm gespannt ins Auge. »Stell dir einmal vor, Willi, du befändest dich selbst in einer solchen Schwulität. Was würdest du tun?«

»Ich versteh' nicht recht«, bemerkte Wilhelm ablehnend.

»Natürlich, ich weiß, in eine fremde Kasse hast du noch nie gegriffen – so was kann einem nur in Zivil passieren. Ja. Aber schließlich, wenn du einmal aus einem – weniger kriminellen Grund eine gewisse Summe dringend benötigtest, an wen würdest du dich wenden?«

»Entschuldige, Otto; darüber hab' ich noch nicht nachgedacht, und ich hoffe... Ich hab' ja auch manchmal Schulden gehabt, das leugne ich nicht, erst im vorigen Monat, da hat mir der Höchster mit fünfzig Gulden ausgeholfen, die ich ihm natürlich am Ersten retourniert habe. Drum geht's mir ja diesmal so knapp zusammen. Aber tausend Gulden – tausend – ich wüßte absolut nicht, wie ich mir die verschaffen könnte.«

»Wirklich nicht?« sagte Otto und faßte ihn scharf ins Auge.

»Wenn ich dir sag'.«

»Und dein Onkel?«

»Was für ein Onkel?«

»Dein Onkel Robert.«

»Wie – kommst du auf den?«

»Es liegt doch ziemlich nahe. Der hat dir ja manchmal ausgeholfen. Und eine regelmäßige Zulage hast du doch auch von ihm.«

»Mit der Zulage ist es längst vorbei«, erwiderte Willi ärgerlich über den in diesem Augenblick kaum angemessenen Ton des einstigen Kameraden. »Und nicht nur mit der Zulage. Der Onkel Robert, der ist ein Sonderling geworden. Die Wahrheit ist, daß ich ihn mehr als ein Jahr lang mit keinem Aug' gesehen habe. Und wie ich ihn das letztemal um eine Kleinigkeit ersucht habe – ausnahmsweise – na, nur, daß er mich nicht hinausgeschmissen hat.«

»Hm, so.« Bogner rieb sich die Stirn. »Du hältst es wirklich für absolut ausgeschlossen?«

»Ich hoffe, du zweifelst nicht«, erwiderte Wilhelm mit einiger Schärfe.

Plötzlich erhob sich Bogner aus der Sofaecke, rückte den Tisch beiseite und trat zum Fenster hin. »Wir müssen's versuchen«, erklärte er dann mit Bestimmtheit. »Jawohl, verzeih, aber wir *müssen*. Das Schlimmste, das dir passieren kann, ist, daß er nein sagt. Und vielleicht in einer nicht ganz höflichen Form. Zugegeben. Aber gegen das, was mir bevorsteht, wenn ich bis morgen früh die paar schäbigen Gulden nicht beisammen hab', ist doch das alles nichts als eine kleine Unannehmlichkeit.«

»Mag sein«, sagte Wilhelm, »aber eine Unannehmlichkeit, die vollkommen zwecklos wäre. Wenn nur die geringste Chance bestünde – na, du wirst doch hoffentlich nicht an meinem guten Willen zweifeln. Und zum Teufel, es muß doch noch andere Möglichkeiten geben. Was ist denn zum Beispiel – sei nicht bös, er fällt mir grad ein – mit deinem Cousin Guido, der das Gut bei Amstetten hat?«

»Du kannst dir denken, Willi«, erwiderte Bogner ruhig, »daß es auch mit dem nix ist. Sonst wär' ich ja nicht da. Kurz und gut, es gibt auf der ganzen Welt keinen Menschen –«

Willi hob plötzlich einen Finger, als wäre er auf eine Idee gekommen.

Bogner sah ihn erwartungsvoll an.

»Der Rudi Höchster, wenn du's bei dem versuchen würdest. Er hat nämlich eine Erbschaft gemacht vor ein paar Monaten. Zwanzig- oder fünfundzwanzigtausend Gulden, davon muß doch noch was übrig sein.«

Bogner runzelte die Stirn, und etwas zögernd erwiderte er: »An Höchster habe ich – vor drei Wochen einmal, wie es noch nicht so dringend war – geschrieben – um viel weniger als tausend – nicht einmal geantwortet hat er mir. Also du siehst, es gibt nur einen einzigen Ausweg: dein Onkel.« Und auf Willis Achselzucken: »Ich kenn' ihn ja, Willi – ein so liebenswürdiger, scharmanter alter Herr. Wir waren ja auch ein paarmal im Theater zusammen und im Riedhof – er wird sich gewiß erinnern! Ja, um Gottes willen, er kann doch nicht plötzlich ein anderer Mensch geworden sein.«

Ungeduldig unterbrach ihn Willi. »Es scheint doch. Ich weiß ja auch nicht, was mit ihm eigentlich vorgegangen ist. Aber das kommt ja vor zwischen Fünfzig und Sechzig, daß sich die Leut' so merkwürdig verändern. Ich kann dir nicht *mehr* sagen, als daß ich – seit fünf viertel Jahren oder länger sein Haus nicht mehr betreten habe und – kurz und gut – es unter keiner Bedingung je wieder betreten werde.«

Bogner sah vor sich hin. Dann plötzlich hob er den Kopf, sah Willi wie abwesend an und sagte: »Also, ich bitt' dich um Entschuldigung, grüß dich Gott«, nahm den Hut und wandte sich zum Gehen.

»Otto!« rief Willi. »Ich hätt' noch eine Idee.«

»Noch eine ist gut.«

»Also hör einmal, Bogner. Ich fahre nämlich heut aufs Land – nach Baden. Da ist manchmal am Sonntagnachmittag im Café Schopf eine kleine Hasardpartie: Einundzwanzig oder Bakkarat, je nachdem. Ich bin natürlich höchst bescheiden daran beteiligt oder auch gar nicht. Drei- oder viermal habe ich mitgetan, aber mehr zum Spaß. Der Hauptmacher ist der Regimentsarzt Tugut, der übrigens eine Mordssau hat, der Oberleutnant Wimmer ist auch gewöhnlich dabei, dann der Greising, von den Siebenundsiebzigern ... den kennst du gar nicht. Er ist draußen in Behandlung – wegen einer alten G'schicht, auch ein paar Zivilisten sind dabei, ein Advokat von draußen, der Sekretär vom Theater, ein Schauspieler und ein älterer Herr, ein gewisser Konsul Schnabel. Der hat ein Verhältnis draußen mit einer Operettensängerin, bessere Choristin eigentlich. Das ist die Hauptwurzen. Der Tugut hat ihm vor vierzehn Tagen nicht weniger als dreitausend Gulden auf einem Sitz abgenommen. Bis sechs Uhr früh haben wir gespielt auf der offenen Veranda, die Vögel haben dazu gesungen; die Hundertzwanzig, die ich heut noch hab', verdank' ich übrigens auch nur meiner Ausdauer, sonst wär' ich ganz blank. Also, weißt du was, Otto, *hundert* von den hundertzwanzig werd' ich heute für dich riskieren. Ich weiß, die Chance ist nicht überwältigend, aber der Tugut hat sich neulich gar nur mit fünfzig hingesetzt, und mit dreitausend ist er aufgestanden. Und dann kommt noch etwas hinzu: daß ich seit ein paar Monaten nicht das geringste Glück in der Liebe habe. Also vielleicht ist auf ein Sprichwort mehr Verlaß als auf die Menschen.«

Bogner schwieg.

»Nun – was denkst du über meine Idee?« fragte Willi.

Bogner zuckte die Achseln. »Ich dank' dir jedenfalls sehr – ich sag' natürlich nicht nein – obwohl –«

»Garantieren kann ich selbstverständlich nicht«, unterbrach ihn Willi mit übertriebener Lebhaftigkeit, »aber riskiert ist am End' auch nicht viel. Und wenn ich gewinn' – respektive von dem, was ich gewinn', gehören dir tausend – *mindestens* tausend gehören dir. Und wenn ich zufällig einen besonderen Riß machen sollte –« »Versprich nicht zu viel«, sagte Otto mit trübem Lächeln. – »Aber jetzt will ich dich nicht länger aufhalten. Schon um meinetwillen. Und morgen früh werde ich mir erlauben – vielmehr... ich warte morgen früh um halb acht drüben vor der Alserkirche.« Und mit bitterem Lachen: »Wir können uns ja auch zufällig begegnet sein.« Den Versuch einer Erwiderung von seiten Willis wehrte Bogner ab und fügte rasch hinzu: »Übrigens, ich lasse meine Hände unterdessen auch nicht im Schoß liegen. Siebzig Gulden hab' ich noch im Vermögen. Die riskier' ich heut nachmittag beim Rennen – auf dem Zehn-Kreuzer-Platz natürlich.« Er trat rasch zum Fenster, sah in den Kasernenhof hinab –: »Die Luft ist rein«, sagte er, verzog bitter-höhnisch den Mund, schlug den Kragen hoch, reichte Willi die Hand und ging.

Wilhelm seufzte leicht, sann eine Weile nach, dann machte er sich eilig zum Gehen fertig. Mit dem Zustand seiner Uniform war er übrigens nicht sehr zufrieden. Wenn er heute gewinnen sollte, war er entschlossen, sich mindestens einen neuen Waffenrock anzuschaffen. Das Dampfbad gab er in Anbetracht der vorgerückten Stunde auf; in jedem Falle aber wollte er sich einen Fiaker zur Bahn nehmen. Auf die zwei Gulden kam es heute wirklich nicht an.

II

Als er um die Mittagsstunde in Baden den Zug verließ, befand er sich in gar nicht übler Laune. Auf dem Bahnhof in Wien hatte der Oberstleutnant Wositzky – im Dienst ein sehr unangenehmer Herr – sich aufs freundlichste mit ihm unterhalten, und im Coupé hatten zwei junge Mädel so lebhaft mit ihm kokettiert, daß er um seines Tagesprogramms willen beinahe froh war, als sie nicht zugleich mit ihm ausstiegen. In all seiner günstigen Stimmung aber fühlte er sich doch versucht, dem einstigen Kameraden Bogner innerlich Vorwürfe zu machen, nicht einmal so sehr wegen des Eingriffs in die Kasse, der ja durch die unglückseligen äußeren Verhältnisse gewissermaßen entschuldbar war, als vielmehr wegen der dummen Spielgeschichte, mit der er sich vor drei Jahren die Karriere einfach abgeschnitten hatte. Ein Offizier mußte doch am Ende wissen, bis wohin er gehen durfte. Er selbst zum Beispiel war vor drei Wochen, als ihn das Unglück beständig verfolgte,

einfach vom Kartentisch aufgestanden, obwohl der Konsul Schnabel ihm in der liebenswürdigsten Weise seine Börse zur Verfügung gestellt hatte. Er hatte überhaupt immer gewußt, Versuchun-
gen zu widerstehen, und jederzeit war es ihm gelungen, mit der
knappen Gage und den geringen Zuschüssen auszukommen, die
er zuerst vom Vater und, nachdem dieser als Oberstleutnant in
Temesvar gestorben war, von Onkel Robert erhalten hatte. Und
seit diese Zuschüsse eingestellt waren, hatte er sich eben danach
einzurichten gewußt: der Kaffeehausbesuch wurde eingeschränkt,
von Neuanschaffungen wurde Abstand genommen, an Zigaretten gespart, und die Weiber durften einen überhaupt nichts mehr
kosten. Ein kleines Abenteuer vor drei Monaten, das vielverhei-
ßend begonnen hatte, war daran gescheitert, daß Willi buchstäblich nicht in der Lage gewesen wäre, an einem gewissen Abend
ein Nachtmahl für zwei Personen zu bezahlen.

Eigentlich traurig, dachte er. Niemals noch war ihm die Enge
seiner Verhältnisse so deutlich zum Bewußtsein gekommen als
heute – an diesem wunderschönen Frühlingstag, da er in einem
leider nicht mehr sehr funkelnden Waffenrock, in drap Beinklei-
dern, die an den Knien ein wenig zu glänzen anfingen, und mit
einer Kappe, die erheblich niedriger war, als die neueste Offiziers-
mode vorschrieb, durch die duftenden Parkanlagen den Weg zu
dem Landhaus nahm, in dem die Familie Keßner wohnte – wenn
es nicht gar ihr Besitz war. Zum erstenmal auch geschah es ihm
heute, daß er die Hoffnung auf eine Einladung zum Mittagessen
oder vielmehr den Umstand, daß ihm diese Erwartung eine Hoffnung bedeutete, als beschämend empfand.

Immerhin gab er sich nicht ungern darein, daß diese Hoffnung
sich erfüllte, nicht nur wegen des schmackhaften Mittagessens
und des trefflichen Weins, sondern auch darum, weil Fräulein
Emilie, die zu seiner Rechten saß, durch freundliche Blicke und zu-
trauliche Berührungen, die übrigens durchaus als zufällig gelten
konnten, sich als sehr angenehme Tischnachbarin erwies. Er war
nicht der einzige Gast. Auch ein junger Rechtsanwalt war anwesend, den der Hausherr aus Wien mitgebracht hatte und der das
Gespräch in einem fröhlichen, leichten, zuweilen auch etwas iro-
nischen Tone zu führen wußte. Der Hausherr war höflich, aber
etwas kühl gegenüber Willi, wie er ja im allgemeinen von den
Sonntagsbesuchen des Herrn Leutnants, der seinen Damen im
vergangenen Fasching auf einem Ball vorgestellt worden war und
eine Aufforderung, gelegentlich einmal zum Tee zu kommen, vielleicht allzu wörtlich aufgefaßt hatte, nicht sonderlich entzückt zu

sein schien. Auch die noch immer hübsche Hausfrau hatte offensichtlich keinerlei Erinnerung mehr daran, daß sie vor vierzehn Tagen auf einer etwas abseits gelegenen Gartenbank einer unerwartet kühnen Umarmung des Leutnants sich erst entzogen, als das Geräusch nahender Schritte auf dem Kies vernehmbar geworden war. Bei Tische war zuerst in allerlei für den Leutnant nicht ganz verständlichen Ausdrücken von einem Prozeß die Rede, den der Rechtsanwalt für den Hausherrn in Angelegenheit seiner Fabrik zu führen hatte; dann aber kam das Gespräch auf Landaufenthalte und Sommerreisen, und nun war auch für Willi die Möglichkeit gegeben, sich daran zu beteiligen. Er hatte vor zwei Jahren die Kaisermanöver in den Dolomiten mitgemacht, erzählte von Nachtlagern unter freiem Himmel, von den zwei schwarzlockigen Töchtern eines Kastelruther Wirts, die man wegen ihrer Unnahbarkeit die zwei Medusen genannt hatte, und von einem Feldmarschalleutnant, der sozusagen vor Willis Augen wegen eines mißglückten Reiterangriffs in Ungnade gefallen war. Und wie es ihm beim dritten oder vierten Glas Wein leicht zu geschehen pflegte, wurde er immer unbefangener, frischer, ja beinahe witzig. Er fühlte, wie er allmählich den Hausherrn für sich gewann, wie der Rechtsanwalt im Ton immer weniger ironisch wurde, wie in der Hausfrau eine Erinnerung aufzuschimmern begann; und ein lebhafter Druck von Emiliens Knie an dem seinen gab sich nicht mehr die Mühe, als zufällig zu gelten.

Zum schwarzen Kaffee erschien eine wohlbeleibte, ältere Dame mit ihren zwei Töchtern, denen Willi als »unser Tänzer vom Industriellenball« vorgestellt wurde. Es ergab sich bald, daß die drei Damen sich vor zwei Jahren gleichfalls in Südtirol aufgehalten hatten; und war es nicht der Herr Leutnant gewesen, den sie an einem schönen Sommertag an ihrem Hotel in Seis auf einem Rappen vorbeisprengen gesehen hatten? Willi wollte es nicht geradezu in Abrede stellen, obzwar er bei sich sehr gut wußte, daß er, ein kleiner Infanterieleutnant vom Achtundneunzigsten, niemals auf einem stolzen Roß durch irgendeine in Tirol oder sonstwo gelegene Ortschaft gesprengt sein konnte.

Die beiden jungen Damen waren anmutig in Weiß gekleidet; das Fräulein Keßner, hellrosa, in der Mitte, so liefen sie alle drei mutwillig über den Rasen.

»Wie drei Grazien, nicht wahr?« meinte der Rechtsanwalt. Wieder klang es wie Ironie, und dem Leutnant lag es auf der Zunge: Wie meinen Sie das, Herr Doktor? Doch es war um so leichter, diese Bemerkung zu unterdrücken, als Fräulein Emilie sich eben von der Wiese her umgewandt und ihm lustig zugewinkt hatte. Sie war blond, etwas größer als er, und es war anzunehmen, daß sie eine nicht unbeträchtliche Mitgift erwarten durfte. Aber bis man so weit war – wenn man überhaupt von solchen Möglichkeiten zu träumen wagte –, dauerte es noch lange, sehr lange, und die tausend Gulden für den verunglückten Kameraden mußten spätestens bis morgen früh beschafft sein.

So blieb ihm nichts übrig, als sich zu empfehlen, dem einstigen Oberleutnant Bogner zuliebe, gerade als die Unterhaltung im besten Gange war. Man gab sich den Anschein, als wollte man ihn zurückhalten, er bedauerte sehr; leider sei er verabredet, und vor allem mußte er einen Kameraden im Garnisonsspitale besuchen, der hier ein altes rheumatisches Leiden auskurierte. Auch hierzu lächelte der Rechtsanwalt ironisch. Ob denn dieser Besuch den ganzen Nachmittag in Anspruch nähme, fragte Frau Keßner, verheißungsvoll lächelnd. Willi zuckte unbestimmt die Achseln. Nun, jedenfalls würde man sich freuen, falls es ihm gelänge, sich frei zu machen, ihn im Laufe des heutigen Abends wiederzusehen.

Als er das Haus verließ, fuhren eben zwei elegante junge Herren im Fiaker vor, was Willi nicht angenehm berührte. Was konnte in diesem Hause sich nicht alles ereignen, während er genötigt war, für einen entgleisten Kameraden im Kaffeehaus tausend Gulden zu verdienen? Ob es nicht das weitaus Klügere wäre, sich auf die Sache gar nicht einzulassen und in einer halben Stunde etwa, nachdem man angeblich den kranken Freund besucht, wieder in den schönen Garten zu den drei Grazien zurückzukehren? Um so klüger, dachte er mit einiger Selbstgefälligkeit weiter, als seine Chancen für einen Gewinst im Spiel indes erheblich gesunken sein dürften.

III

Von einer Anschlagsäule starrte ihm ein großes, gelbes Rennplakat entgegen, und es fiel ihm ein, daß Bogner in dieser Stunde schon in der Freudenau bei den Rennen, ja vielleicht eben daran war, auf eigene Faust die rettende Summe zu gewinnen. Wie aber, wenn Bogner ihm einen solchen Glücksfall verschwiege, um noch überdies sich der tausend Gulden zu versichern, die Willi indes dem Konsul Schnabel oder dem Regimentsarzt Tugut im Kartenspiel abgewonnen? Nun ja, wenn man einmal tief genug gesunken war, um in eine fremde Kasse zu greifen ... Und in ein paar Monaten oder Wochen würde Bogner wahrscheinlich wieder geradeso weit sein wie heute. Und was dann?

Musik klang zu ihm herüber. Es war irgendeine italienische Ouvertüre von der halbverschollenen Art, wie sie überhaupt nur von Kurorchestern gespielt zu werden pflegen. Willi aber kannte sie gut. Vor vielen Jahren hatte er sie seine Mutter in Temesvar mit irgendeiner entfernten Verwandten vierhändig spielen hören. Er selbst hatte es nie so weit gebracht, der Mutter als Partner im Vierhändigspiel zu dienen, und als sie vor acht Jahren gestorben war, hatte es auch keine Klavierlektionen mehr gegeben wie früher manchmal, wenn er zu den Feiertagen von der Kadettenschule nach Hause gekommen war. Leise und etwas rührend klangen die Töne durch die zitternde Frühlingsluft.

Auf einer kleinen Brücke überschritt er den trüben Schwechatbach, und nach wenigen Schritten schon stand er vor der geräumigen, sonntäglich überfüllten Terrasse des Café Schopf. Nahe der Straße an einem kleinen Tischchen saß Leutnant Greising, der Patient, fahl und hämisch mit ihm der dicke Theatersekretär Weiß in kanariengelbem, etwas zerknittertem Flanellanzug, wie immer mit einer Blume im Knopfloch. Nicht ohne Mühe drängte sich Willi zwischen den Tischen und Stühlen zu ihnen durch. »Wir sind ja spärlich gesät heute«, sagte er, ihnen die Hand reichend. Und es war ihm eine Erleichterung, zu denken, daß die Spielpartie vielleicht nicht zusammenkommen würde. Greising aber klärte ihn auf, daß sie beide, er und der Theatersekretär, nur darum hier im Freien säßen, um sich für die »Arbeit« zu stärken. Die anderen seien schon drin, am Kartentisch; auch der Herr Konsul Schnabel, der übrigens wie gewöhnlich im Fiaker aus Wien herausgefahren sei.

Willi bestellte eine kalte Limonade; Greising fragte ihn, wo er sich denn so sehr erhitzt habe, daß er schon eines kühlenden Getränkes bedürfe, und bemerkte ohne weiteren Übergang, daß die Badener Mädel überhaupt hübsch und temperamentvoll seien. Hierauf berichtete er in nicht sonderlich gewählten Ausdrücken von einem kleinen Abenteuer, das er gestern abend im Kurpark eingeleitet und noch in derselben Nacht zum erwünschten Abschluß gebracht habe. Willi trank langsam seine Limonade, und Greising, der merkte, was jenem durch den Sinn gehen mochte, sagte, wie zur Antwort, mit einem kurzen Auflachen: »Das ist der Lauf der Welt, müssen halt andere auch dran glauben.«

Der Oberleutnant Wimmer vom Train, der von Ungebildeten oft für einen Kavalleristen gehalten wurde, stand plötzlich hinter ihnen: »Was glaubt ihr denn eigentlich, meine Herren, sollen wir allein uns mit dem Konsul abplagen?« Und er reichte Willi, der nach seiner Art, obwohl außer Dienst, dem ranghöheren Kameraden stramm salutiert hatte, die Hand.

»Wie steht's denn drin?« fragte Greising mißtrauisch und unwirsch.

»Langsam, langsam«, erwiderte Wimmer. »Der Konsul sitzt auf seinem Geld wie ein Drachen, auf meinem leider auch schon. Also auf in den Kampf, meine Herren Toreros.«

Die anderen erhoben sich. »Ich bin wo eingeladen«, bemerkte Willi, während er sich mit gespielter Gleichgültigkeit eine Zigarette anzündete. »Ich werde nur eine Viertelstunde kiebitzen.«

»Ha«, lachte Wimmer, »der Weg zur Hölle ist mit guten Vorsätzen gepflastert.« – »Und der zum Himmel mit schlechten«, bemerkte der Sekretär Weiß. – »Gut gegeben«, sagte Wimmer und klopfte ihm auf die Schulter.

Sie traten ins Innere des Kaffeehauses. Willi warf noch einen Blick zurück ins Freie, über die Villendächer, zu den Hügeln hin. Und er schwor sich zu, in spätestens einer halben Stunde bei Keßners im Garten zu sitzen.

Mit den anderen trat er in einen dämmerigen Winkel des Lokals, wo von Frühlingsduft und -licht nichts mehr zu merken war. Den Sessel hatte er weit zurückgeschoben, womit er deutlich zu erkennen gab, daß er keineswegs gesonnen sei, sich am Spiel zu beteiligen. Der Konsul, ein hagerer Herr von unbestimmtem Alter, mit englisch gestutztem Schnurrbart, rötlichem, schon etwas angegrautem, dünnem Haupthaar, elegant in Hellgrau gekleidet, gustierte eben mit der ihm eigenen Gründlichkeit eine Karte, die ihm Doktor Flegmann, der Bankhalter, zugeteilt hatte. Er gewann, und Doktor Flegmann nahm neue Banknoten aus seiner Brieftasche.

»Zuckt nicht mit der Wimper«, bemerkte Wimmer mit ironischer Hochachtung.

»Wimperzucken ändert nichts an gegebenen Tatsachen«, erwiderte Flegmann kühl mit halbgeschlossenen Augen. Der Regimentsarzt Tugut, Abteilungschef im Badener Garnisonsspital, legte eine Bank mit zweihundert Gulden auf.

Das ist heute wirklich nichts für mich, dachte Willi und schob seinen Sessel noch weiter zurück.

Der Schauspieler Elrief, ein junger Mensch aus gutem Hause, berühmter um seiner Beschränktheit als um seines Talents willen, ließ Willi in die Karten sehen. Er setzte kleine Beträge und schüttelte ratlos den Kopf, wenn er verlor. Tugut hatte bald seine Bank verdoppelt. Sekretär Weiß machte bei Elrief eine Anleihe, und Doktor Flegmann nahm neuerdings Geld aus der Brieftasche. Tugut wollte sich zurückziehen, als der Konsul, ohne nachzuzählen, sagte: »Hopp, die Bank.« Er verlor, und mit einem Griff in die Westentasche beglich er seine Schuld, die dreihundert Gulden betrug. »Noch einmal hopp«, sagte er. Der Regimentsarzt lehnte ab, Doktor Flegmann übernahm die Bank und teilte aus. Willi nahm keine Karte an; nur zum Spaß, auf Elriefs dringendes Zureden, »um ihm Glück zu bringen«, setzte er auf dessen Blatt einen Gulden – und gewann. Bei der nächsten Runde warf Doktor Flegmann auch ihm eine Karte hin, die er nicht zurückwies. Er gewann wieder, verlor, gewann, rückte seinen Sessel nahe an den Tisch zwischen die andern, die ihm bereitwilligst Platz machten; und gewann – verlor – gewann – verlor, als könnte sich das Schicksal nicht recht entscheiden. Der Sekretär mußte ins Theater und vergaß, Herrn Elrief den entliehenen Betrag zurückzugeben, obwohl er längst einen weit höheren zurückgewonnen hatte. Willi war wenig im Gewinn, aber zu den tausend Gulden fehlten immerhin noch etwa neunhundertundfünfzig.

»Es tut sich nichts«, stellte Greising unzufrieden fest. Nun übernahm der Konsul wieder die Bank, und alle spürten in diesem Augenblick, daß es endlich ernst werden würde.

Man wußte vom Konsul Schnabel nicht viel mehr, als daß er eben Konsul war, Konsul eines kleinen Freistaats in Südamerika und »Großkaufmann«. Der Sekretär Weiß war es, der ihn in die Offiziersgesellschaft eingeführt hatte, und des Sekretärs Beziehungen zu ihm stammten daher, daß der Konsul ihn für das Engagement einer kleinen Schauspielerin zu interessieren gewußt hatte, die sofort nach Antritt ihrer bescheidenen Stellung in ein näheres Verhältnis zu Herrn Elrief getreten war. Gern hätte man sich nach guter alter Sitte über den betrogenen Liebhaber lustig gemacht, aber als dieser kürzlich, während er Karten austeilte, an Elrief, der eben an der Reihe war, ohne aufzublicken, die Zigarre zwischen den Zähnen, die Frage gerichtet hatte: »Na, wie geht's denn unserer gemeinsamen kleinen Freundin?«, war es klar, daß man diesem Mann gegenüber mit Spott und Späßen in keiner Weise auf die Kosten kommen würde. Dieser Eindruck befestigte sich, als er dem Leutnant Greising, der einmal spätnachts zwischen zwei Gläsern Kognak eine anzügliche Bemerkung über Konsuln unerforschter Landstriche ins Gespräch warf, mit einem stechenden Blick entgegnet hatte: »Warum frozzeln Sie mich, Herr Leutnant? Haben Sie sich schon erkundigt, ob ich satisfaktionsfähig bin?«

Bedenkliche Stille war nach dieser Erwiderung eingetreten, aber wie nach einem geheimen Übereinkommen wurden keinerlei weitere Konsequenzen gezogen, und man entschloß sich, ohne Verabredung, aber einmütig, nur zu einem vorsichtigeren Benehmen ihm gegenüber.

Der Konsul verlor. Man hatte nichts dagegen, daß er, entgegen sonstiger Gepflogenheit, sofort eine neue Bank und, nach neuerlichem Verlust, eine dritte auflegte. Die übrigen Spieler gewannen, Willi vor allen. Er steckte sein Anfangskapital, die hundertundzwanzig Gulden, ein, die sollten keineswegs mehr riskiert werden. Er legte nun selbst eine Bank auf, hatte sie bald verdoppelt, zog sich zurück, und mit kleinen Unterbrechungen blieb ihm das Glück auch gegen die übrigen Bankhalter treu, die einander rasch ablösten. Der Betrag von tausend Gulden, den er – für einen andern – zu gewinnen unternommen hatte, war um einige hundert überschritten, und da eben Herr Elrief sich erhob, um sich ins Theater zu begeben, zwecks Darstellung einer Rolle, über die er trotz ironisch interessierter Frage Greisings nichts weiter verlauten ließ, benützte Willi die Gelegenheit, sich anzuschließen. Die andern waren gleich wieder in ihr Spiel vertieft; und als Willi an der Tür sich noch einmal umwandte, sah er, daß ihm nur das Auge des Konsuls mit einem kalten, raschen Aufschauen von den Karten gefolgt war.

IV

Nun erst, da er wieder im Freien stand und linde Abendluft um seine Stirn strich, kam er zum Bewußtsein seines Glücks oder, wie er sich gleich verbesserte, zum Bewußtsein von Bogners Glück. Doch auch ihm selbst blieb immerhin so viel, daß er sich, wie er geträumt, einen neuen Waffenrock, eine neue Kappe und ein neues Portepee anschaffen konnte. Auch für etliche Soupers in angenehmer Gesellschaft, die sich nun leicht finden würde, waren die nötigen Fonds vorhanden. Aber abgesehen davon – welche Genugtuung, morgen früh halb acht dem alten Kameraden vor der Alserkirche die rettende Summe überreichen zu können – tausend Gulden, ja, den berühmten blanken Tausender, von dem er bisher nur in Büchern gelesen hatte und den er nun tatsächlich mit noch einigen Hunderter-Banknoten in der Brieftasche verwahrte. So, mein lieber Bogner, da hast du. Genau die tausend Gulden habe ich gewonnen. Um ganz präzis zu sein, tausendeinhundertfünfundfünfzig. Dann hab' ich aufgehört. Selbstbeherrschung, was? Und hoffentlich, lieber Bogner, wirst du von nun ab — Nein, nein, er konnte doch dem früheren Kameraden keine Moralpredigt halten. Der würde es sich schon selbst zur Lehre dienen lassen und hoffentlich auch taktvoll genug sein, um aus diesem für ihn so günstig erledigten Zwischenfall nicht etwa die Berechtigung zu einem weiteren freundschaftlichen Verkehr abzuleiten. Vielleicht aber war es doch vorsichtiger oder sogar richtiger, den Burschen mit dem Geld zur Alserkirche hinüberzuschicken.

Auf dem Weg zu Keßners fragte sich Willi, ob sie ihn auch zum Nachtmahl dort behalten würden. Ah, auf das Nachtmahl kam es ihm jetzt glücklicherweise nicht mehr an. Er war ja jetzt selber reich genug, um die ganze Gesellschaft zu einem Souper einzuladen. Schade nur, daß man nirgends Blumen zu kaufen bekam. Aber eine Konditorei, an der er vorüberkam, war geöffnet, und so entschloß er sich, eine Tüte Bonbons und, an der Tür wieder umkehrend, eine zweite noch größere zu kaufen, und überlegte, wie er die beiden zwischen Mutter und Tochter richtig zu verteilen hätte.

Als er bei Keßners in den Vorgarten trat, ward ihm vom Stubenmädchen die Auskunft, die Herrschaften, ja die ganze Gesellschaft sei ins Helenental gefahren, wahrscheinlich zur Krainerhütte. Die Herrschaften würden wohl auch auswärts soupieren, wie meistens Sonntag abend.

Gelinde Enttäuschung malte sich in Willis Zügen, und das Stubenmädchen lächelte mit einem Blick auf die beiden Tüten, die der Leutnant in der Hand hielt. Ja, was sollte man nun damit anfangen! »Ich lasse mich bestens empfehlen und — bitte schön« — er reichte dem Stubenmädchen die Tüten hin —, »die größere ist für die gnädige Frau, die andere für das Fräulein, und ich hab' sehr bedauert.« — »Vielleicht, wenn der Herr Leutnant sich einen Wagen nehmen — jetzt sind die Herrschaften gewiß noch in der Krainerhütte.« Willi sah nachdenklich-wichtig auf die Uhr: »Ich werd' schaun«, bemerkte er nachlässig, salutierte mit scherzhaft übertriebener Höflichkeit und ging.

Da stand er nun allein in der abendlichen Gasse. Eine fröhliche kleine Gesellschaft von Touristen, Herren und Damen mit bestaubten Schuhen, zog an ihm vorbei. Vor einer Villa auf einem Strohsessel saß ein alter Herr und las Zeitung. Etwas weiter auf einem Balkon eines ersten Stockwerks saß, häkelnd, eine ältere

Dame und sprach mit einer andern, die im Haus gegenüber, die gekreuzten Arme auf der Brüstung, am offenen Fenster lehnte. Es schien Willi, als wären diese paar Menschen die einzigen in dem Städtchen, die zu dieser Stunde nicht ausgeflogen waren. Keßners hätten wohl bei dem Stubenmädchen ein Wort für ihn zurücklassen können. Nun, er wollte sich nicht aufdrängen. Im Grunde hatte er das nicht nötig. Aber was tun? Gleich nach Wien zurückfahren? Wäre vielleicht das Vernünftigste! Wie, wenn man die Entscheidung dem Schicksal überließe?

Zwei Wagen standen vor dem Kursalon. »Wieviel verlangen S' ins Helenental?« Der eine Kutscher war bestellt, der andere forderte einen geradezu unverschämten Preis. Und Willi entschied sich für einen Abendgang durch den Park.

Er war zu dieser Stunde noch ziemlich gut besucht. Ehe- und Liebespaare, die Willi mit Sicherheit voneinander zu unterscheiden sich getraute, auch junge Mädchen und Frauen, allein, zu zweit, zu dritt, lustwandelten an ihm vorüber, und er begegnete manchem lächelnden, ja ermutigenden Blick. Aber man konnte nie wissen, ob nicht ein Vater, ein Bruder, ein Bräutigam hinterherging, und ein Offizier war doppelt und dreifach zur Vorsicht verpflichtet. Einer dunkeläugigen, schlanken Dame, die einen Knaben an der Hand führte, folgte er eine Weile. Sie stieg die Treppe zur Terrasse des Kursalons hinauf, schien jemanden zu suchen, anfangs vergeblich, bis ihr von einem entlegenen Tisch aus lebhaft zugewinkt wurde, worauf sie, mit einem spöttischen Blick Willi streifend, inmitten einer größeren Gesellschaft Platz nahm. Auch Willi tat nun, als suchte er einen Bekannten, trat von der Terrasse aus ins Restaurant, das ziemlich leer war, kam von dort in die Eingangshalle, dann in den schon erleuchteten Lesesaal, wo an einem langen, grünen Tisch als einziger Herr ein pensionierter General in Uniform saß. Willi salutierte, schlug die Hacken zusammen, der General nickte verdrossen, und Willi machte eilig wieder kehrt. Draußen vor dem Kursalon stand noch immer der eine von den Fiakern, und der Kutscher erklärte sich ungefragt bereit, den Herrn Leutnant billig ins Helenental zu fahren. »Ja, jetzt zahlt sich's nimmer aus«, meinte Willi, und geflügelten Schritts nahm er den Weg zum Café Schopf.

V

Die Spieler saßen da, als wäre seit Willis Fortgehen keine Minute vergangen, in gleicher Weise gruppiert wie vorher. Unter grünem Schirm leuchtete fahl das elektrische Licht. Um des Konsuls Mund, der als erster seinen Eintritt bemerkt hatte, glaubte Willi ein spöttisches Lächeln zu gewahren. Niemand äußerte die geringste Verwunderung, als Willi seinen leergebliebenen Sessel zwischen die andern rückte. Doktor Flegmann, der eben Bank hielt, teilte ihm eine Karte zu, als verstünde sich das von selbst. In der Eile setzte Willi eine größere Banknote, als er beabsichtigt hatte, gewann, setzte vorsichtig weiter; das Glück aber wendete sich, und bald kam ein Augenblick, in dem der Tausender ernstlich gefährdet schien. Was liegt daran, dachte sich Willi, ich hätt' ja doch nichts davon gehabt. Aber nun gewann er wieder, er hatte es nicht nötig, die Banknote zu wechseln, das Glück blieb ihm treu, und um neun Uhr, als man das Spiel beschloß, fand sich Willi im Besitz von über zweitausend Gulden. Tausend für Bogner, tausend für mich, dachte er. Die Hälfte davon reservier' ich mir als Spielfonds für nächsten Sonntag. Aber er fühlte sich nicht so glücklich, als es doch natürlich gewesen wäre.

Man begab sich zum Nachtmahl in die »Stadt Wien«, saß im Garten unter einer dichtbelaubten Eiche, sprach über Hasardspiel im allgemeinen und über berühmt gewordene Kartenpartien mit riesigen Differenzen im Jockeiklub. »Es ist und bleibt ein Laster«, behauptete Doktor Flegmann ganz ernsthaft. Man lachte, aber Oberleutnant Wimmer zeigte Lust, die Bemerkung krummzunehmen. Was bei Advokaten vielleicht ein Laster sei, bemerkte er, sei darum noch lange keines bei Offizieren. Doktor Flegmann erklärte höflich, daß man zugleich lasterhaft und doch ein Ehrenmann sein könne, wofür zahlreiche Beispiele seien: Don Juan zum Beispiel oder der Herzog von Richelieu. Der Konsul meinte, ein Laster sei das Spiel nur, wenn man seine Spielschulden zu zahlen nicht imstande sei. Und in diesem Fall sei es eigentlich kein Laster mehr, sondern ein Betrug; nur eine feigere Art davon. Man schwieg ringsum. Glücklicherweise erschien eben Herr Elrief, mit einer Blume im Knopfloch und sieghaften Augen. »Schon den Ovationen entzogen?« fragte Greising. – »Ich bin im vierten Akt nicht beschäftigt«, erwiderte der Schauspieler und streifte nachlässig seinen Handschuh ab in der Art etwa, wie er vorhatte, es in irgendeiner nächsten Novität als Vicomte oder Marquis zu tun. Greising zündete sich eine Zigarre an.

»Wär' g'scheiter, du tätst nicht rauchen«, sagte Tugut.

»Aber Herr Regimentsarzt, ich hab' ja nix mehr im Hals«, erwiderte Greising.

Der Konsul hatte einige Flaschen ungarischen Weins bestellt. Man trank einander zu. Willi sah auf die Uhr. »Oh, ich muß mich leider verabschieden. Um zehn Uhr vierzig geht der letzte Zug.«

»Trinken Sie nur aus«, sagte der Konsul, »mein Wagen bringt Sie zur Bahn.«

»Oh, Herr Konsul, das kann ich keinesfalls . . .«

»Kannst schon«, unterbrach ihn Oberleutnant Wimmer.

»Na, was is«, fragte der Regimentsarzt Tugut, »machen wir heut noch was?«

Keiner hatte gezweifelt, daß die Partie nach dem Abendessen ihre Fortsetzung finden werde. Es war jeden Sonntag dasselbe. »Aber nicht zu lange«, sagte der Konsul. – Die haben's gut, dachte Willi und beneidete sie alle um die Aussicht, sich gleich wieder an den Kartentisch zu setzen, das Glück versuchen, Tausende gewinnen zu können. Der Schauspieler Elrief, dem der Wein sofort zu Kopf stieg, bestellte mit einem etwas dummen und frechen Gesicht dem Konsul einen Gruß von Fräulein Rihoschek, wie ihre gemeinschaftliche Freundin hieß. »Warum haben S' das Fräulein nicht gleich mitgebracht, Herr Mimius?« fragte Greising. – »Sie kommt später ins Kaffeehaus kiebitzen, wenn der Herr Konsul erlaubt«, sagte Elrief. Der Konsul verzog keine Miene.

Willi trank aus und erhob sich. »Auf nächsten Sonntag«, sagte Wimmer, »da werden wir dich wieder etwas leichter machen.« – Da werdet ihr euch täuschen, dachte Willi, man kann überhaupt nicht verlieren, wenn man vorsichtig ist. – »Sie sind so freundlich, Herr Leutnant«, bemerkte der Konsul, »und schicken den Kutscher vom Bahnhof gleich wieder zurück zum Kaffeehaus«, und zu den übrigen gewendet: »Aber so spät, respektive so früh wie neulich darf's heut nicht werden, meine Herren.«

Willi salutierte nochmals in die Runde und wandte sich zum Gehen. Da sah er zu seiner angenehmen Überraschung an einem der benachbarten Tische die Familie Keßner und die Dame vom Nachmittag mit ihren zwei Töchtern sitzen. Weder der ironische Advokat war da noch die eleganten jungen Herren, die im Fiaker bei der Villa vorgefahren waren. Man begrüßte ihn sehr liebenswürdig, er blieb am Tisch stehen, war heiter, unbefangen – ein fescher, junger Offizier, in behaglichen Umständen, überdies nach drei Gläsern eines kräftigen ungarischen Weins, und in diesem Augenblick ohne Konkurrenten, angenehm »montiert«. Man forderte ihn auf, Platz zu nehmen, er lehnte dankend ab mit einer lässigen Geste zum Ausgang hin, wo der Wagen wartete. Immerhin hatte er noch einige Fragen zu beantworten: wer denn der hübsche junge Mensch in Zivil sei? – Ah, ein Schauspieler? – Elrief? – Man kannte nicht einmal den Namen. Das Theater hier sei überhaupt recht mäßig, höchstens Operetten könne man sich ansehen, so behauptete Frau Keßner. Und mit einem verheißungsvollen Blick regte sie an: wenn der Herr Leutnant nächstens wieder herauskäme, könnte man vielleicht gemeinsam die Arena besuchen. »Das netteste wäre«, meinte Fräulein Keßner, »man nähme zwei Logen nebeneinander«, und sie sandte ein Lächeln zu Herrn Elrief hinüber, der es leuchtend erwiderte. Willi küßte den Damen die Hand, grüßte noch einmal hinüber zu dem Tisch der Offiziere, und eine Minute drauf saß er im Fiaker des Konsuls. »G'schwind«, sagte er dem Kutscher, »Sie kriegen ein gutes Trinkgeld.« In der Gleichgültigkeit, mit der der Kutscher dieses Versprechen hinnahm, glaubte Willi einen ärgerlichen Mangel an Respekt zu verspüren. Immerhin liefen die Pferde vortrefflich, und in fünf Minuten war man beim Bahnhof. In dem gleichen Augenblick aber setzte sich auch oben in der Station der Zug, der eine Minute früher eingefahren war, in Bewegung. Willi war aus dem Wagen gesprungen, blickte den erleuchteten Waggons nach, wie sie sich langsam und schwer über den Viadukt fortwälzten, hörte den Pfiff der Lokomotive in der Nachtluft verwehen, schüttelte den Kopf und wußte selbst nicht, ob er ärgerlich oder froh war. Der Kutscher saß gleichgültig auf dem Bock und streichelte das eine Roß mit dem Peitschenstiel. »Da kann man nix machen«, sagte Willi endlich. Und zum Kutscher: »Also fahren wir zurück zum Café Schopf.«

VI

Es war hübsch, so im Fiaker durch das Städtchen zu sausen; aber noch viel hübscher würde es sein, nächstens einmal an einem lauen Sommerabend in Gesellschaft irgendeines anmutigen weiblichen Wesens aufs Land hinaus zu fahren – nach Rodaun oder zum Roten Stadl – und dort im Freien zu soupieren. Ah, welche Wonne, nicht mehr genötigt sein, jeden Gulden zweimal umzudrehen, ehe man sich entschließen durfte, ihn auszugeben. Vorsicht, Willi, Vorsicht, sagte er sich, und er nahm sich fest vor, keineswegs den ganzen Spielgewinn zu riskieren, sondern höchstens die Hälfte. Und überdies wollte er das System Flegmann anwenden: mit einem geringen Einsatz beginnen; nicht höher gehen, bevor man einmal gewonnen, dann aber niemals das Ganze aufs Spiel setzen, sondern nur Dreiviertel des Gesamtbetrages – und so weiter. Doktor Flegmann fing immer mit diesem System an, aber es fehlte ihm an der nötigen Konsequenz, es durchzuführen. So konnte er natürlich auf keinen grünen Zweig kommen.

Willi schwang sich vor dem Kaffeehaus aus dem Wagen, noch ehe dieser hielt, und gab dem Kutscher ein nobles Trinkgeld; so viel, daß auch ein Mietwagen ihn kaum hätte mehr kosten können. Der Dank des Kutschers fiel zwar immer noch zurückhaltend, aber immerhin freundlich genug aus.

Die Spielpartie war vollzählig beisammen, auch die Freundin des Konsuls, Fräulein Mizi Rihoschek, war anwesend; stattlich, mit überschwarzen Augenbrauen, im übrigen nicht allzusehr geschminkt, in hellem Sommerkleid, einen flachkrempigen Strohhut mit rotem Band auf dem braunen, hochgewellten Haar, so saß sie neben dem Konsul, den Arm um die Lehne seines Sessels geschlungen, und schaute ihm in die Karten. Er blickte nicht auf, als Willi an den Tisch trat, und doch spürte der Leutnant, daß der Konsul sofort sein Kommen bemerkt hatte. »Ah, Zug versäumt«, meinte Greising. – »Um eine halbe Minute«, erwiderte Willi. – »Ja, das kommt davon«, sagte Wimmer und teilte Karten aus. Flegmann empfahl sich eben, weil er dreimal hintereinander mit einem kleinen Schlager gegen einen großen verloren hatte. Herr Elrief harrte noch aus, aber er besaß keinen Kreuzer mehr. Vor dem Konsul lag ein Haufen Banknoten. »Das geht ja hoch her«, sagte Willi und setzte gleich zehn Gulden statt fünf, wie er sich eigentlich vorgenommen hatte. Seine Kühnheit belohnte sich: er gewann und gewann immer weiter. Auf einem kleinen Nebentisch stand eine Flasche Kognak. Fräulein Rihoschek schenkte dem Leutnant ein Gläschen ein und reichte es ihm mit schwimmendem Blick. Elrief bat ihn, ihm bis morgen mittag Punkt zwölf Uhr fünfzig Gulden leihweise zur Verfügung zu stellen. Willi schob ihm die Banknote hin, eine Sekunde darauf war sie zum Konsul gewandert. Elrief erhob sich, Schweißtropfen auf der Stirn. Da kam eben im gelben Flanellanzug der Direktionssekretär Weiß, ein leise geführtes Gespräch hatte zur Folge, daß der Sekretär sich entschloß, dem Schauspieler die am Nachmittag von ihm entliehene Summe zurückzuerstatten. Elrief verlor auch dies letzte, und anders, als es der Vicomte getan hätte, den er nächstens einmal zu spielen hoffte, rückte er wütend den Sessel, stand auf, stieß einen leisen Fluch aus und verließ den Raum. Als er nach einer Weile nicht wiederkam, erhob sich Fräulein Rihoschek, strich dem Konsul zärtlich-zerstreut über das Haupt und verschwand gleichfalls.

Wimmer und Greising, sogar Tugut waren vorsichtig geworden, da das Ende der Partie nahe war; nur der Direktionssekretär zeigte noch einige Verwegenheit. Doch das Spiel hatte sich allmählich zu einem Einzelkampf zwischen dem Leutnant Kasda und dem Konsul Schnabel gestaltet. Willis Glück hatte sich gewendet, und außer den tausend für den alten Kameraden Bogner hatte Willi kaum hundert Gulden mehr. Sind die hundert weg, so hör' ich auf, unbedingt, schwor er sich zu. Aber er glaubte selbst nicht daran. Was geht mich dieser Bogner eigentlich an? dachte er. Ich habe doch keinerlei Verpflichtung.

Fräulein Rihoschek erschien wieder, trällerte eine Melodie, richtete vor dem großen Spiegel ihre Frisur, zündete sich eine Zigarette an, nahm ein Billardqueue, versuchte ein paar Stöße, stellte das Queue wieder in die Ecke, dann wippte sie bald die weiße, bald die rote Kugel mit den Fingern über das grüne Tuch. Ein kalter Blick des Konsuls rief sie herbei, trällernd nahm sie ihren Platz an seiner Seite wieder ein und legte ihren Arm über die Lehne. Von draußen, wo es schon seit langem ganz still geworden war, erklang nun vielstimmig ein Studentenlied. Wie kommen die heute noch nach Wien zurück? fragte sich Willi. Dann fiel ihm ein, daß es vielleicht Badener Gymnasiasten waren, die draußen sangen. Seit Fräulein Rihoschek ihm gegenübersaß, begann das Glück sich ihm zögernd wieder zuzuwenden. Der Gesang entfernte sich, verklang; eine Kirchturmuhr schlug. »Dreiviertel eins«, sagte Greising. – »Letzte Bank«, erklärte der Regimentsarzt. – »Jeder noch eine«, schlug der Oberleutnant Wimmer vor. – Der Konsul gab durch Nicken sein Einverständnis kund.

Willi sprach kein Wort. Er gewann, verlor, trank ein Glas Kognak, gewann, verlor, zündete sich eine neue Zigarette an, gewann und verlor. Tuguts Bank hielt sich lange. Mit einem hohen Satz des Konsuls war sie endgültig erledigt. Sonderbar genug erschien Herr Elrief wieder, nach beinahe einstündiger Abwesenheit, und, noch sonderbarer, er hatte wieder Geld bei sich. Vornehm lässig, als wäre nichts geschehen, setzte er sich hin, wie jener Vicomte, den er doch niemals spielen würde, und er hatte eine neue Nuance vornehmer Lässigkeit, die eigentlich von Doktor Flegmann herrührte: halb geschlossene, müde Augen. Er legte eine Bank von dreihundert Gulden auf, als verstünde sich das von selbst, und gewann. Der Konsul verlor gegen ihn, gegen den

Regimentsarzt und ganz besonders gegen Willi, der sich bald im Besitz von nicht weniger als dreitausend Gulden befand. Das bedeutete: neuer Waffenrock, neues Portepee, neue Wäsche, Lackschuhe, Zigaretten, Nachtmähler zu zweit, zu dritt, Fahrten in den Wienerwald, zwei Monate Urlaub mit Karenz der Gebühren – und um zwei Uhr hatte er viertausendzweihundert Gulden gewonnen. Da lagen sie vor ihm, es war kein Zweifel: viertausendzweihundert Gulden und etwas darüber. Die übrigen alle waren zurückgefallen, spielten kaum mehr. »Es ist genug«, sagte Konsul Schnabel plötzlich. Willi fühlte sich zwiespältig bewegt. Wenn man jetzt aufhörte, so konnte ihm nichts mehr geschehen, und das war gut. Zugleich aber spürte er eine unbändige, eine wahrhaft höllische Lust, weiterzuspielen, *noch* einige, alle die blanken Tausender aus der Brieftasche des Konsuls in die seine herüberzuzaubern. *Das* wäre ein Fonds, damit könnte man sein Glück machen. Es mußte ja nicht immer Bakkarat sein – es gab auch die Wettrennen in der Freudenau und den Trabrennplatz, auch Spielbanken gab es, Monte Carlo zum Beispiel, unten am Meeresstrand – mit köstlichen Weibern aus Paris... Während so seine Gedanken trieben, versuchte der Regimentsarzt den Konsul zu einer letzten Bank zu animieren. Elrief, als wäre er der Gastgeber, schenkte Kognak ein. Er selbst trank das achte Glas. Fräulein Mizi Rihoschek wiegte den Körper und trällerte eine innere Melodie. Tugut nahm die verstreuten Karten auf und mischte. Der Konsul schwieg. Dann, plötzlich, rief er nach dem Kellner und ließ zwei neue, unberührte Spiele bringen. Ringsum die Augen leuchteten. Der Konsul sah auf die Uhr und sagte: »Punkt halb drei Schluß, ohne Pardon.« Es war fünf Minuten nach zwei.

VII

Der Konsul legte eine Bank auf, wie sie in diesem Kreise noch nicht erlebt worden war, eine Bank von dreitausend Gulden. Außer der Spielergesellschaft und einem Kellner befand sich kein Mensch mehr im Café. Durch die offenstehende Tür drangen von draußen her morgendliche Vogelstimmen. Der Konsul verlor, aber er hielt sich vorläufig mit seiner Bank. Elrief hatte sich vollkommen erholt, und auf einen mahnenden Blick des Fräulein Rihoschek zog er sich vom Spiel zurück. Die anderen, alle in mäßigem Gewinn, setzten bescheiden und vorsichtig weiter. Noch war die Bank zur Hälfte unberührt.

»Hopp«, sagte Willi plötzlich und erschrak vor seinem eigenen Wort, ja vor seiner Stimme. Bin ich verrückt geworden? dachte er. Der Konsul deckte »Neun« auf, einen großen Schlager, und Willi war um fünfzehnhundert Gulden ärmer. Nun, in Erinnerung an das System Flegmann, setzte Willi einen lächerlich kleinen Betrag, fünfzig Gulden, und gewann. Zu dumm, dachte er. Das Ganze hätte ich mit einem Schlage zurückgewinnen können! Warum war ich so feig. »Wieder hopp.« Er verlor. »Noch einmal hopp.« Der Konsul schien zu zögern. — »Was fällt dir denn ein, Kasda«, rief der Regimentsarzt. Willi lachte und spürte es wie einen Schwindel in die Stirne steigen. War es vielleicht der Kognak, der ihm die Besinnung trübte? Offenbar. Er hatte sich natürlich geirrt, er hatte nicht im Traum gedacht, tausend oder zweitausend auf einmal zu setzen. »Entschuldigen, Herr Konsul, ich habe eigentlich gemeint –.« Der Konsul ließ ihn nicht zu Ende sprechen. Freundlich bemerkte er: »Wenn Sie nicht gewußt haben, welcher Betrag noch in der Bank steht, so nehme ich natürlich Ihren Rückzug zur Kenntnis.« — »Wieso zur Kenntnis, Herr Konsul?« sagte Willi. »Hopp ist hopp.« — War er das selbst, der sprach? Seine Worte? Seine Stimme? Wenn er verlor, dann war es aus mit dem neuen Waffenrock, dem neuen Portepee, den Soupers in angenehmer weiblicher Gesellschaft — da blieben eben noch die tausend für den Defraudanten, den Bogner — und er selbst war ein armer Teufel wie zwei Stunden vorher.

Wortlos deckte der Konsul sein Blatt auf. Neun. Niemand sprach die Zahl aus, doch sie klang geisterhaft durch den Raum. Willi fühlte eine seltsame Feuchtigkeit auf der Stirne. Donnerwetter, ging das geschwind! Immerhin, er hatte noch tausend Gulden vor sich liegen, sogar etwas darüber. Er wollte nicht zählen, das brachte vielleicht Unglück. Um wieviel reicher war er immer noch als heute mittag, da er aus dem Zug gestiegen war. Heute mittag — Und es zwang ihn doch nichts, auf einmal die ganzen tausend Gulden aufs Spiel zu setzen! Man konnte ja wieder mit hundert oder zweihundert anfangen. System Flegmann. Nur leider war so wenig Zeit mehr, kaum zwanzig Minuten. Schweigen ringsum. »Herr Leutnant«, äußerte der Konsul fragend. — »Ach ja«, lachte Willi und faltete den Tausender zusammen. »Die Hälfte, Herr Konsul«, sagte er. — »Fünfhundert? –«

Willi nickte. Auch die anderen setzten der Form wegen. Aber ringsum war schon die Stimmung des Aufbruchs. Der Oberleutnant Wimmer stand aufrecht mit umgehängtem Mantel. Tugut lehnte am Billardbrett. Der Konsul deckte seine Karte auf, »Acht«, und die Hälfte von Willis Tausender war verspielt. Er schüttelte den Kopf, als ginge es nicht mit rechten Dingen zu. »Den Rest«, sagte er und dachte: Bin eigentlich ganz ruhig. Er gustierte langsam. Acht. Der Konsul mußte eine Karte kaufen. Neun. Und fort waren die fünfhundert, fort die tausend. Alles fort. – Alles? Nein. Er hatte ja noch seine hundertzwanzig Gulden, mit denen er mittags angekommen war, und etwas darüber. Komisch, da war man nun plötzlich wirklich ein armer Teufel wie vorher. Und da draußen sangen die Vögel... wie damals... als er noch nach Monte Carlo hätte fahren können. Ja, nun mußte er – leider aufhören, denn die paar Gulden durfte man doch nicht mehr riskieren... aufhören, obzwar noch eine Viertelstunde Zeit war. Was für Pech. In einer Viertelstunde konnte man geradesogut fünftausend Gulden gewinnen, als man sie verloren hatte. »Herr Leutnant«, fragte der Konsul. – »Bedaure sehr«, erwiderte Willi mit einer hellen, schnarrenden Stimme und wies auf die paar armseligen Banknoten, die vor ihm lagen. Seine Augen lachten geradezu, und wie zum Spaß setzte er zehn Gulden auf ein Blatt. Er gewann. Dann zwanzig und gewann wieder. Fünfzig – und gewann. Das Blut stieg ihm zu Kopf, er hätte weinen mögen vor Wut. Jetzt war das Glück da – und es kam zu spät. Und mit einem plötzlichen, kühnen Einfall wandte er sich an den Schauspieler, der hinter ihm neben Fräulein Rihoschek stand. »Herr von Elrief, möchten Sie jetzt vielleicht so freundlich sein, mir zweihundert Gulden zu leihen?«

»Tut mir unendlich leid«, erwiderte Elrief achselzuckend vornehm. »Sie haben ja gesehen, Herr Leutnant, ich habe alles verloren bis auf den letzten Kreuzer.« – Es war eine Lüge, jeder wußte es. Aber es schien, als fänden es alle ganz in Ordnung, daß der Schauspieler Elrief den Herrn Leutnant anlog. Da schob ihm der Konsul lässig einige Banknoten hinüber, anscheinend, ohne zu zählen. »Bitte sich zu bedienen«, sagte er. Der Regimentsarzt Tugut räusperte vernehmlich. Wimmer mahnte: »Ich möcht' jetzt aufhören an deiner Stelle, Kasda.« Willi zögerte. – »Ich will Ihnen keineswegs zureden, Herr Leutnant«, sagte Schnabel. Er hatte die Hand noch leicht über das Geld gebreitet. Da griff Willi hastig nach den Banknoten, dann tat er, als wollte er sie zählen. »Fünfzehnhundert sind's«, sagte der Konsul, »Sie können sich darauf verlassen, Herr Leutnant. Wünschen Sie ein Blatt?« – Willi lachte: »Na, was denn?« – »Ihr Einsatz, Herr Leutnant?« – »Oh, nicht das Ganze«, rief Willi aufgeräumt, »arme Leute müssen sparen, tausend für 'n Anfang.« Er gustierte, der Konsul gleichfalls mit gewohnter, ja übertriebener Langsamkeit. Willi mußte eine Karte kaufen, bekam zu seiner Karo-Vier eine Pik-Drei. Der Konsul deckte auf, auch er hatte sieben. »Ich tät' aufhören«, mahnte der Oberleutnant Wimmer nochmals, und nun klang es fast wie ein Befehl. Und der Regimentsarzt fügte hinzu: »Jetzt, wo du so ziemlich auf gleich bist.« – Auf gleich! dachte Willi. Das nennt er: auf gleich. Vor einer Viertelstunde war man ein wohlhabender junger Mann; und jetzt ist man ein Habenichts, und das nennen sie »auf gleich«! Soll ich ihnen das erzählen vom Bogner? Vielleicht begriffen sie's dann.

Neue Karten lagen vor ihm. Sieben. Nein, er kaufte nichts. Aber der Konsul fragte nicht danach, er deckte einfach seinen Achter auf. Tausend verloren, brummte es in Willis Hirn. Aber ich gewinn' sie zurück. Und wenn nicht, ist es doch egal. Jetzt ist schon alles eins. Zehn Minuten ist noch Zeit. Ich kann auch die ganzen vier- oder fünftausend von früher zurückgewinnen. – »Herr Leutnant?« fragte der Konsul. Es hallte dumpf durch den Raum; denn alle die anderen schwiegen; schwiegen vernehmlich. Sagte jetzt keiner: Ich möcht' aufhören an deiner Stelle? Nein, dachte Willi, keiner traut sich. Sie wissen, es wäre ein Blödsinn, wenn ich jetzt aufhörte. Aber welchen Betrag sollte er setzen? – er hatte nur mehr ein paar hundert Gulden vor sich liegen. Plötzlich waren es mehr. Der Konsul hatte ihm zwei weitere Tausender hingeschoben. »Bedienen Sie sich, Herr Leutnant.« Jawohl, er bediente sich, er setzte tausendfünfhundert und gewann. Nun konnte er seine Schuld bezahlen und behielt immerhin noch einiges übrig. Er fühlte eine Hand auf seiner Schulter. »Kasda«, sagte der Oberleutnant Wimmer hinter ihm. »Nicht weiter.« Es klang hart, streng beinahe. Ich bin ja nicht im Dienst, dachte Willi, kann außerdienstlich mit meinem Geld und mit meinem Leben anfangen, was ich will. Und er setzte, bescheiden nur, tausend Gulden und deckte seinen Schlager auf. Acht. Schnabel gustierte noch immer, tödlich langsam, als wenn endlose Zeit vor ihnen läge. Es war auch noch Zeit, man war ja nicht gezwungen, um halb drei aufzuhören. Neulich war es halb sechs geworden. Neulich... Schöne, ferne Zeit. Warum standen sie denn nur alle herum? Wie in einem Traum. Ha, sie waren alle aufgeregter als er; sogar das Fräulein Rihoschek, die ihm gegenüberstand, den Strohhut mit dem roten Band auf der hochgewellten Frisur, hatte sonderbar glänzende Augen. Er lächelte sie an. Sie hatte ein Gesicht wie eine Königin in einem Trauerspiel und war doch kaum etwas Besseres als eine Choristin. Der Konsul deckte seine Karten auf.

Eine Königin. Ha, die Königin Rihoschek und eine Pik-Neun. Verdammte Pik, die brachte ihm immer Unglück. Und die tausend wanderten hinüber zum Konsul. Aber das machte ja nichts, er hatte ja noch einiges. Oder war er schon ganz ruiniert? Oh, keine Idee... Da lagen schon wieder ein paar tausend. Nobel, der Konsul. Nun ja, er war sicher, daß er sie zurückbekam. Ein Offizier mußte ja seine Spielschulden zahlen. So ein Herr Elrief blieb der Herr Elrief in jedem Falle, aber ein Offizier, wenn er nicht gerade Bogner hieß... »Zweitausend, Herr Konsul.« – »Zweitausend?« – »Jawohl, Herr Konsul.« – Er kaufte nichts, er hatte sieben. Der Konsul aber mußte kaufen. Und diesmal gustierte er nicht einmal, so eilig hatte er's, und bekam zu seiner Eins eine Acht – Pik-Acht –, das waren neun, ganz ohne Zweifel. Acht wären ja auch genug gewesen. Und zwei Tausender wanderten zum Konsul hinüber, und gleich wieder zurück. Oder waren es mehr? Drei oder vier? Besser gar nicht hinsehen, das brachte Unglück. Oh, der Konsul würde ihn nicht betrügen, auch standen ja all die anderen da und paßten auf. Und da er ohnehin nicht mehr recht wußte, was er schon schuldig war, setzte er neuerlich zweitausend. Pik-Vier. Ja, da mußte man wohl kaufen. Sechs, Pik-Sechs. Nun war es um eins zuviel. Der Konsul mußte sich gar nicht bemühen und hatte doch nur drei gehabt... Und wieder wanderten die zweitausend hinüber – und gleich wieder zurück. Es war zum Lachen. Hin und her. Her und hin. Ha, da schlug wieder die Kirchturmuhr – halb. Aber niemand hatte es gehört offenbar. Der Konsul teilte ruhig die Karten aus. Da standen sie alle herum, die Herren, nur der Regimentsarzt war verschwunden. Ja, Willi hatte schon früher bemerkt, wie er wütend den Kopf geschüttelt und irgend etwas in die Zähne gemurmelt hatte. Er konnte es wohl nicht mit ansehen, wie der Leutnant Kasda hier um seine Existenz spielte. Wie ein Doktor nur so schwache Nerven haben konnte!

Und wieder lagen Karten vor ihm. Er setzte – wieviel, wußte er nicht genau. Eine Handvoll Banknoten. Das war eine neue Art, es mit dem Schicksal aufzunehmen. Acht. Nun mußte es sich wenden.

Es wendete sich nicht. Neun deckte der Konsul auf, sah rings im Kreis um sich, dann schob er die Karten von sich fort. Willi riß die Augen weit auf. »Nun, Herr Konsul?« Der aber hob den Finger, deutete nach draußen. »Es hat soeben halb geschlagen, Herr Leutnant.« – »Wie?« rief Willi scheinbar erstaunt. »Aber man könnte vielleicht noch ein Viertelstündchen zugeben –?« Er schaute im Kreis herum, als suche er Beistand. Alle schwiegen.

Herr Elrief sah fort, sehr vornehm, und zündete sich eine Zigarette an, Wimmer biß die Lippen zusammen, Greising pfiff nervös, fast unhörbar, der Sekretär aber bemerkte roh, als handelte es sich um eine Kleinigkeit: »Der Herr Leutnant hat aber heut wirklich Pech gehabt.«

Der Konsul war aufgestanden, rief nach dem Kellner – als wäre es eine Nacht gewesen, wie jede andere. Es kamen nur zwei Flaschen Kognak auf seine Rechnung, aber der Einfachheit halber wünschte er die gesamte Zeche zu begleichen. Greising verbat sich's und sagte seinen Kaffee und seine Zigaretten persönlich an. Die anderen ließen sich gleichgültig die Bewirtung gefallen. Dann wandte sich der Konsul an Willi, der immer noch sitzen geblieben war, und wieder mit der Rechten nach draußen weisend, wie vorher, da er den Schlag der Turmuhr nachträglich festgestellt hatte, sagte er: »Wenn's Ihnen recht ist, Herr Leutnant, nehm' ich Sie in meinem Wagen nach Wien mit.« – »Sehr liebenswürdig«, erwiderte Willi. Und in diesem Augenblick war es ihm, als sei diese letzte Viertelstunde, ja die ganze Nacht mit allem, was darin geschehen war, ungültig geworden. So nahm es wohl auch der Konsul. Wie hätte er ihn sonst in seinen Wagen laden können. »Ihre Schuld, Herr Leutnant«, fügte der Konsul freundlich hinzu, »beläuft sich auf elftausend Gulden netto.« – »Jawohl, Herr Konsul«, erwiderte Willi in militärischem Ton. – »Was Schriftliches«, meinte der Konsul, »braucht's wohl nicht?« – »Nein«, bemerkte der Oberleutnant Wimmer rauh, »wir sind ja alle Zeugen.« – Der Konsul beachtete weder ihn noch den Ton seiner Stimme. Willi saß immer noch da, die Beine waren ihm bleischwer. Elftausend Gulden, nicht übel. Ungefähr die Gage von drei oder vier Jahren, mit Zulagen. Wimmer und Greising sprachen leise und erregt miteinander. Elrief äußerte zu dem Direktionssekretär wohl irgend etwas sehr Heiteres, denn dieser lachte laut auf. Fräulein Rihoschek stand neben dem Konsul, richtete eine leise Frage an ihn, die er kopfschüttelnd verneinte. Der Kellner hing dem Konsul den Mantel um, einen weiten, schwarzen, ärmellosen, mit Samtkragen versehenen Mantel, der Willi schon neulich als sehr elegant, doch etwas exotisch aufgefallen war. Der Schauspieler Elrief schenkte sich rasch aus der fast leeren Flasche ein letztes Glas Kognak ein. Es schien Willi, als vermieden sie alle, sich um ihn zu kümmern, ja ihn nur anzusehen. Nun erhob er sich mit einem Ruck. Da stand mit einemmal der Regimentsarzt Tugut neben ihm, der überraschenderweise wiedergekommen war, schien zuerst nach Worten zu suchen und bemerkte endlich: »Du kannst dir's doch

159

hoffentlich bis morgen beschaffen.« – »Aber selbstverständlich, Herr Regimentsarzt«, erwiderte Willi und lächelte breit und leer. Dann trat er auf Wimmer und Greising zu und reichte ihnen die Hand. »Auf Wiedersehen nächsten Sonntag«, sagte er leicht. Sie antworteten nicht, nickten nicht einmal. – »Ist's gefällig, Herr Leutnant?« fragte der Konsul. – »Stehe zur Verfügung.« Nun verabschiedete er sich noch sehr freundlich und aufgeräumt von den andern; und dem Fräulein Rihoschek – das konnte nicht schaden – küßte er galant die Hand.

Sie gingen alle. Auf der Terrasse die Tische und Sessel glänzten gespenstisch weiß, noch lag die Nacht über Stadt und Landschaft, doch kein Stern mehr war zu sehen. In der Gegend des Bahnhofs begann der Himmelsrand sich leise zu erhellen. Draußen wartete der Wagen des Konsuls, der Kutscher schlief, mit den Füßen auf dem Trittbrett. Schnabel berührte ihn an der Schulter, er wurde wach, lüftete den Hut, sah nach den Pferden, nahm ihnen die Decken ab. Die Offiziere legten nochmals die Hand an die Kappen, dann schlenderten sie davon. Der Sekretär, Elrief und Fräulein Rihoschek warteten, bis der Kutscher fertig war. Willi dachte: Warum bleibt der Konsul nicht in Baden bei Fräulein Rihoschek? Wozu hat er sie überhaupt, wenn er nicht dableibt? Es fiel ihm ein, daß er irgendeinmal von einem älteren Herrn erzählen gehört hatte, der im Bett seiner Geliebten vom Schlag getroffen worden war, und er sah den Konsul von der Seite an. Der aber schien sehr frisch und wohlgelaunt, nicht im geringsten zum Sterben aufgelegt, und offenbar um Elrief zu ärgern, verabschiedete er sich eben von Fräulein Rihoschek mit einer handgreiflichen Zärtlichkeit, die zu seinem sonstigen Wesen nicht recht stimmen wollte. Dann lud er den Leutnant in den Wagen ein, wies ihm den Platz auf der rechten Seite an, breitete ihm und sich zugleich eine hellgelbe mit braunem Plüsch gefütterte Decke über die Knie, und nun fuhren sie ab. Herr Elrief lüftete nochmals den Hut mit einer weitausladenden Bewegung, nicht ohne Humor, nach spanischer Sitte, wie er es irgendwo in Deutschland an einem kleinen Hoftheater als Grande im Laufe der nächsten Saison zu tun gedachte. Als der Wagen über die Brücke bog, wandte der Konsul sich nach den dreien um, die Arm in Arm, Fräulein Rihoschek in der Mitte, eben davonschlenderten, und winkte ihnen einen Gruß zu; doch diese, in lebhafter Unterhaltung begriffen, merkten es nicht mehr.

VIII

Sie fuhren durch die schlafende Stadt, kein Laut war zu vernehmen als der klappernde Hufschlag der Pferde. »Etwas kühl«, bemerkte der Konsul. Willi verspürte wenig Lust, ein Gespräch zu führen, aber er sah doch die Notwendigkeit ein, irgend etwas zu erwidern, wäre es auch nur, um den Konsul in freundlicher Stimmung zu erhalten. Und er sagte: »Ja, so gegen den Morgen zu, da ist es immer frisch, das weiß unsereins vom Ausrücken her.« – »Mit den vierundzwanzig Stunden«, begann der Konsul nach einer kleinen Pause liebenswürdig, »wollen wir es übrigens nicht so genau nehmen.« Willi atmete auf und ergriff die Gelegenheit. »Ich wollte Sie eben ersuchen, Herr Konsul, da ich die ganze Summe begreiflicherweise im Augenblick nicht flüssig habe –« – »Selbstverständlich«, unterbrach ihn der Konsul abwehrend. Die Hufschläge klapperten weiter, nun tönte ein Widerhall, man fuhr unter einem Viadukt der freien Landschaft zu. »Wenn ich auf den üblichen vierundzwanzig Stunden bestände«, fuhr der Konsul fort, »so wären Sie nämlich verpflichtet, mir spätestens morgen, nachts um halb drei, Ihre Schuld zu bezahlen. Das wäre unbequem für uns beide. So setzen wir denn die Stunde« – anscheinend überlegte er – »auf Dienstag mittag zwölf Uhr fest, wenn es Ihnen recht ist.« Er entnahm seiner Brieftasche eine Visitenkarte, übergab sie Willi, der sie aufmerksam betrachtete. Die Morgendämmerung war schon so weit vorgeschritten, daß er imstande war, die Adresse zu lesen. Helfersdorfer Straße fünf – kaum fünf Minuten weit von der Kaserne, dachte er. »Also morgen, meinen Herr Konsul, um zwölf?« Und er fühlte sein Herz etwas schneller schlagen. »Ja, Herr Leutnant, das meine ich. Dienstag präzise zwölf. Ich bin von neun Uhr ab im Büro.« – »Und wenn ich bis zu dieser Stunde nicht in der Lage wäre, Herr Konsul – wenn ich zum Beispiel erst im Laufe des Nachmittags oder am Mittwoch . . .«

Der Konsul unterbrach ihn: »Sie werden sicher in der Lage sein, Herr Leutnant. Da Sie sich an einen Spieltisch setzten, mußten Sie natürlich auch gefaßt sein, zu verlieren, geradeso wie ich darauf gefaßt sein mußte, und, falls Sie über keinen Privatbesitz verfügen, haben Sie jedenfalls allen Grund anzunehmen, daß – Ihre Eltern Sie nicht im Stich lassen werden.« –

»Ich habe keine Eltern mehr«, erwiderte Willi rasch, und da Schnabel ein bedauerndes »Oh« hören ließ – »meine Mutter ist acht Jahre lang tot, mein Vater ist vor fünf Jahren gestorben – als

Oberstleutnant in Ungarn.« – »So, Ihr Herr Vater war auch Offizier?« Es klang teilnahmsvoll, geradezu herzlich.– »Jawohl, Herr Konsul, wer weiß, ob ich unter anderen Umständen die militärische Karriere eingeschlagen hätte.«

»Merkwürdig«, nickte der Konsul. »Wenn man denkt, wie die Existenz für manche Menschen sozusagen vorgezeichnet daliegt, während andere von einem Jahr, manchmal von einem Tag zum nächsten ...« Kopfschüttelnd hielt er inne. Diesen allgemein gehaltenen, nicht zu Ende gesprochenen Satz empfand Willi sonderbarerweise als beruhigend. Und um die Beziehung zwischen sich und dem Konsul womöglich noch weiter zu befestigen, suchte er gleichfalls nach einem allgemeinen, gewissermaßen philosophischen Satz; und etwas unüberlegt, wie ihm gleich klar wurde, bemerkte er, daß es immerhin auch Offiziere gäbe, die genötigt seien, ihre Karriere zu wechseln.

»Ja«, erwiderte der Konsul, »das stimmt schon, aber dann geschieht es meistens unfreiwillig, und sie sind, vielmehr sie kommen sich lächerlicherweise deklassiert vor, sie können auch kaum wieder zurück zu ihrem früheren Beruf. Hingegen unsereiner – ich meine: Menschen, die durch keinerlei Vorurteile der Geburt, des Standes oder – sonstige behindert sind – – ich zum Beispiel war schon mindestens ein halbes dutzendmal oben und wieder unten. Und wie tief unten – ha, wenn das Ihre Herren Kameraden wüßten, *wie* tief, sie hätten sich kaum mit mir an einen Spieltisch gesetzt – sollte man glauben. Darum haben sie wohl auch vorgezogen, Ihre Herren Kameraden, keine allzu sorgfältigen Recherchen anzustellen.« Willi blieb stumm, er war höchst peinlich berührt und war unschlüssig, wie er sich zu verhalten habe. Ja, wenn Wimmer oder Greising hier an seiner Stelle gesessen wären, die hätten wohl die richtige Antwort gefunden und finden dürfen. Er, Willi, er mußte schweigen. Er durfte nicht fragen: Wie meinen das Herr Konsul, »tief unten«, und wie meinen das mit den »Recherchen«. Ach, er konnte sich's ja denken, wie es gemeint war. Er war ja nun selber tief unten, so tief, als man nur sein konnte, tiefer, als er es noch vor wenig Stunden für möglich gehalten hätte.

Er war angewiesen auf die Liebenswürdigkeit, auf das Entgegenkommen, auf die Gnade dieses Herrn Konsul, wie tief unten der auch einmal gewesen sein mochte. Aber würde der auch gnädig sein? Das war die Frage. Würde er eingehen auf Ratenzahlung innerhalb eines Jahres oder – innerhalb fünf Jahren – oder auf eine Revanchepartie nächsten Sonntag? Er sah nicht danach

162

aus – nein, vorläufig sah er keineswegs danach aus. Und – wenn er nicht gnädig war – hm, dann blieb nichts anderes übrig als ein Bittgang zu Onkel Robert. Doch – Onkel Robert! Eine höchst peinliche, eine geradezu fürchterliche Sache, aber versucht mußte sie werden. Unbedingt... Und es war doch undenkbar, daß der ihm seine Hilfe verweigern könnte, wenn tatsächlich die Karriere, die Existenz, das Leben, ja, ganz einfach das Leben des Neffen, des einzigen Sohnes seiner verstorbenen Schwester, auf dem Spiel stand. Ein Mensch, der von seinen Renten lebte, recht bescheiden zwar, aber doch eben als Kapitalist, der einfach nur das Geld aus der Kasse zu nehmen brauchte! Elftausend Gulden, das war doch gewiß nicht der zehnte, nicht der zwanzigste Teil seines Vermögens. Und statt um elf, könnte man ihn eigentlich gleich um zwölftausend Gulden bitten, das käme schon auf eins heraus. Und damit wäre auch Bogner gerettet. Dieser Gedanke stimmte Willi zugleich hoffnungsvoller, etwa so, als hätte der Himmel die Verpflichtung, ihn unverzüglich für seine edle Regung zu lohnen. Aber das alles kam ja vorläufig nur in Betracht, wenn der Konsul unerbittlich blieb. Und das war noch nicht bewiesen. Mit einem raschen Seitenblick streifte Willi seinen Begleiter. Der schien in Erinnerungen versunken. Er hatte den Hut auf der Wagendecke liegen, seine Lippen waren halb geöffnet wie zu einem Lächeln, er sah älter und milder aus als vorher. Wäre jetzt nicht der Augenblick –? Aber wie beginnen! Aufrichtig einzugestehen, daß man einfach nicht in der Lage war – daß man sich unüberlegt in eine Sache eingelassen – daß man den Kopf verloren, ja, daß man eine Viertelstunde geradezu unzurechnungsfähig gewesen war? Und, hätte er sich denn jemals so weit gewagt, so weit vergessen, wenn der Herr Konsul – oh, das durfte man schon erwähnen – wenn der Herr Konsul nicht unaufgefordert, ja ohne die leiseste Andeutung, ihm das Geld zur Verfügung gestellt, es ihm hingeschoben, ihm gewissermaßen, wenn auch in liebenswürdigster Weise, aufgedrängt hätte?

»Etwas Wundervolles«, bemerkte der Konsul, »eine solche Spazierfahrt am frühen Morgen, nicht wahr?« – »Großartig«, erwiderte beflissen der Leutnant. – »Nur schade«, fügte der Konsul hinzu, »daß man immer glaubt, sich so etwas um den Preis einer durchwachten Nacht erkaufen zu müssen, ob man sie nun am Spieltisch verbracht oder noch was Dümmeres angestellt hat.« – »Oh, was mich betrifft«, bemerkte der Leutnant rasch, »bei mir kommt es gar nicht so selten vor, daß ich auch ohne durchwachte Nacht mich schon zu so früher Stunde im Freien befinde. Vorgestern zum Beispiel bin ich schon um halb vier Uhr im Kasernenhof gestanden mit meiner Kompagnie. Wir haben eine Übung im Prater gehabt. Allerdings bin ich nicht im Fiaker hinuntergefahren.«

Der Konsul lachte herzlich, was Willi wohltat, trotzdem es etwas künstlich geklungen hatte. – »Ja, so was Ähnliches habe ich auch etliche Male mitgemacht«, sagte der Konsul, »freilich nicht als Offizier, nicht einmal als Freiwilliger, so weit hab' ich's nicht gebracht. Denken Sie, Herr Leutnant, ich habe meine drei Jahre abgedient seinerzeit und bin nicht weitergekommen als bis zum Korporal. So ein ungebildeter Mensch bin ich – oder war ich wenigstens. Nun, ich habe einiges nachgeholt im Laufe der Zeit, auf Reisen hat man ja dazu Gelegenheit.« – »Herr Konsul sind viel in der Welt herumgekommen«, bemerkte Willi zuvorkommend. – »Das kann ich wohl behaupten«, entgegnete der Konsul, »ich war nahezu überall – nur gerade in dem Land, das ich als Konsul vertrete, war ich noch nie, in Ecuador. Aber ich habe die Absicht, nächstens auf den Konsultitel zu verzichten und hinzufahren.« Er lachte, und Willi stimmte, wenn auch etwas mühselig, ein.

Sie fuhren durch eine langgestreckte, armselige Ortschaft hin, zwischen ebenerdigen, grauen, wenig gepflegten Häuschen. In einem kleinen Vorgarten begoß ein hemdsärmeliger alter Mann das Gesträuch; aus einem früh geöffneten Milchladen trat ein junges Weib in ziemlich abgerissenem Kleid mit einer gefüllten Kanne eben auf die Straße. Willi verspürte einen gewissen Neid auf beide, auf den alten Mann, der sein Gärtchen begoß, auf das Weib, das für Mann und Kinder Milch nach Hause brachte. Er wußte, daß diesen beiden wohler zumute war als ihm. Der Wagen kam an einem hohen, kahlen Gebäude vorüber, vor dem ein Justizsoldat auf und ab schritt; er salutierte dem Leutnant, der höflicher dankte, als es sonst Mannschaftspersonen gegenüber seine Art war. Der Blick, den der Konsul auf dem Gebäude haften ließ, ein verachtungs- und zugleich erinnerungsvoller Blick, gab Willi zu denken. Doch was konnte es ihm in diesem Augenblick helfen, daß des Konsuls Vergangenheit aller Wahrscheinlichkeit nach nicht eben makellos gewesen war? Spielschulden waren Spielschulden, auch ein abgestrafter Verbrecher hatte das Recht, sie einzufordern. Die Zeit verstrich, immer rascher liefen die Pferde, in einer Stunde, in einer halben war man in Wien – und was dann?

»Und Subjekte, wie zum Beispiel diesen Leutnant Greising«, sagte der Konsul, wie zum Beschluß eines inneren Gedankenganges, »läßt man frei herumlaufen.«

Also es stimmt, dachte Willi. Der Mensch ist einmal eingesperrt gewesen. Aber in diesem Augenblick kam es auch darauf nicht an, die Bemerkung des Konsuls bedeutete eine nicht mißzuverstehende Beleidigung eines abwesenden Kameraden. Durfte er sie einfach hingehen lassen, als hätte er sie überhört oder als gäbe er ihre Berechtigung zu? »Ich muß bitten, Herr Konsul, meinen Kameraden Greising aus dem Spiel zu lassen.«

Der Konsul hatte darauf nur eine wegwerfende Handbewegung. »Eigentlich merkwürdig«, sagte er, »wie die Herren, die so streng auf ihre Standesehre halten, einen Menschen in ihrer Mitte dulden dürfen, der mit vollem Bewußtsein die Gesundheit eines anderen Menschen, eines dummen, unerfahrenen Mädels zum Beispiel, in Gefahr bringt, so ein Geschöpf krank macht, möglicherweise tötet –«

»Es ist uns nicht bekannt«, erwiderte Willi etwas heiser, »jedenfalls ist es *mir* nicht bekannt.« – »Aber, Herr Leutnant, es fällt mir doch gar nicht ein, Ihnen Vorwürfe zu machen. Sie persönlich sind ja nicht verantwortlich für diese Dinge, und keineswegs stünde es in Ihrer Macht, sie zu ändern.«

Willi suchte vergeblich nach einer Erwiderung. Er überlegte, ob er nicht verpflichtet sei, die Äußerung des Konsuls dem Kameraden zur Kenntnis zu bringen – oder sollte er mit Regimentsarzt Tugut vorerst einmal außerdienstlich über die Angelegenheit reden? Oder den Oberleutnant Wimmer um Rat fragen? Aber was ging ihn das alles an?! Um *ihn* handelte es sich, um ihn selbst, um seine eigene Sache – um seine Karriere – um sein Leben! Dort im ersten Sonnenglanz ragte schon das Standbild der Spinnerin am Kreuz. Und noch hatte er kein Wort gesprochen, das geeignet wäre, wenigstens einen Aufschub, einen kurzen Aufschub zu erwirken. Da fühlte er, wie sein Nachbar leise an seinem Arm rührte. »Entschuldigen Sie, Herr Leutnant, wir wollen das Thema lassen, mich kümmert's ja im Grunde nicht, ob der Herr Leutnant Greising oder sonstwer – – um so weniger, als ich ja kaum mehr das Vergnügen haben werde, mit den Herren an einem Tisch zu sitzen.«

Willi gab es einen Ruck. »Wie ist das zu verstehen, Herr Konsul?« – »Ich verreise nämlich«, erwiderte der Konsul kühl. – »So bald?« – »Ja. Übermorgen – richtiger gesagt: morgen, Dienstag.« – »Auf längere Zeit, Herr Konsul?« – »Vermutlich – so auf drei bis – dreißig Jahre.«

Die Reichsstraße war von Last- und Marktwagen schon ziemlich belebt. Willi, den Blick gesenkt, sah im Glanz der aufgehenden Sonne die goldenen Knöpfe seines Waffenrocks blitzen. »Ein plötzlicher Entschluß, Herr Konsul, diese Abreise?« fragte er. – »Oh, keineswegs, Herr Leutnant, steht schon lange fest. Ich fahre nach Amerika, vorläufig nicht nach Ecuador – sondern nach Baltimore, wo meine Familie wohnt und wo ich auch ein Geschäft habe. Freilich habe ich mich seit acht Jahren nicht persönlich an Ort und Stelle darum bekümmern können.«

Er hat Familie, dachte Willi. Und was ist es eigentlich mit Fräulein Rihoschek? Weiß sie überhaupt, daß er fortreist? Aber was kümmert mich das! Es ist höchste Zeit. Es geht mir an den Kragen. Und unwillkürlich fuhr er sich mit der Hand an den Hals. »Das ist ja sehr bedauerlich«, sagte er hilflos, »daß der Herr Konsul schon morgen abreisen. Und ich hatte, ja wirklich, ich hatte mit einiger Sicherheit darauf gerechnet« – er nahm einen leichteren, gewissermaßen scherzhaften Ton an – »daß Herr Konsul mir am nächsten Sonntag eine kleine Revanche geben würden.« – Der Konsul zuckte die Achseln, als wäre der Fall längst abgetan. – Wie mach' ich's nur? dachte Willi. Was tu' ich? Ihn geradezu – bitten? Was kann ihm denn an den paar tausend Gulden liegen? Er hat eine Familie in Amerika – und das Fräulein Rihoschek –. Er hat ein Geschäft drüben – was bedeuten ihm diese paar tausend Gulden?! Und für mich handelt es sich um Leben oder Tod.

Sie fuhren unter dem Viadukt der Stadt zu. Aus der Südbahnhalle brauste eben ein Zug. Da fahren Leute nach Baden, dachte Willi, und weiter, nach Klagenfurt, nach Triest – und von dort vielleicht übers Meer in einen anderen Weltteil … Und er beneidete sie alle.

»Wo darf ich Sie absetzen, Herr Leutnant?«

»Oh, bitte«, erwiderte Willi, »wo es Ihnen bequem ist. Ich wohne in der Alserkaserne.«

»Ich bringe Sie bis ans Tor, Herr Leutnant.« Er gab dem Kutscher die entsprechende Weisung.

»Danke vielmals, Herr Konsul, es wäre wirklich nicht notwendig –«

Die Häuser schliefen alle. Die Gleise der Straßenbahn, noch unberührt vom Verkehr des Tages, liefen glatt und glänzend neben ihnen einher. Der Konsul sah auf die Uhr: »Gut ist er gefahren, eine Stunde und zehn Minuten. Haben Sie heute Ausrückung, Herr Leutnant?« – »Nein«, erwiderte Willi, »heute habe ich Schule zu halten.« – »Na, da können Sie sich doch noch auf eine Weile hinlegen.« – »Allerdings, Herr Konsul, aber ich glaube, ich werde mir heute einen dienstfreien Tag machen – werde mich marod melden.« – Der Konsul nickte und schwieg. – »Also, Mittwoch fahren Herr Konsul ab?« – »Nein, Herr Leutnant«, erwiderte der Konsul mit Betonung jedes einzelnen Wortes, »morgen, Dienstag abend.«

»Herr Konsul – ich will Ihnen ganz aufrichtig gestehen –, es ist mir ja äußerst peinlich, aber ich fürchte sehr, daß es mir total unmöglich sein wird in so kurzer Zeit – bis morgen mittag zwölf Uhr...« Der Konsul blieb stumm. Er schien kaum zuzuhören. »Wenn Herr Konsul vielleicht die besondere Güte hätten, mir eine Frist zu gewähren?« – Der Konsul schüttelte den Kopf. Willi fuhr fort. »Oh, keine lange Frist, ich könnte Herrn Konsul vielleicht eine Bestätigung oder einen Wechsel ausstellen, und ich würde mich ehrenwörtlich verpflichten, innerhalb vierzehn Tagen – es wird sich gewiß ein Modus finden...« Der Konsul schüttelte immer nur den Kopf, ohne irgendwelche Erregung, ganz mechanisch. »Herr Konsul«, begann Willi von neuem, und es klang flehend, ganz gegen seinen Willen, »Herr Konsul, mein Onkel, Robert Wilram, vielleicht kennen Herr Konsul den Namen?« Der andere schüttelte unentwegt weiter den Kopf. – »Ich bin nämlich nicht ganz überzeugt, daß mein Onkel, auf den ich mich im übrigen durchaus verlassen kann, die Summe augenblicklich flüssig hat. Aber selbstverständlich kann er innerhalb weniger Tage... er ist ein wohlhabender Mann, der einzige Bruder meiner Mutter, ein Privatier.« – Und plötzlich, mit einer komisch umschlagenden Stimme, die wie ein Lachen klang: »Es ist wirklich fatal, daß Herr Konsul gleich bis Amerika reisen.« – »Wohin ich reise, Herr Leutnant«, erwiderte der Konsul ruhig, »das kann Ihnen vollkommen gleichgültig sein. Ehrenschulden sind bekanntlich innerhalb vierundzwanzig Stunden zu bezahlen.«

»Ist mir bekannt, Herr Konsul, ist mir bekannt. Aber es kommt trotzdem manchmal vor – ich kenne selbst Kameraden, die in ähnlicher Lage... Es hängt ja nur von Ihnen ab, Herr Konsul, ob Sie sich vorläufig mit einem Wechsel oder mit meinem Wort zufriedengeben wollen bis – bis zum nächsten Sonntag wenigstens.«

»Ich gebe mich nicht zufrieden, Herr Leutnant, morgen, Dienstag mittag, letzter Termin... Oder – Anzeige an Ihr Regimentskommando.« –

Der Wagen fuhr über den Ring, am Volksgarten vorbei, dessen Bäume in üppigem Grün über dem vergoldeten Gitter wipfelten. Es war ein köstlicher Frühlingsmorgen, kaum noch ein Mensch auf der Straße zu sehen; nur eine junge, sehr elegante Dame in hochgeschlossenem, drapfarbigem Mantel, mit einem kleinen

Hund, spazierte rasch, wie einer Pflicht genügend, längs dem Gitter hin und warf einen gleichgültigen Blick auf den Konsul, der sich nach ihr umwandte, trotz der Gattin in Amerika und des Fräulein Rihoschek in Baden, die freilich mehr dem Schauspieler Elrief gehörte. Was kümmert mich Herr Elrief, dachte Willi, und was kümmert mich das Fräulein Rihoschek. Wer weiß übrigens, wär' ich netter mit ihr gewesen, vielleicht hätte sie ein gutes Wort für mich eingelegt. – Und einen Augenblick lang überlegte er ernstlich, ob er nicht noch rasch nach Baden hinausfahren sollte, sie um ihre Fürsprache bitten. Fürsprache beim Konsul? Ins Gesicht würde sie ihm lachen. Sie kannte ihn ja, den Herrn Konsul, sie mußte ihn kennen ... Und die einzige Möglichkeit der Rettung war Onkel Robert. Das stand fest. Sonst blieb nichts übrig als eine Kugel vor die Stirn. Man mußte sich nur klar sein.

Ein regelmäßiges Geräusch wie von dem herannahenden Schritt einer marschierenden Kolonne drang an sein Ohr. Hatten die Achtundneunziger nicht heute eine Übung? Am Bisamberg? Es wäre ihm peinlich gewesen, jetzt im Fiaker Kameraden an der Spitze ihrer Kompagnie zu begegnen. Aber es war kein Militär, das heranmarschiert kam, es war ein Zug von Knaben, offenbar eine Schulklasse, die sich mit ihrem Lehrer auf einen Ausflug begab. Der Lehrer, ein junger, blasser Mensch, streifte mit einem Blick unwillkürlicher Hochachtung die beiden Herren, die zu so früher Stunde im Fiaker an ihm vorüberfuhren. Willi hätte nie geahnt, daß er einen Moment erleben sollte, in dem sogar ein armer Schullehrer ihm als ein beneidenswertes Geschöpf vorkommen würde. Nun überholte der Fiaker eine erste Straßenbahn, in der ein paar Leute im Arbeitsanzug und eine alte Frau als Passagiere saßen. Ein Spritzwagen kam ihnen entgegen, und ein wild aussehender Kerl mit hinaufgekrempelten Hemdsärmeln schwang in regelmäßigen Stößen, wie eine Springschnur, den Wasserschlauch, aus dem das Naß die Straße feuchtete. Zwei Nonnen, die Blicke gesenkt, überquerten die Fahrbahn in der Richtung gegen die Votivkirche, die hellgrau mit ihren schlanken Türmen zum Himmel ragte. Auf einer Bank unter einem weißblühenden Baum saß ein junges Geschöpf mit bestaubten Schuhen, den Strohhut fächelnd, wie nach einem angenehmen Erlebnis. Ein geschlossener Wagen mit heruntergelassenen Vorhängen sauste vorüber. Ein dickes, altes Weib bearbeitete die hohe Fensterscheibe eines Kaffeehauses mit Besen und Scheuertuch. All diese Menschen und Dinge, die Willi sonst nicht bemerkt hätte, zeigten sich seinem überwachen Auge in beinahe schmerzhaft scharfen Umrissen.

Aber der Mann, an dessen Seite er im Wagen saß, war ihm indes wie aus dem Gedächtnis geschwunden. Nun wandte er ihm einen scheuen Blick zu. Zurückgelehnt, den Hut auf der Decke, mit geschlossenen Augen, saß der Konsul da. Wie mild, wie gütig sah er aus! Und der – trieb ihn in den Tod? Wahrhaftig, er schlief – oder stellte er sich so? Nur keine Angst, Herr Konsul, ich werde Sie nicht weiter belästigen. Sie werden Dienstag um zwölf Uhr Ihr Geld haben. Oder auch nicht. Aber in keinem Falle... Der Wagen hielt vor dem Kasernentor, und sofort erwachte der Konsul – oder er tat wenigstens so, als wenn er eben erwacht wäre, er rieb sich sogar die Augen, eine etwas übertriebene Geste nach einem Schlaf von zweieinhalb Minuten. Der Posten am Tor salutierte. Willi sprang aus dem Wagen, gewandt, ohne das Trittbrett zu berühren, und lächelte dem Konsul zu. Er tat noch ein übriges und gab dem Kutscher ein Trinkgeld; nicht zuviel, nicht zuwenig, als ein Kavalier, dem es am Ende nichts verschlug, ob er im Spiel gewonnen oder verloren hatte. »Danke bestens, Herr Konsul – und auf Wiedersehen.« – Der Konsul reichte Willi aus dem Wagen heraus die Hand und zog ihn zugleich leicht an sich heran, als hätte er ihm etwas anzuvertrauen, das nicht jeder zu hören brauchte. »Ich rate Ihnen, Herr Leutnant«, meinte er in fast väterlichem Ton, »nehmen Sie die Angelegenheit nicht leicht, wenn Sie Wert darauf legen... Offizier zu bleiben. Morgen, Dienstag, zwölf Uhr.« Dann laut: »Also, auf Wiedersehen, Herr Leutnant.« – Willi lächelte verbindlich, legte die Hand an die Kappe, der Wagen wendete und fuhr davon.

IX

Von der Alserkirche schlug es drei Viertel fünf. Das große Tor öffnete sich, eine Kompagnie der Achtundneunziger marschierte mit strammer Kopfwendung an Willi vorbei. Willi führte dankend die Hand ein paarmal an die Kappe. – »Wohin, Wieseltier?« fragte er herablassend den Kadetten, der als letzter kam. – »Feuerwehrwiese, Herr Leutnant.« Willi nickte wie zum Einverständnis und blickte den Achtundneunzigern eine Weile nach, ohne sie zu sehen. Der Posten stand immer noch salutierend, als Willi durch das Tor schritt, das nun hinter ihm geschlossen wurde.

Kommandorufe vom Ende des Hofs her schnarrten ihm ins Ohr. Ein Trupp von Rekruten übte Gewehrgriffe unter der Leitung eines Korporals. Der Hof lag sonnbeglänzt und kahl, da und dort ragten ein paar Bäume in die Luft. Die Mauer entlang schritt Willi weiter; er sah zu seinem Fenster auf, sein Bursche erschien im Rahmen, blickte hinab, stand einen Augenblick stramm und verschwand. Willi eilte die Treppen hinauf; noch im Vorraum, wo der Bursche sich eben anschickte, den Schnellkocher anzuzünden, entledigte er sich des Kragens, öffnete den Waffenrock. – »Herr Leutnant, melde gehorsamst, Kaffee ist gleich fertig.« – »Gut ist's«, sagte Willi, trat ins Zimmer, schloß die Tür hinter sich, legte den Rock ab, warf sich in Hosen und Schuhen aufs Bett.

Vor neun kann ich unmöglich zu Onkel Robert, dachte er. Ich werde ihn für alle Fälle gleich um zwölftausend bitten, kriegt der Bogner auch seine tausend, wenn er sich nicht inzwischen totgeschossen hat. Übrigens, wer weiß, vielleicht hat er wirklich beim Rennen gewonnen und ist sogar imstande, *mich* herauszureißen. Ha, elftausend, zwölftausend, die gewinnen sich nicht so leicht beim Totalisator.

Die Augen fielen ihm zu. Pik-Neun – Karo-As – Herz-König – Pik-Acht – Pik-As – Treff-Bub – Karo-Vier – so tanzten die Karten an ihm vorüber. Der Bursche brachte den Kaffee, rückte den Tisch näher ans Bett, schenkte ein, Willi stützte sich auf den Arm und trank. »Soll ich Herrn Leutnant vielleicht Stiefel ausziehn?« – Willi schüttelte den Kopf. »Nicht mehr der Müh' wert.« – »Soll ich Herrn Leutnant später wecken?« – Und da ihn Willi wie verständnislos ansah – »Melde gehorsamst, sieben Uhr Schul'.« – Willi schüttelte wieder den Kopf. »Bin marod, muß zum Doktor. Sie melden mich beim Herrn Hauptmann ... marod, verstehen S', Dienstzettel schick' ich nach. Bin zu einem Professor bestellt, wegen Augen, um neun Uhr. Ich laß den Herrn Kadettstellvertreter Brill bitten, Schule zu halten. Abtreten. – Halt!« – »Herr Leutnant?« – »Um Viertel acht gehn S' hinüber zur Alserkirche, der Herr, der gestern früh da war, ja, der Oberleutnant Bogner, wird dort warten. Er möcht' mich freundlichst entschuldigen – habe leider nichts ausgerichtet, verstehen S'?« – »Jawohl, Herr Leutnant.« – »Wiederholen.« – »Herr Leutnant laßt sich entschuldigen, Herr Leutnant haben nichts ausgerichtet.« – »*Leider* nichts ausgerichtet. – Halt. Wenn vielleicht noch Zeit wär' bis heut abend oder morgen früh« – er hielt plötzlich inne. »Nein, nichts mehr. Ich hab' leider nichts ausgerichtet und damit Schluß. Verstehn S'?« – »Jawohl, Herr Leutnant.« – »Und wenn Sie zurückkommen von der Alserkirche, so klopfen S' für alle Fälle. Und jetzt machen S' noch das Fenster zu.«

Der Bursche tat, wie ihm geheißen, und ein greller Kommandoruf im Hofe schnitt in der Mitte ab. Als Joseph die Tür hinter sich schloß, streckte sich Willi wieder hin, und die Augen fielen ihm zu. Karo-As – Treff-Sieben – Herz-König – Karo-Acht – Pik-Neun – Pik-Zehn – Herz-Dame – verdammte Kanaille, dachte Willi. Denn die Herzdame war eigentlich das Fräulein Keßner. Wär' ich nicht bei dem Tisch stehngeblieben, so wär' das ganze Malheur nicht passiert. Treff-Neun – Pik-Sechs – Pik-Fünf – Pik-König – Herz-König – Treff-König – Nehmen Sie's nicht leicht, Herr Leutnant. – Hol ihn der Teufel, das Geld kriegt er, aber dann schick' ich ihm zwei Herren – geht ja nicht – er ist ja nicht einmal satisfaktionsfähig – Herz-König – Pik-Bub – Karo-Dame – Karo-Neun – Pik-As – so tanzten sie vorüber, Karo-As – Herz-As... sinnlos, unaufhaltsam, daß ihn die Augen unter den Lidern schmerzten. Es gab gewiß auf der ganzen Welt nicht so viele Kartenspiele, als vor ihm in dieser Stunde vorüberrasten.

Es klopfte, jäh erwachte er, auch vor seinen offenen Augen noch rasten sie weiter. Der Bursche stand da. »Herr Leutnant, melde gehorsamst, der Herr Oberleutnant läßt sich vielmals bedanken für die Mühe und läßt den Herrn Leutnant schönstens grüßen.« – »So. – Sonst – sonst hat er nix g'sagt?« – »Nein, Herr Leutnant, der Herr Oberleutnant hat sich umgedreht und ist gleich wieder gegangen.« – »So – hat er sich gleich wieder umgedreht... Und haben S' mich marod gemeldet?« – »Jawohl, Herr Leutnant.« Und da Willi sah, wie der Bursche grinste, fragte er: »Was lachen S' denn so dumm?« – »Melde gehorsamst, wegen dem Herrn Hauptmann.« – »Warum denn? Was hat er denn g'sagt, der Herr Hauptmann?« – Und immer noch grinsend, erzählte der Bursche: »Zum Augenarzt muß der Herr Leutnant, hat der Herr Hauptmann g'sagt, hat sich wahrscheinlich in ein Mädel verschaut, der Herr Leutnant.« – Und da Willi dazu nicht lächelte, fügte der Bursche etwas erschrocken hinzu: »Hat der Herr Hauptmann gesagt, melde gehorsamst.« – »Abtreten«, sagte Willi.

Während er sich fertigmachte, überdachte er bei sich allerlei Sätze, übte innerlich den Tonfall der Reden ein, mit denen er des Onkels Herz zu bewegen hoffte. Zwei Jahre lang hatte er ihn nicht gesehen. Er war in diesem Augenblick kaum imstande, sich Wilrams Wesen, ja auch nur dessen Gesichtszüge zu vergegenwärtigen; es tauchte immer wieder eine andere Erscheinung mit anderem Gesichtsausdruck, anderen Gewohnheiten, einer anderen Art zu reden vor ihm auf, und er konnte nicht vorher wissen, welcher er heute gegenüberstehen würde.

Von der Knabenzeit her hatte er den Onkel als einen schlan-

ken, immer sehr sorgfältig gekleideten, immerhin noch jungen
Mann im Gedächtnis, wenn ihm auch der um fünfundzwanzig
Jahre ältere damals schon als recht reif erschienen war. Robert
Wilram kam immer nur für wenige Tage zu Besuch in das un-
garische Städtchen, wo der Schwager, damals noch *Major* Kasda,
in Garnison lag. Vater und Onkel verstanden einander nicht sonderlich gut, und Willi erinnerte sich sogar dunkel eines auf den
Onkel bezüglichen Wortwechsels zwischen den Eltern, der damit
geendet hatte, daß die Mutter weinend aus dem Zimmer gegangen war. Von dem Beruf des Onkels war kaum jemals die Rede
gewesen, doch glaubte Willi sich zu besinnen, daß Robert Wilram
eine Staatsbeamtenstelle bekleidet und, früh verwitwet, wieder
aufgegeben hatte. Von seiner verstorbenen Frau erbte er ein kleines Vermögen, lebte seither als Privatmann und reiste viel in der
Welt herum. Die Nachricht vom Tode der Schwester hatte ihn in
Italien ereilt, er traf erst nach dem Begräbnis ein, und es blieb
Willis Gedächtnis für immer eingeprägt, wie der Onkel, mit ihm
am Grabe stehend, tränenlos, doch mit einem Ausdruck düsteren
Ernstes auf die kaum noch verwelkten Kränze herabgesehen hatte.
Bald darauf waren sie zusammen aus der kleinen Stadt abgereist;
Robert Wilram nach Wien und Willi zurück nach Wiener Neu-
stadt in die Kadettenschule. Von dieser Zeit an besuchte er den
Onkel manchmal an Sonn- und Feiertagen, wurde von ihm ins
Theater oder in Restaurants mitgenommen; später, nach des Vaters plötzlich erfolgtem Tod, nachdem Willi als Leutnant zu einem
Wiener Regiment eingeteilt worden war, bestimmte ihm der Onkel aus freien Stücken einen monatlichen Zuschuß, der auch während seiner gelegentlichen Reisen, durch eine Bank, pünktlich an
den jungen Offizier ausbezahlt wurde. Von einer dieser Reisen,
auf der er gefährlich erkrankt gewesen war, kam Robert Wilram
auffällig gealtert zurück, und während der monatliche Zuschuß
auch weiterhin regelmäßig an Willis Adresse gelangte, trat im
persönlichen Verkehr zwischen Onkel und Neffe manche kürzere
und längere Unterbrechung ein, wie denn die Epochen in Robert
Wilrams Existenz überhaupt in eigentümlicher Weise abzuwech-
seln schienen. Es gab Zeiten, in denen er ein heiteres und gesel-
liges Wesen zur Schau trug, mit dem Neffen wie früher Restaurants, Theater und nun auch Vergnügungslokale leichteren
Charakters zu besuchen pflegte, bei welchen Gelegenheiten meist
auch irgendeine muntere junge Dame anwesend war, die Willi bei
diesem Anlaß gewöhnlich zum erstenmal und niemals ein zweites
Mal wiedersah. Dann wieder gab es Wochen, in denen der Onkel

sich vollkommen aus der Welt und von den Menschen zurückzuziehen schien; und wenn Willi überhaupt vorgelassen wurde, so fand er sich einem ernsten, wortkargen, frühgealterten Mann gegenüber, der in einen dunkelbraunen talarartigen Schlafrock gehüllt, mit der Miene eines vergrämten Schauspielers, in dem nie ganz hellen, hochgewölbten Zimmer auf und ab ging oder auch lesend oder arbeitend bei künstlichem Licht an seinem Schreibtisch saß. Das Gespräch ging dann meistens mühsam und schleppend, als wäre man einander völlig fremd geworden; einmal nur, da zufällig von einem Kameraden Willis die Rede war, der kürzlich aus unglücklicher Liebe seinem Leben ein Ende gemacht hatte, öffnete Robert Wilram eine Schreibtischlade, entnahm ihr zu Willis Verwunderung eine Anzahl beschriebener Blätter und las dem Neffen einige philosophische Bemerkungen über Tod und Unsterblichkeit, auch manches Abfällige und Schwermütige über die Frauen im allgemeinen vor, wobei er der Anwesenheit des Jüngeren, der nicht ohne Verlegenheit und eher gelangweilt zuhörte, völlig zu vergessen schien. Gerade als Willi ein leichtes Gähnen vergeblich zu unterdrücken versuchte, geschah es, daß der Onkel den Blick von dem Manuskript erhob; seine Lippen kräuselten sich zu einem leeren Lächeln, er faltete die Blätter zusammen, tat sie wieder in die Lade und sprach unvermittelt von anderen Dingen, wie sie dem Interesse eines jungen Offiziers näherliegen mochten. Auch nach diesem wenig geglückten Zusammensein gab es immerhin noch eine Anzahl von vergnügten Abenden nach der alten Weise; auch kleine Spaziergänge zu zweit, besonders an schönen Feiertagsnachmittagen, kamen vor; eines Tages aber, da Willi den Onkel aus der Wohnung abholen sollte, kam eine Absage und kurz darauf ein Brief Wilrams, er sei jetzt so dringend beschäftigt, daß er Willi leider bitten müsse, von weiteren Besuchen vorläufig abzusehen. Bald blieben auch die Geldsendungen aus. Eine höfliche, schriftliche Erinnerung wurde nicht beantwortet, einer zweiten erging es ebenso, auf eine dritte erfolgte der Bescheid, daß Robert Wilram zu seinem Bedauern sich genötigt sehe, »wegen grundlegender Veränderung seiner Verhältnisse«, weitere Zuwendungen »selbst an nächststehende Personen« einzustellen. Willi versuchte, den Onkel persönlich zu sprechen. Er wurde zweimal nicht empfangen, ein drittes Mal sah er den Onkel, der sich hatte verleugnen lassen, eben rasch in der Türe verschwinden. So mußte er endlich die Aussichtslosigkeit jeder weiteren Bemühung einsehen, und es blieb ihm nichts übrig, als sich auf das möglichste einzuschränken. Die geringfügige Erbschaft von der Mutter her, mit der er bisher hausgehalten, war eben erst aufgezehrt, doch hatte er sich seiner Art nach über die Zukunft bisher keinerlei ernste Gedanken gemacht, bis nun mit einemmal, von einem Tag, ja von einer Stunde zur anderen, die Sorge gleich in ihrer drohendsten Gestalt auf seinem Wege stand.

In gedrückter, aber nicht hoffnungsloser Stimmung schritt er endlich die gewundene, stets in Halbdunkel getauchte Offiziersstiege hinab und erkannte den Mann nicht gleich, der ihm mit vorgestreckten Armen den Weg versperrte.

»Willi!« Es war Bogner, der ihn anrief.

»Du bist's?« Was wollte der? »Weißt du denn nicht? Hat dir der Joseph nichts ausgerichtet?«

»Ich weiß, ich weiß, ich will dir nur sagen – für alle Fälle –, daß die Revision auf morgen verschoben ist.«

Willi zuckte die Achseln. Das interessierte ihn wahrhaftig nicht sehr.

»Verschoben, verstehst du!«

»Es ist ja nicht gar so schwer, zu verstehen«, und er nahm eine Stufe nach abwärts.

Bogner ließ ihn nicht weiter. »Das ist doch ein Schicksalszeichen«, rief er. »Das kann ja die Rettung bedeuten. Sei nicht bös, Kasda, daß ich noch einmal – – ich weiß ja, daß du gestern kein Glück gehabt hast –«

»Allerdings«, stieß Willi hervor, »allerdings hab' ich kein Glück gehabt.« Und mit einem Auflachen: »Alles hab' ich verloren – und noch etwas mehr.« Und unbeherrscht, als stände in Bogner die eigentliche und einzige Ursache seines Unglücks ihm gegenüber: »Elftausend Gulden, Mensch, elftausend Gulden!«

»Donnerwetter, das ist freilich ... was gedenkst du ...« Er unterbrach sich. Ihre Blicke trafen einander, und Bogners Züge erhellten sich. »Da gehst du ja doch wohl zu deinem Onkel?«

Willi biß sich in die Lippen. Zudringlich! Unverschämt! dachte er bei sich, und es fehlte nicht viel, so hätte er es ausgesprochen.

»Verzeih – es geht mich ja nichts an – vielmehr, ich darf ja da nichts dreinreden, um so weniger, als ich gewissermaßen mitschuldig – – na ja –, aber wenn du's schon versuchst, Kasda – – ob zwölf- oder elftausend, das kann doch deinem Onkel ziemlich egal sein.«

»Du bist verrückt, Bogner. Ich werd' die elftausend so wenig kriegen, als ich zwölf kriegen tät.«

»Aber du gehst doch hin, Kasda!«

»Ich weiß nicht –«

»Willi – –«

»Ich weiß nicht«, wiederholte er ungeduldig. »Vielleicht – vielleicht auch nicht ... Adieu.« Er schob ihn beiseite und stürzte die Treppe hinab.

Zwölf oder elf, das war keineswegs gleichgültig. Gerade auf den einen Tausender konnte es ankommen! – Und es summte in seinem Kopf: Elf, zwölf – elf, zwölf – elf, zwölf! Nun, er müßte sich ja nicht früher entscheiden, als er vor dem Onkel stand. Der Moment sollte es ergeben. Jedenfalls war es eine Dummheit, daß er vor Bogner die Summe genannt, daß er sich überhaupt auf der Treppe hatte aufhalten lassen. Was ging ihn der Mensch an? Kameraden – nun ja, aber eigentliche *Freunde* waren sie doch nie gewesen! Und nun sollte sein Schicksal mit dem Bogners plötzlich unlöslich verbunden sein? Unsinn. Elf, zwölf – elf, zwölf. Zwölf, das klang vielleicht besser als elf, vielleicht brachte es ihm Glück ... vielleicht geschah das Wunder – gerade, wenn er zwölf verlangte. Und während des ganzen Weges, von der Alserkaserne durch die Stadt bis zu dem uralten Haus in der engen Straße hinter dem Stephansdom, überlegte er, ob er den Onkel um elf- oder um zwölftausend Gulden bitten sollte – als hinge der Erfolg, als hinge am Ende sein Leben davon ab.

Eine ältliche Person, die er nicht kannte, öffnete auf sein Klingeln. Willi nannte seinen Namen. Der Onkel – ja, er sei nämlich der Neffe des Herrn Wilram – der Onkel möge entschuldigen, es handle sich um eine sehr dringende Angelegenheit, und er werde keineswegs lange stören. Die Frau, zuerst unschlüssig, entfernte sich, kam merkwürdig rasch mit freundlicherer Miene wieder, und Willi – tief atmete er auf – wurde sofort vorgelassen.

X

Der Onkel stand an einem der beiden hohen Fenster; er trug nicht den talarartigen Schlafrock, in dem Willi ihn anzutreffen erwartet hatte, sondern einen gutgeschnittenen, aber etwas abgetragenen, hellen Sommeranzug und Lackhalbschuhe, die ihren Glanz verloren hatten. Mit einer weitläufigen, aber müden Geste winkte er dem Neffen entgegen. »Grüß dich Gott, Willi. Schön, daß du dich wieder einmal um deinen alten Onkel umschaust. Ich hab' geglaubt, du hast mich schon ganz vergessen.«

Die Antwort lag nahe, daß man ihn die letzten Male nicht empfangen und seine Briefe nicht beantwortet hatte, aber er hielt es für geratener, sich vorsichtiger auszudrücken. »Du lebst ja so zurückgezogen«, sagte er, »ich hab' nicht wissen können, ob dir ein Besuch auch willkommen gewesen wäre.«

Das Zimmer war unverändert. Auf dem Schreibtisch lagen Bücher und Papiere, der grüne Vorhang vor der Bibliothek war halbseits zugezogen, so daß einige alte Lederbände sichtbar waren; über den Diwan war, wie früher, der Perserteppich gebreitet, und etliche gestickte Kopfkissen lagen darauf. An der Wand hingen zwei vergilbte Kupferstiche, die italienische Landschaften darstellten, und Familienporträts in mattgoldenen Rahmen; das Bild der Schwester hatte seinen Platz, wie früher, auf dem Schreibtisch, Willi erkannte es an Umriß und Rahmen von rückwärts.

»Willst du dich nicht setzen?« fragte Robert Wilram.

Willi stand, die Kappe in der Hand, mit umgeschnalltem Säbel, stramm, wie zu einer dienstlichen Meldung. Und in einem zu seiner Haltung nicht ganz stimmenden Tone begann er: »Die Wahrheit zu sagen, lieber Onkel, ich wär' wahrscheinlich auch heute nicht gekommen, wenn ich nicht – – also, mit einem Wort, es handelt sich um eine sehr, sehr ernste Angelegenheit.«

»Was du nicht sagst«, bemerkte Robert Wilram freundlich, aber ohne besondere Teilnahme.

»Für *mich* wenigstens ernst. Kurz und gut, ohne weitere Umschweife, ich habe eine Dummheit begangen, eine große Dummheit. Ich – habe gespielt und habe mehr verspielt, als ich im Vermögen gehabt habe.«

»Hm, das ist schon ein bißl mehr wie eine Dummheit«, sagte der Onkel.

»Ein Leichtsinn war's«, bestätigte Willi, »ein sträflicher Leichtsinn. Ich will nichts beschönigen. Aber die Sache steht leider so: Wenn ich meine Schuld bis heute abend sieben Uhr nicht bezahlt habe, bin ich – bin ich einfach –« er zuckte die Achseln und hielt inne wie ein trotziges Kind.

Robert Wilram schüttelte bedauernd den Kopf, aber er erwiderte nichts. Die Stille im Raum wurde sofort unerträglich, so daß Willi gleich wieder zu reden anfing. Hastig berichtete er sein gestriges Erlebnis. Er sei nach Baden gefahren, um einen kranken Kameraden zu besuchen, sei dort mit anderen Offizieren, guten alten Bekannten, zusammengetroffen und habe sich zu einer Spielpartie verleiten lassen, die, anfangs ganz solid, im weiteren Verlauf, ohne sein Dazutun, in ein wildes Hasard ausgeartet sei. Die Namen der Beteiligten möchte er lieber verschweigen mit Ausnahme desjenigen, der sein Gläubiger geworden sei, ein Großkaufmann, ein südamerikanischer Konsul, ein gewisser Herr Schnabel, der unglücklicherweise morgen früh nach Amerika reise und für den Fall, daß die Schuld nicht bis abends beglichen sei, mit der Anzeige ans Regimentskommando gedroht habe. »Du weißt, Onkel, was das zu bedeuten hat«, schloß Willi und ließ sich plötzlich ermüdet auf den Diwan nieder.

Der Onkel, den Blick über Willi hinweg auf die Wand gerichtet, aber immer noch freundlich, fragte: »Um was für einen Betrag handelt es sich denn eigentlich?«

Wieder schwankte Willi. Zuerst dachte er doch die tausend Gulden für Bogner dazuzuschlagen, dann aber war er plötzlich überzeugt, daß gerade der kleine Mehrbetrag den Ausgang in Frage stellen könnte, und so nannte er nur die Summe, die er für seinen Teil schuldig war.

»Elftausend Gulden«, wiederholte Robert Wilram kopfschüttelnd, und es klang fast ein Ton von Bewunderung mit.

»Ich weiß«, erwiderte Willi rasch, »es ist ein kleines Vermögen. Ich versuche auch gar nicht, mich zu rechtfertigen. Es war ein niederträchtiger Leichtsinn, ich glaub' der erste – gewiß aber der letzte meines Lebens. Und ich kann nichts anderes tun, als dir schwören, Onkel, daß ich in meinem ganzen Leben keine Karte mehr anrühren, daß ich mich bemühen werde, dir durch ein streng solides Leben meine ewige Dankbarkeit zu beweisen, ja ich bin bereit – ich erkläre feierlich, auf jeden Anspruch für später, der mir etwa durch unsere Verwandtschaft erwachsen könnte, ein für allemal zu verzichten, wenn du nur diesmal, dieses eine Mal – Onkel –«

Nachdem Robert Wilram bisher immer noch keine innere Bewegung gezeigt hatte, schien er nun allmählich in eine gewisse Unruhe zu geraten. Schon früher hatte er die eine Hand wie abwehrend erhoben, nahm nun die andere zu Hilfe, als wolle er den Neffen durch eine möglichst ausdrucksvolle Geste zum Schweigen bringen, und mit einer ungewohnt hohen, fast schrillen Stimme unterbrach er ihn. »Bedaure sehr, bedaure aufrichtig, ich kann dir beim besten Willen nicht helfen.« Und da Willi den Mund zu einer Erwiderung auftat: »*Absolut* nicht helfen; jedes weitere Wort wäre überflüssig, also bemühe dich nicht weiter.« Und er wandte sich dem Fenster zu.

Willi, zuerst wie vor den Kopf geschlagen, besann sich, daß er doch keineswegs hatte hoffen dürfen, den Onkel im ersten Ansturm zu besiegen, und so begann er von neuem: »Ich gebe mich ja keiner Täuschung hin, Onkel, daß meine Bitte eine Unverschämtheit ist, eine Unverschämtheit ohnegleichen; – ich hätte auch nie und nimmer gewagt, an dich heranzutreten, wenn nur die geringste Möglichkeit bestände, das Geld in irgendeiner anderen Weise aufzutreiben. Du mußt dich nur in meine Lage versetzen, Onkel. Alles, alles steht für mich auf dem Spiel, nicht nur meine Existenz als Offizier. Was soll ich, was kann ich denn anderes anfangen? Ich hab' ja sonst nichts gelernt, ich versteh' ja nichts weiter. Und ich kann doch überhaupt nicht als weggejagter Offizier – grad gestern hab' ich zufällig einen früheren Kameraden wiedergetroffen, der auch – nein, nein, lieber eine Kugel vor den Kopf. Sei mir nicht bös, Onkel. Du mußt dir das nur vorstellen. Der Vater war Offizier, der Großvater ist als Feldmarschalleutnant gestorben. Um Gottes willen, es kann doch nicht so mit mir enden. Das wäre doch eine zu harte Strafe für einen leichtsinnigen Streich. Ich bin ja kein Gewohnheitsspieler, das weißt du. Ich hab' nie Schulden gemacht. Auch im letzten Jahr nicht, wo es mir ja manchmal recht schwer zusammengegangen ist. Und ich habe mich nie verleiten lassen, obwohl man es mir direkt angetragen hat. Freilich, ein solcher Betrag! Ich glaube, nicht einmal zu Wucherzinsen könnte ich mir je einen solchen Betrag beschaffen. Und wennschon, was käm' dabei heraus? In einem halben Jahr wär' ich das Doppelte schuldig, in einem Jahr das Zehnfache – und –«

»Genug, Willi«, unterbrach ihn Wilram endlich mit noch schrillerer Stimme als vorher. »Genug, ich *kann* dir nicht helfen; – ich möcht' ja gern, aber ich kann nicht. Verstehst du? Ich hab' selber nichts, nicht hundert Gulden hab' ich im Vermögen, wie du mich da siehst. Da, da...« Er riß eine Lade nach der andern auf, die Schreibtischladen, die Kommodenladen, als wäre es ein Beweis für die Wahrheit seiner Worte, daß dort freilich keinerlei Banknoten oder Münzen zu sehen waren, sondern nur Papiere, Schachteln, Wäsche, allerlei Kram. Dann warf er auch seine Geldbörse auf den Tisch hin. »Kannst selber nachschaun, Willi, und wenn du mehr findest als hundert Gulden, so kannst du mich meinetwegen halten – wofür du willst.« Und plötzlich sank er in den Stuhl vor dem Schreibtisch hin und ließ die Arme schwer auf die Platte hinfallen, so daß einige Bogen Papier auf den Fußboden flatterten.

Willi hob sie beflissen auf, dann ließ er den Blick durch den Raum schweifen, als müßte er nun doch da oder dort irgendwelche Veränderungen entdecken, die den so unbegreiflich veränderten Verhältnissen des Onkels entsprächen. Aber alles sah genauso aus wie vor zwei oder drei Jahren. Und er fragte sich, ob sich denn wirklich die Dinge so verhalten müßten, wie es der Onkel versicherte. War der sonderbare alte Mann, der ihn vor zwei Jahren so unerwartet, so plötzlich im Stich gelassen hatte, nicht auch imstande, durch eine Lüge, die er durch Komödienspielerei glaubhafter machen wollte, sich vor weiterem Drängen und Flehen des Neffen schützen zu wollen? Wie? Man lebte in einer wohlgehaltenen Wohnung der inneren Stadt mit einer Art von Wirtschafterin, die schönen Ledereinbände standen wie früher im Bücherschrank, die mattgold gerahmten Bilder hingen noch alle an den Wänden – und der Besitzer all dieser Dinge sollte indes zum Bettler geworden sein? Wo wäre denn sein Vermögen hingekommen im Verlauf dieser letzten zwei oder drei Jahre? Willi glaubte ihm nicht. Er hatte nicht den geringsten Grund, ihm zu glauben, und noch weniger Grund hatte er, sich einfach geschlagen zu geben, da er doch in keinem Fall mehr etwas zu verlieren hatte. So entschloß er sich zu einem letzten Versuch, der aber weniger kühn ausfiel, als er sich vorgenommen; denn mit einemmal, zu seiner eigenen Verwunderung, zu seiner Beschämung stand er vor Onkel Robert mit gefalteten Händen da und flehte: »Es geht um mein Leben, Onkel, glaube mir, es geht um mein Leben. Ich bitte dich, ich –« Die Stimme versagte ihm, einer plötzlichen Eingebung folgend ergriff er die Fotografie der Mutter und hielt sie dem Onkel wie beschwörend entgegen. Der aber, mit leichtem Stirnrunzeln, nahm ihm das Bild sanft aus der Hand, stellte es ruhig auf seinen Platz zurück, und leise, durchaus nicht unwillig, bemerkte er: »Deine Mutter hat mit der Sache nichts zu tun. Sie kann dir nicht helfen – sowenig als mir. Wenn ich dir nicht helfen *wollte*, Willi, brauchte ich ja keine Ausrede. Verpflichtungen, besonders in einem solchen Fall, erkenne ich nicht an. Und, meiner Ansicht nach, kann man immer noch ein ganz anständiger Mensch sein – und werden, auch in Zivil. Die *Ehre* verliert man auf andere Weise. Aber so weit, daß du das begreifst, kannst du heute noch nicht sein. Und darum sage ich dir noch einmal: Hätte ich das Geld, verlaß dich drauf, ich würde es dir geben. Aber ich hab's nicht. *Nichts* hab' ich. Ich hab' mein Vermögen nicht mehr. Ich besitze nur mehr eine Leibrente. Ja, jeden Ersten und Fünfzehnten kriege ich soundsoviel ausgezahlt, und heute« – er wies mit einem trüben Lächeln auf die Geldbörse –, »heute ist der Siebenundzwanzigste.« Und da er in Willis Augen plötzlich einen Hoffnungsstrahl erschimmern sah, fügte er gleich hinzu: »Ah, du meinst, auf meine Leibrente könnte ich ein Darlehen aufnehmen. Ja, mein lieber

Willi, es kommt eben darauf an, *woher* man sie hat und unter welchen Bedingungen man sie gekriegt hat.«

»Vielleicht, Onkel, vielleicht wäre es doch möglich, vielleicht könnten wir gemeinsam –«

Robert Wilram aber unterbrach ihn heftig: »Nichts ist möglich, absolut nichts.« Und wie in dumpfer Verzweiflung: »Ich kann dir nicht helfen, glaub mir, ich kann nicht.« Und er wandte sich ab.

»Also«, erwiderte Willi nach kurzem Besinnen, »da kann ich halt nichts tun, als dich um Verzeihung bitten, daß ich – adieu, Onkel.« Er war schon an der Tür, als die Stimme Roberts ihn wieder festbannte. »Willi, komm her, ich will nicht, daß du mich – ich kann's dir ja sagen, also kurz und gut, ich habe nämlich mein Vermögen, gar so viel war es ja nicht mehr, meiner Frau überschrieben.«

»Du bist verheiratet!« rief Willi erstaunt aus, und eine neue Hoffnung erglänzte in seinen Augen. »Also, wenn deine Frau Gemahlin das Geld hat, dann müßte sich doch ein Modus finden lassen – ich meine, wenn du deiner Frau Gemahlin sagst, daß es sich –«

Robert Wilram unterbrach ihn mit einer ungeduldigen Handbewegung. »Gar nichts werde ich ihr sagen. Dring nicht weiter in mich. Wär' alles vergeblich.« Er hielt inne.

Willi aber, nicht gewillt, die letzte aufgetauchte Hoffnung gleich wieder aufzugeben, versuchte aufs neue anzuknüpfen und begann: »Deine – Frau Gemahlin lebt wahrscheinlich nicht in Wien?«

»O ja, sie lebt in Wien, aber nicht mit mir zusammen, wie du siehst.« Er ging ein paarmal im Zimmer hin und her, dann, mit einem bitteren Lachen, sagte er: »Ja, ich habe mehr verloren als ein Portepee und lebe auch weiter. Ja, Willi –« er unterbrach sich plötzlich und begann gleich wieder von neuem: »Vor anderthalb Jahren habe ich ihr mein Vermögen überschrieben – freiwillig. Und ich habe es eigentlich mehr um meinetwillen getan als um ihretwillen... Denn ich bin ja nicht sehr haushälterisch angelegt, und sie – sie ist sehr sparsam, das muß man ihr lassen, und auch sehr geschäftstüchtig und hat das Geld vernünftiger angelegt, als ich das je getroffen hätte. Sie hat es in irgendwelchen Unternehmungen investiert – in die näheren Umstände bin ich nicht eingeweiht – ich verstünde auch nichts davon. Und die Rente, die ich ausbezahlt bekomme, beträgt zwölfeinhalb Prozent, das ist nicht wenig, also beklagen darf ich mich nicht... Zwölfeinhalb Prozent. Aber auch keinen Kreuzer mehr. Und jeder Versuch, den ich anfangs unternommen habe, um gelegentlich einen Vorschuß zu bekommen, war umsonst. Nach dem zweiten Versuch habe ich es übrigens wohlweislich unterlassen. Denn dann habe ich sie sechs Wochen nicht zu sehen bekommen, und sie hat einen Eid geschworen, daß ich sie überhaupt nie wieder zu Gesicht bekomme, wenn ich jemals wieder mit einem solchen Ansinnen an sie herantrete. Und das – das hab' ich nicht riskieren wollen. Ich brauch' sie nämlich, Willi, ich kann ohne sie nicht existieren. Alle acht Tage sehe ich sie, alle acht Tage kommt sie einmal zu mir. Ja, sie hält unsern Pakt, sie ist überhaupt das ordentlichste Geschöpf von der Welt. Noch nie ist sie ausgeblieben, und auch das Geld war jeden Ersten und Fünfzehnten pünktlich da. Und im Sommer sind wir alljährlich ganze vierzehn Tage irgendwo auf dem Land beisammen. Das steht auch in unserm Kontrakt. Aber die übrige Zeit, die gehört ihr.«

»Und du selbst, Onkel, besuchst sie nie?« fragte Willi einigermaßen verlegen.

»Aber freilich, Willi. Am ersten Weihnachtsfeiertag, am Ostersonntag und am Pfingstmontag. Der ist heuer am achten Juni.«

»Und wenn du, verzeih, Onkel, wenn es dir einmal einfiele, an irgendeinem andern Tag – du bist doch schließlich ihr Mann, Onkel, und wer weiß, ob es ihr nicht eher schmeicheln würde, wenn du einmal –«

»Kann ich nicht riskieren«, unterbrach ihn Robert Wilram. »Einmal – weil ich dir schon alles gesagt habe – also einmal bin ich am Abend in ihrer Straße auf und ab gegangen, in der Nähe von ihrem Haus, zwei Stunden lang –«

»Nun und?«

»Sie ist nicht sichtbar geworden. Aber am nächsten Tag ist ein Brief von ihr gekommen, in dem ist nur gestanden, daß ich sie in meinem Leben nicht wieder zu sehen bekomme, wenn ich es mir noch einmal einfallen ließe, vor ihrem Wohnhaus herumzupromenieren. Ja, Willi, so steht's. Und ich weiß, wenn mein eigenes Leben daran hinge – sie ließ' mich eher zugrunde gehen, als daß sie mir auch nur den zehnten Teil von dem, was du verlangst, außer der Zeit ausbezahlen würde. Da wirst du viel eher den Herrn Konsul zur Nachgiebigkeit bewegen, als ich jemals das Herz meiner ›Frau Gemahlin‹ zu erweichen imstande wäre.«

»Und – – war sie denn immer so?« fragte Willi.

»Das ist doch egal«, erwiderte Robert Wilram ungeduldig. »Auch wenn ich alles vorausgesehen hätte, es hätte mir nichts genützt. Ich war ihr verfallen vom ersten Moment an, wenigstens von der ersten Nacht an, und die war unsere Hochzeitsnacht.«

»Selbstverständlich«, sagte Willi, wie vor sich hin.

Robert Wilram lachte auf. »Ah, du meinst, sie ist eine anständige junge Dame gewesen aus einer guten bürgerlichen Familie?
Gefehlt, mein lieber Willi, eine Dirne ist sie gewesen. Und wer
weiß, ob sie es nicht heut noch ist – für andere.«

Willi fühlte sich verpflichtet, durch eine Geste seine Zweifel
anzudeuten, und er hegte sie wirklich, weil er sich nach dem ganzen Bericht des Onkels dessen Frau unmöglich als ein junges und
reizvolles Geschöpf vorzustellen imstande war. Er hatte sie die
ganze Zeit über als eine hagere, gelbliche, geschmacklos geklei-
dete, ältliche Person mit einer spitzen Nase vor sich gesehen, und
flüchtig dachte er, ob der Onkel nicht seiner Empörung über die
unwürdige Behandlung, die er von ihr erleiden mußte, durch eine
bewußt ungerechte Beschimpfung Luft machen wollte. Aber Robert Wilram schnitt ihm jedes Wort ab und sprach gleich weiter.
»Also, Dirne ist ja vielleicht zu viel gesagt – Blumenmädel war
sie halt damals. Beim ›Hornig‹ hab' ich sie zum erstenmal gesehen
vor vier oder fünf Jahren; du übrigens auch. Ja, du wirst dich
vielleicht noch an sie erinnern.« Und auf Willis fragenden Blick:
»Wir waren damals in einer größeren Gesellschaft dort, ein Jubi-
läum von dem Volkssänger Kriebaum war's, ein knallrotes Kleid
hat sie angehabt, einen blonden Wuschelkopf und eine blaue
Schleife um den Hals.« Und mit einer Art verbissener Freude
setzte er hinzu: »Ziemlich ordinär hat sie ausgesehen. Im nächsten
Jahr beim Ronacher, da hat sie schon ganz anders ausgeschaut, da
hat sie sich ihre Leute schon aussuchen können. Ich hab' leider
kein Glück bei ihr gehabt. Mit anderen Worten: ich war ihr halt
nicht zahlungsfähig genug im Verhältnis zu meinen Jahren – na,
und dann ist es eben gekommen, wie es manchmal zu kommen
pflegt, wenn sich ein alter Esel von einem jungen Frauenzimmer
den Kopf verdrehen läßt. Und vor zweieinhalb Jahren habe ich
das Fräulein Leopoldine Lebus zur Frau genommen.«

Also Lebus hat sie mit dem Zunamen geheißen, dachte Willi.
Denn daß das Mädel, von dem der Onkel erzählte, niemand anders sein konnte als die Leopoldine – wenn Willi auch diesen
Namen längst wieder vergessen hatte –, das war ihm in demselben Augenblick klar gewesen, da der Onkel den Hornig, das rote
Kleid und den blonden Wuschelkopf erwähnt hatte. Natürlich
hatte er sich wohl gehütet, sich zu verraten, denn wenn sich der
Onkel auch über das Vorleben des Fräulein Leopoldine Lebus
keinerlei Illusionen zu machen schien, es wäre ihm doch gewiß
recht peinlich gewesen, zu ahnen, wie jener Abend beim Hornig

geendet, oder gar zu erfahren, daß Willi nachts um drei, nachdem er den Onkel zuerst nach Hause gebracht, die Leopoldine heimlich wieder getroffen hatte und bis zum Morgen mit ihr zusammengeblieben war. So tat er für alle Fälle so, als könnte er sich des ganzen Abends nicht recht erinnern und als gälte es, dem Onkel etwas Tröstliches zu sagen, bemerkte er, daß gerade aus solchen Wuschelköpfen manchmal sehr brave Haus- und Ehefrauen würden, während im Gegensatz dazu Mädchen aus guter Familie und mit tadellosem Ruf ihren späteren Gatten zuweilen schon recht schlimme Enttäuschungen bereitet hätten. Er wußte auch ein Beispiel von einer Baronesse, die ein Kamerad geheiratet hatte, also eine junge Dame aus feinster, aristokratischer Familie, und die man kaum zwei Jahre nach der Hochzeit einem andern Kameraden in einem »Salon«, wo »anständige Frauen« zu fixen Preisen zu haben waren, zugeführt hatte. Der ledige Kamerad hatte sich verpflichtet gefühlt, den Ehemann zu verständigen; die Folge: Ehrengericht, Duell, schwere Verwundung des Gatten, Selbstmord der Frau; – der Onkel mußte ja in der Zeitung davon gelesen haben! Die Affäre hatte ja so viel Aufsehen gemacht. Willi sprach sehr lebhaft, als interessiere ihn diese Angelegenheit plötzlich mehr als seine eigene, und es kam ein Augenblick, in dem Robert Wilram einigermaßen befremdet zu ihm aufsah. Willi besann sich, und obwohl doch der Onkel unmöglich auch nur im entferntesten den Plan ahnen konnte, der indes in Willi aufgetaucht und weitergereift war, hielt er es doch für richtig, den Ton zu dämpfen und das Thema, das doch eigentlich nicht hierhergehörte, zu verlassen. Und etwas unvermittelt erklärte er, daß er nach den Aufschlüssen, die ihm der Onkel gegeben, natürlich nicht weiter in ihn dringen dürfe, und er ließ sogar gelten, daß ein Versuch beim Konsul Schnabel immerhin noch eher Aussicht auf Erfolg haben könnte als bei dem gewesenen Fräulein Leopoldine Lebus; und dann wäre es immerhin nicht undenkbar, daß auch der Oberleutnant Höchster, der eine kleine Erbschaft gemacht, vielleicht auch ein Regimentsarzt, der gestern an der Spielpartie teilgenommen hatte, sich gemeinsam bereit fänden, ihn aus seiner fürchterlichen Situation zu retten. Ja, Höchster müsse er vor allem aufsuchen, der hatte heute Kasernendienst.

Der Boden brannte ihm unter den Füßen, er sah auf die Uhr, stellte sich plötzlich noch eiliger an, als er war, reichte dem Onkel die Hand, schnallte den Säbel fester und ging.

XI

Nun aber kam es vor allem darauf an, Leopoldinens Adresse zu erfahren, und Willi machte sich unverzüglich auf den Weg zum Meldungsamt. Daß sie ihm seine Bitte abschlagen könnte, sobald er sie überzeugt hatte, daß sein Leben auf dem Spiel stand, erschien ihm in diesem Augenblick geradezu unmöglich. Ihr Bild, das im Laufe der seither vergangenen Jahre kaum jemals in ihm aufgetaucht war, jener ganze Abend erstand neu lebendig in seiner Erinnerung. Er sah den blonden Wuschelkopf auf dem grobleinenen weißen, rotdurchschimmerten Bettpolster, das blasse, rührend-kindliche Gesicht, auf das durch die Spalten der schadhaften grünen Holzjalousien das Dämmerlicht des Sommermorgens fiel, sah den schmalen Goldreif mit dem Halbedelstein auf dem Ringfinger ihrer Rechten, die über der roten Bettdecke lag, das schmale silberne Armband um das Gelenk ihrer Linken, die sie abschiedwinkend aus dem Bett hervorstreckte, als er sie verließ. Sie hatte ihm so gut gefallen, daß er sich beim Abschied fest entschlossen glaubte, sie wiederzusehen; es traf sich aber zufällig, daß gerade damals ein anderes weibliches Wesen ältere Rechte an ihm hatte, die ihm als die ausgehaltene Geliebte eines Bankiers keinen Kreuzer kostete, was bei seinen Verhältnissen immerhin in Betracht kam; – und so fügte es sich, daß er sich weder beim Hornig wieder blicken ließ noch auch von der Adresse ihrer verheirateten Schwester Gebrauch machte, bei der sie wohnte und wohin er ihr hätte schreiben können. So hatte er sie seit jener einzigen Nacht niemals wiedergesehen. Aber was immer sich seither in ihrem Leben ereignet haben mochte, so sehr konnte sie sich nicht verändert haben, daß sie ruhig geschehen ließe – was eben geschehen mußte, wenn sie eine Bitte zurückwies, die zu erfüllen für sie doch so leicht war.

Er hatte immerhin eine Stunde im Meldungsamt zu warten, bis er den Zettel mit Leopoldinens Adresse in der Hand hielt. Dann fuhr er in einem geschlossenen Wagen bis zur Ecke der Gasse, in der Leopoldine wohnte, und stieg aus.

Das Haus war ziemlich neu, vier Stock hoch, nicht übermäßig freundlich anzusehen, und lag gegenüber einem eingezäunten Holzplatz. Im zweiten Stock öffnete ihm ein nettgekleidetes Dienstmädchen; auf seine Frage, ob Frau Wilram zu sprechen sei, betrachtete sie ihn zögernd, worauf er ihr seine Visitenkarte reichte: Wilhelm Kasda, Leutnant im k. u. k. Infanterie-Regiment Nr. 98, Alserkaserne. Das Mädchen kam sofort mit dem Bescheid wieder, die gnädige Frau sei sehr beschäftigt; – was der Herr Leutnant wünsche? Nun erst fiel ihm ein, daß Leopoldine wahrscheinlich seinen Zunamen nicht kannte. Er überlegte, ob er sich einfach als einen alten Freund oder etwa scherzhaft als einen Cousin des Herrn von Hornig ausgeben sollte, als die Tür sich öffnete, ein älterer, dürftig gekleideter Mensch mit einer schwarzen Aktentasche heraustrat und dem Ausgang zuschritt. Dann ertönte eine weibliche Stimme: »Herr Kraßny!«, was dieser, schon im Stiegenhaus, nicht mehr zu hören schien, worauf die Dame, die gerufen, persönlich ins Vorzimmer trat und nochmals nach Herrn Kraßny rief, so daß dieser sich umwandte. Leopoldine aber hatte den Leutnant schon erblickt und, wie ihr Blick und ihr Lächeln verriet, sofort wiedererkannt. Sie sah dem Geschöpf nicht im geringsten ähnlich, das er in der Erinnerung bewahrt hatte, war stattlich und voll, ja anscheinend größer geworden, trug eine einfache glatte, beinahe strenge Frisur, und, was das merkwürdigste war, auf der Nase saß ihr ein Zwicker, dessen Schnur sie um das Ohr geschlungen hatte.

»Bitte, Herr Leutnant«, sagte sie. – Und nun merkte er, daß ihre Züge eigentlich ganz unverändert waren. »Bitte nur weiterspazieren, ich stehe gleich zur Verfügung.« Sie wies auf die Tür, aus der sie gekommen war, wandte sich Herrn Kraßny zu und schien ihm irgendeinen Auftrag, zwar leise und für Willi unverständlich, aber eindringlich einzuschärfen. Willi trat indes in ein helles und geräumiges Zimmer, in dessen Mitte ein langer Tisch stand, mit Tintenzeug, Lineal, Bleistiften und Geschäftsbüchern; an den Wänden rechts und links ragten zwei hohe Aktenschränke, auf der Rückwand über einem Tischchen mit Zeitungen und Prospekten war eine große Landkarte von Europa ausgespannt, und Willi mußte unwillkürlich an das Reisebüro einer Provinzstadt denken, in dem er einmal zu tun gehabt hatte. Gleich darauf aber sah er das armselige Hotelzimmer vor sich, mit den schadhaften Jalousien und dem durchscheinenden Bettpolster – – und es war ihm sonderbar zumute, beinahe wie in einem Traum.

Leopoldine trat ein, schloß die Tür hinter sich, den Zwicker ließ sie nun in den Fingern hin und her spielen, dann streckte sie dem Leutnant die Hand entgegen, freundlich, aber ohne merkliche Erregung. Er beugte sich über die Hand, als wenn er sie küssen wollte, doch sie entzog sie ihm sofort. »Nehmen Sie doch Platz, Herr Leutnant. Was verschafft mir das Vergnügen?« Sie wies ihm einen bequemen Stuhl an; sie selbst nahm ihren offenbar gewohnten Platz auf einem einfacheren Sessel ihm gegenüber an dem langen Tisch mit den Geschäftsbüchern ein. Willi kam sich vor, als wäre er bei einem Advokaten oder Arzt. – »Womit kann ich dienen?« fragte sie nun mit einem beinahe ungeduldigen Ton, der nicht sehr ermutigend klang.

»Gnädige Frau«, begann Willi nach einem leichten Räuspern, »ich muß vor allem vorausschicken, daß es nicht etwa mein Onkel war, der mir Ihre Adresse gegeben hat.«

Sie blickte verwundert auf. »Ihr Onkel?«

»Mein Onkel Robert Wilram«, betonte Willi.

»Ach ja«, lächelte sie und sah vor sich hin.

»Er weiß selbstverständlich nichts von diesem Besuch«, fuhr Willi etwas hastiger fort. »Ich muß das ausdrücklich bemerken.« Und auf ihren verwunderten Blick: »Ich habe ihn überhaupt schon lange nicht gesehen, aber es war nicht meine Schuld. Erst heute, im Laufe des Gesprächs teilte er mir mit, daß er sich – in der Zwischenzeit vermählt hätte.«

Leopoldine nickte freundlich. »Eine Zigarette, Herr Leutnant?« Sie wies auf die offene Schachtel, er bediente sich, sie gab ihm Feuer und zündete sich gleichfalls eine Zigarette an. »Also, darf ich nun endlich wissen, welchem Umstand ich das Vergnügen zu verdanken habe –«

»Gnädige Frau, es handelt sich bei meinem Besuch um die gleiche Angelegenheit, die mich – zu meinem Onkel geführt hat. Eine eher – peinliche Angelegenheit, wie ich leider gleich bemerken muß« – und da ihr Blick sich sofort auffallend verdunkelte –, »ich will Ihre Zeit nicht allzusehr in Anspruch nehmen, gnädige Frau. Ganz ohne Umschweife: ich würde Sie nämlich ersuchen, mir auf – drei Monate einen gewissen Betrag vorzustrecken.«

Nun erhellte sich sonderbarerweise ihr Blick wieder. »Ihr Vertrauen ist für mich sehr schmeichelhaft, Herr Leutnant«, sagte sie und streifte die Asche von ihrer Zigarette, »obzwar ich eigentlich nicht recht weiß, wie ich zu dieser Ehre komme. Darf ich in jedem Fall fragen, um welchen Betrag es sich handelt?« Sie trommelte mit ihrem Zwicker leicht auf den Tisch.

»Um elftausend Gulden, gnädige Frau.« Er bereute, daß er nicht zwölf gesagt hatte. Schon wollte er sich verbessern, dann fiel ihm plötzlich ein, daß der Konsul sich vielleicht mit zehntausend zufriedengeben würde, und so ließ er es bei den elf bewenden.

»So«, sagte Leopoldine, »elftausend, das kann man ja wirklich schon einen ›gewissen Betrag‹ nennen.« Sie ließ ihre Zunge zwischen den Zähnen spielen. »Und welche Sicherheit würden Sie mir bieten, Herr Leutnant?«

»Ich bin Offizier, gnädige Frau.«

Sie lächelte – beinahe gütig. »Verzeihen Sie, Herr Leutnant, aber das bedeutet nach geschäftlichen Usancen noch keine Sicherheit. Wer würde für Sie bürgen?«

Willi schwieg und blickte zu Boden. Eine brüske Abweisung hätte ihn nicht minder verlegen gemacht als diese kühle Höflichkeit. »Verzeihen Sie, gnädige Frau«, sagte er. »Die formelle Seite der Angelegenheit habe ich mir freilich noch nicht genügend überlegt. Ich befinde mich nämlich in einer ganz verzweifelten Situation. Es handelt sich um eine Ehrenschuld, die bis morgen acht Uhr früh beglichen werden muß. Sonst ist eben die Ehre verloren und – was bei unsereinem sonst noch dazugehört.« Und da er nun in ihren Augen eine Spur von Teilnahme glaubte schimmern zu sehen, erzählte er ihr, geradeso wie eine Stunde vorher dem Onkel, doch in gewandteren und bewegteren Worten, die Geschichte der vergangenen Nacht. Sie hörte ihn mit immer deutlicheren Anzeichen des Mitgefühls, ja des Bedauerns an. Und als er geendet, fragte sie mit einem verheißungsvollen Augenaufschlag: »Und ich – ich, Willi, bin das einzige menschliche Wesen auf Erden, an das du dich in dieser Situation wenden konntest?«

Diese Ansprache, insbesondere ihr Du, beglückte ihn. Schon hielt er sich für gerettet. »Wär' ich sonst da?« fragte er. »Ich habe wirklich keinen anderen Menschen.«

Sie schüttelte teilnehmend den Kopf. »Um so peinlicher ist es mir«, erwiderte sie und drückte langsam ihre glimmende Zigarette aus, »daß ich leider nicht in der Lage bin, dir gefällig zu sein. Mein Vermögen ist in verschiedenen Unternehmungen festgelegt. Über nennenswerte Barbeträge verfüge ich niemals. Bedauere wirklich.« Und sie erhob sich von ihrem Sessel, als wäre eine Audienz beendet. Willi, im tiefsten erschrocken, blieb sitzen. Und zögernd, unbeholfen, fast stotternd, gab er ihr zur Erwägung, ob nicht doch bei dem wahrscheinlich sehr günstigen Stand ihrer geschäftlichen Unternehmungen eine Anleihe aus irgendwelchen Kassenbeständen oder die Inanspruchnahme irgendeines Kredites möglich wäre. Ihre Lippen kräuselten sich ironisch, und seine geschäftliche Naivität nachsichtig belächelnd, sagte sie: »Du stellst dir diese Dinge etwas einfacher vor, als sie sind, und offenbar hältst du es für ganz selbstverständlich, daß ich mich in deinem Interesse in irgendeine finanzielle Transaktion einließe, die ich in meinem eigenen nie und nimmer unternähme. Und noch dazu ohne jede Sicherstellung! – Wie komm' ich eigentlich dazu?« Diese letzten Worte klangen nun wieder so freundlich, ja kokett, als sei sie innerlich doch schon bereit nachzugeben und erwarte nur noch ein bittendes, ein beschwörendes Wort aus seinem Mund. Er glaubte es gefunden zu haben und sagte: »Gnädige Frau — Leopoldine — meine Existenz, mein Leben steht auf dem Spiel.« Sie zuckte leicht zusammen; er spürte, daß er zu weit gegangen war, und fügte leise hinzu: »Bitte um Verzeihung.«

Ihr Blick wurde undurchdringlich, und nach kurzem Schweigen bemerkte sie trocken: »Keineswegs kann ich eine Entscheidung treffen, ohne meinen Advokaten zu Rate gezogen zu haben.« Und da nun sein Auge in neuer Hoffnung zu leuchten begann, mit einer wie abwehrenden Handbewegung: »Ich habe heute ohnehin eine Besprechung mit ihm — um fünf in seiner Kanzlei. Ich will sehen, was sich machen läßt. Jedenfalls rate ich dir, verlaß dich nicht darauf, nicht im geringsten. Denn eine sogenannte Kabinettsfrage werde ich natürlich nicht daraus machen.« Und mit plötzlicher Härte fügte sie hinzu: »Ich wüßte wirklich nicht, warum.« Dann aber lächelte sie wieder und reichte ihm die Hand. Nun erlaubte sie ihm auch, einen Kuß darauf zu drücken.

»Und wann darf ich mir die Antwort holen?«

Sie schien eine Weile nachzudenken: »Wo wohnst du?«

»Alserkaserne«, erwiderte er rasch, »Offizierstrakt, dritte Stiege, Zimmer vier.«

Sie lächelte kaum. Dann sagte sie langsam: »Um sieben, halb acht werd' ich jedenfalls schon wissen, ob ich in der Lage bin oder nicht — —« überlegte wieder eine Weile und schloß mit Entschiedenheit: »Ich werde dir die Antwort zwischen sieben und acht durch eine Vertrauensperson übermitteln lassen.« Sie öffnete ihm die Tür und geleitete ihn in den Vorraum. »Adieu, Herr Leutnant.«

»Auf Wiedersehn«, erwiderte er betroffen. Ihr Blick war kalt und fremd. Und als das Dienstmädchen dem Herrn Leutnant die Tür ins Stiegenhaus auftat, war Frau Leopoldine Wilram schon in ihrem Zimmer verschwunden.

XII

Während der kurzen Zeit, die Willi bei Leopoldine verbracht hatte, war er durch so wechselnde Stimmungen der Entmutigung, der Hoffnung, der Geborgenheit und neuer Enttäuschung gegangen, daß er die Treppe wie benommen hinabstieg. Im Freien erst gewann er einige Klarheit wieder, und nun schien ihm seine

Angelegenheit im ganzen nicht ungünstig zu stehen. Daß Leopoldine, wenn sie nur wollte, in der Lage war, sich für ihn das Geld zu verschaffen, war zweifellos; daß es in ihrer Macht lag, ihren Rechtsanwalt zu bestimmen, wie es ihr beliebte, dafür war ihr ganzes Wesen Beweis genug; – daß endlich in ihrem Herzen noch etwas für ihn sprach – dieses Gefühl wirkte so stark in Willi nach, daß er sich, im Geist eine lange Frist überspringend, plötzlich als Gatten der verwitweten Frau Leopoldine Wilram, nunmehrige Frau Majorin Kasda, zu erblicken glaubte.

Doch dieses Traumbild verblaßte bald, während er in Sommermittagsschwüle durch mäßig belebte Gassen eigentlich ziellos dem Ring zuspazierte. Er erinnerte sich nun wieder des unerfreulichen Büroraums, in dem sie ihn empfangen hatte; und ihr Bild, um das eine Weile hindurch eine gewisse weibliche Anmut geflossen war, nahm wieder den harten, beinahe strengen Ausdruck an, der ihn in manchen Momenten eingeschüchtert hatte. Doch wie immer es kommen sollte, noch viele Stunden der Ungewißheit lagen vor ihm, und auf irgendeine Weise mußten sie hingebracht werden. Es kam ihm der Einfall, sich, wie man das so nennt, einen »guten Tag« zu machen, und wenn – ja *gerade* wenn es der letzte wäre. Er entschloß sich, das Mittagessen in einem vornehmen Hotelrestaurant einzunehmen, wo er seinerzeit ein paarmal mit dem Onkel gespeist hatte, ließ sich in einer kühlen, dämmerigen Ecke eine vortreffliche Mahlzeit servieren, trank eine Flasche herbsüßen ungarischen Weins dazu und geriet allmählich in einen Zustand von Behaglichkeit, gegen den er sich nicht zu wehren vermochte. Mit einer guten Zigarre saß er noch geraume Zeit, der einzige Gast, in der Ecke des Samtdiwans, duselte vor sich hin, und als ihm der Kellner echte ägyptische Zigaretten zum Kauf anbot, nahm er gleich eine ganze Schachtel; es war ja alles egal, schlimmstenfalls vererbte er sie seinem Burschen.

Als er wieder auf die Straße trat, war ihm nicht anders zumute, als wenn ihm ein einigermaßen bedenkliches, aber doch im wesentlichen interessantes Abenteuer bevorstünde, etwa ein Duell. Und er erinnerte sich eines Abends, einer halben Nacht, die er vor zwei Jahren mit einem Kameraden verbracht hatte, der am nächsten Morgen auf Pistolen antreten sollte – zuerst in Gesellschaft von ein paar weiblichen Wesen, dann mit ihm allein unter ernsten, gewissermaßen philosophischen Gesprächen. Ja, so ähnlich mußte dem damals zumute gewesen sein; und daß die Sache damals gut ausgegangen war, erschien Willi wie eine günstige Vorbedeutung.

Er schlenderte über den Ring, ein junger, nicht übermäßig eleganter Offizier, aber schlank gewachsen, leidlich hübsch und den jungen Damen aus verschiedensten Kreisen, die ihm begegneten, wie er an manchem Augenaufschlag bemerkte, ein nicht unerfreulicher Anblick. Vor einem Kaffeehaus im Freien trank er einen Mokka, rauchte Zigaretten, blätterte in illustrierten Zeitungen, musterte die Vorübergehenden, ohne sie eigentlich zu sehen; und allmählich erst, ungern, aber mit Notwendigkeit erwachte er zum klaren Bewußtsein der Wirklichkeit. Es war fünf Uhr. Unaufhaltsam, wenn auch allzu langsam, schritt der Nachmittag weiter vor; nun war es wohl das klügste, sich nach Hause zu begeben und eine Weile der Ruhe zu pflegen, soweit das möglich war. Er nahm die Pferdebahn, stieg vor der Kaserne aus, und ohne irgendwelche unwillkommene Begegnung gelangte er über den Hof zu seinem Quartier. Joseph war im Vorzimmer beschäftigt, die Garderobe des Herrn Leutnant in Ordnung zu bringen, meldete gehorsamst, daß sich nichts Neues ereignet habe, nur – der Herr von Bogner sei dagewesen, schon am Vormittag, und habe seine Visitenkarte dagelassen. »Was brauch' ich dem seine Karten«, sagte Willi unwirsch. Die Karte lag auf dem Tisch, Bogner hatte seine Privatadresse daraufgeschrieben: Piaristengasse zwanzig. Gar nicht weit, dachte Willi. Was geht das mich übrigens an, ob er nah oder weit wohnte, der Narr. Wie ein Gläubiger lief er ihm nach – der zudringliche Kerl. Willi war nah daran, die Karte zu zerreißen, dann überlegte er sich's doch –, warf sie nachlässig auf die Kommode hin und wandte sich wieder an den Burschen: Am Abend zwischen sieben und acht würde jemand nach ihm, nach dem Herrn Leutnant Kasda fragen, ein Herr, vielleicht ein Herr mit einer Dame, möglicherweise auch eine Dame allein. »Verstanden?« – »Jawohl, Herr Leutnant.« Willi schloß die Tür hinter sich, streckte sich auf das Sofa hin, das etwas zu kurz war, so daß seine Füße über die niedere Lehne herabbaumelten, und sank in den Schlaf wie in einen Abgrund.

XIII

Es dämmerte schon, als er durch ein unbestimmtes Geräusch erwachte, die Augen aufschlug und eine junge Dame in einem blauweiß getupften Sommerkleid vor sich stehen sah. Schlaftrunken noch erhob er sich, sah, daß mit einem etwas ängstlichen Blick, wie schuldbewußt, sein Bursche hinter der jungen Dame stand, und schon vernahm er Leopoldinens Stimme. »Verzeihen Sie, Herr Leutnant, daß ich Ihrem – Herrn Burschen nicht erlaubt habe, mich anzumelden, aber ich habe lieber gewartet, bis Sie von selbst aufwachen.«

Wie lang mag sie schon dastehen, dachte Willi, und was ist denn das für eine Stimme? Und wie sieht sie aus? Das ist doch eine ganz andere als die von vormittag. Sicher hat sie das Geld mitgebracht. Er winkte dem Burschen ab, der gleich verschwand. Und zu Leopoldine gewendet: »Also, gnädige Frau bemühen sich selbst – ich bin sehr glücklich. Bitte, gnädige Frau –« Und er lud sie ein, Platz zu nehmen.

Sie ließ einen hellen, beinahe fröhlichen Blick im Zimmer herumgehen und schien mit dem Raum durchaus einverstanden. In der Hand hielt sie einen weiß-blau gestreiften Schirm, der ihrem blauen, weiß getupften Foulardkleid vortrefflich angepaßt war. Sie trug einen Strohhut von nicht ganz moderner Fasson, breitrandig, nach Florentiner Art, mit herabhängenden, künstlichen Kirschen. »Sehr hübsch haben Sie's da, Herr Leutnant«, sagte sie, und die Kirschen schaukelten an ihrem Ohr hin und her. »Ich habe mir gar nicht vorgestellt, daß Zimmer in einer Kaserne so behaglich und nett ausschauen können.« – »Es sind nicht alle gleich«, bemerkte Willi mit einiger Genugtuung. Und sie ergänzte lächelnd: »Es wird wohl im allgemeinen auf den Bewohner ankommen.«

Willi, verlegen und froh erregt, rückte Bücher auf dem Tisch zurecht, schloß den schmalen Schrank ab, dessen Tür ein wenig geklafft hatte, und plötzlich bot er Leopoldine aus der im Hotel gekauften Schachtel eine Zigarette an. Sie lehnte ab, ließ sich aber leicht in die Ecke des Diwans sinken. Entzückend sieht sie aus, dachte Willi. Eigentlich wie eine Frau aus guten, bürgerlichen Kreisen. Sie erinnerte so wenig an die Geschäftsdame von heute vormittag als an den Wuschelkopf von einst. Wo mochte sie nur die elftausend Gulden haben? Als erriete sie seine Gedanken, sah sie lächelnd, spitzbübisch beinahe zu ihm auf und fragte dann scheinbar harmlos: »Wie leben Sie denn immer, Herr Leutnant?« Und da Willi mit der Antwort auf ihre doch gar zu allgemein gehaltene Frage zögerte, erkundigte sie sich im einzelnen, ob sein Dienst leicht oder schwer sei, ob er bald avancieren werde, wie er mit seinen Vorgesetzten stehe und ob er oft Ausflüge in die Umgegend unternehme, wie zum Beispiel am vorigen Sonntag. Willi entgegnete, mit dem Dienst sei es bald so, bald so, über seine Vorgesetzten habe er sich im allgemeinen nicht zu beklagen, insbesondere der Oberstleutnant Wositzky sei sehr nett zu ihm, ein Avancement sei vor drei Jahren nicht zu erwarten, zu Ausflügen habe er natürlich wenig Zeit, wie sich die gnädige Frau denken könne, nur eben an Sonntagen – wozu er einen leichten Seufzer vernehmen ließ. Leopoldine bemerkte darauf, den Blick freundlich zu ihm erhoben – denn er stand noch immer durch den Tisch von ihr getrennt gegenüber –, sie hoffe, daß er seine Abende auch nützlicher zu verwenden wisse als am Kartentisch. Und nun hätte sie wohl ungezwungen anknüpfen können: Ja, richtig, Herr Leutnant, daß ich nicht vergesse, hier, die Kleinigkeit, um die Sie mich heute morgen angingen – – Aber kein Wort, keine Bewegung, die so zu deuten war. Sie sah immer nur lächelnd, wohlgefällig zu ihm auf, und ihm blieb nichts anderes übrig, als die Unterhaltung mit ihr weiterzuführen, so gut es ging. So erzählte er von der sympathischen Familie Keßner und der schönen Villa, in der sie wohnten, von dem dummen Schauspieler Elrief, von dem geschminkten Fräulein Rihoschek und von der nächtlichen Fiakerfahrt nach Wien. »In netter Gesellschaft, hoffentlich«, meinte sie. Oh, keineswegs, er sei mit einem seiner Spielpartner hereingefahren. Nun erkundigte sie sich scherzhaft, ob das Fräulein Keßner blond oder braun oder schwarz sei. Das wisse er selbst nicht genau, antwortete er. Und sein Ton verriet absichtsvoll, daß es in seinem Leben keinerlei Herzenssachen von irgendwelcher Bedeutung gäbe. »Ich glaube überhaupt, gnädige Frau, Sie stellen sich mein Leben ganz anders vor, als es ist.« Teilnahmsvoll, die Lippen halb geöffnet, sah sie zu ihm auf. »Wenn man nicht so allein wär'«, fügte er hinzu, »könnten einem so fatale Dinge wohl nicht passieren.« Sie hatte einen unschuldig-fragenden Augenaufschlag, als verstünde sie nicht recht, dann nickte sie ernst, aber auch jetzt benützte sie die Gelegenheit nicht; und statt von dem Geld zu reden, das sie doch jedenfalls mitgebracht hatte, oder einfacher noch, ohne viel Worte, die Banknoten auf den Tisch zu legen, bemerkte sie: »Alleinsein und Alleinsein, das ist zweierlei.« – »Das stimmt«, sagte er. Und da sie darauf nur verständnisvoll nickte und es ihm immer nur banger wurde, wenn die Unterhaltung stockte, entschloß er sich zu der Frage, wie es ihr denn immer gegangen sei, ob sie viel Schönes erlebt habe, und er vermied es, des älteren Herrn Erwähnung zu tun, mit dem sie verheiratet und der sein Onkel war, ebenso wie er es unterließ, vom Hornig zu reden oder gar von einem gewissen Hotelzimmer mit schadhaften Jalousien und rotdurchschimmerten Kissen. Es war ein Gespräch zwischen einem nicht sonderlich gewandten Leutnant und einer hübschen, jungen Frau der bürgerlichen Gesellschaft, die beide wohl allerlei voneinander wußten – recht verfängliche Dinge einer von dem anderen –, die aber beide ihre Gründe haben mochten, an diese Dinge lieber nicht zu rühren, und wäre es auch nur aus dem Grunde, um die Stimmung nicht zu gefährden, die nicht ohne Reiz, ja nicht ohne Verheißungen war. Leopoldine hatte ihren Florentiner Hut abgenommen und vor sich hin auf den Tisch gelegt. Sie trug wohl noch die glatte Frisur von heute morgen, aber seitlich hatten sich ein paar Locken gelöst und fielen geringelt über die Schläfe hin, was nun ganz von ferne den einstigen Wuschelkopf in Erinnerung brachte.

Es dunkelte immer tiefer. Willi überlegte eben, ob er die Lampe anzünden sollte, die in der Nische des weißen Kachelofens stand; in diesem Augenblick griff Leopoldine wieder nach ihrem Hut. Es sah zuerst aus, als hätte das weiter keine Bedeutung, denn sie war indes in die Erzählung von einem Ausflug geraten, der sie voriges Jahr über Mödling, Lilienfeld, Heiligenkreuz gerade nach Baden geführt hatte, aber plötzlich setzte sie den Florentiner Hut auf, steckte ihn fest, und mit einem höflichen Lächeln bemerkte sie, daß es nun an der Zeit für sie sei, sich zu empfehlen. Auch Willi lächelte; aber es war ein unsicheres, fast erschrockenes Lächeln, das um seine Lippen irrte. Hielt sie ihn zum besten? Oder wollte sie sich nur an seiner Unruhe, an seiner Angst weiden, um ihn endlich im letzten Augenblick mit der Kunde zu beglücken, daß sie das Geld mitgebracht habe? Oder war sie nur gekommen, um sich zu entschuldigen, daß es ihr nicht möglich gewesen war, den gewünschten Betrag für ihn flüssigzumachen? und fand nur die rechten Worte nicht, ihm das zu sagen? Jedenfalls aber, das war unverkennbar, es war ihr Ernst mit der Absicht zu gehen; und ihm in seiner Hilflosigkeit blieb nichts übrig, als Haltung zu bewahren, sich zu betragen wie ein galanter junger Mann, der den erfreulichen Besuch einer schönen, jungen Frau erhalten und sich unmöglich dareinfinden konnte, sie mitten in der besten Unterhaltung einfach gehen zu lassen. »Warum wollen Sie denn schon fort?« fragte er im Ton eines enttäuschten Liebhabers. Und dringender: »Sie werden doch nicht wirklich schon fort wollen, Leopoldine?« – »Es ist spät«, erwiderte sie. Und leicht scherzend fügte sie hinzu: »Du wirst wohl auch etwas Gescheiteres vorhaben an einem so schönen Sommerabend?«

Er atmete auf, da sie ihn nun plötzlich wieder mit dem vertrauten Du ansprach; und es war ihm schwer, eine neu aufsteigende Hoffnung nicht zu verraten. Nein, er habe nicht das geringste vor,

sagte er, und selten hatte er etwas mit gleich gutem Gewissen be-
teuern können. Sie zierte sich ein wenig, behielt den Hut vorerst
noch auf dem Kopf, trat zu dem offenen Fenster hin und blickte
wie mit plötzlich erwachtem Interesse in den Kasernenhof hinab.
Dort gab es freilich nicht viel zu sehen: drüben vor der Kantine,
um einen langen Tisch, saßen Soldaten; ein Offiziersbursche, ein
verschnürtes Paket unter dem Arm, eilte quer durch den Hof, ein
anderer schob ein Wägelchen mit einem Faß Bier der Kantine zu,
zwei Offiziere spazierten plaudernd dem Tore zu. Willi stand
neben Leopoldine, ein wenig hinter ihr, ihr blau-weiß getupftes
Foulardkleid rauschte leise, ihr linker Arm hing schlaff herab,
die Hand blieb erst unbeweglich, als die seine sie berührte; allmählich aber glitten ihre Finger leicht zwischen die seinen. Aus
einem Mannschaftszimmer gegenüber, dessen Fenster weit offen-
standen, drangen melancholisch die Übungsläufe einer Trompete.
Schweigen.
»Ein bißl traurig ist es da«, meinte Leopoldine endlich. – »Findest du?« Und da sie nickte, sagte er: »Es müßte aber gar nicht
traurig sein.« Sie wandte langsam den Kopf nach ihm um. Er
hätte erwartet, ein Lächeln um ihre Lippen zu sehen, doch er gewahrte einen zarten, fast schwermütigen Zug. Plötzlich aber reckte
sie sich und sagte: »Jetzt ist es aber wirklich höchste Zeit, meine
Marie wird schon mit dem Nachtmahl warten.« – »Haben Gnä-
digste die Marie noch nie warten lassen?« Und da sie ihn darauf
lächelnd ansah, wurde er kühner und fragte sie, ob sie ihm nicht
die Freude bereiten und bei ihm zu Abend essen möchte. Er
werde den Burschen hinüberschicken in den Riedhof, sie könne
ganz leicht noch vor zehn zu Hause sein. Ihre Einwendungen
klangen so wenig ernsthaft, daß Willi ohne weiteres ins Vorzimmer eilte, rasch seinem Burschen die zweckdienlichen Aufträge er-
teilte und gleich wieder bei Leopoldine war, die, noch immer am
Fenster stehend, eben mit einem lebhaften Schwung den Florentiner Hut über den Tisch auf das Bett fliegen ließ. Und von diesem Augenblick an schien sie eine andere geworden. Sie strich
Willi lachend über den glatten Scheitel, er faßte sie um die Mitte
und zog sie neben sich auf das Sofa. Doch als er sie küssen wollte,
wandte sie sich heftig ab, er unterließ weitere Versuche und stellte
nun die Frage an sie, wie sie denn eigentlich ihre Abende zu verbringen pflege. Sie sah ihm ernsthaft ins Auge. »Ich hab' ja tagsüber so viel zu tun«, sagte sie, »und ich bin ganz froh, wenn ich
am Abend meine Ruh' hab' und keinen Menschen seh'.« Er gestand ihr, daß er sich von ihren Geschäften eigentlich keinen rech-

ten Begriff zu machen vermöge; und rätselhaft erschiene es ihm, daß sie überhaupt in diese Art von Existenz geraten sei. Sie wehrte ab. Von solchen Dingen verstünde er ja doch nichts. Er gab nicht gleich nach, sie solle ihm doch wenigstens etwas von ihrem Lebenslauf erzählen, nicht alles natürlich, das könne er nicht verlangen, aber er möchte doch gern so ungefähr wissen, was sie erlebt seit dem Tage, da – da sie einander zum letztenmal gesehen. Noch mancherlei wollte sich auf seine Lippen drängen, auch der Name seines Onkels, aber irgend etwas hielt ihn zurück, ihn auszusprechen. Und er fragte sie nur unvermittelt, fast überstürzt, ob sie glücklich sei.

Sie blickte vor sich hin. »Ich glaub' schon«, erwiderte sie dann leise. »Vor allem bin ich ein freier Mensch, das hab' ich mir immer am meisten gewünscht, bin von niemandem abhängig, wie – ein Mann.«

»Das ist aber Gott sei Dank das einzige«, sagte Willi, »was du von einem Mann an dir hast.« Er rückte näher an sie, wurde zärtlich. Sie ließ ihn gewähren, doch wie zerstreut. Und als draußen die Türe ging, rückte sie rasch von ihm fort, stand auf, nahm die Lampe aus der Ofennische und machte Licht. Joseph trat mit dem Essen ein. Leopoldine nahm in Augenschein, was er mitgebracht, nickte zustimmend. »Herr Leutnant müssen einige Erfahrung haben«, bemerkte sie lächelnd. Dann deckte sie gemeinsam mit Joseph den Tisch, gestattete nicht, daß Willi mit Hand anlegte; er blieb auf dem Sofa sitzen, »wie ein Pascha«, bemerkte er, und rauchte eine Zigarette. Als alles in Ordnung war und das Vorgericht auf dem Tische stand, wurde Joseph für heute entlassen. Ehe er ging, drückte ihm Leopoldine ein so reichliches Trinkgeld in die Hand, daß er vor Staunen fassungslos war und ehrerbietigst salutierte wie vor einem General.

»Dein Wohl«, sagte Willi und stieß mit Leopoldine an. Beide leerten ihre Gläser, sie stellte das ihre klirrend hin und preßte ihre Lippen heftig an Willis Mund. Als er nun stürmischer wurde, schob sie ihn von sich fort, bemerkte: »Zuerst wird soupiert«, und wechselte die Teller.

Sie aß, wie gesunde Geschöpfe zu essen pflegen, die ihr Tagewerk vollbracht haben und es sich nach getaner Arbeit gut schmecken lassen, aß, mit weißen, kraftvollen Zähnen, dabei doch recht fein und manierlich, in der Art von Damen, die immerhin schon manchmal in vornehmen Restaurants mit feinen Herren soupiert haben. Die Weinflasche war bald geleert, und es traf sich gut, daß der Herr Leutnant sich rechtzeitig erinnerte, eine halbe

Flasche französischen Kognak, weiß Gott von welcher Gelegenheit her, im Schrank stehen zu haben. Nach dem zweiten Glas schien Leopoldine ein wenig schläfrig zu werden. Sie lehnte sich in die Ecke des Diwans zurück, und als Willi sich über ihre Stirn beugte, ihre Augen, ihre Lippen, ihren Hals küßte, flüsterte sie hingegeben, schon wie aus einem Traum, seinen Namen.

XIV

Als Willi erwachte, dämmerte es, und kühle Morgenluft wehte durch das Fenster herein. Leopoldine aber stand mitten im Zimmer, völlig angekleidet, den Florentiner Hut auf der Frisur, den Schirm in der Hand. Herrgott, muß ich fest geschlafen haben, war Willis erster Gedanke, und sein zweiter: Wo ist das Geld? Da stand sie mit Hut und Schirm, offenbar bereit, in der nächsten Sekunde den Raum zu verlassen. Sie nickte dem Erwachenden einen Morgengruß zu. Da streckte er, wie sehnsüchtig, die Arme nach ihr aus. Sie trat näher, setzte sich zu ihm aufs Bett, mit freundlicher, aber ernster Stirn. Und als er die Arme um sie schlingen, sie an sich ziehen wollte, deutete sie auf ihren Hut, auf ihren Schirm, den sie, fast wie eine Waffe, in der Hand hielt, schüttelte den Kopf: »Keine Dummheiten mehr«, und versuchte sich zu erheben. – Er ließ es nicht zu. »Du willst doch nicht gehen?« fragte er mit umflorter Stimme.

»Gewiß will ich«, sagte sie und strich ihm schwesterlich übers Haar. »Ein paar Stunden möchte ich mich ordentlich ausruhen, um neun habe ich eine wichtige Konferenz.«

Es ging ihm durch den Sinn, daß dies vielleicht eine Konferenz – wie das Wort klang! – in *seiner* Angelegenheit sein könne –, die Beratung mit dem Advokaten, zu der sie gestern offenbar keine Zeit mehr gefunden. Und in seiner Ungeduld fragte er sie geradezu: »Eine Besprechung mit deinem Anwalt?« – »Nein«, erwiderte sie unbefangen, »ich erwarte einen Geschäftsfreund aus Prag.« Sie beugte sich zu ihm herab, strich ihm den kleinen Schnurrbart von den Lippen zurück, küßte ihn flüchtig, flüsterte »adieu« und erhob sich. In der nächsten Sekunde konnte sie bei der Tür draußen sein. Willi stand das Herz still. Sie wollte fort? *So* wollte sie fort?! Doch eine neue Hoffnung wachte in ihm auf. Vielleicht hatte sie, aus Diskretion gewissermaßen, das Geld unbemerkt irgendwohin gelegt. Ängstlich, unruhig irrte sein Blick im Zimmer hin und her – über den Tisch, zur Nische des Ofens. –

Oder hatte sie es vielleicht, während er schlief, unter die Kissen verborgen? Unwillkürlich griff er hin. Nichts. Oder in sein Portemonnaie gesteckt, das neben seiner Taschenuhr lag? Wenn er nur nachsehen könnte! Und zugleich fühlte, wußte, sah er, wie sie immer seinem Blick, seinen Bewegungen gefolgt war, mit Spott, wenn nicht gar mit Schadenfreude. Den Bruchteil einer Sekunde nur traf sein Blick sich mit dem ihren. Er wandte den seinen ab wie ertappt – da war sie auch schon an der Tür und hatte die Klinke in der Hand. Er wollte ihren Namen rufen, seine Stimme versagte wie unter einem Alpdruck, wollte aus dem Bett springen, zu ihr hinstürzen, sie zurückhalten; ja, er fühlte sich bereit, ihr über die Treppe nachzulaufen, im Hemd – geradeso – er sah das Bild vor sich –, wie er in einem Provinzbordell vor vielen Jahren einmal eine Dirne einem Herrn hatte nachlaufen sehen, der ihr den Liebeslohn schuldig geblieben war...; sie aber, als hätte sie von seinen Lippen ihren Namen vernommen, den er doch gar nicht ausgesprochen, ohne nur die Klinke aus der Hand zu lassen, griff mit der andern in den Ausschnitt ihres Kleides. »Bald hätt' ich vergessen«, sagte sie beiläufig, trat nun näher, ließ eine Banknote auf den Tisch gleiten –, »da« – und war schon wieder bei der Tür.

Willi, mit einem Ruck, saß auf dem Rand des Bettes und starrte auf die Banknote hin. Es war nur *eine*, ein Tausender; Banknoten von höherem Wert gab es nicht, so konnte es nur ein Tausender sein. »Leopoldine«, rief er mit einer fremden Stimme. Doch als sie sich daraufhin nach ihm umwandte, immer die Türklinke in der Hand, mit etwas verwundertem, eiskaltem Blick, überfiel ihn eine Scham, so tief, so peinigend, wie er sie niemals in seinem Leben verspürt hatte. Aber nun war es zu spät, er mußte weiter, wohin immer, in welche Schmach er noch geriet. Und unaufhaltsam stürzte es von seinen Lippen:

»Das ist ja zu wenig, Leopoldine, nicht um tausend, du hast mich gestern wahrscheinlich mißverstanden, um *elf*tausend habe ich dich gebeten.« Und unwillkürlich unter ihrem immer eisigeren Blick zog er die Bettdecke über seine nackten Beine.

Sie sah ihn an, als verstünde sie nicht recht. Dann nickte sie ein paarmal, als werde ihr jetzt erst alles klar: »Ah, so«, sagte sie, »du hast gedacht...« Und mit einer verächtlich-flüchtigen Kopfwendung zu der Banknote hin: »Darauf hat das keinen Bezug. Die tausend Gulden, die sind nicht geliehen, die gehören dir – für die vergangene Nacht.« Und zwischen ihren halbgeöffneten Lippen, ihren blitzenden Zähnen spielte ihre feuchte Zunge hin und her.

Die Decke glitt von Willis Füßen. Aufrecht stand er da, das Blut stieg ihm brennend in Augen und Stirn. Unbewegt, wie neugierig, blickte sie ihn an. Und da er nicht vermochte, ein Wort herauszubringen – wie fragend: »Ist doch nicht zu wenig? Was hast du dir denn eigentlich vorgestellt? Tausend Gulden! – Von dir hab' ich damals nur zehn gekriegt, weißt noch?« Er machte ein paar Schritt auf sie zu. Leopoldine blieb ruhig an der Türe stehen. Nun griff er mit einer plötzlichen Bewegung nach der Banknote, zerknitterte sie, seine Finger bebten, es war, als wollte er ihr das Geld vor die Füße werfen. Da ließ sie die Klinke los, trat ihm gegenüber, blieb Aug' in Aug' mit ihm stehen. »Das soll kein Vorwurf sein«, sagte sie. »Ich hab' ja auf mehr nicht Anspruch gehabt damals. Zehn Gulden – war ja genug, zuviel sogar.« Und das Auge noch tiefer in das seine: »Wenn man's genau nimmt, gerade um zehn Gulden zuviel.«

Er starrte sie an, senkte den Blick, begann zu verstehen. »Das hab' ich nicht wissen können«, kam es tonlos von seinen Lippen. – »Hätt'st schon«, entgegnete sie, »war nicht so schwer.«

Er hob langsam wieder den Blick; und nun, in der Tiefe ihrer Augen, gewahrte er einen seltsamen Schimmer: der gleiche kindlich-holde Schimmer war darin, der ihm auch in jener längst verflossenen Nacht aus ihren Augen erglänzt war. Und neu lebendig stieg Erinnerung in ihm auf – nicht an die Lust nur, die sie ihm gegeben, wie manche andere vor ihr, manche nach ihr – und an die schmeichelnden Koseworte, wie er sie von anderen auch gehört; – auch der wundersamen, niemals sonst erlebten Hingebenheit erinnerte er sich nun, mit der sie die schmalen Kinderarme um seinen Hals geschlungen, und verklungene Worte tönten in ihm auf – der Klang und die Worte selbst, wie er sie von keiner andern je vernommen hatte: »Laß mich nicht allein, ich hab' dich lieb.« All dies Vergessene, nun wußte er es wieder. Und geradeso, wie *sie* es heute getan – auch das wußte er nun –, unbekümmert, gedankenlos, während sie noch in süßer Ermattung zu schlummern schien, hatte er sich damals von ihrer Seite erhoben, nach flüchtiger Erwägung, ob es nicht auch mit einer kleineren Note getan wäre, nobel einen Zehnguldenschein auf das Nachttischchen hingelegt; – dann, in der Tür schon den schlaftrunkenen und doch bangen Blick der langsam Erwachenden auf sich fühlend, hatte er sich eilig davongemacht, um sich in der Kaserne noch für ein paar Stunden ins Bett zu strecken; und in der Frühe, vor Antritt des Dienstes noch, war das kleine Blumenmädel vom Hornig vergessen.

Indessen aber, während jene längst verflossene Nacht in ihm so unbegreiflich lebendig ward, erlosch allmählich der kindlich-holde Schimmer in Leopoldinens Auge wieder. Kalt, grau, fern starrte es in das seine, und in dem Maße, da nun auch das Bild jener Nacht in ihm verblaßte, stieg Abwehr, Zorn, Erbitterung in ihm auf. Was fiel ihr ein? Was nahm sie sich heraus gegen ihn? Wie durfte sie sich anstellen, als glaubte sie wirklich, daß er für Geld sich ihr angeboten? Ihn behandeln wie einen Zuhälter, der sich seine Gunst bezahlen ließ? Und fügte solchem unerhörten Schimpf noch den frechsten Hohn hinzu, indem sie wie ein von den Liebeskünsten einer Dirne enttäuschter Lüstling einen Preis heruntersetzte, der ausbedungen war? Als zweifelte sie nur im geringsten daran, daß er auch die ganzen elftausend Gulden ihr vor die Füße geschmissen, wenn sie es gewagt hätte, sie ihm als Liebessold anzubieten!

Doch während das Schmähwort, das ihr gebührte, den Weg auf seine Lippen suchte, während er die Faust erhob, als wollte er sie auf die Elende herniedersausen lassen, zerfloß das Wort ihm un-gesprochen auf der Zunge, und seine Hand sank langsam wieder herab. Denn plötzlich wußte er – und hatte er es nicht früher schon geahnt? –, daß er auch bereit gewesen war, sich zu *verkau-fen*. Und nicht ihr allein, auch irgendeiner andern, *jeder*, die ihm die Summe geboten, die ihn retten konnte; – und so – in all dem grausamen und tückischen Unrecht, das ein böses Weib ihm zu-gefügt –, auf dem Grunde seiner Seele, sosehr er sich dagegen wehrte, begann er eine verborgene und doch unentrinnbare Ge-rechtigkeit zu verspüren, die sich über das trübselige Abenteuer hinaus, in das er verstrickt war, an sein tiefstes Wesen wandte.

Er blickte auf, er sah rings um sich, es war ihm, als erwache er aus einem wirren Traum. Leopoldine war fort. Er hatte die Lip-pen noch nicht aufgetan –, und sie war fort. Kaum faßte er, wie sie aus dem Zimmer so plötzlich – so unbemerkt hatte verschwin-den können. Er fühlte die zerknitterte Banknote in der immer noch zusammengekrampften Hand, stürzte zum Fenster hin, riß es auf, als wollte er ihr den Tausender nachschleudern. Dort ging sie. Er wollte rufen; doch sie war weit. Längs der Mauer ging sie hin in wiegendem, vergnügtem Schritt, den Schirm in der Hand, mit wippendem Florentiner Hut – ging hin, als käme sie aus irgendeiner Liebesnacht, wie sie wohl schon aus hundert anderen gekommen war. Sie war am Tor. Der Posten salutierte wie vor einer Respektsperson, und sie verschwand.

Willi schloß das Fenster und trat ins Zimmer zurück, sein Blick fiel auf das zerknüllte Bett, auf den Tisch mit den Resten des Mahls, den geleerten Gläsern und Flaschen. Unwillkürlich öffnete sich seine Hand, und die Banknote entsank ihr. Im Spiegel über der Kommode erblickte er sein Bild – mit wirrem Haar, dunklen Ringen unter den Augen; er schauderte, unsäglich widerte es ihn an, daß er noch im Hemde war; er griff nach dem Mantel, der am Haken hing, fuhr in die Ärmel, knöpfte zu, schlug den Kragen hoch. Ein paarmal, sinnlos, lief er in dem kleinen Raum auf und ab. Endlich, wie gebannt, blieb er vor der Kommode stehen. In der mittleren Lade, zwischen den Taschentüchern, er wußte es, lag der Revolver. Ja, nun war er soweit. Geradeso weit wie der andere, der es vielleicht schon überstanden hatte. Oder wartete er noch auf ein Wunder? Nun, immerhin, er, Willi, hatte das Seinige getan, und mehr als das. Und in diesem Augenblick war ihm wirklich, als hätte er sich nur um Bogners willen an den Spieltisch gesetzt, nur um Bogners willen so lange das Schicksal versucht, bis er selbst als Opfer gefallen war.

Auf dem Teller mit der angebrochenen Tortenschnitte lag die Banknote, so wie er sie vor einer Weile aus der Hand hatte sinken lassen, und sah nicht einmal mehr sonderlich zerknittert aus. Sie hatte begonnen, sich wieder aufzurollen; – es dauerte gewiß nicht mehr lange, so war sie glatt, völlig glatt wie irgendein anderes reinliches Papier, und niemand würde ihr mehr ansehen, daß sie eigentlich nichts Besseres war, als was man einen Schandlohn und ein Sündengeld zu nennen pflegt. Nun, wie immer, sie gehörte ihm, zu seiner Verlassenschaft sozusagen. Ein bitteres Lächeln spielte um seine Lippen. Er konnte sie vererben, wem er wollte; und wenn einer darauf Anspruch hatte: Bogner war es mehr als jeder andre. Unwillkürlich lachte er auf. Vortrefflich! Ja, das sollte noch besorgt werden, das in jedem Fall. Hoffentlich hatte Bogner nicht vorzeitig ein Ende gemacht. Für ihn war ja das Wunder da! Es kam nur darauf an, es abzuwarten.

Wo blieb nur der Joseph? Er wußte ja, daß heute Ausrückung war. Punkt drei hätte Willi bereit sein müssen, nun war es halb fünf. Das Regiment war jedenfalls längst fort. Er hatte nichts davon gehört, so tief war sein Schlaf gewesen. Er öffnete die Tür in den Vorraum. Da saß er ja, der Bursch, saß auf dem Stockerl neben dem kleinen, eisernen Ofen, und stellte sich stramm: »Melde gehorsamst, Herr Leutnant, ich habe Herrn Leutnant marod gemeldet.«

»Marod? Wer hat Ihnen das g'schafft... Ah so.« – Leopoldine –! Sie hätte auch gleich den Auftrag geben können, ihn tot

zu melden, das wäre einfacher gewesen. – »Gut ist's. Machen S'
mir einen Kaffee«, sagte er und schloß die Tür.

Wo war die Visitenkarte nur? Er suchte – er suchte in allen Laden, auf dem Fußboden, in allen Winkeln – suchte, als hinge sein
eigenes Leben davon ab. Vergeblich. Er fand sie nicht. – So sollte
es eben nicht sein. So hatte Bogner eben auch Unglück, so waren
ihre Schicksale doch untrennbar miteinander verbunden. – Da
plötzlich, in der Ofennische, sah er es weiß schimmern. Die Karte
lag da, die Adresse stand darauf: Piaristengasse zwanzig. Ganz
nah. – Und wenn's auch weiter gewesen wäre! – Er hatte also
doch Glück, dieser Bogner. Wenn die Karte nun überhaupt nicht
zu finden gewesen wäre –?!

Er nahm die Banknote, betrachtete sie lange, ohne sie eigentlich
zu sehen, faltete sie, tat sie in ein weißes Blatt, überlegte zuerst,
ob er ein paar erklärende Worte schreiben sollte, zuckte die Achseln: »Wozu?« und setzte nur die Adresse aufs Kuvert: Herrn
Oberleutnant Otto von Bogner. Oberleutnant – ja! – Er gab ihm
die Charge wieder, aus eigener Machtvollkommenheit. Irgendwie
blieb man doch immer Offizier – da mochte einer angestellt haben, was er wollte –, oder man *wurde* es doch wieder – wenn man
seine Schulden bezahlt hatte.

Er rief den Burschen, gab ihm den Brief zur Bestellung. »Aber
tummeln S' sich.«

»Is' eine Antwort, Herr Leutnant?«

»Nein. Sie geben's persönlich ab und – es ist keine Antwort.
Und in keinem Fall wecken, wenn Sie zurückkommen. Schlafen
lassen. Bis ich von selber aufwach'.«

»Zu Befehl, Herr Leutnant.« Er schlug die Hacken zusammen,
machte kehrt und eilte davon. Auf der Stiege hörte er noch, wie
der Schlüssel in der Tür hinter ihm sich drehte.

XV

Drei Stunden später läutete es an der Gangtür. Joseph, der längst
wieder zurückgekommen und eingenickt war, schrak auf und öffnete. Bogner stand da, dem er befehlsgemäß vor drei Stunden den
Brief seines Herrn überbracht hatte. »Ist der Herr Leutnant zu
Hause?«

»Bitt' schön, der Herr Leutnant schlaft noch.«

Bogner sah auf die Uhr. Gleich nach erfolgter Revision, in dem
lebhaften Drang, seinem Retter unverzüglich zu danken, hatte er

sich für eine Stunde frei gemacht, und er legte Wert darauf, nicht
länger auszubleiben. Ungeduldig ging er in dem kleinen Vorraum
auf und ab. »Hat der Herr Leutnant keinen Dienst heute?«

»Der Herr Leutnant ist marod.«

Die Tür auf dem Gang stand noch offen, Regimentsarzt Tugut
trat ein. »Wohnt hier der Herr Leutnant Kasda?«

»Jawohl, Herr Regimentsarzt.«

»Kann ich ihn sprechen?«

»Herr Regimentsarzt, melde gehorsamst, der Herr Leutnant ist
marod. Jetzt schlaft er.«

»Melden S' mich bei ihm, Regimentsarzt Tugut.«

»Bitte gehorsamst, Herr Regimentsarzt, der Herr Leutnant hat
befohlen, nicht zu wecken.«

»Es ist dringend. Wecken S' den Herrn Leutnant, auf meine
Verantwortung.«

Während Joseph nach unmerklichem Zögern an die Tür pochte,
warf Tugut einen mißtrauischen Blick auf den Zivilisten, der im
Vorraum stand. Bogner stellte sich vor. Der Name des unter pein-
lichen Umständen verabschiedeten Offiziers war dem Regimentsarzt nicht unbekannt, doch tat er nichts dergleichen und nannte
gleichfalls seinen Namen. Von Händedrücken wurde abgesehen.

Im Zimmer des Leutnants Kasda blieb es still. Joseph klopfte
stärker, legte das Ohr an die Tür, zuckte die Achseln, und wie
beruhigend sagte er:

»Herr Leutnant schlaft immer sehr fest.«

Bogner und Tugut sahen einander an, und eine Schranke zwischen ihnen fiel. Dann trat der Regimentsarzt an die Tür und rief
Kasdas Namen. Keine Antwort. »Sonderbar«, sagte Tugut mit
gerunzelter Stirn, drückte die Klinke nieder – vergeblich.

Joseph stand blaß mit weitaufgerissenen Augen.

»Holen S' den Regimentsschlosser, aber g'schwind«, befahl
Tugut.

»Zu Befehl, Herr Regimentsarzt.«

Bogner und Tugut waren allein.

»Unbegreiflich«, meinte Bogner.

»Sie sind informiert, Herr – von Bogner?« fragte Tugut.

»Von dem Spielverlust, meinen Herr Regimentsarzt?« Und auf
Tuguts Nicken: »Allerdings.«

»Ich wollte sehen, wie die Angelegenheit steht«, begann Tugut
zögernd. – »Ob es ihm gelungen ist, sich die Summe – wissen Sie
etwa, Herr von Bogner –?«

»Mir ist nichts bekannt«, erwiderte Bogner.

Wieder trat Tugut an die Tür, rüttelte, rief Kasdas Namen. Keine Antwort.

Bogner, vom Fenster aus: »Dort kommt schon der Joseph mit dem Schlosser.«

»Sie waren sein Kamerad?« fragte Tugut.

Bogner, mit einem Zucken der Mundwinkel: »Ich bin schon der.«

Tugut nahm von der Bemerkung keine Notiz. »Es kommt ja vor, daß nach großen Aufregungen«, begann er wieder – »es ist ja anzunehmen, daß er auch in der vergangenen Nacht nicht geschlafen hat.«

»Gestern vormittag«, bemerkte Bogner sachlich, »hatte er das Geld jedenfalls noch nicht beisammen.«

Tugut, als hielte er es für denkbar, daß Bogner vielleicht einen Teil der Summe mitbrächte, sah ihn fragend an, und wie zur Antwort sagte dieser: »Mir ist es leider nicht gelungen ... den Betrag zu beschaffen.«

Joseph erschien, zugleich der Regimentsschlosser, ein wohlgenährter, rotbäckiger, ganz junger Mensch, in der Uniform des Regiments, mit den nötigen Werkzeugen. Noch einmal klopfte Tugut heftig an die Tür – ein letzter Versuch, sie standen alle ein paar Sekunden mit angehaltenem Atem, nichts rührte sich.

»Also«, wandte sich Tugut mit einer befehlenden Geste an den Schlosser, der sich sofort an seine Arbeit machte. Die Mühe war gering. Nach wenigen Sekunden sprang die Tür auf.

Der Leutnant Willi Kasda, im Mantel mit hochgestelltem Kragen, lehnte in der dem Fenster zugewandten Ecke des schwarzen Lederdiwans, die Lider halb geschlossen, den Kopf auf die Brust gesunken, schlaff hing der rechte Arm über die Lehne, der Revolver lag auf dem Fußboden, von der Schläfe über die Wange sickerte ein schmaler Streifen dunkelroten Bluts, der sich zwischen Hals und Kragen verlor. So gefaßt sie alle gewesen waren, es erschütterte sie sehr. Der Regimentsarzt als erster trat näher, griff nach dem herunterhängenden Arm, hob ihn in die Höhe, ließ ihn los, und sofort hing er wieder wie früher schlaff über die Lehne herab. Dann knöpfte Tugut zum Überfluß noch Kasdas Mantel auf, das zerknitterte Hemd darunter stand weit offen. Bogner bückte sich unwillkürlich, um den Revolver aufzuheben. »Halt!« rief Tugut, das Ohr an der nackten Brust des Toten. »Alles hat zu bleiben, wie es war.« Joseph und der Schlosser standen noch immer regungslos an der offenen Tür, der Schlosser zuckte die Achseln und warf einen verlegen-bangen Blick auf Joseph, als fühlte er sich mitverantwortlich für den Anblick, der sich hinter der von ihm aufgesprengten Tür geboten.

Schritte näherten sich von unten, langsam zuerst, dann immer rascher, bis sie stillestanden. Bogners Blick wandte sich unwillkürlich dem Ausgang zu. Ein alter Herr erschien in der angelehnten Tür in hellem, etwas abgetragenem Sommeranzug, mit der Miene eines vergrämten Schauspielers, und ließ das Auge unsicher in die Runde schweifen.

»Herr Wilram«, rief Bogner. »Sein Onkel«, flüsterte er dem Regimentsarzt zu, der sich eben von der Leiche erhob.

Aber Robert Wilram faßte nicht gleich, was geschehen war. Er sah seinen Neffen in der Diwanecke lehnen mit herabhängendem, schlaffem Arm, wollte auf ihn zu; – ihm ahnte wohl Schlimmes, das er doch nicht gleich glauben wollte. Der Regimentsarzt hielt ihn zurück, legte die Hand auf seinen Arm. »Es ist leider ein Unglück geschehen. Zu machen ist nichts mehr.« Und da der andre ihn wie verständnislos anstarrte: »Regimentsarzt Tugut ist mein Name. Der Tod muß schon vor ein paar Stunden eingetreten sein.«

Robert Wilram – und allen erschien die Bewegung höchst sonderbar – griff mit der Rechten in seine Brusttasche, hielt plötzlich ein Kuvert in der Hand und schwang es in der Luft. »Aber ich hab's ja mitgebracht, Willi!« rief er. Und als glaubte er wirklich, daß er ihn damit zum Leben erwecken könnte: »Da ist das Geld, Willi. Heut früh hat sie's mir gegeben. Die ganzen elftausend, Willi. Da sind sie!« Und wie beschwörend zu den andern: »Das ist doch der ganze Betrag, meine Herren. Elftausend Gulden!« – als müßten sie nun, da das Geld herbeigeschafft war, doch wenigstens einen Versuch machen, den Toten wieder zum Leben erwecken. »Leider zu spät«, sagte der Regimentsarzt. Er wandte sich an Bogner. »Ich gehe, die Meldung erstatten.« Dann im Kommandoton: »Die Leiche ist in der Stellung zu belassen, in der sie gefunden wurde.« Und endlich mit einem Blick auf den Burschen, streng: »Sie sind dafür verantwortlich, daß alles so bleibt.« Und ehe er ging, sich noch einmal umwendend, drückte er Bogner die Hand.

Bogner dachte: Woher hat er die tausend gehabt – für mich? Jetzt fiel sein Blick auf den vom Diwan weggerückten Tisch. Er sah die Teller, die Gläser, die geleerte Flasche. Zwei Gläser...?! Hat er sich ein Frauenzimmer mitgebracht für die letzte Nacht?

Joseph trat neben dem Diwan an die Seite seines toten Herrn. Stramm stand er da wie ein Wachtposten. Trotzdem unternahm er nichts dagegen, als Robert Wilram plötzlich vor den Toten hintrat, mit aufgehobenen, wie flehenden Händen, in der einen immer noch das Kuvert mit dem Geld. »Willi!« Wie verzweifelt schüttelte er den Kopf. Dann sank er vor den Toten hin und war ihm nun so nahe, daß von der nackten Brust, dem zerknitterten Hemd ihm ein Parfüm entgegenwehte, das ihm seltsam bekannt vorkam. Er sog es ein, hob den Blick empor zum Antlitz des Toten, als wäre er versucht, eine Frage an ihn zu richten.

Aus dem Hof tönte der regelmäßige Marschtritt des zurückkehrenden Regiments. Bogner hatte den Wunsch, zu verschwinden, ehe, wie es wahrscheinlich war, frühere Kameraden das Zimmer beträten. Seine Anwesenheit war hier in jedem Fall überflüssig. Einen letzten Abschiedsblick sandte er dem Toten hin, der unbeweglich in der Ecke des Diwans lehnte, dann, von dem Schlosser gefolgt, eilte er die Treppe hinunter. Er wartete im Toreingang, bis das Regiment vorbei war, dann schlich er, an die Wand gedrückt, davon.

Robert Wilram, immer noch auf den Knien vor dem toten Neffen, ließ nun den Blick wieder im Zimmer umherschweifen. Jetzt erst gewahrte er den Tisch mit den Resten des Mahls, die Teller, die Flaschen, die Gläser. Auf dem Grund des einen schimmerte es noch goldgelb und feucht. Er fragte den Burschen: »Hat der Herr Leutnant denn gestern abend noch Besuch gehabt?«

Schritte auf der Treppe. Stimmengewirr; Robert Wilram erhob sich.

»Jawohl«, erwiderte Joseph, der immer noch strammstand wie ein Wachtposten; »bis spät in der Nacht – – ein Herr Kamerad.«

Und der sinnlose Gedanke, der dem Alten flüchtig durch den Kopf gefahren war, verwehte in nichts.

Die Stimmen, die Schritte kamen näher.

Joseph stand noch strammer als vorher. Die Kommission trat ein.

Erschienen 1926

FRANK WEDEKIND *1864–1918*

Die Schutzimpfung

Wenn ich euch, ihr lieben Freunde, diese Geschichte erzähle, so tue ich es keinesfalls, um euch ein neues Beispiel von der Durchtriebenheit des Weibes oder von der Dummheit der Männer zu geben; ich erzähle sie euch vielmehr, weil sie gewisse psychologische Kuriositäten enthält, die euch und jedermann interessieren werden und aus denen der Mensch, wenn er sich ihrer bewußt ist, großen Vorteil im Leben zu ziehen vermag. Vor allem aber möchte ich von vornherein den Vorwurf zurückweisen, als wollte ich mich meiner Übeltaten aus vergangenen Zeiten rühmen, jenes Leichtsinnes, den ich heute aus tiefster Seele bereue und zu dessen Betätigung mir jetzt, da meine Haare grau und meine Knie schlottrig geworden, weder Lust noch Fähigkeit mehr geblieben sind.

»Du hast nichts zu befürchten, mein lieber, süßer Junge«, sagte Fanny eines schönen Abends zu mir, als ihr Mann eben nach Hause gekommen war, »denn die Ehemänner sind im großen ganzen nur so lange eifersüchtig, als sie keinen Grund dazu haben. Von dem Augenblicke an, wo ihnen wirklich Grund zur Eifersucht gegeben ist, sind sie wie mit unheilbarer Blindheit geschlagen.«

»Ich traue dem Ausdruck seines Gesichtes nicht«, entgegnete ich kleinlaut. »Mir scheint, er muß schon etwas gemerkt haben.«

»Diesen Ausdruck mißverstehst du, mein lieber Junge«, sagte sie. »Sein Gesichtsausdruck ist nur das Ergebnis jenes von mir erfundenen Mittels, das ich bei ihm anwandte, um ihn ein für allemal gegen jede Eifersucht zu feien und ihn für immer davor zu bewahren, daß er je von einem ihn beunruhigenden Verdacht gegen dich befallen wird.«

»Welcher Art ist dieses Mittel?« fragte ich erstaunt.

»Es ist eine Art von Schutzimpfung. – An demselben Tage, als ich mich entschloß, dich zu meinem Geliebten zu nehmen, sagte ich ihm auch schon ganz offen ins Gesicht, daß ich dich liebe. Seitdem wiederhole ich es ihm täglich beim Aufstehen und beim Schlafengehen. Du hast allen Grund, sage ich, eifersüchtig auf den lieben Jungen zu sein; ich habe ihn wirklich von Herzen gern, und weder dein noch mein Verdienst ist es, wenn ich mich nicht gegen meine Pflichten versündige, sondern es liegt nur an ihm selber, daß ich dir so unerschütterlich treu bleibe.«

In diesem Augenblick wurde mir klar, warum mich ihr Mann bei all seiner Liebenswürdigkeit manchmal, wenn er sich von mir nicht beobachtet glaubte, mit einem so eigentümlich mitleidig verächtlichen Lächeln ansah.

»Und glaubst du wirklich, daß dieses Mittel seine Wirksamkeit auf die Dauer behält?« fragte ich befangen.

»Es ist unfehlbar«, entgegnete sie mit der Zuversichtlichkeit eines Astronomen.

Trotzdem setzte ich noch großen Zweifel in die Unverbrüchlichkeit ihrer psychologischen Berechnungen, bis mich eines Tages folgendes Ergebnis in staunenerregender Weise eines Besseren belehrte. Ich bewohnte damals inmitten der Stadt in einer engen Gasse ein kleines möbliertes Zimmer im vierten Stock eines hohen Mietshauses und hatte die Gewohnheit, bis in den hellen Tag hinein zu schlafen. – An einem sonnigen Morgen um neun Uhr etwa geht die Türe auf, und sie tritt ein. Was nun folgt, würde ich niemals erzählen, böte es nicht den Beweis für eine der überraschendsten und trotzdem begreiflichsten Verblendungen, die im Geistesleben des Menschen möglich sind. – Sie entledigt sich auch der letzten Hülle und gesellt sich zu mir. Weiter habt ihr, liebe Freunde, nichts Verfängliches, Anzügliches von meiner Erzählung zu gewärtigen. Ich muß immer wieder betonen, daß es mir nicht darum zu tun ist, euch mit Unschicklichkeiten zu unterhalten. – Kaum hat die Decke die Reize ihres Körpers verhüllt, als Schritte vor der Tür laut werden; es klopft und ich habe eben noch Zeit, durch rasches Emporziehen der Decke ihren Kopf zu verbergen, als ihr Mann eintritt, schweißtriefend und pustend infolge der Anstrengung, mit der er die hundertundzwanzig Stufen zu mir heraufgestiegen war, aber mit glückstrahlendem, freudig erregtem Gesicht.

»Ich wollte dich fragen, ob du mit Röbel, Schletter und mir einen Ausflug machst. Wir fahren per Bahn nach Ebenhausen und von dort mit dem Rad nach Ammerland. Eigentlich wollte ich heute zu Hause arbeiten; nun ist meine Frau aber schon früh zu Brüchmanns gegangen, um zu sehen, was deren Jüngstes macht, und da fand ich bei dem herrlichen Wetter keine rechte Sammlung mehr zu Hause. Im Café Luitpold traf ich Röbel und Schletter, und da haben wir die Partie verabredet. Um zehn Uhr siebenundfünfzig fährt unser Zug.«

Derweil hatte ich etwas Zeit gehabt, mich zu sammeln. »Du siehst«, sagte ich lächelnd, »daß ich nicht allein bin.«

»Ja, das merke ich«, entgegnete er mit dem nämlichen verständnisinnigen Lächeln. Dabei begannen seine Augen zu funkeln, und die Kinnlade wackelte auf und ab. Zögernd trat er einen Schritt vorwärts und stand nun dicht vor dem Stuhl, auf den ich meine Kleider zu legen pflegte. Zuoberst auf diesem Sessel lag ein feines batistenes Spitzenhemd ohne Ärmel mit rotgesticktem Namenszug und darüber zwei lange schwarzseidene, durchbrochene Strümpfe mit goldgelben Zwickeln. Da nichts anderes von einem weiblichen Wesen sichtbar war, hefteten sich seine Blicke mit unverkennbarer Lüsternheit auf diese Garderobenstücke.

Dieser Augenblick war entscheidend. Nur ein Moment noch, und er mußte sich erinnern, diese Kleidungsstücke irgendwo in diesem Leben schon einmal gesehen zu haben. Kostete, was es kosten wollte, ich mußte seine Aufmerksamkeit von dem verhängnisvollen Anblick ablenken und derart bannen, daß sie mir nicht mehr entglitt. Das war aber nur durch etwas Nochniedagewesenes zu erreichen. Dieser Gedankengang, der sich blitzartig in meinem Hirne vollzog, veranlaßte mich dazu, eine Roheit von solcher Ungeheuerlichkeit zu begehen, daß ich sie mir heute nach zwanzig Jahren, wiewohl sie damals die Situation rettete, noch nicht verziehen habe.

»Ich bin nicht allein«, sagte ich. »Wenn du aber eine Ahnung von der Herrlichkeit dieses Geschöpfes hättest, würdest du mich beneiden.« Dabei preßte sich mein Arm, der die Decke über ihren Kopf gelegt hatte, krampfhaft auf jene Stelle, wo ich den Mund vermutete, um auf die Gefahr hin, ihr den Atem zu nehmen, jede Lebensäußerung ihrerseits zu verhindern.

Gierig glitten seine Blicke an den von der Decke gebildeten Wellenlinien auf und nieder.

Und nun kommt das Ungeheuerliche, das Nochniedagewesene. Ich ergriff die Decke an ihrem untersten Ende und schlug sie bis an den Hals empor, so daß nur ihr Kopf noch verhüllt war. – »Hast du je in deinem Leben eine solche Pracht gesehen?« fragte ich ihn.

Seine Augen standen weit aufgerissen, aber er geriet in sichtliche Verlegenheit.

»Ja, ja – das muß man sagen – du hast einen guten Geschmack – nun, ich – werde jetzt gehen – verzeih mir bitte, daß – daß ich dich gestört habe.« – Dabei zog er sich zur Türe zurück, und ich ließ den Schleier, ohne mich zu beeilen, wieder sinken. Darauf sprang ich rasch auf die Füße und stellte mich neben der Türe so vor ihn hin, daß er die Strümpfe, die auf dem Sessel lagen, unmöglich mehr sehen konnte.

»Ich komme jedenfalls mit dem Mittagszug nach Ebenhausen«, sagte ich, während er die Klinke schon in der Hand hielt. »Vielleicht erwartet ihr mich dort im Gasthof zur Post. Dann fahren wir zusammen nach Ammerland. Das wird eine prächtige Tour. Ich danke dir bestens für deine Einladung.«

Er machte noch einige wohlgemeinte, jovial-scherzhafte Bemerkungen und verließ darauf das Zimmer. Ich blieb wie angewurzelt stehen, bis ich seine Schritte unten im Hausgang verhallen hörte.

Ich will es mir ersparen, den entsetzlichen Zustand von Wut und Verzweiflung zu schildern, in dem sich die bedauernswürdige Frau nach dieser Szene befand. Sie war seelisch wie aus den Fugen gegangen und gab mir Beweise von Haß und Verachtung, wie ich sie nie in meinem Leben empfangen habe. Während sie sich hastig ankleidete, bedrohte sie mich damit, mir ins Gesicht zu spukken. Ich verzichtete natürlich auf jeden Versuch, mich zu verteidigen.

»Wohin denkst du denn jetzt zu gehen?«

»Ich weiß nicht – – ins Wasser – – nach Hause – – oder auch zu Brüchmanns – um zu sehen, wie es deren Jüngstem geht. – Ich weiß es nicht.«

– – Am Mittag gegen zwei Uhr saßen wir zusammen unter den schattigen Kastanienbäumen neben dem Gasthof zur Post in Ebenhausen, Röbel, Schletter, mein Freund und ich, und erlabten uns an gebratenen Hühnern und hellschimmerndem saftigen Kopfsalat. Mein Freund, dessen Seelenzustand ich argwöhnisch beobachtete, beruhigte mich durch die ganz außergewöhnlich fröhliche Laune, in der er sich befand. Er warf mir scherzhaft treffende Blicke zu und rieb sich siegreich schmunzelnd die Hände, ohne indessen zu verraten, was sein Inneres so froh bewegte. Die Tour verlief ohne weitere Störung, und gegen zehn Uhr abends waren wir wieder in der Stadt. Am Bahnhof angekommen, verabredeten wir uns in ein Bierlokal.

»Erlaubt mir nur«, sagte mein Freund, »daß ich eben nach Hause gehe und meine Frau hole. Sie hat den ganzen schönen Tag bei dem kranken Kinde gesessen und würde es uns übelnehmen, wenn wir sie nun den Abend zu Hause allein verbringen lassen.«

Bald darauf kam er mit ihr in den verabredeten Garten. Das Gespräch drehte sich natürlich um die überstandene Tour, deren Ereignislosigkeit von allen Teilnehmern nach Kräften zu erzählungswürdigen Abenteuern aufgebauscht wurde. Die junge Frau war etwas wortkarg, etwas betreten und würdigte mich keines Blickes. Er hingegen trug noch mehr als während des Nachmittags in seinem jovialen Gesicht jenes für mich so rätselhafte Siegesbewußtsein zur Schau. Seine überlegenen, triumphierenden Blicke galten jetzt aber mehr seiner versonnen dasitzenden Gattin als mir. Es war nicht anders, als hätte er irgendeine innere, ihn tief beseligende Genugtuung erfahren.

Erst einen Monat später, als ich mit der jungen Frau zum erstenmal wieder allein war, klärte sich mir dieses Rätsel auf. Nachdem ich noch einmal die heftigsten Vorwürfe über mich hatte ergehen lassen müssen, war eine oberflächliche Versöhnung erfolgt, nach deren mühevollem Zustandekommen sie mir anvertraute, wie ihr Mann, als sie am Abend jenes Tages zu Hause mit ihm allein war, ihr mit verschränkten Armen folgenden Vortrag gehalten hatte:

»Deinen lieben, süßen Jungen, mein Kind, den habe ich jetzt aber gründlich kennengelernt. Jeden Tag gestehst du mir, daß du ihn liebst, und ahnst dabei gar nicht, wie der sich über dich lustig macht. Heute morgen traf ich ihn in seiner Wohnung an; natürlich war er nicht allein. Freilich ist mir jetzt auch völlig klargeworden, warum er sich nichts aus dir macht und deine Empfindungen verächtlich zurückweist. Denn seine Geliebte ist ein Weib von so berückender, so überwältigender Körperschönheit, daß du mit deinen wenigen verblühten Reizen allerdings nicht mit ihr wetteifern kannst.« –

Das, meine lieben Freunde, war die Wirkung der Schutzimpfung. Ich habe sie euch nur geschildert, damit ihr euch vor diesem Zaubermittel bewahren könnt.

RICARDA HUCH 1864–1947

Der letzte Sommer

Eine Erzählung in Briefen

Lju an Konstantin

Kremskoje, 5. Mai 19 ...

Lieber Konstantin! Ich habe mein Amt angetreten und will Dir berichten, wie sich mir die Lage darstellt. Daß mir gelingen wird, was ich vorhabe, bezweifle ich nicht, es scheint sogar, daß die Umstände günstiger sind, als man voraussetzen konnte. Meine Persönlichkeit wirkt in der ganzen Familie des Gouverneurs sympathisch, von Argwohn ist keine Rede; dies ist im Grunde natürlich, nur wir Wissenden konnten das Gegenteil befürchten. Wenn der Gouverneur Erkundigungen über mich eingezogen hat, so konnten diese mir nicht schaden; meine Zeugnisse von der Kinderschule an bis zur Universität sind glänzend, und das einzige, was zu meinem Nachteil sprechen könnte, daß ich mich mit meinem Vater überworfen habe, wird dadurch entkräftet, daß sein herrschsüchtiger und verschrobener Charakter allgemein bekannt ist. Ich glaube aber eher, daß er es nicht getan hat; der Mann ist so ganz ohne Mißtrauen, daß es in seiner Lage an Einfalt grenzen würde, wenn es nicht mehr mit seiner Furchtlosigkeit und seiner unrichtigen Beurteilung der Menschen zusammenhinge. Außerdem scheint meine Anstellung durchaus ein Werk seiner Frau zu sein, die, von Natur ängstlich, seit sie den Drohbrief erhalten hat, nichts anderes mehr denkt, als wie sie das Leben ihres Mannes schützen kann. Mißtrauen liegt auch in ihrer Natur nicht; während sie in jedem Winkel unmögliche Gefahren wittert, könnte sie dem Mörder einen Löffel Suppe anbieten, wenn es ihr so vorkäme, als ob der arme Mann nichts Warmes im Leibe hätte.

Sie erzählte mir, daß eben der von Dir verfaßte Brief sie auf den Gedanken gebracht hätte, einen jungen Mann zu suchen, der unter dem Vorwande, ihres Mannes Sekretär zu sein, eine Person vor etwaigen Anschlägen beschützte, ohne daß er selbst es bemerkte. Es sei ihr jedoch nicht möglich gewesen, weder ihre Angst noch ihren Plan vor ihrem Manne geheimzuhalten; und auf ihr inständiges Bitten und um Ruhe vor ihr zu haben, sei er endlich darauf eingegangen, teils auch, weil er seit kurzem eine Art Nervenschmerz am rechten Arm habe, der ihm das Schreiben erschwere. Er habe aber die Bedingung gestellt, daß er wenigstens des Nachts unter dem alleinigen Schutze seiner Frau bleiben dürfe. Sie lachten beide, und er setzte hinzu, seine Frau verstehe sich so ausgezeichnet auf die Befestigung der Schlafzimmer, daß er sich dreist ihr anvertrauen dürfe; sie gehe nie zu Bett, ohne vorher alle Schränke und besonders die Vorhänge untersucht zu haben, die sie für Schlupfwinkel von Verbrechern hielte. Natürlich, sagte sie lebhaft, vorsichtig müsse man doch sein, ängstlich sei sie durchaus nicht, sie lasse sogar nachts die Fenster offen, weil sie eine Freundin der frischen Luft sei, gehe allerdings mit dem Gedanken um, Gitter machen zu lassen, die man davorsetzen könne; denn da die Haustüre verschlossen wäre, bliebe doch den Leuten, die Böses vorhätten, nichts anderes übrig, als durchs Fenster einzusteigen. Indessen, sagte sie, habe sie schon jetzt das Gefühl, daß sie sich weniger Gedanken machen würde, nun ich da wäre. Ihr Gesicht hatte etwas ungemein Gewinnendes bei diesen Worten. Ich sagte: »Das hoffe ich. Ich würde jede Sorge, die Sie sich jetzt noch machten, als einen Vorwurf gegen meine Berufstreue auffassen.« Während dieses Gespräches war der Sohn ins Zimmer gekommen; er sah mich mit einem besorgten Blick an und sagte: »Fangen Sie heute schon an?«, worüber wir alle so lachen mußten, daß dadurch sofort ein vertraulicher Ton hergestellt war. Dieser Sohn, er heißt Welja, ist ein hübscher und sehr drolliger Junge, nicht viel jünger als ich, spielt aber noch wie ein Kind von fünf Jahren, nur daß das Spielzeug nicht mehr ganz dasselbe ist. Studieren tut er die Rechte, um einmal die diplomatische Laufbahn einzuschlagen; man merkt aber nichts davon. Er ist klug und ein moderner Mensch mit zahllosen unbeschnittenen Trieben und unbegrenzter Empfänglichkeit; sein Charakter ist, keinen zu haben, und dies macht ihn vollkommen belanglos. Er sieht von jeder Sache nur die Seite, an die sich ein Bonmot anknüpfen läßt, dessen größter und unwiderstehlicher Reiz in der verschlafenen Art besteht, wie er es vorbringt.

Außer dem Sohne sind zwei Töchter da, Jessika und Katja, zwischen zwanzig und dreiundzwanzig Jahren, blond, niedlich, einander ähnlich wie Zwillinge. Sie waren gegen mich eingenommen, weil sie die Furchtsamkeit der Mutter albern finden und weil sie fürchteten, in ihrer sommerlichen Zurückgezogenheit gestört zu werden; da ihnen aber mein Äußeres hübsch und stilvoll vorkommt und da Welja, der ihr Vorbild ist, sich zu mir hingezogen fühlt, fangen sie an, sich mit meiner Anwesenheit zu befreunden. Diese drei Kinder erinnern mich, ich weiß nicht, warum, an kleine Kanarienvögel, die dicht zusammengedrängt auf einer Stange sitzen und zwitschern. Überhaupt hat die ganze Familie etwas kindlich Harmloses, das mich und meine Aufgabe vor mir selbst lächerlich machen könnte; aber ich kenne die menschliche Seele gut genug, um zu wissen, daß diesem Wesen maßloser Hochmut zugrunde liegt. Haß, ja selbst Übelwollen setzt doch eine gewisse Nähe zu den Menschen voraus; diese fühlen sich im Grunde allein in einer ihnen gehörenden Welt. Alle andern haben nicht die Bedeutung der Wirklichkeit und greifen nicht in ihren Frieden ein. Die Dienerschaft besteht aus einem Kutscher, Iwan, der trinkt und den Welja Väterchen nennt, und drei Mädchen; alle sind Leute altrussischer Art, fühlen noch als Leibeigene, beten ihre Herrschaft an und urteilen doch mit unbewußter Überlegenheit über sie, weil sie dem Urquell noch näher sind. Liebe Wesen, die mir, wie Tiere, eine gewisse Ehrfurcht einflößen.

Dies sind meine ersten Eindrücke; Du hörst bald mehr von mir.

Lju

Welja an Peter

Kremskoje, 6. Mai

Lieber Peter! Ich habe mich damit abgefunden, daß ich während der ganzen Dauer von Papas Urlaub hier auf dem Lande bleiben muß. Blödsinnige Sache, dieser Schluß der Universität. Ich hatte doch vollkommen recht, als ich Ruhe empfahl; denn daß wir bei einem Kampfe den kürzeren ziehen mußten, war vorauszusehen. Aber Du mußtest natürlich wie eine geheizte Maschine ohne Bremse drauflos, und es ist reiner Zufall, daß du nicht von meinem eigenen Vater an den Galgen gebracht wirst. Es ist durchaus keine Schande, der Übermacht nachzugeben, vielmehr Stumpfsinn und Raserei, gegen sie anzugehen; ich leide an keinem von beiden. Wenn mir die armen Kerls nicht leid täten, die mit ihrem heiligen Eifer so rettungslos hereingefallen sind, würde ich mich mit der Geschichte ganz aussöhnen; den Sommer genießt man hier schließlich am besten, und aus der Affäre mit der Lisabeth, die ich ein bißchen unüberlegt angezettelt hatte, hätte ich mich nicht so leicht loswickeln können, wenn ich in Petersburg geblieben wäre. Wenn Papa und Mama auch etwas rückständig sind, so haben sie doch Verstand und Geschmack und sind zum täglichen Umgang viel angenehmer als die rabiaten Köpfe, mit denen Du Deine antediluvianische Dickhaut zu umgeben liebst. Papa darf man zwar nicht ernstlich widersprechen, wenn man seine Ruhe bei Tisch haben will, aber Mama hört gelegentlich eine rebellische Ansicht recht gern und frondiert mit einer gewissen Verve gegen Papa, was ihm auch in angemessenen Grenzen gut an ihr gefällt; wenn er sich aber nachdrücklich räuspert oder die Augenbrauen zusammenzieht, lenkt sie gleich ein, schon um uns mit dem guten Beispiel der Unterordnung voranzugehen. Übrigens ist ja auch Katja hier, es ist also nicht nur erträglich, sondern positiv nett.

Der Schutzengel ist angekommen. Mama ist überzeugt, daß er das Talent hat, alle Gifte, Waffen, Dynamitpatronen und sonstigen Unfälle von Papa ab- und auf sich hinzulenken, und schätzt den begabten jungen Mann unendlich. Wir dachten, es würde ein Mann mit breitem Vollbart, biederen Fäusten und aufgeblasenen Redensarten ankommen; anstatt dessen ist er schlank, glattrasiert, zurückhaltend, eher ein englischer Typus. Mir sagte er, sein Vater habe verlangt, daß er sich zu einer Professur melde – er hat nämlich Philosophie studiert –, aber er wolle keinen Beruf und habe besonders einen Widerwillen gegen die zünftigen Philosophen. Um ihn zu zwingen, habe sein Vater ihm alle Geldmittel entzogen, und deshalb habe er diese Stellung angenommen, zu der er im Grunde wohl wenig befähigt sei. Er sagte: »Ich glaube, ich kann mich am ersten dadurch nützlich machen, daß ich Ihre Frau Mutter ein wenig beruhige, und das scheint mir gar nicht schwer zu sein. Sie hat die liebenswürdige Eigenschaft, nicht zweifelsüchtig zu sein, und wird mich gern für einen geborenen Blitzableiter halten, wenn ich mir einigermaßen Mühe gebe, einen solchen vorzustellen.« Ich sagte: »Wenn Sie sich nur nicht dabei langweilen.« Darüber lachte er und sagte: »Ich langweile mich nie. Der Mensch befindet sich, wo er auch ist, im Mittelpunkt eines Mysteriums. Aber auch abgesehen davon: ich liebe das Landleben und gute Gesellschaft, für mich ist also gesorgt.« Er hat einen durchdringenden Blick, und ich bin überzeugt, daß er uns alle schon ziemlich zutreffend zerlegt und eingeteilt hat. Er selbst glaubt unergründlich zu sein; ich halte ihn trotz seiner anscheinenden Kälte für verwegen, sehr leidenschaftlich und ehrgeizig. Es wäre schade, wenn er doch noch einmal Professor würde.

Man hat das Gefühl, daß er mehr will und kann als andre Menschen. Seine Ansichten werden wohl nicht weniger revolutionär sein als unsre, aber er ist bis jetzt ganz unpersönlich im Gespräch. Diese Objektivität imponiert mir eigentlich am meisten, besonders weil seine Unterhaltung trotzdem anregend ist. Jessika und Katja sind dafür natürlich sehr empfänglich, weshalb Du aber noch nicht eifersüchtig zu werden brauchst, alter Saurier.   Dein Welja

Jessika an Tatjana

Kremskoje, 7. Mai

Liebe Tante! Da es tiefstes Geheimnis ist und bleiben soll, daß Mama einen Sekretär für Papa angestellt hat, dessen eigentliche Bestimmung ist, Papa vor den Bomben zu schützen, die ihm angedroht sind, kann ich die Tatsache wohl als bekannt voraussetzen. Vielleicht ist es auch besser, wenn sie in den weitesten Kreisen verbreitet wird, dann fangen die Anarchisten gar nicht erst an zu werfen, wodurch unserm Schutzengel seine Arbeit erleichtert wird. Du siehst, daß ich ihm wohl will, und er verdient es schon deshalb, weil seine Anwesenheit so günstig auf Mamas Stimmung einwirkt. Am ersten Mittag fragte Mama ihn, was er geträumt habe; der erste Traum an einem neuen Aufenthalt sei bedeutungsvoll. Ich glaube, er hatte gar nichts geträumt, aber er erzählte, ohne sich zu besinnen, eine lange Geschichte, daß er sich im Innern eines herrlichen Palastes befunden habe und langsam von einem Raume zum andern gegangen sei, und beschrieb alle ganz ausführlich. Zuletzt sei er zu einem Gemach gekommen, in dem es ganz dunkel gewesen sei und auf dessen Schwelle ihn eine unerklärliche Bangigkeit befallen habe; er habe gezögert, weiterzugehen, dann sich zusammengenommen, dann wieder innegehalten und sei dann unter Herzklopfen aufgewacht. Mamas Augen wurden immer größer. »Wie gut«, sagte sie, »daß Sie nicht hineingegangen sind, es wäre gewiß etwas Schreckliches darin gewesen.« — »Vielleicht eine Badewanne«, sagte Welja ruhig. Wir mußten alle lachen, und da Katja erst anfing, als wir andern schon fertig waren, dauerte es sehr lange. Ich sagte: »Bitte, träumen Sie doch nächste Nacht weiter und nehmen Sie ein Bad, damit Mama beruhigt ist; denn Baden kann doch nur Gutes bedeuten.« Nein, sagte Mama, Wasser wäre zweideutig, nur Feuer wäre ein unbedingter Glückstraum, und sie hätte eben diese Nacht einen gehabt. Dann erzählte sie ihren Traum, er war zu niedlich; sie hatte nämlich mit Papa schlafen gehen wollen, und da hatten ihre Betten in

Flammen gestanden, schönen hellen Flammen ohne Rauch (das ist sehr wichtig!), und sie hatte immer hineingeblasen, in der Meinung zu löschen. Da hatte Papa gerufen: »Lusinja, so blase doch nicht!« und hatte vor Lachen kaum sprechen können, und darüber war sie auch ins Lachen gekommen und war lachend aufgewacht. Diesen Traum bezog Mama auf Lju, dessen Ankunft für uns glückbringend sei; Lju heißt unser Schutzengel. Daran anknüpfend, erklärte er, woher der Volksglaube an die Bedeutung der Träume stamme und daß und warum Wasser und Feuer bei allen Völkern im selben Sinne aufgefaßt würden und was Wahres daran sei; leider kann ich es Dir nicht so hübsch auseinandersetzen, wie er es tat. Papa hörte auch sehr interessiert zu, obgleich er von Träumen und dergleichen eigentlich gar nichts versteht, und sagte zuletzt mit einem Seufzer: »Sie würden ausgezeichnet zum Sekretär meiner Frau passen!« Nun will ich Dir noch etwas Niedliches erzählen, das heute mittag passierte. Ich fragte Welja, ob er noch Pudding wolle, und er sagte nach seiner Gewohnheit: »Vater, wie du willst!« Lju sah ihn neugierig an, und da erklärte Mama, das wäre Weljas Lieblingsredensart, die er immer im Munde führte, um zu sagen: es ist mir gleichgültig; sie hoffe aber, setzte sie nachdrücklich hinzu, er unterdrücke nun einmal diese üble Angewohnheit, denn sie möge Profanationen des Heiligen durchaus nicht leiden. »Profanationen des Heiligen?« sagte Welja erstaunt. »Was meinst du damit?« – »Aber Welja«, sagte Mama mit Entrüstung, »tu doch nicht, als ob du nicht wüßtest, daß die Worte in der Bibel stehen!« – »Nein, wahrhaftig«, ruft Welja, »wenn ich eine Ahnung gehabt hätte, daß solche faule Redensarten in der Bibel stehen, hätte ich auch mal drin gelesen!« Der gute Junge, das ehrlichste Staunen strahlte aus seinen weitaufgerissenen Augen. Lju konnte gar nicht aufhören zu lachen, ich glaube, er ist entzückt von Welja.

Mit Papas Nerven geht es ganz gut, er hat Iwan einmal angegrollt, als er dachte, er wäre betrunken – er war es zufällig gerade nicht – und einmal, weil ihm der Reis angebrannt vorkam, aber einen richtigen Krach hat er noch nicht gemacht, obgleich wir schon vier Tage draußen sind.

Geliebteste Tante, ich lege alle Tage Sträuße von Thymian, Lavendel und Rosmarin in unser Gastzimmer, nicht nur auf den Tisch, sondern auch in Schränke und Kommoden, damit es durch und durch einen hübschen Biedermeiergeruch bekommt. Belohne meine Aufmerksamkeit, indem Du kommst.

Deine Jessika

Katja an Peter

Kremskoje, 9. Mai

Lieber Peter! Du bist ein Kalb, wenn Du mir wirklich übelgenommen hast, daß ich nicht zu Hause war, als Du mir adieu sagen wolltest. Konnte ich wissen, daß Du kommen würdest? Und außerdem machte ich noch einen Besuch bei der alten Generalin, was doch wahrhaftig kein Vergnügen ist. Übelnehmen ist kleinbürgerlich, hoffentlich hat Welja mich angelogen. Wenn ich es nicht so unverschämt von Papa fände, daß er die Universität geschlossen hat, würde ich froh sein, daß ich hier bin. Ich tue nichts als essen, schlafen, lesen und radfahren. Der neue Sekretär ist sehr elegant, obgleich er kein Geld hat, eine glänzende Erscheinung und fabelhaft klug. Er radelt auch mit uns, aber er tut es nicht gern, er sagt, es wäre schon veraltet, man müßte jetzt Automobil fahren. Ich finde, er hat ganz recht, wir wollen Papa auch dahin bringen, daß er eins anschafft, einstweilen halten wir eine Zeitung für Automobilwesen. Gruß

Katja

Lju an Konstantin

Kremskoje, 10. Mai

Der Aufenthalt hier ist mir von großem psychologischem Interesse. Die Familie hat alle Vorzüge und Fehler ihres Standes. Vielleicht kann man von Fehlern nicht einmal reden; sie haben vorzüglich den einen, einer Zeit anzugehören, die vergehen muß, und einer im Wege zu stehen, die sich entwickelt. Wenn ein schöner alter Baum fallen muß, um einer Eisenbahnlinie Platz zu machen, so schmerzt es einen; man steht bei ihm wie bei einem alten Freunde und betrachtet ihn bewundernd und trauernd bis zu seinem Sturze. Unleugbar ist es schade um den Gouverneur, der ein vortreffliches Exemplar seiner Gattung ist; allerdings glaube ich, daß er seinen Höhepunkt bereits überschritten hat. Wenn er die Einsicht davon hätte und von seinem Amte zurückträte, oder wenn er es täte, um sein Leben nicht auszusetzen, niemand würde es freudiger begrüßen als ich; aber dazu ist er zu stolz. Er glaubt, nur wer arbeite und etwas leiste, habe ein Recht zu leben, überhaupt kann er sich ein Leben ohne Arbeit nicht vorstellen; darum will er arbeiten und glaubt, wenn er dies und das tue, was die Ärzte ihm empfehlen, so würde er die frühere Kraft allmählich wiedererhalten. Neulich schlief er ein, während er am Schreibtische saß, und ich konnte ihn ungestört beobachten; wie das schöne, dunkle und leidenschaftliche Auge sein Gesicht nicht belebte, erschien es sehr schlaff und erschöpft, während er im allgemeinen noch den Eindruck reifer Manneskraft hervorruft. Als er aufwachte, setzte er sich sofort aufrecht hin, warf einen schnellen Blick auf mich und war sichtlich dadurch beruhigt, daß ich nichts bemerkt zu haben schien. Es ist charakteristisch für ihn, daß er nicht gern zugibt, wenn er ermüdet oder schläfrig ist. So ist es ihm angenehm, daß ich ihm das bißchen Arbeit, das er hier während des Urlaubs erledigt, abnehme oder erleichtere, und er sagt es auch; aber er möchte nicht, daß man dächte, er wäre zu abgespannt, um es allein zu tun, ja es würde ihn unglücklich machen, es selbst zu denken.

Er ist, wie oft Menschen, die im Amte für streng und mitleidlos gelten, gegen jeden einzelnen wohlwollend, ja sogar von unbegrenzter Gutmütigkeit, wenn er liebevoller Nachgiebigkeit und Unterordnung begegnet. Widersetzlichkeit macht ihn fassungslos, da er unmittelbar nichts empfindet als seinen Willen und naiv genug ist, vorauszusetzen, daß er ebenso für alle andern maßgebend sein müßte. Er kommt mir vor wie eine Sonne, die schön und treu, wenn auch etwas rücksichtslos, ihre Welt zu unterhalten beflissen ist; er trägt, brennt und leuchtet nach Kräften und zweifelt nicht, daß die Planeten ihr Ideal darin finden, sich zeitlebens um ihn herum zu drehen. An die Existenz von Kometen und Abnormitäten glaubt er im Grunde nicht, es sei denn, daß sie in ihm selbst vorkämen; ich könnte mir denken, daß die ernstliche, tatsächliche Abtrünnigkeit eines Trabanten ihn eher wahnsinnig als zornig machte. Dabei tun seine Kinder im allgemeinen, was sie Lust haben; aber in der Theorie tasten sie seine Herrschaft nicht an; dann sind es seine eigenen Kinder, und er ist ein Mann von starken Instinkten, und schließlich ist er bequem, was sich mit Arbeitsamkeit wohl vereinen läßt; zu Hause will er es behaglich haben.

Welja ist ein reizvoller Junge, obwohl er hier nicht an seinem Platze ist. Er hat die Seele eines neapolitanischen Fischerknaben oder eines fürstlichen Lieblings, der hübsche Kleider trägt, hübsche, kecke Dinge sagt und keinen großen Unterschied zwischen Leben und Traum macht. Die beiden Töchter sind nicht so zwillingshaft, wie es mir zuerst schien, auch äußerlich nicht. Sie sind beide eher klein als groß und haben Massen blonden Haares über zarten Gesichtern, übrigens sind sie so verschieden voneinander wie eine Teerose von einer Moosrose. Wenn Jessika geht, ist es, als ob ein weicher Wind, ein losgerissenes Blütenblatt durchs Zimmer wehte; Katja steht fest auf der Erde, und was ihr nicht ausweicht, wird womöglich mit Nachdruck beiseite geworfen. Jessika ist zart, hat oft Schmerzen, und ihre Verletzlichkeit gibt ihr einen besonderen, raffinierten Zauber; man glaubt, man könne sie nicht ans Herz drücken, ohne daß es weh täte. Katja ist gesund, ehrlich, durchaus nicht aufregend, ein kluges, temperamentvolles Kind, an dem man seine Freude hat. Jessika hat zuweilen etwas Schmachtendes, dann wieder überrascht sie durch anmutigen Witz, der niemals verletzend, sondern eher wie eine auserwählte Liebkosung wirkt. Es hat einen Zauber, Einfluß auf diese jungen Menschen zu gewinnen, und ich genieße ihn einstweilen: das Schwere und Harte bleibt nicht aus.

Lju

Jessika an Tatjana

Kremskoje, 10. Mai

Liebste Tante! Du beunruhigst Dich wegen unseres Beschützers, der eigens zum Beruhigen da ist? Ich bin entzückt von ihm, und aus meinem Briefe spricht eine verdächtige Fröhlichkeit? Mein Gott, natürlich finde ich ihn angenehm, da seine Anwesenheit Mamas Besorgnis zerstreut hat! Sei ruhig, geliebteste Tante, wenn er sich verliebt, wird er sich in Katja verlieben, und Katjas Herz hältst Du doch nicht für so zerbrechlich wie meins. Oder fürchtest Du in dem Falle, daß Peter eifersüchtig wird? Weißt Du, ich glaube, Katja verliebt sich überhaupt nicht ernstlich; sie steckt mit Welja in den Johannisbeeren, und beide essen mit derselben Geschwindigkeit und Unbedenklichkeit wie vor zehn Jahren, als bekämen sie einen Orden dafür.

Mama ist jetzt wirklich so ruhig und vergnügt wie seit langer Zeit nicht. Gott, wenn ich an die letzte Zeit in der Stadt denke, an die Auftritte, wenn Papa eine halbe Stunde länger ausblieb, als sie gerechnet hatte! Neulich fand sie ihn nicht in seinem Zimmer, im ganzen Hause nicht und auch nicht im Garten. Sie fing schon an aufgeregt zu werden, da sagte unsere Mariuschka, der Herr Gouverneur wäre mit dem Herrn Sekretär spazierengegangen. Sofort war ihre Stimmung wieder im Gleichgewicht, sie forderte mich auf, ein Duett mit ihr zu singen, behauptete, ich sänge entzückend, und schmetterte selbst wie eine Nachtigall in Liebesromanen. Heute nachmittag war Papa, als er zum Tee gerufen wurde, noch etwas verschlafen. Mama nahm ihre Lorgnette zur Hand, betrachtete ihn aufmerksam und fragte mit zärtlicher Betonung: »Warum bist du so blaß, Jegor?« Papa sagte: »Endlich! Ich habe schon gedacht, du liebtest mich nicht mehr, weil du mich

219

seit acht Tagen nicht danach gefragt hast.« Dies war natürlich Spaß; aber wenn Mamas Ängstlichkeit, über die er sich immer lustig macht, wirklich mal ausbliebe, würde er sich tatsächlich sehr vernachlässigt fühlen; so ist der Herr Gouverneur.

Da fällt mir ein, geliebteste Tante, daß ich noch nicht weiß, ob Deine Erkältung ganz verschwunden ist. Ob der fatale, rätselhafte Schmerz an Deinem kleinen Finger nachgelassen hat. Ob und wann Du kommst. Der Flieder blüht, die Kastanien blühen, alles, was blühen kann, blüht!   Deine Jessika

Welja an Peter

Kremskoje, 12. Mai

Lieber Peter! Wenn Du Eifersucht merken läßt, machst Du Dich lächerlich bei Katja. Wozu auch? Am ersten könntest Du noch auf mich eifersüchtig sein, aber dazu bist Du zu grob organisiert. Lju macht Jessika den Hof, das heißt, er sieht sie an und regiert sie mit den Augen, denn sie fällt natürlich darauf herein. Lju ist ein fabelhafter Mensch, man könnte sagen seelenlos, wenn man ein Element, das ganz Kraft ist, so nennen kann. Er würde sich wahrscheinlich kein Gewissen daraus machen, Jessika oder sonst ein Mädchen unglücklich zu machen; wenn man den Mut hat, sich ihm ganz hinzugeben, muß man auch den haben, sich zerstören zu lassen. Und warum stürzen sich die Mädchen so gierig ins Licht? Es ist jedenfalls ihre Bestimmung, wie die der Motten, sich die Flügel zu verbrennen. Übrigens würde Lju niemals ein Mädchen seiner Eitelkeit zum Opfer bringen, wie doch schließlich die meisten von uns tun. Er zerstört sie nur so beiläufig, wie zum Beispiel die Sonne tut; sie sollten ihm einfach nicht zu nahe kommen, aber das können sie natürlich nicht lassen. Katja ist gottlob! anders, das gefällt mir so gut an ihr, obgleich ich nicht möchte, daß alle so wären.

Katja und ich haben gestern im Dorfe einen türkischen Konfekthändler entdeckt, der unerhört gute Sachen hat, rosa und klebrig und durchsichtig und gummiartig. Er scheint ein echter Türke zu sein, denn etwas so Süßes habe ich noch nie gegessen. Ich glaube, je mehr man nach Südosten kommt, desto wundervoller werden die Süßigkeiten. Katja und ich aßen immerzu, der Türke betrachtete uns ganz ausdruckslos mit seinen großen Kuhaugen. Endlich konnten wir nicht mehr, und ich sagte: »Jetzt müssen wir aufhören.« – »Haben Sie kein Geld mehr?« fragte er; ich glaube, er hielt uns für Kinder. Ich sagte: »Mir wird übel.«

Sein gelbes Gesicht veränderte sich nicht; ich glaube, wenn wir vor seinen Augen geplatzt wären, hätte er nicht mit der Wimper gezuckt.

Wir trafen ein sehr niedliches Mädchen im Dorf, mit dem wir als Kinder zuweilen gespielt haben. Damals fanden wir sie furchtbar häßlich, weil sie rote Haare hat, und neckten sie damit; jetzt kam sie mir verteufelt niedlich vor. Ich rief ihr zu: »Anetta, du bist ja gar nicht mehr häßlich«, und sie antwortete gleich: »Welja, du bist ja gar nicht mehr blind!« Weil Katja dabei war, konnte ich weiter nichts machen, aber ich habe ihr zugenickt, und sie hat mich verstanden.
Welja

Lusinja an Tatjana
Kremskoje, 13. Mai
Liebe Tatjana! Nun sag, warum bildest Du Dir so fest ein, meine Töchter müßten sich in Lju verlieben? Ich habe sie bisher für viel zu unentwickelt zur Liebe gehalten, Katja ist ja wirklich noch ein Kind. Da Du mich nun einmal darauf aufmerksam gemacht hast, sehe ich ein, daß Lju gefährlich ist; männlich, mutig, klug, interessant, auffallend, alles, was einem jungen Mädchen imponiert. Ich muß es aber rühmen, daß er eher zurückhaltend gegen meine beiden Kleinen ist; möglicherweise ist er schon gebunden. Daß Jessika ihn bewundert, habe ich wohl bemerkt; wenn er spricht, hängen ihre Augen an ihm, sie selbst ist gesprächiger als sonst und voll allerliebster Einfälle. Ich dachte mir nichts Arges dabei, sondern freute mich an ihrer Freudigkeit. Tatjana, wenn Du sie einladen willst und sie gern zu Dir kommen will, werde ich ihr nichts in den Weg legen. Es mag sein, daß es besser ist. Meine arme kleine Jessika, wenn ich mir denke, daß sie ihn liebte! Liebte er sie nicht, müßte sie leiden, und vielleicht noch mehr, wenn er sie liebte. Nein, der ist kein Mann für sie. Er versteht alles, aber er vergißt sich niemals, er hat gar keinen Sinn für Kleinigkeiten und Torheiten, oder wenn er Sinn dafür hat, so ist es wie für Kräuter, die man in ein Herbarium sammelt. Hingeben kann er sich nicht, er verzehrt nur. Ich traue ihm sehr viel zu, zum Beispiel, daß er einmal ein sehr berühmter Mann wird; jedenfalls brauchte er dünne Höhenluft, in der mein kleines Mädchen nicht atmen könnte.

Merkwürdig ist an ihm, daß er sich offenbar für uns alle lebhaft interessiert, daß er für unsere Vorzüge empfänglich scheint, daß er das Vertrauen, das wir ihm entgegenbringen, als etwas Selbst-

221

verständliches hinnimmt und doch von sich selbst eigentlich nichts hergibt. Nicht daß er nicht offen wäre, er beantwortet jede Frage, die man zufällig einmal an ihn richtet, freimütig und ausgiebig; man kann vielleicht nicht einmal sagen, daß er verschlossen ist, wenigstens spricht er ziemlich viel und stets von Dingen, die ihm wirklich wichtig sind. Trotzdem hat man nicht das Gefühl, daß man sein Inneres kennt. Ich habe schon gedacht, daß es Geheimnisse in seinem Leben geben könnte, die ihm Zurückhaltung auferlegen; aber es beunruhigt mich nicht, weil ich sicher bin, daß es nichts Gemeines ist. Neulich war von Lügen die Rede. Da sagte Lju, Lügen wäre unter Umständen eine Waffe im Kampfe des Lebens, nicht schlechter als eine andre, nur Sichselbstbelügen wäre verächtlich. Welja sagte: »Sich selbst belügen? Wie macht man das überhaupt? Ich würde mir doch niemals glauben.« Lju lachte ganz beseligt, ich mußte auch lachen, hielt mich aber doch verpflichtet, Welja zu sagen, es wäre ein schlechter Witz gewesen. »Bessere können wir doch hier nicht machen«, sagte der Junge, »sonst versteht Katja sie nicht.« Ja, eigentlich wollte ich Dir nur sagen, die Überzeugung habe ich wirklich, daß Lju sich niemals selbst belügen würde, und das ist mir das Wesentliche. Der Grundsatz mag gefährlich sein, aber einem bedeutenden Menschen ist er angemessen.

Liebe Schwester meines geliebten Mannes, wenn ich nicht die großen Kinder um mich hätte, könnte ich mir jetzt einbilden, wir wären auf der Hochzeitsreise. Brauchten wir nur niemals in die Stadt zurück! Jegor hat sein Klavierspiel wieder aufgenommen, da er nun einmal nicht unbeschäftigt sein kann, und ich, die es sehr wohl kann, höre zu und träume. Erinnerst Du Dich noch an die Zeit, wo ich ihn meinen Unsterblichen nannte? Manchmal jetzt, wenn ich ihn ansehe, überläuft mich das Gefühl, daß etwas anders geworden ist; es sind nicht die weißen Haare, deren schon mehr als schwarze sind, nicht die tiefen Schatten, die oft unter seinen Augen liegen, nicht die strengen Linien, die sein Gesicht verdunkeln –: es ist etwas Unnennbares, das sein ganzes Wesen umgibt. Einmal mußte ich plötzlich aufspringen und fortlaufen, weil mir die Tränen aus den Augen sprangen, und im Schlafzimmer habe ich ins Kissen geschrien: »Mein Unsterblicher! ach, mein Unsterblicher!« Siehst Du, das ist nicht merkwürdig, daß es Wahnsinnige gibt, aber daß auch die Allervernünftigsten einmal einen Wahnsinnsanfall haben können, das ist beklagenswert. Deine Lusinja

Kremskoje, 15. Mai

Lieber Konstantin! Ich hätte mir das denken können; aber ich möchte, daß ich mich täusche, wenn ich es künftig denke. Es macht den Eindruck, daß ich mich zum Zweck psychologischer Studien hier befinde; Du findest, daß ich sehr viel Sinn für das Familienleben entwickle; Du meinst, ich hätte ebensogut meine Großtante in Odessa besuchen können, und sonst noch mehreres. Was willst Du? Hattest Du erwartet, ich würde mich wie ein hungriger Kannibale oder haßerfüllter Nebenbuhler oder betrogener Ehemann auf mein Opfer stürzen? Wir waren uns darüber einig, daß wir es nicht machen wollten wie die fanatischen Büffel, denen es bei ihren Attentaten mehr darauf anzukommen scheint, daß sie ihr eigenes Leben wegwerfen als das des Gegners. Wir wollten unser Ziel erreichen, ohne unser Leben, unsre Freiheit, womöglich sogar unsern Ruf aufs Spiel zu setzen; denn wir haben noch mehr zu erreichen, und wir wissen, daß wir nicht leicht zu ersetzen sind. Wenn es eilte, würde ich anders gehandelt haben; aber der Studentenprozeß beginnt erst Anfang August, bis dahin dauert der Urlaub des Gouverneurs, und ich habe demnach noch drei Monate Zeit, von denen erst ein halber verflossen ist. Ich sehe mich hier um, ich lerne die Menschen, die Umgebung kennen und warte auf eine Gelegenheit. Natürlich hätte ich den Gouverneur längst ermorden können, wenn es mir nur darauf ankäme; ich bin oft mit ihm allein gewesen, sowohl im Hause wie im Garten und im Walde. Aber dann hätte ich unrichtig gehandelt. Jetzt, wo ich zwar geschätzt und fast geliebt werde, aber immerhin noch ein Fremder bin, könnte sich ein Argwohn gegen mich erheben; in ein paar Wochen werde ich wie ein Glied der Familie und wird das nicht mehr möglich sein. Ich schrieb Dir neulich, glaube ich, daß ich einige Minuten neben ihm gesessen habe, während er schlief. Ich betrachtete den Teil seines Gesichtes, der mir zugewendet war; die breiten schwarzen Brauen – ein Zeichen starker Vitalität –, die strenggebogene Nase, in jeder Linie liegt Feuer und Noblesse; durch vornehmes Empfinden gemäßigte Leidenschaft scheint mir auch ein Grundzug seines Charakters zu sein. Ein wundervolles Geschöpf! Indem ich ihn betrachtete, dachte ich, wieviel lieber ich diesen Kopf meinen Gedanken, meinen Absichten zugänglicher machen als ihn mit einer Kugel zerstören möchte. Auch dies mußt Du bedenken, daß ich den Mord umgehen könnte, wenn es mir glückte, ihn zu beherrschen, zu beeinflussen. Ich will aber gleich hinzusetzen, daß ich die Möglichkeit für gering halte: in kleinen

Dingen ist er wie Wachs, in wichtigen wie Eisen. Wenn er etwas bestimmt will, können weder Furcht noch Liebe ihn umstimmen; so scheint es mir bis jetzt.

Der Kleine ist anders; er ist so indolent, daß er einem dankbar ist, wenn man für ihn will, man muß es nur mit Verstand tun. Seine Vorurteilslosigkeit setzt in Erstaunen. Er scheint gar nicht durch Tradition beherrscht; er hat etwas, als ob er mit keinem Bande an Vergangenheit, Familie, Vaterland angeknüpft wäre. Ich muß an ein altes Märchen denken, in dem ein elternloses Kind als Kind der Sonne auftritt; daran erinnert auch seine goldbraune Haut. Im Gespräch mit ihm spreche ich fast so, wie ich denke; er ist so unbefangen, daß es ihm nicht einmal auffällt, wie ich mit meinen Ideen eine Stellung bei seinem Vater habe annehmen können. Er findet es offenbar selbstverständlich, daß ein Mensch von Verstand so denkt, wie ich denke, und nebenbei jede Rolle spielt, die nach seinem Geschmack und zu seinem Fortkommen nützlich ist. Ich habe ihn lieb, und es freut mich, daß ich ihm nichts zuleide zu tun brauche. Katja denkt wie ihr Bruder, zum Teil vielleicht aus Liebe zu ihm. Sie ist für ein Mädchen sehr klug und einsichtsvoll; aber sie kann so verständig reden, wie sie will, sie ist immer wie ein kleiner, niedlicher Vogel, der auf einem Zweige sitzt und zwitschert, das ist das Reizende an ihr.

Konstantin, mache mir nicht wieder Vorwürfe. Wenn mir solche zu machen wären, würde ich es selbst tun; deshalb hat kein andrer das Recht dazu.   Lju

Jessika an Tatjana

Kremskoje, 15. Mai

Tante, Du hast mich eingeladen, huldvolle Tante! Ich küsse dankbar Deine schöne Hand. Vielleicht komme ich auch einmal, wenn Du gerade gar nicht daran denkst. Aber Liebste, weißt Du denn gar nicht, daß ich Pflichten habe? Ich kann doch nicht so ohne weiteres fort. Wir haben doch einen Haushalt, und Du weißt, daß auch die besten Dienstleute von einem höheren Wesen inspiriert werden müssen. Ich bedaure die Köchin, die bei unsrer fünffachen Wunderlichkeit gar keinen Rückhalt hätte. Papa schwärmt für gefüllte Tomaten, aber nicht für Tomaten an der Sauce, was Mama besonders liebt, während Welja eine Leidenschaft für Tomaten im Salat hat, Katja ißt sie nur roh. Katja ißt keinen süß zubereiteten Reis, Papa keinen gepfefferten, ich keinen Milchreis. Niemand von uns ißt Kohl, wir wollen aber täglich grünes Gemüse; so könnte ich noch seitenlang fortfahren. Keine Köchin behält das alles, und lesen kann unsre nicht. Wenn ich fort wäre, müßte Mama an das alles denken – denn Katja fiele das nicht ein –, und das täte mir so leid. Sie geht den ganzen Tag herum und ist glücklich, ihren Mann einmal für sich und in Sicherheit zu haben; man mag ihr keine dummen Alltäglichkeiten aufbürden, gerade jetzt.

Ihr denkt, ich wäre nur eine unbedeutende kleine Person! Aber sie würden es schon bemerken, wenn nicht vor jedem die Tasse Tee oder Kaffee mit geradesoviel Zucker und Milch oder Zitrone stände, wie er es haben mag, oder wenn ihm die Orangenschnitten nicht so fein geschält und entkernt auf den Teller flögen, wie er es gewohnt ist, oder wenn die Bleistifte und Scheren und Schirme, die er verliert oder verlegt, nicht gerade im richtigen Augenblick von mir wiedergefunden würden! Ja, so bin ich! Komm Du nur einmal hierher und überzeuge Dich, wie unentbehrlich ich bin.

Wenn Du nun findest, daß ich belohnt und entschädigt werden muß, Tante Tatjana, so schicke mir doch lila Batist zu einer Bluse und dazu passenden Zwischensatz und Spitzen. Ich habe nichts, was leicht genug wäre bei der Hitze. Niemand hat so viel Geschmack wie Du, darum besorge es, bitte, selbst, Holdseligste.

Deine dankbare Jessika

Welja an Peter

Kremskoje, 17. Mai

Lieber Peter! Ich habe mich nicht getäuscht, Lju ist im Grunde ein Revolutionär, nur daß noch etwas dabei ist, was seine Ansichten himmelhoch über die durchschnittlichen erhebt. Wie soll ich Dir das begreiflich machen, süßes Megatherium? Er denkt und steht zugleich über dem, was er denkt. Er hält das, was er denkt und wünscht, nicht für das Letzte, Absolute. Darum steht er auch abseits von den Parteien, weil er über sie hinaussieht. Er sagt, der alten Generation gegenüber haben die Neuen recht, obwohl sie, an sich betrachtet, fast noch weniger recht haben als die Alten. Natürlich verstehst Du das nicht, weil Dir die Selbstironie fehlt, sowohl der Begriff wie die Qualität. Ihr habt keine Idee, wie komisch es ist, wenn Ihr Euch über die Verkommenheit der alten Kultur erhitzt und nicht von ferne ahnt, was Kultur eigentlich bedeutet. Macht nichts, brülle nicht, alter Saurier, ich bin ganz Euer. Mein Vater ist köstlich; er findet, daß Lju ein sehr angenehmer, kluger und unterhaltender Mensch ist, weiter dringt sein

Scharfblick nicht. Er kommt nicht auf die Idee, daß ein Mensch in honetten Kleidern, der höflich mit ihm umgeht und ihm nicht widerspricht, sich außerhalb seines Systems bewegen könnte. Mama ist viel weniger, wie soll ich es nennen, auf ihr Selbst beschränkt. Sie sieht wenigstens deutlich ein, daß sie längst nicht Ljus ganzes Wesen erfaßt hat; sie fühlt etwas Fremdes, wenn sie dessen auch nicht habhaft werden kann. Neulich sagte sie zu ihm, seinen Talenten und Kenntnissen und seiner Leistungsfähigkeit sei eigentlich das Amt, das er in unserem Hause bekleide, nicht angemessen, ebensowenig das Entgelt, er hätte es gar nicht annehmen dürfen. Lju sagte, er hätte gehofft, als Privatsekretär freie Zeit übrig zu haben, die er gebrauche, um ein philosophisches Werk zu vollenden, das sei sein nächstes Arbeitsziel. Darüber wurde Mama ordentlich rot und meinte, er sei nun gewiß enttäuscht, da ja seine ganze Person bei uns dauernd in Anspruch genommen werde. Ich glaube, Lju hatte schon ganz vergessen, daß er hier ist, um Mörder und Bomben abzufangen, während Mama denkt, er riebe sich bei dieser schwer zu definierenden Tätigkeit auf. Sie forderte ihn seitdem öfters auf, sich in sein Zimmer zurückzuziehen und zu arbeiten, und ist geneigt, es sehr anspruchsvoll von Papa zu finden, wenn er ihm mal außer der Zeit einen Brief diktieren will; er könnte sich eigentlich eine Schreibmaschine anschaffen, meinte sie. Man kann nicht behaupten, daß Mama die Leute ausbeutet.

Wir sind augenblicklich damit beschäftigt, Papa ein Automobil kaufen zu lassen; er ist auch schon nahe daran. Wir sprechen bei Tisch immer von den letzten Automobilrennen und erörtern, ob es mit Benzin oder Elektrizität billiger ist. Lju meinte, ob wir nicht lieber warten und dann gleich ein lenkbares Luftfahrzeug anschaffen wollten. Von dem Gedanken war Papa ordentlich hingerissen, und wie er die Kosten davon berechnete, kam ihm das Auto hernach schon ganz alltäglich und kleinbürgerlich vor. Lju ist gar nicht musikalisch. Er sagt, Musik wäre eine primitive Kunst, wenigstens die man bis jetzt kennte. Es könnte vielleicht auch anders sein, wovon Richard Wagner gewisse Andeutungen gäbe. Das Musikalische in unsrer Familie wäre primitiv. Ich glaube, daß das ganz richtig ist, besonders bei Papa. Er spielt schön in dem Sinne, wie der Wald rauscht oder der Wind saust, es ist etwas Dämonisches. Aber das Besessensein ist kein Kulturfaktor. Lju hat aber viel übrig für das Primitive. Er findet, Jessikas Stimme klänge so, wie wenn in der fahlen Dämmerung tief im Osten die Morgenröte aufginge. Jessikas Stimme finde ich auch fein, auf mich wirkt sie wie ein Harfenton; sonst habe ich mir nie viel aus Gesang gemacht, bei der Sinfonie fängt doch die Musik eigentlich erst an. Bilde Du Dir aber ja nicht ein, Du wärest ein Übermensch, weil Du unmusikalisch bist. Bei Dir ist es ein Vakuum.

Welja

Katja an Tatjana

Kremskoje, 17. Mai

Liebe Tante! Jessika hat vergessen, Dich zu bitten, daß Du uns die Partitur von ›Tristan und Isolde‹ besorgst oder besorgen läßt. Papa ist dagegen, er meint, man könnte Noten auch leihen! Gibt es das überhaupt? Ach, erkundige Dich nur gar nicht, Bücher aus Leihbibliotheken beziehen ist unfein, und Noten sind auch Bücher, also. Im Grunde ärgert sich Papa nur, daß wir uns mit Wagner beschäftigen wollen, er ist nun einmal einseitig. Nicht mal kennenlernen will er ihn, sondern ist von vornherein entschlossen, ihn gräßlich zu finden. Ja, hätte Wagner vor ein paar hundert Jahren gelebt und Kirchenmusik gemacht wie Palestrina – ach so, das klingt dumm, aber ich habe es nun einmal geschrieben, und Du verstehst mich auch schon. Natürlich sind Beethovens Lieder an seine ferne Geliebte schön, die Papa immer singt, aber unsre Zeit und unser Leben drückt das doch nicht aus. Jedenfalls, Tante Tatjana, Du schickst uns ›Tristan und Isolde‹, nicht wahr? Bitte recht bald, Peter kann es ja besorgen.

Deine Katja

Lju an Konstantin

Kremskoje, 20. Mai

Lieber Konstantin! Dein Brief hat mich zu einer Unvorsichtigkeit veranlaßt; aber der wäre ein schlechter Feldherr, der nicht einen falschen Zug wieder einbringen oder sogar verwerten könnte. Das Gerücht, daß der Studentenprozeß sofort vorgenommen würde und der Gouverneur infolgedessen sofort nach Petersburg zurückginge, muß unbegründet sein; denn er selbst würde es doch am ersten wissen und gleichzeitig auch ich. Trotzdem erwog ich gestern die Möglichkeit und bereitete mich darauf vor, schnell und plötzlich handeln zu müssen. Ich sagte mir, bei Tage würde ich nicht leicht eine Gelegenheit finden, besonders keine für mich günstige. Nachts könnte ich ihn und seine Frau, denn sie schlafen zusammen, mit Äther betäuben, ihn durch einen Stich ins Herz töten und mich ungesehen wieder zu Bett legen. Kein besonderes Verdachtsmoment würde auf mich hinweisen; bei Tage hingegen könnte sich kaum jemand an den Gouverneur herandrängen, ohne daß irgendwer, namentlich ohne daß ich es bemerkte. Am Tage können unzählige unvorhergesehene Störungen dazwischenkommen; nachts liegen bestimmte, übersichtliche Umstände vor. Die Ausführbarkeit des Planes hängt wesentlich von dem mehr oder weniger leisen Schlaf des Gouverneurs und seiner Frau ab; ich beschloß, mir sofort Gewißheit über die Frage zu verschaffen. Ich warf einen Mantel über und schlich mich nach ihrem Schlafzimmer, das durch ein Ankleidezimmer mit angrenzendem Bade- und Garderoberaum von meinem getrennt ist. Kaum hatte ich den Fuß über die Schwelle gesetzt, als ich Frau von Rasimkara auf mich zustürzen sah. Ich will Dir gestehen, daß ich in diesem Augenblick fast die Besinnung verloren hätte: die Frau so merkwürdig, so schön, so anders als am Tage vor mir zu sehen, es raubte mir den Atem. In ihrem Gesicht stand zugleich der Ausdruck des Entsetzens und der unbedenklichsten Entschlossenheit, der sofort, da sie mich erkannte, dem Gefühl der Erlösung, dem Erstaunen und, ich möchte sagen, dem Gefühl für das Komische der Lage Platz machte. Ja, für die Dauer eines Augenblicks dachte und empfand ich nichts, als wie hinreißend sie war; sie zog mich rasch in das Ankleidezimmer zurück und sagte flüsternd, ich hätte sie sehr erschreckt, sie hätte mich für einen Mörder gehalten, was geschehen wäre? Ob mir etwas fehlte, ob ich nachtwandelte? Ich sagte, sie möchte ganz ruhig sein, geschehen wäre nichts, ich wäre aufgewacht, hätte geglaubt, ein Geräusch zu hören, und hätte mich überzeugen wollen, ob bei ihnen alles ruhig und in Ordnung wäre; ich hätte das schon öfters getan, weil ich es als zu der von mir übernommenen Pflicht gehörig betrachtete, bisher hätte sie es aber nicht bemerkt. Ich setzte noch hinzu, sie würde vielleicht guttun, ihrem Manne nichts von dem Vorfall zu sagen. Natürlich nicht, sagte sie, sie wäre froh, daß er nicht erwacht wäre; dann drückte sie mir die Hand, nickte mir zu und lächelte und ging in ihr Schlafzimmer zurück.

Dies war ein sehr gefährlicher Augenblick, und ich habe erst gegen Morgen wieder einschlafen können. Als sie vor mir stand und mich anlächelte, dachte ich, daß sie hinreißend sei, und gleichzeitig, daß ich sie würde töten müssen. Ich dachte es mit solcher Lebhaftigkeit, daß mir war, es schreie aus meinen Augen heraus: ich bin dein Mörder, weil ich sein Mörder bin. Du wirst immer an seiner Seite sein, dein Leib wird sich vor seinen werfen, wenn die Stunde da ist, darum mußt du mit ihm fallen. Das eigentümliche

Lächeln, mit dem sie mich ansah, schien zu sagen: ich verstehe dich, es ist mein Schicksal, ich nehme es auf mich.

In gewisser Weise habe ich bei meinem unglücklichen Versuch etwas gewonnen. Ich weiß nun, daß der Gouverneur tief und fest schläft. Ihr habe ich die Meinung eingeflößt, daß ich zum Schutze ihres Mannes zuweilen ihr Schlafzimmer betrete. Sähe sie mich eintreten, mich über sie beugen, sie würde bis zum letzten Augenblick keinen Verdacht schöpfen, mich nur mit großen Augen erwartungsvoll ansehen. Andererseits habe ich erfahren, daß mir diese Art der Ausführung widerstrebt. Ich würde nur im äußersten Notfall dazu schreiten. Ein anderer Weg wird sich finden lassen, der mir mehr zusagt. Sei Du jedenfalls ohne Sorge: es mag sein, daß ich unüberlegt gehandelt habe, aber ich habe auch die etwaigen schlimmen Folgen im Keim erstickt.   Lju

Welja an Peter

Kremskoje, 20. Mai
Lieber Peter! Heute habe ich das Gefühl, in einem Irrenhaus zu sein. Mama hat diese Nacht irgend etwas gehört, was nachher gar nichts war; aber trotzdem sich alles als Einbildung entpuppt hat, sieht sie verweint aus und fährt bei jedem Geräusch zusammen. Papa hat Furoranfälle, die wir als Nervosität respektieren sollen. Vorhin klingelte er Mariuschka her, weil sie in der Garderobe das elektrische Licht habe brennen lassen. Er machte solchen Krakeel, daß ich es im Garten hörte, und stellte sich ungefähr so an, als ob dies elektrische Flämmchen das Verderben auf unsre ganze Familie herunterziehen müßte. Nachher stellte sich heraus, daß er selbst es angezündet und auszumachen vergessen hatte. Katja erhob nun ihrerseits ein Geschrei: es wäre empörend von Papa, das ganze Haus schwämme in Tränen seinetwegen, die Dienstleute könnten unmöglich Respekt vor ihm haben, wenn er sich so benähme; und dazwischen rief sie mich an, ob ich es nicht auch fände. Ich sagte: »Vater, wie du willst.« Da wendete sich plötzlich ihre Entrüstung gegen mich, worüber wir dann glücklich alle ins Lachen kamen. Papa sagte, nun müßte er sich wohl bei Mariuschka entschuldigen, weil er ihr unrecht getan hätte, und begab sich zu diesem Zweck ins Leutezimmer. Wir wollten gern mitgehen, um der Szene beizuwohnen, aber Mama verbot es als unschicklich. Ich fand die Geschichte von vornherein nur komisch und verstehe nicht, wie Katja sich ärgern kann.   Welja

Katja an Peter

Natürlich ärgere ich mich, Welja kann eben nichts ernst nehmen, weil er zu faul ist. Es ist doch empörend, daß ein Mann wie Papa, der sich selbst gar nicht beherrschen kann, die Universität schließt, weil die Studenten ihre Rechte verteidigen. Es ist empörend, daß ein Mann solche Macht hat, die Tatsache allein verdammt unsre Zustände. Sieh doch zu, ob sich nicht Lehrer finden, uns und allen, die teilnehmen wollen, Privatkurse zu halten. Es könnte ja bei Dir zu Hause sein, das kann man doch nicht verbieten. Ich finde, daß man sich so etwas nicht gefallen lassen soll. Mir ist es ganz gleichgültig, ob ich ein paar Jahre früher oder später fertig werde, aber es soll doch wenigstens von mir abhängen. Und wenn das nicht geht, möchte ich fort, ins Ausland. Es ist mir unleidlich, in Rußland leben zu müssen. Von Welja habe ich gar nichts; er ist zu dusselig, was ich auch sage und vorschlage, ihm ist alles gleich. Natürlich, wenn man muß, muß man, aber erst versucht man doch, ob es nicht anders geht.   Katja

Lusinja an Tatjana

                                       24. Mai

Du Liebe! Die Kinder haben Dir geschrieben, daß wir wieder sehr nervös sind? Wenn Du mich nicht verraten willst, will ich Dir sagen, wovon es bei mir gekommen ist. Du weißt, ich bin ängstlich und schreckhaft, und Du weißt auch, daß ich leider sehr ernsten Anlaß dazu habe. Ich gebe zu, daß ich es auch ohne das wäre, das ändert aber nichts daran, daß der Anlaß da ist. Nun also, neulich nachts wache ich auf und sehe einen Mann auf der Schwelle unsres Schlafzimmers stehen. Natürlich denke ich, daß er Jegor töten will, und stürze blindlings auf ihn zu, um Jegor zu schützen – wie, darüber nachzudenken hatte ich keine Zeit. Es war nur ein Augenblick, dann erkannte ich Lju. Ja, es war Lju. Das plötzliche Aufhören der Angst und des Schreckens wirkte so befreiend auf mich, daß ich beinahe lachen mußte; ich hätte ihn umarmen können. Aber nachher, als ich wieder im Bett lag, machten sich die Folgen der heftigen Nervenerregung geltend, ich mußte nun weinen und konnte gar nicht mehr aufhören. Es kam ein Unbehagen über mich, das viel peinlicher war als die Furcht, die ich vorher gehabt hatte; es war mir nämlich so unheimlich, daß Lju nachtwandelt. Anders kann ich mir das Vorgefallene doch nicht erklären, als daß er somnambul ist. Er selbst hat mir eine andre Erklärung gegeben; er betrachte es als zu seiner Pflicht gehörig, sich zuweilen zu überzeugen, ob bei uns alles in Ordnung sei, und er sei schon öfters in unserm Schlafzimmer gewesen, besonders wenn er ein Geräusch zu hören geglaubt hätte. Das klingt ganz plausibel, und Du wirst vielleicht sagen, es müßte etwas Beruhigendes für mich haben, zu wissen, daß er so treu über uns wacht. Vorher würde ich das auch gedacht haben; aber ich sehe nun, daß die Vorstellung von einer Tatsache ganz etwas anders ist als die Tatsache selbst. Es ist mir nichts Beruhigendes, sondern etwas im höchsten Grade Unheimliches, daß ein Mensch plötzlich nachts in unserm Zimmer stehen kann, sei es nun, weil er nachtwandelt, oder aus andern Gründen. Ich kann nicht mehr schlafen, weil ich immer denke, plötzlich steht er da und sieht mich aus diesen seltsamen grauen Augen an, die alle Körper zu durchdringen scheinen. Wenn ich eben eingeschlafen bin, schrecke ich entsetzt wieder auf. Der Einfall ist mir gekommen, er könnte durch das offene Fenster hereinsteigen; Du weißt doch, daß Nachtwandler überall, selbst auf der Kante des Daches, gehen können. Und das zu denken ist mir unheimlich, ich kann nicht dagegen an. Ich möchte gern das Fenster schließen, aber Jegor will es nicht; er sagt, es wäre Unsinn, und ich müßte solche krankhaften Einbildungen unterdrücken. Schlangen könnten wohl an einer glatten Hausmauer hinaufkriechen, Nachtwandler nicht. Was meinst Du? Ich habe einmal gelesen, für Nachtwandler wäre das Gesetz der Schwere aufgehoben; Gott weiß es.

Unglücklicherweise habe ich Jegor, der nicht aufgewacht war und nichts gehört hatte, alles erzählt. Er ist gut, aber meine Furchtsamkeit macht ihn ein wenig ungeduldig, weil er sie aus sich selbst nicht nachempfinden kann. Und dann allerdings machen ihn auch die Verhältnisse nervös, die eine gewisse Vorsicht vernünftigerweise doch nötig machen, die er seinem Temperament nach so ungern beobachten möchte.

Die Kinder wissen von dem Vorfall nichts, denn ich möchte nicht, daß darüber bei Tisch gesprochen wird. Es scheint mir auch rücksichtsvoller gegen Lju zu sein, dem wir so viel verdanken; wenn sich das Gerücht verbreitete, er wäre Nachtwandler, würde es ihm bei den Leuten schaden. Und daß er nachts in unser Zimmer kommt, um uns zu bewachen, soll auch nicht bekanntwerden.

Katja, mein Goldkind, ist ein unverbesserlicher kleiner Teufel. Sie schilt bei jeder Gelegenheit über die Schließung der Universität, obwohl sie weiß, daß jetzt die politischen und geschäftlichen Dinge nicht berührt werden sollen, weil es Jegor aufregt. Mich wundert, ob Dein Peter einmal mit ihr fertig wird, es spricht für seinen Charakter, daß er es sich zutraut. Von Dir, Liebste, hat er nichts; er schlägt ganz Deinem Manne nach, und der hat ja sogar Dir zu imponieren verstanden, nicht wahr? Ach, meine Kleine ist noch zu kindisch, als daß ihr irgend etwas auf der Welt imponieren könnte. Ich wollte, es gelänge ihm, ihr Herz zu gewinnen, wäre es nur, damit sie Dich zur Schwiegermutter bekäme. Aber auch Dein Sohn würde ihr guttun mit seiner Stämmigkeit und Wurzelfestigkeit. Jessika blüht, die Landluft tut ihr gut, sie ist unsre Hebe mit den Rosenwangen. Mich wird das kleine nächtliche Intermezzo auch nicht lange stören, hoffe ich. Sei gegrüßt und geküßt von Deiner   Lusinja

Jessika an Tatjana
Kremskoje, 25. Mai

Liebste Tante! Es ist sehr gut, daß ich hiergeblieben bin. Mama hat jetzt gerade eine Zeit, wo sie sich um nichts kümmert als um ihren Jegor, unsern Vater. Und ein Geist muß doch über dem Haushalt schweben. In ein paar Tagen kommt unser Automobil, denke Dir, Tante. Mama schlug im letzten Augenblick vor, wir wollten lieber doch keins haben, weil es gefährlich wäre, und das gab der Sache gerade den letzten kleinen Stoß, den es noch brauchte, um Papa zum Entschluß zu bringen. Denn nun sagte er, auf Mamas Ängstlichkeit dürfe keine Rücksicht genommen werden; sie müßte endlich einmal erzogen werden, sonst würde sie schließlich zu alt dazu. Einen Chauffeur will Papa nicht haben, das verteuerte die Geschichte, und er möchte keine fremden Leute ins Haus nehmen; unser Iwan soll sich dazu ausbilden. Welja sagte: »Väterchen fährt ja schon mit der Kutsche in den Graben, wohin wird er erst mit dem Automobil fallen!« Papa sagte, Welja sollte nicht übertreiben, Iwan wäre auch oft ganz nüchtern. Mama sagte mit einem Seufzer, hoffentlich wäre er es gerade dann, wenn wir ausfahren wollten. Ich schlug vor, wir wollten nur selten fahren, dann träfen wir gewiß gerade mit den oftmaligen Nüchternheiten Iwans zusammen. Das leuchtete Mama sehr ein, aber Katja schmetterte los, dazu hätte man kein Automobil, sie wolle alle Tage fahren und so weiter. Zum Glück sprang Lju ein und sagt', er wäre Dilettant im Automobilfahren und wollte sich noch mehr ausbilden, dann könnte er Iwan zuweilen ersetzen. Welja sagte nachher, als Papa nicht dabei war: »Papa wird doch lieber mit Iwan fahren, weil er denkt, daß die Betrunkenen in Gottes Hand sind.« Das ist doch ein Sprichwort, weißt Du.

Von unserm Iwan muß ich Dir noch etwas erzählen. Welja sagte gestern mittag, er hätte ihn gefragt, was er von Lju hielte, eigens weil er gemerkt hätte, daß er ihn nicht leiden möchte. Iwan hatte Ausflüchte gemacht und nicht mit der Sprache herausgewollt. Welja hätte gesagt, Lju wäre doch freundlich, gerecht, hilfsbereit, gescheit, geschickt, was Iwan alles zugegeben hätte. Endlich hätte Iwan dann gesagt: »Er ist mir zu gebildet.« Darauf hätte Welja gesagt, Papa wäre doch auch gebildet; da hätte Iwan ganz listige Augen gemacht und den Kopf geschüttelt und gesagt: »Das stellt sich äußerlich wohl so vor, aber im Grunde ist er nur ein guter Kerl wie unsereiner.« Wir haben alle sehr gelacht, Lju am meisten, er war geradezu begeistert über die Bemerkung und sah allen erdenklichen Tiefsinn darin. Ob jemand ihn leiden mag oder nicht, danach fragt Lju gar nicht, das finde ich groß an ihm.

Liebe Tante, ich singe Tristan, Isolde, Brangäne, König Marke und noch ein paar Heldenkräfte. Kannst Du Dir mich vorstellen? Papa hat nur einen unwilligen Seitenblick auf die Partitur geworfen, und ich singe natürlich nur, wenn er außer Hörweite ist.

Deine Jessika

Lju an Konstantin

Kremskoje, 27. Mai

Lieber Konstantin! Du meinst, daß ich vielleicht mittels des Automobils zum Ziele kommen könnte. Ja, wenn es sich so einrichten ließe, daß der Gouverneur das Genick bräche und ich das Handgelenk! Weißt Du, wie man das macht? Durch den Kopf gegangen ist mir der Gedanke natürlich, sowie von dem Automobil die Rede war, und ich habe im Hinblick darauf die Anschaffung befürwortet, habe mich auch anerboten, zuweilen den Chauffeur zu machen, was mit Beifall aufgenommen wurde. Es hat aber außer der erwähnten Schwierigkeit das gegen sich, daß ich mit dem Einüben viel Zeit verlieren müßte, wahrscheinlich ohne Erfolg und sicher ganz ohne Vergnügen für mich. Ich bin kein Sportsmann. Zeit und Aufmerksamkeit lasse ich mir solche Dinge nicht gern in hohem Maße kosten. Für die Luftschiffahrt würde ich mich etwa interessieren; aber das ist Arbeit und Tat, nicht Sport, und hat allerlei wissenschaftliche Haupt- und Nebenzwecke. Ein wenig werde ich mich aber doch mit dem Automobil befassen; es könnte auch der Fall eintreten, daß ich es zur schleunigen Flucht benutzen müßte.

Ein andrer Einfall ist mir gekommen, von dem ich fühle, daß er ergiebig sein wird. Ich möchte womöglich bei dem Akt selbst nicht persönlich beteiligt sein; es müßte also eine Maschine meine Rolle spielen. Nun schwebt mir vor, daß dies eine Schreibmaschine sein könnte. Das Nähere sage ich Dir, wenn der Plan etwas reifer in mir ist. Dann könnte es wohl sein, daß ich Deiner verständnisvollen Mithilfe bedürfte, damit die Maschine zweckentsprechend eingerichtet wird, ohne daß der Fabrikant etwas davon erfährt.

Frau von Rasimkara ist seit jener Nacht verändert, blaß und beinahe etwas scheu, beständig in der Nähe ihres Mannes. Es ließe sich so erklären, daß mein Benehmen ihre Ängstlichkeit verdoppelt hat, weil sie den Schluß daraus ziehen mußte, ich hielte ihren Mann für sehr gefährdet. Vielleicht schläft sie seitdem nicht mehr gut. Vorher hatte meine Sicherheit und Sorglosigkeit beruhigend auf sie eingewirkt. Eine gewisse Zurückhaltung, die sie mir gegenüber weniger zeigt, als wider ihren Willen verrät, könnte darin begründet sein, daß die Erinnerung an unser nächtliches Begegnen, das so seltsam, so flüchtig und doch so eindrucksvoll war und das niemand außer uns weiß, sie verlegen macht oder wenigstens in irgendeiner Hinsicht bewegt. Verdacht gegen mich hat sie nicht, dessen bin ich sicher; sie behandelt mich im Gegenteil mit vermehrter Freundlichkeit und Rücksicht. Da sie jetzt fast immer um ihren Mann ist, bin ich mehr in die Gesellschaft der Kinder gedrängt, deren Vertrauter und teuerster Freund ich geworden bin.

Du darfst Dich in der nächsten Zeit nicht von Petersburg entfernen, da ich Deiner wegen der Schreibmaschine bedürfen könnte.

Lju

Welja an Peter

Kremskoje, 28. Mai

Lieber Peter! Heute hätte es beinahe eine Familienkatastrophe gegeben, bei der ich natürlich nicht aktiv war. Katja fing bei Tisch von den Universitätsgeschichten an; ihr könne es ja gleichgültig sein, denn sie braucht ihren Lebensunterhalt nicht zu verdienen, für die meisten wäre es aber verhängnisvoll, daß sie ihr Studium auf unbestimmte Zeit unterbrechen müßten. Papa sagte, noch verhältnismäßig ruhig und beherrscht, allerdings wäre das ein Unglück für viele; um so härter wären diejenigen zu verurteilen, die durch ihr aufrührerisches Tun mutwillig das Unglück über ihre Kollegen gebracht hätten. Jetzt aber sauste Katja los! Wie ein künstlicher Wasserfall, den man plötzlich springen läßt! Das wäre die Art ungerechter Despoten, die Opfer noch zu verleumden und die eigne Schuld auf sie abzuladen! Demodow und die andern wären Märtyrer, hinrichten und nach Sibirien schicken könnte man sie, nicht aber ihnen den Ruhm rauben, daß sie tapfer und selbstlos gehandelt hätten. Übrigens hätten fast alle ebenso wie sie gedacht, Du zum Beispiel hättest auch die Absicht gehabt, den Kosaken Widerstand zu leisten, Du wärest nur durch einen Zufall auf dem Wege zur Universität aufgehalten, sonst könnte Papa Dich auch in die Bergwerke schicken. Mama gelang es endlich, sie zu unterbrechen, indem sie sagte, das würde Papa allerdings tun, wenn er es für seine Pflicht hielte; denn daran zweifle sie doch wohl nicht, daß Papa sich von seiner Pflicht leiten ließe, folglich dürfe sie auch seine Handlungen nicht kritisieren. Ich sagte: »Mit deinem Spatzengehirn im Kopfe würde er natürlich anders handeln«, worauf sie mir einen vernichtenden Blick zuwarf. Papa war ganz bleich, und seine Augenbrauen sahen wie ein zackiger schwarzer Blitz aus, furchtbar stimmungsvoll; wenn es sich nicht um Katja gehandelt hätte, wäre ein Unwetter losgebrochen, das den ganzen Tisch und alle Stühle fortgeschwemmt hätte; so hielt er einigermaßen an sich. Und dann hebt Ljus Gegenwart eigentlich jede Katastrophe auf; seine überlegene Ruhe zerstreut gewissermaßen alle angesammelte Elektrizität, oder er hat so viel Kraft, daß er sie in sich sammeln und unschädlich machen kann. Er saß kühl wie Talleyrand dabei und bewies, daß jeder recht hätte, so daß alle schweigen und zufrieden sein mußten. Er sagte, selbstverständlich schließe die Maßregel der Universitätsschließung Ungerechtigkeiten ein, deshalb könnte sie aber vollständig gerecht sein innerhalb des Systems, zu dem sie gehöre. Er billige dies System nicht durchaus, er glaube, daß es sich überlebt habe, aber solange es herrsche, müsse man mit seinen Gesetzen arbeiten. Papa sah Lju interessiert und etwas erstaunt an und fragte, wie das zu verstehen sei, daß er das System nicht billige. Keine Regierung sei fehlerlos, weil die menschliche Natur überhaupt fehlerhaft sei. Seiner Meinung nach sei es besser, dahin zu wirken, daß jeder seine Pflicht tue, anstatt die Irrtümer des Systems aufzudecken. Lju sagte, ohne den Grundsatz, daß jeder einzelne seine Pflicht zu erfüllen habe, könne kein gesellschaftliches System sich halten. Er glaube, das herrschende System habe den Fehler, das Pflichtgefühl nicht auszubilden, weil es lauter Gesetze und Vorschriften an dessen Stelle gesetzt habe. Dies sei für eine primitive Kultur berechtigt, jetzt aber sei das Volk keine Herde mehr, sondern bestehe aus Individuen. Kein Kunstverständiger werde die byzantinische Malerei mit ihren starren Formen nicht bewundern; man könne vielleicht sogar glauben und wünschen, daß man einmal auf irgendwelchen Umwegen dahin zurückkehre; aber verständigerweise könne man doch nicht die Entwicklung auf jene Stufe zurückdrehen wollen.

Er sprach so liebenswürdig, galant und beinahe herzlich gegen Papa, daß er ganz angeregt wurde und lebhaft auf alles einging; ich glaube, er hatte das Gefühl, vollkommen einer Meinung mit Lju zu sein.

Bei Tisch waren also die Fugen wieder eingerenkt; aber hernach ergoß sich Katjas zurückgehaltener Zorn gegen Lju. Er hätte sich verächtlich benommen, er hätte zu ihr halten müssen, denn er dächte ebenso wie sie. Was er gesagt hätte, möchte ganz schön sein, sie hätte es nicht verstanden, wolle es auch nicht verstehen, es wäre doch nur eine Brühe gewesen, um seine wahren Ansichten zu verkleistern. Von mir erwarte sie ja nichts andres, als daß ich falsch und feig wäre, aber ihn hätte sie für stolzer gehalten. Sie war zu niedlich, wie ein kleiner Vogel, der gereizt wird und sein Federschöpfchen sträubt, mit dem Schnabel um sich pickt und in den höchsten Tönen lospiepst. Lju fand sie offenbar auch niedlich, denn er ging sehr liebevoll auf ihren Kohl ein. Ich ging mitten darin fort, weil meine Dorfschönheit auf mich wartete.

Ich habe Papa eine Auswahl von den feinsten Süßigkeiten mitgebracht, die der Türke hat. Er fand sie ausgezeichnet und sagte, er hätte sich gleich gedacht, daß ich einen bestimmten Grund hätte, immer ins Dorf zu radeln. Er aß übrigens mehr davon als ich und wurde nicht einmal übel; er ist eigentlich ein großartiger Mensch, ich bin dekadent gegen ihn. Mit Lju kann er sich allerdings nicht vergleichen; er ist wie ein schöner Dolch mit kunstvollem Griff und einer mit Edelsteinen buntgeschmückten Scheide, wie sie zuweilen in Museen ausgestellt sind; Lju ist wie der schlichte Bogen des Apollo, der nie fehlende Pfeile entsendet. Schmucklos, schlank, elastisch, durch die vollendete Zweckmäßigkeit schön, ein Bild göttlicher Kraft, Treffsicherheit und Gewissenlosigkeit. Ach Gott, ich schreibe ja an ein silurisches Faultier und nicht an einen feinwitternden Griechen. Quäle Dich nicht mit der Durchdringung meiner poetischen Bilder und triumphiere nicht, wenn sie hinken sollten; ein Achilles, der hinkt, kommt immer noch eher an als ein Brontosaurus, der im Sande steckenbleibt.

Welja

Katja an Peter

Lieber Peter! Wir sind nicht verlobt, ich habe Dir sogar einmal gesagt, ich würde Dich niemals heiraten; aber ich weiß ja, daß Du noch daran denkst, darum will ich Dir etwas sagen. Ich habe jetzt den Mann kennengelernt, den ich heiraten werde, wenn ich überhaupt heirate. Den einzigen, den ich lieben kann. Frage nicht, wer er ist, frage überhaupt nicht weiter. Ich hätte Dir ja nichts davon zu sagen brauchen, ich tue es nur, weil ich Dich gern habe und Dich als meinen Freund betrachte und weil Du mich seit unsrer Kindheit als Deine zukünftige Frau angesehen hast. Dafür kann ich freilich nichts. Wissen darf dieses niemand außer Dir.   Katja

Lusinja an Tatjana

Kremskoje, 2. Juni

Meine liebe Tatjana! Auf unsern einzig schönen Sommer fällt von irgendwoher ein kleiner Schatten. Vielleicht eben weil er so schön ist, muß er das Abzeichen seiner Erdennatur tragen. Jetzt sorge ich mich besonders um Jessika; ich kann es mir nicht mehr verhehlen, daß sie den Lju liebt. Ohne daß sie es weiß, richtet sich ihr ganzes Wesen nach ihm: ich könnte sagen, sie ist eine Art Sonnenuhr, von der man immer ablesen kann, wo ihr Gestirn steht. Er hat auch etwas Sonnenhaftes; es ist, als ob eine lebenzeugende Kraft von ihm ausginge, in der freilich auch Leben verdorren kann. Auf Welja und Katja übt er einen heilsamen Einfluß aus; er regt sie zum Denken, zu gesteigerter geistiger Tätigkeit an; für meine kleine Jessika, fürchte ich, sind seine Strahlen zu heiß. Sie muß Wärme haben, darf aber nicht mitten im Feuer stehen. So erscheint es mir wenigstens. Zuweilen kommt es mir so vor, als ob nicht nur in ihr ein Neigen zu ihm wäre, sondern als ob auch ihn ein leises Anziehen zu ihr hinzöge. Ob er sie liebt? Ich kann nicht umhin, mit ihr in meiner Seele aufzujubeln, wenn ich es zu bemerken glaube, denn eine Mutter fühlt jeden Schmerz und jedes Glück mit ihrem Kinde. Wäre es aber überhaupt wünschbar? Würde es ein Glück für sie sein? Ljus Ansichten und, was wichtiger ist, seine ganze Auffassung des Lebens weicht sehr von Jegors und meiner ab, das fühle ich. Auch den Kindern steht er nach Erziehung und Lebensgewohnheiten ferner, als sie selbst es ahnen. Vielleicht ist er uns gegenüber im Rechte; aber verbürgt das die Möglichkeit dauernden Zusammenlebens? Und was würde Jegor sagen? Er hat nichts gegen Lju, er ist frei von gewöhnlichen

Vorurteilen; aber er möchte unsre Mädchen mit Männern verheiraten, deren Lebensführung ihm vertraut ist, mit denen wir alle zu einer Familie verwachsen können. Und dann, Liebste, daß er nachtwandelt! Das ist beinahe das Schrecklichste für mich. Ach Gott, es ist ja so töricht, aber manchmal wünsche ich, Lju wäre niemals zu uns gekommen, oder er verließe uns wieder.

Nachmittags
Lju ist doch ein unheimlicher Mensch! Er hat Augen, die im Herzen lesen. Ich hatte eben den Satz geschrieben, als er kam und mir sagte, er fühle sich sehr wohl bei uns, er hätte auch das Gefühl, daß wir ihn gern hätten, aber er käme sich überflüssig vor und fände, daß es richtiger wäre, wenn er ginge; er möchte mit mir darüber sprechen. Er sprach so vertrauensvoll, so einfach, beinahe kindlich. Ich war ganz betroffen und sagte, meine Besorgnis um das Leben meines Mannes hätte sich allerdings allmählich gelegt; aber er wäre doch auch als Sekretär tätig, selbst schreiben könne mein Mann augenblicklich nicht – er leidet doch am Schreibkrampf –, und er würde sich nur ungern an einen andern Herrn gewöhnen, auch sicher keinen von seiner, Ljus, Bildung und seinen Kenntnissen finden. Er sagte, darüber hätte er schon nachgedacht, für meinen Mann würde gewiß das Zweckmäßigste sein, wenn er sich an eine Schreibmaschine gewöhnte, dann wäre er von niemand abhängig, und er hätte doch so manche Korrespondenzen, die womöglich geheim bleiben sollten. Diesen Gedanken lobte ich sehr – ich finde ihn wirklich höchst vernünftig – und sagte, eine Schreibmaschine könnte sich ja Jegor anschaffen, es würde aber wohl eine gute Weile dauern, bis er damit umzugehen verstände, wenn er es überhaupt wollte, und auch sonst würde er dadurch doch nicht ganz ersetzt werden. Etwas anderes wäre es natürlich, wenn er aus irgendeinem Grunde seinetwegen fort wollte. Darauf sagte er, wenn es im Leben auf Glücklichsein ankäme, würde er sein ganzes Streben darauf richten, immer bei uns bleiben zu können. Er hätte bei uns eine Art des Glückes kennengelernt, an die er vorher nicht geglaubt hätte; er hätte unauslöschliche Eindrücke empfangen. Aber er hielte es für die Bestimmung des Menschen oder wenigstens für seine, tätig zu sein, zu wirken, an großen Zielen zu bauen. Er wäre wie ein Pferd, das, wenn es ihm noch so wohl vor seiner Krippe voll Hafer wäre, der Trompete folgen müßte, die zur Schlacht riefe; er glaubte in der Ferne den Ruf der Trompete gehört zu haben. Ich fragte: »Haben Sie etwas Bestimmtes vor? Wollen Sie uns sofort verlassen?«

Nein, sagte er, so wäre es nicht gemeint. Er hätte nur von mir bestätigt hören wollen, daß er überflüssig hier wäre, und ich wäre freimütig genug, ihm das zuzugestehen. Er würde sich nun überlegen, wohin er gehen wollte. Inzwischen könnte mein Mann sich eine Schreibmaschine kommen lassen und versuchen, ob er Geschmack daran fände.

Ja, siehst Du, Tatjana, nun bin ich betrübt, daß es so gekommen ist. Meine kleine Jessika! Weißt Du, was ich glaube? Es ist Jessikas wegen, daß er fort will. Daß sie ihn liebt, muß er bemerkt haben; entweder er erwidert das Gefühl nicht, oder er will im Bewußtsein seiner Armut und seiner unselbständigen Lage nicht um sie anhalten und hält es für seine Pflicht, sie zu meiden. Das ist edel gehandelt und besonders fein die Art und Weise, wie er es ausführt. Er hat nichts angedeutet, nichts erschwert, alles geebnet. Er ist mir so liebenswert erschienen, und ich empfinde Schmerz für Jessika, trotzdem ist mir leichter zumute, nun ich sehe, daß der Konflikt – wenn einer vorhanden ist – sich lösen läßt. Was für ein Schreibebrief! Hast Du Geduld bis zu Ende gehabt?   Deine Schwägerin Lusinja

Jessika an Tatjana

7. Juni

Geliebteste Tante! Du hast lange keine Nachricht von uns gehabt? Und ich habe das Gefühl, Dir erst gestern geschrieben zu haben, auf so leichten und schnellen Füßen laufen diese Sommertage. Und wenn man sogar noch ein Automobil davorspannt! Lju hat uns einmal spazierengefahren, aber nicht lange, weil er noch nicht sicher ist. Unser Iwan kann noch weniger als er, obwohl er täglich ein paar Stunden damit herumturnt. Papa möchte auch gern selbst lenken, Mama will es aber nicht, weil es die Nerven angreife, sie wüßte aufs bestimmteste, daß zwei Drittel aller Chauffeure durch Wahnsinn oder Selbstmord infolge von Nervenzerrüttung endeten. Papa versuchte zwar das Argument anzugreifen, aber wir schrien im Chore, er müßte sich für Staat und Familie erhalten, und einstweilen hat er nachgegeben. Er hat ja nun auch einen andern Sport, nämlich die Schreibmaschine.

Gestern abend nach dem Essen saßen wir in der Veranda. Es war so schön, wie es nirgends sonst als hier ist; über uns im Schwarz des Himmels schimmerten die feuchten Sterne und um uns her im Dunkel der Erde die bleichen Birken. Wir saßen still, und jedes träumte seine eignen Träume, bis Mama Lju fragte, weil er doch alles wisse, sollte er sagen, was für Schlangen es in dieser Gegend gäbe. Er nannte augenblicklich eine Reihe lateinischer Namen und sagte, es wären alles Ottern und Vipern, harmlose, ungiftige Geschöpfe. Ich dachte bei mir, ob es diese Namen wohl überhaupt gäbe, aber Mama hielt alles für Evangelium und war sehr angenehm davon berührt. Papa hätte nämlich neulich gesagt, erzählte sie, an der glatten Mauer eines Hauses könnte niemand hinaufkriechen außer Schlangen, und seitdem könnte sie die Vorstellung nicht mehr loswerden, wie der feste, glatte, klebrige Schlangenleib sich am Hause heraufzöge, und sie könnte oft nachts nicht davor einschlafen. Welja sagte, er begriffe nicht, wie man sich vor Schlangen fürchten könnte, er fände sie schön, anmutig, schillernd, geheimnisvoll, gefährlich und würde sich in keine Frau verlieben können, die nicht etwas von einer Schlange hätte. Katja sagte: »Du Kalb!«, und Lju sagte, ich hätte etwas von einer Schlange, nämlich das lautlos Gleitende und Mystische. Dann erzählte er ein südrussisches Märchen von einer Schlange, die sehr grausig war. Ein Zauberer liebte eine Königstochter, die in einen hohen Turm eingesperrt war. Um Mitternacht kroch er als Schlange am Turm hinauf durch das Fenster in ihr Gemach, dort nahm er wieder seine Menschengestalt an, weckte sie und blieb in Liebe bei ihr bis zum Morgen. Einmal aber schlief die Königstochter nicht und wartete auf ihn; da sah sie plötzlich mitten im Fenster im weißen Mondschein den schwarzen Kopf einer Schlange, flach und dreieckig auf steilem Halse, die sie ansah. Darüber erschrak sie so sehr, daß sie ohne einen Laut ins Bett zurückfiel und starb. Gerade in diesem Augenblick klingelte es heftig an der Gartentür, wo ein alter, verrosteter Klingelzug ist, der fast nie gebraucht wird und deswegen in Vergessenheit geraten ist. Wir wunderten uns alle, daß Mama nicht auch umfiel und tot war. Papa stand auf, um an die Gartentür zu gehen und zu sehen, was es gäbe; Mama sprang auch auf und sah Lju flehend an, damit er zuerst dem Mörder die Stirn böte, wenn einer da auf Papa wartete; und weil das Aufstehen und die ersten Schritte bei Papa immer etwas mühsam sind und Lju sehr schnell laufen kann, kam er zuerst an und empfing den Paketboten, der eine Kiste trug. Er sagte, es würde eigentlich nichts mehr ausgetragen, aber der Postmeister hätte gesagt, die Kiste sei aus Petersburg und enthalte vielleicht etwas Wichtiges, und weil es der Herr Gouverneur sei, für den der Postmeister eine besondere Verehrung habe, hätte er sie ihm doch noch zustellen wollen. Na, der Bote bekam ein Trinkgeld, und in der Kiste war die Schreibmaschine. Lju packte sie gleich aus und fing an zu schreiben, Papa wollte auch, konnte aber nichts, wir probierten alle, konnten es aber ebensowenig, nur ich – ungelogen – ein bißchen, und dann sahen wir zu, wie Lju schrieb. Nach einer Weile probierte Papa noch einmal, und wie Lju sagte, er hätte Talent, war er ganz zufrieden. Mama war geradezu selig und sagte, sie hätte sogar die Schlange vergessen, so hübsch wäre die Schreibmaschine. Welja sagte: »Was wollt ihr denn eigentlich mit der Scharteke?« Und Katja sagte, wenn man doch schon einmal die Finger gebrauchen müßte, könnte man geradesogut schreiben, sie sähe den Zweck davon nicht ein; sie wurde aber überstimmt.

Bist Du nun au fait, einzige Tante? Nun sage ich Dir nur noch, daß die Rosen zu blühen anfangen, die Zentifolien und die gelben Kletterrosen, die so merkwürdig riechen, und die wilden Rosen auch, und daß die Erdbeeren reifen, ferner, daß Papa in der umgänglichsten Stimmung ist und neulich sogar gefragt hat, ob denn diesen Sommer gar kein Besuch käme!

Deine Jessika

Lju an Konstantin

Kremskoje, 9. Juni

Lieber Konstantin! Ja, Du bist mein Freund, das empfinde ich. Du ehrst und schätzest dasjenige in mir, was wir für das Höhere halten, und kennst und liebst doch auch das andere, den Urstrom des Ahnenblutes, dessen unfaßbare Verzweigungen überall eingreifen und mich leiden machen. Daß ich leide, will ich Dir nicht verhehlen, auch Du hast es längst bemerkt. Vielleicht habe ich noch nie so gelitten, aber daß es überwunden werden wird, weiß ich auch. Ich habe alle diese Menschen vom ersten Augenblick an, da ich in ihre Mitte trat, zu beherrschen gesucht, daraus folgt alles übrige; denn auch der Herrscher ist gebunden, nicht nur der Beherrschte. Was mir gelungen ist, ist ebenso verhängnisvoll für mich geworden wie das, woran ich scheiterte. Den Gouverneur kann ich vielleicht täuschen, aber ich habe keinen Einfluß auf ihn. Es kränkt ein wenig meine Eitelkeit, hauptsächlich beklage ich es aber wegen alles dessen, was daraus folgt. Der Mann übt einen Zauber aus, für den ich nicht unempfänglich bin, obwohl er von Kräften ausgeht, die ich nicht für die höchsten halte. Man sieht die Merkmale eines Geschlechtes an ihm, in welchem das Lebensfeuer stärker und schöner brannte als in den gemeinen Menschen. Er ist etwas in sich Vollendetes, wenn auch durchaus nicht vollendet überhaupt. Gerade seine Unzulänglichkeit gefällt mir; ich glaube, er ist im Kampfe des Lebens gewachsen, fester und härter geworden, aber er hat sich nicht erweitert, hat nichts Neues in sich aufgenommen. Das ist beschränkt, aber es verleiht eine gewisse Intensität. Verloren hat er auch nichts; er hat noch viel von der Torheit, von dem Eigensinn und der Innigkeit der Kindheit an sich, was der in der Regel nicht behält, der sich viel Neues und Fremdes aneignet. Sein Ich ist ganz, so saftreich und gesammelt und stolz, daß es einen schmerzt, daran zu tasten; und gerade weil es so ist, muß ich ihn zerstören. Einmal faßte ich die Hoffnung, ich könnte ihn gewinnen, könnte ihm andre Ansichten eröffnen. Ich schrieb Dir nichts davon, es lag mir allzusehr am Herzen, und ich ahnte schon, daß es vergebens sein würde. Mein Gott, dieser Mann, diese heiße, blinde Sonne! Ich rolle wie ein Komet neben ihm her, und er ahnt nicht, daß der Augenblick, wo unsre Bahnen zusammenstoßen, ihn in Stücke reißen wird! Von den Kindern laß mich schweigen. Besser, viel besser wäre es gewesen, ich hätte auf den Vater so gewirkt wie auf sie. Das klingt albern; es ist ja natürlich, daß die Jugend leichter zu beeinflussen und zu beherrschen ist als das Alter; aber hätte nicht einmal, durch Zufall oder Wunder, das Umgekehrte stattfinden können? Da es nicht der Fall ist, versuche ich daran zu denken, daß ich keine Wahl habe, daß ich tun muß, was ich für notwendig erkannt habe, daß die Heilkraft der Jugend überschwenglich ist, daß es diesen spielenden Kindern vielleicht nützlich ist, vom Schicksal aufgerüttelt zu werden. Ach Gott, was heißt nützlich? Sie waren so wundervoll in ihrem Traumleben! Freilich, einmal muß es doch enden. Kinder mit Runzeln und gebeugten Rücken sind Zerrbilder, und beizeiten muß die Umbildung beginnen. Vielleicht kann sogar ich selbst ihnen bei der Veränderung hilfreich zur Seite stehen. Was ein Mensch wollen kann, ist möglich; nur zum Wollen gehört Kühnheit.

So werde ich Dir nun nicht wieder schreiben. Auch rechne ich darauf, daß Du mich nicht mißverstehst. Zweifel ist nicht in mir. Antworte mir auch nicht auf alles dies! Trösten kann mich niemand, und daß Du mich verstehst, weiß ich.   Lju

Welja an Peter

Kremskoje, 11. Juni

Lieber Peter! Sei morgen oder übermorgen zu Hause, wenn Du einen historischen Augenblick erleben willst. Unser treuer Iwan ist mit dem Automobil in den Graben gefallen, was von ihm auf die Tücke des Vehikels, von uns auf die des Branntweins geschoben wird. Da er nebst Automobil mehrere Stunden im Graben gelegen hat, war er ziemlich nüchtern, als er heimkam, und die Streitfrage ist nicht mehr zu entscheiden. Das Automobil hat mehr gelitten als er, es sieht aus wie eine Schildkröte ohne Schale; laufen kann es aber. Mama war ganz zufrieden mit dem Ergebnis und fand, wir möchten es so lassen, bis Iwan ganz erprobt wäre, damit er uns nicht auch noch in den Graben führe. Papa hingegen sagte, in diesem Zustande könnte er das Automobil nicht auf die Straße lassen, auch wenn niemand als Iwan darinsäße, das würde seinem Ansehen schaden, es wäre geradeso, als ob seine Töchter mit durchlöcherten Kleidern ausgingen. Hierdurch überzeugt, beschlossen wir, daß das Automobil repariert werden müsse, und Lju hat sich erboten, das Wrack in die Stadt zu fahren und das Nötige zu veranlassen. Jessika will gern mitfahren, aber Lju will es nicht, weil es bei dem schadhaften Zustande nicht sicher wäre. Seitdem geht sie mit einem wehleidigen Gesicht herum; denn sie ist natürlich in Lju verliebt. »Natürlich« sage ich, weil in einen Mann wie Lju, dessen Willenskraft jedes Atom seiner Materie durchdringt, sich alle verlieben müssen. Mir ist eigentlich alles einerlei; sogar wenn ich verliebt bin, ist es mir im allertiefsten Grunde einerlei, ob ich sie habe oder nicht.

Auch das hat einen gewissen Reiz für manche Frauen; aber das wahrhaft Unwiderstehliche ist der Wille. Niemand kann dagegen an, es ist die Schwerkraft der Seele. Lju hat in bezug auf alles einen bestimmten Willen. Ich hielte eine solche Lebensweise nicht ein Jahr lang aus, und er treibt es schon achtundzwanzig Jahre so und wird wahrscheinlich sehr alt werden. Ob er sich für einzelne Frauen auf die Dauer interessieren kann, bezweifle ich; die Vielweiberei müßte für ihn eingeführt werden. Er würde sich nicht viel um sie bekümmern, aber an einem Satz, den er mal im Vorbeigehen fallenließe, würden sie wochenlang saugen und damit zufrieden sein. Also er wird Deiner Mutter einen Besuch machen, sieh Dir ihn an!

Welja

Lju an Konstantin

Kremskoje, 11. Juni

Lieber Konstantin! Ich komme morgen oder übermorgen nach Petersburg und rechne darauf, Dich zu treffen. Es handelt sich um die Einrichtung der Schreibmaschine, worüber ich am liebsten mündlich mit Dir verhandeln will; sie kann explosiv wirken oder mit einem Revolverschuß geladen werden. Im letzteren Falle würden wir aber nicht sicher sein, ob die Kugel ihr Ziel träfe. Ich werde sie demnächst unter dem Vorwande einer Reparatur an die Fabrik schicken, wo sie gekauft worden ist. Sie muß dort hingehen und von dort zurückexpediert werden, damit bei einer späteren Untersuchung keine Spur zu mir führt. Deine Sorge muß es sein, daß sie nicht abgeht, ohne zu unserm Gebrauch eingerichtet zu sein; also wirst Du über einen Angestellten der Fabrik oder über einen Angestellten der Bahn verfügen müssen. Es eilt nicht, Du kannst Deine Vorkehrungen mit ruhiger Überlegung treffen.   Lju

Jessika an Tatjana
                                        Kremskoje, 12. Juni
Geliebteste Tante! Ich wollte Dich gern besuchen, aber ich soll nicht! Ich wäre so gern mit dem zerfetzten Automobil bei Dir vorgefahren, gerade weil es so schrecklich kaputt ist. Denke Dir, ich hätte mich so hübsch wie möglich gemacht und wäre aus dem zersplitterten Kasten herausgestiegen wie eine Dryade aus einem hohlen Baumstamme. Und vor allen Dingen, ich hätte Dich gesehen, ich hätte meinen Charakter an der schweren Aufgabe gestählt, Deine blühenden Wangen, Deine mit dem Schmelz ewiger Jugend gepuderte Haut neidlos zu bewundern. Meine Wangen sind, fürchte ich, augenblicklich blaß und tränennaß, so enttäuscht bin ich, daß ich nicht mitfahren kann.

Wir werden nun ohne Beschützer sein, Tante. Ich habe vorgeschlagen, wir drei könnten Tag und Nacht Fangen ums Haus spielen, dann könnte sich gewiß niemand ungesehen ins Haus einschleichen. Der gute Welja war auch bereit dazu, aber Katja nicht; sie sagte, sie wäre doch kein Kind mehr! Lju bringt Dir diesen Brief. Laß Du Dich unterdessen von ihm beschützen, wenn Du es auch nicht nötig hast.   Deine Jessika

Welja an Peter
                                        Kremskoje, 14. Juni
Wenn ich nicht sehr tätig bin, kommt es im Grunde daher, daß meine Familie immer zur Betrachtung einlädt. Durch Anpassung an die bewegten Verhältnisse hat sich mein beschauliches Temperament herausgebildet; wenn ich auch noch mitagierte, würde es zu toll. Heute ist wieder der Teufel los. Ich saß, noch erschöpft von gestern – denn seit Lju fort ist, muß ich immer bis Mitternacht auf der Lauer liegen, weil Mama Gefahren wittert –, also

ich saß in der Bibliothek und blätterte in einem Buche, als Katja wie ein wirbelnder Federball herein und ans Telefon gestürzt kam. Damit Dein Gehirn nicht ebenso erschüttert wird, wie meins bei dieser Gelegenheit wurde, will ich Dir zur Erklärung voranschicken, daß Katja soeben Jessika dabei betroffen hatte, daß sie einen Brief an Lju schrieb, und daß Jessika, von Katja zur Rede gestellt, damit herausgeplatzt war, sie liebte Lju und wäre so gut wie verlobt mit ihm. Ich mußte dies schließen und erraten, was ich Deinem Walfischschädel nicht zumuten will.

Also Katja verbindet sich mit Petersburg. Ich frage, mit wem sie reden will. Mit Lju, obgleich mich das nichts anginge. Ich sage: »Du kannst doch wohl so lange warten, bis er wieder hier ist, so wichtig wird es nicht sein.« Sie: »Kannst du das beurteilen? Hier werde ich überhaupt nicht mehr mit ihm sprechen und bedaure, es jemals getan zu haben.« Ich: »Alle Heiligen!« In dem Augenblicke klingelte das Telefon, Katja ergreift es. »Sind Sie da? Quak, quak, quak ... Ich will Ihnen nur sagen, daß ich Sie verachte! Quak, quak ... Sie sind ein Heuchler, eine Qualle, ein Judas! Quak, quak, quak, quak. Bitte leugnen Sie nicht! Sie haben die Stirn, sich zu verteidigen? Sie haben mich genug belogen! Ich werde Jessika aufklären. Für einen solchen Elenden ist sie trotz ihrer Schwachheit zu gut. Quak, quak, quak, quak, quak ... Sie halten mich für dümmer, als ich bin. Sie glauben, Sie allein wären klug, und alle andern wären schwachsinnig, aber vielleicht ist es umgekehrt!«

Dies alles trompetete Katja mit so gellender Stimme, daß Papa und Mama es hörten, glaubten, es wäre etwas passiert, und herbeigelaufen kamen. Beide hören erstaunt zu und fragen: »Was bedeutet das? Mit wem spricht sie denn?« Ich: »Ach, mit Lju, sie hat sich ein bißchen über ihn geärgert.« Katja am Telefon: »Ich du zu Ihnen sagen? Zu einem so abgefeimten, zweizüngigen Charakter, wie Sie sind? Niemals!« Papa und Mama: »Aber um Gottes willen, was hat er denn getan?« Ich: »Ach, sie hat eine Karte von ihm bekommen mit der Adresse von Katinka von Rasimkara, und das betrachtet sie doch nun einmal als Beleidigung, wenn man ihren Namen Katja von Katinka ableitet.« Papa und Mama entzückt: »Das ist ganz Katja!« Beide wollen sich totlachen. Katja dreht sich um. Ich: »Täubchen, ruh dich doch mal aus!« Katja mit einem vernichtenden Blick auf mich: »Affe!« Dann ab.

Ich stürze ans Telefon, erwische Lju noch und gebe ihm das Versprechen, beruhigend zu wirken. Er sagte mit einem durchs

Telefon zu Herzen gehenden Seufzer: »Du bist das Öl auf den Sturmwogen deiner Familie; ohne dich würde man seekrank.« Das Gespräch schien ihn sehr mitgenommen zu haben.

Ob er von Euch aus gesprochen hat, weiß ich gar nicht; es wäre sehr belustigend, wenn Du die andre Hälfte des Gespräches mit angehört hättest. Das ist sicher, Katja ist fertig mit Lju, wenn auch ihre Wut mit der Zeit nachlassen wird. Ob sie nun, nachdem sie mit der Intelligenz gebrochen hat, wieder für Deinen Stumpfsinn schwärmen wird, darüber läßt sich noch nichts sagen, rechne nicht zu bestimmt darauf. Übrigens gedeiht sie vortrefflich bei ihrer Enttäuschung; zu beklagen ist nur die arme kleine Jessika. Sie kommt mir vor wie ein kleiner Vogel, dem sein Nest zerstört ist, der Sturm und Regen ergeben über sich ergehen läßt, erschrokken und behutsam piepst und zuweilen mit dem zerzausten Köpfchen hervorlugt, ob es noch nicht besser wird. Ich glaube, zuerst hat sie stundenlang geweint; ihr Gesicht zitterte noch lange nachher. Sie hat etwas so Süßes wie eine überreife Feige und etwas so Weiches wie eine Schneeflocke, die einem in der Hand zerschmelzen will. Es wäre für sie sehr gut, wenn Du sie heiratetest; aber Dir ist nun einmal zuerst Katja eingefallen, und nach dem Gesetz der Trägheit, das Dich beherrscht, rollst Du damit durch dick und dünn und hältst es für Charakter. Für Dich ist es ja ziemlich einerlei, wen Du betreust; aber für Jessika wäre es gut, wenn sie durch die Dickhaut Deiner saurischen Person vor der Welt geschützt wäre, während Katja eine solche antediluvianische Mauer nicht nötig hat und sie vielleicht auf die Dauer sogar nicht aushalten könnte. Ich will aber nicht so töricht sein, jemand Vernunft zu predigen, der keine hat.

Katja hat Einsicht genug, um Papa und Mama den wahren Sachverhalt zu verschweigen; aber wenn Papa sie mit Katinka anredet, um sie zu necken, wirft sie mir zornige Blicke zu, was die andern erst recht ins Lachen bringt. Lebe wohl!   Welja

Lju an Konstantin

Kremskoje, 17. Juni

Lieber Konstantin! Es war durchaus zweckmäßig, daß ich Frau Tatjana bewogen habe, mit mir nach Kremskoje zu fahren; der Einfluß, den ich auf sie ausübe, hat auf den Gouverneur und seine Familie Eindruck gemacht, weil sie diese Verwandte sehr bewundern, die in der Gesellschaft eine große Rolle spielt. Sie ist schön und hat Geist genug, um zu wissen, wieviel davon eine Frau merken lassen darf. Ihr Verstand ist gut, wenn auch nicht ausgebildet. Sie liebt die geistigen Genüsse, die man ohne Anstrengung haben kann, deshalb bevorzugt sie zum Umgang kenntnisreiche und denkende Menschen, die das Ergebnis ihrer Gedankenarbeit in anregende Form zu kleiden wissen. Ihre Vorurteilslosigkeit würde man noch mehr bewundern, wenn sie etwas dadurch riskierte; aber der ganz unpolitischen Dame läßt man die Freiheit, das Gesellschaftseinerlei durch naive Offenheiten zu kolorieren.

Ihr Sohn Peter, der seit seiner Kindheit Katja liebt und unbeeinflußt durch die Tatsache, daß sie seine Neigung nicht erwidert, dabei verharrt, hat, oberflächlich betrachtet, etwas von den gutmütigen Riesen des Märchens. Aus einer Art von kindlicher Menschlichkeit und naivem Gerechtigkeitssinn zählt er sich zur revolutionären Partei. Trotzdem er eifersüchtig auf mich ist, da seine Cousine mich ihm vorzieht, kam er mir, wenn auch nicht gerade herzlich, doch mit anständiger Vorurteilslosigkeit entgegen. Er hat mit einigen andern Studenten, die wie er, über bedeutende Mittel verfügen, medizinische Privatkurse eingerichtet, um sich und seinen Kollegen die Fortsetzung des Studiums zu ermöglichen, zugleich natürlich, um gegen die Maßregel der Regierung zu protestieren. An diesen Kursen, die nächstens beginnen werden, will Katja teilnehmen. Der Gouverneur wußte bis jetzt nichts davon und ist empfindlich betroffen, daß ein solches Unternehmen von seinem Neffen ausgeht, und vollends, daß Katja sich daran beteiligen will. Da er gegen Katja nicht gut streng sein kann, begann er damit, seiner Schwester Tatjana Vorwürfe zu machen, daß sie ihren Sohn nicht von so ärgerlichen Donquichotterien zurückhielte. Sie lächelte wie ein Kind und sagte, ihr Sohn wäre ein erwachsener Mensch, sie könne ihn nicht am Gängelbande führen, überhaupt sollte man sie mit politischen Dingen, von denen die Frauen doch ausgeschlossen wären, in Ruhe lassen. Warum sollte sie sich ein Urteil bilden, das sie doch nicht geltend machen könnte? In Gesellschaft besonders sollten Gespräche über politische Dinge verboten sein, bei denen auch der klügste Mann plötzlich ein beschränkter und borstiger Esel würde. Übrigens schiene es ihr eigentlich erlaubt zu sein, daß, wenn der Staat ihm die Mittel dazu nähme, ein junger Mann sich auf eigne Hand die zu seinem Berufe nötige Bildung zu verschaffen suchte, denn eine Tätigkeit müsse ein Mann doch einmal haben.

Katja fiel ein, es wäre empörend, die Schulen zu schließen, was die Regierung sich einbildete, die Universitäten wären unabhängige Körperschaften, ob schließlich auch die Eltern den Zaren um

Erlaubnis fragen sollten, ehe sie die Kinder lesen und schreiben lehren dürften.

Der Gouverneur sagte, wenn die Universität sich damit begnügt hätte, Wissenschaft zu lehren, würde die Regierung sie respektiert haben, aber indem sie sich in die öffentlichen Angelegenheiten gemischt und Partei ergriffen hätte, hätte sie sich ihres Rechtes auf Unantastbarkeit begeben. Die Härte, welche die Maßregel mit sich brächte, würde dadurch nicht ausgeglichen, daß einige, denen ihr Vermögen es erlaubte, sich den Unterricht auf privatem Wege verschafften, dessen Wegfall für Unbemittelte ohnehin viel schädlicher wäre. Da fuhr aber Katja los: »Du kennst Peter schlecht! Der verschafft sich keine Vorteile vor den Armen! Im Interesse der Unbemittelten hat er die Kurse hauptsächlich eingerichtet! Es können alle daran teilnehmen, auch die nicht zahlen können!« Der Gouverneur wurde dunkelrot und sagte, dann wäre die Sache schlimmer, als er geahnt hätte. Er hätte geglaubt, es handelte sich gewissermaßen um Privatstunden, dies wäre aber eine Gegenuniversität, eine Herausforderung, ein revolutionärer Akt. Er hätte nie für möglich gehalten, daß sein eigenes Kind sich in die Reihen seiner Gegner stellte.

Ich habe ihn noch nie so zornig gesehen. Seine Stirn zog sich dicht zusammen, seine Nase schien zu flammen wie ein frisch geschliffener Dolch, es war eine unheimliche Atmosphäre um ihn, wie wenn ein Hagelwetter im Anzuge ist. Katja fürchtete sich ein wenig, hielt aber tapfer stand, Tatjana wunderte sich unbefangen und kindlich lächelnd weiter, daß er die Sache so ernst auffaßte. Frau von Rasimkara sah traurig aus; ich weiß nicht, was sie dachte, aber ich glaube, sie war außer mir die einzige, die das Gefühl eines unabwendbaren Verhängnisses hatte. Nicht aus einem bestimmten Grunde, nur weil sie liebt, und wer liebt, fürchtet und ahnt.

In dem unangenehmsten Augenblick sagte ich zum Gouverneur, er möchte doch Welja und Katja ins Ausland schicken; er hätte doch sowieso die Absicht, sie eine Zeitlang an ausländischen Universitäten studieren zu lassen, und sie bereiteten ihm dann hier keine Ärgernisse mehr. Dieser Vorschlag heiterte die Gewitterstimmung auf. Welja war bezaubert. »Ja, Papa«, sagte er, »alle vornehmen jungen Leute werden ins Ausland geschickt; wenn etwas aus uns werden soll, mußt du es auch tun. Ich bin für Paris.« Frau Tatjana sagte: »Ich gebe euch Peter mit, damit ein vernünftiger Mensch dabei ist. Und für Peter ist Paris notwendig, es fehlt ihm an Grazie.« Der Gouverneur beschränkte seinen Widerspruch darauf, daß er Berlin für angemessener als Paris erklärte; aber der Vorschlag leuchtete ihm sichtlich ein, und ich bin überzeugt, er wird zur Ausführung kommen. Gemacht habe ich ihn, damit Katja und Welja abwesend sind, wenn das Unglück geschieht; Jessika zu entfernen, wird sich auch noch ein Vorwand finden. Ich denke, die Sache wird nun schnell fortschreiten.

Lju

Katja an Welja

Petersburg, 20. Juni

Du bist ein Dussel, Welja! Du hast ja doch Peter die ganze Geschichte mit Lju geschrieben! Ich konnte es mir ja denken, aber warum prahlst Du denn, Du hättest keiner Menschenseele ein Wort davon mitgeteilt? Erstens fragte ich Dich nicht danach, und zweitens glaubte ich Dir nicht einmal. Peter denkt nun, er müßte mich trösten, und ich müßte ihn heiraten; Logik hat er doch nicht. Übrigens ist er entzückend, Gott, zu schade, daß ich nicht in ihn verliebt bin! Nun muß ich diese Albernheit von Peter ertragen und dazu noch anhören, wie Tante Tatjana von Lju schwärmt: wie elegant er wäre und wie anregend und wie energisch, und was für einen guten Einfluß er auf uns gehabt hätte! Paß Du nur wenigstens auf Jessika auf! Es ist auch zu toll, daß sie solche Eltern hat. Papa merkt nichts, Mama findet alles sympathisch, und Dir ist alles einerlei. Besinn Dich mal darauf, daß Du ein Mann bist; Lju kann alles mit Dir anstellen und Dir alles weismachen, gerade als ob Du in ihn verliebt wärest, das ist unwürdig. Wenn Tante Tatjana nicht gerade von Lju redet, ist sie reizend und sehr vernünftig. Die Kurse sind noch nicht eröffnet. Wie steht es mit Paris? Hat Papa ja gesagt? Im Notfall gehen wir natürlich auch nach Berlin, wenn wir erst fort sind, findet sich das übrige. Adieu!

Katja

Jessika an Katja

Kremskoje, 20. Juni

Mein süßer kleiner Maikäfer! Ich möchte lieber weinen, als Dir schreiben, aber davon hättest Du ja nichts. Ich kann das Gefühl nicht loswerden, als wäre ich daran schuld, daß Du fortgegangen bist. An etwas bin ich schuld, das fühle ich ganz sicher, und es fing damit an, daß ich an Lju schrieb; daß Du darüber außer Dir warst, kannst Du doch nicht leugnen. Erst dachte ich, Du liebtest

249

Lju auch, aber er lachte und sagte, das tätest Du ganz gewiß nicht; und als ich Euch nachher zusammen sah, kam es mir auch nicht mehr so vor. Und wenn Du ihn liebtest, liebtest Du ihn doch nicht so wie ich; Du würdest nicht daran sterben, wenn er Dich nicht wiederliebte. Aber das täte ich. Du bist doch überhaupt nicht so, daß Du Dich ernstlich verliebst, mein Klimperkleinchen, nicht? Welja sagte doch immer, Du wärest nicht so sentimental wie ich. Schreib mir etwas Tröstliches! Alle sind jetzt unzufrieden. Papa ist schrecklich nervös, seit Ihr fort seid, Besuch greift ihn ja immer etwas an, aber hauptsächlich ist es, glaube ich, wegen Deiner Kurse. Es ist doch auch fatal für ihn, wenn seine Tochter und sein Neffe bei etwas beteiligt sind, was gegen die Regierung gerichtet ist. Gestern wurden ein paar Bibliotheksbücher entdeckt, die Welja vor einem oder zwei Jahren entlehnt und vergessen hat zurückzubringen. Das kostet nun natürlich verhältnismäßig viel, und Papa wurde wütend und machte Krach. Er sagte, Welja wäre gedankenlos und verschwenderisch und täte, als wenn er ein Millionär wäre, und würde uns noch alle an den Bettelstab bringen. Mama, die dazukam, versuchte Welja zu verteidigen, da wurde Papa erst recht böse. Mittags, als wir uns zu Tisch setzten, waren alle ernst und still, und Papa starrte finster vor sich hin. Mama nahm ihre Lorgnette, guckte ratlos von einem zum andern, endlich betrachtete sie Papa eine Weile und fragte liebevoll: »Warum bist du so blaß, Jegor?« Wir fingen alle dermaßen zu lachen an, Papa auch, daß die Stimmung wiederhergestellt war.

Welja war hauptsächlich deshalb niedergeschlagen, weil Papa unter anderm auch sagte, er könnte ihn doch nicht auf weite Reisen schicken, weil er zu leichtsinnig wäre. Aber das hat er nur so im Ärger gesagt, ich glaube, er will Euch doch gehen lassen.

Quält Peter Dich sehr? Meinetwegen mache Dir keine Sorge. Lju hat mir von Anfang an gesagt, er könnte und wollte nicht um mich anhalten, bis er eine entsprechende Stellung hätte, er wollte nur mein Freund sein; Du siehst, wie ehrenhaft er ist. Welja würde niemals so sein. Mein geliebtes Sonnenkäferchen, ich vermisse Dich stündlich. Du mich wohl nicht?   Deine Jessika

Lusinja an Katja

Kremskoje, 21. Juni

Meine kleine Katja! Du hast nun Deinen Willen. Bist Du glücklich, daß Du in der Stadt bist? Wirst Du dadurch klüger, besser, froher? Ich will Dir nicht verschweigen, mein Liebling, daß es mich schmerzte, daß Du fortgingest, obwohl Du sahest, was Du Deinem Papa damit zufügst. Ist das so schwer zu begreifen? Denn wenn Du es recht begriffen hättest, hättest Du es doch nicht tun können. Es ist ja nicht, daß Du anders denkst als er, was ihn am meisten schmerzt, auch nicht, daß Du seinen Wünschen zuwiderhandelst. Aber er liebt Dich zu sehr, um Dir das zu verbieten, was er andern verbieten würde. Er liebt Dich, trotzdem Du etwas tust, wodurch alle andern seine Teilnahme verscherzen würden. Das macht ihn irre an sich, an seinem System, an allem. Warum fügst Du das Deinem Vater zu, der Dich liebt, einem alternden Manne? Erreichst Du etwas Bedeutendes für Dich oder für andre damit? Ach, ich glaube zuweilen, unsre Kinder sind da, um eine Rache an uns zu nehmen, und doch könnte ich nicht sagen, für wen und für was. Kinder sind die einzigen Wesen, denen gegenüber wir ganz selbstlos sind, darum sind sie die einzigen, die uns wahrhaft vernichten können. In ein paar Jahren vielleicht wirst Du selbst Mutter sein und mich verstehen und auch wissen, daß ich solche Betrachtungen anstellen kann, ohne daß meine Liebe zu Dir um den allerkleinsten Grad vermindert wäre.

Ich denke, es wird dazu kommen, daß Papa Dich und Welja ins Ausland schickt; er neigt schon sehr dazu, und es wird das beste für uns alle sein. Lju ist uns eine Stütze in diesen Tagen. Ich bin ihm zu Danke verpflichtet, und doch möchte ich am liebsten, daß wir nach Eurer Abreise ganz allein wären, Dein Papa und ich. Der Urlaub hat noch nicht die guten Folgen für ihn gehabt, die ich erhoffte, vielleicht weil zuviel Umtrieb und Unruhe bei uns herrschte. Furcht habe ich seinetwegen augenblicklich nicht, weil ich zu sehr von Dingen erfüllt bin, die noch schlimmer sind als körperliche Gefahren.

Sei rücksichtsvoll gegen Tante Tatjana, mein Liebling, und auch gegen Peter. Ich will Dich nicht bereden, einen Mann zu heiraten, den Du nicht liebst; aber die Freundschaft eines guten Mannes suche Dir zu erhalten.   Deine Mama

Welja an Katja

Kremskoje, 23. Juni

Dein Spatzengehirn hat, Gott weiß, woher, einen vernünftigen Einfall gehabt, indem Du fortgingest. Spatzen und Mäuse wittern auch ungünstige Futterverhältnisse, das ist Instinkt, und den will ich Dir ja auch nicht absprechen. Es ist in der Tat jetzt sehr ungemütlich hier. Gestern früh hat Mama unter ihrem Kopfkissen wieder einen Drohbrief gefunden: wenn Demodow und die übrigen Studenten nicht begnadigt würden, würde Papa ihnen im Tode folgen oder vorangehen. Dies wäre die letzte Warnung, die er erhielte. Durch die Post kam am selben Tage ein Brief der Mutter Demodows, in dem sie Papa anflehte, das Leben ihres Sohnes zu schonen. Ob der Drohbrief mit dem in Zusammenhang steht? Mama fand den Brief nicht so schrecklich, wie daß sie ihn erst am Morgen fand und also die ganze Nacht darauf gelegen hat; das ist ihr unheimlich. Merkwürdig ist es ja, wie er dahin gekommen ist; unsern Leuten kann man so etwas nicht zutrauen, es ist ausgeschlossen, und wer kann sonst in Papas und Mamas Schlafzimmer kommen? Selbstverständlich ist es auf natürliche Art zugegangen, aber dahinterkommen können wir nicht. Man meint, es müßte spätabends jemand zum Fenster eingestiegen sein; es leuchtet mir nicht ein, aber widerlegen kann ich es natürlich auch nicht. Lju ist peinlich berührt, weil seine Bewachung sich so deutlich als ungenügend erwiesen hat. Ich glaube, im Grunde hat er in der letzten Zeit gar nicht mehr daran gedacht. Er ist sehr ernst, ordentlich düster. Heute hat er lange mit mir über die Geschichte gesprochen; er hält es für ausgemacht, daß die Verfasser des Drohbriefs von dem Briefe der Frau Demodow Kenntnis hatten; daß er also aus dem Kreise seiner Freunde hervorgegangen sei. Natürlich braucht Frau Demodow nichts davon zu wissen. Zunächst, meint Lju, sollte der Drohbrief wahrscheinlich nur bewirken, daß Papa den Brief der Frau Demodow in günstigem Sinne beantworte, gewissermaßen seine Wirkung zu verstärken. Bei Papas Charakter würde es aber natürlich seinen Zweck gänzlich verfehlen. Lju sagte, er achtete und liebte Papa, der immer seinem Charakter und seiner Einsicht gemäß handle; aber anderseits müßte man zugeben, daß die Revolution ihm gegenüber im Rechte wäre. Die Regierung hätte einen allgemein verehrten Professor, einen der wenigen, die noch den Mut freier Meinungsäußerung gehabt hätten, verhaften und nach Sibirien schicken wollen; Demodow hätte ihn und die Rechte der Universität verteidigen wollen. In späteren Jahren würde man auf diese paar Studenten hindeuten als Beweis, daß es damals in Petersburg noch junge Männer von Mut und Ehre gegeben hätte. In diesem Falle wäre im Grunde die Regierung Aufrührer und gesetzloser Barbar, die sogenannten Revolutionäre Bewahrer des Rechtes. Sie handelten anständig, indem sie Papa von ihrer Ansicht und von ihren Absichten unterrichteten und ihm Zeit ließen, einen andern Weg einzuschlagen, der sie befriedigen würde. Ich gab ihm natürlich recht, aber ich sagte, ich könnte es doch Papa nachfühlen, daß er nun erst recht nicht nachgäbe. Vielleicht, sagte Lju, wenn Papa sicher wüßte, daß die Drohungen ernst gemeint wären und ausgeführt würden, täte er es doch aus Liebe zu seiner Frau und seinen Kindern. Ich glaube es doch nicht; und jedenfalls würde er eben davon nicht zu überzeugen sein. Papa ist der einzige, der ganz unerschüttert ist, das gefällt mir von ihm. Es ist kein Schatten von Furcht an ihm; wenn es früher noch möglich gewesen wäre, würde er jetzt auf keinen Fall einlenken. Es ist natürlich auch Trotz und Eigensinn und Rechthaberei dabei, aber fein ist es doch. Mama ist traurig; sie findet es natürlich schrecklich, daß die Studenten hingerichtet werden sollen, oder wenigstens Demodow, und daß Papa es ändern könnte und es nicht tut; ich glaube aber, sie hat jetzt nicht wieder versucht, auf ihn einzuwirken, weil sie weiß, daß es doch umsonst wäre. Papa und Mama sind beides außerordentlich geschmackvolle Menschen, ich hätte mir keine andern Eltern ausgesucht, obgleich mir ihr Charakter und ihre Ansichten oft komisch vorkommen.

Lju hat übrigens gesagt, nach seiner Meinung wäre Papas Leben zunächst noch gar nicht gefährdet, erst wenn die Studenten wirklich verurteilt wären, würde es vielleicht kritisch. Unsere Dienerschaft wäre ja aber unbedingt treu, und deshalb wäre kaum für ihn zu fürchten. Ich fragte ihn nämlich, weil er so ungewöhnlich ernst und gedankenvoll war. Er sagte, er hätte eingesehen, daß er uns so bald wie möglich verlassen müßte, und das stimmte ihn traurig. Er hätte es ja sowieso getan, nun würde er es beschleunigen. Auch weil die Nichtübereinstimmung zwischen seinen Ideen und Papas doch zu groß wäre, als daß er ein Zusammenarbeiten für anständig halten könnte. Ich habe versucht, ihm das auszureden.

Ich bleibe jedenfalls noch hier, um Papa und Mama ein bißchen zu zerstreuen, sie tun mir leid. Jessika ist nur verliebt. Gottlob, daß ich es nicht bin, es ist ein scheußlicher Zustand. Benimm Dich korrekt, Spatz, damit Papa in dieser Zeit Unannehmlichkeiten erspart werden.

Welja

Jegor von Rasimkara an Frau Demodow

Kremskoje, 23. Juni

Gnädige Frau! Hätte Ihr Sohn mich persönlich beleidigt oder angegriffen, so hätte es Ihrer Fürbitte nicht bedurft, damit ich seiner Jugend und seinem ungestümen Charakter die Kränkung unbedingt vergeben hätte. Unglücklicherweise ist es nicht die Privatperson, an die Sie sich wenden, sondern der Vertreter der Regierung; als solcher kann ich nicht großmütig sein, denn den Staat angehend, handelt es sich nicht um Gefühle, sondern um Nutzen und Notwendigkeit. Ich habe den jungen Mann, dessen Gesinnung mir bekannt war, zeitig gewarnt, sowohl in seinem wie im Interesse seiner unglücklichen Eltern; damit, daß er meine Warnung unbeachtet ließ, erklärte er, die Folgen seiner Handlungsweise auf sich nehmen zu wollen. Ich traue ihm zu, daß er selbst weder um Gnade bittet noch der Regierung aus ihrer Strenge einen Vorwurf machen wird.

Ihnen zu sagen, gnädige Frau, wie sehr ich mit Ihnen empfinde, hätte ich vielleicht nur das Recht, wenn ich Ihre Bitte gewähren könnte. Erlauben Sie mir jedoch, Ihnen zu sagen, daß ich Ihnen dankbar wäre, wenn Sie mir jemals Gelegenheit gäben, Ihnen mein aufrichtiges und schmerzliches Mitgefühl durch die Tat zu beweisen.   Ihr ergebener Jegor von Rasimkara

Lju an Konstantin

Kremskoje, 24. Juni

Lieber Konstantin! Frau von Rasimkara hat von dem Brief, den ich ihr unter das Kopfkissen legte, einen starken Eindruck empfangen. Sie fand ihn erst am Morgen, nachdem sie eine ganze Nacht darauf geschlafen hatte. Dies und daß sie nicht begreifen kann, wie der Brief an seine Stelle gekommen ist, findet sie am unheimlichsten. Übrigens ist sie gefaßt; sie ist überzeugt, daß ihr Mann verloren ist, daß niemand es ändern kann, und erwartet das unvermeidliche Schicksal. Das ist aber eine Stimmung, die durch andre Stimmungen wieder verscheucht werden kann; oder es ist ein Grundbewußtsein, über das der Tag immer wieder hinflutet. Der Gouverneur ist beinahe unempfindlich für den immerhin aufregenden, auch ihm unerklärlichen Vorfall. Er hat die Bittschrift der Frau Demodow ohne Zögern in abschlägigem Sinne beantwortet. Es ist keinerlei Veränderung an ihm wahrzunehmen; allerdings litt er schon einige Zeit unter dem Verhalten seiner Tochter Katja. Daß ihm eine ernstliche Gefahr droht, scheint er nicht für möglich zu halten, jedenfalls will er sie nicht für möglich halten.

Daß es so kommen würde, habe ich vorausgesehen. Ich hätte den unerschrockenen und unerschütterlichen Menschen gern gerettet; ich habe fast zu lange an die Möglichkeit geglaubt, daß ich es vermöchte. Wenn ich an Selbstüberhebung gelitten habe, können die Erfahrungen, die ich in diesem Hause gemacht habe, mich davon heilen. Ich sehe, einen Menschen ändern kann nur Gott; oder nicht einmal Gott! Das könnte meinen Stolz trösten. Man hat so wenig Macht über die Menschen wie über die Sterne; man sieht sie nach ihren unbeugsamen Gesetzen auf- und untergehen. Es wird nun nicht mehr lange dauern, es gibt keinen Ausweg. Jetzt ist mir selbst das liebste, wenn es bald vorüber ist.   Lju

Katja an Welja

Petersburg, 25. Juni

Welja, ich glaube, Du bist noch nie ganz wach gewesen, seit Du lebst. Wache doch endlich mal auf! Mir werden von allen Seiten Vorwürfe gemacht, von andern kann es ja hingehen, aber von Dir? Unerhört! Was tu ich denn? Papa hat seine Ideen und ich meine; warum soll er mehr Recht haben, seinen nachzuleben, als ich? Seine sind schädlicher als meine, find' ich. Ich bringe doch niemand um. Vielleicht weil er älter ist als ich? Schöner Grund; sein Alter spricht doch höchstens gegen ihn. Aber lieb habe ich ihn gewiß ebenso wie Ihr, wahrscheinlich mehr als Du. Du siehst nicht einmal ein, daß Lju nicht im Hause bleiben darf, wenn er solche Ansichten hat, wie er Dir gesagt hat. Wenn wir finden, daß Papa im Unrecht ist und daß es der Gegenpartei schließlich nicht zu verdenken ist, wenn sie ihn umbringt, so ist das etwas ganz andres, als wenn ein Fremder es findet. Was wissen wir denn eigentlich von Lju? Ich weiß, daß er vollkommen gewissenlos ist. Dir imponiert das natürlich, mir hat es zuerst auch imponiert, es mag ja auch großartig sein, vielleicht hast Du auch kein Gewissen, vielleicht möchte ich ebensowenig haben wie er, aber das ist mir jetzt ganz einerlei, in unserm Hause darf er nicht bleiben. Siehst Du denn nicht ein, daß er wirklich Papa ganz ruhig umbringen lassen würde? Halte wenigstens die Augen offen und passe auf! Es wurde mir geradezu unheimlich zumute, als ich Deinen Brief las. Er heftet seine eisigen Augen auf Papa und denkt: eigentlich hätten sie recht, wenn sie dich umbrächten. Wozu soll er überhaupt da sein? Daß er kein Mann für Jessika ist, mußt Du doch einsehen; übrigens will er sie ja gar nicht einmal heiraten, er macht sie nur unglücklich. Die Geschichte mit Jessika muß auch Mama einsehen, das andere darf sie natürlich nicht wissen, damit sie sich keine Gedanken macht. Hörst Du, Du darfst ihn nicht zurückhalten, sondern mußt ihm im Gegenteil sagen: »Ja,

geh sofort, du hättest es schon längst tun sollen!« Wenn Du ein
Mann wärest, hättest Du ihm längst gesagt, er müßte Jessikas
wegen aus dem Hause. Sei mal ein Mann! Papa sieht und hört ja
leider Gottes nichts; eigentlich wäre es besser, er spielte im Berufe
die Rolle, die er bei uns spielt, und umgekehrt, dann wären Volk
und Familie zufrieden. Armer Mann, er opfert sich einem Popanz
von Pflichtgefühl – und doch ist auch etwas Schönes an dem Unsinn. Ich weiß nicht, was mir mehr gefällt, das oder Ljus Gewissenlosigkeit. Ach, Papa ist nun einmal Papa, und darum geht er
vor. Wir müssen über ihn wachen, Du mußt mir für ihn bürgen,
hörst Du?   Katja

Lusinja an Tatjana
                                              Kremskoje, 26. Juni
Liebe Tatjana! Es ist gerade, als ob Du die Sonne mit fortgenommen hättest; seitdem haben wir häßliche Regentage. Der Tag, an
dem Du so überraschend ankamest, wie war der sorglos und heiter! So werden wir gewiß lange keinen erleben. Als wir heraus-
zogen im Mai, dachte ich nur an die Zeit, die vor mir lag, die ich
mir unbeschreiblich glücklich dachte, wo ich Jegor ganz für mich
haben würde, fern von Geschäften und Sorgen, und mein Gefühl
war geradeso, als ob nachher nichts mehr käme. Das hat man
wohl immer so, wenn man ein Glück vor sich hat; Glück scheint
einem ewig zu sein – obwohl es im Gegenteil nur flüchtig sein
kann. Nun merke ich, daß der Sommer vorübergehen wird, daß,
noch ehe er vorüber ist, die Zeit kommen wird, wo wir wieder in
die Stadt ziehen müssen, wo der Prozeß anfängt mit allen Schreck-
nissen für andre und für uns.
  Jegor wird der Menge und Energie des aufgehäuften Hasses
nicht entrinnen. Wenn sie ihn kennten! Aber sie kennen nur
seine Taten. Und ist der Mensch nicht in seinen Taten? Ach Gott,
ich habe mir fest vorgenommen, ich will nicht urteilen: es ist so
viel auf beiden Seiten abzuwägen, daß ich irren könnte. Nur das
weiß ich sicher, daß Jegor niemals aus angeborener Grausamkeit
oder aus persönlicher Rachsucht handelte, er glaubte immer das
Rechte zu tun, und es ist ihm oft schwer geworden. Vielleicht hat
er unrecht; aber daß er irren kann, macht ihn mir nicht weniger
teuer. Er wertet das Bestehende und die legitime Macht am höchsten, mich hätte die Neigung eher in eine andre Richtung gezogen, aber ich bin deshalb nicht besser als er. Das liegt im Blute;
seine Ahnen haben ihm andres Blut vererbt als meine mir.

Ach, Tatjana, mein Herz ist schwer! Wohin ich sehe, ist alles dunkel, so gleichmäßig dunkel, daß ich schon gedacht habe, es wären meine Augen, die nicht mehr hell sehen könnten. Aber sage selbst, wo ist etwas Gutes, Tröstendes? Wie soll der Konflikt mit den Kindern enden, die nur ihren Neigungen nachrennen und stolz darauf sind, daß sie sich kaum nach uns umsehen? Müssen alle Menschen dies erleben? Ja, vielleicht haben wir unsre Eltern Ähnliches erleben lassen; aber es ist darum nicht minder bitter.

Furcht ist das Ärgste; die Furcht, glaube ich, hat mich so entnervt, daß ich an keiner Freude mehr teilhaben kann, daß ich aus mir selbst keine mehr hervorbringen kann. Ich fürchte ja immer, Tag und Nacht, auch während ich schlafe. Das ist das Schlimmste. Du kannst Dir gewiß nicht vorstellen, wie das ist, zu schlafen und zu träumen und währenddessen fortwährend von Furcht gequält zu sein. Seit ich den Brief unter meinem Kopfkissen gefunden habe, ist mir zumute wie einem, der zum Tode verurteilt ist und nicht weiß, wann das Urteil vollstreckt wird. Siehst Du, der Mörder muß durch das offene Fenster gekommen sein, am Hause hinaufgekrochen wie eine Schlange, und hat an meinem Bett gestanden, ganz dicht, und hat den Brief unter mein Kissen geschoben. Er muß lautlos gekommen sein, wirklich wie eine Schlange, Du weißt doch, daß ich damals sofort aufwachte, als Lju in unser Schlafzimmer kam, und daß ich überhaupt einen leisen Schlaf habe. Er hatte ein Messer in der Hand oder einen Strick und hätte Jegor auf der Stelle ermorden können; aber er wollte ihm noch eine Frist geben, oder er hatte im Augenblick nicht das Herz dazu, oder er wollte uns nur auf die Folter spannen. Jede nächste Nacht kann die sein, wo er wiederkommt und es ausführt.

Und warum hörte Lju nichts? Ja, warum hätte er mehr hören sollen als wir, in deren unmittelbarer Nähe sich alles abspielte? Vor diesem Verhängnis ist auch seine Wachsamkeit unwirksam. Er scheint mir ganz verändert seitdem, ernst und in sich gekehrt; aber mit diesen Worten ist sein Wesen noch nicht treffend genug bezeichnet. Sicherlich leidet er darunter, daß er das nicht leisten konnte, was er versprochen hatte und was ich ihm zutraute. Vielleicht ist es ihm selbst unheimlich. Er sieht, daß wir verloren sind. Er mag nicht dabeisein. Oder wenn nun das wäre, daß er uns nicht schützen kann, nicht schützen darf? Nach seiner Meinung natürlich. Ob er diejenigen gesehen und erkannt hat, die Jegor nachstellen? Ob er Freunde unter ihnen erkannt hat? Oder irgendwelche Menschen, die er für wertvoller hält als uns? Diese Vermutung – nicht Vermutung, dies Gedankengespinst wird Dir wahnsinnig erscheinen; ich wäre auch nie darauf gekommen, wenn ich nicht sein seltsames Wesen vor meinen Augen hätte. Irgend etwas Geheimnisvolles ist um ihn. Zuweilen, wenn sein Blick auf Jegor und mir ruht, schaudert mich. Vorwerfen tue ich ihm nichts, das Mitleid, das ich mit ihm habe, spricht deutlich für ihn. Wenn es wahr ist, daß er uns schützen könnte und es doch nicht tun zu dürfen glaubt, so glaubt er im Rechte zu sein. O Gott, alle Leute haben recht, alle die, welche hassen und morden und verleumden – o Gott, was für eine Welt! Was für eine Verschlingung! Am Ende ist der wohl daran, für den sie gelöst ist.

Ich gebe zu, daß meine Nerven sehr überreizt sind. Es ist zu entschuldigen unter diesen Umständen, nicht wahr, Tatjana? Jegor ist ganz ohne Furcht. Er gefällt mir so gut, ich glaube, ich habe ihn noch nie so geliebt wie jetzt. Das ist auch ein Glück. Ich weiß ja wohl, daß ich glücklich bin vor vielen, vielen Frauen; aber es ist ein schwarzer Vorhang vor diesem Wissen. Ob noch einmal ein guter Wind kommt und ihn fortreißt? Denke an mich, Liebe.
Deine Lusinja

Welja an Katja

Kremskoje, 27. Juni

Täubchen, Katinka, was für einen Unsinn schreibst Du mir da von meinem Schlafen und Wachen? Und von Ljus Gewissenlosigkeit und Papas Pflichtgefühl, die Dir abwechselnd imponieren! Vater, wie du willst! Wenn Du psychologischen Scharfblick hättest, würdest Du bemerkt haben, daß Lju ein Theoretiker ist, Handeln ist eigentlich nicht seine Sache. Er findet, daß gewisse Leute ganz recht hätten, wenn sie Papa töteten. Ist das neu? Natürlich hätten sie recht. Als sie voriges Jahr den Kaiser in die Luft sprengen wollten, waren wir uns auch darüber einig, daß sie recht hätten, und hätten es doch nicht getan. Dann könntest Du ja auch von mir denken, ich brächte Papa um. So etwas tut man eben nicht, wenn man es auch theoretisch tadellos findet oder sogar billigt; die Kultur hindert einen daran. Du bist einfach noch eifersüchtig, ich hätte besser von Dir gedacht. Die Liebe macht alle Frauenzimmer dumm und kleinlich. Jessikas wegen wäre es ja besser, Lju ginge fort, das gebe ich zu; ich mag nur selbst verliebt sein, von andern kann ich es nicht leiden, sie werden lächerlich dadurch, für Jessika ist es geradezu ein Elend. Das heißt, ich kann mir denken, daß andre Leute es entzückend finden; sie kommt mir selbst oft so vor wie ein blühendes Pfirsichbäumchen, das in Flammen steht. An sich eine hübsche Erscheinung – aber wenn ich denke, daß sie ein Mensch und meine Schwester ist, finde ich es albern. Ich habe auch zu Lju gesagt, die Sache hätte sich überlebt, und es wäre besser, daß sie nun ein Ende nähme. Er war ganz damit einverstanden und sagte, er ginge ja schon längst mit dem Gedanken um, unser Haus zu verlassen, er wollte nur sicher sein, ob Mama ihn auch gern gehen ließe. Du siehst, wie unrecht Du hast. Vielleicht geht er mit uns ins Ausland; natürlich geht das nur, wenn Du vernünftig bist. Er kann doch nicht jedes Mädchen heiraten, das sich in ihn verliebt, kleines Kalb! Hätte ich das getan? Was Dich anbetrifft, Du brauchst überhaupt nicht zu heiraten. Du bist ein furchtbar niedlicher Spatz, als Eheweib und Mutter wärest Du lächerlich.   Welja

Lju an Konstantin

Kremskoje, 29. Juni

Lieber Konstantin! Ich habe Frau von Rasimkara gebeten, daß sie mich entlassen möchte. Ich sagte, der Vorfall mit dem Briefe hätte mich davon überzeugt, daß meine Anwesenheit nutzlos wäre. Ich hätte Tag und Nacht darüber nachgedacht, wie es hätte geschehen können, und wäre zu keinem Ergebnis gekommen. Durch das Fenster könnte bei Nacht niemand gekommen sein, dessen wäre ich sicher, ich würde es gehört haben. Die Dienstboten könnte man meiner Ansicht nach nicht verdächtigen, ich hielte sie für unbestechlich treu. Sie unterbrach mich und sagte lebhaft, in diesem Punkte hätte sie keinen Zweifel. Ich sagte, die einzige Möglichkeit wäre, daß ein Dienstbote es in der Hypnose getan hätte. Immerhin wäre es nicht wahrscheinlich. So etwas interessiert sie sehr, und wir sprachen eine Weile darüber. Übrigens, sagte sie, wollte sie die Sache mit dem Briefe ruhen lassen, es käme doch nichts dabei heraus. Eine eigentliche Untersuchung wollte ihr Mann nicht anstellen, er pflegte Drohbriefe immer zu ignorieren und mäße ihnen keine große Bedeutung bei. Bis jetzt hätten die Erfahrungen ihm ja auch recht gegeben. Ich bestritt dies weder, noch bestätigte ich es. Jedenfalls, sagte ich, wäre die Lage so, daß sie meiner nicht mehr bedürfte, sei es nun, weil keine Gefahr vorhanden sei oder weil ich nicht dafür einstehen könnte, daß ich sie abzuwenden imstande wäre.

Sie fragte, wohin ich mich zu wenden und was ich zu tun gedächte. Ich sagte, ich wollte mein Werk vollenden, das läge mir zumeist am Herzen. Wenn·ich mich mit meinem Vater aussöhnte, würde ich bis auf weiteres zu Hause bleiben; er hätte mir kürzlich einen entgegenkommenden Brief geschrieben. Sonst würde ich bei einem Freunde Zuflucht finden. Sie sagte, daß sie und ihr Mann mir zu Dank verpflichtet wären und daß ich ihnen gestatten müßte, mir zu Hilfe zu kommen, wenn ich Hilfe brauchte; das würde keine Wohltat, sondern Erstatten einer Schuld sein. Sie war ernst, liebenswürdig, von gewähltester Feinheit. Wenn es mir paßte, sagte sie, wäre ich frei, sofort zu gehen; wenn ich aber über meinen künftigen Aufenthalt noch nicht im klaren wäre, sollte ich bleiben, solange ich möchte. Ich sagte, ich wollte versuchen, ein Verständnis mit meinem Vater zu erzielen, und würde ihr dankbar sein, wenn ich ihre Gastfreundschaft noch etwa vierzehn Tage in Anspruch nehmen dürfte; bis dahin würde sich das entschieden haben. Ich wollte ihre Hand küssen, die sehr schön ist; aber ich dachte plötzlich daran, was ich ihr anzutun willens bin, und unterließ es.

Ich habe den Eindruck, daß meine Mitteilung sie froh gemacht hat, wahrscheinlich Jessikas wegen. Ich glaube sogar, sie denkt, ich hielte es Jessikas wegen für meine Pflicht zu gehen, und hat deswegen ein Gefühl der Dankbarkeit für mich. Lebe wohl!   Lju

Jessika an Tatjana
Kremskoje, 29. Juni
Liebste holdeste Tante! Ich glaube, ich komme bald zu Dir. Die paar Tage, wo Du hier warest, waren so schön! Alle waren heiter und zufrieden durch Deine Gegenwart. Jetzt ist es schrecklich. Lju wird fortgehen, er sagt, er müsse fort, weil es sich gezeigt hätte, daß er überflüssig wäre, und weil Mama ihn nicht mehr brauchte. Zuerst sagte Mama doch, sie hätte noch niemals ein solches Sicherheitsgefühl gehabt wie jetzt, weil Lju da wäre. Aber Papa hatte es niemals gern, und er wird zu Mama gesagt haben, daß er es nun nicht länger möchte. Du weißt ja, daß Papa nicht gern fremde Menschen um sich hat; sogar daß Du hier warest, hat seine Nerven angegriffen. Mama ist gewiß im Grunde sehr unglücklich, daß Lju fortgeht. Und wenn nun Welja und Katja auch noch fortgehen! Papa ist schon beinahe überzeugt, daß es am besten ist, wenn sie in Berlin oder Paris die Universität besuchen. Welja freut sich schrecklich und Katja natürlich auch, ich gönne es ihnen, sie mögen ja so gern reisen. Aber nimm mich dann zu Dir, Tante Tatjana, bis wir wieder in die Stadt ziehen. Es ist mir hier zu traurig so allein, nachdem es im Mai so schön war wie noch nie.

Die Stimmung hier ist so erdrückend. Papa und Mama werden ganz einverstanden sein, vielleicht tut es ihnen gut, einmal allein zu sein. Dann kann Papa sich am besten ausruhen, und die Arbeit, die für die beiden zu machen ist, können unsre Dienstboten ja bequem ohne mich ausrichten. Lju weiß noch nicht, wohin er geht. Er sagte mir, wenn er nach Petersburg ginge, würde er Dich besuchen, falls Du es erlaubtest. Er schwärmt oft von Deiner Schönheit und Deinem Geist. Wer täte das nicht? Am meisten

Deine kleine Jessika

Welja an Katja

Kremskoje, 1. Juli

Nun, mein süßer Spatz, Deine Schopffedern sind wohl noch zornig gesträubt gegen Deinen Bruder, weil er Dir, wie es seine Pflicht ist, die Wahrheit gesagt hat? Unterdessen arbeitet er für Dein und sein und unser aller Wohl. Seit Papa sich überzeugt hat, daß wir die tiefere Bildung nur erlangen können, wenn wir ein paar Semester im kultivierten Westen studieren, ist seine Laune wieder sehr gestiegen. Er findet es jetzt auch besser, daß wir mit dem mehr äußerlichen Paris beginnen, um später zum gründlichen philosophischen Deutschland fortzuschreiten. Wir sollen bald fort; denn Papa begreift auf einmal, daß alle unsre Unzulänglichkeiten nur davon kommen, daß wir den Einfluß der alten westlichen Kultur noch nicht durchgemacht haben. Du mußt also Dein Studium sofort aufgeben und für unsre Ausrüstung sorgen, das heißt dabeistehen, wenn Tante Tatjana es tut.

Lju geht fort, vielleicht schon vor uns. Ich denke mir, er wird auch nach Paris kommen, wenn wir da sind, obgleich er sich nicht bestimmt darüber ausspricht. Wir fahren oft Automobil zusammen. Ich habe Mama mein Wort geben müssen, ihn möglichst selten mit Jessika allein zu lassen — ganz überflüssig, denn er hat selbst gar keine Lust dazu. Auf Papa nehme ich auch viel Rücksicht, ich spiele nie mehr Wagner, weil ihn das nervös macht. Übrigens geht es ihm wirklich viel besser, außer seiner Scharteke hat er jetzt noch unsre Reise, die ihn angenehm beschäftigt, er gibt mir Anweisungen, welche Züge wir nehmen müssen, in welchen Hotels wir absteigen sollen, und hat dabei fast das Gefühl, er könnte selbst mit. Sei Deinem Bruder dankbar, anstatt zu schmollen, was überhaupt kindisch ist.

Welja

Welja an Peter

Lieber Peter! Das beste wäre, Du gingst mit nach Paris. Meine Mutter wünscht es, weil sie Dich für verständiger hält als uns, denn sie ist auch einverstanden, und mir mußt Du nur versprechen, kein verliebtes Gedudel mit Katja anzufangen. So bist Du ja aber auch nicht; was Du im Innern fühlst, ist mir natürlich einerlei. Wenn Deine Kurse sich durch Deine Abreise auflösen, ist es um so besser. Papa hat noch Schererei genug, er kann einem wirklich leid tun. Mit der Gesinnungsmeierei kann es ja dann wieder losgehen, wenn wir zurückkommen. Ich meinerseits mache sehr gern mal eine Pause. In Paris wirst Du Dich auch noch politisch entwickeln, ich sehe Dich schon als gereiften Robespierre ins heilige Rußland einbrechen.   Unbedingt Dein Welja

Lusinja an Katja

Mein Herzenskind! Es ist beschlossen, daß Ihr, Du und Welja, nach Paris geht. Du freust Dich, nicht wahr? Ich denke, Ihr werdet vernünftig sein und nicht gar zu viel Geld ausgeben, Ihr seid doch alt genug, um die Verhältnisse zu begreifen und Euch in sie zu schicken. Ihr habt den besten Vater, der sich niemals auf unrechtmäßige oder auch nur unfeine Weise bereichert hat, wie so viele tun, und ich hoffe, Ihr ehrt und liebt ihn deswegen um so mehr und seid stolz auf die verhältnismäßige Beschränktheit unsrer Mittel. Er hat trotzdem immer mit verschwenderischer Güte für Euch gesorgt, mißbraucht es nicht. Das Überschreiten eines gewissen Maßes würde ihm nicht nur Kummer, sondern sehr ernste Widerwärtigkeiten bereiten. Innerhalb dieser Begrenzung, mein Liebling, sollt Ihr Eure Freiheit herzhaft genießen und die Euch gebotenen Mittel, Euch zu ganzen Menschen zu bilden, benutzen.

Ich denke mir, daß Jessika, wenn Lju und Ihr fort sein werdet, zu Tante Tatjana gehen wird. Ihr armes, zärtliches Herz muß noch viel durchmachen, sie wird dort weniger leiden als hier, deshalb lege ich ihr nichts in den Weg. Daß Lju fortgeht, ist ihretwegen notwendig. Seine anregende Art zu sprechen, die naheliegenden mit entfernten und interessanten Vorstellungen zu verbinden, werde ich vermissen. Er läßt nie ein Wort, das man sagt, fallen, sondern fängt es auf und spinnt daran weiter. Das lieb' ich sehr an ihm; am meisten aber, daß er eine Persönlichkeit ist, ein Mensch mit einem intensiven Bewußtsein von allen Dingen und mit einem klaren Willen. Anderseits erleichtert es mein Gemüt, daß er fortgeht, und nicht nur Jessikas wegen. Er hat etwas Fremdartiges und Unergründliches für mich, das mich zuzeiten sehr aufgeregt hat. Er hat einen sonderbaren Blick; vielleicht hat er auch damit solche Macht über Jessika gewonnen. Das Rätselhafte zieht an und ängstigt zugleich. Er gehört nun einmal nicht zu uns, und all sein Sinn für die verschiedenartigsten Menschen kann das nicht überbrücken. Und dann nachtwandelt er; darüber kann ich nicht wegkommen.

Nach allen Erregungen dieses Sommers freue ich mich darauf, mit Papa allein zu sein. Wirklich, ich freue mich darauf – macht Euch also keine Gedanken unsertwegen. Ihr werdet uns viele schöne Briefe schreiben, und wir werden Euch im Geiste zur Mona Lisa und zur Place de la Concorde und zu den Springbrunnen von Versailles begleiten. Dabei fällt mir ein, daß wir dazu nicht einmal den Hut aufzusetzen brauchen, daß Ihr aber Reisekleider und sonst noch allerlei haben müßt. Vieles werdet Ihr gewiß geschmackvoller und billiger in Paris besorgen. Wäret Ihr nur praktischer! Kann ich es Euch überlassen? Jedenfalls, eine . gewisse kleine Ausrüstung müßt Ihr doch von hier mitnehmen, damit beschäftige Dich jetzt, Du hast ja Tante Tatjana, die beste Ratgeberin, zur Seite. Lebe wohl, mein Herzenskind, schreibe Deinem Vater bald, daß Du Dich auf Paris freust.   Deine Mama

Katja an Jegor

Petersburg, 4. Juli
Lieber Papa! Es ist fabelhaft anständig von Dir, daß Du uns nach Paris gehen läßt. Du hast aber auch etwas Gutes davon, indem Du uns los wirst. Peter will vielleicht auch mit, es ist mir ganz recht, denn er ist so praktisch, daß man ihn eigentlich gar nicht entbehren kann. Zum Beispiel ein Automobil heilmachen, weswegen Lju damals eigens in die Stadt fuhr, das kann er selbst und wenn es noch so kompliziert ist. Er ersetzt einem Dienstmann, Schlosser, Tapezierer, Schneider, Koch und sogar Putzmacherin, nur ist sein Geschmack etwas veraltet. Er ist jetzt auch sehr zurückhaltend gegen mich, es scheint mir beinahe, als wäre er nicht mehr verliebt; das ist eigentlich schade, obgleich es mir manchmal lästig war. Für die Reise ist es aber besser so, das sehe ich ein. Und gefällig ist er doch auch noch ebenso wie früher, gestern hat er mir erst ein Buch sehr schön eingebunden und einen Schlüssel gemacht für einen, den ich verloren hatte, was Tante Tatjana nicht

263

erfahren sollte. Wenn Peter mitgeht, werden wir viel Geld sparen, auch weil er immer aufpaßt. Soll ich noch einmal kommen und Euch adieu sagen? Ich tue es sehr gern, dann müßt Ihr aber Lju vorher wegschicken, ich kann ihn nicht ausstehen, und seine Gegenwart würde mir alles verleiden.

Deine allerkleinste Katja

Lusinja an Tatjana

Kremskoje, 5. Juli

Liebste Tatjana! Ich habe die melancholischen Anwandlungen ganz überwunden, das muß ich Dir doch erzählen. Weil es einfach so nicht weiterging, hat sich in mir ein Umschwung vollzogen. Man entdeckt oft platte Wahrheiten, so ist es mir mit dem Sprichwort gegangen, daß Gott dem Mutigen hilft. Zuerst kostete es mich Anstrengung, die Furchtgedanken zu unterdrücken und zuversichtlich in die Zukunft zu sehen, aber nachdem ich dies ein paarmal gemacht hatte, schien mich auf einmal eine unbekannte Kraft zu tragen, und von selbst überströmte mich Heiterkeit. Zum Teil kommt es allerdings auch daher, daß Jegor wieder in guter Stimmung ist, seit er den Entschluß gefaßt hat, die Kinder nach Paris gehen zu lassen. Das ist mir der größte Schmerz, ihn so gedrückt und ohnmächtig traurig zu sehen. Nun freue ich mich ordentlich auf die Zeit, wo wir allein sein werden. Ich glaube, so ganz allein waren wir noch niemals, seit die Kinder auf der Welt sind. Und auf dem Lande, ohne etwas zu tun, in schöner Umgebung! Es muß jetzt alles schnell gehen, sonst ist die Zeit des Urlaubs zu Ende, bevor sie alle fort sind. Jegor freut sich auch darauf, er meint nur immer, ich könnte gar nicht mehr für ihn und in ihm allein leben, weil ich gewohnt wäre, mich für viele und vieles auszugeben, aber im Herzen weiß er genau, daß ich mit ihm allein erst in meinem Elemente sein werde. Wann wird man wohl einmal älter? Bis jetzt bin ich seit meinem zwanzigsten Jahre immer jünger geworden – ich! Meine Haare und meine Haut natürlich nicht.

Liebe Tatjana! Hilfst Du meiner kleinen Katja besorgen, was sie zur Reise braucht? Du hast ja so viel Geschmack und Einsicht. Wenn Dein Peter mitginge nach Paris, das wäre eine große Beruhigung für uns. Obwohl er nur so wenig älter ist als Welja, wäre es mir doch, als wenn ein Mentor mitginge. Ich dachte erst an Lju in diesem Sinne, aber Katjas Abneigung ist ja nicht zu besiegen. Und wenn ich denke, wie sie zuerst für ihn schwärmte!

Er war ein Orakel für alle drei Kinder. Da nannte er sie einmal Katinka statt Katja, und aus war es für immer. Ein bißchen verrückt kommen mir meine Kinder zuweilen vor, Gott weiß, woher sie es haben. Natürlich, Tatjana, glaube ich nicht, daß diese Namensirrung der einzige Grund ist. Es wird wohl allerlei zwischen den Kindern vorgefallen sein, Eifersucht und dergleichen. Im Charakter würden ja Lju und Katja ganz gut zusammenpassen, wenigstens eher als Lju und Jessika; aber es pflegen sich nun einmal die Gegensätze anzuziehen. Jedenfalls ist mir die Abneigung, und wenn sie noch so ungerecht wäre, lieber als das Gegenteil. Es ist mir auch viel lieber, wenn Peter mitgeht. Ich weiß, daß Lju die Kinder liebt und versteht, er hat etwas Imponierendes, etwas Gewandtes, und wäre insofern geeignet, ihr Führer zu sein. Aber ich glaube, ich würde zuweilen davon träumen, daß er in somnambulem Zustande in ihr Schlafzimmer ginge und an ihrem Bett stände und sie mit dem rätselhaften Blick, der ihm eigen ist, betrachtete.

Ach, Tatjana, das muß ich Dir doch erzählen! Als ich damals den Drohbrief unter meinem Kopfkissen gefunden hatte, sagte Lju, es könnte auch jemand im Hause getan haben, den ein andrer darauf hin hypnotisiert hätte, so etwas wäre möglich. Da dachte ich an seinen rätselhaften Blick und sein nächtliches Wandern, und es kam mir in den Sinn, er selbst könnte ja von einem fremden, dämonischen Willen besessen sein. Ich wäre damals nicht imstande gewesen, mit jemand darüber zu sprechen oder Dir davon zu schreiben, so grausig war mir die Vorstellung. Jetzt kann ich es ganz ruhig und lache sogar dabei. Neulich erzählte ich es Jegor, der amüsierte sich so darüber, daß ich jetzt immer lachen muß, wenn ich daran denke. Er sagte, je aberwitziger eine Geschichte wäre, desto bereitwilliger glaubte ich sie. Für ganz unmöglich halte ich so etwas aber doch an sich nicht, sonst hätte auch Lju es nicht gesagt.

Du bist also einverstanden, liebe Tatjana, daß Jessika zu Dir kommt? Wenn Peter fortgeht, wärest Du ja sonst allein, und Jessika ist so gern bei Dir. Uns freut es, wenn sie Dir etwas sein kann.   Deine Lusinja

Jessika an Katja

Kremskoje, 8. Juli
Liebes Kleines! Werde nicht böse, aber es ist doch sehr häßlich von Dir, daß Du nicht kommen willst, solange Lju hier ist, und

ihn dadurch aus dem Hause treibst. Das hat er doch nicht um uns verdient. Ich glaube, Du denkst, er handelte schlecht gegen mich, und das ist doch gar nicht richtig. Er liebt mich, aber er hat mir von Anfang an gesagt, daß er nicht wüßte, ob er mich jemals heiraten könnte, weil er zu stolz ist, und daß ich meinen Gefühlen den Charakter der Freundschaft geben müßte. Das tue ich doch auch, und was ist denn dabei, daß er mein Freund ist? Er ist doch auch Weljas Freund und war auch Deiner, bis Du Dich so abstoßend gegen ihn benahmst. Er kann sich ja so einrichten, daß er den ganzen Tag nicht zu Hause ist, wenn Du hier bist. Für Papa und Mama ist die Geschichte doch auch peinlich, und da Du so viel Schönes vor Dir hast, könntest Du recht gut in solchen Kleinigkeiten ein wenig Rücksicht nehmen.

Bist Du böse, mein Brummerchen, daß ich Dir das sage? Ich predige Dir doch selten Moral, das mußt Du mir zugestehen. Aber Du wirst ja doch tun, was Du willst. Papa und Mama sind jetzt sehr wohl, es ist zu niedlich, wie sie sich auf ihr Alleinsein freuen. Sie sehen manchmal aus wie ein Brautpaar, das bald Hochzeit haben wird, jung und schön und geheimnisvoll beseligt. Ich freue mich, daß gerade Rosenzeit ist; in ein paar Wochen werden sie alle blühen, dann kann Mama alle Tage ihre Tafel mit Rosen bedecken und sich Rosen ins Haar stecken und alle Vasen vollfüllen.   Jessika

Welja an Peter
                                                              Kremskoje, 10. Juli
Lieber Peter! Gestern begegnete mir etwas Merkwürdiges. Ich wollte Lju in seinem Zimmer aufsuchen, und da er nicht da war, wartete ich auf ihn. Ich setzte mich an seinen Schreibtisch und blätterte gedankenlos in seiner Schreibmappe, da sah ich einen Zettel, auf den mit einer Handschrift etwas geschrieben war, was mir auffiel. Erst wußte ich gar nicht, warum – dann fiel mir plötzlich ein, daß mit derselben oder einer ganz ähnlichen Handschrift der Drohbrief geschrieben war, den Mama unter ihrem Kopfkissen gefunden hat. Denke Dir, ich habe zum erstenmal in meinem Leben einen wahnsinnigen Schrecken bekommen, es drehte sich alles um mich. Und dabei weiß ich gar nicht bestimmt, was mich eigentlich so entsetzte; aber meine Hände und meine Schläfen waren in einem Augenblick mit Schweiß bedeckt. Wahrscheinlich machte mein Unbewußtes blitzschnell eine Reihe von Schlüssen, deren Ergebnis der Schrecken war. Ich ging rasch fort und ver-

suchte meine Gedanken zu ordnen; ich schwöre Dir, ich war so bestürzt, daß ich nicht klar denken konnte. Als Lju wieder da war, richtete ich es so ein, daß wir uns in sein Zimmer setzten, ich blätterte in seiner Mappe, spielte mit dem Zettel und sagte so beiläufig, die Handschrift wäre ja der auf dem Drohbrief ganz ähnlich. »Nicht wahr?« sagte Lju vergnügt, »ich glaube auch, daß man sie für dieselbe halten kann. Ich habe versucht, sie aus dem Gedächtnis nachzumachen, damit man eventuell damit auf die Spur des Schreibers kommen könnte; aber dein Vater will ja nicht, daß die Sache verfolgt wird.« Papa hat nämlich den Brief zerrissen, das macht er immer so mit anonymen Zuschriften. Es ist ja unfaßlich, daß mir dies passieren konnte! Ich wußte, daß Lju anfangs mit dem Plan umging, herauszukriegen, wer den Brief geschrieben hat, und wußte auch, daß er sich viel mit Graphologie beschäftigt! Allerdings, sowie ich seine Stimme hörte und ihn sah, kam mir meine Aufregung schon gleich kindisch vor. Am liebsten hätte ich hernach zu Lju gesagt, wie es gewesen ist, aber ich weiß nicht, warum, ich brachte es nicht über die Lippen. Er ist vollkommen ahnungslos und freut sich über seinen Erfolg; es ist ja auch eine kolossale Leistung, eine Schrift aus dem Gedächtnis so täuschend nachzuahmen.

Ich erkläre mir meine Dummheit damit, daß die Geschichte mit dem Drohbrief einen doch ein bißchen nervös gemacht hat. Wenn Papa anders wäre, würde man sich, glaube ich, tatsächlich ängstigen; aber er hat eine solche Sicherheit, daß man es für unmöglich hält, ihm könnte etwas zustoßen. Schließlich erlebt man doch auch solche Schauergeschichten nicht in Wirklichkeit, das ist höchstens Reiselektüre. Attentate sind ja allerdings oft vorgekommen. Aber Papa sagt, er wäre im allgemeinen gar nicht so verhaßt, und die Angehörigen der Studenten wären gebildete Leute, unter denen keine Mörder zu suchen wären. Dieser letzte Drohbrief sollte ihn doch nur einschüchtern, das wäre klar, und übrigens könnte man auch plötzlich krank werden und sterben, dem Tode wäre man immer ausgesetzt, man müßte dergleichen nicht beachten. Manchmal frage ich mich, ob die Furchtlosigkeit ein Vorzug oder ein Mangel an Papa ist; vielleicht hat er einfach gar keine Phantasie.

Er ist jetzt ganz besonders gut aufgelegt. Seine Scharteke ist entzweigegangen, und er klütert stundenlang mit Lju daran herum, um herauszukriegen, woran es liegt. Lju betreibt die Sache auch mit Eifer und Ernst, es ist mir nicht klargeworden, ob er es tut, um Papa ein Vergnügen zu machen oder weil es ihn wirklich auch interessiert.

Herrgott, ich will froh sein, wenn wir erst in Paris sind; helfen oder ändern kann ich hier doch nichts. Erzähle Katja nichts von meiner Geschichte mit Lju. Papa sagt, in Deutschland könnte man sehr gut zweiter Klasse fahren. Vater, wie du willst, wenn wir nur überhaupt reisen. Welja

Jessika an Katja

Kremskoje, 14. Juli

Katja, Du sollst auf gar keinen Fall kommen, hörst Du! Wenn Du nur noch nicht fort bist! Denke Dir, gestern ist das Väterchen plötzlich furchtbar krank geworden. Er hatte Krämpfe und wand sich und wurde blau im Gesicht, es war einfach schrecklich. Zuerst sagte Welja, er wäre betrunken, aber das merkte man bald, daß es etwas andres war, und die Mädchen sagten, er hätte die Cholera, und stellten sich unbeschreiblich an, keine wollte bei ihm bleiben. Lju nahm alles in die Hand, er sagte, Cholera könnte es nicht sein, das hätte andre Symptome, es wäre wahrscheinlich ein typhöses Fieber mit irgendwelchen Komplikationen. Er verordnete allerlei und blieb bei Iwan, obgleich Papa und Mama es nicht leiden wollten, weil sie meinten, es könnte ansteckend sein; aber er sagte, erstens glaube er das nicht, und außerdem fürchtete er sich gar nicht davor und wäre deshalb auch nicht empfänglich. Iwan starrte ihn immer ganz erschrocken an, wenn er zu sich kam, ich glaube, er hatte ihn ungern bei sich, aber er wagte es nicht zu sagen. Als der Arzt kam, sagte er, alles, was Lju angeordnet hätte, wäre angemessen, er würde auch nichts andres gemacht haben, und er glaubte auch, daß es Unterleibstyphus wäre. Papa und Mama wollen durchaus nicht, daß Du kommst, wegen der Ansteckung. Wir wären nun einmal da, das wäre nicht zu ändern, Du solltest Dich aber nicht mutwillig der Gefahr aussetzen. Ich finde, sie haben ganz recht, helfen kannst Du doch nicht, und Mama würde sich ängstigen, selbst wenn es mit der Ansteckung gar nicht so schlimm ist. Zunächst kann Iwan noch nicht in die Stadt transportiert werden, weil er zu krank ist. Das arme Väterchen! Welja sagt immer, es wäre zu schade um ihn, der Wein schmeckte ihm so gut, ja, mit Branntwein war er schon glücklich.

Ich sehe Dich nun gewiß auch nicht mehr vor der Reise, mein Glühwürmchen! Aber ich komme nicht dazu, Dich zu vermissen, so viel ist jetzt zu tun! Deine Jessika

Lju an Konstantin
Kremskoje, 16. Juli
Lieber Konstantin! Ich habe die Schreibmaschine abgeschickt. Es
bleibt also dabei, daß die Explosion durch Druck auf den Buchstaben J zur Entladung kommt. Da wir uns auf einen Buchstaben
einigen müssen, soll es der sein, mit dem der Vorname des Gouverneurs beginnt; es ist ausgeschlossen, daß er einen Brief schreibt,
ohne ihn zu benutzen. Zunächst liegt nun die Verantwortung auf
Dir. Ich bin froh, auf kurze Zeit davon frei zu sein, denn ich fühle
mich krank. Es liegt mir ein Fieber in den Knochen, am liebsten
würde ich mich zu Bett legen, ich glaube aber, daß ich das Entstehen einer Krankheit am ersten durch Widerstand verhindern
kann. Es ist mir schon einmal gelungen. Der Kutscher Iwan hat
den Unterleibstyphus in hohem Grade, er ist noch in Lebensgefahr; und weil hier Schrecken und Ratlosigkeit herrschte, denn
die Dienstleute meinten, er hätte die Cholera, und ich einigermaßen Bescheid mit solchen Sachen weiß, habe ich mich seiner
angenommen. Der Mann mag mich nicht leiden, er empfindet eine
unklare Furcht oder Abneigung gegen mich, ich denke mir, er
spürt in der Art, wie Tiere das können, die Gefahr, die seinem
Herrn von mir droht. Ich habe eine besondere Vorliebe für diese
noch halb tierischen, im Unbewußten lebenden Volksnaturen, es
war mir eine ordentliche Freude, ihn zu behandeln und zu beobachten. Vielleicht habe ich mich bei der Pflege überanstrengt, da
ich ohnehin angegriffen war.

Sollte die Krankheit stärker als ich sein, und sollte ich nach
Petersburg ins Spital geschafft werden, das wäre sehr schlimm.
Denn ich muß durchaus die Maschine selbst in Empfang nehmen
und aufstellen. Ich kann aber mit Sicherheit darauf rechnen, daß
Herr und Frau von Rasimkara mich im Hause behalten und bei
sich verpflegen würden, selbst wenn ich mich sträubte. Vor allen
Dingen rechne ich auf meine gesunde Natur und auf die Kraft
meines Willens. Mauern einreißen wie Simson kann man wohl
nicht mehr, aber seinen Körper aufrecht halten, wenn er einstürzen
möchte, wenigstens für eine Weile. Auf alle Fälle erwarte noch
ein Zeichen von mir, ehe Du handelst.   Lju

Lusinja an Tatjana
Kremskoje, 18. Juli
Liebste Tatjana! Wie sehr schnell wandelt sich doch das Antlitz
aller irdischen Dinge, wirklich schneller als der bewölkte Himmel;

das ist auch so ein Gemeinplatz, der uns plötzlich wie eine Offenbarung vorkommt, wenn wir seine Wahrheit erleben. Unserm guten alten Iwan scheint es besser gehen zu wollen; wenigstens meint der Arzt, daß, wenn die Krankheit zum Ende führte, schon eine erhebliche Verschlimmerung eingetreten wäre. Du weißt, wie eng wir mit unsern Leuten verbunden sind; andre zu haben wäre für uns geradeso traurig, wie in ein andres Haus zu ziehen. Einen Menschen in Lebensgefahr, gewissermaßen sterben zu sehen ist für mich überhaupt ein schreckliches Leiden; es wird mir dann auf einmal klar, daß dies unser aller Los ist, daß die schwarze Kugel ebensogut mich hätte treffen können und mich morgen vielleicht trifft oder übermorgen vielleicht, daß sie eines Tages mich unabwendbar treffen muß. Dann kann mich eine Angst erfassen, eine Angst, die tausendmal schlimmer als der Tod ist. Ja, an Iwan scheint er diesmal vorübergegangen zu sein. Aber gestern abend mußte sich Lju hinlegen. Er hat doch Iwan so gut gepflegt und sich der Ansteckung ausgesetzt, als ob es etwas Selbstverständliches wäre. Wir bewundern ihn um so mehr, als Iwan ihn niemals hat leiden mögen und kein Hehl daraus gemacht hat. Vorgestern war er schon nicht wie sonst; aber wenn ich ihn fragte, behauptete er, vollständig wohl zu sein. Gestern mittag sah er fieberhaft aus. Jegor, der natürlich nichts merkte, sprach davon, daß er seine Schreibmaschine vermisse, an die er sich so gewöhnt hätte, und daß er hoffe, sie käme bald wieder. Da sagte Lju: »Ach, sagen Sie das nicht! Mir wäre es lieber, wenn sie noch recht lange ausbliebe!« Ich habe mal von einem berühmten Schauspieler gelesen, der sich zuweilen vor der Aufführung berauschte und so haltlos war, daß man für unmöglich hielt, er könnte spielen; wenn er aber auftreten mußte, nahm er sich mit dämonischer Willenskraft zusammen und spielte hinreißend, nur selten ließ diese Kraft etwas nach, so daß sein Zustand zum Durchbruch kam. Weißt Du, daran erinnerte er mich in dem Augenblick; er war immer nahe daran zu phantasieren. Ich stellte ihm eindringlich vor, daß er Fieber hätte und daß er sich hinlegen müßte, er gab es auch zu, behauptete aber, Bewegung wäre für ihn in solchen Fällen das Beste, er wollte einen Ausflug auf dem Rade machen. Es war ihm nicht auszureden, er fuhr fort und kam nach drei Stunden ganz in Schweiß und vollständig erschöpft zurück. Dann hat er sich zu Bett gelegt, ohne etwas zu sich zu nehmen. Heute ist er vollständig ermattet liegen geblieben, aber das Fieber scheint wirklich gebrochen zu sein. Der Arzt, der Iwans wegen kam, sagte, solche Kuren könnten tatsächlich zuweilen glücken, aber er würde sie niemand vorschreiben, es wäre nicht jedermanns Sache. Ein außerordentlicher Mensch ist Lju, er fesselt einen immer wieder aufs neue.

Liebe Tatjana, wenn wir nur erst allein sind! Ich pflege gern Kranke, und es ist mir ordentlich lieb, daß ich etwas für Lju tun kann – es ist nur sehr wenig, eigentlich pflegen kann man ihn gar nicht, er ist ein Mensch, der nur geben kann, zum Empfangen fehlt ihm das Organ – ja, aber ich hatte mich nun einmal auf das Alleinsein mit Jegor gefreut, und alles Unerwartete, was jetzt geschieht, kommt mir wie ein tückisches Hemmnis vor, das sich zwischen uns und die ersehnten Feiertage schiebt. Welja und Jessika wären schon heute zu Dir gekommen, aber sie wollten durchaus nicht abreisen, bevor sich entschieden hätte, ob Lju ernstlich krank würde. Gott sei Dank, daß diese Gefahr vorübergegangen ist – wie würde das in Jessikas weichem Herzen die Liebe gesteigert haben! Iwan wird, sowie er transportfähig ist, ins Spital geschafft werden; und bis er hergestellt ist, wird ein verläßlicher Mann, den wir schon mehrmals zur Aushilfe hatten, an seine Stelle treten. Ich dachte daran, mit Jegor in die Stadt zu kommen, um die Kinder abreisen zu sehen; er sagt aber, da er eigens Urlaub genommen hätte, um seiner Gesundheit wegen einen Landaufenthalt zu nehmen, möchte er sich lieber nicht in Petersburg sehen lassen, es könnte mißdeutet werden. Er meint auch, der Abschied würde mir dort viel mehr zum Bewußtsein kommen, ich würde mich sehr aufregen, weinen und so weiter. Ja, weinen werde ich wohl doch. Ein Jahr werden sie sicher fortbleiben, wenn nicht noch länger, sonst hat es kaum Zweck. Ein ganzes Jahr ohne die beiden Kinder! Wenn ich nicht Jegor gerade jetzt so für mich hätte –! Und dann bin ich auch nicht mehr so jung, daß ein Jahr mir lang schiene; sind nur zwölfmal dreißig Tage, ach, es ist eigentlich nur ein Atemzug! Wie froh bin ich, daß Peter mitgeht; ich will den Kindern auftragen, daß sie ihm folgen.

Deine Lusinja

Welja an Katja
Kremskoje, 20. Juli

Mein kleiner Trompetenstoß! Du kannst losschmettern, denn morgen reise ich. Solltest Du kontra schmettern, so schadet es nichts, weil ich es nicht höre, es würde Dir also auch nichts helfen. Wir können Papa und Mama jetzt keine größere Wohltat erweisen, als daß wir abreisen. Es hat bereits eine Notiz in den Blättern gestanden über die »rote Universität«. Etwas Schlimmes kann den

Leuten nicht passieren, als höchstens, daß die Kurse aufgehoben werden; aber Papa ist es natürlich lieb, wenn wir nicht dabei sind. Väterchen lebt noch, er hat heute bereits nach einem Tropfen Schnaps verlangt, also scheint er mir in der Genesung begriffen zu sein. Da ich ihm nicht ade sagen soll, der Ansteckung wegen, habe ich ihm ein Abschiedsgedicht gemacht. Es fängt an:

> Schon fünf Tage sind hinabgesunken,
> Seit sich Väterchen zuletzt betrunken.

Und endet:

> Soll ich dir die treue Hand nicht reichen,
> Ohne Abschiedskuß ins Ausland weichen,
> Wünsch ich unter Tränen dir hienieden
> Gute Besserung oder ruh in Frieden.

Ich habe es Lju vorgelesen, der noch zu Bett liegt, er konnte gar nicht aufhören zu lachen, obgleich er wirklich sehr schwach ist. Er sagte, er wäre überzeugt, Iwan würde mich für den größten Dichter Rußlands und das Gedicht für die Ausgeburt aller Poesie halten, und er beneidete die Menschen, die noch durch den bloßen Rhythmus und den simplen Reim in einen seelischen Rausch geraten können. Lju möchte gern mit uns nach Petersburg fahren, er fürchtet aber, er würde noch zu schwach sein, und Mama wird ihn auch gar nicht gehen lassen. Du wirst ihn also nicht mehr sehen. Jessika ist ein dummer kleiner Wurm mit ihrer Liebe, trotzdem empfehle ich Dir, süßes Spätzchen, zart mit ihr umzugehen, nicht zu zetern, nicht zu picken. Sie ist gerade wie ein Tautropfen, der in der Sonne schön wie ein Edelstein funkelt und beweglich lebendig ist und, wenn die Sonne fortgeht, glanzlos wird und versiegt. Dies schreibe ich, damit Du siehst, daß ich mich auch echt dichterisch ausdrücken kann. Hör mal, Peter soll für Zigarren und Zigaretten unterwegs sorgen, der hat gern Aufgaben zu erfüllen.

Welja

Lju an Konstantin

Kremskoje, 23. Juli

Lieber Konstantin! Du hast mir nicht geschrieben, damit, wenn ich todkrank oder tot wäre, der Brief nicht in unrechte Hände geriete. Jetzt ist die Gefahr vorüber. Wenn Du keine weitere Nachricht von mir erhältst, laß die Schreibmaschine am 31. abgehen; melde es mir gleichzeitig. Die Krankheit ist endgültig gebrochen, aber ich bin noch sehr erschöpft, so erschöpft, daß ich gern noch ein paar Tage lang im Bett liegen würde, ohne zu denken, ohne andre Bilder in meinem Gehirn als das der dunklen Frau und des blonden Mädchens, die von Zeit zu Zeit durch mein Zimmer gleiten, sich über mich beugen und mit sanfter Stimme freundlich zu mir sprechen, oder das der Tannen und Birken, die ich durch das offene Fenster sehen kann. Wird es einmal Menschen geben, die ohne Qual, ohne den göttlich-fluchwürdigen Stachel der Seele im Anschauen der Schönheit verharren können?

Welja und Jessika reisen morgen nach Petersburg, Jessika bleibt bei ihrer Tante. Wenn ich sie wiedersehe, wird sie ein schwarzes Kleid tragen. Diese Nacht, als ich den Mond, leuchtend bleich, von dunkelm Gewölk umgeben sah, mußte ich an ihren blonden Kopf über dem schwarzen Kleide denken. Ach, das ist das wenigste. Sie wird wieder rosige Wangen bekommen und lächeln und weiße Kleider tragen. Daß alles verdammt ist zu vergehen, indem es entsteht, das ist die einzige Tragik des Lebens; weil es das Wesen des Lebens ist, weil dies so geartete Leben das einzige ist, das jemals unser sein kann. Ich erwarte Deine Nachricht.

Lju

Lusinja an Katja

24. Juli

Mein Jüngstes! Heute reisen Welja und Jessika ab. Sie haben noch einen Tag auf Lju gewartet, ihm zuletzt aber selbst davon abgeredet, die Anstrengung des Reisens heute schon auf sich zu nehmen. Er ist aufgestanden, aber noch schwach. Etwa drei Tage wird er gewiß noch hierbleiben, also wirst Du ihn auf keinen Fall mehr sehen, wenn Ihr übermorgen fahrt. Jessika hat tapfer mit ihren Gefühlen gekämpft, ich hätte ihr so viel Selbstüberwindung nicht zugetraut. Heute war sie schon in aller Frühe im Garten und pflückte Körbe voll Rosen, mit denen sie das ganze Haus geschmückt hat. »Ich finde, es ist wie ein Hochzeitshaus«, sagte sie. Dann sagte sie: »Mama, wir müssen euch doch eigentlich recht im Wege gewesen sein, als wir gleich so nacheinander anrückten?« Ich sagte: »Ja, wenn wir nicht selbst schuld gewesen wären, hätten wir uns vielleicht ein bißchen geärgert.« Dein Bruder Welja, der dazukam, sagte: »Gott, was denkst du, sie hätten sich schrecklich gelangweilt ohne uns.« Jessika entrüstet: »Anmaßender Junge! Du mit deiner Faulheit hast vor dem zweiten Jahre nicht gesprochen und vor dem zehnten keinen Witz gemacht.« Nun, Du kannst Dir denken, wie zierlich sie einander ankläfften. Und dazu das kleine Gesicht, so still und blaß unter dem alten Kinderlachen. Gebt ihr noch recht viel Liebe an dem letzten Tage, hörst Du, Herzblatt? Und kränke sie nicht dadurch, daß Du etwas gegen Lju sagst. Du bist ein viel zu junges und törichtes Glühwürmchen, als daß Du ihn richtig beurteilen könntest. Er ist jedenfalls ein bedeutender Mensch, und vor bedeutenden Menschen muß man die Achtung haben, daß man zunächst das Beste von ihnen denkt und im Zweifelsfalle mit seinem Urteil zurückhält.

Was den Chauffeur anbelangt, den Tante Tatjana statt des alten Aushilfsdieners zu nehmen vorschlägt, so kann sich Papa nicht dazu entschließen, obwohl er zugibt, daß es vielleicht angenehmer für uns wäre. Er sagt, einen ganz fremden Menschen will er nicht ins Haus nehmen. Es käme nicht selten vor, daß die revolutionäre Partei auf diese Art ihre Leute in die Häuser einschmuggelte, um durch sie private Verhältnisse auszukundschaften oder sich mit der Dienerschaft in Verbindung zu setzen. Er möchte nicht gern ein zweideutiges Element zwischen unsre so treuen und zuverlässigen Dienstboten bringen. Da Papa von jeder Ängstlichkeit frei ist, wird diese Vorsicht wohl berechtigt sein. Wir bleiben also bei dem alten Kyrill, mehr als Iwan trinkt er auch nicht, und Papa sagt, Trunkenbolde hätten die treuesten Herzen.

Ich umarme Dich, Du geliebtes Kind! Habt Euch recht lieb, alle drei, und zankt Euch nicht auf der Reise, Du und Welja. Nennt Euch auch nicht Kalb oder Molch oder Spatzengehirn – das letzte geht allenfalls noch –, aus dem Scherz könnte einmal Ernst werden, und überhaupt ist es eine häßliche Gewohnheit, die bei Menschen, die Euch nicht kennen, Anstoß erregen kann. Gib auch acht auf Welja, als ob Du die Ältere wärest, aber ohne es ihn merken zu lassen; um ihn sorge ich mich mehr als um Dich – Du, mein Liebling, wirst schon das Rechte tun und etwas Rechtes werden.

Also bin ich nun eine kinderlose Frau! In meinem Herzen habe ich Euch aber, ganz fest, da seid Ihr noch klein und habt es gern, in einen winzigen Raum geschlossen dicht bei Eurer Mama zu sitzen. Lebe wohl!

Welja und Katja an Jegor

Petersburg, 26. Juli

Lieber Papa! Als Katja in Mamas Brief Deinen Ausspruch gelesen hatte, Trunkenbolde hätten die treuesten Herzen, trompetete sie los: »Seht ihr, Lju ist kein Trinker! Er trank Wein nur wegen der schönen Farbe und des Aromas!« Es wird sich nun gewiß verbreiten, Du hättest Lju entlassen, weil er sich niemals betrunken hätte, Du wirst ein Liebling des Volkes werden, und eine Horde taumelnder Kosaken wird Dich als freiwillige Schutzgarde beständig umgeben. Wir haben vorgestern abend Tante Tatjana überzeugt, daß sie uns zum Abendessen sehr feinen Wein vorsetzte, und Peter, der gerade im Begriff war, in einen Abstinenzverein einzutreten, hat das deshalb bis zu unsrer Rückkehr verschoben.

Lieber Papa! Welja schreibt doch nur Dummheiten. Es ist nicht möglich, mit ihm zu leben, ohne zuweilen Kalb oder Molch zu sagen. Mama, Du hättest ihn von vornherein besser erziehen sollen. Mit dem Trinken hast Du ganz recht, Papa, es war eine abgeschmackte Idee von Peter, in einen Abstinenzverein eintreten zu wollen. Warum soll man nicht trinken, wenn es einem schmeckt? Zu dumm! Jessika sagt, um Euch brauchte man sich keine Gedanken zu machen, Ihr sähet beide jung und glücklich aus. So wollen wir Euch uns unterwegs vorstellen. Mit Jessika bin ich sehr nett, aber ein Schaf ist sie doch. Da fährt unser Wagen vor! Morgen um diese Zeit sind wir schon über die Grenze. Unterwegs schreibe ich Dir einen richtigen langen Brief, süße Mama.

Katja

Lju an Konstantin!
Kremskoje, 1. August
Lieber Konstantin! Ich fahre morgen in der Frühe ab. Ich nehme das Automobil nach Petersburg. Von da fahre ich zu meinem Vater. Ich nehme an, daß die Schreibmaschine heute abend kommt. Es wäre mir nicht lieb, wenn sie früher käme, weil der Gouverneur dann wahrscheinlich zu schreiben verlangen würde. Die beiden Menschen freuen sich auf ihr Alleinsein wie glückliche Kinder. Sie wissen selbst nicht, was sie eigentlich erwarten – ach, mein Gott, was erwartet man überhaupt, wenn man einem Augenblick der Liebesaufwallung entgegensieht? Was findet man?

Daß jemand anders vor dem Gouverneur die Maschine benutzt, das einzige, was meinen Plan zerstören könnte, halte ich für ausgeschlossen. Die Dienstmädchen getrauen sich aus Angst vor dem Gouverneur nicht, sie anzurühren, besonders seit sie einmal entzweigegangen ist. Er hat ihnen einmal sogar verboten, sie abzustauben, er wolle das selbst tun. Auch wird er sie sehr bald in

Gebrauch nehmen, einige Briefe hat er immer zu schreiben, auch wird er sie nach der Reparatur probieren wollen. Ein Tag wird nicht darüber hingehen. Vermutlich wird er an die Kinder schreiben. Sie – seine Frau – was wird aus ihr werden? Das beste wär für sie, wenn sie an seiner Seite wäre. Sie ist es ja fast immer. Wenn ich das nächste Mal nach Petersburg komme, möchte ich Dich sehen. Zunächst brauche ich Ruhe.   Lju

Lusinja an Jessika

Kremskoje, 1. August

Jessika, mein Blümchen, Deine schönen Rosen sind nun welk, noch ehe die Freude des Alleinseins angefangen hat. Der Garten ist aber voll neuer. Lju reist morgen in aller Frühe ab, er hat sich schon verabschiedet, weil er früher fährt, als wir aufgestanden sein werden. Vorhin, als wir von einem Spaziergang zurückkamen, stand ein Mann an der Gartentür. Ich sah ihn erst, als wir ganz nahe bei ihm waren, und fuhr unwillkürlich zusammen. Lju lachte und sagte: »Es ist gewiß wieder der Paketbote mit der Schreibmaschine.« Und wirklich, er war es. Ich sah ihn ganz entsetzt und bewundernd an, und da lachte er wieder und Papa auch; es war nämlich ganz natürlich, daß er es erriet, weil sie eigentlich schon mit der ersten Post erwartet wurde. Denke Dir, Papa fiel gar nicht über die Kiste her, sondern ließ Lju auspacken und sitzt jetzt noch bei mir und spielt so schön Klavier, wie sonst niemand auf der Welt spielt. Vielleicht duftet zur selben Zeit die Lindenblüte Deiner Stimme an Tante Tatjanas Flügel. Du weißt doch, daß Lju gesagt hat, Dein Gesang wäre so zart, daß man nicht sagen könnte, er klänge –: er duftete. Es ist mir gerade, als hörte ich Dich, meine kleine Holdseligkeit.

Lju sah mich wieder mit einem unergründlichen Blick an, als er mir Lebewohl sagte; ich freue mich, daß ich diesem Blick morgen nicht mehr begegnen werde. Aber sei ganz ruhig, ich habe ihm ein allerliebstes Futterkörbchen für die Reise zurechtgemacht und will ihm sehr wohl. Wenn er nicht nachtwandelte, wäre ich seine unbedingte Freundin. Denke Dir, Väterchen hat zuletzt noch die Anwandlung bekommen, außer sich zu sein, daß Lju fortginge, bevor er wieder auf den Beinen wäre; er wäre jetzt krank und hinfällig und zählte nicht, und ein Mann müßte doch im Hause sein. Da hat Papa wütend gesagt: »Bin ich denn ein Klapperstorch?« Darüber hat Iwan erst geweint, und dann hat er gesagt, er hätte Papa noch nie für einen Klapperstorch gehalten, aber er sollte doch gerade beschützt werden, und sich selber beschützen könnte man nicht, so wenig wie man sich selbst den Rücken waschen könnte. Papa fragte Mariuschka, die uns dies berichtete: »Wer wäscht ihm denn seinen? Du?« Was sie entrüstet verneinte; also ist das im dunkeln geblieben.

Gute Nacht, Liebling. Wann werde ich Dir einmal Dein Haar mit Rosen schmücken? Wer weiß wie bald! Das Schöne kommt unverhofft über Nacht.

Deine Mama

Jegor an Welja und Katja

Kremskoje, 2. August

Nun, Ihr beiden kleinen Kinder, was für ein Unsinn ist das mit dem Trinken? Was soll ich gesagt haben? Gebildete Menschen müssen maßhalten, das ist selbstverständlich. Wenn ein russischer Bauer nicht trinkt, kann man auf Theorien und Berechnung schließen, auf den Hang zu irgendeiner Vervollkommnung; und wo der tierische Trieb einmal gebrochen ist, da tritt zunächst nichts Gutes an die Stelle. So; Ihr habt mäßig zu sein, weil Ihr für gebildete Menschen gelten wollt. Unser Schutzengel ist abgereist, ich habe augenblicklich keinen andern als Eure Mutter, unter deren Flügeln ich mich am wohlsten befinde. Eben tritt sie hinter meinen Stuhl, legt den Arm um mich und tut die nicht mehr neue, aber immer wieder gern gehörte Frage: »Warum bist du so blaß, J . . .«

Erschienen 1910

HERMANN LÖNS *1866–1914*

Der Zaunigel

Außerhalb des Dorfes nach der Heide zu liegt an dem Moorbache ein Eichenhain. Ein halbes Hundert grauer Bauwerke erhebt sich dort, halb versteckt von dem breiten Astwerk der alten Eichen. Es sind die Schafställe und Scheunen der Bauern, kunstlose, strohgedeckte Fachwerkbauten, deren Wände graues Flechtenwerk und gelber Lehmbewurf bildet und deren Grundbalken auf dicken Findlingsblöcken liegen.

Dort wohnt auch der Schäfer. Eine mächtige Mauer aus Ortsteinblöcken, von Moos übersponnen und von Engelsüß und Glockenblumen und Efeu überwuchert, hinter der sich ein gewaltiger, von Wacholder, Holunder, Stechpalmen und Schlehen bewachsener Hagen erhebt, grenzt das Wohnwesen gegen die Stallungen ab. Allerlei Getier haust hier; in den Strohdächern brüten Rotschwanz und Ackermännchen, auch ein paar Schleiereulen und ein paar Käuzchen hausen dort, unter den Scheunen haben es Spitzmaus und Waldmaus gut, Kröte und Ringelnatter und nicht minder Wiesel und Iltis. Auch Igel sind hier immer anzutreffen.

Der Schäfer läßt sie gewähren. Sie mögen ihm wohl ab und zu ein Ei oder ein Kücken fortnehmen, dafür halten sie aber auch die Mäuse kurz. So treiben sie denn ungescheut schon am späten Nachmittage im Garten oder auf dem Hofe oder unter den Eichen ihr Wesen, und Wasser und Lord, die beiden alten Hunde des Schafmeisters, kümmern sich nicht mehr um sie; nur Widu, der junge Hund, ist noch etwas albern und quält sich dann und wann ein Viertelstündchen mit einem Igel ab, um schließlich mit zerstochener Nase das Spiel aufzugeben. Auch heute hat er das so getrieben und hat sich endlich ärgerlich und müde vor den Herd gelegt, wo er schläft und im Traume das Stacheltier weiter verbellt.

Der Igel hat noch eine volle Viertelstunde zusammengekugelt dagelegen, dann hat er sich aufgerollt und ist in das Gestrüpp des Hagens gekrochen. Er hatte vor, im Garten Schnecken zu suchen, aber der dumme Hund brachte ihn davon ab. Und nun krabbelt er in dem alten Laube herum, scharrt in dem Mulm und verzehrt laut schmatzend bald einen Regenwurm, bald eine Schnecke, dann eine Assel und nun eine dicke Spinne. Und jetzt geht es wie ein Ruck durch ihn; er hat junge Mäuse pfeifen gehört. Ein Weilchen noch verharrt er in seiner aufmerksamen Haltung, dann schleicht er vorwärts, macht einen kleinen Satz und stößt seine Nase in einen Knäuel fahlen Grases, der zwischen den Ortsteinen der Hofmauer steckt. Sechsmal stößt er zu, und jedesmal erklingt ein dünner, schriller Todesschrei. Dann langt er sich die jungen Mäuschen heraus und schmatzt sie hastig auf.

Ein Weilchen schnüffelt er noch an dem Mauseneste herum, dann trippelt er weiter, ab und zu fauchend oder stehenbleibend und sich mit Krallen oder Zähnen heftig da juckend, wo die Flöhe und Holzböcke ihn am meisten zwicken. Bald langsam, bald eilig, begibt er sich nach dem Eichenhain. Dort gibt es immer allerlei im Grase, ein Taufröschchen oder eine fette Raupe, ein Mäuschen oder auch einmal einen jungen Vogel, der aus dem Neste fiel. Brrr, macht es laut, und ein dickes, braunes Ding stößt mit hartem Anprall an die blutende Eiche. Es ist ein Hirschkäfer. Er hat gefunden, was er suchte. Gierig steckt er die goldgelbe Pinselzunge in den gärenden Saft. Da raschelt es hinter ihm. Wütend dreht er sich um und spreizt die scharfbewehrten Zangen. Aber schon hat der Igel ihn gefaßt, ihm den Leib abgerissen, und während der Kopf des Käfers im Grase liegt und mechanisch die Zangen öffnet und schließt, knabbert der Igel den dicken Hinterleib vollends auf. Dann jagt er unter den Schafställen weiter und sucht einen nach dem andern ab.

Viel ist heute da nicht zu finden. Einige Spinnen, etliche Käfer, auch ein gutgenährter Regenwurm, das ist alles. Es ist zu trocken gewesen den Tag über, die Junisonne hat es reichlich gut gemeint, und der Wind ging scharf; das gibt schlechte Jagd. So schiebt denn der Stachelrock nach dem Bache zu; vielleicht daß sich dort die Jagd besser lohnt. Unterwegs dreht er jedes Blatt um und scharrt jeden Grasbusch auseinander, immer prüfend und schnaufend und seine Nase in das Moos und in die Blätter bohrend und ab und zu sitzenbleibend, um irgendein kleines Tier zu verzehren. Einmal bleibt er lange sitzen; er hat eine alte Maus pfeifen gehört, und vorsichtig pirscht er sich näher. Jetzt hört er sie dicht bei sich vorüberhuschen. Gleich wird sie wieder zurückkommen; und dann hat er sie. Aber gerade wie er zufahren will, löst sich ein grauer Schatten von der Wagenleiter, die Maus quiekt auf, und das Käuzchen streicht, sie in den dolchbewehrten Fängen haltend, auf die hölzernen Pferdeköpfe des Stalles, und der Igel hat das Nachsehen.

Mürrisch begibt er sich weiter. Ein Kiefernschwärmer, der am Nachmittag die Puppe verlassen hatte und sich, nachdem er seine Schwingen fertig gereckt hat, nun zum ersten Fluge rüstet, verschwindet unter den spitzen Zähnen. Ihm folgt eine Ackerschnecke; von der dicken schwarzen Schnecke, auf die der Igel stößt, wendet er sich aber mit Ekel ab. Sie riecht abscheulich und schmeckt scheußlich. Aber das laute, rollende Flöten da in dem anmoorigen Sande am Bachufer, das lockt ihn. Ein schnelles Getrippel, ein fester Stoß, und schon ist die Maulwurfsgrille erledigt. Weiter geht es am Bachufer entlang. Halt, hier hebt sich die Erde. Etwa ein Maulwurf? Das wäre kein schlechter Fang. Oder gar eine Wühlmaus? Das wäre noch besser. Ganz vorsichtig schiebt er sich voran. Lange muß er lauern, ehe die Erde sich wieder rührt, aber schließlich kann er zufahren. Er stieß zu kurz. Mit jähem Ruck wirft sich die schwarze Erdwühlerin in den Bach, daß es plumpst, und nach einer langen Besinnungspause wendet sich der Igel wieder den Eichen zu.

Hier ein Mistkäfer, da eine Raupe, dort ein Brachkäfer und daneben ein Regenwurm, das wird so nebenbei alles mitgenommen. Aber was ist das da, was sich da im Grase fortschiebt? Der Igel sträubt die Kopfstacheln, steckt die Nase vor, rollt sich halb auf und trippelt so auf die Beute los. Jetzt ist er bei ihr. Zß, geht es, und einmal, zweimal, dreimal fährt die halbwüchsige Kreuzotter gegen seinen Stachelpanzer. Ein viertes Mal noch, dann aber nicht mehr. Er hat sie überrannt, hat sie mit den Kopfstacheln an den Boden gequetscht, hat mit den Zähnen ihren Hinterkopf gefaßt, und während sich ihr Leib in wilden Kreisen dreht, zerkaut er erst den Kopf und schmatzt ihn hinunter und läßt den Leib hinterdrein wandern. Nach einem Viertelstündchen verschwindet auch die äußerste Schwanzspitze, die sich immer noch windet, in seinem Rachen.

Vorläufig ist er nun satt. Spaßeshalber faßt er noch einen großen Taufrosch, der ihm dicht vor die Nase hüpft, an das Hinterbein, aber gerade als der arme Frosch seinen schrillen Todesschrei hören läßt, gibt ihn sein Bezwinger frei, und der Frosch springt in gewaltigen, ungeschickten Sätzen ab. Ganz furchtbar eilig trippelt der Igel nach dem Weißdornbusch hin, der sich neben einem der Schafställe spreizt. Der leise Luftzug weht ihm von da eine Kunde zu, die ihn ungestüm vorwärtstreibt. Ohne eine Pause zu machen, trippelt er in schnurgerader Richtung weiter, und gerade als die Dorfuhr ausholt, um die zehnte Stunde zu verkünden, gerade als des Nachtwächters Horn hohl an zu heulen fängt, langt der Igel vor dem Busche an.

Da ist noch ein Igel, ein dicker, großer Igel, der eben einen langen, dicken Tauwurm hübsch langsam aus seiner Erdröhre herauszieht. Wie besessen stürzt der erste Igel auf ihn zu. Blitz-schnell wendet der andere sich um und beißt nach ihm. Verdutzt bleibt der erste sitzen, dann nähert er sich wieder dem anderen. Wieder setzt es einen Hieb, wieder gibt es eine Verlegenheits-pause, und so zehnmal und noch zehnmal. Und dann schlägt der erste Igel eine andere Taktik ein. Schnaufend und fauchend trip-pelt er um den andern und versucht, sich ihm von hinten zu nä-hern, dieser aber dreht sich schnaufend und fauchend fortwährend im Kreise herum und wehrt jeden Annäherungsversuch mit einem blitzschnellen Bisse ab. Schließlich sitzen sie sich beide gegenüber, daß ihre Schnauzen sich fast berühren, und verschnaufen, der Igel überlegend, wie er sich wohl beliebt machen könne, die Igelin immer zur Abwehr bereit.

Bisher war der Igel immer von rechts nach links um seine Aus-erkorene herumgetrippelt, jetzt versucht er es in der umgekehrten Richtung. So muß auch die Igelin von links nach rechts sich im Kreise drehen. Wenn er sie zehn- oder zwölfmal umkreist hat, wird er plump vertraulich. Dann setzt es von ihr aus einen Schmiß. Verdutzt bleibt er dann sitzen und überlegt den Fall, und sie bleibt auch sitzen. Sie sehen sich mit ihren kleinen schwarzen Augen an, Nase an Nase, bis er wieder Mut bekommt und von neuem um sie herumtrippelt, jetzt von links nach rechts, nach dem nächsten Hiebe von rechts nach links, dann wieder umge-kehrt und so weiter.

Elf Uhr schlägt die Turmuhr; elfmal heult des Wächters Horn. Immer noch murksen und fauchen die beiden stacheligen Liebes-leute umeinander herum. Es wird Mitternacht; das sonderbare Karussell ist noch immer im Gange. Es schlägt ein Uhr; er ist noch immer nicht müde, sie zu umwerben, und ihre Sprödigkeit hält immer noch an. Es schlägt zwei Uhr; noch immer trippelt er fauchend und prustend um sie herum, bald von rechts, bald von links, und nach jedem Hiebe, den sie ihm versetzt, hält er inne und überlegt, ob es nicht besser sei, sich ihr von der anderen Seite zu nahen. Eine halbe Stunde bleibt der Jagdaufseher bei dem Paare stehen und lacht und schüttelt den Kopf, bis die Helligkeit im Osten ihm sagt, daß es Zeit für ihn werde, nach dem Moore zu gehen. Schon singt der Rotschwanz von dem Dachfirst, die Schleiereule sucht ihr Loch am Giebel, der Igel und die Igelin tanzen immer noch ihren sonderbaren Reigen; erst als die Amsel zeternd zur Regenwurmsuche ausfliegt, verschwindet sie unter dem Stalle, und er folgt ihr nach. Als der Schäfer die Schafe ausläßt, hört er unter dem Estrich das Gefauche und Geschnaube und ruft dem jungen Hunde zu: »Widu, bring sie zur Ruhe!« Aber Widu mag nicht; er hat von gestern genug.

Der Juni geht hin und der Juli auch. Als die Frau des Schäfers den Komposthaufen auseinanderstößt, findet sie in einem Haufen welken Grases fünf kleine, rosige, weißstachelige Dingerchen neben der alten Igelin liegen. Nachmittags will sie sie ihrem Manne zeigen, aber sie sind nicht mehr zu finden. Die Igelin hat ihre Jungen verschleppt. Unter dem alten Schlehbusche hat sie ihnen ein neues Nest gekratzt und sie warm zugedeckt. Da säugt sie sie tagsüber, aber nachts treibt sie sich im Garten umher und frißt sich an Schnecken und Würmern dick, scharrt Mäusenester aus und fängt junge Frösche, schont auch die junge Brut der Rotkehlchen, trotz des Gezeters der Alten, nicht und nimmt auch die junge Amsel mit, die ihr in den Weg tolpatscht, wie sie denn auch mit den nackten Wieselchen, die sie aufstöbert, nicht viel Federlesens macht. Sogar die große Wanderratte, die sich in dem Schlageisen gefangen hatte, muß dran glauben; trotz ihres Strampelns und Quietschens wird sie totgebissen und bis auf Kopf, Fell und Schwanz aufgefressen.

Nach vier Wochen führt die Igelin ihre fünf Kleinen aus. Eines Abends, als der Schäfer vor der Türe sitzt und seine Pfeife raucht, raschelt es hinter dem Brennholze, und da kommt erst schnaubend und prustend die Igelin angetrippelt, und hinter ihr wackeln die fünf Kleinen. Der Schäfer ist ein ernster Mann und lacht selten; heute aber muß er doch lachen, denn es sieht zu putzig aus, wie die kleinen Dinger hinter der Alten herbummeln, überall kratzen und scharren und ihre Nasen in alle Löcher am Boden stecken, oder hastig hinrennen, wenn die Mutter einen tüchtigen Wurm bloßgescharrt hat und ihn sich von den Kleinen fortnehmen läßt. Seit der Zeit ist es für den Schäfer und seine Frau ein Hauptvergnügen, den Igeln zuzusehen; und damit sie nicht gestört werden, wird Widu jeden Abend angelegt. Auch allerlei Eßbares legt der Mann den Igeln hin; Butterbrot verschmähten sie, aber frisches Fleisch nahmen sie gern, und auch kleine Fische, die der Schäfer für die Hechtangeln gefangen hatte. Als der Schäfer sah, daß die Igelin sich immer so viel kratzte, fing er sie, und als er fand, daß sie voll Ungeziefer saß, salbte er sie mit der Schmiere, mit der er seinen Schafen das Ungeziefer vertrieb. Seitdem gab sie das Kratzen auf.

Mittlerweile wurden die kleinen Igel immer größer, hielten auch nicht mehr zu der Alten, sondern gingen ihre eigenen Wege, und wenn sie der Alten begegneten, wurden sie von ihr weggebissen. So wanderten sie denn aus; der eine in die Heidberge, der andere in die Eichen, der dritte in den Wiesenbusch, noch einer in das Dorf und der letzte nach dem Immenzaun; und wenn der Schäfer einen von ihnen antraf, denn er kannte sie sogleich wieder, weil er ihnen allen, dem einen am Kopfe, den anderen hier oder da am Rücken, ein Büschelchen Stacheln abgeschoren hatte, dann zeigte er sie den Leuten und sagte: »Das ist einer von meinem Hofe.« Bis in den Herbst hinein sah er bald hier, bald da einen von seinen Igeln, und sogar im Februar, als nach einem leichten Schnee die Sonne schön warm schien, traf er die alte Igelin am hellen Nachmittage vor der großen Hecke am Immenzaun und nahm sie mit und setzte sie in den Schafstall, und als im März die Sonne die Oberhand bekam, traf er fast jeden Abend einen Igel an im Garten, auf dem Hofe oder unter den Eichen und hatte sein Vergnügen an ihnen.

Eines Tages aber kam eine Zigeunerhorde zugewandert, und der Vorsteher wies ihnen die Heide bei den Eichen als Lagerstätte an. Während die Männer sich überall herumtrieben und die Weibsleute wahrsagen gingen, zogen die Jungens auf die Igeljagd. Sie hatten Stöcke, an denen oben ein langer, dicker, spitzgefeilter Draht befestigt war, und damit stachen sie in alle Laubhaufen, Hecken und unter die Schafställe. Ab und zu quietschte es, und einer von den Bengeln zog einen aufgespießten Igel aus seinem Verstecke, den er dann totschlug.

Abend für Abend saß der Schäfer auf der Bank vor der Tür und wartete auf seine Igel. Er sah sie nie wieder.

Erschienen 1911

PAUL ERNST *1866–1933*

Der weiße Rosenbusch

Das Schlachtfeld von Jena ist eine Hochebene von mehreren Stunden Umfang, in welcher verstreut eine Anzahl runde Vertiefungen liegen, wohl in Urzeiten durch strudelnde Wasser entstanden. In diese Vertiefungen sind meistens die Dörfer und einzelnen Gehöfte gebaut, so daß die Bewohner mit einem begrenzten Blick aufwachsen, indessen der Wanderer, der oben auf der Ebene geht, von Häusern und Menschen nicht eher etwas sieht, bis er dicht vor einer solchen Vertiefung angekommen ist.

Am Vorabend der Schlacht, als der deutsche Heerführer die unheilvolle Bewegung vom Rande der Ebene rückwärts machte, ritt ein preußischer Leutnant mit seinem Burschen in eine dieser Vertiefungen hinab, in welcher ein einsames Bauerngehöft lag, versteckt unter düstern alten Kastanienbäumen. Um den Weg abzukürzen, der sich langsam wand, lenkten sie die Pferde quer über den Acker. Ein noch junger Mann, der hinter dem Pfluge ging, wickelte die Zügel um den Pflugsterz und trat ihnen entgegen, indem er grob ausrief, über seinen Acker gehe kein öffentlicher Weg.

Der Offizier fragte: »Ihr seid der Bauer?«, und wie der andere bejahend antwortete, fuhr er fort: »Es gefällt mir, daß Ihr auf Eurem Recht besteht. Ihr werdet ein ordentlicher Mann sein. Führt uns zu Eurem Haus.« Der Bauer faßte in den Zügel des Pferdes, lenkte es auf die Straße, und indem der Bursche folgte, kamen die drei auf den Hof. Der Offizier stieg ab und trat vorauf in das Haus; der Bauer hinter ihm; nach einer Weile kam der Soldat, der die beiden Pferde am Ring der Torfahrt festgebunden hatte.

Nachdem der Bauer noch seine Frau hatte rufen müssen, welche

284

eintrat, indem sie die Hände an der blauen Schürze abtrocknete, begann der Offizier:

»Morgen ist die Schlacht, und es kann keiner wissen, wie es für ihn ausgeht. Durch einen Zufall habe ich mein Vermögen bei mir, tausend Louisdor in bar« – er setzte einen leinenen Sack auf den Tisch –, »und wenn ich falle oder gefangen werde, so geht das Geld für meine Familie verloren. Ich habe Vertrauen zu Euch, daß Ihr nicht die Hinterbliebenen eines Deutschen, der auch für Euch kämpft, um ihr bißchen Armut betrügen werdet. Hebt mir das Geld auf, so gut Ihr könnt. Bleibe ich am Leben, so hole ich es selber wieder ab, falle ich, so könnt Ihr es meinem Burschen übergeben; kommt auch mein Bursche nicht, so bringt Ihr es mit diesem Briefe nach Görlitz zu meiner Frau, sobald die Straßen wieder sicher sind.«

Nach diesen Worten schüttelte der Offizier dem jungen Bauern die Hand, grüßte artig gegen die Frau und verließ mit dem Burschen das Zimmer.

Der Bauer ging mit seiner Frau in den Keller, nahm von dem größten Sauerkrauttopf den Stein und die Brettchen herunter, mit denen der eingelegte Kohl beschwert war, schüttete den in einen leeren Topf, der für das Salzfleisch beim Schweineschlachten gebraucht wurde, verbarg den Beutel mit dem Gold unten in dem Sauerkrauttopf und füllte Kohl wieder auf. Nachdem er die Brettchen und den Stein wieder an ihre Stelle gelegt hatte, wies er die Frau an, den übrigen Sauerkohl mit in die Küche zu nehmen, und ging nach oben.

In der Nacht, während Napoleon seine Artillerie durch den steilen Hohlweg auf die Hochebene schaffte und Davoust seine Kolonnen von der anderen Seite nach oben führte, wachte der Bauer aus schweren Träumen um das Geld auf. Er faßte neben sich und fand das Lager seiner Frau leer. Langsam erhob er sich und zog sich an, dann ging er in den Keller hinunter. Da saß die Frau gekauert vor dem geleerten Topf und zählte die Goldstücke in ihren Schoß. Erschreckt schlug sie die Schürze über den Schatz, als der Mann hinter sie trat. Er sagte nichts. Nach langem Schweigen sprach sie: »Ein schönes Stück Geld, wir könnten jedem Jungen einen Hof hinterlassen.« Er erwiderte: »Tu das Geld in den Topf. Wenn du als zweites ein Mädchen gehabt hättest, dann brauchtest du nicht solche Gedanken zu haben.« Sie wischte sich mit dem Handrücken eine Träne aus den Augen, denn ihre Hände waren von dem Krautsaft besudelt, dann brachte sie alles wieder an seine Stelle.

Kanonendonner kam, Gewehrfeuer, Fliehende und Verfolger; der Hafer wurde zertreten; Tote und Verwundete lagen; die Verwundeten wurden aufgehoben; in der Nacht streiften viele auf dem Schlachtfelde umher, um den Toten die Kleider auszuziehen, auch nach Geld und Taschenuhren und Ringen zu suchen.

Am Abend des anderen Tages kam der Bursche, erschöpft und elend. Der Bauer setzte ihm ein Stück Speck, Brot und eine Flasche Schnaps vor. Der Soldat verlangte einen Arbeitsanzug des Bauern, er wollte das Geld nach Görlitz bringen. Der Bauer schüttelte den Kopf. Der Soldat, welcher ihn falsch verstand, sagte: »Es ist nicht Fahnenflucht; behalte ich die Uniform, so werde ich nur gefangen. Wenn ich das Geld abgeliefert habe, suche ich mein Regiment wieder auf. Ich bin ein ordentlicher Kerl, ich muß jetzt Unteroffizier werden.« Der Bauer erwiderte ruhig: »Ich bin für das Geld verantwortlich; die Wege sind mir jetzt nicht sicher genug; ich bringe das Geld selber nach Görlitz, wenn es mir an der Zeit scheint.« Der Soldat fluchte und trat auf den Bauern zu: »Hältst du mich für einen Spitzbuben?« Der Bauer zuckte nur die Achseln und sagte: »Ich bin verantwortlich.« – »Du Hund willst mir zu verstehen geben, ich will die Witwe meines Leutnants bestehlen?« schrie der Soldat und schlug ihm mit der geballten Faust ins Gesicht. Eine Spitzhacke stand dem Bauern zur Hand; er hatte einen neuen Stiel aus Hornbaumholz hineingefaßt statt des alten rotbuchenen, der gesprungen war. Er ergriff die Hacke und schlug den Soldaten auf den Kopf. Der Mann fiel um, ohne einen Laut zu sagen. Der Bauer kniete nieder, nahm den Kopf des Toten in die Hand. In der Tür stand die Frau, lautlos die Hände über sich zusammenschlagend. »Faß an!« rief er ihr zu. Sie trug den weichen Körper an den Füßen, er an der Brust; er wendete sich zu dem alten Brunnen, der nicht mehr gebraucht wurde, weil die Eltern durch den Genuß des Wassers erkrankt und gestorben waren, während er als Knecht auf einem anderen Hof gedient hatte. Er schob den Leichnam vornüber auf den Rand und stürzte ihn hinunter. Vom Bau im vorigen Jahre lagen noch Steine und Sand in der Hofecke; bis nach Mitternacht karrte er davon herbei und stürzte nach; indessen hatte die Frau, weinend und leise für sich mit zitternder Stimme ihre Unschuld beteuernd, die Blutspuren in der Stube aufgescheuert.

In den folgenden Jahren kamen häufige Mißernten, so daß trotz der hohen Preise viel größere und kleinere Landwirte schlecht standen. Nach den Befreiungskriegen folgten dann die Jahre der niedrigen Preise und mit ihnen eine schwere Notlage der Gutsbesitzer und auch der Bauern. In dieser ganzen Zeit, welche etwa ein Menschenalter währte, mußte mancher Besitzer um billigen Preis verkaufen und mit dem weißen Stabe von seiner Väter Hofe ziehen, und mancher schlaue Mann wurde reich, wenn er gerade bares Geld zur Verfügung hatte. Unser Bauer kaufte langsam Feld um Feld, Weide um Weide, wie sich die Gelegenheit bot; er kaufte auch um ein Billiges einen ganzen Hof; und als er starb, etwa in der zweiten Hälfte der Fünfzig, da besaß er mehr als ein mittelmäßiger Rittergutsbesitzer. Er hinterließ seine Witwe und die beiden Söhne, welche nun im Anfang der Dreißig standen. Kurz nach seinem Tode verlobten sie sich mit zwei Erbtöchtern, deren Väter in derselben Gegend begütert waren.

Es war ein neuer Pastor in die Gemeinde gekommen, in welche unser Hof eingepfarrt war. Als er mit seiner Frau die Witwe besuchte, da lud diese die Pastorsleute für den nächsten Sonntag zu einer Lustfahrt in ihrem leichten Wägelchen ein. Der älteste Sohn kutschierte und zeigte mit der Peitsche die Äcker, Felder, Weiden und Wiesen, welche ihnen selber gehörten oder ihren Schwiegereltern. Mehrere Stunden fuhren sie so, und der Frau wurde zum ersten Male die Größe ihres Besitzes klar. Sie rühmte ihren Reichtum gegen die Pastorin und sprach von ihrem verstorbenen Mann, wie er ein fleißiger Kirchgänger gewesen sei und wie ihn die Regierung eigentlich hätte zum Amtsvorsteher wählen müssen, und da sprach sie vom Segen des Himmels; aber wie sie das Wort sprach, da tauchte die halbvergessene Erinnerung an das Verbrechen ihres Mannes in ihr auf, und sie verstummte plötzlich. Dann seufzte sie nach einer Weile und sagte, der älteste Sohn sei jähzornig, er gleiche ganz seinem Vater, und zuweilen habe sie Angst, daß Gott sie durch ihn strafen werde; dabei weinte sie einige Tränen. Der Sohn drehte sich um und gab ihr einen groben Verweis; verlegen lächelnd sprach sie zu den Pastorsleuten: »Er ist gut zu mir, er meint es nicht so böse, wie es klingt.« Der Sohn gab den Pferden einen Peitschenschlag, daß sie plötzlich stark anzogen.

Nun wurde in dieser Zeit ein alter Schäfer bettlägerig, der seit langem für die Gemeinde gehütet hatte. Wie er merkte, daß es an das Letzte ging, ließ er den Pastor rufen, um ihm ein Geständnis zu machen und sein Gewissen zu erleichtern.

Damals, nach der Schlacht, als die Heere sich entfernt, hatte er seine Schafe, so viele ihm geblieben waren, auf die zerstampften Haferfelder geführt, wie auch die Gänse in den Hafer geschickt wurden, damit von der zerstörten Frucht, die selbst mit der Sichel

nicht mehr geerntet werden konnte, wenigstens noch etwas genutzt wurde. An einem mit Schlehdorn bewachsenen Rain, mitten
in den Dörfern, hatte er die Leiche eines preußischen Leutnants
gefunden, welche in ihrem Versteck übersehen sein mochte. Von
Habgier getrieben, untersuchte er die Kleider des Toten, aber er
fand nur eine Brieftasche mit Briefen und Aufzeichnungen. Einen
goldenen Trauring wagte er nicht abzuziehen, denn die Hände
waren schon etwas angeschwollen. In seiner Angst ging er die
folgende Nacht mit Hacke und Schaufel an die Stelle und begrub
den Leichnam; dann betete er über dem Grabe. In seinem Garten
hatte er einen großen weißen Rosenbusch; von diesem hackte er
einen kräftigen Trieb heraus und pflanzte ihn in die lockere Erde
des Grabes, nachdem er in der Umgebung die Schlehen vernichtet
hatte.

Die Brieftasche legte er zu Hause ins Schapp; und obwohl sie
ihm gar nichts nützen konnte, lieferte er sie doch nicht beim
Amtsvorsteher ab; er erzählte auch niemandem von der Geschichte, weil er wohl wußte, daß er eine verbrecherische Absicht gehabt
hatte bei der Durchsuchung des Gefallenen. So waren die Jahre
vergangen, und er hatte die in Papier gewickelte Brieftasche immer an ihrer Stelle liegenlassen. Nun, auf dem Totenbette, wurde
die Angst seines Gewissens größer wie die Furcht vor einer Strafe
oder Beschämung, und er erzählte dem jungen Pastor alles, indem
er ihm die Brieftasche übergab. Sie war aus violettem Leder, trug
auf silbernem Schild ein Wappen und wurde durch ein nunmehr
verrostetes stählernes Schloß zusammengehalten, das nicht durch
einen Schlüssel zu öffnen war, sondern durch das Verschieben
eines kleinen Stiftes, welcher als Dorn des Schlüsselloches erschien. Der Pastor übergab die Tasche nebst einer Darstellung
der Erzählung dem Amtsgericht; hier stellte man Nachforschungen an und fand bald die überlebende Witwe des vor dreißig Jahren Gefallenen; sie bewohnte zwei kleine Zimmer in demselben
Hause in Görlitz, wo sie mit ihrem Gatten eine große Wohnung
innegehabt hatte.

Die Frau des Gefallenen hatte damals einen Brief erhalten, der
am Tage vor der Schlacht geschrieben war. In diesem drückte der
Offizier seine starken Befürchtungen über den Ausgang der
Schlacht und des Krieges überhaupt aus. Um seine Familie für
den Fall seines Todes sicherzustellen, hatte er einen umstrittenen
Erbschaftsanspruch verkauft, den nach seinem Ableben eine al-
leinstehende Frau schwerlich hätte durchsetzen können, besonders
in den schwierigen Zeiten, die er voraussah. Die bare Summe in

Gold, welche nach menschlicher Berechnung unter diesen Verhältnissen den Wert seines Vermögens am besten darzustellen schien,
hatte er einige Tage vorher erhalten; er mochte sie keinem Bank-
haus anvertrauen, scheute sich auch, einen Boten mit ihr in die
Heimat zu schicken, und so schrieb er ihr denn, er werde das Geld
während der Schlacht einem zuverlässigen Mann zur Aufbewahrung übergeben, der es ihr bringen werde, wenn er selber fallen
sollte.

Seit diesem Brief hatte die Frau keine Nachricht wieder von
ihrem Gatten erhalten, dem sie kaum fünf Monate vorher an-
getraut war. Sie saß am Fenster ihres kleinen Stübchens, wo auf
der Kommode alte Tassen und gravierte Glasbecher standen und
wo die sorgsam geschonten Stühle aus der guten Stube von den
Eltern ihres Gatten an der Wand aufgereiht waren; sie nähte und
stickte die Wäsche für das Kind, welches sie erwartete; und als
nach der Schlacht alle Nachrichten ausblieben und der Name ihres
Gatten unter den Vermißten angegeben war, da zog sie ein
schwarzes Kleid an, das sie schon im Schrank hängen hatte, und
häufige Tränen verdunkelten ihre Augen, daß sie oft aufhören
mußte zu nähen, und mancher Tränentropfen fiel von ihren schönen Wimpern auf die kleinen Hemdchen des Säuglings.

Dann wurde das kleine Mädchen geboren und füllte die stillen
Wände mit seinem Geschrei, und die kleinen Sorgen um das Kind
verdeckten den großen Kummer; das Kindchen wuchs heran, und
die Erhebung gegen die französischen Unterdrücker bereitete sich
vor; die arme Mutter gab ihren goldenen Trauring her für das
Vaterland und tauschte einen eisernen Ring ein; das war das einzige Stück aus kostbarem Metall gewesen, das sie noch gehabt
hatte, alles andere Entbehrliche hatte sie gleich nach der Geburt
verkauft, damit der Erlös das kleine Kapital vergrößere, das sie
noch besaß; dann schnitt sie ihr schönes blondes Haar ab und verkaufte es und brachte das Geld zu der Sammelstelle; und wie
dann die Heere ins Feld zogen und die Schlachten geschlagen wurden, da zupften ihre und des Kindes Hände unermüdlich Scharpie,
die sonst allerhand feine Stickarbeiten machten für ein mäßiges
Geld.

Wie die Tochter zur schlanken Jungfrau heranwuchs und sie selber gebückter wurde, da kam eine neue Heiterkeit in ihr Gesicht
und über die feinen Furchen ihrer Stirn. Der Sohn eines alten
Regimentskameraden ihres Gatten, ein tüchtiger junger Offizier,
reichte dem Mädchen die Hand; bald kamen Kinder, welche lustig
und lärmend die Treppe zu dem stillen Stübchen der lächelnden

Großmutter hinauftollten; und so verfloß ein Menschenalter nach dem schweren Schlag, welcher die Frau getroffen hatte.

Als sie dann vom Amtsgericht in Jena das Paket erhielt mit dem Geständnis des Schäfers und der alten Brieftasche, welche sie einst als Braut dem Verstorbenen geschenkt, da wurde sie so erschüttert, daß sie tagelang das Bett hüten mußte. Wie sie sich gefaßt hatte, da eröffnete sie alles ihren Kindern und fragte sie um Rat, was sie tun sollte, denn sie fühlte den heißen Wunsch, wenigstens das Grab ihres Gatten zu besuchen, welches in der Aussage des Schäfers genau bezeichnet war. Die Brieftasche enthielt ihre fünf letzten Briefe, eine Locke ihres Haares und zwei eingeheftete Pergamentblätter, auf welche man damals flüchtige Aufzeichnungen mit Bleistift machte, die man mit Brotrinde leicht abwischen konnte, wenn man sie nicht mehr brauchte. Die meisten Aufzeichnungen, welche ja nur das Gedächtnis des Besitzers entlasten sollten, bestanden aus unverständlich abgekürzten Worten und aus Zahlen; die letzte Niederschrift war eine Adresse – die Adresse des Bauern, welchem der Leutnant das Geld übergeben hatte; unter dem Namen stand vermerkt in Zahlen: tausend, und dahinter das damals übliche Zeichen für Louisdor.

Nachdem der Sohn diese Niederschrift lange betrachtet, erklärte er der alten Dame, er werde sie auf ihrer Reise, welche er durchaus natürlich und gerechtfertigt finde, ohnehin begleiten; und dabei wolle er mit ihr Nachforschungen nach dem Mann anstellen, dessen Namen hier aufgeschrieben sei; denn er halte es nicht für unmöglich, daß der Verstorbene damals diesem sein Vermögen anvertraut habe.

Wie die Dame sich erholt und der Offizier Urlaub erhalten hatte, reisten dergestalt die beiden nach Jena und zogen auf dem Amtsgericht alle Erkundigungen ein. Der Schäfer war inzwischen gestorben, indessen hätte er auch Wesentliches nicht mehr bekunden können. Der Amtsrichter, dem der Offizier seine weitere Vermutung mitteilte, erkannte sofort die aufgezeichnete Adresse, denn der Name des wohlhabenden Bauern war durch allerhand Kaufhandlungen dem Gerichte vertraut; und er wußte gleich zu berichten, daß allerdings allgemein aufgefallen war, wie der Mann ohne sichtbare Ursachen zu so großem Wohlstand gelangt sei. Die Angelegenheit bewegte ihn so, daß er die beiden bat, ihn und seinen Sekretär mitzunehmen, und zuerst die Witwe des Bauern aufzusuchen, ehe sie zu dem Grabe führen, damit man vielleicht aus der Überraschten eher ein Geständnis ziehe; gesetzlich sei freilich wegen der Verjährung nichts mehr zu machen.

So nahmen sie also einen Wagen in ihrem Gasthof; der Sekretär stieg zu dem Kutscher auf den Bock, der Amtsrichter setzte sich zu den Herrschaften, und in kaum zwei Stunden fuhr man in den Bauernhof ein.

Die Witwe wie die beiden Söhne waren auf dem Hof. Der älteste Bruder hatte eben Gras eingefahren; die Sense steckte noch in der Fuhre fest, die Pferde waren schon abgeschirrt; der jüngere Bruder war auf dem Boden und maß Korn ab. Die Witwe führte die Fremden in die Stube, die Brüder folgten, gespannt auf die Ursache des Besuches.

Der Amtsrichter fragte die Frau, nachdem der Sekretär sich mit Aktenpapier und Schreibzeug am Tisch niedergelassen hatte: »Ist der Bursche des preußischen Leutnants, der Ihnen die tausend Louisdor zur Aufbewahrung übergab, nach der Schlacht wieder bei Ihnen gewesen?«

Der Frau schwindelte vor Schreck, und unbesonnen erwiderte sie, was sie in ihrer Angst während der ersten Jahre immer leise vor sich hin gesagt hatte: »Es kann ihn niemand haben kommen sehen.«

»Ihr habt ihn im Keller begraben?«

»Im Brunnen«, sagte sie, noch immer bestürzt.

»Was, Ihr habt also doch einen Menschen gemordet?« schrie der jüngere Bruder; denn der plötzliche Reichtum des Vaters hatte seinerzeit allerhand Gerüchte erzeugt, und wie das so geht, waren die nicht weit von der Wahrheit entfernt, und von Kindheit an hatten sie den Brüdern in die Ohren geklungen.

Die Frau erhob sich. »Ja, was ist denn das? Was wollen denn die Herrschaften?« kam es über ihre bebenden Lippen, die vergeblich Festigkeit zu zeigen suchten.

»Schwatze nicht, Mutter, wenn du etwas weißt«, sagte finster der ältere Sohn.

»Schweigen Sie!« donnerte ihn der Amtsrichter an.

»Die Alte ist halb blödsinnig, sie hätte schon längst unter Kuratel gemußt«, antwortete der Sohn.

Der Amtsrichter wies die beiden aus dem Zimmer, um die zusammengesunkene Frau unbeeinflußt verhören zu können.

Draußen auf dem Hof standen sich die Brüder gegenüber.

»Ich will nichts von dem Sündengeld«, sagte der Jüngere.

»Willst du vielleicht Knecht bei mir spielen?« antwortete der andere.

»Ich gehe nach Amerika, wo mich keiner kennt.«

Rasend vor Wut ergriff der andere die Sense und hieb auf den

Jüngeren ein; mit einem furchtbaren Aufschrei stürzte der zu Boden. Der andere ließ die Sense fallen und wischte sich über die Stirn; der Bruder verdrehte die Augen; er hatte ihn ermordet.

Die Knechte waren auf dem Felde. Nur die Kuhmagd stürzte aus dem Stall; aus dem Haus kamen die Fremden, die zitternde Mutter geführt von dem Amtsrichter. Wie sie vor dem Lebenden stand und ihn verständnislos ansah, sagte der: »Da wird das Blut bezahlt.« Dann ging er ruhig durch die starr stehenden Menschen zur Stalltür und schritt mit festen Tritten die Bodentreppe hinauf; als man sich über alles klar wurde und ihm nachfolgte, war es zu spät; er hatte sich an einer Dachlatte erhängt.

Die Mutter erlangte ihre Besinnung nicht wieder.

Nach den Erinnerungen alter Leute fand man später im Hof die Stelle, wo der Brunnen gestanden hatte; man räumte ihn aus und traf unten Knochen, Zeugfetzen, Uniformknöpfe und Schuhe des ermordeten Soldaten.

Die alte Dame war von dem Schrecklichen so mitgenommen, daß sie wieder eine Woche das Bett hüten mußte; sie wurde von ihrem Schwiegersohn gepflegt. In der Stadt hatte sich das Gerücht von ihrer Geschichte verbreitet und allgemeine Rührung erzeugt; der Bürgermeister ließ vor dem Gasthaus, in dem sie lag, Stroh auf die Straße legen, damit sie nicht durch das Wagengeräusch gestört werde; Blumen und Früchte wurden von Unbekannten geschickt, und viele Bürger erkundigten sich täglich in eigener Person bei dem Wirt nach ihrem Befinden.

Sobald sie sich etwas kräftiger fühlte, verlangte sie, das Grab ihres Gatten endlich zu besuchen. Der Arzt meinte, daß bei der Herzkranken ein Versagen oder Aufschieben ihres Wunsches ebenso gefährlich sein könne wie seine allzufrühe Befriedigung, und so gab er seine Erlaubnis, daß sie mit ihrem Sohne schon jetzt die Fahrt unternahm.

Jener Schößling der weißen Rose, welche in Thüringen so häufig auf den Kirchhöfen gepflanzt wird, daß man sie auch Kirchhofsrose nennt, hatte sich in den langen Jahren zu einem sehr großen Busch entwickelt von einer solchen Schönheit, daß er in der ganzen Gegend bekannt war. Der Wagen war auf der Landstraße gefahren bis zu der Stelle, wo sich der schmale Feldweg abzweigte, welcher zu dem Raine führte und dann an ihm entlanglief. Das Feld war jetzt mit Gerste bestanden, die eben begann, gelb zu werden; auf dem geringen Boden war sie nicht sehr üppig gekommen; aber Kornblumen und Mohnrosen machten das Feld freundlich und heiter. Der Rosenbusch stand in seiner schönsten

Blüte; viele Hunderte von kleinen weißen Rosen waren halb oder ganz aufgebrochen an den oberen Enden der langen, gebogenen Ruten; die Dame war müde, der Offizier setzte sie sorgsam auf einen breiten Stein, der gerade unter dem Busche lag. Ein Hänflingsnest mit Jungen war mitten in den dornigen Zweigen; der alte Vogel, mit einem Körnchen im Schnabel, saß eine Weile ängstlich wartend wenige Schritte von ihnen auf einem kleinen dürren Stecken; als er sah, daß er sich nicht fürchten mußte, flog er eilig zum Nest, und das Geschrei der bittenden Jungen erscholl.

Unbeweglich und still standen die Gerstenähren, schon leise sich neigend, harrten die Kornblumen und hingen die leuchtenden Mohnrosen. Eine Lerche, welche im Felde nistete, flog wie ein Pfeil schmetternd in die Höhe.

Die Dame sagte ganz leise: »Hier ruht es sich schön«; dann wurde sie plötzlich dem Sohn, welcher sie aufrecht sitzend hielt, schwer im Arm; eine heitere Ruhe war in ihrem gütigen Gesicht; ein Herzschlag hatte sie getroffen.

Man begrub sie unter dem weißen Rosenbusch, neben ihrem Gatten, welcher ihr vor dreißig Jahren vorangegangen war; ein niedriger Stein, welcher zwei verschlungene Hände aufweist, wurde zu beider Erinnerung gesetzt.

Noch heute blüht der Rosenbusch über dem Grabstein; eine verworrene Erinnerung, daß zwei treu Liebende hier begraben liegen, die nach langen Jahren vereinigt wurden, hat sich im Volk erhalten, und es ist ein Glaube der Liebenden geworden, daß sie zu dem Grabe gehen und jeder eine Rose brechen und im Gesangbuch aufheben muß, denn solange die vertrocknete Rose dauert, solange dauert auch ihre Liebe.

Geschrieben 1912

RUDOLF G. BINDING *1867–1938*

Das Peitschchen

Eine Weihnachtsgeschichte drei Kindern erzählt

Als das Jesuskind durch Flandern zog – und es kannte wohl die ganze Welt – kam es mitsamt seiner Mutter in der großen Stadt Gent am Morgen eines Weihnachtstages an. Die ganze Stadt war für das Fest gerüstet. Auf den Straßen drängten sich die Menschen, um auf den Märkten und in den Läden die neuesten und letzten Herrlichkeiten zu erwischen mit denen sie ihren Angehörigen und ihrem Gesinde am Abend eine Freude machen könnten. Vor der großen Kirche St. Baafs, die wie ein gewaltiger grauer Magnetberg über die Stadt und die Menschen emporragte, die Häuser um sich versammelt hielt und die Menschenströme in sich hineinzog, war ein Weihnachtsmarkt errichtet, und die Pfefferkuchenstände, die Buden mit bunten Likören, mit Christbaumschmuck und Kerzen, mit Zinnsoldaten und Zinnlöffeln, mit Pfeifen, Trompeten und allerhand Kinderspielzeug standen hübsch in Reihen geordnet und einträchtig nebeneinander. Da es noch früh am dämmrigen Morgen war, die Leute vom Lande jedoch, um nichts zu versäumen und einen möglichst langen Tag des Betrachtens und Auswählens vor sich zu haben, schon in die Stadt hereinwogten, brannten in allen Ständen über den Auslagen die Lampen und die Verkäufer brachten die erste Ordnung in ihre Sachen, die der vorangegangene Tag etwas in Unordnung gebracht hatte. Gerade am Zugang zum Hauptportal der Kirche behauptete ein großer Spielwarenstand seinen Platz. Da waren Trommeln und Trompeten, Reifen und Kreisel, bunte Glasklicker, Puppen und Kegel, kleine Männchen, die in Glasröhren in einer rosa Flüssigkeit auf- und niederstiegen wenn man die Röhre in die Hand nahm, Mundharmonikas und winzige Drehorgeln, die das »Ehre sei Gott in der Höh'« in kleinen Tönen von sich gaben wenn man leise die Kurbel drehte. Und gerade hing eine Magd ein buntes Gedränge von blauen, roten und grünen Luftballons, alle eben neu mit Gas gefüllt und prall daß sie knirschten wenn sie aneinanderstießen, an der Ecke der Bude auf, und darunter hing sie ein ganzes Bündel kleiner Peitschen mit geflochtenen Schnüren aus weißem zartem Leder, gelben Schmitzchen und bunten Stielen. Jeder Stiel endete in ein rotes Pfeifchen aus Kirschenholz. Im Hintergrund der Bude aber hinter den langen Brettern und Tischen, auf denen alle die schönen Sachen ausgelegt waren, standen drei Kinder, so blond und auch wohl so alt wie ihr, denen diese Geschichte erzählt wird. Ihre Mutter war die Eigentümerin des Spielwarenstandes. Da sie zu so früher Stunde nicht auf Käufer hoffen konnte, war sie noch nicht zur Stelle sondern hatte es der Magd überlassen die Auslage zu besorgen; und diese hatte die Kinder mitgenommen. Da standen sie nun, und während sie teilnahmvoll und neugierig guckten, wie die Magd immer neue Reichtümer und Herrlichkeiten auspackte und zum Verkauf ordnete, begannen in ihren Herzen Wünsche hin und her zu jagen, begehrliche und vergleichende Gedanken hin und her zu wogen und süße Qualen auf und ab zu ziehen, welcher Gegenstand von allen ihnen wohl am besten gefiele, damit sie ihn sich von ihrer Mutter selbst als Weihnachtsgabe erbitten könnten. Denn das wußten sie vom letzten Jahr und gedachten es auch diesmal dahin zu bringen daß ihre Mutter jedem von ihnen erlaubte, sich aus der Fülle der Dinge etwas herauszuwünschen. »Wenn es am Abend nicht verkauft ist«, pflegte dann die Mutter zu sagen; denn der geringe Erlös aus dem Spielzeug ließ es nicht zu daß sie die Dinge von vornherein für sie beiseite stellte. Und dann zitterten die Kinder den ganzen Tag um den gewünschten Gegenstand, und jedesmal wenn ein Käufer herantrat, stieg ihnen das Blut zu Kopf und sie fühlten ihr Herz schlagen. Ging er dann weg ohne, wie sie meinten, ihren Gegenstand entdeckt zu haben, waren sie glücklich. Aber beim nächsten wiederholte sich die Pein.

»Das vorige Jahr hatte ich mir eine Puppe gewünscht«, sagte das eine Mädchen, »aber nach wenigen Tagen zerbrach sie. Ich wünsche mir etwas anderes diesmal.« Dann trat wieder Schweigen und Überlegen ein. Keines wollte sich verraten. »Eigentlich wäre ein Kreisel sehr schön«, sagte das ältere Mädchen, »er zerbricht nicht. Ich sehe Dinge gern die tanzen und sich drehen.« Alle drei guckten nach einem großen Haufen buntbemalter harter Kreisel, die eben aus einem Sack hüpften den die Magd auf den Tisch stülpte.

»Ich wünsche mir einen Kreisel und ein Peitschchen dazu«, sagte die Älteste, die mit sich im reinen war.

Die andern fanden die Idee auf einmal herrlich. »Ich wünsche mir auch einen Kreisel und ein Peitschchen«, sagte das zweite Mädchen, als ob sie nicht gesonnen wäre zurückzustehen.

»Ich auch«, sagte der Junge, dem es genug war, daß die älteren Schwestern entschieden hatten. Und alle drei guckten eifrig und prüfend nach dem Haufen Kreisel auf dem Tisch und nach dem Bündel Peitschchen, das von der Ecke der Bude herabhing. »Während der Kreisel Schwung hat und sich dreht, kann man pfeifen«, bemerkte der Junge und fand dies sehr beachtlich. Das Pfeifchen am Peitschenstiel mußte doch seinen Sinn haben. »Und dann versetzt man dem Kreisel wieder einen. Und dann pfeift man wieder.«

»Wer am besten kreiseln kann, kann am besten pfeifen«, sagte die Älteste. »Wenn wir alle drei zugleich pfeifen –!« Dies sagte die Jüngere, sah mit großen Augen in die Ferne und hatte offenbar eine wundervolle Erscheinung.

Während sie so schwatzten, kam inmitten der Menge des Volkes, das der Kirche zuströmte, das Jesuskind daher. Es war damals schon größer und saß rittlings auf dem treuen Esel, der von den vielen Fahrten – nach Ägypten und in aller Welt umher – nicht mehr ganz frisch war und mit kleinen andächtigen Schritten in der Menge trippelte. Dem Jesusknaben ging das zu langsam. Vergebens zauste er das Eseltier mit seinen kleinen Händen im zottigen Fell, stieß es mit den Beinchen in die Seiten oder suchte es durch kleine Zurufe zu ermuntern. Der Esel blieb in seinem Gang, und die Jungfrau Maria, die lächelnd hinter ihrem Kinde schritt, trieb ihn nicht an.

Wie sie nun in diesem Aufzuge, oftmals gehemmt durch ein sanftes Stehenbleiben des Tieres, vor dem Spielwarenstande anlangten, gewahrte Jesus an der Ecke das Bündel Peitschchen, ergriff, indem er seinen Esel darunter hinwegtrieb, als rechter Herr der Welt eines am Stiel und zog es ohne viel zu fragen aus der Schlinge, in der es mit seinen Kameraden aufgehangen war. Dann schwang er es lustig über seinem Reittier.

»Halt! Nicht!« rief die Magd, und auch die Kinder wollten Halt! Nicht! rufen und krausten die Gesichter. Aber sie brachten keinen Ton aus den Kehlen. Das Jesuskind blickte sie nur aus seinen unergründlichen Augen einmal freundlich und sieghaft an. Da war es als ob es um sie geschehen wäre. Der Atem stockte ihnen, alle drei griffen nacheinander als müßten sie sich an etwas festhalten, und in einer süßen Bangigkeit der Herzen folgten sie mit den Augen dem wundersamen Knaben, der sie mit einem einzigen Blick in seinen Bann getan hatte wie sie wohl selbst ein paar Wasserkäfer in ein Glas steckten.

»Wer ist denn das?« fragten sie einander leise ohne sich anzusehen. Und als nun gar noch eine überirdische hohe Frau an ihnen vorüberzog und sie mit einem seltsam fremden Gruß zu streifen schien, und es ihnen so ganz weihnachtlich zumute wurde, da sagte die Älteste vorsichtig: »Es könnte beinahe das Christkind gewesen sein.« »Was du nur immer hast!« sagte die Jüngere und war dabei froh, daß ihr die Schwester eine plausible Erklärung für den Zustand ihrer Sinne unter den Fuß gegeben hätte; »natürlich war es das Christkind! Einem andern Kind hätten wir das Peitschchen doch gar nicht gelassen.«

»Welches war das Christkind?« fragte der Junge, der sich selbst noch nicht begriff. »Wenn ihr es gesehen habt, will ich es auch gesehen haben.« »Das auf dem Esel«, sagten die beiden andern nun sehr bestimmt, da sie ihren Vorsprung fühlten. »Das auf dem Esel? Ja!« sagte der Knabe. »Wenn es nicht das Christkind gewesen wäre, hätte es ja auch das Peitschchen gar nicht nehmen dürfen.«

»Besonders hätten wir aber doch einem andern Kind das Peitschchen gar nicht gelassen«, sagte das zweite Mädchen wieder. »Und wir mußten es ihm doch lassen.«

In diesen Worten fanden die Kinder eine vollkommene Sicherheit und alle drei waren so gewiß das Christkind von Angesicht zu Angesicht gesehen zu haben, wie es gewiß war daß sie die Kinder ihrer Mutter waren. Und dann kam ihnen immer wieder der wundersame Blick des schönen Knaben, der Gruß der hochgewachsenen Frau wie in einem verklärten Schein zurück und erfüllten sie mit einer geheimnisvollen Erregung. Die Morgenglocken von St. Baafs erklangen feierlich über ihnen und der Weihnachtstag mit seinen Wundern zog herauf. Die Kinder hatten den Christusknaben gesehen, und wer es ihnen bestritten hätte, den hätten sie mitleidig ausgelacht.

Da kam die Mutter. »Mutter, wir haben das Christkind gesehen«, riefen sie alle drei. Aber es war ihnen gar nicht lieb, als ihre Mitteilung nicht recht verfing, die Mutter vielmehr nur belustigt schien und sagte: »So? Da habt ihr was Rechtes gesehn! Und was wünscht sich nun jedes zu Weihnachten?«

Daß das Christkind das Peitschchen genommen hat, sagen wir jetzt besser nicht, dachten die drei und antworteten lieber auf die Frage ihrer Mutter. »Ich wünsche mir einen Kreisel und ein Peitschchen«, sagte die Älteste.

»Und ich auch«, sagte die Jüngere. »Und ich auch«, der Junge.

»Wenn es am Abend nicht verkauft ist«, erwiderte die Mutter und betrat den Stand. Die Käufer drängten sich, der kurze Tag brach an, die Lampen wurden gelöscht, und auch für die Kinder verschwanden die Ereignisse des Morgens im Grau des Tageslichts und im Gesumme des geschäftigen Treibens auf dem großen Markt. Zudem begann die Qual der Erwartung sie zu bewegen und zu erfüllen, ob denn für jedes am Abend ein Kreisel und ein Peitschchen übrig sein werde. Und dies alles beschäftigte sie zu sehr als daß sie an anderes hätten denken mögen. Jedesmal wenn ein Käufer herantrat und einen Kreisel oder ein Peitschchen verlangte, gab es in drei kleinen Herzen drei kleine Stiche, und wenn einer einen Kreisel mitsamt einem Peitschchen kaufte, waren die drei Stiche in den drei Herzen noch deutlicher fühlbar.

Aber ihre Qualen wurden immer größer und ihre Gesichter immer länger. Der hochgetürmte Haufen von Kreiseln nahm reißend ab und das dicke Bündel Peitschen wurde schmächtig und schmächtiger. Noch einmal schüttete die Magd einen Sack Kreisel auf den Tisch, und noch ein Bündel Peitschen wurde an der Ecke der Bude aufgehangen. Dann war der Vorrat erschöpft. Die Kinder merkten gar nicht daß auch die Puppen weniger wurden und die Trommeln und die Glasröhren mit den steigenden Männchen und die Spieldosen und die Bälle. Als der Tag vorüber war und die Stände überall geschlossen wurden, war in dem ihren alles ausverkauft. Nur drei Kreisel, die ganz allein aus der Fülle der Dinge übriggeblieben waren, lagen verlassen an der Stelle wo der Haufen gewesen war. Aber kein Peitschchen mehr war da, sie anzutreiben, und so schienen sie völlig nutzlos und überflüssig.

Die Mutter überblickte ihren Stand, freute sich des flotten Geschäfts und guten Erlöses, den ihr der Tag gebracht, und hatte die Kinder ganz vergessen. Jetzt bemerkte sie sie wieder, wie sie traurig dasaßen und ihnen das Weinen nahe war.

»Nun? — Was ist?« fragte sie. Aber das war schon wie ein Stoß. Die Kinder brachen in helle Tränen aus und schnelle Perlchen rollten unaufhaltsam über ihre Kittel.

»Nun haben wir kein einziges Peitschchen«, jammerten sie durcheinander; »was sollen uns jetzt die Kreisel!« Die Mutter rückte zwischen sie, wußte aber noch keinen Trost.

»Und das letzte Peitschchen hat uns das Christkind auch noch weggenommen«, klagte der Junge. »Das Christkind — —?« fragte die Mutter.

In diesem Augenblick öffneten sich, langsam und weit, die

Flügeltüren am Hauptportal von St. Baafs, was sonst nur bei den feierlichsten Gelegenheiten geschah; denn die Menschen gingen seitlich durch zwei kleine Pforten ein und aus. Die Flügeltüren öffneten sich, und heraus trat die überirdische Frau, die in der Frühe die Kinder so seltsam gegrüßt hatte.

»Das ist sie, die mit dem Christkind war!« flüsterten die Kinder und krochen eng an ihre Mutter heran. Und während alle vier kein Auge von der Gestalt verwenden konnten, schritt diese ruhig auf den leeren Verkaufsstand zu und der Weihnachtsschauer ging vor ihr her. Wieder wie am Morgen stockte den Kindern der Atem, wieder griffen sie nach einander als müßten sie sich an etwas festhalten, und in einer süßen Bedrängnis der Herzen ergaben sie sich daß ihnen etwas widerführe was ihnen nie wieder in ihrem Leben widerfahren würde. Die Frau aber trug das Peitschchen in der Hand, das Jesus in der Frühe aus dem Bündel an der Ecke der Bude herausgezogen hatte, reichte es mit einer unnachahmlichen Bewegung der Mutter hin und sprach:

»Dies Peitschchen gehört wohl in diesen Stand.« Darauf streifte sie Mutter und Kinder mit ihrem Gruß, wendete sich und trat, wie sie gekommen, in die große Kirchentür zurück, deren Flügel sich hinter ihr schlossen.

Den Kindern war es eng und heiß und doch auch wieder weit und frei, und obzwar sie anfänglich etwas enttäuscht schienen wie über ein halbes Glück, ging ihnen doch bald der Sinn auf: daß sie nämlich nun gar kein Peitschchen hätten, weil es längst mit den andern verkauft worden wäre, wenn das Christkind ihnen nicht am Morgen dieses Tages eines weggenommen hätte. Da wurden ihre Augen hell und sie sahen einander an.

Die Mutter küßte ihre Kinder. Wie auf Verabredung ergriff jedes einen der drei Kreisel, alle drei faßten das Peitschchen an als ob es ein langer Spieß gewesen wäre, und so trugen sie ihre Geschenke in einem glücklichen kleinen Triumphzug nach Hause.

Mit dem Peitschchen hatte es aber eine besondere Bewandtnis. Denn obgleich ein Peitschchen für drei Kreisel und drei Kinder reichlich wenig schien, so entstand doch nie ein Streit darum. Es wurde den Kindern wie zu einem Wahrzeichen daß Menschen alles miteinander teilen können.

Seit jener Zeit geht in Flandern eine Redeweise. Wenn mehrere so recht miteinander einig sind, sagt man wohl von ihnen: Ach, die! die haben ein Peitschchen miteinander.

Erschienen 1919

Die Gräfin Hatzfeld

Man kann nicht sagen, daß die Fürsten Europas vor dem Advo-
katensohn aus Korsika mit Männerstolz gestanden hätten; und
manche haben nicht verschmäht, die Anmut ihrer Frauen heik-
len Stunden vorzuschicken. Nicht immer nur um einen Fußfall
zu tun, wie ihn die Gräfin Hatzfeld um ihren Mann aus freien
Stücken tat.

Das war nun freilich auch kein Held, der den Berlinern nach
der Schlacht bei Jena durch ihren Gouverneur verkünden ließ,
daß Ruhe nun die erste Pflicht des Bürgers sei. Auch nahm er sich
in Briefen kaum mehr in acht, und weil er mit dem Fürsten von
Hohenlohe-Ingelfingen glaubte, daß an der kaiserlichen Macht
durch Konspirationen gerüttelt werden könnte, wie sie an den
Höfen Europas bis dahin den Boden aller Ungunst bereitet hatte:
so brachten seine aufgefangenen Briefe ihn eines Tages vor das
Kriegsgericht, so daß er unvermutet fast zum Märtyrer preußischer Freiheit geworden wäre.

Das Todesurteil war schon ausgesprochen, als sich die Gräfin
– zur Audienz befohlen – im Jammer um den Vater ihrer Kinder
noch ins Schloß begeben durfte. Es war ein winterlicher Herbst-
tag, der Kaiser im Begriff auszugehen und also schon in Hut und
Degen, als sie ihm aller Ängste voll zu Füßen stürzte, nicht um
Gerechtigkeit, nur um Erbarmen flehend. An solche Dinge täglich
gewöhnt und durch die Kleinlichkeiten schlechter Intriganten aufs
übelste gereizt, ließ er sie wenig reden, nur vom Boden aufstehen und selber einen Brief von ihrem Gatten lesen, der – wie
er ihr aufs kürzeste bedeutete – durchaus verhinderte, daß an
Begnadigung zu denken wäre. Da hielt die arme Frau das glatt-
gefaltete Papier in Händen, das ihrem Mann das Leben kosten

sollte – indessen der Kaiser, an einem Handschuh knöpfend, wie ein böses Tier hin- und wiederging –, und weil die Tränen in den Augen sie hinderten, den Brief zu lesen, den ihre Finger fast zerrissen – so zitterten sie – und weil der Kaiser nach seiner Gewohnheit am Kaminfeuer stehenblieb und mit den Händen auf dem Rücken den kleinen blauen Flämmchen zusah, die um den roten Brand aufzuckten, und eine Kohle platzte ab und sprang im Bogen auf ihn zu, daß er den Fuß, der so viel Staaten zertreten hatte, dennoch zurückzog seiner weichen Stiefel wegen: da sprang auch in den Kopf der kleinen Frau ein Funke, daß sie ganz ohne Hast, gleichmütig fast an den Kamin ging und behutsam das Papier ins Feuer legte, indessen sie noch nassen Auges und von der rasch entflammten Glut beleuchtet mit einem Lächeln stiller Art dem Kaiser in das stumme Antlitz sah.

Der zuckte nicht mit einer Hand, versenkte nur sein Auge fast träumend und erstaunt in ihres – und weil er nicht an Diplomatentischen, sondern im freien Feld gewachsen war, wo dem das Spiel gehört, der es tollkühn gewinnt – so sagte er kein Wort, nahm nur mit sanfter Artigkeit ihre Hand, so klein wie seine, und küßte sie. So daß die Gräfin, erst draußen zwischen den Gardisten erwachend aus dem Traum der kühnen Handlung, nicht anders meinte, als daß er ihr wie einer Schwester fast gütig und auch ein wenig scherzhaft zugelächelt habe.

Erschienen 1909

HEINRICH MANN 1871–1950

Eine Liebesgeschichte

Die Liebe bringt auf Ideen und in Gefahren. Als Beispiel will ich einen einfachen Kaufmann – nicht so einfach wie man denkt, aber doch immer ein durchschnittlicher Mitgänger des Zeitalters, das Verwandlungen durchgemacht hat: während es noch Frieden zu haben glaubte, trug es in seinen Falten schon den Krieg. So auch der mehr oder weniger – eher weniger – imaginäre Kaufmann, Sohn eines Kaufmannes und von ihm der Jurisprudenz bestimmt.

Warum nicht. Die Familie hatte dem Eisenhandel en gros lange genug oblegen. Es wurde Zeit, nach öffentlicher Ehre zu geizen, anstatt nach Geld. Der Doktor juris führte zu allem. Sein Inhaber war nach dem Herkommen für sein Leben versorgt. Wer das Staatsexamen hatte, mußte nicht ununterbrochen dienen. Er konnte aussetzen, Reisen machen, Musik treiben: sobald er wieder eine Anstellung verlangte, war sie ihm geschuldet. Er stieg um so schneller im Rang, wenn man ihn bemittelt wußte, wie diesen jungen Kaufmannssohn.

Indessen, so weit kam es gar nicht, die Liebe zerriß die Rechnung. Gleich sollte er das Gymnasium hinter sich haben, da, kurz vor dem Abiturium, verführte ihn seine Kusine. Sie war um sieben Jahre älter als der Siebzehnjährige, sie wußte, was sie wollte, ihm dagegen ahnte nichts. Als Waise, die sie war, lebte sie im Haus, sie bewohnte sogar das Zimmer neben seinem. Dem Kaufmann, ja, seiner gesellschaftlich geschulten Gattin verstand sich das Moralische von selbst. So bleibt man trotz Erfahrungen, wenn die früheren Eindrücke vom Leben den Anstand als das Natürliche hingestellt haben.

Alice besuchte ihren Vetter wohl einmal, wenn er über seinen

Aufgaben saß: es war kein Geheimnis. Man kannte ihre Neugier hinsichtlich der unfaßbaren Wissenschaften, denen so ein Junge sich näherte. Sie verhehlte keineswegs ihr Erstaunen, daß er griechisch las! Damit er sie in einige seiner Künste einweihte, wenn noch so flüchtig, stand sie nahe hinter ihm, schlang um seine Schulter den Arm, ließ ihn ihren Atem spüren, und an seiner Schläfe schwirrten ihre langen Wimpern.

Sie war bis jetzt größer als er, ihre vollgeformte, leichte Büste stützte sich von selbst auf seine Schultern, die schlanke Taille, die gebauschte Tournure waren fortgebogen. Er erhob den Blick nicht vom Buch, dort lag aber ihre schön gestaltete große und nackte Hand. Sie fingerte an den gedruckten Zeilen: ein Fingern mit Anspielungen auf Kenntnisse – oh! kein Gedanke, daß er ihr Wissenschaften hätte vermitteln können, wie sie ihm. Um ihrer Hand zu entgehen, richtete er seine Stirn seitwärts hinauf gegen sie.

Ihr Anblick beruhigte ihn einigermaßen, der harmlose, ungewandte Eifer, den sie zur Schau trug. Ihr kindlich guter Wille machte, daß zwischen den Zähnen, aus dem feuchten, starken Munde die Zunge schlängelte. Ihr ovales Gesicht hatte Farben, glatt wie nur auf kolorierten Bildnissen von Damen, die es einst gegeben haben soll. Aschblonde Haarfransen fielen von der hohen Stirn herab, in Abschnitten, dazwischen schimmerte die Stirn. Sie blieb gesenkt, die veilchenblauen Augen in den dunklen Wimpern begegneten mitnichten den seinen. Er war darauf angewiesen, ihre Nase zu bewundern, ihm klopfte dabei das Herz.

Ihre Nase, aufwärts gebogen, weit vorgestreckt, wäre von ihrem ganzen Körper das Stück, das er küssen mochte, gesetzt, die Versuchung übermannte ihn. Das einzige, was er weiß, ist vielmehr: zwei Zoll von mir ab, aber unerreichbar, existiert Alice, die schönste der Frauen. Der Frauen nur? Nein. Alles was die Erde hat an Begehrenswertem, ihr Endzweck, der ganze Sinn des Lebens – Alice! Wie geschieht es, daß sie sich hier befindet?

Dies ist eine kleine, alte Handelsstadt, mancher verläßt sie nie. Alice könnte überall die Schönste, die Erste und Einzige sein, was geht vor, daß sie es nur bei mir ist? Ich wäre sie niemals wert, kein Mensch ist ihrer würdig. Überdies bin ich zu jung, fünf Jahre werde ich an Universitäten studieren müssen, Zeit genug, daß sie mich vergißt bis auf das Aussehen. Hat sie überhaupt schon beachtet, wie ich beschaffen bin? Es würde nicht lohnen. Ich bin kein gewöhnlicher Schüler.

Dabei hielt er von sich mehr, ihm waren seine schmalen, energischen Züge bewußt – energisch nur, wenn sie nicht zusah. Er erinnerte sich wohl, daß ein Geschäftsfreund seinem Vater zugeflüstert hatte: »Der Junge hat schöne Augen«, denn sein Blick verriet die Fähigkeit zu lieben, bevor es statthaft war. Sie betrat sein Zimmer um der Wissenschaften willen einmal, zweimal, dann lange nicht. Als sie dennoch eines Tages den Arm um ihn legte, hatte er aufreibend nachgedacht, es wurde unerträglich, er mußte endlich in ihr Gesicht blicken und sie in seines. Hier, Kopf an Kopf, allein und im Ernst. Am Familientisch fand man keine wirklichen Blicke.

Plötzlich richtete er sich auf, nach dem Spiegel an der Wand. Sie bemerkte genau gleichzeitig den Spiegel. Niemand weiß, ob eine Sekunde oder mehrere Minuten, Tatsache ist, sie erkannten einander sehr tief und endgültig. Nachdem dies geschehen, streckte sie ihm lang die Zunge heraus und verließ das Zimmer.

Er blieb zurück mit seinem Entschluß, der gefaßt war. Er wollte sie besitzen, sie wollte, daß er sie besaß. Obwohl aber die beiden Zimmer nebeneinander lagen, kam der Vollzug nicht von selbst, bei weitem nicht. Die Kühnheit des Siebzehnjährigen reichte nicht bis an sein Verlangen, im Gegenteil hemmte ihn sein übermächtiger Wunsch. Er faßte das Hindernis von einer anderen Seite: er verkaufte seine Schulbücher. Von ungefähr begründete er es damit, daß er doch nie studieren werde; es war noch nicht seine Überzeugung, nur die vorläufige Ausrede, die er brauchte, eine Geste, als bräche er Brücken ab.

Die Händlerin kam, sie war eine beleibte, nicht übel erhaltene Figur, das ungepflegte Gesicht faltig, aber lüstern. Haarfransen hatte auch sie. Statt des »Goldfuchses«, den sie für seine Habe bot, nahm er sie selbst, und sie war es zufrieden, doppelt sogar, da sie mit ihrem geretteten Geld wieder abzog. Jetzt, merkwürdigerweise, störte ihn nichts mehr in seinem Vorhaben.

Nur gedulden mußte er sich, bis im Haus alles still war. Da präsentierte er sich heftig und tatbereit, mit Schwung und Sprung, übrigens ohne eine Faser von Bekleidung, seiner Kusine. Sie saß, gleichfalls entblößt, vor ihrer Toilette. Sie streckte ihm diesmal nicht die Zunge heraus, das nicht; sie erschrak sogar, wenn auch mit Anstand. Sie konnte erschrocken sein, weil das vergebens Erwartete endlich doch eintritt. Er, blind von seiner Wut, sah nicht sie, nicht was sie taten, und so verbanden sie sich.

Sie empfing ihn jeden Abend, eine Woche lang. Beim achten Wiedersehen sagte sie: »Jetzt etwas anderes.« An ihm wäre hier das Erschrecken gewesen; aber er wußte sich sicher, zu genau fühlte er: Alice ist mein. Das ganze Leben mit Alice. Er hatte es das erste Mal noch nicht erkannt, beim achten mußte er gar nicht nachdenken. Unversehens lag sie nicht mehr, die hingebreitete Schönheit und immer nehmende, gewährende Liebe, die sie für ihn war. Hochgestützt, die ziselierten Finger an der bläulichen Schläfe, forderte sie ihn auf, mit ihr zu überlegen.

Die Zukunft natürlich, denn wir leben nicht für eine Woche, und wäre es die seligste. »Ich meine« – ihre Aussprache war »iesch«, eine mädchenhafte Geziertheit –, »iesch bin offenherzig.« Hierbei lachte sie. Das Wort »offenherzig« wurde in bürgerlicher Gesellschaft verübelt, es konnte auf einen freigelegten Busen anspielen. In ihrer gegenwärtigen Haltung, mit ihrem Herzen über ihm, versenkt in seines, und er dem ihren ergeben auf immer –: beide lachten. Dann folgte das Überlegen.

Es bestand darin, daß sie ihm ihren Willen eröffnete. Er studierte nicht, das war vorbei. Nach bestandener Abschlußprüfung – aber was konnte ihm die Schule noch nützen –, trat er alsbald in das väterliche Geschäft. Mit seiner Bildung und Tüchtigkeit genügten ihm wenige Monate bis zur Erreichung eines Gehaltes, von dem sie beide leben konnten. Sie heirateten noch dieses Jahr. Er hörte dies wie eine Offenbarung, obwohl er dasselbe als Vorsatz und Möglichkeit selbst schon erwogen hatte. Hier war es ein Wille, ihr Wille, er betete ihn an, weil er die Frau anbetete. Jeder ihrer weiteren Sätze kehrte Schwierigkeiten weg, zuletzt verwunderte es ihn, daß etwas im Weg gewesen sein sollte.

Sie sagte, tiefer auf seinen Körper geglitten, ihre Wimpern kitzelten sein Gesicht: »Zusammen sind wir die Stärkeren. Dich verstoßen oder nach Amerika schicken kommt nicht in Frage. Deine Mutter ist schüchtern aus Wohlanständigkeit. Du weißt, ich bin nicht anständig«, sprach sie ruhig. »Daher sehe ich die Dinge, wie sie sind. Dein Vater wird seine Pläne aufgeben, nachdem er uns gedroht hat. Sein Sohn wird nicht Minister werden, aber Nachfolger in seinem Geschäft. Er wird noch froh sein, dich hineinzunehmen.«

Der Junge unterbrach sie nur, um einzustimmen. »Erst recht, da ich jung genug bin – minderjährig sogar, und dürfte gar nicht heiraten. Aber mein Vater hat Einfluß, er ist nicht reich, nur sehr wohlhabend.«

Hier stimmte wieder sie ein: »Das habe ich dich selbst sagen lassen. Deine Minderjährigkeit wird uns nicht stören. Seine Wohlhabenheit haben wir nötig, ja sie ist unsere Bedingung.«

Nunmehr lag sie vollends auf ihm und sprach ihm von dem, was zuletzt kommt: Geständnisse, die nur gewährt werden, wenn die Liebe erprobt und ein für alle Male gegeben ist. Sie nannte mit Namen den Vorsprung, den ihr Alter ihr sicherte: sieben Jahre mehr als er – und er hatte wohl nicht bedacht, welche Erfahrungen in diesen sieben Jahren ein Mädchen erwirbt? Die Enttäuschungen, die sie sammelt? Ihre Einblicke und die Entschlüsse, zu denen sie gelangt?

Sie war natürlich geküßt worden, in einem oder zwei Fällen noch etwas mehr als das; der ernsteste Bewerber war ein verheirateter Mann. Man läßt sich nicht scheiden, das ist kein Anfang. Übrigens war die Auswahl hier in L. gering und allbekannt; sie konkurrierte mit allen Mädchen ihres Jahrgangs, bei derselben begrenzten Zahl von Direktoren, Agenten, Firmeninhabern gesetzten Alters. Keiner hatte den Mut oder Geist, über die im Leben erreichte Stufe hinauszugehen. Einen Mann ertragen, wenn er bis in die Verkalkung hinein zu bleiben gedenkt, was er vorher schon gewesen war? Danke.

Hier folgten die Worte, die man nicht vergißt, und würde man hundert Jahre alt. »Dich habe ich gewählt und gewollt, weil du mich liebst wie nur ein Jüngerer, wie gerade nur du, und weil die Liebe auf Ideen bringt. Auch in Gefahren, hör' ich. Du, mein lieber Junge, stößt um meinetwillen deinen Stundenplan um, das heißt etwas. Du sollst ein ganz anderer sein als vorgesehen, nun, das macht stark, es führt hoch hinaus, oder man läßt es. Du liebst mich, um ein großer Mann zu werden. Glaube mir, beinah in dieser Absicht bist du mein. Ich – in dem zarten Jüngling, nicht zu zart bekanntlich, liebe ich im voraus den großen Mann. Sei ruhig, ich liebe auch den zarten Jüngling.«

Kuß, und in nächtlicher Stille der geraunte Rest: »Dein Vater ist sehr wohlhabend, auch das muß sein. Nicht um uns auszuruhen. Aber der reichste Kaufmann, weiterhin als nur hierorts, könntest du ohne eine gesunde Grundlage nicht werden. Unsere geradezu meisterhafte Leidenschaft füreinander täte manches, nur zu langsam. Du siehst, alles muß zusammentreffen; so glücklich sind wir.«

Sie kamen von selbst dahin überein, daß morgen, Sonntag, »die Bombe platzen solle«. Beim Nachmittagskaffee war die Familie ohnehin versammelt, man ersparte die Einberufung eines Familienrates, der unvermeidlich schien bei so widergesetzlichen, wenn nicht widernatürlichen Vorgängen. Ihre Berechnung erwies sich als richtig. Die erste Reaktion der Versammlung, Eltern, Tante, Onkel, Großmutter, war Geschlagenheit. Alle wurden auf ihren Stühlen kleiner, als stellte sich bei den jungen Leuten eine giftige Krankheit heraus – noch schlimmer, sie hätten sich einer Verbrechergesellschaft angeschlossen.

Im Vordergrund, dem ganzen Halbkreis vollauf sichtbar, stand das entartete Paar, zwei Hände fest ineinander, jeder auf jedem die Augen treu und unverwandt. Der Vater versäumte zu verbieten, was er fertig vor sich sah. Die Mutter flüsterte ratlos über seine Schulter, die sie umklammerte. Die Tante ließ vernehmen: »Die alte Person – das Kind!« Dem Onkel fiel das *Rauhe Haus* ein, wo man abgeschweifte Knaben auf den rechten Weg zurückbrachte. Indessen setzte er selbst hinzu: »Sie sollen dort gänzlich verdorben werden.«

Der Vater, ein Mann von Welt und von Humor, lachte unvermittelt auf. »Das *Rauhe Haus!* Er kann die Zöglinge in Latein unterrichten.« Die Mutter unternahm ihren so lange aufgeschobenen Versuch; sie fand sich selbst fehlerhaft, wenn sie laut vorging gegen eine wahre Wirrnis von Unstatthaftem. »Ihr werdet freiwillig zur Einsicht gelangen«, sagte sie nur, obwohl ihr gewesen war, als werde sie länger reden.

Das Beispiel seiner Frau erinnerte den Vater an seine Pflicht. So erhob er sich denn und sprach: »Erstens ist euer Altersabstand natürlich unpassend, damit ich nicht sage: anstößig. Er beträgt nicht sieben Jahre, sondern vierzehn, die du mehr haben müßtest, mein Lieber. Ferner bist du auf eine Karriere vorbereitet und wärest fahnenflüchtig. Ein Überläufer taugt auch im Kaufmannsstande nichts. Du weißt schon zuviel aus abgelegenen Gebieten, du würdest scheitern. Es bleibt dabei: Du beziehst die Universität. Das genügt.« – Er schloß sogar gütig: »Wir brauchen einander.«

Trotzdem enthielt das Schlußwort die Drohung, auf die beide Schuldige sich gefaßt gemacht hatten. Sie waren sofort einig. Der Junge berichtete heftig: »Meine Bücher habe ich verkauft.« Dem Onkel wurde die Antwort überlassen. »Man kauft andere«, murmelte er. Jetzt Alice mit ganz klarer Stimme und einem Blick über den Halbkreis hin: »Wir haben ein Verhältnis.« Der Vater setzte sich wieder. Die Tante behauptete: »Es war ihnen anzusehen.«

Dennoch zeigten alle sich zerschmettert wie bei der ersten Ankündigung des Unheils, diesmal aber endgültig. Die Großmutter, eine fromme Dame, wollte das Äußerste nicht gehört haben, ihr herzlicher Vermittlungsvorschlag ging darauf nicht ein. Der junge Mensch prüfte sich ein Jahr lang unter fleißigem Studieren. Das Mädchen inzwischen wartete ab, ob ihre Gefühle die nächste Ballsaison überstanden. Dieser wohlgemeinte Unsinn, den die Großmutter selbst wohl schwerlich ernst nahm, fiel einfach zu Boden.

Während die ganze Gesellschaft am Ende ihres guten Rates war, wußten nur die Liebenden, was zu tun sei. Sie umschlangen einander, und sie küßten keinen dezenten Kuß von Verlobten, zum Besten einer andächtigen Familie. Sie küßten wie im Schlafzimmer.

Ohne einen anderen Aufschub als den von der Minderjährigkeit des Bräutigams verursachten wurden sie verheiratet; die Tatsache ihrer ohnedies vollzogenen Verbindung hatte dies bewirkt. Zu sagen, daß sie glücklich waren, genügt nicht. Sie triumphierten. Sein schneller Erfolg im Geschäft war der ihre; dies verdoppelte ihn. Er hatte wirklich Ideen und hatte sie wirklich, weil er liebte, Alice liebte, und sie ihn – jede Stunde und Minute, die nicht dem Geschäft gehörte.

Im Zweifel zwischen Liebesstunde und Geschäftsstunde siegte immer das Geschäft. Die Kraft, vernünftig zu handeln, war ein Ergebnis seiner Leidenschaft. Wahrscheinlich brachte er die diplomatischen Talente eines neuartigen Geschäftemachers schon mit. Ohne Alice und seine Liebe hätte er sie weder entdeckt noch entwickelt. Seine einzige Leidenschaft war sie, war ihr Ehrgeiz, reich zu sein, ihn groß zu sehen. Seinen unwandelbaren Sinn für ihren Körper, ihr Gesicht unterschied er keinen Augenblick von seiner Aufgabe, Vorrang und Macht zu erwerben.

Sie blieben die langen Jahre vereint ihren Gliedern, ihrem Atem, so vollkommen, wie damals in der heimlich seligen Woche, als er ein Schüler gewesen und sie die entschlossene Person, die ihn sich aussuchte. Ihr eingefleischtes Interesse aneinander verstärkte sich immerfort durch den Nutzen, den es brachte. Sie war ihm treu.

Übrigens alterte sie nicht, bei so viel Liebe. Indessen hielt sie sich gegenwärtig, daß er der Jüngere und vielbegehrt war. Bei den ehelichen Sicherungen der Fürstin Pauline Metternich ließ sie es nicht bewenden. Diese Botschafterin entwendete jeden Morgen ihrem Gatten die Bereitschaft für die Künste der Frauen am Hof der Kaiserin Eugénie.

Alice ging die Gefahr nicht ein, daß ihr einziger Mann im Lauf des Tages dennoch Stimmung sammelte, um Verführungen entgegenzukommen. Sie setzte durch und er selbst erreichte, daß jede andere ein mehr oder weniger angenehmes Gebilde ohne betontes Geschlecht war: einzig für Alice entflammte er, und dies bei jedem Wiedersehen. Natürlich veränderte sich mit fünfzig Jahren ihre Linie, er fand sie nur schöner. Ihn erhielt die Frau jung, da auch sie es mit allen Sinnen war. Ihr Schritt wurde schwerer, er aber erbebte, sooft beim gemeinsamen Betreten einer Gesellschaft ihr Schenkel sich senkte, den seinen entlang. Er hätte ihre vorgestreckte Stumpfnase küssen wollen, als Herausforderung all der aufmerksamen Augen, die dem Auftreten des Paares beiwohnten. Sie hätten einander sowenig dezent geküßt wie einst vor dem Halbkreis der entgeisterten Familie.

Damit man anschaulich erkenne, wer am Arm des reichsten Herrn daherkam, behängte er sie mit fabelhaften Kleinodien. Sie wußte Bescheid und trug die Pracht, die sie beide kleidete, nach Verdienst, wie Generäle ihre fünfzig Orden, worüber auch niemand lacht. Ihre Kleider und Mäntel waren Modelle, einzige Exemplare: die Männer, außer dem ihren, bemerkten das nicht. Die Frauen – das ist etwas anderes. Sie machen sich beim Anblick ihrer Gestalt und ihrer Bewegung, sonst nichts, Gedanken, die nie erklärt werden.

Alice stieg aus einem ihrer Wagen, sie war an der Stelle grell beleuchtet. Eine Unbekannte, die vorüber wollte und aufgehalten wurde, wahrscheinlich neigte sie ohnedies zur Entrüstung, sagte hörbar: »Das triumphierende Laster!« Alice sah nicht hin. Das Sonderbare: daß sie sich auch nicht wunderte.

Dies war 1913, das Jahr vor dem Krieg, für die Gemüter schon ein Kriegsjahr. Manche, um nicht zu sagen die meisten, hatten irgend etwas gründlich satt, es zu beschreiben war ihnen nicht gegeben. Sie rochen Fäulnis, die Geruchshalluzinationen aber sind dauerhaft, sind sehr lästig; um sie zu vertreiben, willigt man in das Unwahrscheinliche. Der Krieg versprach eine Erfrischung, er sollte reinigen – sowohl die Luft als auch die Phantasie, da er die Wirklichkeit stark untermalt – *high colored*, mit einem wenngleich feindlichen Ausdruck –, und da er endlich allein ehrenhaft die Tat macht.

Ein Geschäftsmann, der den Eisenhandel monopolisiert hat und seinen Erfolg in Gestalt einer anspruchsvollen Gattin mit sich umherführt, oh, er war nicht einmal im Preis gesunken, Geld bleibt Geld. Früher als er entwertete sich seine Legende. Mit siebzehn Jahren, wie bekannt, hatte er den Grund seines riesigen Vermögens gelegt. Heute bekam er als Gegenspieler siebzehnjährige Helden. Wenige Monate, sie brachen auf, sie siegten, starben, machten sich unsterblich. Der Erwerb ist nichts Unsterbliches, die Frage erhebt sich vielmehr, ob ihm nicht Grenzen gesetzt sein sollen. Für gewisse Fälle errichtet sie der Krieg.

Der erste Eisenhändler der Welt hatte, noch zu der Zeit seines Vaters, damit angefangen, daß er, einen nach dem anderen, alle

Abnehmer des schwedischen Eisens verdrängte. In welche Länder es immer geleitet wurde, unfehlbar nahm es den Weg über seine Bücher, seine Frachtschiffe. Seine langfristigen Verträge hätten nach festem Gesetz und Recht keine Wendung des Geschickes erlaubt; man nennt es Bruch, es wäre strafbar, die Gerichte jedes Landes verfügten den Erlag von Entschädigungen, die nicht auszurechnen wären, aber der Anspruch aus den Verträgen bestände fort.

Dies die strengen Sitten eines Zeitalters, das sich indessen selbst veruntreute, da es Krieg machte. Der Monopolinhaber stand damals vereinzelt wie sein Geschäft. Sein Vater war ausgetreten, als der Sohn es auf die nie geahnte Höhe gebracht hatte, und gestorben war er, als der Nachfolger in sein fünftes Jahrzehnt trat. Die Mutter, der neuen Stellung des Hauses nicht gewachsen, zog sich in eine Waldeinsamkeit zurück. Ihr Sohn besuchte sie, bis sie unter dem Waldesboden ausruhte, und auch dann noch.

Er nahm einen Juniorpartner auf: kein Geschäftsmann, ein Adliger von gutem Aussehen. Sein vornehm eingeschätzter Teil war das Auftreten, die Empfänge von Gästen, die nur distinguiert waren, die Repräsentation bei Versammlungen und auf Reisen, wo flüchtige Sachkenntnis genügte. Plötzlich überschritt er seine Kompetenzen: der unerfahrene Zugelassene wies den Chef offen darauf hin, daß die Lieferungen an das feindliche Ausland aufhören müßten.

Er wußte es. Er hatte vorerst eine kurze Pause eingelegt; Stokkung und Verwirrung des Verkehrs machte sie anfangs unvermeidlich. Inzwischen überlegte er mit seiner Frau: er hatte allein sie. Sie hatten einander, wie nur ein Mensch den anderen, von allem Besitz der gründlichste. Noch immer verständigten sie sich in liegender Stellung. Der Unterschied gegen früher: sie waren für die Nacht bekleidet und beide locker aufgestützt; es sollte sich erst entscheiden wozu. Ihr Gespräch konnte in eine Umarmung oder in eine Meinungsverschiedenheit übergehen.

Nun hatte das Leben lang dieselbe Anschauung, ein niemals abgewichenes Interesse sie bestimmt. Wenn sie es sich sogar vorgesetzt hätten, keiner der beiden war nachgerade noch stark genug zu widersprechen. Der Zweifel und Warnungen wenig gewohnt, ließen sie sich ungern darauf ein, von dem Selbstbewußtsein des anderen, und vom eigenen, etwas abzuhandeln. Gewiß waren sie überzeugt, daß Deutschland siegen müsse und auch werde: sonst entfiel das Eisenmonopol, und alles andere stürzte mit ein.

Beiseite bemerkten sie, daß die einzelnen Sterbefälle, mochte man im Schützengraben noch so zahlreich fallen, vorübergehend zu hoch bewertet würden – ganz natürlich unter den neu geschaffenen Umständen. Für weitere Sicht wog der Bestand des internationalen Eisenmonopols eine Armee auf. Es dahingeben unter dem Vorwand eines mittelmäßigen Patriotismus und einer unechten Gesetzlichkeit wäre mehr als ein Verbrechen, es wäre ein Fehler gewesen.

»Erfüllen wir wirklich nicht mehr unsere klaren Verträge«, sagte Alice, »die Schweden werden keinen Grund sehen, den Schaden zu tragen. Wenn auch ohne unser Zutun, die Feinde bekommen todsicher das Eisen, das sie brauchen; und heute brauchen sie mehr, benötigen es dringender als in all unserer Zeit. Es ist etwas viel verlangt, daß wir uns aus dem Geschäft zurückziehen sollen genau beim Einsetzen der großen Konjunktur, die eigentlich unser Werk ist. Unser fünfundzwanzigjähriges Werk«, wiederholte sie und ließ von ihrer aufgestützten Haltung etwas nach, ihr Schlafanzug öffnete sich.

»Nicht nur das Eisen ist auf der Höhe«, erwiderte er. »Du bist herrlicher als je.«

Er küßte. Sie liebten. Der einige Beschluß im Geschäftlichen war gefaßt. Die Schiffe, mit Eisen beladen, fuhren unter neutraler Flagge, ohne deutsche Häfen zu berühren, nach den Empfangsstationen der Kriegsgegner. Diese verfertigten mit einer Hilfe, die niemandem unerwartet kam, die besten Waffen gegen ihren gemeinsamen Feind. Das ging gut – obwohl gemunkelt wurde und die Behörden aufmerkten –, bis einer der Kapitäne dennoch hierorts anlegte; zuerst behauptete er, wegen eines Maschinendefektes.

Dann kam er darauf, seine Sache zu verbessern durch die Heranziehung seines vaterländischen Gewissens. Ein verhängnisvolles Wort: einmal in Umlauf gesetzt, verkehrte es die Meinung der Kaufleute und der Ämter ins Unerbittliche. Bis dahin hatten sie widerstrebend noch zugegeben, daß ein verdienter Mann das Recht auf zeitgemäße Maximalverdienste besaß. Zwei Rechtsauffassungen, die alt anerkannte und die neue des Krieges, standen einander entgegen. Solang möglich, war davon abgesehen worden.

Man bedenke, was alles einbegriffen ist in die unbeschränkte Bereicherung eines einzelnen, wie hier. Zahllose Existenzen hingen an seiner, das wirtschaftliche Gleichgewicht einer Stadt, ja des Landes, waren, schwer unterscheidbar von dem seinen, gesichert oder bedroht. Beziehungen von allgemeiner Bedeutung schützten ihn. Das wußte er selbst am besten und hatte darauf vertraut – auf alle seine Vorteile, um einen Augenblick zu lange. Versäumt hatte er dennoch nichts. Keine vernünftige Frist, denn sie war nicht gestellt gewesen.

»Apfelsinenschalen, über die man ausgleitet«, erklärte er seiner Frau, »liegen niemals da, wenn man hinsieht. Dieser Kapitän mußte nicht notwendig ein dunkler Ehrenmann sein. Wir haben uns nichts vorzuwerfen.« Er wollte vor allem, daß Alice sich nichts vorwürfe. Seine eigene Schuld – nach Nietzsche die Bezeichnung für etwas Schiefgegangenes – war ihm bewußt.

Seine Verhaftung war schon in aller Mund, als er darüber noch die Achseln zuckte. Indessen besprach er mit seiner Frau, wie sie, gesetzt, er wäre einmal abwesend, sich zu verhalten habe. Es schien, daß man ihm gerade hierfür noch die Muße ließ: dann wurde er wirklich verhaftet.

Es lag nicht im Sinn ihrer Beziehungen von jeher, daß sie weinend ins Gefängnis lief. Im Zweifel zwischen Liebesstunden und Geschäftsstunden hatte noch immer das Geschäft gesiegt. An ihrem Wohnort unternahm sie nichts, vergab sich nichts. Diese Leute mußten selbst entscheiden, ob sie eine Verurteilung ihres Gatten wagen wollten: schon daß er angeklagt war, stellte alle bloß, es setzte die Stadt herab. Sie verreiste – ohnehin jetzt das Angenehmere; sie hielt sich an ihre Standesgenossen, die reichen Familien außerhalb. Sie wurde, wie sonst, von Ministern empfangen, privat natürlich. Einer war verheiratet mit einer ihrer Verehrerinnen, wenn nicht Verehrerin des Reichtums überhaupt. Alice wurde zum Diner geladen, hatte den gewohnten Erfolg, verändert erwies sich bisher nichts, obwohl ihr Mann in Untersuchungshaft saß. Man gab vor, den Irrtum zu belächeln: Widersinnigkeiten liefen einer zwar großen, aber auch verbiesterten Zeit natürlich mit unter. Soweit das Gesellschaftliche, es klappte.

Amtlich wurde ihr Hoffnung gegeben, die Verurteilung für nicht wünschenswert erklärt, aber außer Frage blieb eine Überschreitung der Zuständigkeiten. Sie sah durchaus: das Aufsehen, das ihre Angelegenheit machte, wuchs an sich selbst, aufzuhalten war es nicht. Allein ein Machtwort, das militärisch sein mußte, beendete den Skandal. So ließ sie denn den Juniorpartner nachkommen.

Wenn jemals, konnte er seine Daseinsberechtigung hier erhärten. Der Herr von historischer Abkunft und gutem Aussehen machte Eindruck überall, nur nicht bei den Befehlshabern, denen jetzt die Macht gehörte. Seine Vettern dritten Grades nannten ihn scherzweise »Koofmich«, ihre Ansicht der Sache klang deutlich mit. Ein hochgestellter Onkel sprach endlich das Wort, das gemeint war: Vaterlandsverrat.

Damit schien die Aufgabe dieses Mitgliedes der Firma gescheitert, wenigstens hielt er sie dafür. Allerdings fehlten in dem Gesamtbild gerade die Personen, die ihr eigenes Verhalten dem Beschuldigten – nicht annäherten, wer wird das zugeben. Immerhin wären die Generäle und Ministerialdirektoren, die um des Mammons willen ihre früheren Büros mit denen der Schwerindustrie vertauscht hatten, die geeigneten Vermittler gewesen. Es lag zu nahe, um erwähnt zu werden. Wenn ihr Gehilfe keinen Anlaß nahm, schwieg auch Alice davon.

Sie hielt nur noch Besprechungen mit dem berühmtesten Verteidiger, einem Champion der mitreißenden Beredsamkeit, überführte Mörder gingen aus seinen Händen rein hervor. Sie reiste; am Vorabend der gerichtlichen Verhandlung war sie zur Stelle. Der Landgerichtspräsident wartete nicht, bis sie ihn aufsuchte: er kam selbst.

In leichter, gesellschaftlicher Form, die ein Richter als Mann von Welt einfach mitmachen mußte, erwirkte sie die Erlaubnis, ihren Gatten bis in den Sitzungssaal zu begleiten. Das Gespräch gab ihr Gelegenheit, Namen auszusprechen: die Personen von Rang, die nicht das geschäftliche Verhalten des Angeklagten, wohl aber das Verfahren gegen ihn für staatsgefährlich erachteten. Der Richter stutzte, obwohl eine Stirnader ihm anschwoll.

Als sie ihren – sichtlich gealterten – Mann im Gefängnis abholte, war das erste, was vorging, eine leidenschaftliche Zärtlichkeit: beide ließen sich überwältigen, ungeachtet des Beiseins der Beamten. Um so kühler besprachen sie alsdann den bevorstehenden Tag – ein Tag wie andere, mit den gewöhnlichen geteilten Ansichten, nur daß die besseren die wahrscheinlichen waren, gemäß Regeln und Erfahrung.

Wie sie übrigens, jeder für eigene Rechnung, wirklich denken mochten, die Beweisaufnahme als erste Prozedur des Gerichtshofes verdarb bestimmt nichts. Die Tatsachen waren nachgerade bekannt, sie waren abgeleiert. Jeder im Hause glaubte der Einzelheiten mehr zu wissen, als die Akten enthielten. Der Kapitän mit seinen belastenden Aussagen erregte bei dem Publikum entschiedenen Widerwillen. Zuerst sich bezahlen lassen, dann denunzieren, zum Schaden eines Gemeinwesens, ja mit Folgen, die noch offenblieben.

Der Angeklagte und seine Frau, zwei Schritte vor ihm am Rand einer Bank, verständigten sich mit den Augen über die Eindrücke, die auch das Gericht empfing. Unlust an der Sache war das geringste, was sich ablesen ließ. Schon entstand die Frage, warum es zu dem Prozeß gekommen war. Derselben Stimmung, seiner eigenen, paßte der Vertreter der Anklage seine Forderungen an. Für den Fall, daß auf eine Freiheitsstrafe verzichtet wurde – dem Staatsanwalt hätte es keinen Kummer bereitet –, beantragte er eine Buße in barem Geld, so ungeheuer hoch, daß jeder erschrak – bis man sich erinnerte, wer den Monsterbetrag zahlen sollte: da wurde still gelächelt.

Der berühmte Verteidiger beging den Fehler, daß er nicht einmal heut und hier von seiner Berühmtheit absah. Er mußte sich nur klein machen und hatte schon gewonnen. Statt dessen ritt er die Hohe Schule, warf die Reitpeitsche in die Luft und grüßte mit dem Zylinderhut – was noch harmlos gewesen wäre. Aber er bestand auf der unverantwortlichen Haltung des Staates gegen Wirtschaft und Nation. Er geißelte den Mißbrauch des Krieges, als eines Vorwandes, um die Autorität zu übertreiben.

Obwohl persönlich nichts weniger als revolutionär, ging er bis an die Grenze, wo der Krieg nicht mehr mit nebensächlichen Nachteilen belastet, sondern um seiner selbst willen verworfen wird. »Der Übermut der Ämter« ist von Shakespeare, ein Gericht aber erträgt keine Maßregelung durch Dichterworte. Den Verteidiger mußte an dem Tage seine erprobte Weltläufigkeit verlassen haben, oder hielt er den Fall für entschieden und erlaubte sich, ins Leere hinein zu glänzen? Da er mehrfach sein Gesicht abzuwischen hatte und seine Augen bald nach der Decke himmelten, bald eingedrückt wurden, entging ihm seine Wirkung: sie war beklagenswert.

Der Beifall, den seine Kunst natürlich errang, veranlaßte den Vorsitzenden, einzuschreiten. Die Replik des Staatsanwaltes nötigte jeden Hörer, auf gründlich berichtigte Auffassungen zu schließen. Nicht mehr um den bekannten Konflikt ging es – hier hohe, eigentlich geheiligte Interessen, hier ein Verbot, das nicht der Nation, wohl aber anderen nützte. Nein, die Nation war verletzt in der vornehmsten ihrer sittlichen Betätigungen: das ist der Krieg. Verletzt hatte sie der Angeklagte, nach dem eigenen Geständnis seines Verteidigers.

Während das Gericht beriet, begleitete seine Frau den so gut wie Verurteilten in das vorbehaltene Zimmer. Sie sprachen nicht. Der Verteidiger sprach und bekam keine Antwort.

Alice erhielt an den folgenden Tagen der Beweise genug, daß die Verurteilung ihres Mannes mißbilligt wurde. Die gute Gesellschaft nannte sie barbarisch, vernunftwidrig, eine Niederlage der deutschen Sache: staatliche, ja, auch militärische Stellen äußerten sich wenig anders. Bei ihren Besuchen im Gefängnis erfuhr ihr Mann von ihr noch einmal, was ihm auch sonst zugetragen war. Etwas Neues gab es nicht. Dies machte, zum erstenmal im Leben, ihr Zusammensein unfruchtbar.

Keinem vorigen hatte die volle Vertraulichkeit gefehlt: nicht die körperliche allein verstand sich von selbst, immer auch ein Projekt, das nur sie beide kannten. Hier gab es, unerhörterweise, nichts zu beraten, nichts zu tun. Den Kaiser um Begnadigung angehen, nun ja. Aber gerade der Kaiser war gehalten, den Krieg hochzuachten, mit allen Opfern, die er forderte: von den Armen das Leben, von den Reichen den Verzicht auf gewisse Arten des Gewinnes.

Der höchste Herr erriet, daß man sich lieber drückt, sowohl vom Sterben wie vom Geldverlust. Im Gegenteil verzeichneten das Leben und der Profit eine merkliche Zunahme an unwiderstehlichem Reiz. Worauf es ankam: nicht ertappt zu werden. Soweit war es damals nicht, wie zwanzig Jahre später, als ein Ministerpräsident und Marschall dasselbe schwedische Eisen einem Feinde, der spanischen Republik, verkaufte, und hatte es seinem selbst regierten Staat unterschlagen. Für dies und mehr dergleichen wurde er Reichsmarschall. Andererseits konnte er, derart in die Geschäfte eingeführt, den gesamteuropäischen Trust begründen. Einer seiner Vorgänger, bisher Inhaber des Eisenmonopols, erschlaffte in seiner tristen Einzelhaft, obwohl er Goethe las. Die Besuche seiner Frau begann er zu fürchten, während er sie doch herbeisehnte.

Bei jedem ungewöhnlichen Geräusch hinter der Tür seiner Zelle klopfte ihm das Herz, um nur müder zu schlagen, wenn nichts erfolgte. Er war unterrichtet, daß ihr allmählich seltener erlaubt wurde, ihn zu sehen. Aber äußere Schwierigkeiten beseitigten keineswegs die selbst verantworteten – weder seine noch ihre.

Es stand derart, daß beide einander leidenschaftlich umklammert hätten mit allen ihren Gliedern, sobald ein Umschwung der Dinge stattfand. Je weiter aber der *Coup de théâtre*, an den sie ohnedies nie geglaubt hatten, ihren Blicken entschwand, um so peinlicher wurden ihnen die Begegnungen, entfremdet der Leidenschaft, wie sie sein mußten. Dies nicht nur, weil für Aufwallungen kein Raum, noch mehr, weil sie ungefühlt waren.

Im Einklang mit ihr – und mit der Außenwelt – bemerkte der Gefangene, daß sein Geschick sich eingliederte unter die landläufigen, zeitgemäßen. Es hörte auf, ihn auszuzeichnen, weder im Sinn der Entrüstung, noch des befriedigten Neides. Sein Geschäft war ruiniert, alle Beteiligten hatten sich umzustellen: nur natürlich, daß sie auch hinsichtlich seiner Person anders disponierten. Er war kein Gegenstand mehr, wurde voraussichtlich nie wieder ein Gegenstand ihrer Anhänglichkeit und Furcht. Der Tag erschien, als die Ehegatten sich aussprachen über die wirkliche Wahrheit. Sie war durchaus neu, das erste Neue, das sie seit der Katastrophe einander zu bieten hatten.

Alice begann: »Mein Lieber, wir sind Realisten« – was er bestätigte, mit einem angstvollen Vorgefühl; aber so weit wie die wirkliche Wahrheit gingen seine Ahnungen denn doch nicht. Sie stellte fest, daß seine internationalen Verträge unwirksam geworden waren – infolge höherer Umstände, ohne sein Verschulden, aber so gut wie aufgelöst. Andere hatten die Lieferung übernommen, Ausländer, die gegebenenfalls bei den Gerichten im Vorteil waren. Es wäre denn, daß die deutschen Heere zuletzt noch im Triumph den Sieg davontrügen. Danach sah es immer weniger aus.

Er war einverstanden: danach sah es nicht aus. Ob man es bedauern sollte? Sogenannte Vaterlandsverräter wie er selbst wurden am ehesten durch die Niederlage und den Umsturz in Freiheit gesetzt. Alice gab es freudig zu. Wenn es so weit wäre! Eine oder zwei Minuten raunten die beiden Angehörigen der herrschenden Klasse, mit Blicken nach der Tür, staatsgefährliche Wünsche.

Indessen waren es fromme Wünsche. Bis jetzt war Krieg. Von dem überführten Verräter kauften weder Deutschland noch seine Verbündeten das Eisen, das ihm abzunehmen ihre verbürgte Pflicht gewesen wäre. Die Firma erfüllte beständig ihre Verbindlichkeit in Schweden, das unabsehbare Eisen häufte sich an. Ein Teil mußte mit Verlust abgegeben werden, an neutrale Händler. Es bildete immer noch einen Schatz ohne Ende – wenn der Krieg erst aus und Deutschland geschlagen war. Bis zu diesem Zeitpunkt war es eine Last: das Haus trug an ihr schwerer und schwerer. Sein verhinderter Chef zog selbst das Ergebnis: »Ich sitze hier, bis ich in aller Stille ein armer Mann geworden bin.«

Zwei Minuten eines unheilschwangeren Schweigens. Die Augen der Gatten streiften einander, sie hafteten nicht. Die Ahnungen des Mannes gewannen während der Pause an Inhalt. Sie waren furchtbar konkret geworden, als Alice ihr Wort sprach. »Du mußt

316

das Geschäft abtreten.« – »An meinen Juniorpartner«, vollendete er. »Zum Schein« – dies holte er versuchsweise nach. Sie belehrte ihn, obwohl es kaum nötig war, daß eine fiktive Übertragung sich verbiete: sie war genau informiert. Was aber dann? Ebensogut, wollte er meinen, war ein geduldiges Abwarten des Endes.

Er gab sich überzeugt, während er doch wußte: so leicht resignieren wir nicht. Am wenigsten sie, und sie hat zu verfügen. Ich – für wieviel zähle ich noch? Das sollte er jetzt erfahren. Sie sagte, daß sie seine Gefährtin sei und niemand lieben werde als nur ihn. Sie sprach es im Ton einer geschäftlichen Erörterung. Er hatte genug. Das übrige nahm er ihr aus dem Mund – um ihretwillen. Sie sollte nicht genötigt sein, es auszusprechen.

»Unser Freund wird Alleininhaber der Firma, unter der Bedingung, daß er dich heiratet. Deutschland und der Balkan kaufen wieder, du bleibst die Frau, die du bist. Bemerke wohl, daß ich es will. Dir in den Weg treten, nie. Aber es gibt einen anderen, du wirst meinen Vorschlag in Betracht ziehen, wie ich den deinen. Ich habe im Ausland beträchtliche Guthaben. Wir sind nach Abtretung der Firma persönlich noch immer reich genug, um unsere Stellung – deine Stellung – zu behaupten.«

»Du vergißt deine eigene Lage«, erwiderte sie schonend und traurig. »Meine Stellung, solange mein Mann hier sitzen muß?« – »Nicht lange« – zum ersten Male bat er, seine Stimme wurde flehentlich. »Vielleicht nicht einmal für die Dauer des Krieges. Wegen meiner guten Führung – und aus anderen Gründen, werden mir Hoffnungen auf Abkürzung der Strafe gemacht.« – »Sehr möglich«, sagte sie, immer schonend, »aber wir wissen es nicht. Inzwischen werden wir älter.«

Er verstand: sie selbst alterte. Sie hatte um sieben Jahre mehr. Sie fürchtete das Alter. Hier sah er sie voll an, ein langer Blick, berauscht von Liebe – dermaßen, daß sie aufweinte. »Du bist schöner als je« – er atmete stark. »Schöner als in unserer besten Zeit, und sie war nicht die beste. Ich verspreche dir mehr. Denn ich begehre dich mehr.«

»Dich liebe ich. Dich allein werde ich immer lieben.« Sie stöhnte wie er. Wo blieb die geschäftliche Erörterung und ihr Ton? Im Zweifel zwischen Geschäft und Liebe siegte die Liebe. Alice sank an seine hingebreitete Brust. Nach ihrer Vereinigung trennten sie sich, um nie einander wiederzusehen.

Statt ihrer betrat seine Zelle ihr Arzt, um ihm mitzuteilen, daß sein Juniorpartner ein kranker Mann sei. Ein Herzklappenfehler, die herrschenden Umstände machten ihn schneller kritisch, als er sonst wohl gewesen wäre. Frage: »Wie lange?« Antwort: »Sie werden ihn bei Ihrer Rückkehr kaum noch vorfinden.« Hiernach verging dem Gefangenen jeder Zweifel – nicht gerade an dem Gesundheitsbefund des gutaussehenden Herrn. Nur was Alice beschlossen hatte, war im reinen. Nach dem pünktlichen Abgang ihres zweiten Gatten brachte sie ihrem ersten das gerettete Geschäft in eine neue Ehe mit.

Er begriff, daß sein Widerstand unnütz und daß er verderblich gewesen wäre. Er willigte in die Scheidung – die wegen gegenseitiger unüberwindlicher Abneigung ausgesprochen wurde. Sie ließ bis zu ihrer Wiederverheiratung die Anstandsfrist vergehen, er wartete sie ab; erst als er sie auf der Hochzeitsreise wußte, erhängte er sich. »Aber die Liebe bringt in gewissen Jahren dem Geschäftsmann erst die wahren Gefahren«, wäre die Inschrift auf seinem Stein gewesen, aber sie hätte sich indiskret ausgenommen.

Als nicht der Herzkranke, sondern Alice ihm in Bälde folgte, hätte man über dies wirklich gebrochene Herz die Worte setzen können: »Aber die Liebe verführt die armen Frauen, immer blond zu bleiben, nie zu ergrauen.« Auch das unterblieb.

Erschienen 1953

RODA RODA *1872–1945*

Schweigen ist Gold

Ort der Handlung ist die Eden-Bar.

Zeit: zehn Uhr vormittags.

Wohlgemerkt: vormittags. – Zu dieser Stunde ist die Bar natürlich völlig verlassen; muffig noch vom Rauch und Alkohol der letzten Nacht. Eine einzige Kellnerin, ungekämmt, in schlampiger Bluse, ist, überrascht durch das Eintreten des ersten Gastes, in die hintern Gemächer geflüchtet, wo sie zunächst die Augenbrauen nachziehen, etwas Rot aufpatzen wird – um diesen sonderbaren Gast flüchtig nach seinen Wünschen zu fragen und sich dann zu waschen und zu kämmen.

Der Gast, der es fertiggebracht hat, um zehn Uhr die Eden-Bar aufzusuchen, ist Dommel; jawohl, der berühmte Dommel, Bildhauer, Professor, Ehrendoktor, Präsident der Kunstakademie.

Er ist nicht aus freien Stücken hergekommen – das kann man sich denken.

Vielmehr hat Dommel einen jüngern Bruder, Paul, viel jüngern, mißratenen Bruder, der schon allerhand im Leben gewesen ist – seit etlichen Monaten ist er zur Abwechslung Kaufmann.

Und dieser Paul hat den Herrn Professor vor einer halben Stunde telefonisch beschworen, sofort – aber sofort in die Eden-Bar zu kommen – ohne Ansehung von Abhaltungen, selbst dringendster Geschäfte – denn es handle sich diesmal um nichts weniger als um Leben oder Tod.

Selbstverständlich: Tod oder Leben Pauls; denn auf der Daseinshöhe des berühmten Dommel gibt es wohl Probleme wie: Schaffung des Nationalheiligtums am Niederrhein, hundertfünfzig Kubikmeter Marmor, tausend Kubikmeter Granit – doch keine Nötigung, Entschlüsse zu fassen über Tod oder Leben.

Man lebt weiter, selbstverständlich; steigt von Stufe zu Stufe die Treppe des Ruhmes hinan – sollte auch, infolge von Befangenheit des Preisgerichtes, bedauerlicherweise der Idiot Professor Lerchmeyer in Berlin mit der Schaffung des Nationalheiligtums am Niederrhein, hundertfünfzig beziehungsweise tausend Kubikmeter, betraut werden.

Die deutsche Kunst steht am Scheideweg – hie Dommel, hie Lerchmeyer –, in solch historischem Augenblick käme Herrn Professor Dommel ein Skandal, in den Paul etwa verwickelt ist, höchst ungelegen – und darum, nur darum hat sich Herr Professor veranlaßt gesehen, grade Montag vormittag, knapp vor der Akademiesitzung, ausgerechnet in die Eden-Bar zu eilen – in einer Angelegenheit, die offenbar nebensächlichster Art ist, wo sie doch nichts weiter betrifft als Tod oder Leben dieses mißratenen Bengels.

Und Paul? Wo bleibt er? Er ist nicht da. – Ja – den Herrn Professor von der Akademiesitzung aufstören – und selber wegbleiben –, das sieht ihm ähnlich.

Eine halbe Minute Wartens auf Paul bietet dem Herrn Professor Zeit, im Geist all die zahllosen ärgerlichen Fälle durchzugehen, in die Paul bisher ihn mit hineingezogen hat, und eine wahre Eselswut gegen Paul in sich zu sammeln.

Plötzlich tritt Paul ein; ein großer, bildhübscher, aufrechter Junge mit Bürstenmähne, blanken Augen und ... lachend. Wahrhaftig, er lacht und zeigt dabei seine wunderschönen Zähne. – Wenn er schon lacht: hoffentlich vor Verlegenheit?? Er schüttelt dem älteren, dem großen Bruder derb die Hand, setzt sich rasch und erzählt ungefragt – immer mit seinem dummen Grinsen:

»Also was passiert ist? Abscheulich. Ich mußte dich rufen. Ich mußte. Schimpf nicht – du wirst ja gleich hören: das Puma ...«

»Es betrifft also deine Frau?«

»Ja. Das Puma war doch eine Woche auf dem Land – nicht wahr? Du wirst es überflüssig finden, wie ich dich kenne – darum hatte ich dir auch vorher nichts gesagt ...«

»Bitte – es geht mich ja nichts an.«

»Immerhin – wo du unlängst mit zweihundert Mark ausgeholfen hattest – – aber wirklich, das Puma hatte sich im Laden sehr angestrengt – sie war schon ganz blaß ...«

»Zur Sache, wenn ich bitten darf!«

»Schön. Also: das Puma sollte einen Monat in Kochel bleiben – so war es ausgemacht. Heute morgen – aus heiterm Himmel kommt sie zurück.« – Er verstummte, das Lachen war erstorben.

»Und?« fragte der Herr Professor.

Paul fuhr auf – der Schwall sprudelte weiter:

»Und? Du weißt, wie Frauen sind. Vielmehr: du weißt es nicht – du Glücklicher hast doch im ganzen Leben nur mit einer Frau zu tun gehabt, mit deiner nämlich. – Das Puma fegt sofort durch die Wohnung, schnüffelt mein Bett ab – schnüffelt meine Kleider ab – und im Badezimmer . . .«

»Nun?«

»Im Badezimmer findet sie eine Nadel. Goldene Sicherheitsnadel. – Dabei war die Nadel nicht einmal von Gold, wie sich später herausgestellt hat – nur vergoldet.«

Er schwieg wieder.

Der Professor – langsam: »Das . . . versteh ich nicht.«

Paul – wie von einem Skorpion gebissen:

»Puma hat es sofort verstanden. Im Nu hab ich zwei Ohrfeigen sitzen gehabt. Wie ein Staatsanwalt hat sie mich gefragt: ›Wem gehört die-se Na-del?‹ – mit schlagbereit erhobener Hand. Da wirst du begreifen . . .« – Paul ließ die Schultern, ließ die Augen sinken –, »da wirst du begreifen, daß ich gestanden habe.«

»Gestanden? Was??«

»Alles: den Namen – die Vorgeschichte – den Verlauf – wieso – wann – – alles hat sie mir herausgepreßt.« – Der große, lange Paul war zu einem Knäuel geworden.

»Und dann?«

»Dann ist sie wie eine Furie los. ›Ah, darum schickst du mich aufs Land‹, brüllte sie. ›Aber ich werde es dieser Person eintränken.‹ Und rrrast davon.«

»Und?«

»Was – und? In derselben Sekunde kommt die alte Hausbesorgerin, die bei mir aufgeräumt hat, während das Puma auf dem Land war, und sagt: ›Entschuldigen schon, Herr Dommel, daß i stör. Hab i net vielleicht mei scheene Nadel da bei Eahna vergessen?‹«

Der Herr Professor verzieht langsam, ganz langsam, genießerisch den Mund – dann prustet er triumphierend:

»Dein Geständnis war also umsonst abgelegt? Sozusagen für die Katz?«

Paul beißt sich, dem Weinen nah, die Lippen. – »Inwiefern umsonst?« stöhnt er. »Das Puma ist doch damit los – – und gerade jetzt, während wir hier sitzen . . . kennst du Pumas Temperament nicht? Grade jetzt wird sie . . . wird sie . . .«

»Nun –?«

»Wird sie die weltgeschichtliche Szene machen, daß die Türen und Schornsteine wackeln.« – Paul saß, ein Häufchen Asche.

»Paul! Eine Szene wird das Puma machen? Wem??«

»Ihr.«

»Der andern meinst du. Der Person?«

»– – – Das ist es ja. Eine furchtbar peinliche Szene für uns alle. Darum eben hab ich dich herbeigerufen; damit du nicht dabei bist, wenn Puma die Szene macht. Ich dachte mir: Immer besser, du erfährst es von mir.«

Der Professor brauchte volle dreißig Sekunden – dann hatte sich die Leitung geschlossen.

– – – Eh er aber den Mund aufkriegte, war das Puma eingetreten.

In die Eden-Bar, halb elf vormittags.

Kam hereingeflogen; groß, bildhübsch, aufrecht; Bubimähne, blanke Augen. Und: lachend. Wahrhaftig, sie lachte; und zeigte dabei ihre wunderschönen Zähne.

Packte Pauls Kopf zärtlich zwischen beide Hände und ... lachte.

»Du Nichtsnutz!« rief sie. »Du Scheusal! Aber dir kann man ja nicht böse sein, du Scheusal! Du!« – Sie schnalzte ihm einen festen Kuß auf den Mund. – »Ich hab mir's überlegt und bin halben Wegs umgekehrt. Ich verzeih dir.«

JAKOB WASSERMANN *1873–1934*

Adam Urbas

Unter den Aufzeichnungen des kürzlich verstorbenen Reichs-
gerichtspräsidenten Diesterweg, eines scharfsinnigen und geistreichen Kriminalisten vom Schlage des großen Anselm Feuerbach,
befand sich auch die folgende.

An einem Oktoberabend, zu später Stunde, kam der Bauer
Adam Urbas aus Aha, einem Dorf des südlichen Frankens zwischen Altmühl und Hahnenkamm, auf die Gendarmeriestation in
Gunzenhausen und erstattete die Anzeige, daß er an ebendiesem
Tag seinem achtzehnjährigen Sohn Simon den Hals abgeschnitten
habe. Er liege tot in der Kammer zu Hause. Das Messer, mit dem
er die Tat verübt, trug er bei sich und überreichte es. Es war noch
blutig.

Die Selbstbezichtigung, in ruhigem Ton und mit äußerst knappen Worten vorgebracht, wurde protokolliert. Auf alle weiteren
Fragen des Kommissars verweigerte er die Antwort. Der Lokal-
augenschein, der noch in derselben Nacht vorgenommen wurde,
bestätigte seine Angaben.

Man traf ein vor Entsetzen und Jammer halb wahnsinniges
Weib und bestürzte Knechte und Mägde.

Adam Urbas wurde ins Gefängnis nach Ansbach gebracht.

Als ziemlich junger Richter war ich einige Wochen zuvor in
diese Kreishauptstadt versetzt worden, und meinem lebhaften
Ehrgeiz war es willkommen, daß man mich mit der Voruntersuchung betraute.

Der Fall schien von Anfang sonnenklar. Ein anscheinend beschränkter und in allen Vorurteilen seiner Kaste befangener Bauer
hatte seinen entarteten Sprößling, von dem er nur Schande und
Unheil erfahren hatte, kurzerhand aus dem Weg geräumt, sowohl

um ein Strafgericht zu vollziehen, als auch um noch größerem Übel, das im Entstehen war, vorzubeugen.

Nach den übereinstimmenden Aussagen der Zeugen war der junge Urbas ein völlig verlottertes Individuum gewesen, arbeitsscheuer Herumtreiber, ständiger Gast in allen Wirtshäusern und auf allen Jahrmärkten der Gegend. Für seinen müßiggängerischen und anstößigen Wandel hatte er viel Geld gebraucht, und was ihm die gefügige Mutter, die er einzuschüchtern verstand, nicht gab oder geben konnte, hatte er sich auf andere Weise zu verschaffen gewußt. So hatte er im August beim Getreidehändler Kohn in Weißenburg auf eigene Faust achthundert Mark für gelieferte Gerste abgeholt und das Geld unterschlagen und verpraßt. In Nördlingen hatte er sich mit einem verrufenen Frauenzimmer eingelassen, das von ihm schwanger zu sein behauptete; eines Tages hatte er die Person an einen entlegenen Ort gelockt und zu erwürgen versucht. Durch ihr Geschrei waren zufällig vorbeikommende Leute alarmiert worden, und so war sie ihm entronnen. Über diese Angelegenheit war die Untersuchung noch im Gange, als Adam Urbas den gerichtlichen Maßnahmen zuvorkam.

Auch aus der Knabenzeit Simons wurden Züge und Begebenheiten berichtet, die seinen Charakter in das übelste Licht rückten. Nichts entstammte dem Übermut, was er verübte, es war immer voller Tücke und Abgefeimtheit. So hatte sich zum Beispiel die Großmagd sechs neue Leinenhemden in der Stadt gekauft; freudig zeigte sie die Erwerbung dem übrigen Gesinde und der Bäuerin; es wurde zur Vesper gerufen, und sie legte die blütenweiße Wäsche auf den Tisch in der Tenne. Als sie zurückkam, waren die Hemden mit Wagenschmiere derart besudelt, daß keines mehr brauchbar war. Daß Simon die Büberei begangen, bezweifelte niemand, aber bewiesen werden konnte es nicht, so wenig wie die Sache mit dem Fuhrmann Scharf. Der hatte seinen mit Mehlsäcken beladenen Wagen vor dem Krug halten lassen; als er weiterfahren wollte, rann das Mehl in weichen Bächen auf die Straße; zehn oder zwölf Säcke waren heimlich aufgeschnitten worden. Das ist Simon Urbas gewesen und kein anderer, hieß es; bewiesen werden konnte es nicht.

Zur Heuchelei und Hinterlist gesellten sich später Frechheit und Gewalttätigkeit, und alle Gutmeinenden waren darüber einig, daß da ein Menschenunkraut emporwuchs, so hoch, daß keine Schere mehr hinanreichte, es zu stutzen, und kein Spaten stark genug war, es auszujäten. Ich hätte auf die Fülle des gebotenen Materials verzichten können. Da war kein Problem, keine Verworrenheit, keine Tiefe; alles war eindeutig, platt und roh, zumindest, was den Ermordeten betraf.

Der letzte Akt des dörflichen Schauerdramas hatte sich am Gunzenhauser Kirchweihsonntag abgespielt. Zwei Bauern aus Windsbach hatten sich im Wirtshaus zu Aha darüber unterhalten, daß gegen Simon Urbas ein Verhaftsbefehl erlassen worden sei. Adam Urbas saß unbemerkt von ihnen am Nebentisch. Die anderen Gäste und der Wirt schielten ängstlich nach ihm hin, denn aus der Art, wie er das Glas absetzte und vom Stuhl aufstand, war zu schließen, daß er von der Nördlinger Geschichte noch nichts wußte. Die Schandtaten Simons wurden ihm nämlich so lang wie möglich verhehlt. Es war seine außerordentliche Schweigsamkeit, seine achtunggebietende Haltung und nicht zuletzt seine große Beliebtheit in der Gemeinde und in der ganzen Gegend, die einen schonenden Wall um ihn errichteten. Durch all die Jahre hatte auch die Bäuerin die schlimmsten Nachrichten aufzufangen und in ihrer Wirkung auf Urbas zu mildern gewußt. Aber wenn man annahm, daß er deshalb in Unwissenheit oder nur in halber, in freiwilliger Unwissenheit lebte, so täuschte man sich. Er verstand es eben, seine Umgebung über das, was er sah und was in ihm vorging, im Zweifel zu lassen.

Die Bäuerin hatte das drohende Unglück beim Buttern von einer schwatzhaften Magd erfahren. Als Urbas nach Hause kam, stellte sie sich ans Fenster, um ihm nicht ins Gesicht sehen zu müssen. Da ging, es war schon gegen Abend, der Ziegelarbeiter Franz Schieferer am Haus vorbei und rief ihr zu, der Simon sei drüben in Gunzenhausen im Hirschen; er traktiere die Manns- und Weibsleute und werfe mit Geld herum, daß es nur so klappre; aber, fügte er lachend hinzu, denn er war stark angeheitert, man werde den Vogel bald auf Numero Sicher haben, die Gendarmen seien schon unterwegs. Dem war freilich nicht so, wie sich später erwies; auch das mit dem Verhaftsbefehl war vorläufig leeres Gerücht.

Das ganze Gesinde war zur Kirchweih gegangen. Die Bäuerin ließ sich auf die Wandbank nieder; Urbas wanderte mit schweren Schritten in der Stube auf und ab. Da hörte man von der Straße herein schlürfendes Gehen, dann wurde an der Haustürklinke gerüttelt. Fäuste polterten wider das massive Holz, dazu erschallten Flüche. Die Bäuerin sprang auf und wollte hinaus; Urbas hob den Zeigefinger, nichts weiter; sie verharrte auf der Stelle. Nun zeigte sich Simons Gesicht am Fenster, von Trunkenheit gerötet, mit Augen voller Bosheit. Die Bäuerin schrie auf und winkte ihm zu, er solle weggehen. Er verschwand wieder, eine Weile blieb es ruhig, dann war auf der Tenne Lärm. Er war durch die Tür auf der Hofseite ins Haus gelangt. Im Dunkeln stieß er gegen das Gerät; man vernahm einen Sturz; die Bäuerin riß die Stubentür auf, und im hinauslohenden Lampenschein gewahrte sie, wie sich der betrunkene Mensch mühsam vom Boden aufrichtete. Die Arme gegen die beiden in der Stube reckend, drang eine greulich lästernde Rede aus seinem Mund; vielleicht war dieser Augenblick entscheidend für Urbas. Die Bäuerin sagte aus, daß sie ihn vom Kopf bis zu den Füßen habe zittern sehen. Simon hatte sich indessen zu seiner Kammer getastet; er schlug dröhnend die Tür hinter sich zu, dann war es wieder still. Urbas schaute in die finstere Tenne hinaus, die Bäuerin stand hinter ihm, das Gesicht in die Schürze gepreßt. Das dauerte so an fünf Minuten. Hierauf verließ Urbas die Stube und ging hinüber in die Kammer. Die Bäuerin versicherte, daß sie geahnt und gespürt habe, was kommen würde, daß ihr aber die Glieder wie gefroren gewesen seien und sie während der ganzen Zeit ihrer Sinne nicht mächtig war. Ob Simon so berauscht gewesen, daß er gleich, nachdem er sich auf die Bettstatt geworfen, in Schlaf verfiel, oder ob sie noch miteinander geredet, Vater und Sohn, ließ sich deshalb nicht ermitteln. Einmal sagte sie, es sei alles stillgeblieben, dann wieder, sie hätten miteinander geredet, und zwar ziemlich lange; die beiden Türen waren aber geschlossen gewesen, und da sie nach ihrer Behauptung im Ofenwinkel gesessen war, konnte, wie durch mehrmaligen Versuch erwiesen wurde, der Schall von bloßem Sprechen unmöglich zu ihr gedrungen sein. Auch ihre Angaben, wie lange Urbas in der Kammer geweilt, waren auffallend unsicher; bald sagte sie, es könne nur eine Viertelstunde, bald, es müßte mehr als eine Stunde gewesen sein. Das Mordmesser hatte nicht Urbas gehört, sondern dem Sohn; ob es dieser bei sich getragen oder ob es in der Kammer gelegen, war ebenfalls nicht zu ermitteln. Hierüber verweigerte Urbas jede Auskunft, und so wichtig der Umstand war, er konnte vorerst nicht ins klare gebracht werden.

Ich gestehe, daß mir alle diese Vorgänge trotz ihrer Unheimlichkeit zunächst wenig Interesse einflößten. Sie waren als Begleiterscheinung eines solchen Verbrechens typisch. Der Vater ein unbeugsamer Starrkopf, beleidigt in seinem bäuerlichen Ehrgefühl, in echt bäuerlichem Dünkel keine Instanz über sich anerkennend, der Sohn ein Lump, dessen vorzeitiges und gewaltsames Ende man kaum recht bedauern konnte, die Mutter haltlos zwischen beiden schwankend; es war die übliche Konstellation, und die Gerechtigkeit konnte ihren Lauf nehmen, ohne daß sie auf hemmende Dunkelheiten stieß.

Nach und nach aber, bei genauem Einblick in die Vergangenheit und die Art des Adam Urbas, wurde meine Aufmerksamkeit nachhaltiger gefesselt. Es war, als gingest du an einer Mauer,entlang, die aussieht wie alle andern Mauern in der Welt; plötzlich gewahrst du, erst kaum bemerkbar, dann immer deutlicher, gewisse Zeichen und Runen, die zu prüfen ein Etwas dich zwingt; du kommst nicht mehr los, du beginnst Gruppe um Gruppe zu entziffern, und schließlich wird dir eine unerwartete Mitteilung über das verschlossene Gebiet, das hinter dieser Mauer liegt.

Die Urbassche Ehe war dreizehn Jahre kinderlos gewesen. Die Frau hatte es als unabwendbares Schicksal getragen, der Mann aber hatte sich aufgelehnt gegen den Spruch der Natur. Er war der Letzte eines uralten Bauerngeschlechts; in fränkischen Chroniken des vierzehnten Jahrhunderts schon werden die Urbas genannt. Ihn dünkte es wie Schmach, daß er keinen Leibeserben haben sollte. Wozu war das Schaffen und Sparen, Säen und Ernten? Wozu das Haus mit den angefüllten Truhen, das Vieh im Stall, das Getreide in der Scheune, wozu Acker und Wiese, Mühle, Fluß und Wald?

Er äußerte sich nicht; gegen sein Weib nicht, gegen andere Menschen nicht. Er verzog keine Miene, wenn die andeutende Rede darauf fiel. Kein hartes Wort das Jahr über, keine Erkundigung.

Aber einmal im Monat geschah es, daß er den Blick auf der Frau ruhen ließ. Es ging höhere Gewalt aus von dem Blick. Er wurde dabei nicht von einer bestimmten Absicht gelenkt; es gewann Macht über ihn und brach hervor. Auf dem Feld konnte es sein: er hörte auf, die Garbe zu binden und schaute sie an; beim Abendessen: er ließ den Löffel in die Schüssel fallen und schaute sie an; in der Nacht: die Bäuerin erwachte, er lag da, auf den Arm gestützt und schaute sie an. Auf dem Platz vor der Kirche: sie stand im Gespräch mit andern Weibern, plötzlich verstummte sie, denn er stand drei Schritte vor ihr und schaute sie an. Ohne Zorn, ohne Drohung, ohne Vorwurf, nur prüfend, aus umbuschten Augen, still und lang.

Einmal im Monat geschah es und war mit Sicherheit zu erwarten. Anfangs ging es der Bäuerin nicht nah. Sie hielt es für eine Schrulle. Sie gab sich keine Rechenschaft, worauf es abzielte. Sie lachte; sie zwang sich zu einem muntern Wort. Später duckte sie sich, flüchtete mit Sinn und Auge; aber es kamen Stunden und schließlich Tage, wo sie in Grübeleien verfiel und die Frage, die sie an den Bauern nicht zu richten wagte, an seinen geisternden Schatten richtete.

Können Menschen nicht miteinander reden, grübelte sie; wozu hat einer die Zunge im Maul, daß er nicht sagt, was er begehrt? Sie beschloß, den Mann anzuhalten. Doch wenn es soweit war und sie vor ihn hintrat, entfiel ihr der Mut. Verschuldung wuchs, um Aufschluß drängte eine Stimme, Aufschluß kam nicht, sie fühlte sich nicht schuldig, etwas war schuldig, das Etwas war in ihr.

Das wechselnde Tun während der lebendigen Jahreszeiten zwang die Tage immer wieder ins gleiche, aber für eine immer kürzer werdende Spanne. Die Angst vor des Bauern Blick, der auf sie eindrang, sooft das Blutzeugnis die Schuld vergrößerte, lähmte die Gedanken. Vom November bis zum Februar rückten die Steine und Balken des Hauses gefährlich aneinander, in den Stuben war schwerere Luft, der Himmel klebte an den Fensterscheiben, der Abend war ein nasser Sack um den Leib, das Linnen schleifte bleich über die Diele, die Kühe lagen in rosigem Dampf, und durch die Schneeschlucht heran zum Stall schwankte durch Irisringe breitgängig, die Laterne in der Hand, die hochschwangere Magd.

Alles war Leib, alles war Angst. Achtundzwanzig Tage und Nächte waren ohne Einschnitt; Urbas saß am Ofen, die Pfeife zwischen den Zähnen; ging ins Wirtshaus und kehrte am Abend zurück; saß wieder am Ofen und studierte die Zeitung; erhob sich, wenn der Topf mit Kraut und Klößen hereingetragen wurde; sprach das Gebet; hörte still zu, wenn die andern redeten, und nichts Heimliches war in seinen Mienen, kein Groll, der sich sammelte, nur Schweigen.

Dann aber kam die Stunde. Die Bäuerin spürte es schon in jeder Ader; die Haare fingen an zu knistern. Eine Tür ging auf, und er stand da; am Morgen, am späten Abend; war es nicht in der Stube, so war es in der Tenne; stand da mit dem unerforschlichen Blick. Kein Räuspern, kein Aufzucken, kein Wort, nur der Blick: Warum nicht? Warum alle und du nicht? Warum liegt dein Acker brach?

Zwölf Jahre waren so verflossen, da hatte die Kraft der Frau ein Ende. Ihr Gemüt umdüsterte sich. In den Nächten wälzte sie sich schlaflos. Durch die Finsternis brannten die Augen des Bauern, auch wenn er schlief. Hörte sie bei Tag seinen Schritt, so verkroch sie sich in einen Winkel der Scheune und kauerte zitternd, bis von allen Seiten das Rufen nach ihr erschallte. Die Zügel der Wirtschaft waren gelockert, das Gesinde wurde lässiger.

Sie versagte sich ihm. Ihr graute vor seiner Umarmung. Ergab sie sich nicht, so hatte er nichts zu fordern, schien es ihr in der Verdunkelung ihrer Sinne. Sie wurde kalt an Haut und Blut; das Weib in ihr erstarrte. Da aber fing Urbas an, um sie zu werben. Es war wie nie zuvor. Sie hatte es nie kennengelernt. Nicht mit Worten warb er, vielmehr in einem scheuen Dienst. Es lag oft etwas Beklommenes darin, als habe sie sich versteckt, und er müsse sie finden; als suche er und könne sie nicht finden. Er glich einem Tier, das leidet. Ein Jahr lang oder noch länger währte dies, und in der Zeit verlor sich die Angst der Bäuerin, denn sie merkte, daß sie nicht bloß eine an ihn hingeworfene Kreatur in seinen Augen war, der man zu fressen gibt und die man karessiert, wenn sie geschuftet hat, und einen Fußtritt verabreicht, wenn sie nicht leistet, was man von ihr verlangt, sondern daß sie noch was anderes für ihn bedeutete, der Ehrung und der Befragung Würdiges.

Sie wandte sich ihm mit bereitwilligerem Herzen wieder zu; einen Monat darauf wurde sie schwanger.

Als dies keinem Zweifel mehr unterlag, verwandelte sich ihr Wesen vollends. Mit jungen Schritten eilte sie durchs Haus, trieb die Säumigen heiter zur Arbeit, legte selbst überall Hand an, gesprächig, hell, aufgeblättert. Staunen war um sie. Auch Urbas wunderte sich. Sie mochte ihm, was bevorstand, nicht geradezu ankündigen; sie wünschte eine Form, in der es festlich und wie ein Geschenk wirken sollte. Am Gründonnerstag legte sie das Staatskleid an, dazu die langen schwarzen Kopfschleifen mit den silbernen Spangen, dann rief sie Urbas in die obere Stube, wo die Glasschränke standen mit dem alten Silber und Porzellan, Jahrhunderterbe. Gewichtig setzte sie sich in den Lehnstuhl, faltete die Hände über dem Leib und sagte, was zu sagen war, kurz und simpel.

Durch Urbas' mächtigen Körper ging ein Ruck. Als sie von dieser Stunde sprach, neunzehn Jahre später sich dieses Geständnisses entsann und wie Urbas sich dabei verhalten, war ihr noch immer die Erschütterung anzumerken, die sie damals gespürt. Sein erdbraunes Gesicht wurde rot wie Mohn. Er stieß eine dröhnende Lache aus. Darnach rann ihm die Nässe aus den Augen. Er trat auf sie zu und schlug sie so derb auf die Schulter, daß sie schrie. Bestürzt, sie könne nicht als Liebkosung nehmen, was so gemeint war, tätschelte er ihr den Rücken, zärtlich, andächtig, und ließ dazu ein melodisches Gebrumm in der Kehle orgeln.

Auf sein strenges Geheiß mußte sie sich pflegen. Er ging heimlich zum Doktor und bat um Weisungen. Damit die zwei Arme nicht fehlten, heuerte er noch eine Magd. Er überwachte sie; er räumte ihr aus dem Weg, was sie beim Schreiten hinderte. Als die Kinderwäsche genäht wurde, saß er bisweilen mit runden Augen daneben und wiegte den schweren Schädel.

Alles verlief der Natur gemäß, auch die Stunde am Ausgang der neun Monate. Lange hielt Urbas das Neugeborene in der Hand, lange betrachtete er das trübselig-ungestalte Ding. Auf seiner Stirn wetterte es freudig und sorgenvoll.

Simon wuchs auf wie alle andern Bauernkinder; es wurde ihm nichts leichter gemacht. Keine Kenntnis durfte ihm davon werden, wie lang man auf ihn gewartet hatte und mit welcher Ungeduld. Was er seinen Leuten wert war, mußte sich aus seiner Brauchbarkeit ergeben. Frühe Launen zerschellten an der festgefügten Ordnung; frühe Krankheiten waren die Probe, die zu bestehen war: taugst du oder taugst du nicht? Allerdings, wer scharf zusah, konnte dann an Urbas eine unruhige Gespanntheit wahrnehmen, als behorche er den innersten Blutgang im Leib des Knaben.

Das Behorchen blieb in seinen Zügen. Es grub sich faltenmäßig ein. Schien es, wie wenn er nicht beachte, was Simon tat und sprach, so war es falscher Schein. Niemand in seiner Umgebung konnte ermessen, mit welcher Genauigkeit er in diesem Punkte sah. Ich erfuhr es. Ich erfuhr es in einer Weise, die weder zu vergessen noch eigentlich mitteilbar ist. Es wären dazu andere Behelfe nötig, als sie mir zur Verfügung stehen.

Eine fast erhabene Vorstellung von dem Verhältnis zwischen Vater und Sohn war mit seinem Wesen verschmolzen. Er fühlte sich als Bauer, das heißt, er fühlte sich als König. Die Erde war seine Erde. Der Knecht war sein Knecht. Wetter wurde für ihn gemacht und für den Acker und für die Ernte. Er war Herr über das Land; sein Auge grenzte es ab bis zu dem Stein, der von alters her unverrückt stand; kein Halm, der nicht in seinem Namen aufschoß. Eigentum war das Heiligste von allem, und Eigentum war des Herrn bedürftig, daß er es wachsam und unerbittlich verwalte, bis auf den Pfennig, bis auf das Saatkorn. Der Sohn übernahm es vom Vater, der Vater gab es dem Sohn, durch alle Zeiten hindurch; so war die Ordnung der Dinge, anders war die Welt nicht zu verstehn.

Aber das heißt vorgreifen, und ich will den Faden behalten.

Die förmlichen Verhöre, die ich mit Urbas vorzunehmen verpflichtet war, führten zu keinem nennenswerten Ergebnis. Die
Antworten waren immer dieselben, und sie jedesmal wiederholen
zu sollen schien ihm verwunderlich und lästig zu sein. Er beschränkte sich auf die Tatsache; erklären wollte er nichts. Sich zu
verteidigen, verschmähte er, auch von einem Rechtsbeistand wollte
er nichts wissen, und meinen Belehrungen und Ratschlägen setzte
er eine obstinate Gleichgültigkeit entgegen. Als ich ihm nahelegte,
daß er durch eine freimütige Darstellung der Beweggründe seines
Verbrechens eine bedeutende Strafmilderung erzielen könne, antwortete er lakonisch: »Es ist nicht an dem.« Ich entschloß mich,
auf die fruchtlosen Inquisitionen zu verzichten, zumal die Zeugen-
aussagen und alles, was mir über die Person des Ermordeten wie
über die des Angeklagten selbst bekannt geworden war, eine
lückenlose Motivkette geschaffen hatten.

Dennoch gab es zwei Momente der Ungewißheit, die aufzuhel-
len noch nicht gelungen war. Das eine war das Gutachten des
Gerichtsarztes über den Leichenbefund am Tatort. Die Lage des
Körpers zeigte nämlich nicht das geringste Merkmal von verübter
Gewalt, weder an der Art, wie die Gliederstarre eingetreten war,
noch an den Kleidern, noch am Gesichtsausdruck. Wäre nicht die
Selbstbeschuldigung des Bauern gewesen, so hätte sich der Beweis des Mordes schwer anbringen lassen. Das zweite knüpfte
sich an das unbestrittene Faktum, daß das Messer dem Simon Urbas gehört hatte. Der Bauer behauptete, es sei im Hosengürtel
Simons gesteckt, und er habe es einfach herausgezogen; auch zu
dieser Angabe verstand er sich erst nach häufigem, ernstlichem
Drängen. Sie trug das Gepräge der Unwahrscheinlichkeit an sich,
und am nächsten Tag widerrief er sie auch und sagte, das Messer sei aufgeklappt auf dem Tisch gelegen; Simon habe in der
Frühe noch Brot damit geschnitten. Als ich ihm mein Erstaunen
über diese Veränderung einer wichtigen Aussage nicht verhehlte,
blickte er scheu zu Boden. Es war das einzige Mal, daß ich etwas
wie Verwirrung an ihm zu beobachten glaubte.

Den beharrlich schweigenden Mund zum Reden zu bringen
wurde zwangvoller Trieb für mich. Fast ununterbrochen waren
meine Gedanken mit dem Menschen beschäftigt; die Deutlichkeit
der Erscheinung, die Hartnäckigkeit, mit der sie mich verfolgte,
beunruhigte und quälte mich. Immer wieder rief mir eine Stimme
zu: der Mann ist kein Mörder; das ist der Mann nicht, der hin-
geht und einem andern den Hals abschneidet, wie man ein Huhn
schlachtet; dem eigenen Sohn mit Abscheu erregender Brutalität

zum Henker wird. Doch hatte er es ja gestanden. Was war vorgegangen? Auf die Frage nach der Dauer seines Aufenthalts in
der Kammer hatte er stets geschwiegen oder höchstens die Achseln
gezuckt; erst beim letzten Verhör waren ihm, beinahe wider Willen, die Worte entschlüpft, er schätze, es könne eine halbe Stunde
gewesen sein. Was war in dieser halben Stunde vorgegangen?
Er gewahrte mein Nachdenken, und sein Gesicht verfinsterte sich.

Ich sah, den eigentümlichen Zustand meiner Unruhe und Ungeduld zu beenden, keinen andern Weg, als den Bezirk der Beruf-
lichkeit zu verlassen und ihm gegenüberzutreten, Mensch gegen
Mensch. Ein gewisses Vertrauen glaubte ich mir bei ihm erworben
zu haben; sooft ich mich bemüht gezeigt hatte, Heikles zart zu
behandeln, glaubte ich eine dankbare Regung in ihm verspürt zu
haben. Zögern machte mich nur noch die Erwägung, ob sich nicht
der angeborene Argwohn gegen den Zudringling aus der fremden Sphäre wenden würde, ob es nicht an den Mitteln zu natürlicher Verständigung von vornherein mangle. Aber darüber hal-
fen mir Bild und Gestalt hinweg; Adam Urbas war ja kein Bauer
gewöhnlicher Sorte; er gehörte zu unserer Bauern-Aristokratie,
seine bloße Haltung zeugte von Scharfsinn und Noblesse, und so
hoffte ich, daß ich den Weg zu ihm nicht vergeblich bahnte. Ich
überlegte nicht länger; eines Abends im Dezember war es, als ich
in das Gefängnisgebäude ging und mir die Zelle aufsperren ließ,
in der sich Urban befand.

Ich hatte ihm Vergünstigungen für die Haft erwirkt. Es war
ein wohnlicher Raum, anständig möbliert mit Waschtisch, Bett
und Spiegel, behaglich warm. Er saß bei der Lampe und hatte die
Bibel vor sich aufgeschlagen. Ich grüßte, zog den Mantel aus, hing
ihn an den Türhaken und setzte mich Urbas gegenüber an den
Tisch.

Sein Anblick frappierte mich jedesmal aufs neue; auch jetzt. Er
war massig wie ein Stier. Sein Kopf hatte die Rundheit der eingeborenen fränkischen Brachykephalen, doch wies der Schädel, besonders die Bildung an den Schläfen, Merkmale alter Zucht auf;
die Knochen waren dort auffallend dünn, die Haut bläulichgelb
und fast durchscheinend. Der Mund war weit geschnitten, mit
festverpreßten, schmalen Lippen, die Nase gebogen, mit starkem
Sattel; das Gesicht, an das eines alten Schauspielers erinnernd,
war sorgfältig rasiert, die Hände waren die eines Riesen. Die
träglidrigen Augen öffneten sich selten; dann aber hatte der Blick
eine überraschende Durchdringungskraft, so daß es auch mir nicht
leicht war, ihn auszuhalten.

Um das Gespräch einzuleiten, sagte ich, ich hätte schon lange das Bedürfnis empfunden, ihn aufzusuchen. Ich käme aber nicht in meiner Amtseigenschaft, sondern, wenn er wolle, als Freund, dem ein Besuch zufällig erlaubt sei. Im Grunde sei er mein Schutzbefohlener, und ich trüge die Verantwortung für sein Wohlergehen.

Er blickte mich schweigend an. Nach geraumer Weile sagte er: »Sehr gütig von Ihnen.«

Ich wehrte ab. »So möchte ich es nicht aufgefaßt haben«, sagte ich ungefähr; »ich wünschte, Sie sollen mir jetzt nicht mißtrauen. Dem Richter mißtraut man, unwillkürlich. Sie denken sich: Kommt er nicht als Beamter, um seine Akten vollzuschreiben, so kommt er doch als Neugieriger, um zu schnüffeln. Weder das eine noch das andere ist meine Absicht. Die Akten sind so gut wie geschlossen; wir stehen vor der Verhandlung. Zur Neugier ist für mich wenig Anlaß; es ist mir ja alles bekannt, will mir scheinen. Warum ich gekommen bin, weiß ich selbst nicht genau. Ich mußte. Es war wie Pflicht.«

Wieder antwortete Urbas lange nicht. Endlich sagte er: »Ich glaube Ihnen.«

Ich griff das Wort auf. »Wenn Sie mir glauben«, erwiderte ich, »dann können wir uns ja über das Geschehene wie zwei gute Bekannte in Ruhe unterhalten.«

Urbas dachte nach. Hierauf sagte er: »Wozu soll ich denn reden? Schlimm genug, daß es hat geschehen müssen.«

»Das ist eben die Frage«, warf ich ein; »hat es geschehen müssen? Müssen?«

Er hob den Kopf, aber die Lider blieben gesenkt. »Daran zu zweifeln wäre die pure Vermessenheit«, sagte er.

»Es gibt nicht nur einen Zweifel«, beharrte ich, »sondern die menschliche Gesellschaft verwirft Ihre Tat und verabscheut sie. Wollte jeder in einem solchen Fall nach eigenem Gutdünken entscheiden, so wäre des Schreckens kein Ende, so lebten wir wie unter reißenden Bestien. Wie Sie sich vor sich selbst und Ihrem höchsten Richter verantworten werden, weiß ich nicht. Uns Menschen sind Sie die Verantwortung noch schuldig.«

Urbas schüttelte den Kopf. »Was kann das Reden hinzutun oder wegtun?« murmelte er gleichgültig.

»Zwischen Ihnen und uns muß reiner Tisch werden«, sagte ich; »solange Sie sich trotzig verschließen, bleibt alles ein wüster Graus.«

»Wenn einer aber nicht die Worte hat?«

»Hat er sie nicht oder verweigert er sie nur aus Hoffart und aus Trotz?« entgegnete ich. »Prüfen Sie sich.«

Er sagte: »Die Zunge ist schwer; ich bin's nicht gewohnt.«

Seine Stirn furchte sich. Ich sah, daß ich nicht weiter in ihn dringen durfte. Ich wartete. Endlich murrte es aus seiner Brust: »Ich hab ihn gemacht.« Sein Blick bohrte nach unten. »Wenn ich ihn gemacht habe, darf ich ihn dann nicht auch vertilgen?« fragt' er mit einem seltsamen, listig-bösen Ausdruck. »Das mögt ihr Leute bestreiten, soviel ihr wollt: Den einer gemacht hat, den darf er auch wieder vertilgen, wenn's nur zum Unheil war, daß er kam. Ich hab ihn mir geholt; herausgegraben aus seiner Mutter Schoß. Andere Weiber tragen die Frucht neun Monate. Von der kann man sagen, sie hat sie dreizehn Jahre getragen. Ich hab ihn von ihr verlangt; ich hab ihn vom Herrgott verlangt. Ich hab ihn mir zurechtgerichtet, bevor er noch da war. So und so, dacht' ich, wirst du mir werden. Wie ein Stück Lehm, das einer aus dem Erdreich schneidet und bastelt daran und knetet es nach seinem Sinn. Auf einmal hat er nichts als eitel Dreck in der Hand. Da schmeißt er's wieder hin, von wo er's hergenommen hat.«

Der listig-böse Zug verstärkte sich. Er musterte mich durch einen Spalt zwischen den Lidern.

»Daß es zum Unheil war, hat sich erst nach und nach erwiesen«, sagte ich.

Er unterbrach mich mit einer herrischen Gebärde. »Von Anbeginn mißraten. Mißratenes Blut; ich hab es mit meiner Nase gerochen. Andere, von schlechterer Herkunft, wachsen auf, ohne daß man ihrer viel achtet, und mißraten doch nicht. Biegen sie sich am Anfang krumm, so biegt sie die Zeit wieder grade. Bei ihm wurde das Krumme immer krummer. Da sah ich, es wird großes Leid entstehn. Und so war's. Jeder Tag ein Sandkorn davon, zuletzt ein Berg. Da bin ich gestanden und habe mich gefragt: Was will das werden? Hat man's an einer Stelle fortgeschaufelt, war's an der andern doppelt so hoch; hat man's angegriffen, ist's zwischen den Fingern zerronnen. Es war keine Hilfe.«

»Aber können nicht auch schadhafte Keime durch eine sorgfältige Pflege zum Gedeihen geführt werden?« hielt ich ihm entgegen. »Haben Sie sein Gewissen zu wecken versucht? Haben Sie ihn in ernstliche Zucht genommen?«

Urbas hob zum erstenmal die schweren Lider, und in seinen Augen war etwas Verstörtes. »Herr«, erwiderte er jäh, »das Element kann einer nicht bewältigen. Schafft's das Auge nicht, so schafft's auch das Maul nicht, hab ich mir gesagt. Schafft's das

Beispiel nicht, so schafft's auch der Prügel nicht. In dem Punkt, den Sie meinen, hat die Bäuerin ihre Schuldigkeit getan. Eine Weibsperson versteht das besser. Wenn er nicht hat spüren können, daß meine Stimme auch dabei war, was war dann an ihm nutze? Wenn er nicht hat hören können, was ich ihn ohne mein Reden habe vernehmen lassen, wäre auch des Propheten Wort nur leerer Schall für ihn gewesen. So hab ich mir gesagt. Ich bin vorangegangen, er hätte nachgehen können; ich bin ihm nachgegangen, er hätte sich umdrehn können. Er hat mich nicht gesehen, er hat mich nicht gehört. Mich widert's, daß ich einen Menschen soll packen und ihm ins Ohr schreien: Mensch, sei ordentlich. Was soll das frommen, wenn's ihm nicht in der Art liegt? Verzieht einer seine Fratze zum Hohn, während andere beten, so ist er eine verlorene Kreatur. Zucht schlägt an, wo nicht an der Wurzel der Wurm schon nagt.«

»Wußten Sie denn das ganz genau?« fragte ich, und wie ich vermute, nicht ohne Schüchternheit, denn seine Worte, seine Stimme hatten finstere Wucht. »Waren Sie denn von Ihrer eigenen Unfehlbarkeit so fest überzeugt?«

Er streckte den Arm über den Tisch und antwortete schweratmend: »Wenn mein Fleisch und Blut wider mich aufsteht, so kann ich nicht mit ihm rechten wie mit einem Händler, der mich betrügt. Wenn der Same, den ich ausgestreut, mir als Schlangenbrut entgegenzüngelt, so kann ich nicht wie ein Schulmeister mit dem Bakel dreinfahren. Das hat kein Verhältnis, das hat keine Menschenwürde. Wenn einer Böses wirkt und Aberböses, auf den man die Zukunft gebaut, unabänderlich Böses, bis Haus und Hof im Schlamm ersticken, was soll man da tun? Soll man ihm die Knochen anders renken, ein anderes Hirn und Herz einblasen?«

Sein Gesicht, in seiner ganzen Mächtigkeit, bebte und flammte. Derselbe Mann, der sich so lange, ein Lebensalter vielleicht, der mitteilenden Reden enthalten, riß vor meinen Augen sein Inneres auf und hatte Worte, Bilder, Töne, die mich verstummen machten und fast mit Angst erfüllten. Doch ich hatte plötzlich den unabweisbaren Eindruck, daß er nur scheinbar mit mir redete, nur scheinbar sich an mich wendete; daß er in Wirklichkeit sich eines abwesenden Bedrängers zu erwehren suchte, der nicht erst seit heute ihm mit Fragen und Vorwürfen zusetzte. Mir wollte es scheinen, als wäre alles, was er gegen mich äußerte, schon als feuriggärender Stoff in ihm angesammelt gewesen, und nun quölle es aus ihm heraus, schleudre sich hervor; er konnte es nicht hemmen, und während dies Gewaltige, gewaltig Unterdrückte redete, schien er selbst in Grimm und Qual und noch immer stumm zu lauschen.

Übrigens klang seine Stimme ruhiger, als er mit eckigen Kinnladenbewegungen, den Kopf gesenkt, fortfuhr: »Es könnte wer fragen: Wann hast du angefangen, alles zu wissen, und wann hast du aufgehört zu hoffen? So frage er den Aussätzigen: Wann hat deine Haut zu schwären angefangen? Er hat es am ersten Tag gewußt, natürlicherweise, aber den Aussatz hat er erst geglaubt, wie es ihn ins Siechenbett gezwungen. Bin gelegen, Nacht für Nacht; hab gesonnen und gesonnen. Hab mich durchforscht, hab ihn durchforscht. Hab dies erwogen, hab jenes erwogen. Hab zugesehen und zugesehen, wie der Aussatz um sich gefressen hat. Hab mir den Geist zermartert, wie das Übel zu fassen wäre. Zucht! Zucht kommt immer um den Schritt zu spät, den die Unzucht voraus hat. Das Rohr, mit dem ich seinen Rücken zerbleut', wär' mir in der Faust zerbrochen, und die Narben auf dem Fleisch hätten ihn bloß verhärtet. Hätt' ich ihm Regeln vorsagen sollen? Was für Regeln? Welche sind erprobt? Hätt' ich ihn an Ketten legen sollen wie einen Hund? Alles, was ich an ihm angepackt, war doch mein. Ich der Baum, er der Zweig; ich der Docht, er das Licht; ich das Erdreich, er der Quell. Wie soll denn der Baum zum Zweig reden? Es rinnt ja der nämliche Saft durch. Und der Docht zum Licht? Er nährt es ja. Und der Boden zum Wasser? Es kommt ja aus ihm. Schön; aber woher kommt die Schlechtigkeit? Sie ist da und breitet sich aus wie das Feuer in dürrem Holz; aber woher kommt sie? Und was das für ein unbarmherziges Gestaffel hat: erst die kleine Lüge, dann die große; erst das Tier malträtiert, dann den Menschen; erst Tagdieberei, dann Ehrabschneiderei; erst ein Hansguckindieluft, dann ein Hurentreiber. Kein Respekt, kein Glauben, keine Redlichkeit, keine Liebe. Woher ist das alles gekommen? Aus mir? Es ist wohl schließlich an dem. Und da hab ich mich gefragt: Wo, Urbas, und wann ist dein sterblich Teil oder dein unsterbliches so von der Hölle versengt worden, daß du solchen Stank und Unrat in die Welt gesetzt hast? Ist denn der Mensch nichts als ein geiler Schleim, daß er nur wieder geilen Schleim hervorbringt?«

Er sah mich mit seinem großen Blick an wie ein Lastenschlepper, der unter der schweren Bürde keucht. Es entstand eine Stille. Er wischte sich mit dem Rockärmel die Feuchtigkeit von der Stirn. Ich begriff seine Erschütterung, und sie teilte sich mir mit, aber mein in Zwiespalt geratenes Gefühl zieh ihn der Überheblichkeit, und ich konnte mich nicht enthalten, es zu äußern. »Ein solches

Maß von Verantwortung sich zuzuschreiben geht meines Erachtens weit über das hinaus, was einem Menschen verstattet ist«, bemerkte ich; »übernimmt man sich in dem, wozu man sich verpflichtet wähnt, so vergreift man sich auch in seinen Rechten. Sie berufen sich in allen Stücken auf sich allein; als Mann und Vater nur auf sich selbst. Wie steht dann aber die Mutter da, die doch den gleichen Anspruch auf den Sohn hat, den stärkeren sogar? Die wird Ihre Gründe nicht billigen und gewiß nicht die Tat, für die Sie alle Bande der Familie zerreißen mußten.«

»Darüber läßt sich nicht disputieren«, antwortete Urbas hart; »das geht dorthin, wo das Denken aufhört. Ob sie meine Gründe bewilligt, weiß ich nicht. Sie hat verspielt, und ich hab verspielt. Ist bei ihr der Kummer groß, so ist bei mir die Verdammnis noch größer. Bleibt ihr nichts vom Leben übrig, so ist mir's schon vergällt seit Jahr und Tag. Freilich ist sie mehr zu bedauern. War's doch, als gäb' ihr Leib ungern die Frucht her und sträube sich ahndungsvoll gegen meine eitle Torheit und Ungeduld. Man muß nur die Natur recht verstehn, aber man versteht sie mitnichten und will's besser machen und rennt wie ein Bock wider die verriegelte Tür. Es sollte kein Weib ein einziges Kind haben, da steht zuviel drauf. Meine Mutter hat neun; davon sind allerdings sieben gestorben; meine Ahn sechzehn, und auch von denen sind acht früh mit Tod abgegangen. Solches Sterben hat nichts Bitteres. Von den Körnern bei der Aussaat gehen auch nicht alle auf. Ein einziges Kind soll man nicht haben; damit nimmt man sich zuviel vor, wie beim Lotteriespiel. Da ist kein Ausgleich, da schlägt die Flamme auf einen zurück und wird Qualm. Eine Mutter bangt vielleicht, und ihr Gemüt fällt in Finsternis, wenn ihr ein und alles verworfen ist vor Gott und Menschen; aber sie ist drin gefangen für Zeit und Ewigkeit, und träte er mit der aufgehobenen Hacke vor sie hin, sein Leben gälte ihr mehr als ihres. Kein Gut, kein Böse mehr; das Blut schreit lauter. Ich derweil! Vater, hat's mich angerufen. Was ist das, Vater, hab ich mich gefragt und hab nach dem Ursinn geforscht. Wär ich zur Magd ins Bett gegangen und hätte mit ihr einen Sohn gezeugt, der hätte mich auch Vater genannt. Wär's dasselbe gewesen? Es wäre nicht dasselbe gewesen. Vielleicht wär der der Geratene, der Ehrfürchtige, der Gewünschte gewesen. Warum nicht ihn gezeugt, warum den Mißratenen? Aber da steht das Gesetz dagegen auf, und das Gesetz ist heilig. Und wär dann das Weib noch mein Weib gewesen? Ich will einmal sagen: Der Mann reicht weiter hinauf und hinunter denn das Weib. Ich will auch dieses sagen: Der Vater ist tiefer in der Schuld denn die Mutter. Die Mutter sitzt am Rocksaum unseres Herrn, und er mag ihr nichts zuleide tun. Nach dem Vater wird gefragt, er muß Rechenschaft ablegen. Mitteninne steht er in der Geschlechterkette; die obern deuten auf ihn, und die untern deuten auf ihn. Er darf sich nicht gefallen in der Zärtlichkeit und Liebkosung, denn aus den Augen des Sohnes schaut ihn die Gemeinde an, schaut ihn der Kaiser an, schauen ihn die Altvordern an und alle, die nachher sind bis ins vierte und fünfte Glied. Der Sohn ist ihm verliehen als ein Pfand, will ich einmal sagen, daß er es der Welt zurückgeben soll, wenn die Zeit reif ist. Weh dem, der mit leeren Händen kommt und sprechen muß: Ich hab's verwirkt.«

Er schaute starr in die Luft, erhob sich vom Stuhl und wiederholte laut: »Ich hab's verwirkt.« Dann setzte er sich wieder.

Ich wagte nicht die Versunkenheit zu stören, in die er fiel. Auch suchte ich in meinen Gedanken einen Weg, der weiterführte. Von Minute zu Minute war ich meiner Sache sicherer geworden, aber ich hatte Furcht. Eine solche Sicherheit war in mir, daß Vorgänge, die sich bis jetzt auf bloße Vermutungen und Kombinationen gestützt hatten, die Leuchtkraft des Erlebten gewannen, und in einer seherischen Glut fügte sich Bild an Bild. Zweifellos trug hierzu das Fluidum des Menschen bei, der mir gegenübersaß, und daher auch die Furcht. Ich habe trotz einer langen Laufbahn als ausübender Jurist und Richter, oder vielleicht durch sie, die Übertragbarkeit und außerordentlichen Seelenzustände zu oft erfahren, um sie hier zu leugnen, wo ich plötzlich eine Fähigkeit zu entfalten vermochte, die ihr entwuchs. Es war etwas Grandioses um den Mann; seines Geheimnisses mich zu bemächtigen dünkte mich fast unerlaubt; ich zauderte; ich fand das Wort nicht; schließlich aber unterbrach ich das tiefe Schweigen, beugte mich weit über den Tisch und fragte: »Sie sind in die Kammer hinübergegangen, um ein Ende zu machen?«

Er antwortete nicht. Die aufeinandergepreßten Lippen schienen sich der Rede wieder verweigern zu wollen. Doch für mich barst diese hartnäckige Stirn; sie öffnete sich wie ein Buch, und ich konnte in dem Raum dahinter lesen. »Sie waren zweimal in der Kammer«, sagte ich plötzlich aufs Geratewohl, oder vielleicht ist das falsch: aufs Geratewohl, vielleicht geschah es unter der brennenden Eingebung und Vision des Augenblicks; »zweimal; als Sie sie das erstemal verließen, lebte Simon noch. Als Sie das zweitemal hineingingen, lag er schon als Leiche auf dem Bett.«

Ich hatte nie gedacht, daß das Gesicht dieses Bauern, das von

Natur braun war wie gebeiztes Holz, so weiß werden könne. Das Weiße quoll förmlich aus den Poren heraus und überzog die Haut mit einem Schimmer wie von nassem Kalk. Er stierte mich mit weiten Augen an, seine Backen schlotterten, und mit beiden Händen griff er an den Hals. Nun gab es keine Unschlüssigkeit mehr für mich; ich zwang mich zu angemessener Ruhe und fuhr fort: »Sie sind zu ihm gegangen, um ihm Geld zu bringen. Sie hatten an dem Sonntag kein Geld im Hause und liehen sich unmittelbar nach Tisch zweitausend Mark von Ihrem Nachbarn Stephan Buchner aus. Ist es nicht so? Das Geld sollte dazu dienen, daß sich Simon auf der Stelle davonmachte. Er sollte nach einer Hafenstadt, am selben Abend noch, und von dort nach Amerika. Ist es nicht so? Sie boten ihm das Geld, Sie entwickelten ihm Ihren Plan, und Sie erwarteten, daß er ohne Zögern gehorchen würde. Aber er gehorchte nicht nur nicht, sondern er schlug auch das Geld aus. Sie fragten ihn, da begann er zu sprechen. Zuerst war, was er vorbrachte, wirr und faselnd, denn er war noch benebelt von dem Trinkgelage, dann aber wurde seine Rede klar, Ihnen jedenfalls furchtbar klar. Sie standen vor ihm und schwiegen. Sie nahmen nicht einmal Anstoß daran, daß er auf der Bettstatt liegenblieb und in die Luft hineinsprach; denn Sie fühlten, daß er nicht den Mut gehabt hätte zu sprechen, wenn er Ihnen ins Gesicht hätte schauen müssen. Sie haben zugehört, nur zugehört, und aus dem Zuhören entstand alles übrige. Verhält es sich so oder nicht?«

Urbas ließ den angstvollen Blick nicht eine Sekunde lang von mir. »Da müssen Sie wohl als ein verzauberter Geist im Hause gewesen sein«, stammelte er verstört.

»Nein«, erwiderte ich; »es sind einfache Schlußfolgerungen aus Tatsachen. Die unscheinbarsten Tatsachen hinterlassen oft die eindringlichsten Spuren. Denken Sie nicht an Zauberei und Blendwerk. Eines Menschen Tun und Treiben wirkt nach allen Richtungen hin mit sonderbarer Gesetzmäßigkeit. Es ist, als schleudre man einen Stein ins Wasser; die Ringe breiten sich aus und vergehen, aber die Bewegung kann doch gemessen werden, auch wo das Auge längst nichts mehr gewahrt. In dem Betracht kann wirklich keiner entrinnen; jeder Schritt nach jeder Seite, was er mit dem Finger faßt und mit dem Atem behaucht, knüpft ihn fester in das Netz. Ich besitze eine Zeugenschaft, der ich anfangs wenig Wert beilegte; im Lauf der Zeit erst begriff ich ihre Wichtigkeit. Es gibt da einen Eichstädter Maler namens Kießling, Freund und Zechkumpan von Simon; ein verbummelter Kerl, eine verkommene Existenz; aber nicht ohne derbe Aufrichtigkeit. Der wußte mancherlei zu erzählen. Wie Sie sich erinnern werden, verschwand im vorigen Winter in Ihrem Haus eine von den alten, schönen Porzellankannen. Sie, wie auch die Bäuerin, dachten nicht anders, als daß Simon sie sich angeeignet und beim Händler in der Stadt verklopft habe, denn es war ein wertvolles Stück; die Bäuerin äußerte sogar den Verdacht, Kießling habe bei dem Diebstahl seine Hand als Hehler im Spiel. Daß Simon die Kanne genommen, ist richtig; ebenso, daß Kießling daran interessiert war; er hätte wohl den Beuteanteil nicht verschmäht, wenn er es auch jetzt in Abrede stellt. Aber so weit kam es gar nicht. Simon zertrümmerte die Kanne vor den Augen seines Freundes. Sie waren in dessen Bude beisammen, drüben an der Pleinfelder Chaussee; Simon hatte die Kanne gebracht, Kießling nahm sie, beschaute sie, prüfte sie und wollte eben seine Anerkennung kundgeben, als Simon sie ihm wieder entriß und mit aller Kraft gegen den Fußboden schmetterte, wo sie natürlich in hundert Scherben zerbrach. Der andere machte ihm zornige Vorwürfe, aber Simon, nachdem er eine Weile finster vor sich hingebrütet, rief plötzlich aus: Ich möcht' ihm einmal einen rechten Tort antun, so daß er's spürt bis in die Eingeweide hinein. Kießling wußte nicht gleich, auf wen der Ausbruch gemünzt war; seine Bekanntschaft mit Simon war damals noch neu; später wurde ihm dann die Sache klar. Er sagte, er habe nie einen jungen Menschen gesehen, der einen solchen Haß gegen seinen Vater gehegt hätte. Von Zeit zu Zeit wiederholten sich die Anfälle, ähnlich jenem ersten; eine ohnmächtige Erbitterung kam über ihn, ein Trieb, zu zerstören; zu anderer Zeit wieder war es eine krankhafte Freudlosigkeit, ein melancholisches Hindämmern und stilles Glosen. Oft schien es nicht Haß zu sein, sondern Furcht; oft nicht Furcht, sondern etwas viel Unergründlicheres. Eine Äußerung, die auch von dritten Personen bezeugt ist, war die: Möcht' ihm einmal alles ins Gesicht sagen können, dann würde mir wohl. Was konnte er damit gemeint haben? Abgesehen von Kießling, schildern ihn auch sonst Leute, die ihn kannten, nicht als schlecht; es sind meist Leute, denen man ein unbefangenes Urteil zutrauen darf. Sie bezeichnen ihn als schwachen, leicht verführbaren Charakter, als einen Menschen ohne Verwurzelung gleichsam; ausschweifend wie einer, der sich betäuben will, arbeitsscheu wie einer, der fortwährend auf der Flucht ist und verfolgt wird, lasterhaft aus innerer Öde, aber keineswegs schlecht. So beurteile auch ich ihn jetzt. Aber von wem fühlte er sich eigentlich verfolgt? Wem hat er getrotzt? Was war zu betäuben? Ich glaube, wir beide, Urbas, wir wissen es. Wenn auch die ganze Welt darüber sich den Kopf zerbricht, wir wissen es. Bis zu jenem Abend in der Kammer haben Sie es nicht gewußt. Dort haben Sie es erfahren.«

Er atmete auf; sein Gesicht zuckte wie von inneren Stößen; er schien etwas sagen zu wollen, aber er vermochte es nicht. Doch die Lichter und Schatten in diesem kantigen, kraftvoll bewegten und wahrhaftigen Antlitz hatten ihre eigene Beredsamkeit; das düstere Staunen, der fast abergläubische Schrecken über die plötzliche Enthüllung dessen, was er für sein unantastbares, ewig verwahrtes Geheimnis gehalten, war von ihm gewichen, aber da er das Geheimnis nicht mehr zu schützen hatte, war auch das Gemüt der schweren Last entledigt; daher dies tiefe Aufatmen, das mich bewegte. Ich fand mich verpflichtet, ihm noch über die letzten Hemmnisse zu helfen, und ich sagte: »Erwägt man es genau, so sind die Menschen weit übler daran als die Tiere. Die Tiere können einander nicht mißverstehen. Die Menschen mißverstehen einander im Blut wie im Geist; der Bruder den Bruder, der Freund den Freund, der Vater den Sohn. Jeder steckt in seinem Mißverstehen wie in einem schwarzen Kellerloch, aber eine wunderliche Verblendung macht, daß er es für eine hellerleuchtete Wohnstube hält. Und wenn er meint, daß der Herrgott selber sich um ihn bemüht und ihn zu seinem Sprachrohr auserwählt, so zeigt sich's am Ende, daß es bloß der Teufel war. Dreizehn Jahre lang war Ihr ganzes Trachten auf einen Sohn gerichtet, und wie er dann da war, haben Sie achtzehn Jahre lang gebraucht, um dahinterzukommen, was es mit ihm für eine Bewandtnis hatte; und da war's zu spät. Ist's also nicht kläglich bestellt um die menschliche Vernunft und Weisheit? Wozu noch fernerhin sich verstecken, Urbas? Welchen Zweck soll es haben, sich eines Verbrechens anzuschuldigen, das Sie nicht begangen haben? Sich Mörder zu nennen an dem, der sich selbst den letzten Weg gewiesen hat? Wozu das frevle Spiel mit der irdischen Gerechtigkeit? Wozu, Mann, wozu?«

»Das will ich Ihnen einbekennen, wozu«, sagte Urbas, »weil nun meine Partie doch ganz und gar verloren ist. Ich will es Ihnen einbekennen, aber haben Sie Geduld mit mir; es fällt mir schwer.« Seine Blicke suchten innen; seine Finger bewegten sich, als suchten auch sie: das einschränkendste und unbedingteste Wort, die verläßlichste Übermittlung. Er begann stockend: »Es ist wahr, ich bin hinüber zu ihm, um ihm das Geld zu geben. An Amerika hab ich nicht gedacht; nur möglichst schnell fort mit ihm, dacht' ich, und möglichst weit, damit einem wenigstens der Gendarm im

Haus erspart wird. Ich bin hinübergegangen, und weil's finster
in der Kammer war, hab ich erst die Kerze anzünden müssen, und
da ist er auf seinem Bett gelegen und hat mich angeschaut. Es ist
wahr, er hat das Geld nicht genommen; er hat das Gesicht zur
Wand gedreht und die Zähne geknirscht und gesagt, ihm könne
das nicht mehr nützen. Ich bin vor der Bettstatt gestanden und
spreche zu ihm: Steh auf, wenn dein Vater vor dir steht. Da dreht
er das Gesicht wieder zu mir, und weil eitel Spott und Hohn drin
geschrieben ist, schwillt mir der Zorn, und ich sage: Steh auf,
wenn dein Vater vor dir steht. Er aber spricht: Warum soll ich
denn aufstehen, da Ihr mich niedergeworfen habt? Die Fäuste
ballen sich mir wie von selber, und ich frage: Wie denn? Wie soll
ich dich denn niedergeworfen haben, du Luder? Da kommt es aus
seinem Mund hervor: Ihr. Weiter nichts. Ihr, sagt er. Ich blick ihn
an, und er blickt mich an, und eine Zeit vergeht so, dann wieder:
Ihr. Darin war so viel Gift und Wut und Geifer und solch ein ver-
krampftes, rabenböses Grollen, daß mir der Speichel im Munde
bitter wird. Was denn, Ihr, ruf ich ihn an, was denn, Ihr? –
O Ihr, spricht er hinter den Zähnen hervor, Ihr seid mir auf der
Brust gehockt, mein Leben lang. Da schwieg ich. Ihr habt gut vor
mir stehn und blitzen mit Euren Augen, fährt er fort; soll denn
das nicht endlich aufhören, daß Ihr mich anschaut mit Euren
Augen? So ist's immer mit Euch gewesen; anschaun, anschaun,
und kein Wort. Hinterm Tische sitzen und alles von einem wissen, und kein Wort. Weit habt Ihr mich gebracht mit Eurem Anschaun und Anschaun. Warum habt Ihr mich nicht genommen
und zu mir geredet? Niemals ein einziges Wort geredet? Da *muß*
einen ja die Verzweiflung packen. Wie soll er denn da nicht zu
den Menschern und zu den Saufbrüdern laufen? Die reden doch,
die lachen doch, die haben doch ein gutes Wort für einen, die sagen hü und hott, und man weiß, wie man mit ihnen dran ist.
Ihr aber, hab ich gewußt, wie ich mit Euch dran bin? Er liegt wieder auf der Lauer, dacht' ich; er hat was gegen dich vor, dacht'
ich. Ein Büblein war ich noch, ist mir schon der Bissen im Hals
steckengeblieben, wenn Ihr zur Tür hereingetreten seid. Hundertmal und hundertmal hab ich zu Euch hingewollt, aber die Angst
vor Euch hat mir's verwehrt. Was hab ich denn verbrochen, dacht'
ich, und wie ich dann was angestellt, war mir wohl und hab wenigstens gewußt, warum, und so hat mir's nie Ruhe gelassen, bis
ich nicht was Heilloses getan und den Leuten die Galle aufgeregt.
Ja, ich bin schlecht, aber ich weiß nicht, ob ich's von Geburt bin;
ja, ich bin zum Lumpenkerl geworden, aber Ihr braucht Euch des-

halb nicht wie der Heilige Geist vor mir aufzupflanzen, sondern solltet nachprüfen, was Ihr an mir gefehlt habt. Denn es hätte sein können, daß ich Euch hochgeehrt hätte, wie's in den Zehn Geboten steht, und kirre gewesen wäre wie ein Star. Das hätte sein können, weil's in mir war und bloß herausgetrieben worden ist. Bin ein Hundsfott geworden, und das Leben ist mir leid, und die Menschen und die Saufbrüder sind mir leid, und es freut mich nicht mehr. Dieses spricht er und noch einiges, ich hab's vergessen, und wälzt sich auf der Bettstatt und knirscht mit den Zähnen und flennt und lacht ingrimmig und kehrt sich wieder zur Wand und schweigt. Ich denke mir: Urbas, die Seele da ist hin, aber deine vielleicht auch. Worte hatt' ich keine. Es war eben so; was hätt's gefruchtet, meinen Schöpfer anzuwinseln? Worte hatt' ich keine. Ich geh hinaus. Im Hofe schreit ich bis zum Zaun. Es ist alles so friedlich wie in Frühjahrsnächten, wenn die Wurzeln in der Erde ihren Saft spinnen. Ich schaue zu den Sternen hinauf, aber das kann mir nicht dienen. Ich mache die Stalltür auf und schnuppre die saure, warme Luft, und einer von den Ochsen hebt den Kopf, indes er mit den Zähnen mahlt. Da überläuft's mich schauerlich, und ich denke: Du mußt zurück in die Kammer, und wenn du gleich keine Worte findest, irgendwas muß sein. Nun bin ich zurückgegangen, und wie ich eingetreten war, ist er bereits in seinem Blut gelegen. Da bin ich dann eine lange Weile gestanden, dann hab ich mir gesagt: Wenn dem so ist, so bist du der Mörder; hat er die Schuld bei dir gut, so mußt du sie bezahlen. Das ist es, was ich einzubekennen habe.«

Er kreuzte beide Hände über der offenen Bibel, und mit leiserer Stimme und sonderbar umschattetem Blick fuhr er fort: »Ich habe einen Traum gehabt, den will ich Ihnen noch erzählen. Es war in der Nacht, bevor sich das ereignet hat. Der Knecht tritt in die Stube und spricht: Bauer, die Gäule sind eingeschirrt, wir wollen fahren. Ich geh hinaus, es liegt tiefer Schnee, die Pferde stehn am Wagen, und ich fahre. Mit eins verlieren wir die Straße, und die Gäule waten im Schnee bis an den Bauch. Da seh ich auf einmal den Hof hinter mir brennen, und das Schneefeld ist rot beschienen. Die Gäule fangen an zu laufen und ziehn mich an der Leine mit, daß mir der Atem ausgeht. Ich kann die Leine nicht loslassen, sie ist um die Hand herumgeschlungen, und wie wir gegen die Altmühl herunterkommen, dort bei der Eisenbahnbrücke, wo das Wasser sechzig Ellen breit ist und mehr als zehn tief, da rennen die Gäule noch toller, und die Brandlohe bedeckt den ganzen Himmel. Der Fluß ist zugefroren, die Gäule drauf zu, und ich

denke mir in meiner Angst: Wird's die Pferde samt dem Fuhrwerk tragen? Die Gäule, schwere Ackergäule, sausen das Ufer
hinunter, aber das Eis hält. Da steht der Simon am andern Ufer,
und weil die Tiere auf der gefrorenen Bahn weiterrennen, schrei
ich zu ihm hinüber: Hilf, Simon. Und er: Ich muß heimgehen,
der Stall brennt, das Haus brennt. Und ich, ich kann mich nicht
auf den Wagen schwingen, die Gäule schleifen mich bereits, schrei
ich in der höchsten Not: Hilf, Simon, lös mich vom Riemen los.
Und er: Müßt Euch selber vom Riemen lösen, uns zweie trägt das
Eis nicht. Da ruf ich ihm zu: Alles ist dein, die Gäule und das
Fuhrwerk, hilf um Gottes willen. Nun kehrt er um, und wie er
umkehrt, stehen die Gäule still; aber wie er den ersten Schritt
tut, kracht das Eis, und wie er das hantige Pferd am Zügel faßt,
bricht das Eis, und Fuhrwerk und Gäule und ich samt dem Simon
versinken im Wasser. Und im Versinken bin ich aufgewacht.«

Er verstummte. Er erwartete keine Einrede mehr, ich hatte auch
keine mehr. Mit Erstaunen beobachtete ich, wie sein Aussehen im
Verlauf weniger Minuten um Jahre älter wurde, das Kinn spitz,
die Augen stumpf, der Hals dünn, die Hände welk, die Haltung
kraftlos. Der fordernde, hadernde, gewaltige Mann, der mir gegenübergesessen, war auf einmal ein hinfälliger Greis. Als ich
mich verabschiedete, sah er nicht empor, schien es kaum zu merken. Das Schweigen, in das sein ganzes früheres Leben eingehüllt
gewesen, breitete sich wieder über ihn, undurchdringlich und in
den Tod fließend. Denn am andern Morgen, wo er enthaftet werden sollte, fand ihn der Wärter am Fensterkreuz erhängt.

Erschienen 1920

HUGO VON HOFMANNSTHAL *1874–1929*

Das Erlebnis des Marschalls von Bassompierre

Zu einer gewissen Zeit meines Lebens brachten es meine Dienste
mit sich, daß ich ziemlich regelmäßig mehrmals in der Woche um
eine gewisse Stunde über die kleine Brücke ging (denn der Pont
neuf war damals noch nicht erbaut) und dabei meist von einigen
Handwerkern oder anderen Leuten aus dem Volk erkannt und
gegrüßt wurde, am auffälligsten aber und regelmäßigsten von
einer sehr hübschen Krämerin, deren Laden an einem Schild mit
zwei Engeln kenntlich war, und die, sooft ich in den fünf oder
sechs Monaten vorüberkam, sich tief neigte und mir so weit nach-
sah, als sie konnte. Ihr Betragen fiel mir auf, ich sah sie gleichfalls an und dankte ihr sorgfältig. Einmal, im Spätwinter, ritt ich
von Fontainebleau nach Paris, und als ich wieder die kleine Brücke
heraufkam, trat sie an ihre Ladentür und sagte zu mir, indem ich
vorbeiritt: »Mein Herr, Ihre Dienerin!« Ich erwiderte ihren Gruß,
und indem ich mich von Zeit zu Zeit umsah, hatte sie sich weiter
vorgelehnt, um mir so weit als möglich nachzusehen. Ich hatte
einen Bedienten und einen Postillon hinter mir, die ich noch diesen Abend mit Briefen an gewisse Damen nach Fontainebleau
zurückschicken wollte. Auf meinen Befehl stieg der Bediente ab
und ging zu der jungen Frau, ihr in meinem Namen zu sagen,
daß ich ihre Neigung, mich zu sehen und zu grüßen, bemerkt
hätte; ich wollte, wenn sie wünschte, mich näher kennenzulernen,
sie aufsuchen, wo sie verlangte.

Sie antwortete dem Bedienten: er hätte ihr keine erwünschtere
Botschaft bringen können, sie wollte kommen, wohin ich sie bestellte.

Im Weiterreiten fragte ich den Bedienten, ob er nicht etwa einen
Ort wüßte, wo ich mit der Frau zusammenkommen könnte. Er

antwortete, daß er sie zu einer gewissen Kupplerin führen wollte; da er aber ein sehr besorgter und gewissenhafter Mensch war, dieser Diener Wilhelm aus Courtrai, so setzte er gleich hinzu: da die Pest sich hie und da zeige und nicht nur Leute aus dem niedrigen und schmutzigen Volk, sondern auch ein Doktor und ein Domherr schon daran gestorben seien, so rate er mir, Matratzen, Decken und Leintücher aus meinem Hause mitbringen zu lassen. Ich nahm den Vorschlag an, und er versprach, mir ein gutes Bett zu bereiten. Vor dem Absteigen sagte ich noch, er solle auch ein ordentliches Waschbecken dorthin tragen, eine kleine Flasche mit wohlriechender Essenz und etwas Backwerk und Äpfel; auch solle er dafür sorgen, daß das Zimmer tüchtig geheizt werde, denn es war so kalt, daß mir die Füße im Bügel steif gefroren waren, und der Himmel hing voll Schneewolken.

Den Abend ging ich hin und fand eine sehr schöne Frau von ungefähr zwanzig Jahren auf dem Bette sitzen, indes die Kupplerin, ihren Kopf und ihren runden Rücken in ein schwarzes Tuch eingemummt, eifrig in sie hineinredete. Die Tür war angelehnt, im Kamin lohten große frische Scheiter geräuschvoll auf, man hörte mich nicht kommen, und ich blieb einen Augenblick in der Tür stehen. Die Junge sah mit großen Augen ruhig in die Flamme; mit einer Bewegung ihres Kopfes hatte sie sich wie auf Meilen von der widerwärtigen Alten entfernt; dabei war unter einer kleinen Nachthaube, die sie trug, ein Teil ihrer schweren dunklen Haare vorgequollen und fiel, zu ein paar natürlichen Locken sich ringelnd, zwischen Schulter und Brust über das Hemd. Sie trug noch einen kurzen Unterrock von grünwollenem Zeug und Pantoffeln an den Füßen. In diesem Augenblick mußte ich mich durch ein Geräusch verraten haben: Sie warf ihren Kopf herum und bog mir ein Gesicht entgegen, dem die übermäßige Anspannung der Züge fast einen wilden Ausdruck gegeben hätte, ohne die strahlende Hingebung, die aus den weit aufgerissenen Augen strömte und aus dem sprachlosen Mund wie eine unsichtbare Flamme herausschlug. Sie gefiel mir außerordentlich; schneller, als es sich denken läßt, war die Alte aus dem Zimmer und ich bei meiner Freundin. Als ich mir in der ersten Trunkenheit des überraschenden Besitzes einige Freiheiten herausnehmen wollte, entzog sie sich mir mit einer unbeschreiblich lebenden Eindringlichkeit zugleich des Blickes und der dunkeltönenden Stimme. Im nächsten Augenblick aber fühlte ich mich von ihr umschlungen, die noch inniger mit dem fort und fort empordrängenden Blick der unerschöpflichen Augen als mit den Lippen und den Armen an mir haftete; dann wieder war es, als wollte sie sprechen, aber die von Küssen zuckenden Lippen bildeten keine Worte, die bebende Kehle ließ keinen deutlicheren Laut als ein gebrochenes Schluchzen empor.

Nun hatte ich einen großen Teil dieses Tages zu Pferde auf frostigen Landstraßen verbracht, nachher im Vorzimmer des Königs einen sehr ärgerlichen und heftigen Auftritt durchgemacht und darauf, meine schlechte Laune zu betäuben, sowohl getrunken als mit dem Zweihänder stark gefochten, und so überfiel mich mitten unter diesem reizenden und geheimnisvollen Abenteuer, als ich von weichen Armen im Nacken umschlungen und mit duftendem Haar bestreut dalag, eine so plötzliche heftige Müdigkeit und beinahe Betäubung, daß ich mich nicht mehr zu erinnern wußte, wie ich denn gerade in dieses Zimmer gekommen wäre, ja sogar für einen Augenblick die Person, deren Herz so nahe dem meinigen klopfte, mit einer ganz anderen aus früherer Zeit verwechselte und gleich darauf fest einschlief.

Als ich wieder erwachte, war es noch finstere Nacht, aber ich fühlte sogleich, daß meine Freundin nicht mehr bei mir war. Ich hob den Kopf und sah beim schwachen Schein der zusammensinkenden Glut, daß sie am Fenster stand: Sie hatte den einen Laden aufgeschoben und sah durch den Spalt hinaus. Dann drehte sie sich um, merkte, daß ich wach war, und rief (ich sehe noch, wie sie dabei mit dem Ballen der linken Hand an ihrer Wange emporfuhr und das vorgefallene Haar über die Schulter zurückwarf): »Es ist noch lange nicht Tag, noch lange nicht!« Nun sah ich erst recht, wie groß und schön sie war, und konnte den Augenblick kaum erwarten, daß sie mit wenigen der ruhigen großen Schritte ihrer schönen Füße, an denen der rötliche Schein emporglomm, wieder bei mir wäre. Sie trat aber noch vorher an den Kamin, bog sich zur Erde, nahm das letzte schwere Scheit, das draußen lag, in ihre strahlenden nackten Arme und warf es schnell in die Glut. Dann wandte sie sich, ihr Gesicht funkelte von Flammen und Freude, mit der Hand riß sie im Vorbeilaufen einen Apfel vom Tisch und war schon bei mir, ihre Glieder noch vom frischen Anhauch des Feuers umweht und dann gleich aufgelöst und von innen her von stärkeren Flammen durchschüttert, mit der Rechten mich umfassend, mit der Linken zugleich die angebissene kühle Frucht und Wangen, Lippen und Augen meinem Mund darbietend. Das letzte Scheit im Kamin brannte stärker als alle anderen. Aufsprühend sog es die Flamme in sich und ließ sie dann wieder gewaltig emporlohen, daß der Feuerschein über uns hinschlug, wie eine Welle, die an der Wand sich brach und unsere umschlungenen Schatten jäh emporhob und wieder sinken ließ. Immer wieder knisterte das starke Holz und nährte aus seinem Innern immer wieder neue Flammen, die emporzüngelten und das schwere Dunkel mit Güssen und Garben von rötlicher Helle verdrängten. Auf einmal aber sank die Flamme hin, und ein kalter Lufthauch tat leise wie eine Hand den Fensterladen auf und entblößte die fahle widerwärtige Dämmerung.

Wir setzten uns auf und wußten, daß nun der Tag da war. Aber das da draußen glich keinem Tag. Es glich nicht dem Aufwachen der Welt. Was da draußen lag, sah nicht aus wie eine Straße. Nichts Einzelnes ließ sich erkennen: es war ein farbloser, wesenloser Wust, in dem sich zeitlose Larven hinbewegen mochten. Von irgendwoher, weither, wie aus der Erinnerung heraus, schlug eine Turmuhr, und eine feuchtkalte Luft, die keiner Stunde angehörte, zog sich immer stärker herein, daß wir uns schaudernd aneinanderdrückten. Sie bog sich zurück und heftete ihre Augen mit aller Macht auf mein Gesicht; ihre Kehle zuckte, etwas drängte sich in ihr herauf und quoll bis an den Rand der Lippen vor: es wurde kein Wort daraus, kein Seufzer und kein Kuß, aber etwas, was ungeboren allen dreien glich. Von Augenblick zu Augenblick wurde es heller und der vielfältige Ausdruck ihres zuckenden Gesichts immer redender; auf einmal kamen schlürfende Schritte und Stimmen von draußen so nahe am Fenster vorbei, daß sie sich duckte und ihr Gesicht gegen die Wand kehrte. Es waren zwei Männer, die vorbeigingen: einen Augenblick fiel der Schein einer kleinen Laterne, die der eine trug, herein; der andere schob einen Karren, dessen Rad knirschte und ächzte. Als sie vorüber waren, stand ich auf, schloß den Laden und zündete ein Licht an. Da lag noch ein halber Apfel: wir aßen ihn zusammen, und dann fragte ich sie, ob ich sie nicht noch einmal sehen könnte, denn ich verreise erst Sonntag. Dies war aber die Nacht vom Donnerstag auf den Freitag gewesen.

Sie antwortete mir: daß sie es gewiß sehnlicher verlange als ich; wenn ich aber nicht den ganzen Sonntag bliebe, sei es ihr unmöglich; denn nur in der Nacht vom Sonntag auf den Montag könnte sie mich wiedersehen.

Mir fielen zuerst verschiedene Abhaltungen ein, so daß ich einige Schwierigkeiten machte, die sie mit keinem Worte, aber mit einem überaus schmerzlich fragenden Blick und einem gleichzeitigen fast unheimlichen Hart- und Dunkelwerden ihres Gesichts anhörte. Gleich darauf versprach ich natürlich, den Sonntag zu bleiben, und setzte hinzu, ich wollte also Sonntag abend mich wieder an dem nämlichen Ort einfinden. Auf dieses Wort sah sie mich fest an und sagte mir mit einem ganz rauhen und gebrochenen Ton in der Stimme: »Ich weiß recht gut, daß ich um deinetwillen in ein schändliches Haus gekommen bin; aber ich habe es freiwillig getan, weil ich mit dir sein *wollte*, weil ich *jede* Bedingung eingegangen wäre. Aber jetzt käme ich mir vor, wie die letzte, niedrigste Straßendirne, wenn ich ein zweites Mal hierher zurückkommen könnte. Um deinetwillen hab' ich's getan, weil du für mich der bist, der du bist, weil du der Bassompierre bist, weil du der Mensch auf der Welt bist, der mir durch seine Gegenwart dieses Haus da ehrenwert macht!« Sie sagte: »Haus«; einen Augenblick war es, als wäre ein verächtliches Wort ihr auf der Zunge; indem sie das Wort aussprach, warf sie auf diese vier Wände, auf dieses Bett, auf die Decke, die herabgeglitten auf dem Boden lag, einen solchen Blick, daß unter der Garbe von Licht, die aus ihren Augen hervorschoß, alle diese häßlichen und gemeinen Dinge aufzuzucken und geduckt von ihr zurückzuweichen schienen, als wäre der erbärmliche Raum wirklich für einen Augenblick größer geworden.

Dann setzte sie mit einem unbeschreiblich sanften und feierlichen Tone hinzu: »Möge ich eines elenden Todes sterben, wenn ich außer meinem Mann und dir je irgendeinem andern gehört habe und nach irgendeinem anderen auf der Welt verlange!« und schien, mit halboffenen, lebenhauchenden Lippen leicht vorgeneigt, irgendeine Antwort, eine Beteuerung meines Glaubens zu erwarten, von meinem Gesicht aber nicht das zu lesen, was sie verlangte, denn ihr gespannter, suchender Blick trübte sich, ihre Wimpern schlugen auf und zu, und auf einmal war sie am Fenster und kehrte mir den Rücken, die Stirn mit aller Kraft an den Laden gedrückt, den ganzen Leib von lautlosem, aber entsetzlich heftigem Weinen so durchschüttert, daß mir das Wort im Munde erstarb und ich nicht wagte, sie zu berühren. Ich erfaßte endlich eine ihrer Hände, die wie leblos herabhingen, und mit den eindringlichsten Worten, die mir der Augenblick eingab, gelang es mir nach langem, sie so weit zu besänftigen, daß sie mir ihr von Tränen überströmtes Gesicht wieder zukehrte, bis plötzlich ein Lächeln, wie ein Licht zugleich aus den Augen und rings um die Lippen hervorbrechend, in einem Moment alle Spuren des Weinens wegzehrte und das ganze Gesicht mit Glanz überschwemmte. Nun war es das reizendste Spiel, wie sie wieder mit mir zu reden anfing, indem sie mit dem Satz: »Du willst mich noch einmal

349

sehen? so will ich dich bei meiner Tante einlassen!« endlos herumspielte, die erste Hälfte zehnfach aussprach, bald mit süßer Zudringlichkeit, bald mit kindischem, gespieltem Mißtrauen, dann die zweite mir als das größte Geheimnis zuerst ins Ohr flüsterte, dann mit Achselzucken und spitzem Mund, wie die selbstverständlichste Verabredung von der Welt, über die Schulter hinwarf und endlich, an mir hängend, mir ins Gesicht lachend und schmeichelnd wiederholte. Sie beschrieb mir das Haus aufs genaueste, wie man einem Kind den Weg beschreibt, wenn es zum erstenmal allein über die Straße zum Bäcker gehen soll. Dann richtete sie sich auf, wurde ernst – und die ganze Gewalt ihrer strahlenden Augen heftete sich auf mich mit einer solchen Stärke, daß es war, als müßten sie auch ein totes Geschöpf an sich zu reißen vermögend sein – und fuhr fort: »Ich will dich von zehn Uhr bis Mitternacht erwarten und auch noch später und immerfort, und die Tür unten wird offen sein. Erst findest du einen kleinen Gang, in dem halte dich nicht auf, denn da geht die Tür meiner Tante heraus. Dann stößt dir eine Treppe entgegen, die führt dich in den ersten Stock, und dort bin ich!« Und indem sie die Augen schloß, als ob ihr schwindelte, warf sie den Kopf zurück, breitete die Arme aus und umfing mich, und war gleich wieder aus meinen Armen und in die Kleider eingehüllt, fremd und ernst, und aus dem Zimmer; denn nun war völlig Tag.

Ich machte meine Einrichtung, schickte einen Teil meiner Leute mit meinen Sachen voraus und empfand schon am Abend des nächsten Tages eine so heftige Ungeduld, daß ich bald nach dem Abendläuten mit meinem Diener Wilhelm, den ich aber kein Licht mitnehmen hieß, über die kleine Brücke ging, um meine Freundin wenigstens in ihrem Laden oder in der anstoßenden Wohnung zu sehen und ihr allenfalls ein Zeichen meiner Gegenwart zu geben, wenn ich mir auch schon keine Hoffnung auf mehr machte, als etwa einige Worte mit ihr wechseln zu können.

Um nicht aufzufallen, blieb ich an der Brücke stehen und schickte den Diener voraus, um die Gelegenheit auszukundschaften. Er blieb längere Zeit aus und hatte beim Zurückkommen die niedergeschlagene und grübelnde Miene, die ich an diesem braven Menschen immer kannte, wenn er einen meinigen Befehl nicht hatte erfolgreich ausführen können. »Der Laden ist versperrt«, sagte er, »und scheint auch niemand darinnen. Überhaupt läßt sich in den Zimmern, die nach der Gasse zu liegen, niemand sehen und hören. In den Hof könnte man nur über eine hohe Mauer, zudem knurrt dort ein großer Hund. Von den vorderen

Zimmern ist aber eines erleuchtet, und man kann durch einen Spalt im Laden hineinsehen, nur ist es leider leer.« Mißmutig wollte ich schon umkehren, strich aber doch noch einmal langsam an dem Haus vorbei, und mein Diener in seiner Beflissenheit legte nochmals sein Auge an den Spalt, durch den ein Lichtschimmer drang, und flüsterte mir zu, daß zwar nicht die Frau, wohl aber der Mann nun in dem Zimmer sei. Neugierig, diesen Krämer zu sehen, den ich mich nicht erinnern konnte auch nur ein einziges Mal in seinem Laden erblickt zu haben und den ich mir abwechselnd als einen unförmlichen dicken Menschen oder als einen dürren gebrechlichen Alten vorstellte, trat ich ans Fenster und war überaus erstaunt, in dem guteingerichteten vertäfelten Zimmer einen ungewöhnlich großen und sehr gut gebauten Mann umhergehen zu sehen, der mich gewiß um einen Kopf überragte und, als er sich umdrehte, mir ein sehr schönes tiefernstes Gesicht zuwandte, mit einem braunen Bart, darin einige wenige silberne Fäden waren, und mit einer Stirn von fast seltsamer Erhabenheit, so daß die Schläfen eine größere Fläche bildeten, als ich noch je bei einem Menschen gesehen hatte. Obwohl er ganz allein im Zimmer war, so wechselte doch sein Blick, seine Lippen bewegten sich, und indem er unter dem Aufundabgehen hie und da stehenblieb, schien er sich in der Einbildung mit einer anderen Person zu unterhalten: einmal bewegte er den Arm, wie um eine Gegenrede mit halb nachsichtiger Überlegenheit wegzuweisen. Jede seiner Gebärden war von großer Lässigkeit und fast verachtungsvollem Stolz, und ich konnte nicht umhin, mich bei seinem einsamen Umhergehen lebhaft des Bildes eines sehr erhabenen Gefangenen zu erinnern, den ich im Dienst des Königs während seiner Haft in einem Turmgemach des Schlosses zu Blois zu bewachen hatte. Diese Ähnlichkeit schien mir noch vollkommener zu werden, als der Mann seine rechte Hand emporhob und auf die emporgekrümmten Finger mit Aufmerksamkeit, ja mit finsterer Strenge hinabsah.

Denn fast mit der gleichen Gebärde hatte ich jenen erhabenen Gefangenen öfter einen Ring betrachten sehen, den er am Zeigefinger der rechten Hand trug und von welchem er sich niemals trennte. Der Mann im Zimmer trat dann an den Tisch, schob die Wasserkugel vor das Wachslicht und brachte seine beiden Hände in den Lichtkreis, mit ausgestreckten Fingern: er schien seine Nägel zu betrachten. Dann blies er das Licht aus und ging aus dem Zimmer und ließ mich nicht ohne eine dumpfe zornige Eifersucht zurück, da das Verlangen nach seiner Frau in mir fortwährend wuchs und wie ein um sich greifendes Feuer sich von allem nährte, was mir begegnete, und so durch diese unerwartete Erscheinung in verworrener Weise gesteigert wurde, wie durch jede Schneeflocke, die ein feuchtkalter Wind jetzt zertrieb und die mir einzeln an Augenbrauen und Wangen hängenblieben und schmolzen.

Den nächsten Tag verbrachte ich in der nutzlosesten Weise, hatte zu keinem Geschäft die richtige Aufmerksamkeit, kaufte ein Pferd, das mir eigentlich nicht gefiel, wartete nach Tisch dem Herzog von Nemours auf und verbrachte dort einige Zeit mit Spiel und mit den albernsten und widerwärtigsten Gesprächen. Es war nämlich von nichts anderem die Rede als von der in der Stadt immer heftiger um sich greifenden Pest, und aus allen diesen Edelleuten brachte man kein anderes Wort heraus als dergleichen Erzählungen von dem schnellen Verscharren der Leichen, von dem Strohfeuer, das man in den Totenzimmern brennen müsse, um die giftigen Dünste zu verzehren, und so fort; der Albernste aber erschien mir der Kanonikus von Chandieu, der, obwohl dick und gesund wie immer, sich nicht enthalten konnte, unausgesetzt nach seinen Fingernägeln hinabzuschielen, ob sich an ihnen schon das verdächtige Blauwerden zeige, womit sich die Krankheit anzukündigen pflegt.

Mich widerte das alles an, ich ging früh nach Hause und legte mich zu Bette, fand aber den Schlaf nicht, kleidete mich vor Ungeduld wieder an und wollte, koste es, was es wolle, dorthin, meine Freundin zu sehen, und müßte ich mit meinen Leuten gewaltsam eindringen. Ich ging ans Fenster, meine Leute zu wecken, die eisige Nachtluft brachte mich zur Vernunft, und ich sah ein, daß dies der sichere Weg war, alles zu verderben. Angekleidet warf ich mich aufs Bett und schlief endlich ein.

Ähnlich verbrachte ich den Sonntag bis zum Abend, war viel zu früh in der bezeichneten Straße, zwang mich aber, in einer Nebengasse auf und nieder zu gehen, bis es zehn Uhr schlug. Dann fand ich sogleich das Haus und die Tür, die sie mir beschrieben hatte, und die Tür auch offen und dahinter den Gang und die Treppe. Oben aber die zweite Tür, zu der die Treppe führte, war verschlossen, doch ließ sie unten einen feinen Lichtstreif durch. So war sie drinnen und wartete und stand vielleicht horchend drinnen an der Tür wie ich draußen. Ich kratzte mit dem Nagel an der Tür, da hörte ich drinnen Schritte: es schienen mir zögernd unsichere Schritte eines nackten Fußes. Eine Zeit stand ich ohne Atem, und dann fing ich an zu klopfen; aber ich hörte eine Mannesstimme, die mich fragte, wer draußen sei. Ich drückte mich ans Dunkel des Türpfostens und gab keinen Laut von mir: die Tür blieb zu, und ich klomm mit der äußersten Stille, Stufe für Stufe, die Stiege hinab, schlich den Gang hinaus ins Freie und ging mit pochenden Schläfen und zusammengebissenen Zähnen, glühend vor Ungeduld, einige Straßen auf und ab. Endlich zog es mich wieder vor das Haus: ich wollte noch nicht hinein; ich fühlte, ich wußte, sie würde den Mann entfernen, es müßte gelingen, gleich würde ich zu ihr können. Die Gasse war eng; auf der anderen Seite war kein Haus, sondern die Mauer eines Klostergartens: an der drückte ich mich hin und suchte von gegenüber das Fenster zu erraten. Da loderte in einem, das offenstand, im oberen Stockwerk, ein Schein auf und sank wieder ab, wie von einer Flamme. Nun glaubte ich alles vor mir zu sehen: sie hatte ein großes Scheit in den Kamin geworfen wie damals, wie damals stand sie jetzt mitten im Zimmer, die Glieder funkelnd von der Flamme, oder saß auf dem Bette und horchte und wartete. Von der Tür würde ich sie sehen und den Schatten ihres Nackens, ihrer Schultern, den die durchsichtige Welle an der Wand hob und senkte. Schon war ich im Gang, schon auf der Treppe; nun war auch die Tür nicht mehr verschlossen: angelehnt, ließ sie auch seitwärts den schwankenden Schein durch. Schon streckte ich die Hand nach der Klinke aus, da glaubte ich drinnen Schritte und Stimmen von mehreren zu hören. Ich wollte es aber nicht glauben: ich nahm es für das Arbeiten meines Blutes in den Schläfen, am Halse, und für das Lodern des Feuers drinnen. Auch damals hatte es laut gelodert. Nun hatte ich die Klinke gefaßt, da mußte ich begreifen, daß Menschen drinnen waren, mehrere Menschen. Aber nun war es mir gleich: denn ich fühlte, ich wußte, sie war auch drinnen, und sobald ich die Türe aufstieß, konnte ich sie sehen, sie ergreifen und, wäre es auch aus den Händen anderer, mit einem Arm sie an mich reißen, müßte ich gleich Raum für sie und mich mit meinem Degen, mit meinem Dolch aus einem Gewühl schreiender Menschen herausschneiden! Das einzige, was mir ganz unerträglich schien, war, noch länger zu warten.

Ich stieß die Tür auf und sah: In der Mitte des leeren Zimmers ein paar Leute, welche Bettstroh verbrannten, und bei der Flamme, die das ganze Zimmer erleuchtete, abgekratzte Wände, deren Schutt auf dem Boden lag, und an einer Wand einen Tisch, auf dem zwei nackte Körper ausgestreckt lagen, der eine sehr groß, mit zugedecktem Kopf, der andere kleiner, gerade an der Wand hingestreckt, und daneben der schwarze Schatten seiner Formen, der emporspielte und wieder sank. Ich taumelte die Stiege hinab und stieß vor dem Haus auf zwei Totengräber: der eine hielt mir seine kleine Laterne ins Gesicht und fragte mich, was ich suche, der andere schob seinen ächzenden, knirschenden Karren gegen die Haustür. Ich zog den Degen, um sie mir vom Leib zu halten, und kam nach Hause. Ich trank sogleich drei oder vier große Gläser schweren Weins und trat, nachdem ich mich ausgeruht hatte, den anderen Tag die Reise nach Lothringen an.

Alle Mühe, die ich mir nach meiner Rückkunft gegeben, irgend etwas von dieser Frau zu erfahren, war vergeblich. Ich ging sogar nach dem Laden mit den zwei Engeln; allein, die Leute, die ihn jetzt innehatten, wußten nicht, wer vor ihnen darin gesessen hatte.

Erschienen 1900

WILHELM VON SCHOLZ *geb. 1874*

Der Auswanderer

In einem westfälischen Bauern, einem Sauerländer, der im Dorfe nur der »lang Hannes« genannt wurde und ein Spökenkieker, ein Hellseher war, hatte sich der Gedanke festgesetzt, er müsse nach Amerika auswandern. Ein Vetter seines Vaters war vor Jahren übers große Wasser gegangen. Nachdem man lange nichts von ihm gehört und ihn schon für tot gehalten, waren Briefe von ihm eingetroffen, in denen er schilderte, wie gut es ihm jetzt nach den ersten schweren Jahren gehe. Schließlich hatte er den Hannes mal ermuntert, doch auch zu verkaufen, aufzupacken und herüberzukommen.

Das hatte bei dem Hannes, der ein bedächtiger, schwerfälliger Mann, ein Sinnierer und Schweiger war, keineswegs etwa gleich gezündet. Aber es war doch unverloren in seine Seele hinabgesunken und tauchte manchmal dunkel in ihm auf, wenn ein schlechtes Erntejahr war, wenn Hagelschläge ihm den Ertrag seiner Arbeit schmälerten oder er allzu große Umständlichkeiten mit der Beamtenwirtschaft, mit Steuern und Verfügungen hatte.

Dann holte er abends die Petroleumlampe von der Kommode und aus dem obersten Schubfach den Brief, setzte sich an den Tisch und las bei einer Pfeife langsam wieder die begeisterte Schilderung des Vatervetters von seinem großen Gut. So könnte er, Hannes, es auch haben! Und leichter würde er dazu kommen als der Vetter, weil der doch schon seit Jahren ganz eingewohnt sei da drüben und ihm helfen und beistehen würde.

Wenn er das bedächtig rauchend wieder gelesen hatte, faltete er den Brief zusammen, trug ihn und die Lampe zur Kommode zurück, setzte sich auf die Bank an den Ofen; und das einzige Zeichen davon, daß etwas in dem Manne mit dem unbewegten Blick vorging, waren die Wolken von Tabakrauch, die er von Zeit zu Zeit ausstieß. Und immer ging er dann am nächsten Tage, so als hätte ihn die Stunde seines Gedankenbesuches in Amerika erfrischt, doppelt energisch an die Arbeit.

Ein westfälischer Bauer ist fast wie ein Baum in der Scholle verwurzelt, die ihn trägt. Aber das und eine gewisse Schwerfälligkeit im Entschließen war es wohl nicht allein, was den Hannes immer wieder zu Hause festhielt und trotz aller Verlockungen nach drüben den Entschluß nicht finden ließ. Er schien auf irgendeinen Anstoß, ein deutliches Zeichen, daß es das Rechte sei, zu warten. Daß er es vielleicht tun werde, hatte er seiner Frau manchmal gesagt, um sie auf die Möglichkeit vorzubereiten. Und sie, die ein stilles, beschränktes Wesen war, hatte meist nur die Antwort: »Es sei ihr recht, wenn er es wolle; die Plackerei hier sei groß genug!«

Es wäre seinen Nachbarn und überhaupt den anderen Bauern des Dorfes, die vielleicht durch die Frau oder den Postboten von der Sache gehört hatten, gewiß angenehm gewesen, wenn er ausgewandert wäre. Er war ihnen mit seiner Hellseherei unheimlich, obwohl er fast nie von dem sprach, was er sah und wußte; aber man merkte es ihm doch an. So sah er oft bis zu einem Jahre vorher den Tod ganz gesunder, kräftiger Leute voraus. Zu denen war er dann seltsam höflich, fast feierlich, in einer linkischen unbeholfenen Weise. War der Tod der Betreffenden nahe, ging er nie anders als mit abgenommener Mütze an deren Hause vorbei. Man hatte erst geglaubt, er spinne. Aber dann hatte es sich öfter wiederholt, und sie wußten nun, was sie davon zu halten hatten.

Einmal war er nach dem Besuch eines als Zimmermann in Münster lebenden Bruders ganz stumm, wortkarg und traurig geworden, ohne auf die vielen Fragen danach einen Grund zu nennen, bis nach wenig Wochen die Todesnachricht des Bruders kam. Da wußten alle, was der Grund gewesen war. Und man erzählte sich, kurz zuvor habe ihn zufällig ein ehemaliger Regimentskamerad des Bruders nach dem gefragt; da sei der Hannes plötzlich erschrocken und habe entsetzt ausgerufen: er liegt mit gebrochenem Genick auf einem Sandhaufen und stirbt! Das stellte sich als Wahrheit heraus: an dem Tage und zu der Stunde war der Bruder bei einem Neubau vom Gerüst gestürzt. Kein Wunder, daß die Leute den unheimlichen Gesellen, ein so guter Nachbar er auch sonst mit seinem ruhigen, in sich gekehrten Wesen war, gerne fortgehabt hätten.

Da kam eines Tages wieder einmal eine Karte von dem Amerikaner, der schrieb, Hannes habe doch wohl keine Lust mehr, und das sei schade. Er, der Vetter, habe sein Gut wieder vergrößert und jetzt auch eine Pferdezucht angelegt. Gute Pferde, das war eine Liebhaberei des Hannes, der bei der Kavallerie gedient hatte. Mehr als sonst wurde er an dem Tage nachdenklich. Und der Zufall wollte, daß gerade an demselben Tage ein Auswanderungsagent, der von dem amerikanischen Vetter gehört haben mochte, bei dem Hannes vorsprach und ihm die Vorteile der Neuen Welt mit leuchtenden Farben schilderte, auch schon in Andeutungen von einem guten Käufer, den er für den Hof des Hannes wüßte, sich erging. Der Hannes gab dem auch nicht viel mehr als ein paar Fragen zur Antwort. Aber am Abend des Tages lag er lange im Bette mit offenen Augen wach. Da rechnete er und überzählte sein Besitztum. Und am nächsten Morgen schrieb er, wiewohl etwas bedrückten Herzens, an den Agenten und an den alten Vetter, daß er entschlossen sei.

Er war aber wohl doch noch nicht recht im reinen mit seinem Entschluß, schüttelte manchmal den Kopf oder zuckte die Achseln, wenn er allein über die Dorfstraße ging, als spräche er mit jemandem, und schien dann wieder die innerlich geführten Gespräche mit einem entschlossenen Ruck, mit einem Aufrichten des ganzen Körpers, rascherem Gang und energischem Anpacken der Arbeit abzubrechen. Diese Wechsel in ihm waren sichtbar, daß sie den Leuten auffielen.

Die Sache mit dem Verkauf war bald soweit geordnet. Der Termin für das Erscheinen vor dem Gerichtsnotar wurde angesetzt. Der Hannes hatte schon all das wenige zusammengetragen, was er mitnehmen würde, hatte allerhand Verbindlichkeiten zu erledigen angefangen, schwerfällig an ein paar entfernt wohnende Verwandte Abschiedsbriefe geschrieben. Tags lief er in Gedanken versunken immer wieder auf seinem Hof herum, in die Ställe, die Scheune, den Geräteschuppen, stöberte die Winkel durch; abends saß er bei der alten Lampe und las in ein paar Bauernkalendern, was er über Amerika finden konnte, über die amerikanische Pflanzenwelt, die Gewinnaussichten drüben, Volksgebräuche und was dergleichen mehr war.

Er war kaum noch hier, sondern schon drüben. Deshalb konnte er alles so bedächtig, so ohne Ungeduld machen, konnte so recht geruhig mit allem in der Heimat abschließen. Er ging jetzt auch mal ins Wirtshaus, was er früher selten tat, und suchte sich in einem schmutzigen Kursbuch den Reiseweg nach Hamburg zusammen. In drei Wochen sollte aufgebrochen werden.

An einem Nachmittage ging er mit dem Käufer seines Gutes, der noch mal die Grenzen des dazugehörigen Waldstücks sich einprägen wollte, ins Holz. Es war wochenlang klares, trockenes Wetter gewesen, das den Menschen wohltat, aber das Korn niedrig und die Ähren dünn hielt, und jetzt seit Tagen eine wachsende Schwüle, die langsam und noch ohne rechte Kraft Gewitter und Wetterumschwung vorzubereiten schien.

Die Männer gingen schweigend nebeneinander hin. Nur ab und zu sprach der Käufer irgendein gleichgültiges Wort: wie alles teurer würde, wie der Matthes im letzten Jahr von der Hagelversicherung geschädigt worden sei; und als sie an einem Kleeacker, der einem pfiffigen, jetzt sehr alten, verwitweten Bauern gehörte, vorbeikamen, erzählte er lachend und ausspuckend, wie der Alte einmal als junger Ehemann den ganzen Kleesamen vertrunken und dann, damit es sein sehr genaues Weib nicht merkte, eifrig über den Acker schreitend, aus voller Schürze Sand in die Furchen gesät.

Der Hannes sah einmal kurz über den Kleeacker hin und verzog kaum den Mund. Im Gehölz wies er dem Käufer dann die Grenzstellen. Der schlug vor, daß sie nun zu einem Trunke in die »Krone« zurückgehen wollten, wiederholte, da der hinter ihm herkommende Hannes nicht antwortete, seine Frage und wandte sich, als der noch immer nichts sagte, um.

Da sah er, wie der Hannes zur Seite gewendet still dastand und mit weit aufgerissenen Augen durch die letzten Waldstämme hin zu dem dunklen Horizontgewölk hinstarrte. Der Ausdruck des Mannes war so abwesend, seine Haltung so fremd und seltsam, daß der Käufer rasch und besorgt fragte: »Was hast nur?«

Aber der Hannes antwortete noch immer nicht, sondern starrte und starrte. Endlich zuckte er jählings zusammen und wandte sich mit einem erwachenden und suchenden Blick dem andern zu. Schweiß stand auf seiner Stirn, er wankte und hielt sich einen Augenblick an einem Stamm. Dazu lächelte er verlegen und sagte: »Mir war nicht gut, weiß nicht, ob ich die Seereise und das Neue alles werde aushalten können.«

Er war deutlich verändert auf dem Heimweg, der Hannes. Beim Wandern hatte er so vor sich hin geschwiegen, als wollte er nur in dem absichtslosen Ziehen seiner Gedanken und Bilder nicht gestört sein – die ihm bald unabsehbare amerikanische Maisfelder, eine weite Pferdekoppel, große am Steppenrand weidende Herden vorführen mochten, bald noch einmal von dem Stück seiner Heimat, auf das gerade sein Blick fiel, frei und unwillkürlich da und dort über den Besitz hingingen, den er verlassen sollte. Jetzt schwieg er gerade vor sich hin, daß man deutlich sah, alle Beschaulichkeit war aus seinen Gedanken gewichen, irgendein Entschluß arbeitete in ihm.

»Also morgen um zehn!« sagte der andere, als sie im Dorf waren und sich trennten. Da sollte vor dem Notar der Kaufvertrag geschlossen werden.

»Ich weiß noch nicht, 's ist mir nicht gut.«

»Geht schon vorüber!« meinte der Käufer, »behüt dich Gott!«

Beide gingen ihres Weges.

Der Hannes kam nicht zum Notar. Er sagte den Vertrag auf. Er sei krank. Er müsse auf dem Gut bleiben.

Niemand verstand ihn, wußte, warum er sich anders entschlossen. Denn er schien nicht im mindesten krank, machte im Gegenteil seine Landarbeit mit verdoppeltem Eifer. Er war weniger zugeknöpft, fröhlicher, seit er die Auswanderung endgültig aufgegeben hatte und alle schon getroffenen Vorbereitungen rückgängig gemacht waren. Er pfiff manchmal vor sich hin bei der Arbeit.

Allen war das ein Rätsel, dessen Lösung er keinem zu sagen Lust zeigte. Nur seiner Frau, die freilich seinen Entschluß ohne ernstlichen Widerspruch hingenommen, aber, seit sie beide weggewollt, sich noch immer nicht wieder zurückgewöhnen konnte, im Gegensatz zu ihrem Manne nicht so achtsam und gut mehr ihre Arbeit tat, der mußte er wohl eine Erklärung geben. Als sie ihn wieder mal fragte, da lachte er kurz auf: »'s ist schon gut, wenn man's Zweite Gesicht hat! Elend zugrund' gegangen wär' ich drüben!«

»'s ist Aberglauben!« antwortete sie leise.

»Gewiß ist's!« polterte er und schlug auf den Tisch. Dann ging er hinaus in die Ställe und tränkte.

Herbst und Winter kamen, ohne daß etwas Bemerkenswertes geschah.

Mit dem beginnenden Frühjahr bemächtigte sich eine seltsame Unruhe des Mannes. Er lief oft allein und ohne irgendein Geschäft über Feld oder in sein Waldstück. Er ließ manchmal mitten in der Arbeit alles liegen, warf sich unter einen Baum und sah lange ins Geäst hinauf. Manchmal stand er an einem Stamm im Walde und blickte unentwegt vor sich hin. Dann begann er aus solcher Versunkenheit wieder rastlos zu pflügen oder zu mähen, ohne von der Arbeit aufzusehen, als wolle er sich betäuben.

»Hätten doch lieber nach Amerika gehen sollen!« sagte die Frau. Da fuhr er jedesmal ärgerlich auf. Von Amerika wollte er gar nichts hören, ward überhaupt immer mehr menschenscheu und abseitig.

Endlich nahm sich der Pfarrer der Sache an, versuchte, dem Hannes zuzusprechen, schloß sich ihm auf einem Wege scheinbar zufällig an und ließ ihn nicht aus mit Fragen, warum er seinen Amerikaplan aufgegeben, warum er jetzt so verstört und seltsam geworden sei.

Endlich erzählte der Hannes: er habe damals, als er mit dem Kauflustigen sein Waldstück umschritten, wie früher oft ein Gesicht gehabt. Er habe sich selber unter einem Baum fremder Art, wie er sie auf Bildern von Amerika gefunden, tot und erschlagen liegen sehen. Er sei es gewiß und wahrhaftig selbst gewesen. In Amerika solle es viel Unsicherheit und mancherlei Überfälle geben. Er sei erst wieder froh geworden, als er Amerika aufgegeben, wo ihm solch Schicksal gedroht hätte. Nun aber verfolge ihn mit dem steigenden Jahr das Bild wieder, ohne daß er trotz aller Bemühung, allen Alleinseins etwas mehr von seinem Schicksal zu sehen vermöchte.

Der Pfarrer verwies es ihm als Aberglauben, wozu der Hannes den Kopf schüttelte, sprach vom Vertrauen auf Gott und seine väterliche Fürsorge für jeden einzelnen, spottete auch einmal, das sei eine rechte Prophezeiung, der man so leicht ausweichen könne!

Der Hannes blieb zu allem still. Schließlich endete das Gespräch, ohne daß der Pfarrer ganz herausbekommen hätte, wie es jetzt um den Hannes stand.

Wenige Tage darauf war in einem ziemlich entfernten Flecken ein Fohlenmarkt, zu dem der Hannes, weil es heiße, schwüle Zeit war, schon sehr früh des Morgens über Land ging. Er fand kein Tier, das er hätte kaufen mögen, saß ein paar Stunden mit andern Bauern im Wirtshaus, trank, ward schließlich aufgeräumt und guter Dinge und begab sich bei dunkelndem Wetterwolkenhimmel am Nachmittag auf den Heimweg.

Das Gewitter holte ihn in der Nähe eines großen herrschaftlichen Parkes ein, an dem die Landstraße wohl über eine halbe Stunde ohne jede sonstige menschliche Ansiedlung hinzog. Heftiger Regen begann. Windstöße jagten, so daß sich der Hannes entschloß, die nicht sehr hohe Mauer zu übersteigen, um in irgendeinem Parkhäuschen oder schlimmstenfalls in dem entfernteren Schlosse selbst Unterstand zu suchen.

Er lief, so schnell er konnte. Aber schon nach wenigen Minuten mußte er innehalten. Der Regen hatte sich zum Wolkenbruch gesteigert, daß der Hannes unter den nächsten Baum sprang, fast betäubt vom wilden Rauschen ringsum, von dem niederschlagenden und stürzenden Wasser, das nur wenig gemildert durch die hohe Krone des Baumes herabgoß.

Er sah bei einem Blitz einen Augenblick auf, um die dichteste Stelle zu finden. Da erschrak er bis in den Grund seiner Seele, daß er kein Glied rühren konnte. Er kannte den Baum.

Der zackige amerikanische Riese stand unter lauter ausländischen Bäumen, die der Vater des Gutsherrn aus Liebhaberei hier zu einem Wäldchen vereint hatte und die jetzt mit ihren fremdartigen Astgestalten vor dem Licht der ohne Pause niederfallenden Blitze bald rechts, bald links, bald vor dem Hannes, bald zu seiner Seite dunkel wie aus dem Nichts aufsprangen und flachschwarz vor dem zuckenden Leuchten standen. Oder, während die jähen Scheine um den Erdrand liefen, verkehrten sie plötzlich gleichsam höhnisch ihr Angesicht und flammten grellhell vor der Horizontnacht.

Sie hatten ihn in ihrer Mitte. Er wollte erst aus dem unheimlich lebendigen Baumgewirr fliehen. Aber gleich kam es wie Erschöpfung über ihn und dann wie Ergebung und Erlösung. Er lehnte sich an den Stamm zurück. Er schloß vor dem blendenden Licht der Blitze die Augen. Doch das Flammenzucken ging, wie das Funkensprühen von einem Faustschlag aufs Auge, durch die Lider hindurch. Er hätte in dem Krachen der Blitze, dem Schlag der Donner, dem Sturzrauschen des Regens einen Kanonenschuß kaum mehr unterschieden. Aber jetzt kam ein Einschmettern und Brechen hoch über ihm, das doch den tosenden Lärm noch zerriß. Er hörte es vielleicht den Tausendteil einer Sekunde und fühlte sich ebensolange in einem grellweißen Schein stehen, der ihn von allen Seiten ansprang, daß ihm die Sinne schwanden und er zusammenstürzte.

Man fand ihn am nächsten Morgen tot unter dem Baumriesen, in dessen Rinde eine etwa fingerbreite, frisch aufgerissene Rille vom Wipfel bis zur Wurzel unregelmäßig herablief.

Geschrieben vor 1922

HANS GRIMM *1875–1959*

»Mordenaars Graf«

Wer von Barkly den Richtpfad reitet nach Maclear zu, der sattelt
gegen Mittag, wenn er bei Sonnenaufgang zu Pferd gestiegen ist
und zur weißen Rasse gehört, an einer Stelle ab, die den Hin- und
Herziehenden bekannt ist unter dem Namen »Mordenaars Graf«.
Basutos, Kaffern, Hottentotten und Bastards scheuen den Platz,
und doch hat wohl einer von ihnen der Stätte den Namen gegeben
vor vielen Jahren und vielen Tagen. Wie Südafrika ist, unbedenk-
lich und unempfindsam, bleibt der erste beste oder erste schlimmste Name haften, genug, daß er zu einer Zeit bezeichnend schien.
Kommende Geschlechter werden hinter diesen Namen viel All-
tagsleid und Alltagsfreude, viel stilles Heldentum und einsames
Märtyrertum und ebensoviel Erbärmlichkeit entdecken. Das weiße
Volk der Gegenwart gebraucht sie gedankenlos. In dem licht-
hellen, schnellebigen Lande spähen alle Augen voraus. Die Toten
sind tot, so tot wie nirgendwo anders.

Vielleicht sind nicht zehn unter den rund fünfhundert weißen
Männern, die im Jahr da oben im baumlosen, schroffen Bergland
den Sattelgurt lösen und bei einer Pfeife Magaliesberg oder Pon-
dotabak ruhen, während ihr Pferd emsig das kurze Gras abknab-
bert, denen »Mordenaars Graf«, das Mördergrab, mehr bedeutet
als eines Wortes leerer Schall. Fünf von den zehn mögen die Geschichte kennen, wenn Fragen sie aus ihrer Erinnerung lösen,
während die fünf andern nur achselzuckend den fast senkrechten
Hang hinunterweisen auf einen kleinen Fleck, den ein kümmer-
licher Busch bemerkbar macht und der bei näherem Zusehen ein-
gefriedigt zu sein scheint. Nicht einer von den Reisenden aber
wird es sich träumen lassen, hinunterzuklettern und sich den
Fleck anzusehen, auch wenn das mit geringerer Gefahr für Leib

und Leben geschehen könnte. Von der Ebene freilich, die meilen- und meilenweit sich vor den Blicken des in der Höhe Ruhenden auftut, von Ost-Griqualand muß der Zugang leicht sein. Aber wer anders kommt von daher zu den Bergfarmen, die längst verlassen sind, als die zu einer Zeit des Jahres wandernden Schafherden aus der alten Kolonie mit ihren schwarzen Hirten und dann und wann ein eiliger junger Bauer, der den Hirten nachsieht?

Frieden hat der, der da ruht und auf dessen kaum zugerichtetem Grabstein, roh eingehauen und eingekratzt und schwer leserlich der zornige harte Rechtsspruch des alten Bundes steht: »*Breuk voor breuk, oog voor oog, tand voor tand; gelijk as hij een gebreek eenen mensch zal aangebragt hebben, zoo zal ook hem aangebragt worden.*«

Sie waren ein altes Afrikander-Hugenotten-Geschlecht, die de Savoye, nicht von der erstaunlichen Fruchtbarkeit der andern Familien, die das Register alter Kapfamilien aufführt. So geschah es, daß es um die Mitte des vorigen Jahrhunderts nur noch auf vier Augen stand, Charles de Savoye, dem Vater, der sich Karel nannte, und Dirk, seinem vierzehnjährigen Sohn. Karel hatte mit dreißig Jahren, spät für einen seines Volkes, geheiratet. Sieben Jahre danach war seine feine, frohe, kleine Frau gestorben. Noch im Trauerjahr wohl hatte Karel sein altes Vatererbe im freundlichen Paarl verkauft, war mit seinem Kinde und zwei alten Hottentottendienern auf den Ochsenwagen gestiegen und, Menschen meidend, hinaufgezogen an den Drakenberg. Die Leute im Paarl schüttelten die Köpfe zu Karels Tun, Rede und Antwort stand er ihnen nicht. Mag sein, daß er aus Gram die Stätte alten Glückes floh, mag sein, daß er beizeiten den zunächst versteckten Versuchen von Basen und Tanten, ihn wieder zu verheiraten – das geht schnell, wo die Toten so sehr tot sind –, ausweichen wollte.

Den Ausläufern des Drakenbergs folgend, war er schließlich nach dem Teile des Kaffernlandes gekommen, der nun Ost-Griqualand heißt, und hatte sich dort unter den Bergen und in den Bergen festgesetzt, hatte ein Haus gebaut und etwas Ackerwirtschaft und Schafzucht angefangen.

Sehr einsam und menschenfern war seine neue Heimat, nicht einmal Tembus siedelten in der Nähe, und bis auf das Bellen der Paviane an den Bergabhängen lag Grabesstille über ihr, als er sein Reich antrat, aber wasserreich war die Gegend und das Veldt gut.

Bis zu des Knaben zehntem Jahre behielt Karel Dirk bei sich auf dem abgeschiedenen Platze. Da muß es dann über den sonder-

lichen, den Umständen nach selbst wohlunterrichteten Mann gekommen sein, daß das ein Unrecht sei an dem Kinde. Eines Tages
beratschlagte er mit ihm in seiner trockenen Weise.

»Bur sollst du nicht werden, Dirk!«

»Nein, Vater!«

»Du mußt etwas lernen, Dirk, um mehr zu sein als die Farbigen.«

»Ja, Vater.«

»Du mußt zu Menschen.«

»Ja.«

»Was willst du werden, Dirk, Doktor oder Advokat?«

Der Junge starrte ihn an.

»Der Großvater, deiner Mutter Vater, war Doktor, ich denke,
das ist der rechte Plan.«

»Ja, Doktor, Vater!«

Weder Doktoren noch Advokaten hatte das Kind je gesehen,
kaum die Bezeichnungen gehört, aber wenn der Vater etwas in
Verbindung mit der auch fast unverständlichen Gestalt der toten
Mutter nannte, was so selten geschah, dann mußte es etwas gar
Gutes sein.

»Wer Doktor wird, muß erst in Kapstadt lernen und dann in
Holland.« Der Satz kam dem Sprecher langsam und schwerfällig
von den Lippen, und dem Kinde tat das Herz weh, denn das
wußte es, Kapstadt war sehr weit.

»Vielleicht – vielleicht kannst du erst in Aliwal Noord lernen!«

»Ja, Vater, ja, in Aliwal Noord.«

Dirk kam nach Aliwal Noord. Der Vater selbst brachte ihn hin
und fand Kost und Wohnung beim Predikanten. Als Vater und
Sohn auseinandergingen, gaben sie sich lose die Hand.

»All tot beste, Dirk!«

»Alles zum besten, Vater!«

Aber sobald der Vater außer Sehweite war, suchte sich der
Junge eine verborgene Stelle und weinte, und er weinte viele
Nächte in sein Kissen hinein. Und sobald der Mann die Stadt
hinter sich hatte, ließ er die Zügel fahren und vergrub den Kopf
in beide Hände, und seine Pferde gingen langsam und sachte, die
jungen frischen Pferde. Und mehr als zwei Wochen lang führten
die Hottentotten auf der Bergfarm ein Herrenleben vor des Mei-
sters Augen, bis Klaas, der Sohn des alten Jantje, aus lauter Sehnsucht, einmal wieder einen Herrn zu spüren, vor ihm einer träch-
tigen Kuh, die sich langsam bewegte, in die Weichen trat.

Da fuhr der Zorn in Karel, und er wurde, was er gewesen war, und die Diener erzählten sich, er sei ein strenger Baas, und lobten ihn untereinander im gleichen Atem, und nur Jantje, der viel erlebt hatte auf seine Art, wagte demütig ihn zu fragen nach dem Kleinbaasje Dirk, aber er hörte jedesmal eine kurze Antwort.

Jahre kamen und gingen; was ihre Gleichförmigkeit unterbrach, waren die Besuche des Jungen in den Ferien. Jantje holte ihn stets ab aus der Stadt. Wurde es dann Zeit, daß die Karre wieder erschien mit den zwei weißen Hengsten, so sattelte Karel sein Pferd selber, lange vor Sonnenaufgang, während die braunen und schwarzen Knechte noch schliefen. Und die Hirtenjungen erzählten, im Frühlicht habe der Baas oben auf der höchsten Platte, dem Uitkijk, gestanden, und habe ein Rohr vor das Gesicht gehalten. Blieb die Karre aus an dem Tage, so kehrte er nicht wieder heim vor fallender Nacht und zeigte sich scharfäugiger und strenger bei dem Rundgang durch Stall und Krale als je. Erschien aber der Wagen rechtzeitig in Sichtweite des Hauses, so war er ebenso sicher längst zurückgekommen und trat erst mit ruhigem Gruße auf die Stoep hinaus, wenn das Rollen der Räder und der Hufschlag schwiegen und Jantje und Klaas den Koffer abschnallten.

Das Kind, dessen Herz schier übervoll geworden war vor Sehnsucht in den langen Monaten in der Fremde, und das Jantje zugejauchzt hatte und ihn vor lauter Fragen nicht schlafen ließ beim nächtlichen Ausspann, schritt dann übermäßig ernst und fast zögernd auf den Vater zu, fragte nach seinem Ergehen und berichtete über Zustand des Weges und die Leistung der Hengste auf der Fahrt.

Wäre nicht ein seltsames Leuchten gewesen in beider Augen von der ersten gemeinsamen, einsilbigen Mahlzeit an durch all die Tage des Zusammenseins, ein Beobachter hätte meinen können, die Menschen, Vater und Sohn, seien von Stein. Jantje sah das Leuchten und plapperte glücklich und wurde freilich in diesen Wochen nicht zurückgewiesen. Sie selbst merkten es aneinander nicht und trugen schwer und ängstlich an ihrem großen scheuen Gefühl, wie denn bei Vater und Sohn der Vers des Liedes von den Königskindern zuweilen wahr ist:

> Sie konnten beisammen nicht kommen,
> das Wasser war viel zu tief.

In solche Besuchszeit fiel Dirks vierzehnter Geburtstag. Mehr als sonst hatten die Augen geglänzt bei diesem Zusammensein, mehr als sonst suchte der Mann Gründe, sich durch das Geschäft des Tages seltener von dem Sohne trennen zu lassen, und weniger als sonst folgte das Kind dem natürlichen Hange, sich auszutoben in der heimatlichen Freiheit. Scheuer als je waren beide Herzen. Die eigentliche Ursache berührten sie kaum in ihren ruhigen Gesprächen. Dirk hatte die Schule in Aliwal zu Ende besucht und stand vor der Fahrt nach Kapstadt. Was vorher eine Trennung auf Monate war, mußte nun eine Trennung auf Jahre werden.

Am Vorabend des Geburtstages sagte Karel: »Dirk, es sind viele wilde Bienen in den Bergen. Ich will hinaufgehen mit dir morgen, und wir werden Honig sammeln. Jantje kann mit uns gehen.« Im stillen dachte er: »Es wird dem Jungen Freude machen, denn das hat er doch von klein auf gern getan.«

Dirk antwortete: »Ja, Vater, wenn es dir recht ist, wollen wir gehen«, und er war sehr froh. Schon lange war er nicht herumgestreift und -gestiegen in den Bergen hinter dem klugen Honigvogel her, und nie war's gewesen mit dem ernsten Vater. Aber er verbarg die Freude und lachte und erzählte ihm nur im Traume davon, wie er sich freute, mit ihm ziehen zu dürfen. Und was zu dem Traumbild gesprochen ward, hörte der Mann nicht. Es hätte ihm später gar wohl getan.

Wo ist ein Mensch, der hineinwandert oder -reitet in einen südafrikanischen Sommermorgen, der, so schwer seine Seele sei, nicht Flügel fände für sie und nicht dankbar wäre seinen Erzeugern? Karel lachte das Herz, und Jugend und Kraft war in seinem Gang, als er ausschritt, den Jungen neben sich, und der plauderte unaufhörlich nach rückwärts mit Jantje und fühlte sich recht als Geburtstagskind.

Einmal fuhr es Karel an: »Wenn er so mit dir schwätzte, wenn er weniger Respekt hätte!« und er blieb stehen und sah den Jungen an. Der erwiderte fragend den Blick: »Befiehlt der Vater etwas?«

»Nein, komm nur!« und Karel sprach nicht aus: »Wenn du älter bist, wenn du wiederkommst von Kapstadt, wollen wir rechte Freunde werden, heute kann ich dir's noch nicht sagen, dann werden wir viel zusammen gehen und über alles reden.«

Nach ein paar Stunden waren die drei an der Arbeit an den Hängen, aber das Glück war ihnen wenig hold. Drei Nester hintereinander fanden sie ohne Honig. Das stachelte den Eifer des Jungen an, und sie stiegen höher und höher, und auf einmal flötete ein Honigvogel vor ihnen; dem folgten sie, so gut sie konnten, wie er vorwärts flatterte und lockend zurückkam, immer emsig weisend, nur auf seine Beute bedacht. Dem Manne wurden die Glieder schwer, aber dem Jungen, der so frisch kletterte, dem sollte die Siegerlust des Findens nicht genommen sein, und da stand ja auch der Vogel oder hing rüttelnd in der Luft unter dem Rande der steilen Wand.

Kein Bauer und kein Farbiger in den Bergen kennt Schwindel, schwindlig werden die Stadtleute, doch schloß Karel die Augen ganz schnell, ganz kurz, und es war ihm, als frage eine warnende Stimme aus der Luft: »Weißt du, daß die Wand viele hundert Fuß abfällt in den Fluß?« Fast hätte er, die Augen wieder aufreißend, laut geantwortet: »Daran hab' ich nie gedacht!« Und ohne allzu-viel Besorgnis rief er dem Sohne zu: »Es nützt nichts, Dirk, dort können wir nicht dran, laß sein!«

Der aber gehorchte nicht, glaubte vielleicht nicht einmal, daß das ein Befehl war, und rief nur kurz zurück: »Wir müssen's ver-suchen, Vater.«

Und dann – Gott, es geschah alles zusammen ganz plötzlich, der Junge lief weiter am Rande über der Wand, er beugte sich und war fort, etwas Staub fuhr auf, Steine knatterten, Jantje schrie...

Gleich darauf lag Karel neben Jantje flach auf der Erde über dem Abgrund und starrte hinunter auf jenen entsetzlich kleinen Felsvorsprung tief unter ihnen, und Jantje hatte die sehnige Hand in des Herren linke Achsel verkrallt und wiederholte stoßweise immerfort die paar Worte: »Mein Baas, mein Baas, oh, mein lieber Baas!«

Karel fuhr nach der Hand und löste sie los mit Gewalt, und er hörte sich reden mit ganz fremder, eiskalter Stimme: »Lauf Kerl, hol sie alle, die Boys, hol die lange Wagenkette, jeden Riemen, und Branntwein, vergiß den Branntwein nicht. Lauf, lauft alle, wenn euch das Leben lieb ist!« und da er sprach, erstaunte er, wie das so ruhig klang, wo er doch schon wußte, daß alle Riemen auf der Bergfarm zusammen nicht hinunterreichen würden.

Es wurde still oben über der Wand. Der Vater lag wieder und sah hinab auf sein Kind, wie's da hing auf der Klippe mit ge-schlossenen Lidern vielleicht tot, sicher mit gebrochenen Gliedern und sicher den Tod unter sich und ihm geweiht. Wie die Augen ihm brannten, wie gern er selbst sie geschlossen hätte vor dem Furchtbaren, nur einmal geschlossen, aber unterdes mochte der Junge sich bewegen und weiterstürzen, und immer stärker wurde die Vorstellung in ihm: »Deine Blicke halten ihn fest, solange du ihn ansiehst, so lange ist er sicher.«

Wer sprach da hinter ihm, so häßlich, so grauenvoll häßlich: »Karel, dein Sohn ist tot.« Fast hätte er sich herumgeworfen auf den Lügner, auf den Schurken: aber nein, hinsehen, immer hinsehen, laß den schwätzen sein erbärmliches Geschwätz. Ich will's nicht hören. – Wenn Jantje nur käme! Jantje und die andern. Wenn's nur nicht so still wäre! – Besser still, als wenn der dahinten spricht. – Ob Dirk den hört? Ich will mit Dirk reden, ich selbst, aber vorsichtig, sehr vorsichtig.

Und nun die ersten vernehmlichen Worte über der heißen Wand, wunderbar weich dafür, daß sie aus Manneskehle kamen, wunderbar wohlklingend aus einer Brust, in der die Seele rang in entsetzlicher Pein: »Mein Junge, mein lieber Junge, du mußt nicht erschrecken. Ich spreche zu dir, ich, dein Vater. Du mußt stille liegen, Dirk, ganz stille. Wir holen dich, Dirk. Es geht ganz leicht. Dann trage ich dich, Dirk und wir bleiben zu Hause, bis du wieder gesund bist. Wir können dann reiten, Dirk, oder schießen. Nur zusammen wollen wir bleiben, denn nun bist du groß, und ich kann dir so viel erzählen. Und Kapstadt, Dirk, ich denke, ich gehe mit dir, nicht wahr, mein Junge? Du wirst keine Angst haben vor mir. Ich will dein bester Freund sein, Dirk, denn du und ich, wir haben doch nur uns beide.«

Er schwieg und dachte: Was sage ich ihm noch? Und dann kam's unwillkürlich und plötzlich von seinen Lippen: »Denn er hat seinen Engeln befohlen über dir, daß sie dich behüten auf allen deinen Wegen. Daß sie dich auf den Händen tragen, und du deinen Fuß nicht an einen Stein stößest.«

Aber als die Gedanken wieder bei seinen Worten waren, brach er erschreckt ab. Psalmen sagt man bei den Toten und den Schwerkranken. Wenn der Junge mich hört, mag er meinen, er müsse sterben. Zudem ist das gar nicht wahr. Wo waren denn die Schutzengel? Das heißt, ich will's nicht gedacht haben, lieber Gott, ach nein, du bist nicht zornig, du siehst doch selbst, du verstehst doch gewiß. Wahr ist ja auch nicht, daß wir ihn holen können. Ich allein, ich halte ihn fest mit meinen Blicken. Oder Engel, dennoch Engel? – Aber ich muß zu ihm sprechen, muß sprechen. Was sagt man nur zu einem Kinde? – Ich, ich finde nichts, gar nichts.

Er stöhnte und begann wieder flüsternd: »Dirk, damals, als deine Mutter...« Das kann man doch nicht dem Jungen erzählen. Das nicht. Wenn überhaupt sie dies sähe, sie! Nun ist gut, daß sie tot ist, daß du tot bist, Maria.

Schwere Tränen tropften ihm aus den Augen. Er wischte schnell mit der einen Hand. Wenn die auf ihn fielen, gütiger Gott, dann wußte der Junge, daß er verloren war. »Nein, Dirk, nein. Das ist alles Unsinn. Ich lache, Dirk. Ich halte dich, ich halte dich immerfort. Wie ist wohl die eine Geschichte, die du als Kind so gern hörtest, die Jantje dir immer erzählte? Ja, der Schakal und der Elefant, die gingen einmal, gingen einmal...« Er stockte, er fand nicht weiter. »Der Schakal und der Elefant, die gingen einmal, einmal zusammen... Dirk, ich weiß nicht weiter. Ich weiß gar keine Geschichten, Dirk. Wenn Jantje kommt, der soll erzählen. – Hörst du mich denn, Dirk? Hörst du mich? Dirk, Dirk, Dirk – mein Junge! Dirk! –«

»Nein, nein, er hört nicht, vielleicht, vielleicht –?« Und es ward wieder still über der heißen Wand, nur öfter tropften die Tränen, und öfter fuhr die unwillige Manneshand ans Auge. Gar nicht mehr denken konnte er, aber die Farbigen, die hörte er, lange bevor sie kamen, die bergauf Hastenden und Keuchenden.

Als sie endlich da waren mit Kette und Riemen und allem Möglichen und Unmöglichen, entsetzt und schwer atmend, da hob er nach dem voraneilenden Jantje hin den Arm: »Leise, leise, ich glaube, er atmet.«

Jantje, der Hottentott, der nun neben ihm stand und niederschaute, sagte: »Ja, Baas.« Da schloß Karel die Lider, und hätte Jantje nicht zugegriffen, der Vater wäre dem Sohn nachgestürzt.

Wenn Farbige arbeiten wollen, können sie arbeiten, sogar ohne Singsang und ohne Geplapper. Die fünf braunen und schwarzen Männer da oben griffen zu und knoteten und schlangen und schielten selten auf den Baas, der halb saß, halb lag, wie Jantje ihn niedergelassen hatte, ganz erschöpft oder ohnmächtig.

Als das lange Seil und Riemen und Riemenzeug beieinander waren, griff Jantje als erster nach der Endschlinge. Die fünf traten zum Rande, Klaas schüttelte den Kopf: »Nooit!« »Nee, nee, nee«, flüsterten drei andere Stimmen. »Ons moet dit darom perbier«, sagte Jantje, »gebt mir den Branntwein.« Er trank einen Schluck, barg die Flasche im Hemd. »Nun!«

Jantje hatte seinen gefährlichen Abstieg begonnen, und den Zurückbleibenden spannten sich die Muskeln am Körper, und der Schweiß machte ihre Haut glänzend.

Nach einer Weile rief Klaas, der vorderste, hinunter: »T'is all nu«, und rückwärts gewandt: »Das reicht kaum halb! Setzt euch.«

Die Männer taten, wie er ihnen hieß. Sie brauchten eine kurze Rast, und nun, da der Abstieg zu Ende war, war das Halten leichter.

Karel mußte die Worte verstanden haben, denn er stand auf

und trat zu Klaas, der fuhr zusammen und wagte nicht, ihn anzusehen. »Es langt nicht?«

»Nein, Baas.«

»Was tust du, Jantje?«

Der antwortete nicht, starrte nur auf das Kind.

»Jantje will zurück. Wir müssen anziehen.«

Die Farbigen erhoben sich. Karel arbeitete mit ihnen. Welch große Kraft der Baas hatte.

Jantjes faltiges Gesicht erschien, müde, mit verzogenem Munde und verbissenen Zähnen. Karel riß ihn herauf an der Hand.

»T'is jammer, Baas«, es klang winselnd.

Karel schien das nicht zu merken. »Der Kleinbaas lebt, Jantje?«

»Baas, ich habe lange hingesehen, da ist Leben«, er zeigte auf das Herz.

»Kann man Branntwein hinunterlassen und Kost?«

»Ich glaube nicht, Baas.«

»Ruht aus denn, ich will hinunter.«

»Nein, Baas, er schläft da!« Jantje wies auf den Kopf.

»Hört er, Jantje?«

Jantje zitterte und suchte dem Baas zu widersprechen. Es war schwer jetzt, wo er wieder so hart und stark war, so eisern ruhig, als handle sich's um nichts anderes als ein abgestürztes Schaf. Aber dann brachte er es doch heraus, ganz schnell: »Wenn Baas – ich meine, wenn Baas sich – wenn Baas etwas geschieht!«

Karel sah ihn an, daß Jantje sich duckte, und der Hochmut der Herrenrasse war in seiner Stimme: »Glaubst du, ich ließe meines Kindes Leben in eurer Hand? Voran!«

Karel wurde hinuntergelassen. Länger als Jantje blieb er. Einmal schien er zu flüstern nach unten hin. Die Diener waren der Erschöpfung nahe, als er das Zeichen gab zur Rückkehr. Sie zogen schlecht, und unendlich langsam ging der Aufstieg vonstatten.

Er wird sehr zornig sein! dachten die Hottentotten, dazu flatterte der Honigvogel wieder lockend über ihnen, wieder Beute erhoffend. Jantje hätte ihn gern vertrieben, aber er konnte nicht loslassen.

Da war der Herr endlich, die Farbigen krochen in sich zusammen. Er sah nicht nach ihnen, preßte nur im Selbstgespräch heraus, während er sich losband: »Die Glut auf der Wand, die entsetzliche Glut!« Sein Blick fiel auf den Vogel, der sich nahe gesetzt hatte, noch lockend. Er beugte sich blitzschnell und es schien, als wolle er einen Stein greifen zum Wurfe. Aber noch ehe er den Stein gefaßt hatte, schnellte sein Körper zurück. »Jantje!«

»Baas.«

»Du bleibst hier, das Seil bleibt. Die andern kommen mit mir!«

»Ja, Baas.«

»Und –«, aber er sprach nicht weiter, sondern eilte fort.

Stundenlang saß der Hottentott wartend und seinen Kleinbaas beobachtend. Er sah Karel zu Pferd durch die Ebene jagen, sah ihn halten und abspringen, eindringen durch das Tal, arbeiten durch Geröll und Wasser, bis er eine Stelle gefunden hatte unter der Wand, sah ihn dann da klettern und rutschen und klettern und fallen und schließlich umkehren.

»Der Baas ist wie ein wildes Tier im Käfig. Aber es nützt nichts, es nützt gar nichts.«

Und am Himmel sah er erst einen Punkt herankommen und einen andern und einen dritten und dann viele. Er wußte, was das war, lange bevor er das grelle Weiß und tiefe Schwarz des Gefieders unterscheiden konnte, lange bevor die gierigen Schreie über ihm gellten, während die Vögel kreisten.

Es schüttelte ihn, er kam in ohnmächtige Wut und drohte hinauf. »Ye verdomde Duivels, ek sell ye doodmaak, ek sell sekerlik. Aber es nützt nichts, es nützt gar nichts.« Die Sonne sank, es wurde kühler.

»Allemagte, sieh doch, der Kleinbaas öffnet die Augen und stöhnt, er – er will sprechen! Wart, Kleinbaasje, wart, Kleinbaasje Dirk, ich komme, ich will hören, gut hören, ich bin ja hier!«

»Wenn jetzt der Baas käme, er könnte halten, er.« Jantje fuhr umher. Nirgends eine Stelle, das Seil festzumachen, um sich hinunterlassen zu können, um näher zu sein dem Kinde, um zu hören, wenn es wirklich sprechen wollte oder konnte.

Schon verzweifelte er, da kam Karel, langsam, stolpernd, und trug etwas, das er hinter dem Rücken verborgen hielt und schnell und scheu niederlegte, als er Jantjes Blicken begegnete.

»Baas, Baas! Lauf! Der Kleinbaas sieht und will sprechen!«

»Sprechen?« Karel sprang heran.

»Hier, schling's um, lieg nieder, du kannst mich vielleicht halten, Baas, ich dich nicht.«

Karel gehorchte, und Jantje glitt, Gefahr und Risse verachtend, hinab. Karel hörte flüsternd und verstand und fragte nicht, als Jantje ächzend wiederkam.

»Baas...«

»Ja...«

»Baas er bittet...«

Karel sah fort.

»Er bittet, du, du sollst – schießen – Baas –, wenn du ihn lieb hast.«

Es wurde dunkel und wieder hell durch den aufgehenden Mond. Jantje starrte vor sich hin. Irgendwo hinter ihm regte sich etwas. »Baas, du bist hier?«

Niemand antwortete, der Hottentott wagte nicht, sich umzusehen und fuhr heiser fort: »Baas, er hat Schmerzen. Baas, da oben warten schon die Aasvögel. Baas, ich will es tun, wenn du's nicht kannst, denn du bist sein Vater.« Nun schielte er zurück und hob die Hände: »Baas!«

Jemand erhob sich und trat heran, und der zitternde Diener hörte des Herrn Stimme – ohne Zorn und Erregung, aber Gehorsam heischend: »Geh nach Hause, Jantje, und schweig, du weißt nicht, was du sprichst.«

Da warf Jantje einen letzten Blick hinunter auf das Kind und ging. Als seine Schritte verklungen waren, schlich Karel scheu und alles Geräusch vermeidend nach der Stelle hin, wo er vorher die Büchse verborgen hatte beim Erblicken Jantjes. »Nein, ich will nicht, ich will nicht.«

Fast mit Ekel wandte er sich ab, um dann immerfort murmelnd doch das Gewehr aufzuheben. »Jetzt kann er gewiß nicht mehr sprechen.«

»Vielleicht« – er schrak auf, horchend –, »vielleicht ist er schon gestürzt.« Er lief zurück mit der Büchse.

»Dirk, Dirk, hör noch einmal, ich darf's nicht tun. Ich darf nicht, wenn ich's auch könnte, wenn ich auch wollte. Sprich doch, Dirk, sprich doch. Aber nicht das!«

Er faltete plötzlich seine Hände über dem Gewehr: »Allmächtiger, du hast ihn fallen lassen, nun bitte ich dich um das eine einzige, laß ihn noch einmal reden!« Er lauschte gespannt und merkte, wie ein furchtbarer Haß wuchs in ihm gegen das grausame Geheimnis dort oben über Mond und Sternen.

Da, war das Täuschung, oder – oder flüsterte das Kind an der Wand herauf? Was immer es war, seine Ohren fingen deutlich die klagenden Worte auf: »Jantje, tu du's. Ich hab' Schmerzen. Ich verdurste. Ich fürchte mich vor den Aasvögeln, die wollen mein Fleisch. Tu du's, denn er hat mich nicht lieb, er hat mich nie lieb gehabt!«

Karel schrie auf, schrie, daß es gellte von Berg und Wand: »Nein, Dirk, nein, das ist nicht wahr. Ich hab' dich lieb, Dirk, ich, nur ich. Ich will es tun, Dirk, weil ich dich so sehr lieb habe.«

Und der Mond sah, wie Karel de Savoye sich niederließ auf ein Knie, wie er zielte, ruhig und sicher, und wie er seines Sohnes Herz traf aus Liebe und um ihn zu retten von schwerer Pein und entsetzlicher letzter Not. Und der Mond sah des Kindes Gestalt verschwinden von der Wand und sah den Vater niedersteigen und schließlich einen Leichnam, einen armen blutigen Leib, küssen.

Ehe es aber Morgen ward, hatte Karel de Savoye einsam und allein seines Sohnes Grab gegraben und hatte ihn hineingelegt.

Ein paar Tage später stand er in Aliwal Noord vor dem Landdrost und bezichtigte sich des Mordes. Mit unsäglicher Mühe entrang ihm der Beamte die Angabe der näheren Umstände. Davon, daß er einer plötzlichen Eingebung gefolgt sei, der qualvollen Bitte seines Sohnes gehorchend, wollte der Selbstankläger nichts wissen. Er betonte im Gegenteil mit Nachdruck, ja fast mit Heftigkeit, die besonders hervorstach bei seiner sonst zur Schau getragenen fast übermenschlichen und sicher unmenschlichen Kühle, daß er den Beschluß zur Tat schon gefaßt habe bei seinem ersten mißglückten Versuche, zu seinem Sohne zu gelangen, und sobald es bei ihm feststand, daß das Kind noch lebe.

Dem Beamten blieb nichts übrig, als die Sache nach der Voruntersuchung an Geschworene und Richter zu verweisen. Die Entlassung in die Freiheit in der Zwischenzeit nahm Karel de Savoye nicht an. Die Besuche des Geistlichen seiner Religionsgemeinschaft, der Dirks Pflegevater gewesen war, wies er mit Entschiedenheit ab. Am Tage seines Prozesses versuchte er mit allen Mitteln, einen Wahrspruch gegen sich zuwege zu bringen, aber die neun Männer, »gut und wahr«, wie sie das Gesetz nennt, verneinten vor offenem Gerichte jede Schuldfrage. Der Richter entließ Karel mit dem an solcher Stelle seltenen Wunsche: Möge der Himmel einem tapferen Manne helfen!

Müde und ganz verstört ritt Karel zurück auf die Bergfarm. Kurz hinter ihm drein fuhr der Predikant. Karel war daheim, als er kam, und nahm ihn wohl oder übel auf. Nach ein paar fruchtlosen Versuchen gelang es dem Pfarrer, seinen Mann zu stellen. Nach Lage der Umstände und seinem Verständnis des verschlossenen und fluchtbereiten Menschen vor ihm, ging er gerade auf seinen Punkt los: daß Karel eine schwere Sünde begangen habe, wisse er selber, habe er sich doch deshalb dem Gericht gestellt, deshalb auf eine Verurteilung gedrungen. Eine solche aber sei eine Entsühnung vor den Menschen und nicht vor Gott. Mit Gott allein habe er zu tun, denn so Trauriges der Herr über ihn ver-

hängt habe, er habe eigenmächtig eingegriffen in dessen unerforschlichen Ratschluß. Noch weniger Sühne aber läge in der Verzweiflung. Gott sähe das Herz an, und wolle Karel nur etwas
Vertrauen fassen zu Gottes Güte und sich ihm anbefehlen, so würde
bei Pflichterfüllung, Demut und Glauben die Verzeihung und aller
Frieden ihm teilhaftig werden. Nicht an den verlorenen Knaben
solle er sich hängen, sondern an das selige Kind im Himmel.

Karel ließ ihn ausreden, um dann kühl und ruhig zu antworten: Von Sünde wisse er nichts, nichts von Barmherzigkeit, nichts
von Liebe, nichts von Gnade. Die Begriffe seien ihm abhanden
gekommen und hätten sich in seines Kindes Schicksal als Trug
erwiesen. Dem verlorenen Sohne jammere er nicht mehr nach, der
habe den Frieden des Grabes, einen Gott kenne er nicht mehr.
Aber wenn kein Gott über den Wolken regiere oder gar ein er-
bärmlicher, grausamer Spieler, dann müsse auf Erden erst recht
etwas bestehen ohne Deutelei und Dreherei, das sei das Recht, das
feste unabänderliche Recht. Und wenn alle Versprechungen und
Himmelsgeschichten in der Bibel so viele Märchen seien, einen
Spruch habe er gefunden, der ihm wahr sei, und der heiße:
»Schade um Schade, Auge um Auge, Zahn um Zahn; wie er hat
einen Menschen verletzet, so soll man ihm wieder tun.« So, und
nun danke er ihm noch einmal für alles Gute, das er dem toten
Kinde erwiesen habe.

Der Predikant, der nichts ausrichten konnte, fuhr nach Aliwal
Noord zurück. Zwei Wochen etwa nach ihm kam wegemüde,
staubig und gebeugt Jantje dort an.

Sein Baas sei tot. Er habe sich selbst erschossen, wohl sei ihm
das Gewehr losgegangen. Von seiner Rückkehr an habe er täglich
an einem Steine gearbeitet, draußen im Veldt und etwas darauf
geschrieben, was, wisse er nicht. Am Vorabend seines Todes habe
der Baas ihm gesagt, sterbe er, so wolle er beerdigt sein, wo der
Stein liege, und der solle dann auf sein Grab gesetzt werden. Am
nächsten Tage sei er nicht wiedergekehrt, unter der Wand hätten ihn die Suchenden tot gefunden und seinem Letzten Willen
gemäß gehandelt.

Das ist die Geschichte von »Mordenaars Graf«, und die Stätte ist
nicht eines »Mörders Grab«, sondern eine von den vielen in dem
herzensarmseligen Afrika, wo ein einsamer weißer Mensch ver-
endet ist wie ein angeschweißtes Tier.

Erschienen 1912

THOMAS MANN *1875–1955*

Unordnung und frühes Leid

Als Hauptgericht hat es nur Gemüse gegeben, Wirsing-Koteletts; darum folgt noch ein Flammeri, hergestellt aus einem der nach Mandeln und Seife schmeckenden Puddingpulver, die man jetzt kauft, und während Xaver, der jugendliche Hausdiener, in einer gestreiften Jacke, welcher er entwachsen ist, weißwollenen Handschuhen und gelben Sandalen, ihn auftischt, erinnern die Großen ihren Vater auf schonende Art daran, daß sie heute Gesellschaft haben. Die Großen, das sind die achtzehnjährige und braunäugige Ingrid, ein sehr reizvolles Mädchen, das zwar vor dem Abiturium steht und es wahrscheinlich auch ablegen wird, wenn auch nur, weil sie den Lehrern und namentlich dem Direktor die Köpfe bis zu absoluter Nachsicht zu verdrehen gewußt hat, von ihrem Berechtigungsschein aber keinen Gebrauch zu machen gedenkt, sondern auf Grund ihres angenehmen Lächelns, ihrer ebenfalls wohltuenden Stimme und eines ausgesprochenen und sehr amüsanten parodistischen Talentes zum Theater drängt – und Bert, blond und siebzehnjährig, der die Schule um keinen Preis zu beenden, sondern sich so bald wie möglich ins Leben zu werfen wünscht und entweder Tänzer oder Kabarett-Rezitator oder aber Kellner werden will: dies letztere unbedingt »in Kairo« – zu welchem Ziel er schon einmal, morgens um fünf, einen knapp vereitelten Fluchtversuch unternommen hat. Er zeigt entschiedene Ähnlichkeit mit Xaver Kleinsgütl, dem gleichaltrigen Hausdiener: nicht weil er gewöhnlich aussähe – er gleicht in den Zügen sogar auffallend seinem Vater, Professor Cornelius –, sondern eher kraft einer Annäherung von der anderen Seite her, oder allenfalls vermöge einer wechselseitigen Anpassung der Typen, bei der ein weitgehender Ausgleich der Kleidung und allgemeinen Haltung die Hauptrolle spielt. Beide tragen ihr dichtes Haar auf dem Kopfe sehr lang, flüchtig in der Mitte gescheitelt, und haben folglich die gleiche Kopfbewegung, um es aus der Stirn zurückzuwerfen. Wenn einer von ihnen durch die Gartenpforte das Haus verläßt, barhaupt bei jedem Wetter, in einer Windjacke, die aus bloßer Koketterie mit einem Lederriemen gegürtet ist, und mit etwas vorgeneigtem Oberkörper, dazu noch den Kopf auf der Schulter, davonschiebt oder sich aufs Rad setzt – Xaver benutzt willkürlich die Räder seiner Herrschaft, auch die weiblichen und in besonders sorgloser Laune sogar das des Professors –, so kann Doktor Cornelius von seinem Schlafzimmer aus beim besten Willen nicht unterscheiden, wen er vor sich hat, den Burschen oder seinen Sohn. Wie junge Muschiks, findet er, sehen sie aus, einer wie der andere, und beide sind sie leidenschaftliche Zigarettenraucher, wenn auch Bert nicht über die Mittel verfügt, so viele zu rauchen wie Xaver, der es auf dreißig Stück pro Tag gebracht hat, und zwar von einer Marke, die den Namen einer im Flor stehenden Kino-Diva trägt.

Die Großen nennen ihre Eltern »die Greise« – nicht hinter ihrem Rücken, sondern anredeweise und in aller Anhänglichkeit, obgleich Cornelius erst siebenundvierzig und seine Frau noch acht Jahre jünger ist. »Geschätzter Greis!« sagen sie, »treuherzige Greisin!«, und die Eltern des Professors, die in seiner Heimat das bestürzte und verschüchterte Leben alter Leute führen, heißen in ihrem Munde »die Urgreise«. Was die »Kleinen« betrifft, Lorchen und Beißer, die mit der »blauen Anna«, so genannt nach der Bläue ihrer Backen, auf der oberen Diele essen, so reden sie nach dem Beispiel der Mutter den Vater mit Vornamen an, sagen also Abel. Es klingt unbeschreiblich drollig in seiner extravaganten Zutraulichkeit, wenn sie ihn so rufen und nennen, besonders in dem süßen Stimmklang der fünfjährigen Eleonore, die genau aussieht wie Frau Cornelius auf ihren Kinderbildern und die der Professor über alles liebt.

»Greislein«, sagt Ingrid angenehm, indem sie ihre große, aber schöne Hand auf die des Vaters legt, der nach bürgerlichem und nicht unnatürlichem Herkommen dem Familientisch vorsitzt und zu dessen Linken sie, der Mutter gegenüber, ihren Platz hat – »guter Vorfahr, laß dich nun sanft gemahnen, denn sicher hast du's verdrängt. Es war also heute nachmittag, daß wir unsere kleine Lustbarkeit haben sollten, unser Gänsehüpfen mit Heringssalat – da heißt es für deine Person denn Fassung bewahren und nicht verzagen, um neun Uhr ist alles vorüber.«

»Ach?« sagt Cornelius mit verlängerter Miene – »Gut, gut«, sagt er und schüttelt den Kopf, um sich in Harmonie mit dem Notwendigen zu zeigen. »Ich dachte nur – ist das schon fällig? Donnerstag, ja. Wie die Zeit verfliegt. Wann kommen sie denn?«

Um halb fünf, antwortet Ingrid, der ihr Bruder im Verkehr mit dem Vater den Vortritt läßt, würden die Gäste wohl einlaufen. Im Oberstock, solange er ruhe, höre er fast nichts, und von sieben bis acht halte er seinen Spaziergang. Wenn er wolle, könne er sogar über die Terrasse entweichen.

»Oh –«, macht Cornelius im Sinne von »Du übertreibst«. Aber Bert sagt nun doch:

»Es ist der einzige Abend der Woche, an dem Wanja nicht spielen muß. Um halb sieben müßte er gehen, wie an jedem andern. Das wäre doch schmerzlich für alle Beteiligten.«

»Wanja«, das ist Iwan Herzl, der gefeierte jugendliche Liebhaber des Staatstheaters, sehr befreundet mit Bert und Ingrid, die häufig bei ihm Tee trinken und ihn in seiner Garderobe besuchen. Er ist ein Künstler der neueren Schule, der in sonderbaren und, wie es dem Professor scheint, äußerst gezierten und unnatürlichen Tänzerposen auf der Bühne steht und leidvoll schreit. Einen Professor der Geschichte kann das unmöglich ansprechen, aber Bert hat sich stark unter Herzls Einfluß begeben, schwärzt sich den Rand der unteren Augenlider, worüber es zu einigen schweren, aber fruchtlosen Szenen mit dem Vater gekommen ist, und erklärt mit jugendlicher Gefühllosigkeit für die Herzenspein der Altvorderen, daß er sich Herzl nicht nur zum Vorbild nehmen wolle, falls er sich für den Tänzerberuf entscheide, sondern sich auch als Kellner in Kairo genauso zu bewegen gedenke wie er.

Cornelius verbeugt sich leicht gegen seinen Sohn, die Augenbrauen etwas hochgezogen, jene loyale Bescheidung und Selbstbeherrschung andeutend, die seiner Generation gebührt. Die Pantomime ist frei von nachweisbarer Ironie und allgemeingültig. Bert mag sie sowohl auf sich wie auf das Ausdruckstalent seines Freundes beziehen.

Wer sonst noch komme, erkundigt sich der Hausherr. Man nennt ihm einige Namen, ihm mehr oder weniger bekannt, Namen aus der Villenkolonie, aus der Stadt, Namen von Kolleginnen Ingrids aus der Oberklasse des Mädchengymnasiums... Man müsse noch telefonieren, heißt es. Man müsse zum Beispiel mit Max telefonieren, Max Hergesell, stud. ing., dessen Namen Ingrid sofort in der gedehnten und näselnden Weise vorbringt, die nach ihrer Angabe die Privat-Sprechmanier aller Hergesells sein soll

377

und die sie auf äußerst drollige und lebenswahrscheinliche Weise zu parodieren fortfährt, so daß die Eltern vor Lachen in Gefahr kommen, sich mit dem schlechten Flammeri zu verschlucken. Denn auch in diesen Zeiten muß man lachen, wenn etwas komisch ist.

Zwischendurch ruft das Telefon im Arbeitszimmer des Professors, und die Großen laufen hinüber, denn sie wissen, daß es sie angeht. Viele Leute haben das Telefon bei der letzten Verteuerung aufgeben müssen, aber die Cornelius' haben es gerade noch halten können, kraft des leidlich den Umständen angepaßten Millionengehalts, das der Professor als Ordinarius für Geschichte bezieht. Das Vorstadthaus ist elegant und bequem, wenn auch etwas verwahrlost, weil Reparaturen aus Materialmangel unmöglich sind, und entstellt von eisernen Öfen mit langen Rohren. Aber es ist der Lebensrahmen des höheren Mittelstandes von ehemals, worin man nun lebt, wie es nicht mehr dazu paßt, das heißt ärmlich und schwierig, in abgetragenen und gewendeten Kleidern. Die Kinder wissen nichts anderes, für sie ist es Norm und Ordnung, es sind geborene Villenproletarier. Die Kleiderfrage kümmert sie wenig. Dies Geschlecht hat sich ein zeitgemäßes Kostüm erfunden, ein Produkt aus Armut und Pfadfindergeschmack, das im Sommer beinahe nur aus einem gegürteten Leinenkittel und Sandalen besteht. Die bürgerlich Alten haben es schwerer.

Die Großen reden nebenan mit den Freunden, während ihre Servietten über den Stuhllehnen hängen. Es sind Eingeladene, die anrufen. Sie wollen zusagen oder absagen oder über irgend etwas verhandeln, und die Großen verhandeln mit ihnen im Jargon des Kreises, einem Rotwelsch voller Redensartlichkeit und Übermut, von dem die »Greise« selten ein Wort verstehen. Auch diese beraten unterdessen: über die Verpflegung, die man den Gästen bieten wird. Der Professor zeigt bürgerlichen Ehrgeiz. Er möchte, daß es zum Abendessen, nach dem italienischen Salat und dem belegten Schwarzbrot eine Torte gebe, etwas Tortenähnliches; aber Frau Cornelius erklärt, daß das zu weit führen würde – die jungen Leute erwarten es gar nicht, meint sie, und die Kinder stimmen ihr zu, als sie sich noch einmal zum Flammeri setzen.

Die Hausfrau, von der die höher gewachsene Ingrid den Typus hat, ist mürbe und matt von den verrückten Schwierigkeiten der Wirtschaft. Sie müßte ein Bad aufsuchen, aber das Schwanken des Bodens unter den Füßen, das Drüber und Drunter aller Dinge machen das vorläufig untunlich. Sie denkt an die Eier, die heute unbedingt eingekauft werden müssen, und spricht davon: von den Sechstausend-Mark-Eiern, die nur an diesem Wochentage von einem bestimmten Geschäft, eine Viertelstunde von hier, in bestimmter Anzahl abgegeben werden, und zu deren Entgegennahme sich die Kinder unmittelbar nach Tische vor allem anderen aufmachen müssen. Danny, der Nachbarssohn, wird kommen, sie abzuholen, und Xaver wird sich in Zivilkleidung den jungen Herrschaften ebenfalls anschließen. Denn das Geschäft gibt nur fünf Eier pro Woche an einen und denselben Hausstand ab, und darum werden die jungen Leute einzeln, nacheinander und unter verschiedenen angenommenen Namen den Laden betreten, um zwanzig Eier im ganzen für die Villa Cornelius zu erringen: ein wöchentlicher Hauptspaß für alle Beteiligten, den Muschik Kleinsgütl nicht ausgenommen, namentlich aber für Ingrid und Bert, die außerordentlich zur Mystifikation und Irreführung ihrer Mitmenschen neigen und dergleichen auf Schritt und Tritt um seiner selbst willen betreiben, auch wenn durchaus keine Eier dabei herauskommen. Sie lieben es, sich im Trambahnwagen indirekt und auf dem Wege der Darstellung für ganz andere junge Personen auszugeben, als sie in Wirklichkeit sind, indem sie miteinander im Landesdialekt, den sie sonst gar nicht sprechen, öffentlich lange, gefälschte Gespräche führen, so recht ordinäre Gespräche, wie die Leute sie führen: das allergewöhnlichste Zeug über Politik und Lebensmittelpreise und Menschen, die es nicht gibt, so daß der ganze Wagen mit Sympathie und doch mit dem dunklen Argwohn, daß hier irgend etwas nicht stimmt, ihrer grenzenlos gewöhnlichen Zungenfertigkeit lauscht. Dann werden sie immer frecher und fangen an, sich von den Menschen, die es nicht gibt, die abscheulichsten Geschichten zu erzählen. Ingrid ist imstande, mit hoher, schwankender, ordinär zwitschernder Stimme vorzugeben, daß sie ein Ladenfräulein ist, welches ein uneheliches Kind besitzt, einen Sohn, der sadistisch veranlagt ist und neulich auf dem Lande eine Kuh so unbeschreiblich gemartert hat, daß es für einen Christenmenschen kaum anzusehen gewesen ist. Über die Art, wie sie das Wort »gemartert« zwitschert, ist Bert dicht daran herauszuplatzen, legt aber eine schaurige Teilnahme an den Tag und tritt mit dem unglücklichen Ladenfräulein in ein langes und schauriges, zugleich verderbtes und dummes Gespräch über die Natur der krankhaften Grausamkeit ein, bis ein alter Herr, schräg gegenüber, der ein Billett zusammengefaltet zwischen Zeigefinger und Siegelring trägt, das Maß voll findet und sich öffentlich dagegen verwahrt, daß so junge Leute solche Themata (er gebraucht den griechischen Plural »Themata«) in dieser Ausführlichkeit erörtern. Worauf Ingrid so tut, als ob sie in Tränen schwömme, und Bert sich den Anschein gibt, als ob er eine tödliche Wut auf den alten Herrn mit äußerster Anstrengung, aber kaum noch auf lange Zeit, unterdrücke und bändige: die Fäuste geballt, zähneknirschend und am ganzen Leibe zitternd, so daß der alte Herr, der es nur gut gemeint hat, an der nächsten Station schleunig den Wagen verläßt.

Solcherart sind die Unterhaltungen der »Großen«. Das Telefon spielt eine hervorragende Rolle dabei: sie klingeln an bei aller Welt, bei Opernsängern, Staatspersonen und Kirchenfürsten, melden sich als Ladenfräulein oder als Graf und Gräfin Mannsteufel und bequemen sich nur schwer zu der Einsicht, daß sie falsch verbunden sind. Einmal haben sie die Besuchskartenschale der Eltern ausgeleert und die Karten kreuz und quer, aber nicht ohne Sinn für das Verwirrend-Halbwahrscheinliche, in die Briefkästen des Viertels verteilt, woraus viel Unruhe erwuchs, da plötzlich Gott weiß wer bei der Himmel weiß wem Besuch abgelegt zu haben schien.

Xaver, jetzt ohne Servierhandschuhe, so daß man den gelben Kettenring sieht, den er an der Linken trägt, kommt haarwerfend herein, um abzudecken, und während der Professor sein Achttausend-Mark-Dünnbier austrinkt und sich eine Zigarette anzündet, hört man die »Kleinen« sich auf Treppe und Diele tummeln. Sie kommen, wie üblich, die Eltern nach Tisch zu begrüßen, stürmen das Eßzimmer, im Kampf mit der Tür, an deren Klinke sie sich gemeinsam mit den Händen hängen, und stapfen und stolpern mit ihren eiligen, ungeschickten Beinchen, in roten Filzhausschuhen, über denen die Söckchen faltig heruntergerutscht sind, rufend, berichtend und schwatzend über den Teppich, indem ein jedes nach seinem gewohnten Ziele steuert: Beißer zur Mutter, auf deren Schoß er mit den Knien klettert, um ihr zu sagen, wieviel er gegessen hat, und ihr zum Beweise seinen geschwollenen Bauch zu zeigen, und Lorchen zu ihrem »Abel«, – so sehr der Ihre, weil sie so sehr die Seine ist, weil sie die innige und wie alles tiefe Gefühl etwas melancholische Zärtlichkeit spürt und lächelnd genießt, mit der er ihre Klein-Mädchen-Person umfängt, die Liebe, mit der er sie anblickt und ihr fein gestaltetes Händchen oder ihre Schläfe küßt, auf der sich bläuliche Äderchen so zart und rührend abzeichnen.

Die Kinder zeigen die zugleich starke und unbestimmte, durch gleichmäßige Kleidung und Haartracht unterstützte Ähnlichkeit des Geschwisterpärchens, unterscheiden sich aber auch wieder auffallend voneinander, und zwar im Sinne des Männlichen und Weiblichen. Das ist ein kleiner Adam und eine kleine Eva, deutlich betont, – auf seiten Beißers, wie es scheint, sogar bewußt und vom Selbstgefühl her betont: von Figur schon ist er gedrungener, stämmiger, stärker, unterstreicht aber seine vierjährige Manneswürde noch in Haltung, Miene und Redeweise, indem er die Ärmchen athletisch, wie ein junger Amerikaner, von den etwas gehobenen Schultern hängen läßt, beim Sprechen den Mund hinunterzieht und seiner Stimme einen tiefen, biederen Klang zu geben sucht. Übrigens ist all diese Würde und Männlichkeit mehr angestrebt als wahrhaft in seiner Natur gesichert; denn, gehegt und geboren in wüsten, verstörten Zeiten, hat er ein recht labiles und reizbares Nervensystem mitbekommen, leidet schwer unter den Mißhelligkeiten des Lebens, neigt zu Jähzorn und Wutgetrampel, zu verzweifelten und erbitterten Tränenergüssen über jede Kleinigkeit und ist schon darum der besondere Pflegling der Mutter. Er hat kastanienbraune Kugelaugen, die leicht etwas schielen, weshalb er wohl bald eine korrigierende Brille wird tragen müssen, ein langes Näschen und einen kleinen Mund. Es sind die Nase und der Mund des Vaters, wie recht deutlich geworden, seitdem der Professor sich den Spitzbart hat abnehmen lassen und glatt rasiert geht. (Der Spitzbart war wirklich nicht länger zu halten; auch der historische Mensch bequemt sich schließlich zu solchen Zugeständnissen an die Sitten der Gegenwart.) Aber Cornelius hält sein Töchterchen auf den Knien, sein Eleonorchen, die kleine Eva – so viel graziler, im Ausdruck süßer als der Junge –, und läßt sie, indem er die Zigarette weit von ihr weghält, mit ihren feinen Händchen an seiner Brille fingern, deren zum Lesen und Fernsehen abgeteilte Gläser täglich wieder ihre Neugier beschäftigen.

Im Grunde hat er ein Gefühl dafür, daß die Vorliebe seiner Frau wohl hochherziger gewählt hat als die seine und daß die schwierige Männlichkeit Beißers vielleicht mehr wiegt als der ausgeglichenere Liebreiz seines Kindchens. Aber dem Herzen, meint er, läßt sich nicht gebieten, und sein Herz gehört nun einmal der Kleinen, seitdem sie da ist, seitdem er sie zum erstenmal gesehen. Auch erinnert er sich fast immer, wenn er sie in den Armen hält, an dieses erste Mal: es war in einem hellen Zimmer der Frauenklinik, wo Lorchen zur Welt gekommen, in zwölfjährigem Abstand von ihren großen Geschwistern. Er trat herzu, und in dem Augenblick fast, wo er unter dem Lächeln der Mutter behutsam die Gardine von dem Puppenhimmelbettchen zog, das neben dem

großen stand, und das kleine Wunder gewahrte, das da so wohl-
ausgebildet und wie von der Klarheit süßen Ebenmaßes umflos-
sen in den Kissen lag, mit Händchen, die schon damals, in noch
viel winzigeren Maßen, so schön waren wie jetzt, mit offenen
Augen, die damals himmelblau waren und den hellen Tag wider-
strahlten – fast in derselben Sekunde fühlte er sich ergriffen und
gebunden; es war Liebe auf den ersten Blick und für immer, ein
Gefühl, das ungekannt, unerwartet und unerhofft – soweit das
Bewußtsein in Frage kam – von ihm Besitz ergriff und das er
sofort mit Erstaunen und Freude als lebensendgültig verstand.

Übrigens weiß Doktor Cornelius, daß es mit der Unverhofft-
heit, der gänzlichen Ungeahntheit dieses Gefühls und selbst seiner völligen Unwillkürlichkeit, genau erforscht, nicht ganz richtig
ist. Er versteht im Grunde, daß es ihn nicht so von ungefähr über-
kommen und sich mit seinem Leben verbunden hat, sondern daß
er unbewußt dennoch darauf vorbereitet oder richtiger: dafür bereitet gewesen ist; daß etwas in ihm bereit war, es im gegebenen
Augenblick aus sich zu erzeugen, und daß dies Etwas seine Eigenschaft als Professor der Geschichte gewesen ist – höchst sonderbar
zu sagen. Aber Doktor Cornelius sagt es auch nicht, sondern weiß
es eben nur manchmal, mit geheimem Lächeln. Er weiß, daß Professoren der Geschichte die Geschichte nicht lieben, sofern sie geschieht, sondern sofern sie geschehen ist; daß sie die gegenwärtige
Umwälzung hassen, weil sie sie als gesetzlos, unzusammenhän-
gend und frech, mit einem Worte, als »unhistorisch« empfinden,
und daß ihr Herz der zusammenhängenden, frommen und historischen Vergangenheit angehört. Denn über dem Vergangenen,
so gesteht sich der Universitätsgelehrte, wenn er vor dem Abendessen am Flusse spazierengeht, liegt die Stimmung des Zeitlosen
und Ewigen, und das ist eine Stimmung, die den Nerven eines
Geschichtsprofessors weit mehr zusagt als die Frechheiten der
Gegenwart. Das Vergangene ist verewigt, das heißt: es ist tot,
und der Tod ist die Quelle aller Frömmigkeit und alles erhalten-
den Sinnes. Der Doktor sieht das heimlich ein, wenn er allein im
Dunkeln geht. Es ist sein erhaltender Instinkt, sein Sinn für das
»Ewige« gewesen, der sich vor den Frechheiten der Zeit in die
Liebe zu diesem Töchterchen gerettet hat. Denn Vaterliebe und
ein Kindchen an der Mutterbrust, das ist zeitlos und ewig und
darum sehr heilig und schön. Und doch versteht Cornelius im
Dunkeln, daß etwas nicht ganz recht und gut ist in dieser seiner
Liebe, – er gesteht es sich theoretisch um der Wissenschaft willen
ein. Sie hat ihrem Ursprunge nach etwas Tendenziöses, diese

Liebe; es ist Feindseligkeit darin, Opposition gegen die geschehende Geschichte zugunsten der geschehenen, das heißt des Todes. Ja, sonderbar genug, aber wahr, gewissermaßen wahr. Seine Inbrunst für dies süße Stückchen Leben und Nachwuchs hat etwas mit dem Tode zu tun, sie hält zu ihm, gegen das Leben, und das ist in gewissem Sinne nicht ganz schön und gut – obgleich es natürlich die wahnsinnigste Askese wäre, sich wegen solcher gelegentlichen wissenschaftlichen Einsicht das liebste und reinste Gefühl aus dem Herzen zu reißen.

Er hält das Töchterchen auf dem Schoß, das seine dünnen, rosigen Beinchen von seinen Knien hängen läßt, spricht zu ihr, die Augenbrauen hochgezogen, im Ton einer zarten, spaßhaften Ehrerbietung und lauscht entzückt auf das süße, hohe Stimmchen, mit dem sie ihm antwortet und ihn »Abel« nennt. Er tauscht sprechende Blicke dabei mit der Mutter, die ihren Beißer betreut und ihn mit sanftem Vorwurf zu Vernunft und Fassung ermahnt, da er heute, gereizt durch das Leben, wieder einem Wutanfall unterlegen und sich wie ein heulender Derwisch benommen hat. Auch zu den »Großen« wirft Cornelius manchmal einen etwas argwöhnischen Blick hinüber, denn er hält es nicht für unmöglich, daß ihnen gewisse wissenschaftliche Einsichten seiner Abendspaziergänge auch nicht ganz fremd sind. Aber wenn dem so ist, so lassen sie es nicht merken. Hinter ihren Stühlen stehend, die Arme auf die Lehne gestützt, sehen sie wohlwollend, wenn auch mit einiger Ironie, dem elterlichen Glücke zu.

Die Kinder tragen dicke, ziegelrote, modern bestickte Künstlerkleidchen, die seinerzeit schon Bert und Ingrid gehört haben und die ganz gleich sind, mit dem einzigen Unterschied, daß bei Beißer kleine, kurze Hosen unter dem Kittel hervorkommen. Auch den gleichen Haarschnitt tragen sie, die Pagenfrisur. Beißers Haar ist unregelmäßig blond, noch in langsamem Nachdunkeln begriffen, ungeschickt angewachsen überall, struppig, und sieht aus wie eine kleine, komische, schlechtsitzende Perücke. Lorchens dagegen ist kastanienbraun, seidenfein, spiegelnd und so angenehm wie das ganze Persönchen. Es verdeckt ihre Ohren, die, wie man weiß, verschieden groß sind: das eine hat richtiges Verhältnis, das andere aber ist etwas ausgeartet, entschieden zu groß. Der Vater holt die Ohren zuweilen hervor, um sich in starken Akzenten darüber zu verwundern, als hätte er den kleinen Schaden noch nie bemerkt, was Lorchen zugleich beschämt und amüsiert. Ihre weit auseinanderliegenden Augen sind goldig braun und haben einen süßen Schimmer, den klarsten und lieblichsten Blick. Die Brauen darüber sind blond. Ihre Nase ist noch ganz formlos, mit ziemlich dicken Nüstern, so daß die Löcher fast kreisrund sind, ihr Mündchen groß und ausdrucksvoll, mit schön geschwungener, beweglicher Oberlippe. Wenn sie lacht und ihre getrennt stehenden Perlzähne zeigt (erst einen hat sie verloren; sie hat sich das nach allen Seiten wackelnde Ding von ihrem Vater mit dem Taschentuch herausbiegen lassen, wobei sie sehr blaß geworden ist und gezittert hat), so bekommt sie Grübchen in die Wangen, die ihre charakteristische, bei aller kindlichen Weichheit etwas gehöhlte Form daher haben, daß ihr Untergesichtchen leicht vorgebaut ist. Auf der einen Wange, nahe dem schlichten Fall des Haares hin, hat sie einen Leberflecken mit Flaum darauf.

Im ganzen ist sie selbst von ihrem Äußeren wenig befriedigt – ein Zeichen, daß sie sich darum kümmert. Ihr Gesichtchen, urteilt sie traurig, sei leider nun einmal häßlich, dagegen »das Figürle« recht nett. Sie liebt kleine gewählte, gebildete Ausdrücke und reiht sie aneinander, wie »vielleicht, freilich, am End'«. Beißers selbstkritische Sorgen betreffen mehr das Moralische. Er neigt zur Zerknirschung, hält sich auf Grund seiner Wutanfälle für einen großen Sünder und ist überzeugt, daß er nicht in den Himmel kommen wird, sondern in die »Höhle«. Da hilft kein Zureden, daß Gott viel Einsicht besitze und fünf gern einmal gerade sein lasse: er schüttelt in verstockter Schwermut den Kopf mit der schlechtsitzenden Perücke und erklärt sein Eingehen in die Seligkeit für völlig unmöglich. Ist er erkältet, so scheint er ganz voll von Schleim; er rasselt und knarrt von oben bis unten, wenn man ihn nur anrührt, und hat sofort das höchste Fieber, so daß er nur so pustet.

Kinds-Anna neigt denn auch zur Schwarzseherei, was seine Konstitution betrifft, und ist der Meinung, daß einen Knaben mit so »ungemein fettem Blut« jeden Augenblick der Schlag treffen könne. Einmal hat sie diesen furchtbaren Augenblick schon gekommen gewähnt: als man nämlich Beißer, zur Buße für einen berserkerhaften Wutanfall, das Gesicht zur Wand gekehrt, in die Ecke gestellt hatte – und dieses Gesicht bei zufälliger Prüfung sich als über und über blau angelaufen erwies, viel blauer als Kinds-Annas eigenes. Sie brachte das Haus auf die Beine, verkündend, daß des Jungen allzu fettes Blut sein letztes Stündlein nun herbeigeführt habe, und der böse Beißer fand sich zu seiner gerechten Verwunderung plötzlich in angstvolle Zärtlichkeit eingehüllt, bis sich herausstellte, daß die Bläue seiner Züge nicht vom Schlagfluß, sondern von der gestrichenen Wand des Kinderzimmers herrührte, die ihr Indigo an sein tränenüberschwemmtes Gesicht abgegeben hatte.

Kinds-Anna ist ebenfalls mit eingetreten und mit zusammengelegten Händen an der Tür stehengeblieben: in weißer Schürze, mit öliger Frisur, Gänseaugen und einer Miene, in der sich die strenge Würde der Beschränktheit malt. »Die Kinder«, erklärt sie, stolz auf ihre Pflege und Unterweisung, »entziffern sich wunderbar.« Siebzehn vereiterte Zahnstümpfe hat sie sich kürzlich entfernen und sich ein ebenmäßiges Kunstgebiß gelber Zähne mit dunkelrotem Kautschukgaumen dafür anmessen lassen, das nun ihr Bäuerinnengesicht verschönt. Ihr Geist ist von der eigentümlichen Vorstellung umfangen, daß ihr Gebiß den Gesprächsstoff weiter Kreise bildet, daß gleichsam die Spatzen diese Angelegenheit von den Dächern pfeifen. »Es hat viel unnützes Gerede gegeben«, sagt sie streng und mystisch, »weil ich mir bekanntlich Zähne habe setzen lassen.« Überhaupt neigt sie zu dunklen und undeutlichen, dem Verständnis anderer nicht angepaßten Reden, wie zum Beispiel von einem Doktor Bleifuß, den jedes Kind kenne, und »da wohnen mehr im Haus«, sagte sie, »die sich für ihn ausgeben«. Man kann nur nachgiebig darüber hinweggehen. Sie lehrt die Kinder schöne Gedichte, wie zum Beispiel:

> Eisenbahn, Eisenbahn,
> Lokomotiv'.
> Fahrt sie fort, bleibt sie da,
> tut sie einen Pfief.

Oder jenen zeitgemäß entbehrungsreichen, dabei aber vergnügten Wochenküchenzettel, der lautet:

> Montag fängt die Woche an.
> Dienstag sind wir übel dran.
> Mittwoch sind wir mitten drin.
> Donnerstag gibt's Kümmerling.
> Freitag gibt's gebratnen Fisch.
> Samstag tanzen wir um den Tisch.
> Sonntag gibt es Schweinebrätle
> Und dazu ein gut's Salätle.

Oder auch einen gewissen Vierzeiler von unbegreiflicher und ungelöster Romantik:

Macht auf das Tor, macht auf das Tor,
es kommt ein großer Wagen.
Wer sitzt in diesem Wagen?
Ein Herr mit goldenen Haaren!

Oder endlich die schrecklich aufgeräumte Ballade von Mariechen, die auf einem Stein, einem Stein, einem Stein saß und sich ihr gleichfalls goldnes Haar, goldnes Haar, goldnes Haar kämmte. Und von Rudolf, der ein Messer raus, Messer raus, Messer rauszog und mit dem es denn auch ein fürchterliches Ende nahm.

Lorchen sagt und singt das alles ganz reizend mit ihrem beweglichen Mäulchen und ihrer süßen Stimme – viel besser als Beißer. Sie macht alles besser als er, und er bewundert sie denn auch ehrlich und ordnet sich ihr, von Anfällen der Auflehnung und des raufsüchtigen Kollers abgesehen, in allen Stücken unter. Oft unterrichtet sie ihn wissenschaftlich, erklärt ihm die Vögel im Bilderbuch, macht sie ihm namhaft: den Wolkenfresser, den Hagelfresser, den Rabenfresser. Das muß er nachsprechen. Auch medizinisch unterweist sie ihn, lehrt ihn Krankheiten, wie Brustentzündung, Blutentzündung und Luftentzündung. Wenn er nicht achtgibt und es nicht nachsprechen kann, stellt sie ihn in die Ecke. Einmal hat sie ihm noch dazu eine Ohrfeige gegeben, aber darüber hat sie sich so geschämt, daß sie sich selber auf längere Zeit in die Ecke gestellt hat.

Ja, sie kommen gut miteinander aus, sind ein Herz und eine Seele. Alles erleben sie gemeinsam, alle Abenteuer. Sie kommen nach Hause und erzählen noch ganz erregt und wie aus einem Munde, daß sie auf der Landstraße »zwei Kuhli-Muhli und ein Kalbfleisch« gesehen haben. Mit den Dienstboten unten, mit Xaver und den Damen Hinterhöfer, zwei ehemals bürgerlichen Schwestern, die »au pair«, wie man sagt, das ist gegen Kost und Logis, die Ämter der Köchin und des Zimmermädchens versehen, leben sie auf vertrautem Fuß, empfinden wenigstens zeitweise eine gewisse Verwandtschaft des Verhältnisses dieser Unteren zu den Eltern mit dem ihren. Sind sie gescholten worden, so gehen sie in die Küche und sagen: »Unsere Herrschaften sind bös!« Dennoch aber ist es ein schöneres Spielen mit den Oberen und namentlich mit »Abel«, wenn er nicht lesen und schreiben muß. Ihm fallen wundervollere Dinge ein als Xaver und den Damen. Die beiden spielen, daß sie »vier Herren« sind und spazierengehen. Dann macht »Abel« ganz krumme Knie, so daß er ebenso klein ist wie sie, und geht so mit spazieren, Hand in Hand mit ihnen, wovon sie nicht genug haben können. Den ganzen Tag könnten sie, alles in allem fünf Herren, mit dem klein gewordenen »Abel« rund um das Eßzimmer spazierengehn.

Ferner ist da das äußerst spannende Kissenspiel, darin bestehend, daß eines der Kinder, aber meistens Lorchen, sich, scheinbar unbemerkt von Abel, auf seinen Stuhl am Eßtisch setzt und mäuschenstill sein Kommen erwartet. In der Luft herumblickend und unter Reden, die laut und stark dem Vertrauen auf die Bequemlichkeit seines Stuhles Ausdruck geben, nähert er sich und nimmt auf Lorchen Platz. »Wie?« sagt er. »Was?« Und rückt hin und her, ohne das versteckte Kichern zu hören, das hinter ihm laut wird. »Man hat mir ein Kissen auf meinen Stuhl gelegt? Was für ein hartes, unregelmäßiges, vertracktes Kissen ist das, auf dem ich so auffallend unbequem sitze?« Und immer stärker rutscht er auf dem befremdenden Kissen hin und her und greift hinter sich in das entzückte Kichern und Quieken hinein, bis er sich endlich umwendet und eine große Entdeckungs- und Erkennungsszene das Drama beschließt. Auch dieses Spiel büßt durch hundertfache Wiederholung nichts von seinen Spannungsreizen ein.

Heut kommt es nicht zu solchen Vergnügungen. Die Unruhe des bevorstehenden Festes der »Großen« liegt in der Luft, dem noch der Einkauf mit verteilten Rollen vorangehen muß: Lorchen hat nur eben »Eisenbahn, Eisenbahn« rezitiert und Doktor Cornelius gerade zu ihrer Beschämung entdeckt, daß ja ihre Ohren ganz verschieden groß sind, als Danny, der Nachbarssohn, eintrifft, um Bert und Ingrid abzuholen; und auch Xaver hat schon seine gestreifte Livree mit der Ziviljacke vertauscht, die ihm sofort ein etwas strizzihaftes, wenn auch immer noch flottes und sympathisches Aussehen verleiht. So suchen denn die Kleinen mit Kinds-Anna ihr Reich im Obergeschoß wieder auf, während der Professor sich in sein Arbeitszimmer zurückzieht, um zu lesen, wie es nach Tische seine Gewohnheit ist, und seine Frau Gedanken und Tätigkeit auf die Anchovis-Brötchen und den italienischen Salat richtet, die für die Tanzgesellschaft vorzubereiten sind. Sie muß, bevor die Jugend eintrifft, auch noch zu Rade mit ihrer Einkaufstasche zur Stadt fahren, um eine Summe Geldes, die sie in Händen hat und die sie nicht der Entwertung aussetzen darf, in Lebensmittel umzusetzen.

Cornelius liest, in seinen Stuhl zurückgelehnt. Die Zigarre zwischen Zeige- und Mittelfinger, liest er im Macaulay etwas nach über die Entstehung der englischen Staatsschuld zu Ende des siebzehnten Jahrhunderts und danach bei einem französischen Autor etwas über die wachsende Verschuldung Spaniens gegen Ende des sechzehnten – beides für sein Kolleg von morgen vormittag. Denn er will Englands überraschende wirtschaftliche Prosperität von damals vergleichen mit den verhängnisvollen Wirkungen, die die Staatsverschuldung hundert Jahre früher in Spanien zeitigte, und die ethischen und psychologischen Ursachen dieses Unterschiedes analysieren. Das gibt ihm nämlich Gelegenheit, von dem England Wilhelms III., um das es sich eigentlich gerade handelt, auf das Zeitalter Philipps II. und der Gegenreformation zu kommen, das sein Steckenpferd ist und über das er selbst ein verdienstvolles Buch geschrieben hat – ein vielzitiertes Werk, dem er sein Ordinariat verdankt. Während seine Zigarre zu Ende geht und dabei etwas zu schwer wird, bewegt er bei sich ein paar leise melancholisch gefärbte Sätze, die er morgen vor seinen Studenten sprechen will, über den sachlich aussichtslosen Kampf des langsamen Philipp gegen das Neue, den Gang der Geschichte, die reichzersetzenden Kräfte des Individuums und der germanischen Freiheit, über diesen vom Leben verurteilten und also auch von Gott verworfenen Kampf beharrender Vornehmheit gegen die Mächte des Fortschritts und der Umgestaltung. Er findet die Sätze gut und feilt noch daran, während er die benutzten Bücher wieder einräumt und hinauf in sein Schlafzimmer geht, um seinem Tag die gewohnte Zäsur zu geben, diese Stunde bei geschlossenen Läden und mit geschlossenen Augen, die er braucht und die heute, wie ihm nach der wissenschaftlichen Ablenkung wieder einfällt, im Zeichen häuslicher Unruhe stehen wird. Er lächelt über das schwache Herzklopfen, das diese Erinnerung ihm verursacht; in seinem Kopfe vermischen sich die Satzentwürfe über den in schwarzes Seidentuch gekleideten Philipp mit dem Gedanken an den Hausball der Kinder, und so schläft er auf fünf Minuten ein.

Wiederholt, während er liegt und ruht, hört er die Hausglocke gehen, die Gartenpforte zufallen, und jedesmal empfindet er einen kleinen Stich der Erregung, Erwartung und Beklemmung bei dem Gedanken, daß es die jungen Leute sind, die eintreffen und schon die Diele zu füllen beginnen. Jedesmal wieder lächelt er bei sich selbst über den Stich, aber auch dieses Lächeln noch ist ein Ausdruck einer Nervosität, die natürlich übrigens auch etwas Freude enthält; denn wer freute sich nicht auf ein Fest. Um halb fünf (es ist schon Abend) steht er auf und erfrischt sich am Waschtisch. Die Waschschüssel ist seit einem Jahre entzwei. Es ist eine Kippschüssel, die an einer Seite aus dem Gelenke gebrochen ist und nicht repariert werden kann, weil keine Handwerker kommen, und nicht erneuert, weil kein Geschäft in der Lage ist, eine zu liefern. So ist sie notdürftig über ihrem Ablauf an den Rändern der Marmorplatte aufgehängt und kann nur entleert werden, indem man sie mit beiden Händen hochhebt und ausgießt. Cornelius schüttelt, wie täglich mehrmals, den Kopf über die Schüssel, macht sich dann fertig – mit Sorgfalt übrigens; er putzt unter dem Deckenlicht seine Brille vollkommen blank und durchsichtig – und tritt den Gang hinunter ins Eßzimmer an.

Als er unterwegs die Stimmen hört, die drunten ineinandergehen, und das Grammophon, das schon in Bewegung gesetzt ist, nimmt seine Miene einen gesellschaftlich verbindlichen Ausdruck an. »Bitte, sich nicht stören zu lassen!« beschließt er zu sagen und geradeswegs ins Eßzimmer zum Tee zu gehen. Der Satz erscheint ihm als das gegebene Wort der Stunde: heiter-rücksichtsvoll nach außen, wie es ist, und eine gute Brustwehr für ihn selber.

Die Diele ist hell erleuchtet; alle elektrischen Kerzen des Kronleuchters brennen, bis auf eine ganz ausgebrannte. Auf einer unteren Stufe der Treppe bleibt Cornelius stehen und überblickt die Diele. Sie nimmt sich hübsch aus im Licht, mit der Marées-Kopie über dem Backsteinkamin, der Täfelung, die übrigens weiches Holz ist, und dem roten Teppich, darauf die Gäste umherstehen, plaudernd, in den Händen Teetassen und halbe Brotscheiben, die mit Anchovispaste bestrichen sind. Festatmosphäre, ein leichter Dunst von Kleidern, Haar und Atem webt über der Diele, charakteristisch und erinnerungsvoll. Die Tür zur Garderobe ist offen, denn noch kommen neue Geladene.

Gesellschaft blendet im ersten Augenblick; der Professor sieht nur das allgemeine Bild. Er hat nicht bemerkt, daß Ingrid, in dunklem Seidenkleid mit weißem plissierten Schulterüberfall und bloßen Armen, dicht vor ihm mit Freunden am Fuße der Stufen steht. Sie nickt und lächelt mit ihren schönen Zähnen zu ihm herauf.

»Ausgeruht?« fragt sie leise, unter vier Augen. Und als er sie mit ungerechtfertigter Überraschung erkennt, macht sie ihn mit den Freunden bekannt.

»Darf ich dir Herrn Zuber vorstellen?« sagt sie. »Das ist Fräulein Plaichinger.«

Herr Zuber ist dürftigen Ansehens, die Plaichinger dagegen eine Germania, blond, üppig und locker gekleidet, mit Stumpfnase und der hohen Stimme beleibter Frauen, wie sich herausstellt, als sie dem Professor auf seine artige Begrüßung antwortet.

»Oh, herzlich willkommen«, sagt er. »Das ist ja schön, daß Sie uns die Ehre schenken. Coabiturientin wahrscheinlich?«

Herr Zuber ist Golfklub-Genosse Ingrids. Er steht im Wirtschaftsleben, ist in der Brauerei seines Onkels tätig, und der Professor scherzt einen Augenblick mit ihm über das dünne Bier, indem er tut, als ob er den Einfluß des jungen Zuber auf die Qualität des Bieres grenzenlos überschätze. »Aber wollen Sie sich doch ja nicht stören lassen!« sagt er dann und will ins Eßzimmer hinübergehen.

»Da kommt ja auch Max«, sagt Ingrid. »Nun, Max, du Schlot, was bummelst du so spät heran zu Spiel und Tanz!«

Das duzt sich allgemein und geht miteinander um, wie es den Alten ganz fremd ist: von Züchtigkeit, Galanterie und Salon ist wenig zu spüren.

Ein junger Mensch mit weißer Hemdbrust und schmaler Smokingschleife kommt von der Garderobe her zur Treppe und grüßt, – brünett, aber rosig, rasiert natürlich, aber mit einem kleinen Ansatz von Backenbart neben den Ohren, ein bildhübscher Junge, – nicht lächerlich und lodernd schön wie ein Violin-Zigeuner, sondern hübsch auf eine sehr angenehme, gesittete und gewinnende Art, mit freundlichen, schwarzen Augen, und der Smoking sitzt ihm sogar noch etwas ungeschickt.

»Na, na, nicht schimpfen, Cornelia. Das blöde Kolleg«, sagt er; und Ingrid stellt ihn dem Vater vor als Herrn Hergesell.

So, das ist also Herr Hergesell. Wohlerzogen bedankt er sich beim Hausherrn, der ihm die Hand schüttelt, für die freundliche Einladung. »Ich zügele etwas nach«, sagt er und macht einen kleinen sprachlichen Scherz. »Ausgerechnet Bananen muß ich heute bis vier Uhr Kolleg haben; und dann sollte ich doch noch nach Hause, mich umziehen.« Hierauf spricht er von seinen Pumps, mit denen er eben in der Garderobe große Plage gehabt haben will.

»Ich habe sie im Beutel mitgebracht«, erzählt er. »Es geht doch nicht, daß wir Ihnen hier mit den Straßenschuhen den Teppich zertrampeln. Nun hatte ich aber verblendeterweise keinen Schuhlöffel eingesteckt und konnte bei Gott nicht hineinkommen, haha, stellen Sie sich vor, eine unglaubliche Kiste! Mein Lebtag habe ich nicht so enge Pumps gehabt. Die Nummern fallen verschieden aus, es ist kein Verlaß darauf, und dann ist das Zeug auch hart heutzutage – schauen Sie, das ist kein Leder, das ist Gußeisen! Den ganzen Zeigefinger habe ich mir zerquetscht...« Und er weist zutraulich seinen geröteten Zeigefinger vor, indem er das

Ganze noch einmal als eine »Kiste« bezeichnet, und zwar als eine ekelhafte. Er spricht wirklich ganz so, wie Ingrid es nachgemacht hat: nasal und auf besondere Weise gedehnt, aber offenbar ohne jede Affektation, sondern eben nur, weil es so in der Art aller Hergesells liegt.

Doktor Cornelius rügt es, daß kein Schuhlöffel in der Garderobe ist, und erweist dem Zeigefinger alle Teilnahme. »Nun dürfen Sie sich aber absolut nicht stören lassen«, sagt er. »Auf Wiedersehen!« Und er geht über die Diele ins Eßzimmer.

Auch dort sind Gäste; der Familientisch ist lang ausgezogen, und es wird Tee daran getrunken. Aber der Professor geht geradeswegs in den mit Stickerei ausgeschlagenen und von einem eigenen kleinen Deckenkörper besonders beleuchteten Winkel, an dessen Rundtischchen er Tee zu trinken pflegt. Er findet dort seine Frau im Gespräch mit Bert und zwei anderen jungen Herren. Der eine ist Herzl; Cornelius kennt und begrüßt ihn. Der andere heißt Möller, – ein Wandervogel-Typ, der bürgerliche Festkleider offenbar weder besitzt noch besitzen will (im Grunde gibt es das gar nicht mehr), ein junger Mensch, der fern davon ist, den »Herrn« zu spielen (das gibt es im Grunde auch nicht mehr), – in gegürteter Bluse und kurzer Hose, mit einer dicken Haartolle, langem Hals und einer Hornbrille. Er ist im Bankfach tätig, wie der Professor erfährt, ist aber außerdem etwas wie ein künstlerischer Folklorist, ein Sammler und Sänger von Volksliedern aus allen Zonen und Zungen. Auch heute hat er auf Wunsch seine Gitarre mitgebracht. Sie hängt noch im Wachstuchsack in der Garderobe.

Schauspieler Herzl ist schmal und klein, hat aber einen mächtigen schwarzen Bartwuchs, wie man an der überpuderten Rasur erkennt. Seine Augen sind übergroß, glutvoll und tief schwermütig; dabei hat er jedoch außer dem vielen Rasierpuder offenbar auch etwas Rot aufgelegt – das matte Karmesin auf der Höhe seiner Wangen ist sichtlich kosmetischer Herkunft. Sonderbar, denkt der Professor. Man sollte meinen, entweder Schwermut oder Schminke. Zusammen bildet es doch einen seelischen Widerspruch. Wie mag ein Schwermütiger sich schminken? Aber da haben wir wohl eben die besondere, fremdartige seelische Form des Künstlers, die diesen Widerspruch möglich macht, vielleicht geradezu daraus besteht. Interessant und kein Grund, es an Zuvorkommenheit fehlen zu lassen. Es ist eine legitime Form, eine Urform ... »Nehmen Sie etwas Zitrone, Herr Hofschauspieler!«

Hofschauspieler gibt es gar nicht mehr, aber Herzl hört den Titel gern, obgleich er ein revolutionärer Künstler ist. Das ist auch so ein Widerspruch, der zu seiner seelischen Form gehört. Mit Recht setzt der Professor sein Vorhandensein voraus und schmeichelt ihm, gewissermaßen zur Sühne für den geheimen Anstoß, den er an dem leichten Auftrag von Rouge auf Herzls Wangen genommen.

»Allerverbindlichsten Dank, verehrter Herr Professor!« sagt Herzl so überstürzt, daß nur seine hervorragende Sprechtechnik eine Entgleisung seiner Zunge verhütet. Überhaupt ist sein Verhalten gegen die Wirte und gegen den Hausherrn im besonderen von dem größten Respekt, ja von fast übertriebener und unterwürfiger Höflichkeit getragen. Es ist, als habe er ein schlechtes Gewissen wegen des Rouge, das aufzulegen er zwar innerlich gezwungen war, das er aber selbst aus der Seele des Professors heraus mißbilligt und mit dem er durch größte Bescheidenheit gegen die nicht geschminkte Welt zu versöhnen sucht.

Man unterhält sich, während man Tee trinkt, von Möllers Volksliedern, von spanischen, baskischen Volksliedern, und von da kommt man auf die Neu-Einstudierung von Schillers »Don Carlos« im Staatstheater, eine Aufführung, in der Herzl die Titelrolle spielt. Er spricht von seinem Carlos. »Ich hoffe«, sagt er, »mein Carlos ist aus einem Guß.« Auch von der übrigen Besetzung ist kritisch die Rede, von den Werten der Inszenierung, dem Milieu, und schon sieht sich der Professor wieder in sein Fahrwasser bugsiert, auf das Spanien der Gegenreformation gebracht, was ihn fast peinlich dünkt. Er ist ganz unschuldig daran, hat gar nichts getan, dem Gespräch diese Wendung zu geben. Er fürchtet, daß es aussehen könnte, als habe er die Gelegenheit gesucht, zu dozieren, wundert sich und wird darüber schweigsam. Es ist ihm lieb, daß die Kleinen an den Tisch kommen, Lorchen und Beißer. Sie haben blaue Sammetkleidchen an, ihr Sonntagshabit, und wollen ebenfalls bis zur Schlafensstunde auf ihre Art an dem Feste der Großen teilnehmen. Schüchtern und mit großen Augen sagen sie den Fremden guten Tag, müssen ihre Namen und ihr Alter sagen. Herr Möller sieht sie nur ernsthaft an, aber Schauspieler Herzl zeigt sich völlig berückt, beglückt und entzückt von ihnen. Er segnet sie geradezu, hebt die Augen zum Himmel und faltet die Hände vor seinem Mund. Es kommt ihm gewiß von Herzen, aber die Gewöhnung an die Wirkungsbedingungen des Theaters macht seine Worte und Taten fürchterlich falsch, und außerdem scheint es, als solle auch seine Devotion vor den Kindern mit dem Rouge auf der Höhe seiner Wangen versöhnen.

Der Teetisch der Gäste hat sich schon geleert, auf der Diele wird nun getanzt, die Kleinen laufen dorthin, und der Professor zieht sich zurück. »Recht viel Vergnügen!« sagt er, indem er den Herren Möller und Herzl, die aufgesprungen sind, die Hand schüttelt. Und er geht in sein Arbeitszimmer hinüber, sein gefriedetes Reich, wo er die Rolläden herunterläßt, die Schreibtischlampe andreht und sich zu seiner Arbeit setzt.

Es ist Arbeit, die sich bei unruhiger Umgebung zur Not erledigen läßt: ein paar Briefe, ein paar Exzerpte. Natürlich ist Cornelius zerstreut. Er hängt kleinen Eindrücken nach, den ungeschmeidigen Pumps des Herrn Hergesell, der hohen Stimme in dem dicken Körper der Plaichinger. Auch auf Möllers baskische Liedersammlung gehen seine Gedanken zurück, während er schreibt oder zurückgelehnt ins Leere blickt, auf Herzls Demut und Übertriebenheit, »seinen« Carlos und Philipps Hof. Mit Gesprächen, findet er, ist es geheimnisvoll. Sie sind gefügig, gehen ganz ungelenkt einem insgeheim dominierenden Interesse nach. Er meint das öfters beobachtet zu haben. Zwischendurch lauscht er auf die übrigens keineswegs lärmenden Geräusche des Hausballes draußen. Nur einiges Reden, nicht einmal Tanzgeschlürf ist zu hören. Sie schlürfen und kreisen ja nicht, sie gehen sonderbar auf dem Teppich herum, der sie nicht stört, ganz anders angefaßt, als es zu seiner Zeit geschah, zu den Klängen des Grammophons, denen er hauptsächlich nachhängt, diesen sonderbaren Weisen der neuen Welt, jazzartig instrumentiert, mit allerlei Schlagzeug, das der Apparat vorzüglich wiedergibt, und dem schnalzenden Geknack der Kastagnetten, die aber eben nur als Jazz-Instrument und durchaus nicht spanisch wirken. Nein, spanisch nicht. Und er ist wieder bei seinen Berufsgedanken.

Nach einer halben Stunde fällt ihm ein, daß es nicht mehr als freundlich von ihm wäre, mit einer Schachtel Zigaretten zu der Lustbarkeit beizutragen. Es geht nicht an, findet er, daß die jungen Leute ihre eigenen Zigaretten rauchen, – obgleich sie selbst sich wohl nicht viel dabei denken würden. Und er geht ins leere Eßzimmer und nimmt aus dem Wandschränkchen eine Schachtel von seinem Vorrat, nicht gerade die besten, oder doch nicht gerade die, die er selber am liebsten raucht, ein etwas zu langes und dünnes Format, das er nicht ungern los wird bei dieser Gelegenheit, denn schließlich sind es ja junge Leute. Er geht damit auf die Diele, hebt lächelnd die Schachtel hoch und stellt sie offen auf die Kaminplatte, um sich sogleich und nur unter leichter Umschau wieder gegen sein Zimmer zu wenden.

Eben ist Tanzpause, der Musikapparat schweigt. Man steht und sitzt an den Rändern der Diele plaudernd umher, an dem Mappentisch vor den Fenstern, auf den Stühlen vor dem Kamin. Auch auf den Stufen der eingebauten Treppe, ihrem reichlich schadhaften Plüschläufer, sitzt junge Welt amphitheatralisch: Max Hergesell zum Beispiel sitzt dort mit der üppig-hochstimmigen Plaichinger, die ihm ins Gesicht blickt, während er halb liegend zu ihr spricht, den einen Ellbogen hinter sich auf die nächsthöhere Stufe gestützt und mit der anderen Hand zu seinen Reden gestikulierend. Die Hauptfläche des Raumes ist leer; nur in der Mitte, gerade unter dem Kronleuchter, sieht man die beiden Kleinen in ihren blauen Kleidchen, ungeschickt umschlungen, sich still, benommen und langsam um sich selber drehen. Cornelius beugt sich im Vorbeigehen zu ihnen nieder und streicht ihnen mit einem guten Wort über das Haar, ohne daß sie sich dadurch stören ließen in ihrem kleinen, ernsthaften Tun. Aber an seiner Türe sieht er noch, wie stud. ing. Hergesell, wahrscheinlich weil er den Professor bemerkt hat, sich mit dem Ellbogen von der Stufe abstößt, herunterkommt und Lorchen aus den Ärmchen ihres Bruders nimmt, um selber drollig und ohne Musik mit ihr zu tanzen. Beinahe wie Cornelius selbst macht er es, wenn dieser mit den »vier Herren« spazierengeht, beugt tief die Knie, indem er sie anzufassen sucht wie eine Große, und macht einige Shimmy-Schritte mit dem verschämten Lorchen. Wer es bemerkt, amüsiert sich sehr. Es ist das Zeichen, das Grammophon wieder laufen zu lassen, den Tanz allgemein wiederaufzunehmen. Der Professor, den Türgriff in der Hand, sieht einen Augenblick nickend und mit den Schultern lachend zu und tritt in sein Zimmer. Noch einige Minuten lang halten seine Züge das Lächeln von draußen mechanisch fest.

Er blättert wieder bei seiner Schirmlampe und schreibt, erledigt ein paar anspruchslose Sachlichkeiten. Nach einer Weile beobachtet er, daß die Gesellschaft sich von der Diele in den Salon seiner Frau hinüberzieht, welcher sowohl mit der Diele wie mit seinem Zimmer Verbindung hat. Dort wird nun gesprochen, und Gitarrenklänge mischen sich versuchend darein. Herr Möller will also singen, und er singt auch schon. Zu tönenden Gitarrengriffen singt der junge Beamte mit kräftiger Baßstimme ein Lied in fremder Sprache – kann sein, daß es Schwedisch ist; mit voller Bestimmtheit vermag der Professor es bis zum Schluß, dem mit großem Beifall aufgenommenen Schluß, nicht zu erkennen. Eine Portière ist hinter der Tür zum Salon, die dämpft den Schall. Als ein neues Lied beginnt, geht Cornelius vorsichtig hinüber.

Es ist halb dunkel im Salon. Nur die verhüllte Stehlampe

brennt, und in ihrer Nähe sitzt Möller mit übergeschlagenem Bein auf dem Truhenpolster und greift mit dem Daumen in die Saiten. Die Anordnung des Publikums ist zwanglos, trägt das Gepräge lässigen Notbehelfs, da für so viele Zuhörer nicht Sitzplätze vorhanden sind. Einige stehen, aber viele, auch junge Damen, sitzen einfach am Boden, auf dem Teppich, die Knie mit den Armen umschlungen oder auch die Beine vor sich gestreckt. Hergesell zum Beispiel, wiewohl im Smoking, sitzt so an der Erde, zu Füßen des Flügels, und neben ihm die Plaichinger. Auch die »Kleinen« sind da: Frau Cornelius, in ihrem Lehnstuhl dem Sänger gegenüber, hält sie beide auf dem Schoß, und Beißer, der Barbar, fängt in den Gesang hinein laut zu reden an, so daß er durch Zischen und Fingerdrohen eingeschüchtert werden muß. Nie würde Lorchen sich so etwas zuschulden kommen lassen: sie hält sich zart und still auf dem Knie der Mutter. Der Professor sucht ihren Blick, um seinem Kindchen heimlich zuzuwinken; aber sie sieht ihn nicht, obgleich sie auch den Künstler nicht zu beachten scheint. Ihre Augen gehen tiefer.

Möller singt den »Joli tambour«:

Sire, mon roi, donnez-moi votre fille –

Alle sind entzückt. »Wie gut!« hört man Hergesell in der nasalen und besonderen, gleichsam verwöhnten Art aller Hergesells sagen. Es folgt dann etwas Deutsches, wozu Herr Möller selbst die Melodie komponiert hat und was stürmischen Beifall bei der Jugend findet, ein Bettlerlied:

> Bettelweibel will kirfarten gehn,
> Jejucheh!
> Bettelmandl will a mitgehn,
> Tideldumteideh.

Geradezu Jubel herrscht nach dem fröhlichen Bettlerlied. »Wie ausnehmend gut!« sagt Hergesell wieder auf seine Art. Noch etwas Ungarisches kommt, auch ein Schlager, in der wildfremden Originalsprache vorgetragen, und Möller hat starken Erfolg. Auch der Professor beteiligt sich ostentativ an dem Applaus. Dieser Einschlag von Bildung und historisierend-rückblickender Kunstübung in die Shimmy-Geselligkeit erwärmt ihn. Er tritt an Möller heran, gratuliert ihm und unterhält sich mit ihm über das Vorgetragene, über seine Quellen, ein Liederbuch mit Noten, das Möller ihm zur Einsichtnahme zu leihen verspricht. Cornelius ist um so liebenswürdiger gegen ihn, als er, nach Art aller Väter, die Gaben und Werte des fremden jungen Menschen sofort mit denen seines eigenen Sohnes vergleicht und Unruhe, Neid und Beschämung dabei empfindet. Da ist nun dieser Möller, denkt er, ein tüchtiger Bankbeamter. (Er weiß gar nicht, ob Möller in der Bank so sehr tüchtig ist.) Und dabei hat er noch dies spezielle Talent aufzuweisen, zu dessen Ausbildung natürlich Energie und Studium gehört haben. Dagegen mein armer Bert, der nichts weiß und nichts kann und nur daran denkt, den Hanswursten zu spielen, obgleich er gewiß nicht einmal dazu Talent hat! – Er möchte gerecht sein, sagt sich versuchsweise, daß Bert bei alledem ein feiner Junge ist, mit mehr Fonds vielleicht als der erfolgreiche Möller; daß möglicherweise ein Dichter in ihm steckt oder so etwas und daß seine tänzerischen Kellnerpläne bloß knabenhaftes und zeitverstörtes Irrlichtelieren sind. Aber sein neidvoller Vaterpessimismus ist stärker. – Als Möller noch einmal zu singen beginnt, geht Doktor Cornelius wieder zu sich hinüber.

Es wird sieben, während er es bei geteilter Aufmerksamkeit treibt wie bisher; und da ihm noch ein kurzer, sachlicher Brief einfällt, den er ganz gut jetzt schreiben kann, wird es – denn Schreiben ist sein sehr starker Zeitvertreib – beinahe halb acht. Halb neun Uhr soll der italienische Salat eingenommen werden, und so heißt es denn nun ausgehen für den Professor, seine Post einwerfen und sich im Winterdunkel sein Quantum Luft und Bewegung verschaffen. Längst ist der Ball auf der Diele wieder eröffnet; er muß hindurch, um zu einem Mantel und seinen Überschuhen zu gelangen, aber das hat weiter nichts Spannendes mehr: er ist ja ein wiederholt gesehener Hospitant bei der Jugendgeselligkeit und braucht nicht zu fürchten, daß er stört. Er tritt hinaus, nachdem er seine Papiere verwahrt und seine Briefe an sich genommen, und verweilt sich sogar etwas auf der Diele, da er seine Frau in einem Lehnstuhl neben der Tür seines Zimmer sitzend findet.

Sie sitzt dort und sieht zu, zuweilen besucht von den »Großen« und anderen jungen Leuten, und Cornelius stellt sich neben sie und blickt ebenfalls lächelnd in das Treiben, das nun offenbar auf den Höhepunkt seiner Lebhaftigkeit gekommen ist. Es sind noch mehr Zuschauer da: die blaue Anna, in strenger Beschränktheit, steht an der Treppe, weil die »Kleinen« der Festivität nicht satt werden und weil sie achtgeben muß, daß Beißer sich nicht zu heftig dreht und so sein allzu fettes Blut in gefährliche Wallung bringt. Aber auch die untere Welt will etwas vom Tanzvergnügen der Großen haben: sowohl die Damen Hinterhöfer wie auch Xaver stehen an der Tür zur Anrichte und unterhalten sich mit Zusehen. Fräulein Walburga, die ältere der deklassierten Schwestern und der kochende Teil (um sie nicht geradezu als Köchin zu bezeichnen, da sie es nicht gerne hört), schaut mit braunen Augen durch ihre dick geschliffene Rundbrille, deren Nasenbügel, damit er nicht drücke, mit einem Leinenläppchen umwunden ist – ein gutmütig-humoristischer Typ, während Fräulein Cäcilia, die jüngere, wenn auch nicht eben junge, wie stets eine äußerst süffisante Miene zur Schau trägt – in Wahrung ihrer Würde als ehemalige Angehörige des dritten Standes. Sehr bitter leidet Fräulein Cäcilia unter ihrem Sturz aus der kleinbürgerlichen Sphäre in die Dienstbotenregion. Sie lehnt es strikte ab, ein Mützchen oder sonst irgendein Abzeichen des Zimmermädchenberufs zu tragen, und ihre schwerste Stunde kommt regelmäßig am Mittwochabend, wenn Xaver Ausgang hat und sie servieren muß. Sie serviert mit abgewandtem Gesicht und gerümpfter Nase, eine gefallene Königin; es ist eine Qual und tiefe Bedrückung, ihre Erniedrigung mit anzusehen, und die »Kleinen«, als sie einmal zufällig am Abendessen teilnahmen, haben bei ihrem Anblick alle beide und genau gleichzeitig laut zu weinen begonnen.

Solche Leiden kennt Jung Xaver nicht. Er serviert sogar recht gern, tut es mit einem gewissen sowohl natürlichen wie geübten Geschick, denn er war einmal Pikkolo. Sonst aber ist er wirklich ein ausgemachter Taugenichts und Windbeutel – mit positiven Eigenschaften, wie seine bescheidene Herrschaft jederzeit zuzugeben bereit ist, aber ein unmöglicher Windbeutel eben doch. Man muß ihn nehmen, wie er ist, und von dem Dornbusch nicht Feigen verlangen. Er ist ein Kind und Früchtchen der gelösten Zeit, ein rechtes Beispiel seiner Generation, ein Revolutionsdiener, ein sympathischer Bolschewist. Der Professor pflegt ihn als »Festordner« zu kennzeichnen, da er bei außerordentlichen, bei amüsanten Gelegenheiten durchaus seinen Mann steht, sich anstellig und gefällig erweist. Aber, völlig unbekannt mit der Vorstellung der Pflicht, ist er für die Erfüllung langweilig laufender, alltäglicher Obliegenheiten sowenig zu gewinnen, wie man gewisse Hunde dazu bringt, über den Stock zu springen. Offensichtlich wäre es gegen seine Natur, und das entwaffnet und stimmt zum Verzicht. Aus einem bestimmten, ungewöhnlichen und amüsanten Anlaß wäre er bereit, zu jeder beliebigen Nachtstunde das Bett zu verlassen. Alltäglich aber steht er nicht vor acht Uhr auf – er tut es nicht, er springt nicht über den Stock; aber den ganzen Tag

schallen die Äußerungen seiner gelösten Existenz, sein Mundhar-
monikaspiel, sein rauher, aber gefühlvoller Gesang, sein fröh-
liches Pfeifen aus dem Küchen-Souterrain ins obere Haus empor,
während der Rauch seiner Zigaretten die Anrichte füllt. Er steht
und sieht den gefallenen Damen zu, die arbeiten. Des Morgens,
wenn der Professor frühstückt, reißt er auf dessen Schreibtisch
das Kalenderblatt ab – sonst legt er keine Hand an das Zimmer.
Er soll das Kalenderblatt in Ruhe lassen, Doktor Cornelius hat es
ihm oftmals anbefohlen, da dieser dazu neigt, auch das nächste
noch abzureißen, und so Gefahr läuft, aus aller Ordnung zu geraten. Aber diese Arbeit des Blattabreißens gefällt dem jungen
Xaver, und darum läßt er sie sich nicht nehmen.

Übrigens ist er ein Kinderfreund, das gehört zu seinen gewin-
nenden Seiten. Er spielt aufs treuherzigste mit den Kleinen im
Garten, schnitzt und bastelt ihnen talentvoll dieses und jenes, ja
liest ihnen sogar mit seinen dicken Lippen aus ihren Büchern vor,
was wunderlich genug zu hören ist. Das Kino liebt er von ganzer
Seele und neigt zu Schwermut, Sehnsucht und Selbstgesprächen,
wenn er es besucht hat. Unbestimmte Hoffnungen, dieser Welt
eines Tages persönlich anzugehören und darin sein Glück zu machen, bewegen ihn. Er begründet sie auf sein Schüttelhaar und
seine körperliche Gewandtheit und Waghalsigkeit. Öfters besteigt
er die Esche im Vorgarten, einen hohen, aber schwankenden
Baum, klettert von Zweig zu Zweig bis in den obersten Wipfel,
so daß jedem angst und bange wird, der ihm zusieht. Oben zün-
det er sich eine Zigarette an, schwingt sich hin und her, daß der
hohe Mast bis in seine Wurzeln schwankt, und hält Ausschau
nach einem Kino-Direktor, der des Weges kommen und ihn enga-
gieren könnte.

Zöge er seine gestreifte Jacke aus und legte Zivil an, so könnte
er einfach mittanzen; er würde nicht sonderlich aus dem Rahmen
fallen. Die Freundschaft der »Großen« ist von gemischtem Äußeren: der bürgerliche Gesellschaftsanzug kommt wohl mehrmals
vor unter den jungen Leuten, ist aber nicht herrschend: Typen
von der Art des Lieder-Möllers sind vielfach eingesprengt, und
zwar sowohl weiblicherseits wie unter den jungen Herren. Dem
Professor, der neben dem Sessel seiner Frau stehend ins Bild
blickt, sind die sozialen Umstände dieses Nachwuchses beiläufig
und vom Hörensagen bekannt. Es sind Gymnasiastinnen, Studentinnen und Kunstgewerblerinnen; es sind im männlichen Teil
manchmal rein abenteuerliche und von der Zeit ganz eigens er-
fundene Existenzen. Ein bleicher, lang aufgeschossener Jüngling

mit Perlen im Hemd, Sohn eines Zahnarztes, ist nichts als Börsenspekulant und lebt nach allem, was der Professor hört, in dieser Eigenschaft wie Aladin mit der Wunderlampe. Er hält sich ein Auto, gibt seinen Freunden Champagner-Soupers und liebt es, bei jeder Gelegenheit Geschenke unter sie zu verteilen, kostbare kleine Andenken aus Gold und Perlmutter. Auch heute hat er den jungen Gastgebern Geschenke mitgebracht: einen goldenen Bleistift für Bert und für Ingrid ein Paar riesiger Ohrringe, wirklicher Ringe und von barbarischer Größe, die aber gottlob nicht im Ernst durchs Läppchen zu ziehen, sondern nur mit einer Zwicke darüber zu befestigen sind. Die »Großen« kommen und zeigen ihre Geschenke lachend den Eltern, und diese schütteln die Köpfe, indem sie sie bewundern, während Aladin sich wiederholt aus der Ferne verbeugt.

Die Jugend tanzt eifrig, soweit man es tanzen nennen kann, was sie da mit ruhiger Hingebung vollzieht. Das schiebt sich eigentümlich umfaßt und in neuartiger Haltung, den Unterleib vorgedrückt, die Schultern hochgezogen und mit einigem Wiegen der Hüften, nach undurchsichtiger Vorschrift schreitend, langsam auf dem Teppich umher, ohne zu ermüden, da man auf diese Weise gar nicht ermüden kann. Wogende Busen, erhöhte Wangen auch nur, sind nicht zu bemerken. Hie und da tanzen zwei junge Mädchen zusammen, zuweilen sogar zwei junge Männer; es ist ihnen alles einerlei. Sie gehen so zu den exotischen Klängen des Grammophons, das mit robusten Nadeln bedient wird, damit es laut klingt und seine Shimmys, Foxtrotts und Onesteps erschallen läßt, diese Double Foxes, Afrikanischen Shimmys, Java dances und Polka Creolas – wildes, parfümiertes Zeug, teils schmachtend, teils exerzierend, von fremdem Rhythmus, ein monotones, mit orchestralem Zierat, Schlagzeug, Geklimper und Schnalzen aufgeputztes Neger-Amüsement.

»Wie heißt die Platte?« erkundigt sich Cornelius bei der mit dem bleichen Spekulanten vorüberschiebenden Ingrid nach einem Stück, das nicht übel schmachtet und exerziert und ihn durch gewisse Einzelheiten der Erfindung vergleichsweise anmutet.

»Fürst von Pappenheim. Tröste dich, mein schönes Kind«, sagt sie und lächelt angenehm mit ihren weißen Zähnen.

Zigarettenrauch schwebt unter dem Kronleuchter. Der Geselligkeitsdunst hat sich verstärkt, – dieser trocken-süßliche, verdickte, erregende, an Ingredienzien reiche Festbrodem, der für jeden Menschen, besonders aber für den, der eine allzu empfindliche Jugend überstand, so voll ist von Erinnerungen unreifer Herzenspein ... Die »Kleinen« sind immer noch auf der Diele; bis acht Uhr dürfen sie mittun, da ihnen das Fest so große Freude macht. Die jungen Leute haben sich an ihre Teilnahme gewöhnt; sie gehören dazu auf ihre Art und gewissermaßen. Übrigens haben sie sich getrennt: Beißer dreht sich allein in seinem blausamtenen Kittelchen in der Mitte des Teppichs, während Lorchen drolligerweise hinter einem schiebenden Paar herläuft und den Tänzer an seinem Smoking festzuhalten sucht. Es ist Max Hergesell mit seiner Dame, der Plaichinger. Sie schieben gut, es ist ein Vergnügen, ihnen zuzusehen. Man muß einräumen, daß aus diesen Tänzen der wilden Neuzeit sehr wohl etwas Erfreuliches gemacht werden kann, wenn die rechten Leute sich ihrer annehmen. Der junge Hergesell führt vorzüglich, frei innerhalb der Regel, wie es scheint. Wie elegant er rückwärts auszuschreiten weiß, wenn Raum vorhanden ist! Aber auch auf dem Platz, im Gedränge versteht er sich mit Geschmack zu halten, unterstützt von der Schmiegsamkeit einer Partnerin, die die überraschende Grazie entwickelt, über welche volleibige Frauen manchmal verfügen. Sie plaudern Gesicht an Gesicht und scheinen das sie verfolgende Lorchen nicht zu beachten. Andere lachen über die Hartnäckigkeit der Kleinen, und Doktor Cornelius sucht, als die Gruppe an ihm vorüberkommt, sein Kindchen abzufangen und an sich zu ziehen. Aber Lorchen entwindet sich ihm fast gequält und will von Abel zur Zeit nichts wissen. Sie kennt ihn nicht, stemmt das Ärmchen gegen seine Brust und strebt, das liebe Gesichtchen abgewandt, nervös und belästigt von ihm fort, ihrer Caprice nach.

Der Professor kann nicht umhin, sich schmerzlich berührt zu fühlen. In diesem Augenblick haßt er das Fest, das mit seinen Ingredienzien das Herz seines Lieblings verwirrt und es ihm entfremdet. Seine Liebe, diese nicht ganz tendenzlose, an ihrer Wurzel nicht ganz einwandfreie Liebe ist empfindlich. Er lächelt mechanisch, aber seine Augen haben sich getrübt und sich irgendwo vor ihm auf dem Teppichmuster, zwischen den Füßen der Tanzenden, »festgesehen«.

»Die Kleinen sollten zu Bette gehen«, sagt er zu seiner Frau. Aber sie bittet um noch eine Viertelstunde für die Kinder. Man habe sie ihnen zugesagt, da sie den Trubel so sehr genössen. Er lächelt wieder und schüttelt den Kopf, bleibt noch einen Augenblick an seinem Platz und geht dann in die Garderobe, die überfüllt ist von Mänteln, Tüchern, Hüten und Überschuhen.

Er hat Mühe, seine eigenen Sachen aus dem Wust hervorzukramen, und darüber kommt Max Hergesell in die Garderobe, indem er sich mit dem Taschentuch die Stirn wischt.

»Herr Professor«, sagt er im Tone aller Hergesells und dienert jugendlich, »... wollen Sie ausgehen? Das ist eine ganz blöde Kiste mit meinen Pumps, sie drücken wie Karl der Große. Das Zeug ist mir einfach zu klein, wie sich herausstellt, von der Härte ganz abgesehen. Es drückt mich hier auf den Nagel vom großen Zeh«, sagt er und steht auf einem Bein, während er den andern Fuß in beiden Händen hält, »daß es knapp in Worte zu fassen ist. Ich habe mich entschließen müssen, zu wechseln, die Straßenschuhe müssen nun doch dran glauben... Oh, darf ich Ihnen behilflich sein?«

»Aber danke!« sagt Cornelius. »Lassen Sie doch. Befreien Sie sich lieber von Ihrer Plage! Sehr liebenswürdig von Ihnen.« Denn Hergesell hat sich auf ein Knie niedergelassen und hakt ihm die Schließen seiner Überschuhe zu.

Der Professor bedankt sich, angenehm berührt von so viel respektvoll treuherziger Dienstfertigkeit. »Noch recht viel Vergnügen«, wünscht er, »wenn Sie gewechselt haben! Das geht natürlich nicht an, daß Sie in drückenden Schuhen tanzen. Unbedingt müssen sie wechseln. Auf Wiedersehn, ich muß etwas Luft schöpfen.«

»Gleich tanze ich wieder mit Lorchen!« ruft Hergesell ihm noch nach. »Das wird mal eine prima Tänzerin, wenn sie in die Jahre kommt. Garantie!«

»Meinen Sie?« antwortet Cornelius vom Hausflur her. »Ja, Sie sind Fachmann und Champion. Daß Sie sich nur keine Rückgratverkrümmung zuziehen beim Bücken!«

Er winkt und geht. Netter Junge, denkt er, während er das Anwesen verläßt. Stud. ing., klare Direktion, alles in Ordnung. Dabei so gut aussehend und freundlich. Und schon wieder faßt ihn der Vaterneid seines »armen Bert« wegen, diese Unruhe, die ihm die Existenz des fremden jungen Mannes im rosigsten Licht, die seines Sohnes aber im allertrübsten erscheinen läßt. So tritt er seinen Abendspaziergang an.

Er geht die Allee hinauf, über die Brücke und jenseits ein Stück flußaufwärts, die Uferpromenade entlang bis zur übernächsten Brücke. Es ist naßkalt und schneit zuweilen etwas. Er hat den Mantelkragen aufgestellt, hält den Stock im Rücken, die Krücke an den einen Oberarm gehakt und ventiliert dann und wann seine Lunge tief mit der winterlichen Abendluft. Wie gewöhnlich bei dieser Bewegung denkt er an seine wissenschaftlichen Angelegenheiten, sein Kolleg, die Sätze, die er morgen über Philipps Kampf gegen den germanischen Umsturz sprechen will und die getränkt sein sollen mit Gerechtigkeit und Melancholie. Namentlich mit Gerechtigkeit! denkt er. Sie ist der Geist der Wissenschaft, das Prinzip der Erkenntnis und das Licht, in dem man den jungen Leuten die Dinge zeigen muß, sowohl um der geistigen Zucht willen wie auch aus menschlich-persönlichen Gründen: um nicht bei ihnen anzustoßen und sie nicht mittelbar in ihren politischen Gesinnungen zu verletzen, die heutzutage natürlich schrecklich zerklüftet und gegensätzlich sind, so daß viel Zündstoff vorhanden ist und man sich leicht das Gescharr der einen Seite zuziehen, womöglich Skandal erregen kann, wenn man historisch Partei nimmt. Aber Parteinahme, denkt er, ist eben auch unhistorisch; historisch allein ist die Gerechtigkeit. Nur allerdings, eben darum und wohlüberlegt... Gerechtigkeit ist nicht Jugendhitze und frisch-fromm-fröhliche Entschlossenheit, sie ist Melancholie. Da sie jedoch von Natur Melancholie ist, so sympathisiert sie auch von Natur und insgeheim mit der melancholischen, der aussichtslosen Partei und Geschichtsmacht mehr als mit der frisch-fromm-fröhlichen. Am Ende besteht sie aus solcher Sympathie und wäre ohne sie gar nicht vorhanden? Am Ende gibt es also gar keine Gerechtigkeit? fragt sich der Professor und ist in diesen Gedanken so vertieft, daß er seine Briefe ganz unbewußt in den Kasten bei der übernächsten Brücke wirft und anfängt zurückzugehen. Es ist ein die Wissenschaft störender Gedanke, dem er da nachhängt, aber er ist selber Wissenschaft, Gewissensangelegenheit, Psychologie und muß pflichtgemäß vorurteilslos aufgenommen werden, ob er nun stört oder nicht... Unter solchen Träumereien kehrt Doktor Cornelius nach Hause zurück.

Im Torbogen der Haustür steht Xaver und scheint nach ihm auszuschauen.

»Herr Professor«, sagt Xaver mit seinen dicken Lippen und wirft das Haar zurück, »gehen S' nur glei nauf zum Lorchen. Die hat's.«

»Was gibt es?« fragt Cornelius erschrocken. »Ist sie krank?«

»Ne, krank grad net«, antwortet Xaver. »Bloß erwischt hat sie's und recht weinen tut s' alleweil recht heftik. Es ist zwegn den Herrn, der wo mit ihr tanzt hat, den Frackjacketen, Herrn Hergesell. Net weg hat s' mögn von der Diele um kein Preis net und weint ganze Bäch. Recht erwischt hat sie's halt bereits recht heftik.«

»Unsinn«, sagt der Professor, der eingetreten ist und seine Sachen in die Garderobe wirft. Er sagt nichts weiter, öffnet die verkleidete Glastür zur Diele und gönnt der Tanzgesellschaft keinen Blick, während er rechtshin zur Treppe geht. Er nimmt die Treppe, indem er jede zweite Stufe überschlägt, und begibt sich über die obere Diele und noch einen kleinen Flur direkt ins Kinderzimmer, gefolgt von Xaver, der an der Tür stehenbleibt.

Im Kinderzimmer ist noch helles Licht. Ein bunter Bilderfries aus Papier läuft rings um die Wände, ein großes Regal ist da, das wirr mit Spielzeug gefüllt ist, ein Schaukelpferd mit rotlackierten Nüstern stemmt die Hufe auf seine geschwungenen Wiegebalken, und weiteres Spielzeug – eine kleine Trompete, Bauklötze, Eisenbahnwaggons – liegt noch auf dem Linoleum des Fußbodens umher. Die weißen Geländerbettchen stehen nicht weit voneinander: das Lorchens ganz in der Ecke am Fenster und Beißers einen Schritt davon, frei ins Zimmer hinein.

Beißer schläft. Er hat wie gewöhnlich, unter Blau-Annas Assistenz, mit schallender Stimme gebetet und ist dann sofort in Schlaf gefallen, in seinen stürmischen, rot glühenden, ungeheuer festen Schlaf, in dem auch ein neben seinem Lager abgefeuerter Kanonenschuß ihn nicht stören würde: seine geballten Fäuste, aufs Kissen zurückgeworfen, liegen zu beiden Seiten des Kopfes, neben der von vehementem Schlaf zerzausten, verklebten, schlechtsitzenden kleinen Perücke.

Lorchens Bett ist von Frauen umgeben: außer der blauen Anna stehen auch die Damen Hinterhöfer an seinem Geländer und besprechen sich mit jener sowohl wie untereinander. Sie treten zur Seite, als der Professor sich nähert, und da sieht man denn Lorchen in ihren kleinen Kissen sitzen, bleich und so bitterlich weinend und schluchzend, wie Doktor Cornelius sich nicht erinnert, sie je gesehn zu haben. Ihre schönen, kleinen Hände liegen vor ihr auf der Decke, das mit einer schmalen Spitzenkante versehene Nachthemdchen ist ihr von einer ihrer spatzenhaft mageren Schultern geglitten, und den Kopf, dies süße Köpfchen, das Cornelius so liebt, weil es mit seinem vorgebauten Untergesichtchen so ungewöhnlich blütenhaft auf dem dünnen Stengel des Hälschens sitzt, hat sie schräg in den Nacken gelegt, so daß ihre weinenden Augen hinauf in den Winkel von Decke und Wand gerichtet sind, und dorthin scheint sie ihrem eigenen großen Herzeleid beständig zuzunicken; denn, sei es willkürlich und ausdrucksweise, sei es durch die Erschütterung des Schluchzens – ihr Köpfchen nickt und wackelt immerfort, ihr beweglicher Mund aber, mit der bogenförmig geschnittenen Oberlippe, ist halb geöffnet, wie bei einer kleinen mater dolorosa, und während die Tränen ihren Augen entstürzen, stößt sie monotone Klagelaute aus, die nichts mit dem ärgerlichen und überflüssigen Geschrei unartiger Kinder zu tun haben, sondern aus wirklicher Herzensnot kommen und dem Professor, der Lorchen überhaupt nicht weinen sehen kann, sie aber so noch nie gesehen hat, ein unerträgliches Mitleid zufügen.

Dies Mitleid äußert sich vor allem in schärfster Nervosität gegen die beistehenden Damen Hinterhöfer.

»Mit dem Abendessen«, sagt er bewegt, »gibt es sicher eine Menge zu tun. Wie es scheint, überläßt man es der gnädigen Frau allein, sich darum zu kümmern?«

Das genügt für die Feinhörigkeit ehemaliger Mittelstandspersonen. In echter Gekränktheit entfernen sie sich, an der Tür noch mimisch verhöhnt von Xaver Kleinsgütl, der frischweg und von vornherein gleich niedrig geboren ist und dem die Gesunkenheit der Damen allezeit den größten Spaß macht.

»Kindchen, Kindchen«, sagt Cornelius gepreßt und schließt das leidende Lorchen in seine Arme, indem er sich auf den Stuhl am Gitterbettchen niederläßt. »Was ist denn mit meinem Kindchen?!«

Sie benäßt sein Gesicht mit ihren Tränen.

»Abel... Abel...«, stammelt sie schluchzend, »warum... ist... Max... nicht mein Bruder? Max... soll... mein Bruder sein...«

Was für ein Unglück, was für ein peinliches Unglück! Was hat die Tanzgesellschaft da angerichtet mit ihren Ingredienzien! denkt Cornelius und blickt in voller Ratlosigkeit zur blauen Kinds-Anna auf, welche, die Hände auf der Schürze zusammengelegt, in würdiger Beschränktheit am Fußende des Bettchens steht.

»Es verhält sich an dem«, sagt sie streng und weise, mit angezogener Unterlippe, »daß bei dem Kind die weiblichen Triebe ganz uhngemein lepphaft in Vorschein treten.«

»Halten Sie doch den Mund«, antwortet Cornelius gequält. Er muß noch froh sein, daß Lorchen sich ihm wenigstens nicht entzieht, ihn nicht von sich weist, wie vorhin auf der Diele, sondern sich hilfesuchend an ihn schmiegt, während sie ihren törichten, verworrenen Wunsch wiederholt, daß Max doch ihr Bruder sein möchte, und aufjammernd verlangt, zu ihm, auf die Diele, zurückzukehren, damit er wieder mit ihr tanze. Aber Max tanzt ja auf der Diele mit Fräulein Plaichinger, die ein ausgewachsener Koloß ist und alle Rechte auf ihn hat – während Lorchen dem von Mitleid zerrissenen Professor noch nie so winzig und spatzenhaft vorgekommen ist wie jetzt, da sie sich hilflos, von Schluchzen gestoßen, an ihn schmiegt und nicht weiß, wie ihrem armen Seelchen geschieht. Sie weiß es nicht. Es ist ihr nicht deutlich, daß sie um der dicken, ausgewachsenen, vollberechtigten Plaichinger willen leidet, die auf der Diele mit Max Hergesell tanzen darf, während Lorchen es nur spaßeshalber einmal durfte, nur im Scherz, obgleich sie die unvergleichlich Lieblichere ist. Daraus aber dem jungen Hergesell einen Vorwurf zu machen ist durchaus unmöglich, da es eine wahnsinnige Zumutung an ihn enthalten würde. Lorchens Kummer ist recht- und heillos und müßte sich also verbergen. Da er aber ohne Verstand ist, ist er auch ohne Hemmung, und das erzeugt eine große Peinlichkeit. Blau-Anna und Xaver machen sich gar nichts aus dieser Peinlichkeit, zeigen sich unempfindlich für sie, sei es aus Dummheit, sei es aus trockenem Natursinn. Aber des Professors Vaterherz ist ganz zerrissen von ihr und von den beschämenden Schrecken der recht- und heillosen Leidenschaft.

Es hilft nichts, daß er dem armen Lorchen vorhält, wie sie ja doch einen ausgezeichneten kleinen Bruder habe, in der Person des heftig schlafenden Beißers nebenan. Sie wirft nur durch ihre Tränen einen verächtlichen Schmerzensblick hinüber zum andern Bettchen und verlangt nach Max. Es hilft auch nichts, daß er ihr für morgen einen ausgedehnten Fünf-Herren-Spaziergang ums Eßzimmer verspricht und ihr zu schildern versucht, in welcher glänzenden Ausführlichkeit sie das Kissenspiel vor Tische vollziehen wollen. Sie will von alldem nichts wissen, auch nicht davon, sich niederzulegen und einzuschlafen. Sie will nicht schlafen, sie will aufrecht sitzen und leiden... Aber da horchen beide, Abel und Lorchen, auf etwas Wunderbares, was nun geschieht, was sich schrittweise, in zwei Paar Schritten, dem Kinderzimmer nähert und überwältigend in Erscheinung tritt...

Es ist Xavers Werk – sofort wird das klar. Xaver Kleinsgütl ist nicht die ganze Zeit an der Tür gestanden, wo er die ausgewiesenen Damen verhöhnte. Er hat sich geregt, etwas unternommen und seine Anstalten getroffen. Er ist auf die Diele hinuntergestiegen, hat Herrn Hergesell am Ärmel gezogen, ihm mit seinen dikken Lippen etwas gesagt und eine Bitte an ihn gerichtet. Da sind sie nun beide. Xaver bleibt wiederum an der Tür zurück, nachdem er das Seine getan; aber Max Hergesell kommt durch das Zimmer auf Lorchens Gitterbett zu, in seinem Smoking, mit seinem kleinen dunklen Backenbart-Anflug neben den Ohren und seinen hübschen schwarzen Augen – kommt daher im sichtlichen Vorgefühl seiner Rolle als Glücksbringer, Märchenprinz und Schwanenritter, wie einer, der sagt: Nun denn, da bin ich, alle Not hat nun restlos ein Ende!

Cornelius ist fast ebenso überwältigt wie Lorchen.

»Sieh einmal«, sagt er schwach, »wer da kommt. Das ist aber außerordentlich freundlich von Herrn Hergesell.«

»Das ist gar nicht besonders freundlich von ihm!« sagt Hergesell. »Das ist ganz selbstverständlich, daß er noch mal nach seiner Tänzerin sieht und ihr gute Nacht sagt.«

Und er tritt an das Gitter, hinter dem das verstummte Lorchen sitzt. Sie lächelt selig durch ihre Tränen. Ein kleiner, hoher Laut, ein halbes Seufzen des Glücks kommt noch aus ihrem Mund, und dann blickt sie schweigend zum Schwanenritter auf, mit ihren goldnen Augen, die, obgleich nun verquollen und rot, so unvergleichlich viel lieblicher sind als die der vollbeleibten Plaichinger. Sie hebt nicht die Ärmchen, ihn zu umhalsen. Ihr Glück, wie ihr Schmerz, ist ohne Verstand, aber sie tut das nicht. Ihre schönen, kleinen Hände bleiben still auf der Decke, während Max Hergesell sich mit den Armen auf das Gitter stützt wie auf eine Balkonbrüstung.

»Damit sie nicht«, sagt er, »auf ihrem Bette weinend sitzt die kummervollen Nächte!« Und er äugelt nach dem Professor, um Beifall einzuheimsen für seine Bildung. »Ha, ha, ha, in den Jahren! ›Tröste dich, mein schönes Kind!‹ Du bist gut. Aus dir kann was werden. Du brauchst bloß so zu bleiben. Ha, ha, ha, in den Jahren! Wirst du nun schlafen und nicht mehr weinen, Loreleyerl, wo ich gekommen bin?«

Verklärt blickt Lorchen ihn an. Ihr Spatzenschulterchen ist bloß; der Professor zieht ihr die schmale Klöppelborte darüber. Er muß an eine sentimentale Geschichte denken von dem sterbenden Kind, dem man einen Clown bestellt, den es im Zirkus mit unauslöschlichem Entzücken gesehen. Er kam im Kostüm zu dem Kind in dessen letzter Stunde, vorn und hinten mit silbernen Schmetterlingen bestickt, und es starb in Seligkeit. Max Hergesell ist nicht bestickt, und Lorchen soll gottlob nicht sterben, sondern es hat sie nur »recht heftig erwischt«; aber sonst ist es wirklich eine verwandte Geschichte, und die Empfindungen, die den Professor gegen den jungen Hergesell beseelen, der da lehnt und gar dämlich schwatzt – mehr für den Vater als für das Kind, was Lorchen aber nicht merkt –, sind ganz eigentümlich aus Dankbarkeit, Verlegenheit, Haß und Bewunderung zusammengequirlt.

»Gute Nacht, Loreleyerl!« sagt Hergesell und gibt ihr über das

Gitter die Hand. Ihr kleines, schönes, weißes Händchen verschwindet in seiner großen, kräftigen, rötlichen. »Schlafe gut«, sagt er. »Träume süß! Aber nicht von mir! Um Gottes willen! In den Jahren! Ha, ha, ha, ha!« Und er beendet seinen märchenhaften Clownsbesuch, von Cornelius zur Tür geleitet.

»Aber nichts zu danken! Aber absolut kein Wort zu verlieren!« wehrt er höflich-hochherzig ab, während sie zusammen dorthin gehen; und Xaver schließt sich ihm an, um drunten den italienischen Salat zu servieren.

Aber Doktor Cornelius kehrt zu Lorchen zurück, die sich nun niedergelassen, die Wange auf ihr flaches kleines Kopfkissen gelegt hat.

»Das war aber schön«, sagt er, während er zart die Decke über ihr ordnet, und sie nickt mit einem nachschluchzenden Atemzug. Wohl noch eine Viertelstunde sitzt er am Gitter und sieht sie entschlummern, dem Brüderchen nach, das den guten Weg schon so viel früher gefunden. Ihr seidiges braunes Haar gewinnt den schönen, geringelten Fall, den es im Schlafe zu zeigen pflegt; tief liegen die langen Wimpern über den Augen, aus denen sich so viel Leid ergossen; der engelhafte Mund mit der gewölbten, geschwungenen Oberlippe steht in süßer Befriedigung offen, und nur noch manchmal zittert in ihrem langsamen Atem ein verspätetes Schluchzen nach.

Und ihre Händchen, die weiß-rosig blütenhaften Händchen, wie sie da ruhen, das eine auf dem Blau der Steppdecke, das andere vor ihrem Gesicht auf dem Kissen! Doktor Cornelius' Herz füllt sich mit Zärtlichkeit wie mit Wein.

Welch ein Glück, denkt er, daß Lethe mit jedem Atemzug dieses Schlummers in ihre kleine Seele strömt; daß so eine Kindernacht zwischen Tag und Tag einen tiefen und breiten Abgrund bildet! Morgen, das ist gewiß, wird der junge Hergesell nur noch ein blasser Schatten sein, unkräftig, ihrem Herzen irgendwelche Verstörung zuzufügen, und in gedächtnisloser Lust wird sie mit Abel und Beißer dem Fünf-Herren-Spaziergang, dem spannenden Kissenspiel obliegen.

Dem Himmel sei Dank dafür!

Erschienen 1925

ALFRED POLGAR 1875–1955

Das Kind

Nun das Kind zur Welt gekommen ist, haben alle, mit Ausnahme des Neugeborenen, große Freude. Verwandte und Bekannte blikken lächelnd auf das feuerrote, verrunzelte Stückchen Mensch, obschon es doch eigentlich mehr Gefühl des Mitleids wecken sollte, denn da es ins Leben trat, trat es ja in den Tod, und mit jeder Sekunde, die es sich vom Augenblick seines Anfangs entfernt, nähert es sich dem Augenblick seines Endes. Vor neun Monaten noch unsterblich wie eine ewige Idee, ein göttliches Prinzip, ist es nun schon mitten drin im Sterben, hat von dem Zeitkapitel, mit dem es sein Auslangen finden muß, vierundzwanzig Stunden schon verbraucht. »Me genesthai!« sagt der Weise, nicht geboren werden ist das Beste. Aber wem widerfährt das schon? Unter Millionen kaum einem.

Das Kind quiekt. Not und Unbehagen sind die ersten, die an die noch verschlossene Tür des Bewußtseins klopfen und das Kind durch ihr Klopfen im Schlafe stören. Schreiend erhebt es Klage, Anklage, daß es da ist. Die Erwachsenen, ausgepichte, eingewöhnte Sträflinge des Lebens, empfangen den Zuwachs mit verlegenem Humor. Heuchlerisch fragen sie: »Na, was iserlt denn?« als ob sie nicht ganz genau wüßten, was es iserlt.

Der Vater fordert das Kind mit singenden Schmeicheltönen auf zu lächeln. Er späht gierig nach diesem Lächeln aus, als nach einem Zeichen, daß das arme Wesen sich mit dem Schicksal, dazusein, abgefunden habe. »Na, so lach doch ein bißchen« heißt soviel wie: Zeige doch, daß du mir verzeihst, dich in die Gemeinschaft der Lebenden gestoßen zu haben. Vaterliebe ist zum Teil Schuldgefühl gegen das Geborene. Aber natürlich ist dieses Gefühl in den Vätern bis zur Unmerklichkeit verkapselt, zurückgedrängt vom Schöpferstolz, obgleich ja, an der mütterlichen Leistung gemessen, des Vaters kurze Arbeit zum Werden der Kreatur nicht gar so imponierend ist.

Haust schon eine Seele in dem planvoll organisierten Zellenhäufchen? Waren die guten Feen schon da, die die Gaben, und die bösen Magier, die die ersten Komplexe bringen? Die kleine Maschine ist in vollem Betrieb; das Herz schlägt, das Blut wandert, die Drüsen sezernieren, die Lungen schaffen Kohlendioxyd ins Freie, und die winzigen Fingerchen, Zinken einer Puppenküchengabel, schließen sich um den Finger des gerührten Vaters. Das Kind greift nach dem, was es erreichen kann. Siehe, ein Mensch!

Wenn es zum ersten Male die Augen aufschlägt, da vollzieht sich Neugeburt des Alls durch das Neugeborene. Es öffnet der Welt Pforten, durch die sie einzieht, um zu sein. Der Ansturm ist heftig, immer wieder müssen die zarten Tore geschlossen werden. Nicht drängen, alles kommt dran.

Auge des Kindes: da blickt eine Welt *hinein*. Auge des erwachsenen Menschen: eine Welt blickt da *heraus*. Darum ist es so trübe wie ein Glas, an dem viele Spuren von Getrunkenem haften.

Das Kind schreit. Doch wenn es zu trinken bekommt, tut es einen ganz zarten Seufzer der Erleichterung, seine Züge entspannen sich, und mit jedem Schlückchen Milch saugt es ein Schlückchen Frieden in sein Antlitz. So wird der Mensch vom Beginn an durch Nahrung bestochen, seine wahre Meinung zu unterdrükken und Ruhe zu geben und lieb zu sein. Ach wie lieb ist das Kind! Auch das Böse en miniature ist lieb. Auch die Hölle in Taschenformat und der Teufel, wenn er daumengroß erschiene, mit einem Mauseschwänzchen, wären es.

Die Mutter ruht blaß und erschöpft. Es ist ihr wunderlich zumute, so angenehm leer und so schmerzhaft verlassen, so reich beschenkt und so gröblich ausgenutzt. Und ihre Seele, die Gott dankt, ist heimlich gewärtig, daß er ihr danke. Darauf hat sie auch Anspruch. Denn der Schöpfer lebt in seinen Geschöpfen, und jedes Stück neues Leben, das wird, ist seinem eigenen zugelegt.

Leise geht die Tür auf. Die Mutter wäre gar nicht erstaunt, wenn drei Könige aus Morgenland auf Zehenspitzen hereinkämen.

Es ist aber nur der Onkel Poldi.

Wenn man auch das Leben als einen schonungslosen Wettlauf ansieht, in dem unweigerlich die Geschickten, Kräftigen vorne, die

Ungeschickten, Schwachen hinten sein werden, über eines kann es
doch unter honorigen Sportsleuten keine Meinungsverschieden-
heit geben: daß der Start für alle gleich sein müßte.

Brief an Ingrids Sohn

New York, Frühjahr 1951

Lieber Renato Roberto Rossellini:

Meinen Brief hier, falls er Dich erreicht, wirst Du derzeit nicht
zur Kenntnis nehmen können, weil Du noch nicht eingeweiht bist
in die unheimliche Kunst des Lesens. Auch kaum Zeit dazu hättest. In der jetzigen Vor-Frühlings-Phase Deines Lebens bist Du
vermutlich vollauf damit beschäftigt, durch Geschrei, achtlosen
Stoffwechsel und dergleichen, der Welt, auf die Du gekommen
bist, Deinen berechtigten Mißmut über sie zu bezeigen. Später
einmal aber mag mein Brief dazu dienen, Dich über Umstände
Deines Erden-Debüts zu unterrichten, die man Dir vielleicht wird
verheimlichen wollen. Du bist nämlich ein »Kind der Liebe«. Dieser märchenhaft schöne, aber abfällig gemeinte Name wird Kindern solcher Eltern beigelegt, die, einander lebhaft zugetan, aus
dieser Zuneigung die natürlichen Konsequenzen gezogen und geraume Zeit nachher erst, wenn überhaupt, aufs Standesamt gegangen sind. Deshalb heißt aber ein Kind von Eltern, die es umgekehrt gemacht haben, nicht »ein Kind der Gleichgültigkeit«
(obschon in zahllosen Fällen es rechtens so heißen dürfte).

Du, Renato, hast unter ziemlich komplizierten Verhältnissen
das Irrlicht der Welt erblickt. Deine Mutter nämlich war, als sie
Dich bekam, einem andern Mann als Deinem Vater ehelich-gesetz-
lich verbunden; und überdies war sie eine berühmte Frau, also
wurde ihr Privatleben von der Öffentlichkeit mit geführt. Diese
Umstände bewirkten es, daß Du bei Deinem Eintritt ins Dasein
empfangen wurdest wie ein Königssohn, bei dessen Geburt die
Kanonen feuern. Nur waren in Deinem Falle die Kanonen nicht
aus Stahl, sondern aus Zeitungspapier (aus welchem Material
auch sehr tückische Mordwaffen hergestellt werden) und sie feuer-
ten nicht Salut, sondern geradezu das Gegenteil, und sie waren

nicht blind, sondern scharf geladen, und sie schossen nicht in die Luft, sondern zielten auf Deine Mutter.

Vielleicht wirst Du einmal, als Mann, durch Begabung und Leistung Aufsehen bei Deinen Zeitgenossen erregen – aber es wird Dir schwerfallen, jenes zu überbieten, das Du als Säugling bei ihnen erregt hast, als winziges Stückchen Mensch, sechseinhalb amerikanische Pfund alles in allem!

Ich hoffe, Du wirst Deiner Mutter die stürmische Affäre mit Signore Rossellini, deren Konsequenz Du bist, nicht übelnehmen. Nach Rechts- und Sprachgebrauch war, was sie da tat: ein Fehltritt. Alle Menschen, ausgenommen amerikanische Senatoren und Klubdamen, begehen einen solchen, oder sogar mehrere, im Lauf ihres Lebens, besonders in dessen Sexualbezirk. Ein amerikanischer Senator war es auch, der in öffentlicher Sitzung Deine Mutter »a common mistress« und »an apostle of degradation« genannt hat. Aber glaube mir, das Fehlste an ihrem Fehltritt war, daß sie ihn mit trotziger Offenheit beging, nicht hinter der Lügen-Fassade, deren Aufrechterhaltung nach außen hin man von einem gut erzogenen Fehltreter verlangt; gleichsam als sittliche Forderung an die Unsittlichkeit.

Deine Mutter nun, wie gesagt, hat sehr freimütig ihre Liebe zu Deinem Vater, die stärker war als sie, bekannt. Und sie war nicht verlegen, sondern geradezu herausfordernd glücklich, als Du kamst, quiekender Kronzeuge ihrer Schuld. Vergiß das nicht, wenn Du über sie richtest.

Gut, daß Du von den häßlichen Reden, die ihr gelten, nichts hören und Dich darüber nicht kränken kannst. Könntest Du's, so würde ich zu einigem Trost Dir sagen: Gewiß, dem Sittsamkeits-Renommee Deiner Mutter hat ihr Absprung ins unerlaubt Freie geschadet – aber ihrem Talent wird er von Nutzen sein. Die Gefühls-Radikalität, die große, sich und andere nicht schonende Leidenschaft, die das Erlebnis mit Deinem Vater in ihr auslösten, werden ihrer Kunst zugute kommen. Um die Bühnen- und Filmgestalten Deiner Mutter nämlich, auch um die bestgeglückten, war immer ein Hauch von Kühlem. Ihr Spiel, auch wenn noch so affektgeladen, durchriß nie ganz das Brav-Bürgerliche, das ihnen anhaftete wie eine Haut, aus der sie nicht fahren konnten. Und die Hemmung, so schien es, lag nicht im Können, sondern tiefer, in der Natur der Ingrid Bergman: der echte, eingeborene trait passioné fehlte dort.

Jetzt, Renato, – im Ernstfall sozusagen – hat Deine Mutter bewiesen, daß er ihr keineswegs fehlt. Sie hat es bewiesen in einer gefährlichen, undankbaren, Publikumserfolg ausschließenden Rolle, die ihr das Leben schrieb; und in der sie überzeugend darstellte, was für wilde Dinge Liebe, die Himmelskraft, wenn sie der Fesseln sich entrafft, mit der Kreatur aufzuführen imstande ist, sogar mit einer kühlen Schwedin.

Darstellerin und Stück wurden ausgepfiffen, besonders dessen Pointe, Du. Sei trotzdem Deiner Mutter dankbar, Renato Roberto, daß sie Dir zu dem Abenteuer: Leben verholfen hat. Es ist ein Abenteuer mit unabweislich letalem Ausgang. Aber einmal zumindest, glaube ich, sollte es doch jeder mitmachen – obschon ich Dir nicht recht sagen könnte, warum.

RAINER MARIA RILKE *1875–1926*

Die Weise von Liebe und Tod des Cornets Christoph Rilke

»...den 24. November 1663 wurde Otto von Rilke / auf Langenau / Gränitz und Ziegra / zu Linda mit seines in Ungarn gefallenen Bruders Christoph hinterlassenem Antheile am Gute Linda
beliehen; doch mußte er einen Revers ausstellen / nach welchem
die Lehensreichung null und nichtig sein sollte / im Falle sein
Bruder Christoph (der nach beigebrachtem Totenschein als Cornet
in der Compagnie des Freiherrn von Pirovano des kaiserl. oesterr.
Heysterschen Regiments zu Roß... verstorben war) zurück-
kehrt...«

Reiten, reiten, reiten, durch den Tag, durch die Nacht, durch den
Tag. Reiten, reiten, reiten.
  Und der Mut ist so müde geworden und die Sehnsucht so groß.
Es gibt keine Berge mehr, kaum einen Baum. Nichts wagt aufzu-
stehen. Fremde Hütten hocken durstig an versumpften Brunnen.
Nirgends ein Turm. Und immer das gleiche Bild. Man hat zwei
Augen zuviel. Nur in der Nacht manchmal glaubt man den Weg
zu kennen. Vielleicht kehren wir nächtens immer wieder das Stück
zurück, das wir in der fremden Sonne mühsam gewonnen haben?
Es kann sein. Die Sonne ist schwer, wie bei uns tief im Sommer.
Aber wir haben im Sommer Abschied genommen. Die Kleider der
Frauen leuchteten lang aus dem Grün. Und nun reiten wir lang.
Es muß also Herbst sein. Wenigstens dort, wo traurige Frauen
von uns wissen.

Der von Langenau rückt im Sattel und sagt: »Herr Marquis...«
  Sein Nachbar, der kleine Franzose, hat erst drei Tage lang gesprochen und gelacht. Jetzt weiß er nichts mehr. Er ist wie ein

Kind, das schlafen möchte. Staub bleibt auf seinem feinen weißen Spitzenkragen liegen; er merkt es nicht. Er wird langsam welk in seinem samtenen Sattel.

Aber der von Langenau lächelt und sagt: »Ihr habt seltsame Augen, Herr Marquis. Gewiß seht Ihr Eurer Mutter ähnlich –«

Da blüht der Kleine noch einmal auf und stäubt seinen Kragen ab und ist wie neu.

Jemand erzählt von seiner Mutter. Ein Deutscher offenbar. Laut und langsam setzt er seine Worte. Wie ein Mädchen, das Blumen bindet, nachdenklich Blume um Blume probt und noch nicht weiß, was aus dem Ganzen wird –: so fügt er seine Worte. Zu Lust? Zu Leide? Alle lauschen. Sogar das Spucken hört auf. Denn es sind lauter Herren, die wissen, was sich gehört. Und wer das Deutsche nicht kann in dem Haufen, der versteht es auf einmal, fühlt einzelne Worte: »Abends«... »Klein war...«

Da sind sie alle einander nah, diese Herren, die aus Frankreich kommen und aus Burgund, aus den Niederlanden, aus Kärntens Tälern, von den böhmischen Burgen und vom Kaiser Leopold. Denn was der Eine erzählt, das haben auch sie erfahren und gerade so. Als ob es nur *eine* Mutter gäbe...

So reitet man in den Abend hinein, in irgendeinen Abend. Man schweigt wieder, aber man hat die lichten Worte mit. Da hebt der Marquis den Helm ab. Seine dunklen Haare sind weich und, wie er das Haupt senkt, dehnen sie sich frauenhaft auf seinem Nacken. Jetzt erkennt auch der von Langenau: Fern ragt etwas in den Glanz hinein, etwas Schlankes, Dunkles. Eine einsame Säule, halbverfallen. Und wie sie lange vorüber sind, später, fällt ihm ein, daß das eine Madonna war.

Wachtfeuer. Man sitzt rundumher und wartet. Wartet, daß einer singt. Aber man ist so müd. Das rote Licht ist schwer. Es liegt auf den staubigen Schuhn. Es kriecht bis an die Kniee, es schaut in die gefalteten Hände hinein. Es hat keine Flügel. Die Gesichter sind dunkel. Dennoch leuchten eine Weile die Augen des kleinen Franzosen mit eigenem Licht. Er hat eine kleine Rose geküßt, und nun darf sie weiterwelken an seiner Brust. Der von Langenau hat es gesehen, weil er nicht schlafen kann. Er denkt: Ich habe keine Rose, keine.

Dann singt er. Und das ist ein altes trauriges Lied, das zu

Hause die Mädchen auf den Feldern singen, im Herbst, wenn die Ernten zu Ende gehen.

Sagt der kleine Marquis: »Ihr seid sehr jung, Herr?«
Und der von Langenau, in Trauer halb und halb im Trotz: »Achtzehn.« Dann schweigen sie.
Später fragt der Franzose: »Habt Ihr auch eine Braut daheim, Herr Junker?«
»Ihr?« gibt der von Langenau zurück.
»Sie ist blond wie Ihr.«
Und sie schweigen wieder, bis der Deutsche ruft: »Aber zum Teufel, warum sitzt Ihr denn dann im Sattel und reitet durch dieses giftige Land den türkischen Hunden entgegen?«
Der Marquis lächelt. »Um wiederzukehren.«
Und der von Langenau wird traurig. Er denkt an ein blondes Mädchen, mit dem er spielte. Wilde Spiele. Und er möchte nach Hause, für einen Augenblick nur, nur für so lange, als es braucht, um die Worte zu sagen: »Magdalena, – daß ich immer so *war*, verzeih!« *Wie–* war? denkt der junge Herr. – Und sie sind weit.

Einmal, am Morgen, ist ein Reiter da, und dann ein zweiter, vier, zehn. Ganz in Eisen, groß. Dann tausend dahinter: das Heer.
Man muß sich trennen.
»Die Maria schützt Euch, Herr Junker.«
»Kehrt glücklich heim, Herr Marquis.«
Man muß sich trennen.
Und sie können nicht voneinander. Sie sind Freunde auf einmal, Brüder. Haben einander mehr zu vertrauen; denn sie wissen schon so viel Einer vom Andern. Sie zögern. Und ist Hast und Hufschlag um sie. Da streift der Marquis den großen rechten Handschuh ab. Er holt die kleine Rose hervor, nimmt ihr ein Blatt. Als ob man eine Hostie bricht.
»Das wird Euch beschirmen. Lebt wohl.«
Der von Langenau staunt. Lange schaut er dem Franzosen nach. Dann schiebt er das fremde Blatt unter den Waffenrock. Und es treibt auf und ab auf den Wellen seines Herzens. Hornruf. Er reitet zum Heer, der Junker. Er lächelt traurig: ihn schützt eine fremde Frau.

Ein Tag durch den Troß. Flüche, Farben, Lachen –: davon blendet das Land. Kommen bunte Buben gelaufen. Raufen und Rufen. Kommen Dirnen mit purpurnen Hüten im flutenden Haar. Winken. Kommen Knechte, schwarzeisern wie wandernde Nacht. Pak-

ken die Dirnen heiß, daß ihnen die Kleider zerreißen. Drücken sie
an den Trommelrand. Und von der wilderen Gegenwehr hastiger Hände werden die Trommeln wach, wie im Traum poltern
sie, poltern –. Und abends halten sie ihm Laternen her, seltsame:
Wein, leuchtend in eisernen Hauben. Wein? Oder Blut? – Wer
kanns unterscheiden?

Endlich vor Spork. Neben seinem Schimmel ragt der Graf. Sein
langes Haar hat den Glanz des Eisens.
   Der von Langenau hat nicht gefragt. Er erkennt den General,
schwingt sich vom Roß und verneigt sich in einer Wolke Staub.
Er bringt ein Schreiben mit, das ihn empfehlen soll beim Grafen.
Der aber befiehlt: »Lies mir den Wisch.« Und seine Lippen haben
sich nicht bewegt. Er braucht sie nicht dazu; sind zum Fluchen
gerade gut genug. Was drüber hinaus ist, redet die Rechte. Punkt-
um. Und man sieht es ihr an. Der junge Herr ist längst zu Ende.
Er weiß nicht mehr, wo er steht. Der Spork ist vor Allem. Sogar
der Himmel ist fort. Da sagt Spork, der große General:
   »Cornet.«
   Und das ist viel.

Die Kompagnie liegt jenseits der Raab. Der von Langenau reitet
hin, allein. Ebene. Abend. Der Beschlag vorn am Sattel glänzt
durch den Staub. Und dann steigt der Mond. Er sieht es an seinen
Händen. Er träumt.
   Aber da schreit es ihn an.
   Schreit, schreit,
   zerreißt ihm den Traum.
   Das ist keine Eule. Barmherzigkeit:
   der einzige Baum
   schreit ihn an:
   Mann!
   Und er schaut: es bäumt sich. Es bäumt sich ein Leib
   den Baum entlang, und ein junges Weib,
   blutig und bloß,
   fällt ihn an: Mach mich los!

   Und er springt hinab in das schwarze Grün
   und durchhaut die heißen Stricke;
   und er sieht ihre Blicke glühn
   und ihre Zähne beißen.

Lacht sie?

Ihn graust.
    Und er sitzt schon zu Roß
und jagt in die Nacht. Blutige Schnüre fest in der Faust.

Der von Langenau schreibt einen Brief, ganz in Gedanken. Langsam malt er mit großen, ernsten, aufrechten Lettern:

>>Meine gute Mutter,
    seid stolz: Ich trage die Fahne,
    seid ohne Sorgen: Ich trage die Fahne,
    habt mich lieb: Ich trage die Fahne –<<

Dann steckt er den Brief zu sich in den Waffenrock, an die heim-
lichste Stelle, neben das Rosenblatt. Und denkt: Er wird bald duften davon. Und denkt: Vielleicht findet ihn einmal Einer... Und
denkt: ...; denn der Feind ist nah.

Sie reiten über einen erschlagenen Bauer. Er hat die Augen weit
offen und etwas spiegelt sich drin; kein Himmel. Später heulen
Hunde. Es kommt also ein Dorf, endlich. Und über den Hütten
steigt steinern ein Schloß. Breit hält sich ihnen die Brücke hin.
Groß wird das Tor. Hoch willkommt das Horn. Horch: Poltern,
Klirren und Hundegebell! Wiehern im Hof, Hufschlag und Ruf.

Rast! Gast sein einmal. Nicht immer selbst seine Wünsche bewir-
ten mit kärglicher Kost. Nicht immer feindlich nach allem fassen;
einmal sich alles geschehen lassen und wissen: Was geschieht, ist
gut. Auch der Mut muß einmal sich strecken und sich am Saume
seidener Decken in sich selber überschlagen. Nicht immer Soldat
sein. Einmal die Locken offen tragen und den weiten offenen Kragen und in seidenen Sesseln sitzen und bis in die Fingerspitzen
so: nach dem Bad sein. Und wieder erst lernen, was Frauen
sind. Und wie die weißen tun und wie die blauen sind; was für
Hände sie haben, wie sie ihr Lachen singen, wenn blonde Knaben
die schönen Schalen bringen, von saftigen Früchten schwer.

Als Mahl beganns. Und ist ein Fest geworden, kaum weiß man
wie. Die hohen Flammen flackten, die Stimmen schwirrten, wirre
Lieder klirrten aus Glas und Glanz, und endlich aus den reifge-
wordnen Takten: entsprang der Tanz. Und alle riß er hin. Das

war ein Wellenschlagen in den Sälen, ein Sich-Begegnen und ein Sich-Erwählen, ein Abschiednehmen und ein Wiederfinden, ein Glanzgenießen und ein Lichterblinden und ein Sich-Wiegen in den Sommerwinden, die in den Kleidern warmer Frauen sind.

Aus dunklem Wein und tausend Rosen rinnt die Stunde rauschend in den Traum der Nacht.

Und Einer steht und staunt in diese Pracht. Und er ist so geartet, daß er wartet, ob er erwacht. Denn nur im Schlafe schaut man solchen Staat und solche Feste solcher Frauen: ihre kleinste Geste ist eine Falte, fallend in Brokat. Sie bauen Stunden auf aus silbernen Gesprächen, und manchmal heben sie die Hände so –, und du mußt meinen, daß sie irgendwo, wo du nicht hinreichst, sanfte Rosen brächen, die du nicht siehst. Und da träumst du: Geschmückt sein mit ihnen und anders beglückt sein und dir eine Krone verdienen für deine Stirne, die leer ist.

Einer, der weiße Seide trägt, erkennt, daß er nicht erwachen kann; denn er ist wach und verwirrt von Wirklichkeit. So flieht er bange in den Traum und steht im Park, einsam im schwarzen Park. Und das Fest ist fern. Und das Licht lügt. Und die Nacht ist nahe um ihn und kühl. Und er fragt eine Frau, die sich zu ihm neigt:

»Bist Du die Nacht?«

Sie lächelt.

Und da schämt er sich für sein weißes Kleid.

Und möchte weit und allein und in Waffen sein.

Ganz in Waffen.

»Hast Du vergessen, daß Du mein Page bist für diesen Tag? Verlässest Du mich? Wo gehst Du hin? Dein weißes Kleid gibt mir Dein Recht –.«

»Sehnt es Dich nach Deinem rauhen Rock?«

»Frierst Du? – Hast Du Heimweh?«

Die Gräfin lächelt.

Nein. Aber das ist nur, weil das Kindsein ihm von den Schultern gefallen ist, dieses sanfte dunkle Kleid. Wer hat es fortgenommen? »Du?« fragt er mit einer Stimme, die er noch nicht gehört hat. »Du!«

Und nun ist nichts an ihm. Und er ist nackt wie ein Heiliger. Hell und schlank.

Langsam lischt das Schloß aus. Alle sind schwer: müde oder verliebt oder trunken. Nach so vielen leeren, langen Feldnächten: Betten. Breite eichene Betten. Da betet sichs anders als in der lumpigen Furche unterwegs, die, wenn man einschlafen will, wie ein Grab wird.

»Herrgott, wie Du willst!«

Kürzer sind die Gebete im Bett.

Aber inniger.

Die Turmstube ist dunkel.

Aber sie leuchten sich ins Gesicht mit ihrem Lächeln. Sie tasten vor sich her wie Blinde und finden den Andern wie eine Tür. Fast wie Kinder, die sich vor der Nacht ängstigen, drängen sie sich ineinander ein. Und doch fürchten sie sich nicht. Da ist nichts, was gegen sie wäre: kein Gestern, kein Morgen; denn die Zeit ist eingestürzt. Und sie blühen aus ihren Trümmern.

Er fragt nicht: »Dein Gemahl?«

Sie fragt nicht: »Dein Name?«

Sie haben sich ja gefunden, um einander ein neues Geschlecht zu sein.

Sie werden sich hundert neue Namen geben und einander alle wieder abnehmen, leise, wie man einen Ohrring abnimmt.

Im Vorsaal über einem Sessel hängt der Waffenrock, das Bandelier und der Mantel von dem von Langenau. Seine Handschuhe liegen auf dem Fußboden. Seine Fahne steht steil, gelehnt an das Fensterkreuz. Sie ist schwarz und schlank. Draußen jagt ein Sturm über den Himmel hin und macht Stücke aus der Nacht, weiße und schwarze. Der Mondschein geht wie ein langer Blitz vorbei, und die reglose Fahne hat unruhige Schatten. Sie träumt.

War ein Fenster offen? Ist der Sturm im Haus? Wer schlägt die Türen zu? Wer geht durch die Zimmer? – Laß. Wer es auch sei. Ins Turmgemach findet er nicht. Wie hinter hundert Türen ist dieser große Schlaf, den zwei Menschen gemeinsam haben; so gemeinsam wie *eine* Mutter oder *einen* Tod.

Ist das der Morgen? Welche Sonne geht auf? Wie groß ist die Sonne? Sind das Vögel? Ihre Stimmen sind überall.

Alles ist hell, aber es ist kein Tag.

Alles ist laut, aber es sind nicht Vogelstimmen.

Das sind die Balken, die leuchten. Das sind die Fenster, die schrein. Und sie schrein, rot, in die Feinde hinein, die draußen stehn im flackernden Land, schrein: Brand.

Und mit zerrissenem Schlaf im Gesicht drängen sich alle, halb Eisen, halb nackt, von Zimmer zu Zimmer, von Trakt zu Trakt und suchen die Treppe.

Und mit verschlagenem Atem stammeln Hörner im Hof:
Sammeln, sammeln!
Und bebende Trommeln.

Aber die Fahne ist nicht dabei.
Rufe: Cornet!
Rasende Pferde, Gebete, Geschrei,
Stille: Cornet!
Flüche: Cornet!
Eisen an Eisen, Befehl und Signal;
Und noch ein Mal: Cornet!
Und heraus mit der brausenden Reiterei.

Aber die Fahne ist nicht dabei.

Er läuft um die Wette mit brennenden Gängen, durch Türen, die ihn glühend umdrängen, über Treppen, die ihn versengen, bricht er aus aus dem rasenden Bau. Auf seinen Armen trägt er die Fahne wie eine weiße, bewußtlose Frau. Und er findet ein Pferd, und es ist wie ein Schrei: über alles dahin und an allem vorbei, auch an den Seinen. Und da kommt auch die Fahne wieder zu sich, und niemals war sie so königlich; und jetzt sehn sie sie alle, fern voran, und erkennen den hellen, helmlosen Mann und erkennen die Fahne ...

Aber da fängt sie zu scheinen an, wirft sich hinaus und wird groß und rot ...

Da brennt ihre Fahne mitten im Feind, und sie jagen ihr nach.

Der von Langenau ist tief im Feind, aber ganz allein. Der Schrekken hat um ihn einen runden Raum gemacht, und er hält, mitten drin, unter seiner langsam verlodernden Fahne.

Langsam, fast nachdenklich, schaut er um sich. Es ist viel Fremdes, Buntes vor ihm. Gärten – denkt er und lächelt. Aber da fühlt er, daß Augen ihn halten, und erkennt Männer und weiß, daß es die heidnischen Hunde sind –: und wirft sein Pferd mitten hinein.

Aber, als es jetzt hinter ihm zusammenschlägt, sind es doch wieder Gärten, und die sechzehn runden Säbel, die auf ihn zuspringen, Strahl um Strahl, sind ein Fest.

Eine lachende Wasserkunst.

Der Waffenrock ist im Schlosse verbrannt, der Brief und das Rosenblatt einer fremden Frau. –

Im nächsten Frühjahr (es kam traurig und kalt) ritt ein Kurier des Freiherrn von Pirovano langsam in Langenau ein. Dort hat er eine alte Frau weinen sehen.

Geschrieben 1899, erschienen 1906

HERMANN HESSE 1877–1962

Im Presselschen Gartenhaus

Eine Erzählung aus dem alten Tübingen

Es war in den zwanziger Jahren des vorigen Jahrhunderts, und wenn die Weltläufte damals andere waren als heute, so schien doch die Sonne und lief der Wind nicht anders über das grüne, friedevolle Tal des Neckars als heute und gestern. Ein schöner, freudiger Frühsommertag war über die Alb heraufgestiegen und stand festlich über der Stadt Tübingen, über Schloß und Weinbergen, Neckar und Ammer, über Stift und Stiftskirche, spiegelte sich im frischen, blanken Flusse und schickte spielende, zarte Wolkenschatten über das grellsonnige Pflaster des Marktplatzes.

Im theologischen Stift war die lärmende Jugend soeben vom Mittagstisch aufgestanden. In plaudernden, lachenden, streitenden Gruppen schlenderten die Studenten durch die alten hallenden Gänge und über den gepflasterten Hof, den eine zackige Schattenlinie in der Quere teilte. Freundespaare standen in Fenstern und offenen Stubentüren beieinander; aus frohen, ernsten, heiteren oder träumerischen Jünglingsgesichtern leuchtete der schöne warme Sonnentag wider, und in ahnungsvoll durchglühter Jugend strahlte da manche noch so knabenhafte Stirn, deren Träume noch heute lebendig sind und deren Namen heute wieder von dankbaren und schwärmerischen Jünglingen verehrt werden.

An einem Korridorfenster, gegen den Neckar hinausgelehnt, stand der junge Student Eduard Mörike und blickte zufrieden in die grüne, mittägliche Gegend hinüber; ein Schwalbenpaar schwang sich jauchzend in launisch spielerischen Bogen durch die sonnige Luft vorbei, und der junge Mensch lächelte gedankenlos mit den eigenwillig hübschen, gekräuselten Lippen.

Dem etwa Zwanzigjährigen, den seine Freunde einer unerschöpflich frohsprudelnden Laune wegen liebten, begegnete es nicht selten, daß in frohen, guten Augenblicken ihm plötzlich die ganze Umgebung zu einem verzauberten Bilde erstarrte, in dem er mit staunenden Augen stand und die rätselhafte Schönheit der Welt wie eine Mahnung und beinahe wie einen feinen, heimlichen Schmerz empfand. Wie eine bereitstehende Salzlösung oder ein kaltes, stilles Wintergewässer nur einer leisen Berührung bedarf, um plötzlich in Kristallen zusammenzuschießen und gebannt zu erstarren, so war mit jenem Schwalbenfluge dem jungen Dichtergemüt plötzlich der Neckar, die grüne Zeile der stillen Baumwipfel und die schwachdunstige Berglandschaft dahinter zu einem verklärten und geläuterten Bild erstarrt, das mit der erhobenen, feierlich-milden Stimme einer höheren, dichterischen Wirklichkeit zu seinen zarten Sinnen sprach. Schöner und herzlicher spielte nun das frohe Licht in den schweren, laubigen Wipfeln, seelischer und bedeutsamer floß die Kette der Berge in die verschleierte Ferne hinüber, geistiger lächelte vom Ufer Gras und Gebüsch herauf, und dunkler, mächtiger redete der strömende Fluß wie aus urwelthaften Götterträumen her, als werbe Baumgrün und Gebirge, Flußrauschen und Wolkenzug dringlich um Erlösung und ewigen Fortbestand in der Seele des Dichters.

Noch verstand der befangene Jüngling die flehenden Stimmen nicht ganz, noch ruhte der innere Beruf, ein verklärender Spiegel für die Schönheit der Welt zu sein, erst halb bewußt in den Ahnungen dieser schönen, heiter-nachdenklichen Stirn, und noch war das Wissen um eine vereinsamende Auszeichnung nicht mit seinen Schmerzen in des Dichters Seele gedrungen. Wohl floh er oft aus solchen geisterhaft gebannten Stunden plötzlich mit ausbrechendem Weh und Trostbedürfnis wie ein erschrecktes Kind zu seinen Freunden, verlangte in nervöser Einsamkeit heftig nach Musik und Gespräch und innigster Geselligkeit, doch war noch die unter hundert Launen verborgene Schwermut und das in allen Freuden weiterdürstende Ungenügen seinem Bewußtsein fremd geblieben. Und doch lächelte Mund und Auge in ungebrochener Lebensfrische, und von jenen geheimen Zügen der Gebundenheit und Lebensscheu, die wir im Bilde des geliebten Dichters kennen, war noch keiner in das reine Gesicht gekommen, es sei denn als ein flüchtig vorübergleitender Schatten.

Indem er stand und schaute und mit zarten, witternden Sinnen den jungen Sommertag einsog, für Augenblicke ganz allein und abgerückt und außerhalb der Zeit, kam ein Student in lärmender Wildheit die Treppe herabgerannt. Er sah den Versunkenen stehen, kam mit stürmischen Sätzen einhergesprungen und schlug dem Träumer heftig beide Hände auf die schmalen Schultern.

Erschrocken und aus tiefen Träumen gerüttelt, wendete Mörike sich um, Abwehr und einen Schatten von Beleidigung im Gesicht, die großen, milden Augen noch vom Glanz der kurzen Entrükkung überflogen. Doch alsbald lächelte er wieder, griff eine der um seinen Hals gelegten Hände und hielt sie fest.

»Waiblinger! Ich hätte mir's denken können. Was machst du? Wo rennst du wieder hin?«

Wilhelm Waiblinger blitzte ihn aus hellblauen Augen an, und sein voller, aufgeworfener Mund verzog sich schmollend wie ein verwöhnter und etwas blasierter Weibermund.

»Wohin?« rief er in seiner heftigen und rastlosen Art. »Wohin soll ich denn fliehen, von euch prädestinierten Pfaffenbäuchen weg, wenn nicht zu meinem chinesischen Refugium draußen im Weinberg, oder vielleicht lieber gleich in irgendeine Kneipe, um meine Seele mit Bier und Wein zu überschwemmen, bis nur die höchsten Gebirge noch aus dem Dreck und Schlamm hinausragen? O Meerigel, du wärst ja noch der einzige, mit dem ich gehen könnte, aber weißt du, am Ende bist vielleicht auch du bloß so ein Heimtücker und fauler Philister. Nein, ich habe niemand mehr hier in dieser Hölle, ich habe keinen Freund, es wird nächstens gar keiner mehr mit mir gehen wollen! Bin ich nicht ein Hanswurst, ein räudiger Egoist und wüster Saufbold? Bin ich nicht ein Verräter, der die Seelen seiner Freunde verkauft, jede arme Seele für einen Dukaten an den Verleger Franckh in Stuttgart?«

Mörike lächelte und sah dem Freunde ins erregte, wilde Gesicht, das ihm so vertraut und so merkwürdig war mit seiner Mischung von brutaler Offenheit und pathetischer Schauspielerei. Die langen, wehenden Locken, mit denen Waiblinger in Tübingen aufgetreten war und die ihm so viel Ruhm und Spott eingebracht hatten, waren seit einiger Zeit gefallen. Er hatte sie sich in einer gerührten Stunde von der Frau eines Bekannten mit der Schere abschneiden lassen.

»Ja, Waiblinger«, sagte Mörike langsam, »du machst es einem eigentlich nicht leicht. Deine Locken hast du damals geopfert, aber daß du dir vorgenommen hast, vor Mittag kein Bier mehr zu trinken, das hast du, scheint's, wieder vergessen.«

Mit einer übertriebenen Gebärde der Verachtung sah der andere ihn an und warf den Athletenkopf zurück.

»Ach du! Jetzt fängst auch du noch das Predigen an! Das ist gerade, was mir noch gefehlt hat. Es ist ein Elend. Ich aber sage dir, du Gesalbter des Herrn, du wirst eines Tages in einer stinkigen Landpfarre sitzen und wirst sieben Jahre um die saure Tochter deines Brotherrn dienen und einen Bauch dabei bekommen und wirst das Gedächtnis deiner besseren Tage verkaufen um ein Linsengericht und wirst deinen Jugendfreund verleugnen um einer Gehaltsaufbesserung willen. Denn siehe, es wird eine Schande und Todsünde sein, für den Freund des Waiblinger zu gelten, und sein Name soll ausgetilgt werden im Gedächtnis der Guten und Frommen. Meerigel, du bist ein Heimlichtuer, und es ist mein Fluch, daß ich dein Freund sein muß, denn auch du hältst mich für einen Verworfenen, und wenn ich in der Verzweiflung meiner Seele zu dir komme und mich an dein Herz werfe, dann wirfst du mir vor, daß ich Bier getrunken habe! Nein, ich habe nur noch einen Freund, einen einzigen, und zu dem will ich gehen. Der ist meinesgleichen, und das Hemd hängt ihm aus den Hosen, und er ist seit zwanzig Jahren so verrückt, wie ich es bald auch sein werde.«

Er hielt inne, nestelte heftig an seinem lang herabhängenden Halstuch, das er unter die Weste stopfte, und fuhr plötzlich viel sanfter und beinahe bittend fort: »Du, ich will zum Hölderlin gehen. Gelt, du kommst mit?«

Mörike zeigte mit der Hand durchs offene Fenster, mit einer unbestimmten, weiten Gebärde. »Da guck einmal hinaus! Das ist so schön, wie das alles im Frieden liegt und in der Sonne atmet. So hat es der Hölderlin auch einmal gesehen, wie er seine Ode vom Neckartal gedichtet hat. Ja, ich komme mit, natürlich.«

Er ging voran, Waiblinger aber blieb einen Augenblick stehen und blickte hinaus, als habe wirklich erst Mörike ihm die Schönheit des vertrauten Bildes gezeigt. Dann legte er im Nacheilen dem Freunde die Hand auf den Arm und nickte mehrmals nachdenklich, und sein unstetes Gesicht war still und gespannt geworden.

»Bist du mir bös?« fragte er kurz.

Mörike lachte nur und ging weiter.

»Ja, es ist schön da draußen«, fuhr Waiblinger fort, »und da hat der Hölderlin vielleicht seine schönsten Sachen gedichtet, wie er anfing, das Griechenland seiner Seele in der Heimat zu suchen. Du verstehst das auch besser als ich, du kannst so ein Stück Schönheit ganz still aufnehmen und wegtragen und dann einmal wieder ausstrahlen. Das kann ich nicht, noch nicht, ich kann nicht so ruhig und still und so verflucht geduldig sein. Vielleicht einmal später, wenn ich kühl und ausgetobt und alt geworden bin.«

Sie traten auf den Stiftshof hinaus und überschritten die Schattengrenze. Waiblinger nahm den Hut vom Kopf und atmete begierig die warme Sonnenluft. An alten, stillen Häusern vorbei, deren grüne Holzläden auf der Mittagsseite gegen die Hitze geschlossen waren, gingen sie die Gasse hinab bis zum Hause des Schreinermeisters Zimmer, wo eine saubergeschichtete Ladung von frischen tannenen Brettern in der blanken Wärme glänzte und duftete. Die Haustür stand offen, und alles war still, der Meister hielt noch Mittagspause.

Als die Jünglinge ins Haus traten und sich zur Treppe wandten, die zu des wahnsinnigen Dichters Erkerzimmer hinaufführte, öffnete sich in dem dunklen Hausflur eine Türe, aus einem durchsonnten Wohnraum her drang weiches Licht in Strahlenbündeln heraus, und darin erschien ein junges Mädchen, die Tochter des Schreiners.

»Grüß Gott, Jungfer Lotte!« sagte Mörike freundlich.

Sie schaute einen Augenblick lichtblind in den schattigen Raum, dann kam sie näher. »Grüß Gott, ihr Herren! Ach, Sie sind's? Grüß Gott, Herr Waiblinger! Ja, er ist droben.«

»Wir wollen ihn mit spazieren nehmen, wenn wir dürfen?« sagte Waiblinger mit einer einschmeichelnden Stimme, die er gegen alle jungen und hübschen Mädchen im Gebrauch hatte.

»Das ist recht, bei dem schönen Wetter. Gehen die Herren wieder ins Presselsche Gartenhaus?«

»Jawohl, Jungfer Lotte. Kann ihn vielleicht später jemand dort abholen? Ich frage nur. Wenn's nicht gut geht, bringen wir ihn selber wieder her. Man kommt immer gern zu Ihnen ins Haus, Jungfer.«

»Ei was! Nein, ich komme dann schon und hole ihn. Daß er nur nicht zu lange in der heißen Sonne bleibt, es tut ihm nicht gut.«

»Danke, ich will daran denken. Also auf Wiedersehen!«

Sie verschwand, und mit ihr floh die Lichtflut hinter die Stubentür zurück. Die beiden Studenten stiegen die Treppe hinauf und fanden die Tür zu Hölderlins Zimmer halb offenstehen. Mit der leichten Scheu und Befangenheit, die er trotz wiederholter Besuche jedesmal vor dieser Schwelle empfand, näherte Mörike sich langsam. Waiblinger ging rascher voraus und pochte an den Türpfosten, und da keine Antwort herauskam, schob er die leise in den Angeln reibende Türe behutsam weiter auf, und beide traten ein.

Sie sahen in dem sehr einfachen, aber hübschen und lichten Raume, dessen Fenster auf den Neckar gingen, die hohe Gestalt des Unglücklichen in ein Fenster gelehnt, auf den unmittelbar unter dem Erker dahinströmenden Fluß blickend. Hölderlin stand ohne Rock in Hemdärmeln, den schlanken Hals bloß, das Haupt leicht gegen den Fluß hinabgebeugt. Nahe beim Fenster stand sein Schreibtisch; Gänsefedern staken in einem Behältnis, eine lag quer über mehrere beschriebene Papiere hinweggelegt. Ein schwacher Luftzug lief vom Fenster her und raschelte in den Blättern.

Bei dem Geräusch wendete der Dichter sich um, er nahm die Eingetretenen wahr und blickte ihnen aus seinen schönen, reinen Augen entgegen, indem sein Blick zuerst auf Mörike fiel, den er nicht zu erkennen schien.

Verlegen machte dieser einen kleinen Bückling und sagte schüchtern: »Guten Tag, Herr Bibliothekar! Wie geht es Ihnen?«

Der Dichter schlug den Blick zu Boden, ließ die noch auf dem Fenstersims ruhende Hand sinken und verneigte sich sehr tief, indem er unverständliche demütige Worte murmelte. Wieder und wieder verneigte er sich in schauerlich mechanischer Ergebenheit, bückte sein schönes, schwach ergrautes Haupt tief hinab und legte die Hände über der Brust zusammen.

Waiblinger trat vor, legte ihm die Hand auf den Arm und sagte: »Lassen Sie's gut sein, verehrter Herr Bibliothekar!«

Nochmals bückte Hölderlin sich tief und murmelte halblaut: »Ja, Königliche Majestät. Wie Eure Majestät befehlen.«

Und indem er Waiblinger in die Augen sah, erkannte er ihn, der sein Freund und häufiger Besucher war; er hörte auf, seine Verbeugungen zu machen, ließ sich die Hand schütteln und wurde ruhig.

»Wir wollen spazierengehen!« rief der Student ihm zu, der diesem Kranken gegenüber etwas von seinem reizbar ungleichen Wesen verlor und im Umgang mit dem verehrten Schatten eine ihm sonst kaum eigene Güte und sanfte Überlegenheit zeigte, wie er denn überhaupt zu keinem Menschen in einem so gleichmäßigen und liebenden Verhältnis lebte wie zu dem geisteskranken Dichter, der mehr als dreißig Jahre älter war und den er bald sanft und schonend wie ein gutes Kind, bald ernst und verehrend wie einen edlen Freund anzufassen wußte.

Mit Verwunderung und verlegener Rührung sah nun der Studiosus Mörike zu, wie sein ungestümer und hochfahrender Freund sich mit seltsam zarter Teilnahme und mit einer gewissen Übung und Geschicklichkeit des kranken Menschen annahm.

Waiblinger schien sich in Hölderlins Zimmer genau auszukennen. Von einem Nagel hinter der Tür brachte er des Wahnsinnigen Gehrock, aus einer Schublade sein wollenes Halstuch hervor und half dem folgsamen Kranken in seine Kleider wie eine Mutter dem Kinde. Er wischte mit seinem Taschentuch den Staub von Hölderlins Knien, er suchte dessen großen schwarzen Hut hervor und bürstete ihn sorglich rein, und dazwischen redete er ihm zu und ermunterte ihn beständig: »So so, Herr Bibliothekar, jetzt haben wir's gleich, jawohl. So, so ist's recht, so ist's gut. Dann gehen wir an die Luft hinaus und zu den Bäumen und Blumen, es ist schön Wetter heut. So, jetzt noch den Hut auf, s'il vous plaît.« Worauf der alte Dichter nichts erwiderte als etwa einmal in höflich zerstreutem Tone die Worte: »Euer Gnaden befehlen es. Je vous remercie mille fois, Herr von Waiblinger.« Er ließ sich betreuen und hielt willig stand, und sein ehrwürdiges Gesicht mit den nur teilweise zerstörten adlig schönen Zügen schien bald voll zerstreuter Gleichgültigkeit, bald in einer heimlich belustigten hohen Überlegenheit zuzuschauen.

Mörike war unterdessen an den Schreibtisch getreten und las, ohne das Blatt jedoch in die Hände zu nehmen, stehend in einem der offenliegenden Manuskripte. In metrisch tadellosen, wohlgebauten Versen stand da ein Stück von des zerstörten Dichtergeistes Schattenleben aufgezeichnet: flüchtige, oft von Unsinn unterbrochene Gedanken und sanfte Klagen, dazwischen Bilder voll reiner Anschaulichkeit, in einer empfindlichen, feingepflegten Sprache voll Musik, aber immer wieder gestört und vernichtet durch plötzlich hineingeflossene Worte und Sätze eines harmlos ledernen Kanzleistils.

»So, jetzt können wir ja gehen«, rief Waiblinger, als sie fertig waren, und Hölderlin folgte ihm willig, nicht ohne noch im Gehen zu wiederholen: »Der Herr Baron befehlen. Euer Gnaden untertänig zu Diensten.«

Hager und groß schritt Friedrich Hölderlin hinter Waiblinger her die Treppen hinab, über den umzäunten Hof und durch die Gasse, den großen Hut bis dicht über die Augen herabgezogen, leise vor sich hin murmelnd und scheinbar ohne einen Blick für die Welt. Bei der Neckarbrücke aber, wo zwei kleine barfüßige Büblein kauerten und mit einer toten Eidechse spielten, blieb die schlanke, würdevolle Gestalt einen Augenblick stehen, um vor den beiden Kindern tief den Hut zu ziehen. Mörike ging neben ihm, und da und dort blickte man aus Fenstern und Haustüren dem grotesken kleinen Zuge nach, jedoch ohne viel Erregung und Neugierde, denn jedermann kannte den verrückten Dichter und wußte von seinem Schicksal.

Sie stiegen an hübschen buschigen Gartenhängen und Weinbergmäuerchen vorbei den sonnigen Österberg hinan. Voraus ging stattlich die kraftvolle Gestalt Waiblingers, welcher längst aus Erfahrung wußte, daß Hölderlin niemals vorangehe und einer Führung bedürfe. Dieser schritt langsam und ernsthaft, den Blick meist am Boden, und neben ihm ging der zarte Mörike her, gleich seinem Kameraden schwarz gekleidet. In den Ritzen der Rebbergmauern blühte da und dort blauroter Storchschnabel und weiße Schafgarbe, davon riß Hölderlin zuweilen einige Stengel ab und nahm sie mit sich. Die Hitze schien ihn nicht anzufechten, und als sie oben haltmachten, blickte er befriedigt um sich.

Hier stand das chinesische Gartenhäuschen des Oberhelfers Pressel, das im Sommer stets an Studenten abgetreten wurde und jetzt schon seit längerer Zeit, solange es die Witterung erlaubte, tagsüber von Waiblinger bewohnt wurde. Dieser zog einen großen geschmiedeten Schlüssel aus der Tasche, stieg die paar Steinstufen zum Eingang empor, schloß die Türe auf und wandte sich mit einer feierlich einladenden Gebärde an den Gast: »Treten Sie ein, Herr Bibliothekar, und seien Sie willkommen!«

Der Dichter nahm seinen Hut ab, stieg hinan und trat in das kleine putzige Häuschen, das er längst kannte und liebte. Kaum war auch Waiblinger hereingekommen, so wandte sich Hölderlin an diesen mit einer tiefen, respektvollen Verbeugung und sprach mit mehr Lebhaftigkeit als sonst: »Euer Gnaden haben befohlen. Ich empfehle mich Ihnen, Herr Baron. Eure Herrlichkeit wird mich in dero Schutz nehmen. Votre très humble serviteur.«

Darauf trat er vor den Schreibtisch und starrte mit angelegentlichem Interesse nach der Wand empor, wo Waiblinger in großen griechischen Schriftzeichen den geheimnisvollen Spruch »Ein und All« angebracht hatte. Vor diesen Zeichen verweilte er minutenlang in gespannter Nachdenklichkeit. Mörike, in der leisen Hoffnung, ihn jetzt einem Gespräch zugänglich zu finden, näherte sich ihm und fragte behutsam: »Sie scheinen diesen Spruch zu kennen, Herr Bibliothekar?«

Dieser wich aber alsbald zurück und verschanzte sich in sein undurchdringliches Hofzeremoniell. »Majestät«, sagte er mit großer Feierlichkeit, »dieses kann und darf ich nicht beantworten.«

Er trug den unordentlich zusammengerafften Blumenstrauß noch in der Hand, den er nun langsam mit den Fingern zerpflückte und in die Taschen seines Rockes stopfte. Währenddessen war er an das breite, niedere Fenster getreten, das über den lichten Weinberg und die tieferliegenden Gärten hinweg eine weite stille Aussicht auf das Flußtal und auf die hohen Berge der Alb darbot. In den Anblick der hellen, friedevollen Sommerlandschaft versunken, blieb er stehen, tief die reine, von Sonnenschein und Rebenblüte erfüllte Luft atmend, und an seinen entspannten und beglückten Mienen war zu merken, daß diesem schönen Bilde seine Seele noch in der alten Zartheit und heiligen Empfänglichkeit offenstehe und Antwort gebe.

Waiblinger nahm ihm den Hut aus der Hand und sprach ihm zu, sich aufs Gesims des Fensters zu setzen, was er sogleich tat. Darauf erhielt erst Hölderlin, dann Mörike vom Hausherrn eine wohlzubereitete Tabakspfeife überreicht, und nun saß der kranke Dichter begnügt und zufrieden rauchend, schwieg und blickte ruhig in das sommerliche Tal hinaus. Sein rastloses Murmeln war verstummt, und vielleicht hatte sein ermüdeter Geist zu den hohen Sternbildern seiner Erinnerung zurückgefunden, unter welchen er einst die kurze herrliche Blüte seines Lebens gefeiert und deren Namen seit zwei Jahrzehnten niemand mehr ihn hatte nennen hören.

Schweigend hatten die Freunde eine Weile den Rauch aus ihren Pfeifen gesogen und dem stillen Manne am Fenster zugeschaut. Dann erhob sich Waiblinger, nahm ein Schreibheft zu Händen, das auf dem Tische lag, und begann mit feierlicher Stimme zu reden: »Verehrter Gast, es ist Ihnen wohl bekannt, daß wir drei ein Kollegium von Dichtern vorstellen, wenn auch keiner von uns jungen Anfängern sich mit dem Dichter des unsterblichen ›Hyperion‹ vergleichen darf. Was könnte nun natürlicher und schöner sein, als daß ein jeder von uns etwas von seinen Gedichten oder Gedanken vortrage? In diesem Hefte hier habe ich allerlei aus Ihren neueren Schriften gesammelt, Herr Bibliothekar, und ich bitte Sie herzlich, lesen Sie uns etwas daraus vor!«

Er gab Hölderlin das Schreibheft in die Hand, das dieser sogleich wiederzuerkennen schien. Er stand auf, begann in dem kleinen Raum hin und wider zu schreiten, und plötzlich hob er mit lauter Stimme und mit einer gewissen ergreifenden Leidenschaftlichkeit an, folgendes vorzulesen: »Wenn einer in den Spiegel siehet, ein Mann, und siehet darin sein Bild wie abgemalt: es gleicht dem Manne. Augen hat des Menschen Bild, hingegen Licht der Mond. Der König Ödipus hat ein Auge zuviel vielleicht. Die Leiden dieses Mannes, sie scheinen unbeschreiblich, unaussprechlich, unausdrücklich. Wenn das Schauspiel ein solches darstellt, kommt's daher. Wie ist mir's aber, gedenk ich deiner jetzt? Wie Bäche reißt das Ende von etwas mich dahin, welches sich wie

Asien ausdehnet. Natürlich, dieses Leiden, das hat Ödipus. Natürlich ist's darum. Hat auch Herkules gelitten? Wohl. Die Dioskuren in ihrer Freundschaft, haben sie Leiden nicht auch getragen? Nämlich, wie Herkules mit Gott streitet, das ist Leiden. Doch das ist auch ein Leiden, wenn mit Sommerflecken ist bedeckt ein Mensch, mit manchen Flecken ganz überdeckt zu sein! Das tut die schöne Sonne. Die Jünglinge führt sie die Bahn mit Reizen ihrer Strahlen wie mit Rosen. Die Leiden scheinen so, die Ödipus getragen, als wie ein armer Mann klagt, daß ihm etwas fehle. Sohn Laios, armer Fremdling in Griechenland! Leben ist Tod, und Tod ist auch ein Leben . . .«

Während des Lesens hatte sein Pathos sich noch immer gesteigert, und die Studenten waren den seltsamen, zuweilen tief und schrecklich bedeutsam lautenden Worten nicht ohne Bangigkeit und geheimen Schauder gefolgt.

»Wir danken Ihnen!« sagte Mörike. »Wann haben Sie das geschrieben?«

Allein der Kranke liebte es nicht, gefragt zu werden, er ging nicht darauf ein. Statt dessen hielt er dem Jüngling das Schreibheft vor die Augen. »Sehen Sie, Hoheit, hier steht ein Semikolon. Euer Hoheit Wunsch ist mir Befehl. *Non, votre Altesse*, die Gedichte bedürfen des Kommas und des Punktes. Euer Gnaden befehlen, daß ich mich zurückziehe.« Damit setzte er sich wieder ins Fenster, begann an der erloschenen Pfeife zu saugen und richtete seinen Blick auf den fernen Roßberg, über dem eine lange, schmale Wolke mit goldenen Rändern stand.

»Du hast doch auch etwas zum Vorlesen?« fragte Waiblinger seinen Freund.

Mörike schüttelte den Kopf und fuhr mit den Fingern durch sein blondes, frauenhaft zartes Haar. In seinem kleinen Stehpult verborgen, bewahrte er daheim in seiner Stiftsstube seit kurzem zwei neue Gedichte auf, welche »An Peregrina« überschrieben waren und von denen keiner seiner Freunde wußte. Wohl wußten einige von ihnen um die sonderbare romantische Liebe, deren schönes Zeugnis jene Lieder waren; vor Waiblinger aber hatte er nie davon gesprochen.

»Du bist doch ein Querkopf!« rief Waiblinger enttäuscht. »Warum hältst du dich eigentlich vor mir so verborgen? Von deinen Gedichten höre ich nichts mehr, und hier oben hat man den Herrn auch seit Wochen nimmer gesehen! Der Louis Bauer macht es gerade so. Ihr seid verfluchte Feiglinge, ihr Tugendhelden!«

Mörike wiegte unruhig seinen Kopf hin und wider. »Wir wollen uns lieber vor dem da nicht zanken«, sagte er leise mit einer Gebärde gegen das Fenster. »Was indessen den Tugendhelden betrifft, da hast du dich getäuscht. Mein Werter, ich habe letzte Woche wieder einmal acht Stunden im Karzer gesessen. Das sollte mich bei dir rehabilitieren. Und nächstens kann ich dir auch wieder etwas vorlesen.«

Waiblinger hatte seinen Hemdkragen weit aufgeknöpft und den Rock ausgezogen, seine mächtige, dunkelbehaarte Brust schaute durch den Hemdspalt. »Du bist ein Diplomat!« rief er feindselig, und alles, woran er seit Wochen litt und womit er nicht fertig wurde, stieg wieder mit neu ausbrechender Heftigkeit in ihm auf. »Man weiß nie, wie man bei dir steht. Aber ich will es jetzt wissen, du. Warum weichet ihr mir alle aus? Warum kommt keiner mehr zu mir in den Weinberg da heraus? Warum läuft mir der Gfrörer davon, wenn ich ihn anreden will? Ach, ich weiß ja alles! Angst habt ihr, elende lumpige Stiftlerangst! Ihr seid genau wie die Ratten, die ein Schiff vor dem Untergang verlassen! Denn daß ich nächstens einmal aus dem Stift hinausgeworfen werde, das wißt ihr ja besser als ich selber. Ich bin gezeichnet wie ein Baum, der gefällt werden soll, und ihr zieht euch zurück und seht zu, die Hände in den Taschen, wie lang ich's wohl noch treibe. Und wenn sie mich dann absägen, dann seid ihr die Schlauen und könnet sagen: Haben wir's nicht schon lang gesagt? Wenn der Bürgersmann einen rechten Spaß haben soll, dann muß einer gehenkt werden, und der bin diesmal ich. Und du, du stehst auch bei denen drüben, und von dir ist es nicht recht, du bist doch bei Gott mehr wert als die ganze Rotte. Du und ich, wir könnten miteinander das ganze Pack in die Luft sprengen. Aber nein, du hast deinen Bauer und deinen Hartlaub, die laufen dir nach und bilden sich ein, sie wären auch so eine Art von Genies, wenn sie sich an deinem Feuer wärmen. Und ich kann allein herumlaufen und an mir selber ersticken, bis ich kaputtgehe! Es ist nur gut, daß ich den Hölderlin habe. Ich glaube, dem haben sie auch seinerzeit im Tübinger Stift das Rückgrat gebrochen.«

»Ja, da muß ich beinahe lachen«, fing Mörike besänftigend an. »Du schimpfst, ich käme nimmer zu dir ins Gartenhaus. Aber wo sitzen wir denn gerade jetzt? Und ich bin auch ein paarmal schon den Österberg heraufgestiegen, aber der Waiblinger war nicht da, der Waiblinger hatte in der Beckei und beim Lammwirt und in andern Kneipen zu tun. Vielleicht hat er auch hier drinnen gesessen und hat bloß nicht auftun mögen, wie ich geklopft habe, so wie er's einmal dem Ludwig Uhland auch gemacht hat.« Er streckte dem Kameraden die Hand hinüber. »Sieh, Wilhelm, du weißt, daß ich nicht immer mit dir einverstanden sein kann – du bist es ja selber nicht. Aber wenn du meinst, ich habe dich nimmer gern, oder wenn du gar behauptest, mir sei mein Plätzlein im Stift zu lieb und ich habe Angst, für deinen Freund zu gelten, dann muß ich einfach lachen. Lieber soll man mich acht Tage in den Karzer stecken, als daß ich an einem Freunde den Judas mache. Weißt du's jetzt?«

Waiblinger drückte die hingebotene Hand so heftig, daß sein Freund schmerzlich den Mund verzog. Stürmisch fiel er ihm um den Hals, der sich seiner kaum erwehren konnte, und plötzlich hatte er die Augen voll Tränen stehen, und seine umschlagende Stimme klang hoch und knabenhaft. »Ich weiß ja«, rief er schluchzend, »ach, ich weiß, ich bin deiner gar nicht wert. Das dumme Saufen hat mich heruntergebracht. Du weißt ja nicht, wie elend ich bin, du kennst das alles nicht, was ich durchmache und was mich noch tötet, du kennst das Weib nicht, diese wunderbare, rätselhafte Frau, an der ich mich verblute.«

»Ich kenne sie schon!« meinte Eduard trocken, und er dachte, mit einer kleinen Erbitterung gegen den Freund, an seine eigenen Schmerzen um Peregrina.

»Du kennst sie nicht, sag ich, wenn du sie auch schon gesehen hast und ihren Namen weißt. Du, ist sie nicht wahnsinnig schön? Kann sie denn etwas dafür, daß sie eine Jüdin ist, und könnte sie so rasend schön sein, wenn sie's nicht wäre? Ich verbrenne an ihr, ich kann nicht lesen mehr, nicht schlafen, nicht dichten; erst seit ich ihren Busen geküßt und an ihrem Hals geweint habe, weiß ich, was Schicksal ist.«

»Schicksal ist immer Liebe«, sagte Mörike leise und dachte mehr an Peregrina als an den Freund, dessen stürmende Selbstentblößung ihm quälend war.

»Ach, du«, rief jener schmerzlich und sank in seinen Sitz zurück, »du bist ein Heiliger! Du stehst überall nur wie ein Wächter dabei und hast überall nur teil am Schönen und Zarten und nicht am Giftigen und Häßlichen. Du bist so ein stiller guter Stern, aber ich, ich bin eine wilde nutzlose Fackel und verbrenne in der Nacht. Und ich will es auch so, ich will verflackern und verbrennen, es ist gut so und ist nicht schade um mich. Wenn ich nur vorher noch einmal etwas Gutes und Großes schaffen könnte, nur ein einziges edles, reifes Werk. Es ist ja alles nichts, was ich gemacht habe, alles schwach und eitel und in mir selbst befangen! Der hat es gekonnt, der dort drüben im Fenster. Der hat seinen

›Hyperion‹ hingestellt, ein Sternbild und ein Denkmal seiner großen Seele! Und du kannst es auch, du wirst in aller Stille große und gute Werke schaffen, du Unheimlicher, dem ich nie ganz ins Herz sehen kann! Oh, ich kenne sie alle durch und durch, die Freunde, den Pfizer in Stuttgart und den Bauer und alle miteinander, ich habe sie durchschaut und ausgeleert und verbraucht – wie Nüsse, wie Nüsse! Nur du hast immer standgehalten, nur du hast dein Geheimnis in dir bewahrt. Dich kenn ich noch immer nicht, dich kann ich nicht aufknacken und verbrauchen! Mit mir geht es schon abwärts, und du stehst noch im Anfang. Mir wird es gehen wie unserm Hölderlin, und die Kinder werden mich auslachen. Aber ich habe keinen ›Hyperion‹ gedichtet.«

Mörike war sehr ernst geworden. »Du hast den ›Phaeton‹ gedichtet«, sagte er zart.

»Den ›Phaethon‹! Da wollte ich griechisch sein, und wie verlogen, wie widerlich ist das Zeug geworden! Sprich mir nimmer vom ›Phaethon‹! Dir kann ich's nicht glauben, wenn du ihn noch lobst, du stehst so hoch über dieser Spottgeburt! Nein, er ist nichts wert, und ich bin ein Stümper, ein jammervoller Stümper! Es geht mir immer so, ich fange eine Dichtung in heller Freude an, und es blüht und sprudelt in mir und läßt mich Tag und Nacht nicht los, bis ich den Strich unters letzte Kapitel gemacht habe. Dann meine ich wunder, was ich geleistet hätte, und nach einer Weile, wenn ich's wieder ansehe, ist alles fad und grau oder alles grell und falsch und übertrieben. Ich weiß, bei dir ist das ganz anders, du machst wenig und brauchst Zeit dazu, aber dann ist es auch gut und kann sich sehen lassen. Bei mir wird aus jedem Einfall immer gleich ein Buch, und ich muß sagen, es gibt nichts Herrlicheres, als so sich hinzustürmen und auszugießen, im Rausch und Feuer des Schaffens. Aber nachher, nachher! Da steht der Satan da und grinst und zeigt den Pferdefuß, und die Begeisterung war Schwindel, und der edle Rausch war Einbildung! Es ist ein Fluch!«

»Du mußt nicht so reden«, fing Mörike gütig an, die Stimme voll von Trost. »Wir sind ja noch fast Kinder, du und ich, wir dürfen noch jeden Tag das wegwerfen, was wir gestern gemacht und schön gefunden haben. Wir müssen noch probieren und lernen und warten. Der Goethe hat auch Sachen geschrieben, von denen er nichts mehr wissen will.« – »Natürlich, der Goethe!« rief Waiblinger gereizt. »Das ist auch so ein Ritter von der Geduld, vom Abwarten und Zusammensparen! Ich mag ihn nicht!«

Plötzlich hielt er inne, und beide Jünglinge schauten verwundert auf. Hölderlin hatte seinen Fensterplatz verlassen, durch die laute, heftige Unterhaltung beunruhigt, nun stand er und schaute Mörike an; sein Gesicht zuckte unruhig, und seine hagere, lange Figur sah bedürftig und leidend aus.

Da beide betroffen schwiegen, neigte sich Hölderlin über Mörikes Stuhl, berührte ihn vorsichtig an der Schulter und sagte mit sonderbar hohler Stimme: »Nein, Euer Gnaden, der Herr von Goethe in Weimar, der Herr von Goethe – ich kann und darf mich darüber nicht äußern.«

Das gespenstische Dazwischentreten des Wahnsinnigen und sein scheinbares Eingehen auf ihr Gespräch, was bei ihm äußerst selten war, hatte die Freunde unheimlich berührt und beinahe erschreckt.

Jetzt fing Hölderlin wieder an, durch die kleine Stube zu wandern, traurig und geängstet hin und her zu wandern wie ein gefangener großer Vogel, und unverständliche Worte vor sich hinzusagen.

»Wir hatten ihn ganz vergessen!« rief Waiblinger voll Reue und war wie verwandelt. Wieder nahm er sich des Dichters wie ein sanfter Pfleger an, führte ihn ans Fenster zurück, lobte die Aussicht und die herrliche Luft, brachte die am Boden liegende Pfeife wieder in Ordnung, tröstete und begütigte mütterlich. Und wieder gewann Mörike den anspruchsvollen und unbequemen Freund, da er ihn so herzlich und gütevoll bemüht sah, von neuem seltsam lieb und machte sich stille Vorwürfe, ihn seit langem wirklich vernachlässigt zu haben. Er kannte Waiblingers phantastische Übertreibungssucht und das unheimlich rasche Auf und Nieder seiner Stimmungen, aber was Mörike von jener gefährlichen Jüdin durch Hörensagen wußte, war freilich bedenklich, und des Freundes voriger Ausbruch hatte ihn ernstlich geängstigt. Der zarte und empfindliche Mörike hatte in Waiblinger stets ein Urbild unverwüstlichen Jugendübermuts und üppig schwellender Kraft gesehen; nun aber machte der von Trunk und seelischer Selbstzerstörung beschädigte und entstellte Mensch auch ihm einen beklemmenden Eindruck, als gehe er verzweifelnd auf einem abschüssigen Pfade tiefer und tiefer einem unholden Schicksal entgegen. Auch die seltsame Vertrautheit, ja Freundschaft des Freundes mit dem Geisteskranken erschien ihm heute in einer unheimlichen Bedeutsamkeit.

Friedlich saß indessen der Freund neben seinem armen Gast im Fenster, der strotzend junge neben dem ergrauten und erlosche-

nen Manne; die tiefer gerückte Sonne strahlte wärmer und farbiger am Gebirge wider, im Tal fuhr ein langes Floß aus Tannen-
stämmen den Fluß abwärts, Studenten saßen darauf, schwangen
blitzende Trinkkelche im Sonnenlicht und sangen ein kräftig fro-
hes Lied, daß es bis in diese stille Höhe heraufschallte.

Mörike trat zu den beiden und blickte mit hinaus. Schön und
milde lag die geliebte Gegend zu seinen Füßen, mit blanken Lich-
tern blitzte der Neckar herauf, und mit der satten lauen Luft
wehte Gesang und ungebärdige Jugendlust wie mit warmem Le-
bensatem herauf. Warum saßen sie hier so arm und beraubt, diese
Dichter des Überschwanges, der alte und der junge, und warum
stand er selber, von schwankenden Freundschaften und von einer
beschämend hoffnungslosen Liebe erschüttert, so unbefriedigt und
traurig daneben? War das nur seine Empfindlichkeit und Schwäche, daß er trüben Stimmungen so oft unterlag? Oder war es wirklich das Schicksal der Dichter, daß ihnen keine Sonne scheinen
konnte, deren Schatten sie nicht in der eigenen Seele sammeln
mußten?

Mitleidig dachte er dem Leben Hölderlins nach, der einst nicht
nur ein Dichter, sondern auch ein begabter Philolog und hoch-
gesinnter Erzieher gewesen war, mit Schiller in Verkehr gestanden und als Hofmeister im Hause der Frau von Kalb gelebt hatte.
Hölderlin war, gerade wie Mörike auch, ein Zögling des theologischen Stifts gewesen und hätte Pfarrer werden sollen, und dagegen hatte er sich gesträubt, wie auch Mörike sich dagegen zu
sträuben gedachte. Seinen Willen nun hatte jener durchgesetzt,
aber er hatte die besten Kräfte dabei verbraucht! Und wie hatte
die Welt den untreu gewordenen Stiftler, den zartherzigen,
schüchternen Dichter empfangen! Nichts war ihm geworden als
Armut, Demütigung, Hunger, Heimatlosigkeit, bis er aufgerie-
ben und und der jahrzehntelangen Krankheit verfiel, welche weniger ein Wahnsinn zu sein schien als eine tiefe Ermüdung und
hoffnungslose Resignation des verbrauchten Geistes und Herzens.
Da saß er nun mit der göttlichen Stirn und den noch immer ergreifend rein blickenden Augen, das Gespenst seiner selbst, in
eine taube, entwicklungslose Kindheit zurückgesunken; und wenn
er noch Bogen Papiers vollschrieb, aus denen zuweilen ein wahrhaft schöner Vers wie ein helles Auge aufblickte, so war es doch
nichts mehr als das Spiel eines Kindes mit bunten Mosaiksteinen.

Wie Mörike so ergriffen und nachsinnend hinter den beiden
stand, wendete Hölderlin sich ihm zu und schaute eine Weile starr
und suchend in das feinzügige, überaus zart belebte, etwas weiche

Jünglingsgesicht, dessen Stirn und Augen voll von Geist und voll von seelischer Kindheit waren. Vielleicht fühlte der Alte, wie ähnlich dieser Junge ihm selbst sei; vielleicht erinnerte ihn die Reinheit und beseelte Helligkeit dieser Stirn und der tiefe, noch keines zartesten Hauches beraubte Jünglingstraum in diesen herrlichen Augen an seine eigene Jugend; doch ist es zweifelhaft, ob nicht auch diese einfache Gedankenfolge schon zu ermüdend für sein Denken war, vielleicht ruhte sein unergründlicher ernster Blick nur in rein sinnlichem Vergnügen auf dem Gesicht des Studenten.

Während sie alle drei eine Weile schwiegen und jeder den Nachhall der vorigen lebhaften Aussprache in sich fortschwingen fühlte, kam den Weinberg herauf die Jungfer Lotte Zimmer gestiegen. Waiblinger sah sie von weitem und schaute dem Herankommen der kräftigen Mädchengestalt mit stillem Vergnügen zu, und als sie näher kam und ihm, der sie mit lautem Zuruf begrüßte, mit Lächeln zunickte, tat er einen Sprung durchs niedere Fenster und ging ihr die letzten Schritte entgegen.

»Es ist mir eine Ehre«, rief er überschwenglich und wies einladend die Steinstufen hinauf, »es ist mir eine Ehre, in dieser Klause auch einmal ein so hübsches Fräulein begrüßen zu dürfen. Kommen Sie herein, werte Jungfer Lotte, drei Dichter werden zu Ihren Füßen knien.«

Das Mädchen lachte, und ihr gesundes Gesicht glühte rot vom raschen Bergansteigen. Sie blieb auf der kleinen Treppe stehen und hörte dem Getöne des Studenten belustigt zu, schüttelte dann aber kurz den blonden Kopf. »Bleiben Sie lieber stehen, Herr Waiblinger, ich bin ans Knien nicht gewöhnt. Und geben Sie mir meinen Dichter heraus, ich habe genug an dem einen.«

»Aber Sie werden doch wenigstens einen Augenblick hereinkommen! Es ist ein Tempel, Fräulein, und keine Räuberhöhle. Sind Sie denn gar nicht neugierig?«

»Ich kann's aushalten, Herr Waiblinger. Eigentlich hab ich mir einen Tempel immer anders vorgestellt.«

»So? Und wie denn?«

»Ja, das weiß ich nicht. Jedenfalls feierlicher und ohne Tabaksrauch, wissen Sie. Nein, geben Sie sich keine Mühe mehr, es ist ja doch nicht Ihr Ernst. Ich komme nicht hinein, ich muß gleich wieder umkehren. Bringen Sie mir nur den Hölderlin heraus, bitte, daß ich ihn heimbringen kann.«

Nach einigen weiteren Scherzen und Umständlichkeiten ging er denn hinein und winkte dem Kranken zum Aufbruch, gab ihm seinen Hut in die Hand und führte ihn zur Tür. Hölderlin schien ungern wegzugehen, man sah es seinem Blick und seinen zögernden Bewegungen an, doch sagte er kein Wort der Bitte oder des Bedauerns.

Mit der tadellosen Artigkeit, hinter welcher er seit so vielen Jahren sich vor aller Welt verschanzte und verborgen hielt, wendete er sich mit Blick und Verneigung erst an Mörike, dann an Waiblinger, schritt folgsam zur Tür und wandte sich dort mit einer letzten Verbeugung um: »Empfehle mich Euer Exzellenz ganz ergebenst. Euer Exzellenz haben befohlen. Ergebenster Diener, dero Herrschaften.«

Freundlich nahm ihn draußen Lotte Zimmer bei der Hand und führte ihn hinweg, und die zwei Studenten blieben auf den Stufen stehen und sahen den Hinweggehenden nach, wie sie zwischen den Reben den Berg hinabgingen und rasch kleiner wurden, der lange feierliche Mann an der Hand seiner Pflegerin. Ihr blaues Kleid und sein großer schwarzer Hut waren noch lange zu sehen.

Mörike sah, wie sein Freund mit traurigen Blicken dem entschwindenden Unglücklichen folgte. Ihm lag daran, den empfindlichen und erregten Menschen erheiternd zu zerstreuen; auch wollte er selbst es vermeiden, in der Rührung einer unbewachten Stunde etwa allzuviel von seinem Inneren zu enthüllen, denn Waiblinger hatte seit Monaten aufgehört, sein unbedingter Vertrauter zu sein. Mörike, der an einsamen Tagen stundenlang einer grundlosen Wehmut nachhängen konnte, liebte es nicht und hütete sich davor, diese Seite seines komplizierten Wesens andern zu zeigen, am wenigsten diesem Freunde, der selber so gern in einer fast widerlichen Preisgabe seines Innersten zu schwelgen liebte.

Kurz entschlossen, den Bann zu brechen und sich selbst samt dem Kameraden auf die heitere Seite des Lebens hinüberzuretten, schlug er sich klatschend aufs Knie, setzte ein geheimnisvolles Gesicht auf und sagte im Ton schlecht geheuchelter Gleichgültigkeit: »Übrigens, dieser Tage habe ich einen alten Bekannten wiedergetroffen.«

Waiblinger sah ihn an und sah sein bewegliches Gesicht vom leise zuckenden Wetterleuchten hervorbrechenden Humors überflogen, die gekräuselten Mundwinkel spielten wie probend in sarkastischen Faltungen, die magern Wangen spannten sich über den starken Backenknochen in spitzbübischer Laune, und die eingekniffenen Augen schienen vor verhaltener Munterkeit zu knistern.

»Ja, wen denn?« fragte Waiblinger in froher Spannung. »Komm, wir wollen hineingehen.«

Im Stübchen zog Mörike die Fensterladen halb zu, daß sie in wohlig warmer Dämmerung saßen. Er ging elastisch hin und her, plötzlich blieb er vor Waiblinger stehen, lachte lustig auf und fing an: »Ja, weiß Gott, der Mann nannte sich Vogeldunst, Museumsdirektor Joachim Andreas Vogeldunst aus Samarkand, und er behauptete, auf einer wichtigen, äußerst wichtigen, folgenreichen Geschäftsreise zu sein. Er kam von Stuttgart mit Empfehlungen von Schwab und Matthisson – unmöglich, ihn abzuweisen! –, und er wollte noch am selben Abend mit Extrapost nach Zürich weiterreisen, wo er von hochstehenden Gönnern mit Ungeduld erwartet werde. Nur der Ruf dieses entzückenden Musensitzes, sagte er, und der spezielle Ruhm und Glanz des theologischen Stifts, dieser ehrwürdigen Pflanzstätte der exzellentesten Geister, habe ihn veranlassen können, seine eilige Reise für wenige Stunden zu unterbrechen, und er bereue es nicht, nein, wahrlich, er hoffe es nie zu bereuen, obwohl seine Freunde in Zürich, Mailand und Paris ihm keine Stunde des Zuspätkommens verzeihen würden. In der Tat, Tübingen sei ganz scharmant, und vornehmlich so gegen Abend in den Alleen am Neckar herrsche ein geradezu ravissantes Helldunkel von einer höchst pittoresken Delikatesse, sozusagen romantisch-poetisch. Der Emir von Belutschistan, von dem er beauftragt sei, die Abbildungen aller schönen Städte Europas in Kupferstich zu sammeln und Seiner Hoheit mitzubringen, er werde entzückt sein, und wo denn ein guter Kupferstecher wohne, *un bon graveur sur cuivre*, aber versteht sich, ein Meister, ein rechter Künstler voll Esprit und Gemüt. Ja, ob es übrigens hier warme Quellen gebe? Nicht? Er glaube doch davon gehört zu haben – oder nein, das sei in Baden-Baden, das müsse ja von hier ganz nahe sein. Und ob der Dichter Schubart noch lebe – er meine jenen Unglücklichen, der von Friedrich dem Gütigen an die Hottentotten verkauft worden sei und dort die afrikanische Nationalhymne gedichtet habe. Oh, er sei gestorben? *Hélas!* der Beklagenswerte! Indessen war mir doch ganz sonderbar zumute, wie der Kerl seine Suada herunterrasselte und dazu mit den langen, dünnen Fingern an seinen silbernen Rockknöpfen drehte. Du hast ihn schon gesehen, dacht ich immer, diesen Directorem Vogeldunst mit seinen warmen Quellen und seinen langen, dünnen Spinnenfingern! Da holt der Mann eine Dose aus seinem blauen, langen Tuchrock, der ihm hinten bis an die Schuhe hinabhing, eine hölzerne gedrechselte Dose, und wie er sie auf-

schraubt und in den gespenstischen Händen dreht und eine Prise
nimmt und dazu in seiner heillos aufgeregten Vergnügtheit so
hell und hoch zu meckern beginnt, und wie er dann so süß und
äußerst angenehm zu lächeln weiß und mit den Fingernägeln auf
der Dose den Pariser Marsch trommelt, da ist mir's wie im Traum,
und ich quäle mich und rätsele herum wie ein Kandidat im Examen, wenn's brenzlig wird, daß ihm der Schweiß ausbricht und
die Brillengläser anlaufen. Der Herr Joachim Andreas Vogeldunst
aus Samarkand ließ mir aber keinen Augenblick zum Nachdenken, ordentlich als wisse er, wie mir zumute sei, und habe seine
tückische Freude daran und wolle mich ja noch recht lange schmo-
ren lassen. Von Stuttgart erzählte er, und von den amönen
Gedichten des Herrn Matthisson, die er ihm selber eigenhändig vorgelesen habe und welchen eine gewisse interessant-pikante Bleich-
süchtigkeit von Kennern nicht abzusprechen sei, und im gleichen
Atem fragt er aufs angelegentlichste, ob die direkte Postroute
von hier nach Zürich nicht über Blaubeuren führe, er habe nämlich von einem Stück Bleich gehört, das dort irgendwo liegen
müsse und das vortrefflich in seine erstklassige Sammlung von
Sehenswürdigkeiten passen möchte. Den Bodensee gedenke er
dann auch aufzusuchen, um dort *en passant* am Grabe des Herrn
Doktor Mesmer seine Andacht zu verrichten. Von dem tierischen
Magnetismus nämlich sei er ein alter, treuer Anhänger, wie er
denn auch dem Professor Schelling die Bekanntschaft mit dem
Geiste des *universi* verdanke und überhaupt ein aufrichtiger
Freund der Bildung dürfe genannt werden. Wenigstens habe er
die Phantasiestücke von Hoffmann ins Persische übersetzt und
lasse alle seine Kleider in Paris arbeiten, sei auch vom seligen
Pascha von Assuan mit einem wertvollen Orden dekoriert worden. Er stelle einen Stern dar, dessen Zacken von Krokodilzähnen
gebildet werden, und früher habe er ihn gern auf der Brust getragen, einst aber einer Berliner Hofdame damit beim Tanzen den
Hals verwundet, weshalb er auf das Tragen dieser hübschen De-
koration seitdem resigniert habe. Aber indem er das sagt, fährt
sich der Herr Museumsdirektor mit der flachen Hand sacht über
den Scheitel und das tat das Männlein so kosend und zephirhaft,
daß ich um ein Haar laut hätte hinauslachen müssen. Denn jetzt
kannte ich ihn – wer war's?«

»Wispel!« rief Waiblinger entzückt auf.

»Richtig geraten. Es war Wispel. Aber er hatte sich verändert,
das muß ich sagen. Ganz leise begann ich also meine Entdeckung
anzudeuten und sagte vorerst, mir sei, ich habe ihn schon früher

einmal gesehen. Er lächelt. Er sei zum erstenmal in seinem Leben in diesem scharmanten Lande und in dieser entzückenden Stadt, deren Bild in Kupferstich mitzunehmen er übrigens ja nicht vergessen dürfe, aber obschon er sehr bedaure, sich nicht erinnern zu können, möchte es ja doch immerhin wohl möglich sein, daß ich ihn schon gesehen hätte. In Berlin vielleicht? Oder am Ende in Petersburg? Nein? Oder in Venedig? Auf Korfu? Nicht? Ja, dann tue es ihm leid, es müsse wohl ein angenehmer Irrtum des Herrn Magisters sein. Nein, sagte ich, jetzt eben fällt mir's ein, es ist in Orplid gewesen. Er stutzt einen Augenblick. Orplid? Ja, richtig, da sei er auch einmal gewesen, als Gesellschafter bei dem alten König Ulmon, der aber leider inzwischen gestorben sein solle. – Da kennen Sie vielleicht auch unsern Freund Wispel? frage ich jetzt und sehe ihm gerade in die Augen. Ich kann schwören, er war's, aber meinst du, er hätte mit einer Wimper gezuckt? Nichts dergleichen! Wi – Wips – Wipf – sagt er nachdenklich und tut, als könne er den wildfremden Namen absolut nicht aussprechen.«

»Großartig!« jubelte Waiblinger. »Das sieht ihm gleich, dem Windbeutel, dem Vogeldunst! Aber was hat er denn eigentlich von dir gewollt?«

»Ach, nichts Besonderes«, lachte Mörike, »ich erzähl dir's dann. Aber jetzt muß ich einen Augenblick hinausgehen.«

Er stieß die Laden wieder auf, golden lag der Abend draußen und die Berge blau im Duft.

Er ging hinaus, kam aber schon nach einer Minute wieder zur Tür herein, vollkommen verwandelt, das Gesicht seltsam schlaff mit süßlich zugespitztem Munde, die Augen leer und rastlos, das Haar ein wenig in die Stirn herabgestrichen, was ihn ungemein veränderte, mit schwebenden, vogelartigen Bewegungen der Arme und Hände, mit auswärts gespreizten Füßen auf den Zehenspitzen hüpfend, ganz Wispel. Dazu hatte er eine hohe, seltsam fade, flatterhafte Stimme angenommen.

»Schönen guten Abend, Herr Magister!« fing er an und machte ein weltmännisches Kompliment, den Hut mit den Fingerspitzen der Linken am Rande haltend. »Schönen guten Abend, ich habe die Ehre und das Vergnügen, mich Ihnen als den Museumsdirektor Vogeldunst aus Samarkand vorzustellen. Sie erlauben wohl, daß ich mich ein wenig bei Ihnen umsehe? Ein angenehmer Aufenthalt hier oben, *en effet*, erlauben Sie mir, Ihnen zu diesem deliziösen Tuskulum zu gratulieren.«

»Was führt Ihn denn her, Wispel?« fragte nun Waiblinger.

»Vogeldunst, bitte, Direktor Vogeldunst. Auch muß ich ergebenst bitten, mich nicht mit Er anzureden, nicht meiner unbedeutenden Person wegen, sondern aus Respekt vor den diversen hohen und distinguierten Herrschaften, in deren Dienst zu stehen ich die Ehre habe.«

»Also, Herr Direktor, womit kann ich dienen?«

»Sie sind der Herr Magister Waiblinger?«

»Jawohl.«

»Sehr gut. Sie sind Dichter. Sie sind ein poetisches Genie. Oh, bitte, keine überflüssige Bescheidenheit! Man ist von Ihren Meriten unterrichtet. Ich kenne Ihre unsterblichen Werke, mein Herr. Drei Tage im ›Phaethon‹ oder die Griechenlieder in der Unterwelt. Wie? Nein, bemühen Sie sich nicht, ich bin vollkommen unterrichtet.«

»Also weiter, zum Teufel, Sie Direktor in der Oberwelt!«

»Der Herr Magister gehören in das Tübinger Stift? Da möchte ich ganz ergebenst recherchieren, ob der Herr denn dort auch zufrieden ist?«

»Zufrieden? Im Stift? Mann, da müßt ich ja ein Vieh sein. Indessen hat die Sache zwei Seiten: die Herren vom Stift sind nämlich mit mir ebensowenig zufrieden wie ich mit ihnen.«

»Sehr gut, *très bien*, Verehrtester! Ganz wie ich es mir gewünscht habe. Ich bin nämlich in der *aimablen* Lage, dem Herrn Magister eine recht angenehme Verbesserung seiner Umstände offerieren zu können.«

»Oh, sehr verbunden. Darf ich fragen –?«

Mörike-Wispel trat einen kleinen Schritt zurück, setzte vorsichtig seinen Hut auf ein Bücherbrett nieder, führte mit den Armen die sublimsten Flugbewegungen aus und flötete im höchsten Diskant, doch geheimnisvoll gedämpften Tons: »Sie sehen in mir, Verehrter, einen bescheidenen Mann, einen Mann von wenig Verdiensten vielleicht, aber einen Mann, mein Herr, der das Seine ohne Ruhmredigkeit zu tun weiß und der schon die höchsten Herrschaften zu dero Zufriedenheit bedient hat. Erlauben Sie mir, mich ganz ganz kurz zu fassen, wie es einem Manne geziemt, dessen Zeit überaus kostbar ist. Ich trage die schmeichelhaftesten Empfehlungsbriefe von den Herren Matthisson und Schwab in meiner Tasche. Es handelt sich um eine nicht unwichtige Angelegenheit. Hören Sie, und achten Sie wohl auf meine Worte! Ich suche einen Ersatz für Friedrich Schiller.«

»Für Schiller! Ja, mein werter Mann –«

»Sie werden mich verstehen, ja, ich schmeichle mir, Sie werden mich billigen. Hören Sie! Zu den hervorragenden Männern, denen ich gelegentlich meine schwachen Dienste widme, gehört der Herr Lord Fox in London, einer der distinguiertesten und reichsten Männer von England, Pair von Großbritannien, Freund und Vertrauter Seiner Majestät des Königs, Schwager des Ministers der Finanzen, Pate des Prinzen Jakob von Cumberland, Besitzer der Grafschaften –«

»Ja, ja, schon recht. Und was ist's mit diesem Herrn Lord?«

»Der Lord weiß meine Talente zu schätzen, ja, ich darf mich seinen Freund nennen, Herr Magister. Es war einmal auf einer Hofjagd in Wales, da stellte er mich dem Baron Castlewood vor mit den wahrhaft jovialen Worten: Dieser Mann ist ein Juwel, lieber Baron! Ein andermal, als die Prinzessin Viktoria gerade zur Welt gekommen war – ich war damals von Spanien zurückgekehrt –«

»Gut, gut, aber fahren Sie fort! Der Lord Fox –«

»Der Lord Fox ist ein ungewöhnlicher Mann, Herr Magister. Ich hatte damals die Ehre, ihn in seinem eigenen Wagen zur Jagd begleiten zu dürfen. Es war eine Fuchsjagd, mein Herr, und der Fuchs wird in England zu Pferde gejagt, es ist das Lieblingsvergnügen des Adels, *vous savez*. Auch der berühmte Lord Chesterfield soll ein großer Fuchsjäger gewesen sein, ebenso Lord Bolingbroke. Er starb an Blutvergiftung.«

»Kommen Sie doch zur Sache, Herr!«

»Ich bin stets bei der Sache. Eine Fuchsjagd ist sogar eine ganz scharmante Sache, wenn schon vielleicht eine russische Büffeljagd noch interessanter sein mag. Ich habe einer solchen Büffeljagd im Ural beigewohnt. Aber, um mich kurz zu fassen, die großen Herren in England haben sonderbare und, *je vous assure*, kostspielige Passionen. Ich kannte einen Herrn von der Ostindischen Kompagnie, der tat nichts anderes, als daß er wegen eines Schmerzes im linken Knie alle Ärzte von ganz Europa zu sich kommen ließ. Ich empfahl ihm damals den Leibarzt des Kurfürsten von Braunschweig – nun habe ich seinen Namen vergessen –«

»Welchen Namen? Des Kurfürsten?«

»Nein, des Leibarztes. Ich bin untröstlich, ich hätte es niemals für möglich gehalten; es ist in der Tat selten, daß mein Gedächtnis mich im Stiche läßt. Er war ein sehr geschickter Mensch, der sein Handwerk verstand. Übrigens hat er dem Herrn in England doch nicht helfen können, und er behauptete nachher, die Schmerzen jenes Mannes seien überhaupt nicht zu heilen, da sie lediglich in seiner Einbildung bestünden. Immerhin, der Engländer war unzufrieden, es war für mich ein rechter *embarras*. – Aber Sie haben mich unterbrochen. Also, es handelt sich darum, einen Ersatz für Friedrich Schiller zu finden. Der Lord Fox will nämlich einen deutschen Dichter in seiner Sammlung haben. Ich selbst habe ihn dazu überredet, und warum soll er nicht? Er besitzt einen tibetanischen Priester, einen japanischen Schwerttänzer, einen Zauberer aus dem Mondgebirge und zwei echte Hexen aus Salamanca. Sie wissen, ich bin gewissermaßen selbst ein Stück von einem *homme de lettres*, und da ich mancherlei Reisen mache und vielerlei Bekanntschaften habe, konnte ich die vielleicht nicht ganz uninteressante Beobachtung machen, daß sehr viele von den deutschen Dichtern Schwaben sind und daß sehr viele von diesen schwäbischen Dichtern dem theologischen Stift angehören und daß sehr viele von ihnen wenig mit ihren Glücksumständen zufrieden zu sein scheinen. *Eh bien!* da dachte ich mir, ich könnte dem Lord Fox einen schwäbischen Dichter besorgen. Er bezahlt die Reise und gibt zweitausend Taler jährlich. Es ist nicht eben viel, aber man kann davon leben. Meine Erkundigungen im Auslande haben zu dem Resultat geführt, daß Friedrich Schiller der berühmteste schwäbische Dichter ist, und ich bin nach Jena gereist, um ihm meine Reverenz zu machen. Leider erfuhr ich, daß Herr Schiller schon vor längerer Zeit gestorben sei. Lord Fox will aber einen lebendigen Dichter haben, *vous comprenez* –«

Mitten im Satz hielt Mörike plötzlich inne. Von der Stadt herauf schlug die Stiftskirchenuhr, die Sonne stand schon tief. Es war sieben Uhr.

»O weh, das gibt wieder eine Note!« rief Mörike ein wenig bekümmert. »Wir kommen nimmer rechtzeitig ins Stift heim, und ich habe eben erst im Karzer gesessen.«

»Ach was«, meinte Waiblinger ärgerlich, »es ist bloß schade um den Wispel. Die dumme Kirchenuhr! Komm, wir fangen noch einmal an!«

Aber Mörike schüttelte den Kopf; er war plötzlich ernüchtert. Bedächtig strich er seine Haare zurecht und schloß einen Augenblick die Augen; sein Gesicht sah müde aus. »Kommst du mit?« fragte er dann. »Wenn ich beim Torwart ein bißchen bettle, läßt er uns vielleicht doch noch hinein.«

Waiblinger stand unschlüssig. Jene schöne Jüdin, sein böses Schicksal, erwartete ihn auf den Abend. Er hatte sie seit einer Stunde ganz vergessen, seit langem war ihm nicht so wohl gewesen. Einstweilen begann er die Läden zu schließen, Mörike half mit, dann traten sie beide aus dem dunkelgewordenen Gartenhaus

in den warmen Abend, der auf den steinernen Treppenstufen röt-
lich glühte.

Nun verschloß Waiblinger die Tür von außen. »Nein«, sagte
er, während er den Schlüssel abzog, »ich bleibe heute abend draußen. Aber ich begleite dich noch in die Stadt. Es ist hübsch gewesen heute nachmittag, ich war schon lange nimmer so vergnügt.
Weißt du, es geht mir schlecht, und du mußt mir's nicht nachtragen, wenn ich dich vielleicht ein wenig angeschrien habe. Es gilt
alles mir selber, auch was etwa an dich adressiert war, und wenn
du schlecht von mir denkst, so kannst du doch gewiß nicht schlechter von mir denken, als ich's selber tue.«

Sie gingen im Abendlicht bergabwärts der Stadt entgegen, die
mit rauchenden Kaminen und schrägbesonnten Dächern bescheiden und eng um die mächtig ragende Stiftskirche her gedrängt
lag.

»Du, komm lieber mit ins Stift!« fing Mörike nach einer langen Pause bittend an. »Es ist nicht wegen des Torwarts. Aber
wir könnten dann den Abend etwas miteinander lesen, im ›Hyperion‹ oder im Shakespeare, es wäre hübsch.«

»Ja, es wäre hübsch«, seufzte Waiblinger. »Aber ich habe schon
eine Verabredung; es geht nicht. Wir wollen bald wieder einmal
zusammen hier draußen sein, dann mußt du auch deine Gedichte
mitbringen. Es sind doch gute Zeiten gewesen, wie der Louis
Bauer und der Gfrörer noch kamen und wie wir da im Gartenhaus
unsere Kindereien getrieben haben! Wer weiß, wie oft wir noch
beieinander sein können, gar lang kann's nimmer dauern. Für
mich ist in Tübingen keine Luft und kein Boden mehr.«

»So mußt du nicht denken. Du hast jetzt eine Zeitlang ein bißchen wüst gelebt und dir Feinde gemacht; das kann alles wieder
anders werden.«

Seine Stimme klang leicht und tröstlich, aber der Freund schüttelte überzeugt den mächtigen Kopf, und sein eigenwilliges, etwas
gedunsenes Gesicht wurde bitter.

»Sag selber: was hätte ich schließlich davon, wenn sie mich
wirklich im Stift behielten? Am Ende müßte ich mein Examen
machen und Pfarrer werden oder etwa Schulmeister. Vikar Waiblinger! Pfarrverweser Waiblinger! Ich weiß ja nicht, was einmal
aus mir werden soll, aber das nicht, das ganz gewiß nicht! Zu lernen ist hier auch nicht gerade viel, unsere Professoren sind ja
Leimsieder, der Haug vielleicht ausgenommen. Nein, ich lasse es
jetzt vollends darauf ankommen! Ich muß es auf eigenen Füßen
probieren, wie der arme Hölderlin seinerzeit auch, und ich bin

stärker als er. Ich bin nicht so rein und nobel wie er, leider, aber ich habe mehr Kraft und ein heißeres Blut. Am besten wär's, ich ginge gleich jetzt davon, freiwillig, man kann nicht jung genug anfangen, wenn man sich sein eigenes Leben erobern will. Aber du weißt ja, was mich in Tübingen hält – an dieser Liebe will ich groß werden oder zugrunde gehen!«

Er schwieg plötzlich, als habe er zuviel gesagt, und an der nächsten Ecke bot er dem andern die Hand.

»Also gute Nacht, Mörike, und einen Gruß an den Wispel!«

»Den will ich ausrichten.«

Sie hatten sich die Hände geschüttelt, da wandte Mörike sich noch einmal zurück. Er blickte dem Freunde voll in die Augen und sagte mit ungewöhnlich ernsthaftem Ton: »Du darfst nicht vergessen, was für Gaben du hast! Glaub mir, man muß auf viel verzichten können, wenn man groß werden und etwas Rechtes schaffen will.«

Damit ging er, und sein Freund blieb stehen und sah ihm nach, wie der schmächtige Jüngling nun mit plötzlicher Hast gegen die Bursagasse und das Stift hineilte. Waiblinger, der sonst keine Ermahnungen vertrug, war für diese Worte unendlich dankbar, denn er fühlte wohl ihren heimlichsten, köstlichsten Sinn: daß Mörike an ihn glaube. Das war für ihn, der so oft an sich selbst irre ward, ein Trost und eine tiefe Mahnung.

Langsam ging er weiter, nach dem Hause seiner schönen Jüdin, der fatalen Schwester des Professors Michaelis.

Zur selben Stunde ging Friedrich Hölderlin in seinem Erkerzimmer rastlos auf und nieder. Er hatte seine Abendsuppe verzehrt und den Teller, wie es seine Gewohnheit war, vor die Tür auf den Boden gestellt. Er mochte nichts in seiner Klause dulden, was nicht sein Eigentum war, und zur Enge seines in sich zurückgezogenen Daseins gehörte nicht Teller noch Glas, nicht Bild noch Buch.

Der Nachmittag klang stark in ihm nach: das geliebte stille Häuschen im Weinberg, die weite, sommersatte Landschaft, Flußblinken und Studentengesang, Anblick und Gespräch der beiden jungen Menschen, namentlich jenes schönen, zarten, dessen Namen er nicht wußte. Unruhe trieb ihn, ob er schon müde war, immer wieder auf und ab, hin und her, und manchmal blieb er am Fenster stehen und schaute verloren in den Abend.

Wieder einmal hatte er heute die Stimme des Lebens vernommen, und sie klang fremd und aufreizend in seiner Schattenwelt nach. Jugend und Schönheit, geistiges Gespräch und ferne Gedankenwelten hatten zu ihm gesprochen, zu ihm, der einst Schillers Gast und ein Geladener an der Tafel der Götter gewesen war. Aber er war müde, er vermochte nicht mehr nach den goldenen Fäden zu greifen, nicht mehr dem vielstimmigen Gesange des Lebens zu folgen. Er vermochte nur noch die dünne, vereinzelte Melodie seiner eigenen Vergangenheit zu hören, und die war nichts als unendliche Sehnsucht ohne Erfüllung gewesen. Er war alt, er war alt und müde.

Beim letzten Lichte des hinsterbenden Tages nahm der kranke Mann nochmals die Feder zur Hand, und unter wirre, klanglose Verse, mit denen ein daliegender Bogen groben Papiers bedeckt war, schrieb er mit seiner schönen, eleganten Handschrift diese kurze, traurige Klage:

Das Angenehme dieser Welt hab ich genossen,
der Jugend Freuden sind wie lang! wie lang! verflossen.
April und Mai und Julius sind ferne,
ich bin nichts mehr, ich lebe nicht mehr gerne.

Nicht lange nach dieser Zeit mußte Wilhelm Waiblinger das Stift und Tübingen verlassen. Ihm war beschieden, das Glück und das Elend der Freiheit in raschen durstigen Zügen zu trinken und früh zu verlodern. Er wanderte nach Italien aus und hat die Heimat und die Freunde nicht wiedergesehen. Arm und verlassen ist er als ein gemiedener Abenteurer in Rom erloschen und verschollen.

Mörike blieb im Stift, konnte sich am Ende seiner Studienzeit aber nicht entschließen, Pfarrer zu werden. Nach mißglückten Versuchen in der Welt und hoffnungslosen Kämpfen mußte er endlich doch zu Kreuze kriechen. Aber wie er niemals ein ganzer Pfarrer wurde, so ist ihm nie ein ganzes Leben und Glück zuteil geworden. Unter Schmerzen beschied er sich und formte in erdarbten guten Stunden seine unverwelklichen Gedichte.

Friedrich Hölderlin blieb in seinem Tübinger Erkerzimmer und hat noch gegen zwanzig Jahre in seiner toten Dämmerung dahingelebt.

Geschrieben vor 1910

RUDOLF BORCHARDT 1877–1945

Der Hausbesuch

Als meine Kusine Rosie sich von Dr. Büdesheimer scheiden ließ, ohne daß eine neue Heirat in Sicht schien, waren wir reichlich perplex; denn es war eigentlich nicht in ihrem Genre. Wenigstens sagten alle andern so, denn ich selber war nur einen Monat in der Pension mit ihr zusammen gewesen und hatte sie nachher in München, wo sie lebte, höchstens flüchtig gesehen. Sie hatte sich sehr herausgemacht. Als Backfisch hatte sie nach nichts ausgesehen und schrecklich unter Kopfschmerzen gelitten. Jetzt war sie eine hübsche etwas üppige junge Frau mit einem nett zurechtgemachten Kopf und sah blühend und flott aus, allerdings nicht gleichmäßig, denn der Ausdruck war manchmal nervös. Die Ehe galt nicht als sehr glücklich, obwohl Büdesheimer, der ein Streber war, als Ohrenspezialist brillant zu verdienen anfing und sie es mit Toiletten, Reisen und anderem sehr nett hatte. Kinder hatten sie nicht. Rosie war als Mädchen ziemlich bildungsbeflissen gewesen und tat sich auch später als ernste Frau auf, immer mit Haufen moderner Literatur. Mit Männern hatte sie, glaube ich, nicht viel gehabt; so die gewöhnlichen Flirts natürlich, aber kaum mehr, sie hatte auch jung geheiratet. Von uns hatte keine ein Vertrauensverhältnis zu ihr, und wenn wir mit ihr zusammen waren, wurden unsere Geheimnisse nicht berührt; jemand hatte gesagt, sie hielte nicht dicht, und überhaupt paßte ihre Art nicht zu unserer.

Um so netter war es, daß sie sich kurz nach der Scheidung, in Schwalbach, wo ich natürlich auch mal hin mußte, an mich riesig anschloß, ganz teilnehmend und gar nicht prüde war. Schließlich merkte ich auch, daß sie im Grunde nicht viel anders sein mochte als wir alle, und das Konventionelle mehr – wie sie sagte – eine »Distanzierung« sei. Also kannst du dir denken, daß ich schließlich, nachdem ich anfangs um die Sache nur so herumgehorcht hatte, sie ganz frech fragte, warum sie Günther Büdesheimer so Knall und Fall abgesägt hatte. Ich bekam nicht gleich eine direkte Antwort, sie wurde unruhig und wollte das Thema wechseln, sagte dann, ich solle es ihr nicht übelnehmen, aber es hinge mit Sachen zusammen, die sie immer noch aufregten. Dabei bekam sie auch richtig den nervösen Zug um die Nase wieder, den ich von München kannte, und die tote Partie um ihren hübschen, immer halb atmenden Mund. Sie schalt mit ihrer Stickerei, sagte, sie habe sich wieder verzählt, packte dann zusammen und sagte, sie wolle gehen, es sei ohnehin nur zehn Minuten bis zum Nachmittagsbrunnen. Ich dachte, die Geschichte kriege ich offenbar nie zu hören. Nach Tisch rief sie plötzlich in meiner Pension an, sie wäre nicht recht wohl und ob ich ihr Gesellschaft leisten wolle; sie war in fabelhaft guten Verhältnissen (ich glaube, Günther hatte sehr hoch unterschreiben müssen) und hatte im Russie ein Schlafzimmer mit Salon. Als ich kam, lag sie halb ausgezogen auf dem Diwan und sah gar nicht unwohl, sondern bildschön aus; sie hatte etwas aufgeregte Farben und ich mußte denken, der Mann, der sich so ein appetitliches, temperamentvolles Geschöpf hatte entwischen lassen, müßte trotz seiner Medizin ein richtiger Dummkopf sein. Unsere Gedanken trafen sich, denn sie fing gleich damit an, von ihrer Einsamkeit zu sprechen. »Da sitzt man nun«, sagte sie mürrisch, »zwei gestrandete Frauenzimmer, die sich die Nerven oder das, woher sie nun mal kommen, reparieren lassen müssen. Und trotzdem muß ich dir sagen, bin ich glücklicher als in der Leopoldstraße. Ewig wird es ja auch nicht dauern, denke ich mir. Irgendwas passiert. Vorsehung spielen, wie ihr tut, ist zwar im allgemeinen nicht mein Fall. Ich bin eine richtige irrationale Frau, wie es heißt. Sobald ich intrigieren würde, käme ein *débâcle*. Es kommt aus dem Instinkt oder es kommt gar nicht, und was dann kommt, ist bei mir das Unberechenbarste, Unlogischeste, was es gibt, anarchisch und, von außen gesehen, richtig ruchlos. Wenigstens so wie die Männer das immer finden und nennen, wenn sie sagen, die Frau wäre moralisch minderwertig und im Grunde – wie Nietzsche schreibt – nicht böse, sondern schlecht. Du mußt natürlich nicht denken, daß ich solchen Unsinn glaube. Absurd ist gar nicht die Frau, sondern diejenigen, die dergleichen sagen. Was wir Frauen in gewissen Fällen tun, ist genauso gesetzlich wie die Kometenbahn, nur liegen diese Gesetze tiefer und keiner kennt sie. Ich sage zwar, ich habe unlogisch gehandelt, aber eigentlich kenne ich die Gründe ganz genau, aus denen es so kommen mußte, und diese Gründe vorausgesetzt, ist alles logisch. Ich kann nur darum nicht leicht davon sprechen, weil ich keine Lust habe, immer zuerst meine Natur zu verteidigen – ich könnte eigentlich sagen ›die Natur‹.« »Aber das hast du doch bei mir weiß Gott nicht nötig, Rosie«, sagte ich lachend, »für vorurteilsfrei, gelinde gesagt, wirst du mich doch wohl halten.« Sie lachte nicht mit, sondern hatte eine kleine scharfe Nervenfalte auf der Nase und wieder den starren Zug. »Ich glaube, du mißverstehst mich«, sagte sie, »es handelt sich wirklich nicht um Vorurteile, über die man praktisch, wie du, hinaus ist und denen man die Nase dreht, indem man nach dem greift, was man gern möchte, oder was einen reizt, und dann sagt: ›erlaubt ist, was gefällt‹. Das ist eine Doktrin, genauso wie die andere: ›verboten ist, was gefällt‹ oder ›erlaubt ist, was sich ziemt‹, Tasso, weißt du. Es handelt sich auch nicht um den Sport, den Spieß umzudrehen und die Männer einmal so zu behandeln, wie sie sonst Frauen behandeln. Das hat seine Reize, aber wie sogar du zugeben wirst – tief sitzt es nicht, es gehört zu den Gewohnheiten, die man hat oder nicht, und alle Gewohnheiten gehören doch ein bissel zum Sich-Amüsieren, dreh's wie du willst. Bei mir ist es ein Abgrund, – ist es ein richtiger Abgrund damals gewesen, und ich muß es eben noch einmal sagen, der Abgrund hat geradeso seine Gesetze wie irgendwas, sagen wir, der Staat oder die Familie oder die Gesellschaft. Ich habe nämlich über diese Sachen viel nachgedacht, und alles, was an dem kritischen Abend vorgegangen ist – es waren wirklich nur ein Abend und eine Nacht – mir immer wieder durchgenommen, unter diesem Gesichtspunkte. An und für sich klingt es ganz kahl und frech oder unerhört, wenn ich in einem einzigen Satze sage, daß ich meinen Mann, mit dem ich nie einen wirklichen Krach gehabt hatte, in seinem eigenen Hause mit einem eben angekommenen beinah fremden Gast, der bei uns wohnte und sein Freund war, und aus dem ich mir gar nichts Besonderes gemacht hatte, vertauscht habe, und zwar so, daß bis zuletzt die ganze Initiative bei mir lag, denn er liebte mich nicht und hat mich ja auch – wie du weißt – nachher nicht geheiratet, hatte auch gar keine moralische Verpflichtung dazu. Nicht wahr, da bist du platt! Dein Gesicht erinnert mich eben von ferne an das Günthers, als ich ihm am nächsten Morgen beim Frühstück, während er die Zeitung las, nebenbei erzählte, ich hätte Freinsheim die ganze Nacht bei mir gehabt. So guckte er von seiner ›Medizinischen Wochenschrift‹ auf und dachte, ich wäre verrückt. Verrückt natürlich, wörtlich, das Unterste zuoberst, das Oberste zuunterst. Frau

Dr. Büdesheimer, die man kennt und so wie man sie kennt, einen Kilometer unter dem Bewußtsein, und obenauf – wie soll ich es nennen?« Sie machte eine Pause. »So, Freinsheim«, sagte ich etwas gedehnt. »Obenauf«, fuhr sie fort, »vierundzwanzig Jahre X, das keinen Namen hat, malträtiertes X, aufgereiztes und wieder zugeschüttetes, enerviertes, halb hungern gelassenes, halb erregtes X, eine ganze mit Selbstentzündung angelegte Mine Unterbewußtsein. Ich rede wie ein Buch, nicht besonders elegant. Ich hätte sagen können ›Natur‹, aber es ist ein Schlagwort. Wenn es hieße, was es eigentlich ist, wäre es keines. Gewiß, unsere ganze Natur in uns sollte kultiviert sein, restlos. In Wirklichkeit kommt ein glatter Neubau darüber, unter dem sie verdreckt. Dazwischen liegt eine Aufschüttung. Wer sie bei uns sucht, sucht sie unterirdisch, stochert drin herum wie ein Dieb, will was für sich, und flieht wie ein Halunke, wenn er es hat. Aber dort tief unten sind bei uns die Kräfte. Sie werden weder gefaßt noch genutzt, werden nicht einmal gefürchtet, sondern höchstens in Witze verwandelt. Schließlich machen sie uns selbst glauben, sie seien eine Unterwelt – ›Betreten verboten‹. Aber jede geringste Lebensdifferenz sammelt sich darin an, automatisch, jede Enttäuschung, jede Reizung, jeder verscheuchte Wunsch, jedes Betätigungsbedürfnis, jede verschluckte Wallung, jeder Mund voll Halbheit, den man geschluckt und am liebsten ausgespien hätte, jeder Ekel nach Schalheit und Lauheit, jeder überreizte und im Überreiz sich selbst gelassene Nerv lagert seine Rechnung in die Zündungen ab. Nicht die Natur ist es schließlich, was explodiert, sondern die Widernatur, die uns oktroyierte Korruption, die Entartung. Wir könnten Muttertiere sein, kommen gesetzmäßig in Zeiten, werfen, säugen und beißen den Rüden weg, bis zur nächsten Gezeit, wo wir ihn uns nachziehen müssen und annehmen. Oder wir können heilige Nonnen sein, dann wird uns das ganze Diesseits abgenommen und auf den himmlischen Bräutigam umgerechnet, wir kriegen eine Dauerekstase geliefert wie Morphium, und alles stimmt wieder. Oder wir können wie unsere Urgroßmütter sein, werden von früh an auf Scham gestellt, eingesperrt, eines Tages nur für den Mann herausgelassen und in Dauermütter für unser ganzes Leben verwandelt, der Mann wird uns als heilige Unannehmlichkeit von früh an schwarz gemalt und kann uns höchstens angenehm überraschen, wenn er einmal eine Ausnahme ist. Alles das hat Sinn und Verstand, und alles bleibt dabei, auch wenn es kein Pläsier wäre, normal. Aber wir? Vorurteilsfrei sollen wir sein, sonst sind wir lächerlich, flirten sollen wir, sonst sind wir Puten;

alles bis zu einem gewissen Punkte natürlich; und welcher das ist, muß jede selbst wissen; kaum daß wir in die Entwicklungsjahre kommen, fingert die ganze Gesellschaft mit Büchern, Bildern, Schaustellungen, Tanzen, Courmachen und was du sonst willst – du weißt ja – an uns herum, wir sollen alles sehen, wissen, hören, schmecken, riechen, lustig sein, aber um Herrgotts willen anständig, anziehend und temperamentvoll, und restlos informiert, aber um Gottes willen unschuldig und harmlos. Wir sollen unsere Männer wählen, nach vielfachen Proben, und dem, den wir wählen, treu bleiben, in seiner Erinnerung seine Vergangenheit ersetzen oder übertreffen, und mit anderen Männern tanzen und flirten und lachen und ulken, denn sonst sind wir albern und provinziell, aber alles nur bis zum obigen Punkte, sonst sind wir Frauenzimmer. Was soll dabei aus uns werden? Alles verdrängt, alles reagiert ab, mitternachts fährt man mit seinem eigenen Gatten nach Hause, dann beginnt wieder die sogenannte Wirklichkeit. Woraus besteht sie? Haus, Kinder, Leute, Wirtschaft? Wo denn? Neid, Konkurrenz, Klatsch, Prahlerei, Lüge, Angst, Lumpenquatsch. Wie ich es immer gehaßt habe! Wie ich es hasse! Nichts tun können! Nichts tun dürfen! Jedes Bauernweib tut etwas! Nie wirklich leiden; satt von Lust und Leiden sein dürfen! Wozu ist man geboren? Wenn man nie auch nur einen Augenblick auf die Höhe kommt, wo man schreien möchte ›höher geht's nicht‹! oder meinetwegen ›tiefer geht's nicht‹! – es ist ja fast dasselbe – ! Ich meine gar nicht Liebe oder nur Liebe. Ich könnte ebensogut sagen ›Hunger, Durst, Kampf‹; oder ›Rennen, Rauben, Erschöpftsein‹; alles in der Welt hängt doch durch seine Bedürfnisse, die zugleich seine Bestimmung und sein Wachstum sind, miteinander zusammen; fassen und zugleich gefaßt werden, unerbittlich bis zum Umfallen, und dadurch lebensfähig bleiben, das ist doch das, worüber im Grunde alles stöhnt und wozu doch im Grunde alle da sind; ich könnte einfach sagen ›Reinheit‹, erschrick nicht. Aber ich halte Reden und sage immer wieder dasselbe. Es reicht bei uns nicht zur Theorie; wir drehen uns im Kreise herum. Ich will dir also lieber erzählen, und wenn es grauslich wird, halte dich fest. Wenn ich einmal dabei bin, sage ich dir die ganze Wahrheit und verschmiere nichts mit Worten oder diskretem Schweigen. Ich erzähle dir ja keine anzüglichen Geschichten oder gelungene Witze, sondern eine Katastrophe, von der ich noch jeden Sekundenzug weiß, weil ich keinen bereue und in mir aus Genierlichkeit untergestupft habe. Du weißt, wie ich als Mädchen war, spät entwickelt, sachlich und anständig. Vor Liebesgeschichten wurde mir übel. Was ich wußte, redete ich mir aus. An aufregende Dinge dachte ich nicht, wo ich sie gedruckt fand, klappte ich das Buch zu. Konfidenzen in der Pension ließ ich mir nicht machen, und als Irma damals die Geschichte mit dem Studenten hatte, den sie nachts, du weißt noch, in den unteren Garten kommen ließ, habe ich mit ihr gebrochen, so gerne ich sie gehabt hatte – oder gerade darum, denn sie war mir dadurch widerlich geworden, und an ihre hochtrabenden Gefühle glaubte ich nicht. Als die gewissen Jahre kamen, war ich naiv genug, zu hoffen oder zu glauben, sie würden vorübergehen – ich hatte irgend etwas Gehörtes mißverstanden –, und man würde Gott sei Dank bald wieder sein, wie man gewesen war. Verliebt bin ich nie einen Augenblick gewesen, – wenn mir ein Mensch gefiel, wünschte ich ihn mir immer als Bruder oder als Freund. Von siebzehn an wurde ich plötzlich hübsch. In der Gesellschaft war ich nicht beliebt, bei Männern meine ich. Damals hatte ich ein erstes Erlebnis. Bei einer Art Landpartie mit Picknick artete der Heimweg in eine der beliebten, albernen Küssereien aus, wir waren auf einem Waldwege mit starkem Unterholz und die Bengel hatten leichtes Spiel mit den meisten. An mich ist keiner herangekommen, ich kroch ins Gebüsch und verteidigte mich mit Hut und Hutnadeln ganz ernsthaft gegen die Feiglinge, die zu zweien und dreien angriffen. Mit neunzehn Jahren lernte ich unter anderen Freinsheim kennen, der sich dann bei Mama einführen ließ. Er war ungefähr achtundzwanzig, im Grunde abschreckend häßlich, aber gesund und männlich, kam von einer Studienreise durch amerikanische Kliniken über Japan und Indien zurück und hatte etwas zu erzählen. Zu mir war er indifferent höflich, ein bißchen von oben herab, wie er überhaupt für eingebildet galt. Mama, wie immer, behandelte ihn sofort als Epouseur und machte mir Szenen, als ich daraufhin mich gar nicht mehr um ihn kümmerte. Das war alles, denn er ging plötzlich als Assistent nach Prag, wo er sich dann zweimal entlobt hat. Im nächsten Jahre kam Günther Büdesheimer an die Ohrenklinik und fing sofort an, mir scharf den Hof zu machen. Er war mir mordsegal. Männchen mit länglichen Hasengesichtern und Zwirbelschnurrbärtchen, die sich auf Assessor anziehen und ›peinlich korrekt vorgehen‹, haben auf mich immer gewirkt wie standhafte Zinnsoldaten. Aber es wurde von allen seinen Freunden eine Riesenreklame für ihn gemacht. Er sollte der Lieblingsschüler von Trowitzsch gewesen sein, und Rücker-Schewe habe von ihm gesagt – irgendwas – und seine Arbeiten wären epochemachend. Daß er sich nicht habilitierte, wäre gerade seine überlegene Klasse. Es gäbe zuviel geniale Privatdozenten, aus denen nachher nichts würde, und ein großer Spezialist hätte immer klinisches Material genug. Na und so weiter. Ich habe das alles geglaubt und hielt mich für zu dumm, auf bloße Eindrücke hin daran zweifeln zu dürfen. Zweimal habe ich nein gesagt, dann starb Onkel Albert, seit Papas Tode so gut wie ein Vater, und Mama wurde plötzlich gräßlich nervös über meine Zukunft, obwohl wir ganz nett daran waren. ›Worauf ich eigentlich wartete?‹ Ich sagte, ich wartete überhaupt nicht. ›Ob ich ledig bleiben und – verzeih – so verludern und frech werden wollte wie ihr alle? Ich sollte nur nicht glauben, daß sie ... und so weiter. Dann kam die andere Tonart. Eine so kühle Natur wie ich, könne mit jedem anständigen Manne sehr, sogar sehr glücklich werden. Zerstreute Augen, Mundwinkel sachlich angezogen, Rock glatt gestrichen. Ich sollte doch einmal ganz vertrauensvoll und offen sagen, was ich gegen Büdesheimer hätte. Mir wäre gewiß etwas zugetragen worden, sie wäre in der Lage, mich völlig darüber zu beruhigen. Dies interessierte mich, und ich gab so halbe Antworten, daß Mama mit vielem Räuspern, Dämpfen der Stimme und Aus-dem-Fenster-Gucken mich dahin informierte, daß es mit ›der Lotti‹ – aus sei. Es kam an den Tag, daß die Lotti eine gefährliche Person gewesen sei, zwar aus – hm – ganz kleinen Verhältnissen, aber *femme fatale*, und Büdesheimer hätte fünf Jahre eine feste Affäre mit ihr gehabt. Es hätte gar keine Spuren bei ihm hinterlassen, er hätte vor mir nie geliebt, ich solle klug sein und mir nichts daraus machen. Mir daraus machen! Es war das erste Menschliche, was ich von ihm hörte, Gott sei Dank, daß er einer normalen Schwäche fähig war und nicht aus lauter Spitzenleistungen, Stehkragen, Tadellosigkeit und glänzender Zukunft bestand. Mama merkte sofort meine Veränderung und sagte: ›Man lernt doch nie aus! Alle Frauenzimmer sind egal und die jungen Leute sind schön dumm, wenn sie sich für euch proper halten, interessant findet ihr nur Lebemänner, so ist die Jugend von heute.‹ ›Du hast keine Ahnung von mir‹, sagte ich, ›und kannst dir deine Banalitäten sparen. Ich würde nie einen Lebemann heiraten.‹ ›Na, du kannst doch wirklich nicht leugnen‹, hieß es empört. ›Ich habe kein Leugnen nötig‹, sagte ich trocken. ›Ich bin bisher noch immer mit der Wahrheit ausgekommen. Ich habe Büdesheimer seine Körbe gegeben, weil er langweilig ist und weil ich schließlich mein Leben mit ihm zu verbringen hätte. Ich glaube nicht an vollkommene Tugend ohne etwas, was anzieht und einem wohltut. Wenn es das gibt, ist es nichts für mich. Aber wenn er ein Mensch ist wie andere auch, mit guten Eigenschaften und richtigen großen Schwächen, sieht er für mich gleich anders aus.‹ Als er dann von Helgoland wiederkam und ausnahmsweise ein bißchen nach See und Luft aussah, habe ich wie Mama gedacht: ›Worauf wartest du eigentlich?‹ Die anderen waren alle nicht besser. In meiner Phantasie saß nichts, was mich auch nur einen Augenblick beschäftigte. Der Marinemann, mit dem ich immer aufgezogen wurde, *faute de mieux*, damals von der *Gardenparty* bei N.s und mit dem ich aus lauter Vorsatz einmal versucht hatte, etwas aus mir herauszugehen, war nur ein hübscher lieber Junge gewesen und hatte sich auch bis auf ein paar Karten vor der Ausreise nicht mehr gemeldet. Ich sagte also ja und wusch mir gleich nachher in meinem Zimmer die letzten Spuren der Zeremonie entschlossen ab. Nichts Dümmeres als solch eine Verlobung, bei der der Mann seiner Sache schon ganz sicher ist. Was hätte ich darum gegeben, wenn auch nur ein Zittern in seiner Stimme gewesen wäre! Nichts. Eine glatte Sache. Als ich ja sagte, bekam er einen roten Kopf, griff nach mir und ließ die lange Wartezeit beinahe rachsüchtig an meinem Munde aus. Was soll man dabei fühlen, frage ich dich.

Du mußt nun aber nicht glauben, daß ich eine Märtyrerin aus mir machen will oder unverstandene Frau spielen oder Günther wer weiß welcher schrecklichen Dinge anklagen. Wenn es so wäre, wäre es viel besser für mich und leichter zu erzählen. Eine Detektivgeschichte mit heimlichen Verbrechen, die ans Licht kommen, ist nicht zu verfehlen. Aber erzähle du einmal eine Banalität, banal mit banal gefüttert – da bist du gleich am Ende. Von einem Manne, der säuft oder dich prügelt oder das Vermögen verspielt oder unsaubere Geschäfte macht, kannst du mit einem Worte den Hauptzipfel erwischen. Aber schildere einmal eine Null. Daß er eine Null war, wußte ich im ersten Monat der Ehe; mit allen Leistungen, Zeugnissen, Aussichten, Sich-in-die-Brust-Werfen, eine Null. Darüber war ich an sich gar nicht einmal unglücklich. Ich bin keine ehrgeizige Frau oder Gattin. Nullen sind nötig und manchmal sehr nette, ruhige, sympathische Leute. Illusionen hatte ich nicht, und zu Abenteuern war ich nie weniger aufgelegt. Warum nicht leben wie tausend andere Frauen auch, deren Männer keine Genies sind, aber für einen so sorgen, daß man gerne wieder für sie sorgt, und die es gern sehen, daß die Frau ein bißchen was für sich hat, eine Art geistiges Leben und so weiter? – Ja, das klingt nicht sehr heroisch, ich weiß. Mein Heiratsentschluß selber war auch keine sehr schwungvolle Handlung gewesen, sondern eine philisterhafte, und der damit erreichte Tiefstand fesselte mich konsequenterweise in alle seine übrigen Jämmerlichkeiten. Ich war niedergeschlagen und bescheiden bis zur Selbsterniedrigung. Ihr seid alle begabt, jede hat ein Eckchen Talent, auf das sie ihre Freiheit, krach oder brich, ins Blaue improvisiert und vor sich selber nach was aussieht. Ich hatte einen guten Kopf und sah hübsch aus, das war alles; keinen tiefsinnigen, keinen geistreichen, Gott bewahre; und ich war auch wieder nicht schön. Nie hatte ich einen klugen Mann gefesselt, und ich habe bei Aroldsens in Berlin genug gesehen – nie hatte ein netter Kerl über mich den Kopf verloren. Ich war Mittelmaß, eher drunter. Nein, du brauchst mir nicht zu schmeicheln. Das Dümmste war das Mißverhältnis zwischen dem Äußern und dem Innern. Meinem scharfen Denken nach hätte ich intellektuell und etwas männlich aussehen müssen wie die S. etwa, meinem weichen Körperchen mit der hübschen Büste und den hübschen Beinen und Schultern nach hätte ich eine schmachtende Täuberin sein müssen und gefühlvoll, ›blutwarm‹, wie es heißt, kosen und turteln. Oh, ich sah sehr klar über mich; große Ansprüche konnte ich nicht machen und ich machte sie auch nicht, selbst nicht, als ich bald darauf sehr hübsch, wirklich allerliebst auszusehen anfing und die Wirkung davon bei allen Männern ohne Unterschied merkte. Ich wußte genau, wie lange das dauern konnte und was darauf zu geben war. Meine Skepsis war nicht tragisch, aber sie war unerschütterlich.

Wir zogen in die Wohnung in der Leopoldstraße, und ich war eine junge Frau. Eine junge Frau? Ich war Frau Dr. Büdesheimer, *seine* junge Frau. Das wird man ja nur dem Namen nach auf dem Standesamt; die Inbesitznahme fängt dann an, und ich habe ihr nicht im geringsten widerstrebt. Warum auch? Der Würfel war gefallen, ich wollte das Wort halten, das ich gegeben hatte. Wenn er mich zur Seinen machen wollte, bitte sehr: da war ich. Und bums, es ging nicht; er hatte nicht das Zeug dazu.

Ich sollte sein Leben kennenlernen, und ich wollte es herzlich gerne. Aber es bestand aus lauter pointenlosen Geschichten, deren Held er immer selber war und in denen allen wie die Moral in der Fabel seine Geistesgegenwart, sein Witz und seine Herrlichkeit sich nach den ersten Worten als des Pudels Kern enthüllte. Ob er eitel war? Nicht einmal das. Ich habe für richtige, naive, strahlende, idiotische Eitelkeit eine Art Gefühl, weil hinter ihr meist harmlos gute Eigenschaften stehen und oft die generösesten. Aber dieser Mensch, der da, den Arm um mich gelegt, eine Flasche Sekt mit zwei Gläsern vor sich – ›um ein bißchen in Stim-

mung zu kommen‹ – auf dem Sofa saß und sich in allen diesen
hastig herunterschwadronierten Eigenlobgeschichten vor lauter
Eifer verheddderte, dieser spitzig aufgeregte kleine Mann war gar
nicht von sich überzeugt, sondern redete immer gegen irgendeinen Unsichtbaren an, von dem er fürchtete, er sei nicht überzeugt von ihm und den er zuzudecken versuchte. Er war innerlich
so ängstlich und so hohl vor Ängstlichkeit, daß er mich überhaupt
erst ängstlich und argwöhnisch machte, was ich vorher gar nicht
gewesen war. Was hatte er nur? Warum wollte er sich so wütend
beweisen? Wer behauptete denn das Gegenteil? Sollte ich ihn
vielleicht darum hingerissen zu lieben anfangen, weil er derjenige
gewesen war, der einzige, der damals gemerkt hatte, daß Rücker-
Schewe, ohne es zu sehen, am falschen Präparat exemplifizierte?
Oder sollte er dadurch in meinen Augen zum Halbgott werden,
daß Miaskowsky an das Ministerium geschrieben hatte, er nähme
Gießen nur an, wenn er Büdesheimer als Assistenten bekäme?
Vor allem da herauskam, daß das Ministerium nein gesagt hatte
und der gebieterische Miaskowsky doch nach Gießen gegangen
war? Wozu das alles? Ich wußte ja, er war ein tüchtiger Mediziner. Ich sagte ihm eines Tages, er brauche mich nicht wie einen
Geheimrat im Kolloquium zu behandeln, bei dem er sich habilitie-
ren wolle. Ich würde gerne einmal etwas recht Harmloses und
Unbefangenes von ihm hören, einmal etwas aus seiner Kinderzeit. Er war sofort pikiert, das habe er nun davon, daß er seine
Frau zu seiner geistigen Mitarbeiterin machen wolle. Ich lachte
ihn aus und fragte, was er sich unter Mitarbeit dächte. Ich wäre
bisher seine Schallplatte gewesen. Noch seine Röntgenschwester
sei mehr Mitarbeiterin für ihn als ich. Ich fände auch so eine
Philistersofastunde mit Sekt nicht sehr arbeitsmäßig, und viel
mehr zur Plauderei geschaffen. Du hättest ihn sehen sollen. Es
war unser erster Streit. Er hätte immer gewußt, daß mein un-
fruchtbarer Intellektualismus ihn bald unbefriedigt lassen, hart
und verschlossen machen würde. Verschlossen! Nachdem er drei
Stunden lang sein eigenes Lob gesungen hatte. Ich dachte, sei die
Klügere, vermutlich sind alle Männer so, jede merkt es eben irgendwann zum ersten Male; ich begütigte ihn also, lockte ihn
wieder zum Sitzen – er war Brust heraus, Bauch hinein, Kopf zurück, Hände hinter den Schößen, durchs Zimmer gestelzt wie ein
aufsässiger Hahn – und brachte ihn sukzessive mit Diplomatie
auf seine Kinderzeit. Keine fünf Minuten, und er war wieder bei
seinen Leistungen, seinen Erfolgen und seinen Neidern, Neidern
vor allem! Was habe ich von ihnen zu hören bekommen im Laufe

der Zeit. Wo immer in der Welt das große Ohren-Phantom aus lackiertem Pappmaché an der Laboratoriumswand stand, war es eine Art Ohr des Dionysius, in die Ferne gespannt, um zu erlauschen und zu erlisten, was Dr. Büdesheimer in München entdeckt hatte, und um ihm ›zuvorzukommen‹. Aber davon später. Ich ließ also alles wieder über mich ergehen, er war von dem Pferde nicht herunterzukriegen. Nur darum war er ja von der Universitätskarriere zurückgetreten, weil dort alles ihm auf die Finger guckte und ihm seine Leistungen mißgönnte, ewig weiter in diesem Tone; dann expliziert er etwas, hebt einen Zipfel vom Voile meines Kleides an und sagt: ›Denke dir das Trommelfellgewebe so gespannt wie dies, was ich hier eben spanne‹ – und hier dachte ich, ›versuche doch einmal, ob du ihn nicht etwas biegen kannst‹ und sagte: ›Apropos Gewebe, Günther, hast du eigentlich nichts Neues an mir bemerkt?‹ Er sah mich wild und zerstreut an: ›Wieso‹, sagte er, ›fehlt dir etwas?‹ Ich lachte und sagte: ›Ich habe ein neues Kleid an; wenn du schon als junger Ehemann so etwas nicht merkst, bin ich in zehn Jahren eine vernachlässigte Frau.‹ ›Ja‹; sagte er, ›na ja; – sehr nett –; was ich hatte sagen wollen: mit der gemeinsten Parteilichkeit, nur weil Olczewsky die Nichte von Rathgeber geheiratet hat, wird diese meine Trommelfelltherapie, über die Cherbuliez – denke dir, ein Mann wie Cherbuliez, der außer für seine Schüler nie für einen ein gutes Wort hat, wortwörtlich geschrieben hatte: ›La thérapie proposée par l'esprit hardi et innovateur – denke mal hardi, innovateur que Dr. Büdesheimer a été – – nein, warte ich hole es dir.‹ Ab ins Nebenzimmer; aus dem Nebenzimmer: ›Jetzt habe ich das Heft des Journal des Savants nicht, ich habe es Meier geliehen, der nicht hatte glauben wollen – glauben! sich so gestellt hatte, nur um mich zu ärgern –, daß...‹ Suchen, Blättern, Bücher fallen. ›Cherbuliez – –, hardi innovateur... Warte mal, ich muß eine Maschinenabschrift davon haben, ich hatte sie doch an Jansen beim Ministerium schikken wollen‹ – und so ging es weiter. Ich war sitzen geblieben und heuchelte Teilnahme. Es war ja ganz zwecklos. Man würde sich daran gewöhnen. Und ich habe mich daran gewöhnt und Mal für Mal stichwortmäßig einfließen lassen, was er hören wollte. ›Dem hast du's aber mal gegeben‹, ›Wie ausgezeichnet!‹, ›Da wird er sich einmal geärgert haben‹, ›Natürlich war er platt, nicht wahr?‹ So etwas kostet nichts und erleichtert das Leben; man sagt es schließlich automatisch und denkt dabei an den Ofen. Wenn irgend etwas an ihm zu ändern gewesen wäre, hätte ich den Kampf um sein besseres Ich aufgenommen. Aber an der Stelle, wo ich es suchte, war eine Höhle voll Gerümpel. Und gesucht habe ich, einmal wenigstens. Nach einem Streite wie dem obigen, ging ich den nächsten Tag in sein Laboratorium und stellte ihn: ›Da du immer von der Mitarbeit sprichst, die du an mir vermißt – komm, Günther, erkläre mir einmal deine letzte Entdeckung und deine Behandlungsweise, nimm mich einmal richtig in dein Vertrauen; ich bin nicht für die dauernde Passivität geschaffen, ich möchte mich richtig ein bißchen anstrengen.‹ Er wirtschaftete nervös herum. ›Gewiß‹, sagte er, ›nichts leichter als das, aber nicht heute, heute abend ist Medizinische Gesellschaft – mein Referat.‹ ›Also morgen‹, sage ich, ›wann also? Gleich nach der Sprechstunde?‹ ›Ich bitte dich‹, sagte er empört, ›wie oft soll ich dir wiederholen, daß, wenn ich nicht nach der zweistündigen Anstrengung penibelster Untersuchungen mich eine Stunde aufs Sofa lege, aus dem Mikroskopieren nachmittags nichts wird!‹ Ich tue Buße wegen meiner verbrecherischen Gefühlsroheit – er stand als Bild der Gesundheit vor mir und versuchte leidend auszusehen – kurz, ich tue Buße und sage dann ›abends? statt des Zusammenhockens und Klatscherzählens könnte man ja vielleicht auch einmal –‹ ›Du bist ja sehr liebenswürdig aufgelegt‹, rasselt er, ›aber gut. Morgen um halb neun hier.‹ Am nächsten Tage erscheine ich nach Tisch pünktlich und bin, verzeih den Kalauer, ganz Ohr. Er zeigt mir das Phantom, das ich natürlich nach allem ewigen Gerede schon bis zur Bewußtlosigkeit kenne und selbst zerlegen könnte und machte dann ein paar Redensarten über die Paukenhöhle. ›Nun und?‹ frage ich. ›Ja, das ist es eben‹, sagte er. ›Von hier an wird es zu wissenschaftlich für dich.‹ ›Eben‹, sage ich, meine ganze Wallung unterdrückend, ›das ist es ja gerade. Mich interessiert gerade das streng Wissenschaftliche, und nicht das Populäre. Das hast du eben‹, fahre ich gewinnend fort, weil ich entschlossen bin, restlos hinterzuhaken, ›das hast du eben im Laufe der Zeit aus mir gemacht; man ist doch nicht umsonst die Frau eines großen Ohrenarztes‹ (großen, notabene, sage ich wirklich), ›man möchte wissen, worin seine Fortschritte bestehen.‹ Geschmeicheltsein kämpfte auf seinen Zügen mit etwas Fremdem und Ängstlichem, es war wie ein Krampf. ›Nun ja‹, sagte er schließlich, ›der Laie muß sich in der Wissenschaft eben fast immer mit der Tatsache als solcher begnügen; darin kannst du keine Ausnahme machen.‹ ›Aber Günther! Wenn ich dich bitte?‹ ›Bitte!‹ machte er mir gereizt nach, ›woher kommt plötzlich dieser Wissensdurst bei dir; wenn ich wüßte, daß er echt wäre, könnte man ja sehen. Du hast dich wohl vorgestern abend beim Senatsessen mit dem Laryngologen, der ein so fesselnder Causeur ist – *höchst* fesselnd muß ich wirklich sagen – so angeregt über neue Therapien unterhalten, daß jetzt auch für mich ein Bröckchen Spezialinteresse abfallen soll. Ich bin allerdings als Mann der Wissenschaft kein Causeur, und diese Materie hier ist keine Diner-Unterhaltung.‹ ›Günther‹, sage ich, ›dies tut doch alles nichts zur Sache, und du regst dich ganz unnütz auf. Du hast mir versprochen, mir deine neuen Arbeiten vorzudemonstrieren, und hier bin ich.‹ ›So habe ich dies nie gesagt‹, gibt er zurück, ›du nimmst statt des Fingers den ganzen Arm, mein Kind. Worin das Wesen einer so folgenschweren Entdeckung besteht‹ – er zögerte. ›Nun?‹ sagte ich. ›Ergänze dir den Rest.‹ ›Dazu bin ich zu sehr Laie‹, sage ich, ›gönne mir auch die Lösung des Rätsels.‹ ... ›... das sagt ein vernünftiger Mann noch nicht einmal seiner Frau.‹ Ich war starr. ›Frauen, die auf ihren Mann so eitel sind wie du, mein Schatz‹, fuhr der Ahnungslose fort, ›lassen sich irgendwann mal eine Andeutung entwischen, und man ist geliefert.‹ Ich hatte mich schon zum Gehen gewandt, er kam mir nach und wollte zärtlich werden. ›Was, kleine Delila, mich schwach machen und dann dem Simson‹ ... ›Du ein Simson‹, sagte ich verächtlich und machte seine dünnen Arme von mir los: ›Wenn du die Dimension ahnen könntest, in der ich dich vor mir sehe‹ und damit überließ ich ihn sich selber. Nach zwei Tagen war Gras drüber gewachsen. Man lebt zusammen und nachtragen und austragen ist praktisch unmöglich. Aber wie diese Lotti, ohne mit ihm verheiratet gewesen zu sein, dies fünf Jahre ausgehalten hatte, war mir ein Dunkel. *Femme fatale?* Irgendeine Näherin vermutlich, die zu ihm aufsah.

Über die sonstigen Beziehungen habe ich keine Lust viel zu reden und du kannst dir denken, daß ein solcher Mensch keine Frau gewinnen kann. Wenn er nur nicht von der unaufhörlichen Angst besessen gewesen wäre, für keinen Mann in des Wortes verwegenster Bedeutung gehalten zu werden und von dem Bedürfnis des Redens, des Sich-Herausstreichens, des Sich-in-die-Brust-Werfens. Die andern mochten ihre Frauen an Liebhaber verlieren, er nicht, weiß Gott nicht. Man sei nicht umsonst Arzt und durch exakte, physiologische Bildung gegen sentimentale Irrtümer gesichert. ›Aber welche Liebhaber denn, Günther‹, erlaubte ich mir gelegentlich ironisch bescheiden einzuwerfen, ›ich sehe doch niemanden, kenne niemanden.‹ ›Oh, ich meine nur so, generell‹, hieß es dann; eine mehr allgemeine Gefahr, gegen die er das Zaubermittel besaß, eine urgesunde Vollmännlichkeit, die das Weib nie auch nur einen Augenblick darben läßt. Das sei die

Wurzel aller Unbefriedigung, die schließlich sich auf allen Gebieten des weiblichen Innen- und Außenlebens unter teilweise verwirrender Maske geltend mache. Und ähnliches Artikeldeutsch. Er redete davon wie von einer rechtzeitigen Operation oder Behandlung. Ich war das zu behandelnde Objekt und die Verschwiegenheit über seine Entdeckungen in Ohrenheilkunde war hier gegen eine blöde Redseligkeit eingetauscht, die mich wach hielt bis zur Verzweiflung, zum Ausbruch, zur Raserei. Mit einem Manne, mit dem man die Seele nicht teilt – so regelmäßig wie man ißt und trinkt den Körper teilen, ist an sich platt genug, aber drei Viertel aller Frauen auf Erden sind in der Lage und kommen mehr oder minder leicht darüber hinweg. Aber eine Situation, die nur durch beiderseitige, meinetwegen ganz elementare und momentane Besessenheit entschuldigt oder erklärt wird, in der Form von Belehrung, Beweis und Exempel für die Richtigkeit des einen Verfahrens und die Unrichtigkeit des andern erleben zu müssen, entschuldigt meiner Ansicht nach Mord und Selbstmord. Kinder wollte er noch nicht. ›Später‹, hieß es, ›erhalte dir doch noch ein paar Jahre deine Jugend und Blüte, es ist ja noch immer Zeit.‹ Ob ich mir welche wünschte? Heut ja, um etwas Gegengewicht gegen ihn und eigenen Inhalt zu haben, morgen nein, weil ich mir seine Kinder wie ihn selber dachte, oder, in den trübsten Augenblicken, wie mich selber. Was blieb? Die Wohnung hatte acht Zimmer, die beiden Dienstmädchen waren kaum beschäftigt, das Telefon erledigte alles. Gewaschen, geknetet, gequirlt, Schaum geschlagen, zum Sieden gebracht und was nicht sonst, wurde elektrisch. Ich habe nach der Scheidung ein Jahr lang, wie du vielleicht nicht weißt, das Sanatorium Schloß Arnshoven mit zweihundertvierzig Patienten und Personal wirtschaftlich unter mir allein gehabt, Küche, Vorräte, Zeugkammer, Waschhaus, Beschaffung, Buchführung – nur um mich auszuarbeiten; die Anlage dazu haben wir von Mama, die eine große Hausfrau ist. Du kannst dir also denken, daß mein Haushalt in Minuten erledigt war, bis auf die Gesellschaften.

Gesellschaften mußten natürlich gegeben werden, unaufhörlich, teils als Gegenseitigkeit, teils aus Karrieregründen, teils weil er gleichzeitig um mich beneidet werden wollte, und, so paradox es klingt, vor dem Neide zittern. Ich will ihn dir keineswegs zu schwarz malen. Er glaubte wohl, mich zu lieben und seine volle Pflicht an mir zu tun, indem er mich nach seinen Verhältnissen sehr üppig hielt, es mir an nichts fehlen ließ. Da nichts davon einer wirklichen Wärme entsprang, erwärmte es mich nicht. Ich war für ihn in der Art meines äußerlichen Auftretens, einschließlich Toiletten, Schmuck und allgemeinem Luxus die Wandelreklame seiner Stellung, seiner Einnahmen und seiner Lebenshaltung: nach mir wurde er klassiert. Ebenso sah er die Geselligkeit im eigenen Hause an. In der allerersten Zeit hatte er einen ganz sympathischen und jugendlichen Stolz darauf, bei sich selber repräsentieren zu können, aber diese Blüten fielen bald und es sah ein plumper Fruchtknoten unter ihnen hervor. Stundenlang vor Eintreffen der Gäste wurde mir das Benehmen, das ich gegen jeden zu zeigen hätte, streng vordosiert; gewinnend gegen jenen einflußreichen Geheimrat, ein bißchen kühl zu jenem Konkurrenten, nicht gar zu intim zu X, bedeutungsvoll mit Y, recht kühl gegen die jüngeren Leute. Als ich sagte, Kühle wirke bei jungen Leuten besonders anziehend, lehnte er solche Paradoxien entschieden ab. Nachher gab es Manöverkritik. Ich hätte mit Z zu lange getanzt, beim Tanzen mit V zu unkonventionell gelächelt; wäre zu dem scheußlichen alten Pank, der – weißt du – immer zerstreut handgreiflich wird, zu schnippisch gewesen. Ich sagte darauf, Pank sei mir so widerwärtig, daß ich meinen Ton gegen ihn nicht ändern würde, und wenn Günthers ganze Karriere darüber scheiterte. Er zuckte die Achseln. Diese Prüderie fände er ganz unzeitgemäß und unpolitisch. Was denn in einer großen Gesellschaft schon passieren könne! Niemand nehme ihn doch ernst. ›Aber ich‹, sagte ich scharf, ›nehme mich ernst und das genügt.‹ Dann sollte ich es gefälligst auch mit Leuten tun, die mir so sympathisch wären wie Pank antipathisch. Wen er meine? Oh, er wolle nichts gesagt haben. Ich hatte ein so gutes Gewissen, daß ich energisch wurde und Namen verlangte. Was glaubst du, was losbricht? Ein Register, ein Katalog, eine Quartalsrechnung von aufgesammelten Beobachtungen, die er gemacht haben will. Alles Hirngespinste, die reine Phantasmagorie, nichts wahr. Hier hätte ich Blicke getauscht, dort beim Tanzen eine Hand gedrückt, da und da richtig geflirtet. (Ich hatte in Wirklichkeit mit der Marie Bauditz zusammen einen Trottel aufgezogen.) Er wisse leider genau, daß meine Phantasie andere Wege ginge, aber ich irrte mich, wenn ich glaube, er sei ein bequemer Ehemann. Er habe die Augen offen und die Ohren auch. Was hätte ich dem kleinen Gessely, dem Assistenten von Marx, noch in die Garderobe nachgerufen? Er habe es zwar genau gehört, aber es wäre ihm interessant, zu hören – und so weiter. ›Die niedrigen Galoschen!‹ sagte ich, vor Lachen platzend, ›weil er das letzte Mal in meine hohen geschloffen war, die er tags drauf zurückgeschickt hat. Wir haben den gleichen Fuß.‹ ›Niedliches Goscherl hast du gesagt, ich kann darauf schwören!‹ ›Du bist verrückt‹, brüllte ich vor Lachen los, ›du bist ja ein...‹ ›Nun was ich auch immer bin, ich bin nichts mit Hörnern‹, sagte er wütend, zieht den Schlafrock an und geht in sein Schlafzimmer. Dies war denn doch zu mordsdumm, ich gehe ihm über den Flur nach; er hat sich eingeschlossen. ›Günther!‹ ›Was willst du noch?‹ ›Dich sprechen.‹ ›Ich bin müde.‹ ›Günther, kannst du mit dem Gewissen einer solchen Dummheit und Ungerechtigkeit einfach schlafen? Ich könnte es nicht.‹ Er knipst Licht und kommt an die Tür, eine Zeitung in der Hand, im Pyjama. Ich sage: ›Handle mal als ein anständiger Mensch und bitte mich sofort um Verzeihung.‹ Da kennst du ihn schlecht. ›Ich finde solche Zeremonien, offen gesagt, theatralisch, und wenn du ein gutes Gewissen hast, kannst du ja das Ganze als ungesagt ansehen.‹ Ich verschlucke meine Verachtung. ›Ich möchte wohl wissen, was du im umgekehrten Falle mir geantwortet hättest.‹ ›Dir?‹ sagt er erstaunt. ›Das kannst du doch überhaupt nicht vergleichen. Du kannst doch nicht in der dauernden Nervosität leben, mich zu verlieren. Du bist meiner ja ganz sicher.‹ Mir riß die Geduld. ›Und wenn ich in einer solchen erniedrigenden Vorstellung lebte, wie die deine zu sein scheint, so würde ich dich entweder glatt zum Teufel schicken, oder alles, was ich bin, dransetzen, um dich zu gewinnen – ich meine nicht zu kaufen oder zu bestechen oder zu umnebeln, sondern dir durch meine Hingebung deine Hingebung zur Notwendigkeit zu machen, zum Bedürfnis, verstehst du mich?‹ Und damit schlug ich ihm seine eigene Türe zu. Er ging ruhig zu Bette und steckte alles ein. Ich wußte, woran ich mit ihm war, und nahm mich aus Klugheit noch mehr als aus eigener Gewohnheit mit Dritten auf das peinlichste in acht. Er war schließlich mein Mann, war mir treu, und ich durfte eigentlich nichts tun, was seine unmännliche Krankheit steigern konnte. Wir hatten unser Leben erst gerade angefangen und es mußte doch normal weitergehen. Ich war mit allen so gleichmäßig ich konnte, ließ mir Vorwürfe, auch von Günther selber, wegen meiner Leblosigkeit unbekümmert machen und weitermachen und schloß die Augen gegen jedes auch nur vom weiten Gefällige an Betragen oder Gespräch oder Aussehen anderer. Ich erschlaffte vor lauter Abstellung geradezu. Ich kam mir manchmal wie scheintot begraben vor. Welch ein Leben und wie sollte es weitergehen! Dabei vergrößerte sich Günthers Praxis und seine Einnahmen, ich wurde beneidet wegen der vorzüglichen Partie, die ich gemacht hatte, obwohl dazwischen – wie ich aus Blicken und Andeutungen merkte – nicht alle Spannung und Verstimmung unserer Ehe unbemerkt geblieben war. Mein Schlaf war damals schlecht geworden, meine alten Migränen kamen wieder, und im Frühling fuhren wir, weil auch Günther einen Ausspann nötig zu haben behauptete, für ein paar Wochen nach einem entzückenden Nest bei Lugano. Nie war wohl Günther so unerträglich gewesen wie auf dieser Reise; den ersten Tag ganz nett für seine Verhältnisse, Studentenlaune markierend, den Betörer mit den Mitreisenden im Coupé spielend, und vor diesen, wohlgemerkt, unterstrichen galant zu mir, dann in S. Angelo al Monte angekommen, plötzlich sich auf den Schwerleidenden, von Forschungsqual Erschöpften umstimmend. Das ganze Personal des kleinen Wirtshauses mußte für ihn auf den Beinen sein. Die Tochter mußte ihm den Liegestuhl hinaustragen und fünfmal den Ort wechseln, bis er zufriedengestellt war. Dem Alten wurde sein Marsala kritisiert, und er mußte nach Lugano hinunter, um den ganz echten Stärkungstrank für den großen fremden Professor aufzutreiben. Der Sohn, der uns bei Tisch bediente, trotz Italienertum ein hübscher, blonder, lockiger Mensch von achtzehn oder neunzehn Jahren, mit etwas Lachendem und Jungem im Gesicht, das seine offene gute Natur anzeigte, wurde dauernd geschuriegelt. Bald dauerte es zwischen den Gängen zu lange, bald war die Suppe kalt, bald das Salz verunreinigt. Ein richtiges Berliner Reiseekel war nichts gegen diese Posen und diese dauernde Unruhe. Als eines Tages Leone – so hieß der Wirtssohn – wieder wegen irgendeines harmlosesten Grundes angetölpelt wurde, und zwar an einem Tage, an dem es mir sowenig gut ging wie Günther sichtlich ausgezeichnet, stieg mir die unterdrückte Aufregung über dies Benehmen so zu Kopfe, daß mir schlecht wurde und ich aufstehen mußte, um mich einen Augenblick hinzulegen. Ich ahnte dunkel, daß hinter Günthers Torheiten nur wieder eine Eifersucht, vermutlich auf den gutmütigen schönen Menschen steckte, und merkte, wie mir vor Überdruß die Augen übergingen. Günther hatte ruhig weitergegessen.

Als es oben klopfte, sagte ich ›Herein‹, weil ich dachte, er wäre es. Aber es war der hübsche Leone, der treuherzig in der Tür stand und mich fragte, wie es mir ginge und ob er mein Essen heraufbringen sollte. Ich war, als ich ihn sah, aufgestanden und suchte meine Tränen zu verbergen, er kam zögernd näher und streckte in einer hilflosen Weise die Hand aus. Mein unsinniger Impuls war etwas wie, ihm um den Hals zu fallen, ihn an mich zu drücken, irgend etwas Bewußtloses, ich weiß nicht was, zu tun, mich in einen Menschen, an einen Menschen aufgehen zu lassen und mein zerdrücktes Herz zu lösen. Aber das war natürlich nur ein Zuck, ich war meiner so Herr, daß es natürlich zu gar nichts kam, und ich einfach ›Danke, nichts‹ sagte und bat, meinem Manne zu bestellen, ich käme gleich wieder hinunter. Nachher sagte ich, S. Angelo bekäme mir nicht, und wir reisten ab. Die Reise wurde nicht schöner, aber es passierte nichts Wichtiges mehr. Und so waren wir wieder glücklich in München.

In der Post, die auf uns wartete, lag bös und gut wie immer durcheinander. Mama war krank, Günther hatte an einem bombensicheren Papier – er hörte auch in Banksachen das Gras wachsen – bombenmäßig verloren, das Hausmädel kriegte ein Kind und kam aus dem Urlaub nicht wieder, der kleine Walter von Major von Elsholtz hatte Mittelohrentzündung, noch leicht, aber Frau von Elsholtz wartete angstvoll auf Günthers Rückkunft, den Telefonhörer im Arbeitszimmer, der schadhaft gewesen und abgeholt worden war, hatte man noch nicht wiedergebracht, und so mußte aus unserem Schlafzimmer oder dem Laboratorium im zweiten Stock telefoniert werden, und unter den Karten war, nach Jahren das erste Lebenszeichen, eine von Freinsheim aus Passau, der von unterwegs schrieb, er käme zum eben beginnenden Kongreß der inneren Mediziner nach München und bäte, ihm ein Hotelzimmer zu besorgen, da er sich zu spät eingetragen habe und der Wohnungsausschuß nicht mit ihm rechnete; er freue sich gleichzeitig, uns nach so langer Zeit wiederzusehen. Günther war sichtlich entzückt. Er hatte schon immer anzudeuten gepflegt, daß er Freinsheim bei mir ausgestochen habe – anscheinend hatte Mama ihm diesen Schmeichelfloh seinerzeit ins Ohr gesetzt – und freute sich jetzt ganz augenscheinlich darauf, dem seinerzeit Abgefahrenen mich als seine Siegesbeute vorzudemonstrieren. ›Wir müssen ihn natürlich zu einem kleinen Diner einladen, überlege dir doch einmal ein bißchen, wer zu ihm paßt.‹ Dann wurde Fräulein Kleinjohn, die Schwester, angewiesen, an den Kongreß-Wohnungsausschuß und die Hotels zu telefonieren, sie äußerte sich aber sofort skeptisch: ›Wie denn, jetzt in München ein Zimmer, ganz ausgeschlossen! Sie haben doch die Schützenfestplakate gesehen‹ – richtig! Es war ja wieder eine Gaudi. Wir hatten es vom Auto aus halb gesehen, halb, weil man das ja in München gewöhnt ist, schon übersehen und halb vergessen. Richtig waren alle Hotels überfüllt; man schlief schon in den Badezimmern und Offices, und auf den Billards. Der Ausschuß erhob die Arme ohnmächtig zum Himmel. Vielleicht Privatwohnung, man müßte sehen. Günther, der schon bei Elsholtzens war, rief an und wollte einen Instrumentenkasten, ich gab ihm die Hotelhiobspost wegen Freinsheim, er antwortete eilig: ›Dann müssen wir ihn eben einladen, mach das gleich‹, und war wieder weg. Ich telegrafierte Freinsheim: ›München Schützenfest überfüllt, bitten bei uns vorliebnehmen‹ und ließ das Gastzimmer richten. Eine Stunde später kam Günther zu Tisch. Der Elsholtzsche Fall war ohne Bedeutung, aber er hatte zwei andere Schwerkranke. Das mit Freinsheim habe er sich anders überlegt. Für Logierbesuch kenne er ihn doch zu wenig. Dabei sah ich den krampfigen Zug in seinem Gesichte, den ich genau kannte. ›Zu wenig?‹ frage ich – ›Ihr nennt euch von der Greifswalder Blase her du, seid Kollegen, er hat in meinem Vaterhause verkehrt, kennt uns alle – und die Hauptsache ist, ich habe ihn direkt und dringend eingeladen.‹ ›Diese Voreiligkeit!‹ zankte er. ›Konntest denn du nicht auf mich warten?‹ ›Ich bitte dich, Günther‹, sage ich ungeduldig, ›du gibst mir telefonisch die Weisung, die Zeit drängt, übermorgen ist die Eröffnungssitzung, Freinsheim ist unterwegs und bittet um Drahtangabe des Hotels – ich finde wirklich alle weiteren Diskussionen überflüssig. Erreichen kannst du ihn nicht mehr. Wenn du ihn zu anderen ausladen willst, überlege dir bitte gleich einen triftigen Grund, den du dort angibst, warum du ihn nicht selbst beherbergst, obwohl du ihn noch eben eingeladen hast – wie er doch seinen eventuellen neuen Wirten gleich erzählen wird. Du erschwerst alle einfachsten Dinge. Ich tue nichts mehr, mach, was du willst, aber laß mich aus dem Spiel, ich mache keine Notlügen mit. Wenn er nicht bei uns wohnt, nach ausdrücklicher Einladung, lade ihn auch nicht zum Essen ein. Ich stelle mich nicht ohne jeden Grund gegen harmlose Leute schief.‹ Er brummte und wütete und wollte eben wieder anfangen, als das Telefon Tusch blies und die Köchin Ferngespräch aus Landshut meldete. Es war Freinsheim. Günther ging ins Schlafzimmer und ich ihm nach. Er fiel am Telefon sofort wieder um und lud Freinsheim sozusagen freundlich ein. Dann hieß es: ›Wen? Meine Frau? Gewiß, einen Augenblick, wird sich sehr freuen.‹ Ich nahm den Hörer. Freinsheims Stimme, sonst gar nicht tief, dröhnte einen Baß durch den Draht. Ob er mir nicht große Unruhe und Mühe verursache. Beruhigung meinerseits. ›Tausend Dank! Auf Wiedersehen, auf Wiedersehen.‹ Günther saß auf dem Sessel neben dem Bett und beobachtete mich. Es war mir völlig gleichgültig, und ich ging ins Eßzimmer zurück, um endlich zu meinem Schnitzel zu kommen. Ich war von der Reise mit dem Entschlusse heimgekommen, mich nicht mehr

irritieren zu lassen, sondern fest und gleichmütig zu bleiben und
nur seine Sprünge möglichst nicht zu achten. Als er endlich an
den Tisch kam, aß ich ruhig weiter, klingelte und veranlaßte den
– statt der kindsnötigen Mali angenommenen – Lohndiener, dem
Herrn zu servieren. Günther stopfte in sich hinein, ohne mich
anzusehen und ohne ein Wort. Der fremde Diener genierte ihn.
Ich sagte mit Rücksicht darauf: ›I dare say you feel better now
everything is settled at last.‹ Sein Englisch ist kümmerlich, sein
Französisch etwas besser, und er schwieg. Dann im Arbeitszimmer bei Kaffee und Zigarre – er haßt Zigarren – legte er los.

Zwar nicht sofort, es ging bei ihm hin, her und hin. Da siehst
du, wie genau ich mich zu sein bemühe. Du mußt dich überhaupt
nicht wundern, daß ich jetzt alle Details miterzähle. Von hier ab
ist für mich die Geschichte wie ein einziges Stück geschmolzenes
Glas; ich kann nicht mehr das Wichtigste herausheben und Be-
langloses verschweigen. Was kann da für mich belanglos sein?
Alles hatte seine besondere Bedeutung. Für dich kann das natürlich nur im beschränkten Maß der Fall sein, aber ich denke mir,
bei der Ungeheuerlichkeit dessen, was schließlich kam und wie es
kam, mag immerhin gerade die eine oder die andere Kleinigkeit
dir das Verständnis erleichtern, die jemand anders als ich nicht
der Rede wert fände. – Günther stelzte also paffend durchs Zimmer und jagte das Gespräch in der Weise, die ich nie an ihm ausstehen konnte, von Stichwort zu Stichwort, nervös und ungezogen hin und her, über alles verdrossen, über das meiste kläglich,
und mit lauter halben, törichten, übertreibenden Sätzen, in denen
kein gerades und treffendes Wort war. Ich fühlte währenddes,
oder vielmehr wußte, daß er nur an Freinsheims Besuch dachte,
hinter seinen Worten und wartete auf den Moment, an dem die
Stricknadel aus dem Beutel stechen würde, wie unser armer Papa
bei Mama zu sagen pflegte. Aber er spielte lange Verstecken, bis
es endlich hieß: ›Ja, apropos Freinsheim. Natürlich hast du eigentlich Recht gehabt, daß man ihn, nachdem das Unglück mal geschehen war, schwer wieder ausladen konnte, ohne Kommentare
heraufzubeschwören; nur keine Kommentare; es wird ohnehin
gerade genug geredet; in meiner Stellung, ich meine bei dem
ganzen – ja für mich hochwichtigen – Für und Wider, das meine
Entdeckungen endlich hervorrufen, darf meine bürgerliche Haltung nie aus dem Rahmen des Konventionellen heraustreten; soweit das durch Freinsheims Aufenthalt in meinem Hause ohnehin geschieht, muß das mit größter Klugheit wieder, nach außen
hin meine ich, glattgezogen werden.‹ Pause. Ich kannte ihn und

merkte, daß ich gespannt gemacht werden sollte, durch diese mysteriösen Einleitungen. Ich sollte fragen: ›Warum denn, wieso denn, was meinst du eigentlich, warum tritt ein gleichgültiger Logierbesuch eines angesehenen Kollegen in geachteter Stellung bei uns aus dem Rahmen des Konventionellen?‹ Aber diesen Gefallen tat ich ihm nicht. Ich wollte ihn einmal sich ganz entfalten lassen und auf seine geheimen Absichten aufpassen. Denn absichtsvoll, das war er, das merkte ich. Es steckte etwas dahinter, und im Frage-und-Antwort-Spiel hätte er es verstecken können; wenn er weiterreden mußte, hatte ich es in ein paar Minuten heraus. Ich häkelte also an meiner kleinen Spitze ruhig weiter und sagte nur: ›Du mußt noch für Zigaretten und Briefpapier auf seinem Tische sorgen, ich konnte nicht an deine Kassette heran.‹ Er ärgerte sich, räusperte sich, zündete die ausgegangene Zigarre wieder an und fuhr fort: ›Du wirst dich natürlich wundern – zwar weiß man bei dir nie – warum ich, nachdem ich anfänglich mich gefreut hatte, den eigentümlichen Herrn wiederzusehen, jetzt meine Einstellung gegen ihn anscheinend verändere, da er eben nicht nur an meinem Tische sitzt, sondern – also, eben, ich weiß nicht, wie ich es bezeichnen soll, mein oder unser Hausgenosse auf zirka eine Woche wird.‹ Neue Pause, ich sollte wieder heran. ›Wundern?‹ sagte ich gleichgültig – ›Gott, man sieht so viele Dinge einmal so an und dann wieder anders. Was man nicht geradezu aus sich heraus tut, sondern es wird einem mehr aufgedrungen, wie jetzt diese Sache, tut man immer ein bißchen halb gern und halb ungern, bis es soweit ist; nachher ist alles ganz banal und meist sogar etwas netter als man geunkt hatte.‹ ›Nun‹, sagte er spitzig, blieb stehen und zwirbelte an seinem Bärtchen, ›du bist ja heut außerordentlich philosophisch aufgelegt; Sentenzen, Gemeinplätze, während ich einen vorliegenden Fall sachlich mit dir zu erörtern suche.‹ ›Sachlich erörtern?‹ sagte ich unschuldig gedehnt. ›Darauf warte ich ja gerade, Günther; bisher redest du nur um die Sache herum, so als ob sie dir peinlich wäre; wenn sie das ist, laß sie doch bitte ganz unerörtert; mir ist sie, offen gesagt, ganz gleichgültig. Freinsheim ist mir einfach egal, nicht so, nicht so. Ich für mich finde solch einen Hausbesuch ganz so konventionell wie einen *five o'clock tea,* vor allem in diesem Falle; es liegt gar keine zwingende Veranlassung vor, unbedingt dadurch intimer miteinander zu werden. Das kann jeder durch bloße gesellschaftliche Formen ganz so drehen, wie es ihm paßt.‹ ›Nun also‹, sagt er sichtlich erleichtert, ›dann ist es ja ausgezeichnet; dann sind wir ja ganz einer Meinung; mehr hatte ich ja gar nicht sagen wollen. Meine ganze – soll ich sagen Bedenklichkeit war mir ja lediglich durch meine Rücksicht auf dich diktiert worden.‹ ›Ach ich bitte dich‹, sagte ich und zuckte die Achseln. ›Und wenn du ahntest‹, fuhr er mit erhobener Stimme sich ereifernd fort, ›wenn du ahntest in welchem Maße, so dürftest du mir allerdings Dank wissen, allerdings dürftest du das.‹ ›Ich weiß dir schon Dank‹, sagte ich ebenso papieren zurück. ›Aber ich habe dir ja schon gesagt, Freinsheim interessiert mich ja auch nicht so viel; ob er besser oder schlimmer als andere ist, spielt gar keine Rolle dabei. Wenn er ein bißchen schlimmer ist, kann er mich dadurch nicht tangieren, und wenn er ein bißchen besser ist, ändert das nichts für mich.‹ ›Ein bißchen besser! Ein bißchen schlimmer!‹ Günther stand mit hochgezogenen Schultern da und rief mit den Augen den Himmel zum Zeugen meiner Blindheit an. ›Ich glaube wirklich, du ahnst nicht, von welcher Art Mann du redest! Ich sehe in der Tat, daß ich dir die Augen öffnen muß. Freinsheim ist ein völlig – – aber verstehe mich recht, ein völlig skrupelloser Mensch! Von jeher gewesen! Immer geblieben! Nach meinen letzten Nachrichten heut noch wie immer geblieben! Es tut mir leid, über einen Kollegen und ehemaligen Bundesbruder so aburteilen zu müssen, es liegt, wie du weißt, gar nicht in meiner Art, und unter uns Männern, Gott, wir waren alle keine Duckmäuser, kann ich wohl sagen, »die Feder am Sturmhut in Spiel und Gefahren . . .« und so weiter, na, du kannst es dir ja denken – eben überschäumend, wie es in den Jahren sein muß – man muß ja in gesetzteren Jahren auch was zu bereuen haben, was? – – (Ich sah Günther vor mir, ›überschäumend‹, als jungen Goethe) – na, und wir untereinander werfen uns nichts vor, hauen uns auf die Schulter, wenn wir uns treffen, zwinkern uns zu und sagen: »Alter Junge, was? damals!«‹ – Mir wurde bei diesen Tönen geradezu physisch schwindlig; ich rückte meinen Stuhl unter dem Vorwande, besser zu sehen, ans Fenster, nur um ihn nicht anblicken zu müssen, denn es war plötzlich gewitterdunkel geworden und draußen klatschte Regen. ›Nun also mit einem Worte, was hatte ich sagen wollen? Also: gewissenlos in des Wortes höchster Potenz.‹ ›Das klingt ja gefährlich‹, sagte ich. ›Nur für harmlose Uneingeweihte, verstehe mich‹, orakelte er, wesentlich sicherer als vorher. ›Für solche, die auf ihrer Hut sind, ganz ungefährlich.‹ ›Wirklich?‹ sagte ich ermunternd. ›Völlig, völlig. Wer ihn durchschaut hat, ist erhaben über ihn; überhaupt hat er so ziemlich ausgespielt; man ist doch nachgerade auf jedem Gebiete ziemlich allgemein hinter ihn gekommen. Diese Airs, die er sich gibt, ziehen nicht mehr. Damit kann er den Schlawinern imponieren und in den Wiener Salons Aufsehen erregen. Die ernste Wissenschaft, dies dürfte heut das abschließende Urteil sein, hat wenig von ihm zu erwarten.‹ ›Worin bestehen eigentlich diese Airs? Nur damit ich auf der Hut bin!‹ fragte ich mit künstlichem Ernst. Er war so im Zuge, daß er die Ironie schon nicht mehr hörte. ›Ach, das ist schwer zu sagen. Solche Beschreibungen schlagen nicht in mein Fach. Du kennst ihn ja, etwas besser, als er dich gekannt zu haben scheint – muß ich dringend hoffen. Du wirst ja sehen; denke bei allem »Pose« und du bist nicht weit vom Ziel. Denke bei allem »was will er damit?« und er ist schon matt gesetzt. Denke, »dies ist nicht wahr; dies kostet ihn gar nichts zu sagen; dies wird er weder wahr machen noch halten« und so weiter. Schauspieler, alles Worte, nichts dahinter. Reine Effekthascherei.‹ ›Und was will er damit?‹ ›Ach, er sieht, was er kriegen kann; er ist kein Kostverächter; ihm ist eine wie die andere, oder einer wie der andere. Er ist ja von seiner Unwiderstehlichkeit so überzeugt. Alles hat ihm zu Füßen gelegen, alles hat nach ihm geschmachtet. Das redet er sich ein; und anderen – und hier beginnt die Gewissenlosigkeit kriminelle Formen anzunehmen – leider auch.‹ Ich hatte seine Anspielungen, von denen ich merkte, wo sie hinauswollten, geflissentlich überhört; ich wußte, daß er sich immer tiefer in seine Kleinlichkeit hineinlog, und er fing an, mich kalt zu amüsieren. Ich hatte Freinsheim zwar nicht sehr nahe gekannt, aber gut genug, um zu wissen, daß dies alles eitel Flunkerei war und überhaupt nichts mit ihm zu tun hatte. ›Merkwürdig‹, sagte ich, ›daß solche Menschen eine Rolle spielen können; wenn er so ist, wie du ihn, ich muß schon sagen, brillant schilderst, müßte er es doch eigentlich schon von Anfang an zu nichts gebracht haben; da ist doch sicher ein Teufel im Spiele?‹ ›Einer! Der leibhaftige Satan! Wie könnte man es sich sonst erklären, daß er immer wieder alle im Sack hat! Während so viel wahres Verdienst, das eben nur den Vorzug der gewissenhaften Schlichtheit hat –‹ er verschluckte sich. ›Alle im Sack?‹ fragte ich erstaunt, ›du hast doch gerade gesagt, man wäre ziemlich allgemein hinter ihn gekommen?‹ Er wurde richtig rot, ich hatte mich nach ihm umgesehen. ›Na, das läuft eben so nebeneinander her; »von der Parteien Gunst und Haß verwirrt, schwankt sein Charakterbild...«‹, er stockte, das Zitat war ein Reinfall. Ihm schwante, daß Wallenstein doch vielleicht ein richtiger Held ist. Aber er fand nicht mehr heraus. Ich wollte die Niederlage nicht zur Katastrophe werden lassen, nahm meine Häkelei und stand auf, weil ich noch anzuordnen hätte. Er stand ratlos, schluckte und wechselte die Farbe, ich ging zur Tür; er rief mich zurück. ›Das Kurze und Lange von der Geschichte ist, daß er, wie ich aus sicheren Quellen weiß, nicht dein Freund ist; vermutlich hat er es nicht verwunden, daß er bei dir damals abfuhr.‹ Da war es also heraus; er hatte sich also wirklich zu dieser letzten Panikhandlung erniedrigen müssen. ›Seit wann weißt du das?‹ – fragte ich kühl. ›Seit – nun das tut kaum etwas zur Sache: verlaß dich darauf, daß es so ist. Solche Naturen verzeihen keine Abfuhr.‹ ›Weil das Motiv nämlich auch falsch ist‹, fuhr ich fort. ›Er ist bei mir nicht abgefahren und hat nichts zu verzeihen oder nicht zu verzeihen. Er war ein Hausverkehr wie alle, trat nicht hervor, hat sich nie um mich beworben, mir nie den Hof gemacht, ich war viel zu jung, um ihn zu interessieren – glaube ich, und also stimmt jedenfalls das Motiv nicht. Wer sind deine sicheren Quellen? Aber es hat keinen Sinn, darauf einzugehen; wenn er ohne Grund schlecht von mir gesprochen hat, ist das natürlich niederträchtig.‹ Im Augenblick, in dem ich ging und er noch etwas sagen wollte, kam das Telefon aus dem Schlafzimmer, er fluchte über die Hörergeschichte und lief weg. Dann kam er mir in die Speisekammer nach. ›Der kleine Elsholtz hat wieder große Schmerzen, ich muß hin‹, sagte er bissig. ›Und ich hätte noch so viel mit dir zu bereden.‹ Ich mußte eine Abschiedszärtlichkeit ertragen, auf deren Grund ich sah – bis ins Bodenlose.

Zwei Stunden später kam Freinsheim an, wusch sich und sagte mir nur einen Augenblick guten Tag, denn er mußte seine versäumten Eintragungen nachholen gehen und, wie er mir schnell noch zurückrief, ein kleines Referat anmelden, ehe es zu spät war. Er war noch so häßlich wie früher, aber wenn auch nicht ein ausgesprochener *beau laid*, wenigstens nicht für mich, doch als Erscheinung beinahe angenehm, angenehmer als früher. Seine große und ungelenke Gestalt war magerer, aber zugleich bestimmter geworden – früher schlakste er so – seine Bewegungen, über die viele früher lachten, wirkten jetzt eigentlich originell und zwar phantastisch, aber nicht einmal ungraziös, sie hatten ihren eigenen Stil. Was an seinem unschönen Kopf mit dem zu vielen Haar und Bart so wirkte, daß man ihn immer wieder ansah, war wohl einfach der Eindruck, daß er bei all seiner Gleichgültigkeit gegen sein Äußeres ein ganz reiner und gesunder Mann von natürlicher Lebenskraft war. Seine Haut hatte ein gutes Korn, beinahe ein distinguiertes, seine großen Lippen waren – ich weiß nicht wie – zugleich zart und kräftig gefärbt, Zähne und Zahnfleisch prachtvoll gesund, die Augen hatten beinahe einen Kinderglanz, das Haar, überall wo es wuchs, und es wuchs überall, hatte etwas Reiches und Drüsiges, wie es nur aus gutem Boden sprießt sozusagen. So drückte er auch die Hand, so klang auch seine Stimme. Solche Sachen sind ja sehr schwer zu analysieren und ich hatte ihn kaum einen Moment gesehen. Natürlich ging von ihm auch die Atmosphäre eines besonderen, ich meine geistig besonderen Menschen aus, die eben auch undefinierbar ist. Ein Mensch, der seiner Sache sicher ist, und nicht mit ihr und an ihr herumbettelt, macht dich, auch wenn du von der Sache gar nichts weißt, zuerst seiner selber sicher, und diese Sicherheit genießt du sofort als ein unbestimmbares Wohlgefühl, für das du ebenso unbestimmt und unbewußt ihm dankbar bist. Während ich allein war und noch im Hause Anordnungen traf, ging mir diese Vorstellung nach, und ich hatte keinen Zweifel daran, worin die Günthersche ›Teufelswirkung‹ solcher Leute bestand. Dabei kann ich dir schwören, daß er nicht etwa als Mann auf mich als Frau gewirkt hatte, und daß ich mit bestem Gewissen Günther, der nach Hause kam, auf seine Frage nach Freinsheim geantwortet habe: ›Wüst wie damals.‹ Günther war über den kleinen Elsholtz beunruhigt. Es sähe wie ein Rückfall aus, solche Sachen seien oft perniziös langwierig. Für heute habe er durch genaue Anordnungen vorgesorgt, die Mutter wolle aber eine Konsultation. Dann kam ein Clou. Er habe mir etwas mitgebracht. Er zog ein Etui aus der Tasche, und mir wurde kalt und erbärmlich zumute; aber das Schicksal war nicht mit ihm im Bunde, denn es klingelte, zugleich hörte man Freinsheims Stimme, das Etui wanderte im Blitz wieder in die Tasche, ich war für den Augenblick gerettet, denn er trat ein und Günther begrüßte ihn mit der größten Effusion. Ich hielt mich zurück und hörte zu; als Freinsheim saß, seine langen Beine ausgestreckt durcheinandergeschlängelt, durch die halbgeschlossenen Augen unter der hohen, aber verschatteten Stirne auf die Zigarette zwischen seinem dunkelbraunen Bartwald heruntersehend, die aufgestützten Unterarme mit zehn Fingern gegeneinander spreizend, die gut gemachten, aber nachlässig getragenen Kleider irgendwie in Falten um ihn herum und von ihm weg, sah er aus, als hätte Lenbach ihn gemalt und nur teilweise ausgeführt. Günther stand vor ihm, prima und tadellos, kein Stäubchen, kein Fältchen, kein Härchen vom Scheitel gesträubt, etwas zu rosig, ausgesprochen elegant, eigentlich ein gut aussehender jüngerer Mann. Er hörte zu. Freinsheim schilderte die Prager Verhältnisse, freundlich, aber wie man sagt mit indirekter Charakteristik, so daß man ihn auf keine Schätzung wirklich hätte festlegen können und doch den Eindruck bekam, den er hervorrufen wollte. Leider hatte ich zu tun und mußte die beiden einander überlassen. Ich fing beim Herausgehen einen erleichterten Blick Günthers auf. Freinsheim hatte ein kurzes Sich-Erheben markiert.

Ich zog ein kleines Abendkleid an, taubenblau mit etwas Silber, das paillettenartig wirkte, und geschlitzten offenen Ärmeln; meine Farben fand ich so gut, daß ich überhaupt nicht auflegte, und an Schmuck wollte ich nur meine kleine Mädchenperlenkette von Papa und einen alten kleinen Familienring; als ich hierbei war, kam Günther eilig ins Schlafzimmer, noch nicht umgezogen. ›Das blaue ist unmöglich‹, sagte er. ›Freinsheim hat nur Handgepäck und außer Straßen- und Reiseanzug Frack. Du mußt ein großes Dekolleté anziehen.‹ ›Und was nicht noch‹, sage ich. ›Hofkollier vielleicht und Courschleppe? Ich bleibe genau wie ich bin. Freinsheim kennt den Unterschied zwischen kleiner und großer Abendtoilette wohl schwerlich, und wenn er ihn kennt, achtet er bei mir von selber nicht drauf. Sich mit einem einzigen Hausgast zu Oxtail, Spargeln, Ente und Soufflé, mit einem schlechten Rheinwein und einem kleinen Bordeaux in großem Dekolleté an einen so so gedeckten Tisch setzen, finde ich stillos.‹ ›Courschleppe ist entbehrlich‹, sagte Günther mit Betonung und kam näher, ›aber Kollier – warum nicht?‹ Das Etui rückte wieder an, diesmal geöffnet, Halsrubine an einer Platinkette. Er bemühte sich auszusehen, wie er sich zärtliche Liebhaber dachte. ›Du siehst‹, fuhr er, den Ästheten spielend und mir die Steine an den Ausschnitt haltend, fort, ›es paßt in der Farbe unmöglich. Es schreit geradezu.‹ ›Ja‹, sage ich, möglichst strahlend und unbefangen, ›und darum trage ich sie auch heute abend nicht zu diesem; so schön sie sind‹, fügte ich, um schließlich doch etwas zu sagen, hinzu. Er hatte aufgeregte Flecken auf den Backen und unangenehm flackernde Augen, es wurde drohend und gräßlich. Ich kannte ihn in solchen Situationen und vergegenwärtigte mir in einem Blitze, was jetzt passieren würde, wenn ich ihm willenlos Oberhand ließ. Was für eine Sicherheit und Übermut aus meiner Hellsichtigkeit explodierte, kann ich dir nicht erklären, ich war auf einmal meiner Meister und regierte mich durch unwiderstehliche Eingebungen. Ich packte ihn um beide Arme, küßte ihn, ehe er sich's versah, derb auf beide Backen, wie ein Kind, sagte: ›Lieber Günther‹ und ›welch aufmerksamer Gedanke‹ und ›gerade mein Geschmack‹ und fünferlei Ähnliches, manövrierte ihn, mit noch einem festen Kusse irgendwohin, zur Tür, und er müsse sich bei sich umziehen, und gleich würde es gongen, und er war, verblüfft und platt, auf dem Flur. Es war wie auf dem Theater gegangen, ich hatte es richtig gespielt. Der Gedanke an einen Kuß von ihm in diesem Augenblicke war mir so unerträglich gewesen, daß er mich buchstäblich gespalten hatte, in eine Komödiantin links und mich selber rechts. Er zog sich auf der anderen Seite des Flurs gehorsam um. Wir schliefen zwar im gleichen Zimmer, aber er hatte mir gegenüber für späte Heimkünfte und späte Nachtarbeit ein zweites eigenes Schlafzimmer, in dem ich ihm allmählich angewöhnt hatte, Toilette zu machen. Dann kam der Gong, ich ging nach vorn, wo Freinsheim mich schon empfing, im Frack recht gut aussehend, natürlich nicht wie Günther, der eine ausgesprochene Frackfigur hat, aber entschieden ungewöhnlich und distinguiert, gerade wegen des Kontrastes seines schweren unkonventionellen Kopfes mit den lebendigen Augen und der konventionell angegossenen Salonuniform. Ich nahm seinen Arm und wir setzten uns. Dabei sagte ich zu Freinsheim, seine alte Vergeßlichkeit und die Schützen von ganz Deutschland müßten schon zusammentreffen, damit ich in die Lage käme, einem alten Freunde einen Teller Suppe zu geben – oder sonst etwas Verbindliches. Günther fiel sofort ein, hakte bei der Vergeßlichkeit an, und hoffte, sie würde die Kollegen nicht um Freinsheims Referat bringen. Freinsheim lächelte und sagte, Kongresse und Referate hätten vor allem die gute Seite, daß man sie auch schwänzen könne wie Collegia und hinter die Schule gehen, um zu sehen, daß aus wissensdurstigen – wenn er recht erinnere – jungen Mädchen – vollendete Wirtinnen werden könnten – dies gegen mich – und aus mehr oder minder vollendeten Studiosen – wenn er sich recht erinnere – immer noch wissensdurstige Leuchten der Forschung und der Praxis. ›Meine Vergeßlichkeit überschätzen Sie. Ich halte von gelehrten Kongressen soviel, wie Disraeli von diplomatischen hielt. Sie führen immer zu den Kriegen, die sie vorgeben verhindern zu wollen, und diese Kriege führen dann wiederum zu Kongressen. Ich habe allerdings auf der Stelle, an der uns die Eitelkeit, diese große Organisatorin der Kongresse, zu stechen pflegt, irgendwann einmal gerade Hornhaut bekommen, während den hürnensten Kollegen Siegfrieds Lindenblatt gerade dahin gefallen zu sein scheint. – Mein Referat, wenn du es denn durchaus wissen willst, dauert, wenn ich so langsam spreche wie der Kandidat im Examen, fünfzehn Minuten, wenn ich so schnell spreche wie der Examinator, neun eine halbe, und ist die keusche Mitteilung eines klinischen Sonderfalles von Partial-Sehen bei Erkrankung der Gehirn-

anhangsdrüse. Verzeihen Sie diese Verwechslung‹ – gegen mich –
›von Laboratoriumstisch und Speisetisch. Ich hatte eigentlich nur
sagen wollen, daß ich von der Vorstellung, einmal ein paar Tage
ganz *en écolier* in München draufloszuleben, so fasziniert wurde,
daß ich dachte, dahin kletterst du sogar auf dem lahmen Kongreß
– wie ein Bauernbursch in meines Vaters Garten an der Berg-
straße – nachdem er einmal an einem Ebereschenbaum zum Mädel eingestiegen war, sagte: »No, zu was sind auch de Hotzebotz
gut – man muß s' nur an de richtige Kammerfenschter spaliere,
wie de Pfersch an de Südwänd.«‹

Wir lachten, das heißt ich lachte wirklich, und Günther, wie
das Volk sagt, auf den Stockzähnen. Ich mache dir seine Rede nur
ungefähr nach, damit du eine Idee bekommst, wie er sprach. Absolut nicht wie ein Causeur, sondern wie jemand, dem etwas einfällt, und dann wieder etwas, und dem es Spaß macht, zu fühlen,
daß ihm immer was einfallen wird. Er war ganz unangestrengt
und nachlässig und man merkte, daß dies reizende, treffende Reden nicht sein Geschäft war, wie bei den unerträglichen Berufs-
amuseuren, sondern sein Ausruhen, und daß er nicht nur zu den
Menschen gehörte, die sich gehenlassen können, ohne dabei Kapital und Zinsen zu verlieren, sondern daß die Natur und der Geist,
die dabei unwillkürlich zum Vorschein kamen, ihm, er mochte
sich stellen, wie er wollte, überall von selber aus den Taschen fielen, weil alles bei ihm voll und übervoll war. Effekthascher, der?
wo er überhaupt keinen Effekt machte, sondern wirkte? ich meine,
man sagte nicht ›Fabelhaft‹, sondern man fühlte sich wohl und
unbestimmt erhöht, weil man in eine überlegene Atmosphäre
mitgenommen war. Aber genug davon, ich will die Erzählung
nicht mehr unterbrechen, und wir wurden auch platt genug wieder aufs Kappesfeld gesetzt, wie Papa immer von Mama sagte.

›Erlaube mal‹, sagte Günther, den Suppenlöffel in der Hand,
›das kann doch nicht ganz dein Ernst sein, nehme ich an. Wo kämen wir hin, wenn der Forschung nicht Gelegenheit gegeben
würde, zu festen Terminen aus aller Herren Ländern zusammen-
zuströmen und ihre Fortschritte gegeneinander auszutauschen.
Dein Vergleich mit dem Kammerfenster ist ja außerordentlich
witzig, weltmännisch muß ich sagen, aber ich als Forscher würde
den Spieß eher umdrehen und hervorheben, daß man für die tra-
ditionelle Bedeutung Münchens als Kongreßstadt, die ja nicht nur
mit ihrer zentralen Lage, sondern auch mit der Vielseitigkeit der
hiesigen Interessen zusammenhängt – ich beispielsweise könnte,
wie ich dir bereits vorher bewiesen habe, kaum anderswo arbei-

ten –, daß man, will ich sagen, dafür schließlich dies ganze bier-
münchnerische Milieu und die ewige Hetz und das geradezu ge-
sundheitswidrige Hochebenenklima auch in Kauf nimmt. Was du
sagst, klingt ja in der Unterhaltung ganz nett, aber es hieße doch
den Boden unter den Füßen verlieren, wenn wir eine Theorie daraus machten. Na, nichts für ungut, prosit, altes Haus!‹

Freinsheim lachte und seine sonst immer halb gesenkten,
manchmal wie schlafenden Augen schlugen sich auf und sammelten Günther ein, ganz groß, mit reinem Braun und reinem fast
bläulichem Weiß, wie man es als Kind mit zwölf Jahren schon
verliert. Er hob sein Glas gegen mich und trank mit einem
Scherze auf meine Gesundheit, wobei er mir dazu gratulierte, das
Lebensglück an der Seite eines Gatten von vorbildlichen Grundsätzen gefunden zu haben, woran er übrigens nie habe zweifeln
können, denn wenn es ihm der gute Ton nicht verböte, jemand
an seinem eigenen Tische unter die Augen zu schmeicheln, so
würde er mir sagen können, zu welchen Hoffnungen er bereits
als Student berechtigt habe. Ich stieß wohlweislich zuerst mit
Günther an, liebevoll, und dann mit ihm, gesellschaftlich, und bat
mir seine Mitteilungen für eine spätere Gelegenheit aus, ich
wüßte so wenig von der Greifswalder Zeit meines Mannes. Freinsheim hatte meine kleine Diplomatie bemerkt, es hatte etwas dabei
um seinen Mund geblitzt, und nun sagte er: ›Du weißt nicht, wie
leichtsinnig ich mir in meiner Ferienstimmung gegen deine Reife
vorkomme, aber indem ich dir recht geben will, werde ich schon
wieder übermütig. Du wirst mir zugeben, daß Kongresse weder
eine Natursatzung sind wie der Lachssprung, noch ein geoffen-
bartes Sakrament wie die heilige Kommunion, sondern praktische Behelfe, und unsere Urteile über praktische Behelfe hängen
von dem Grade der Voraussetzungen ab, unter denen wir urteilen, ganz wie mathematische Wahrheiten, die ja einander ent-
gegengesetzt lauten können, je nachdem sie auf der Voraussetzung der Ebene beruhen oder des Raumes, die Summe oder das
Produkt oder die Potenz voraussetzen oder das Differential, einfache oder imaginäre Zahlen. Du weißt als Gelehrter, daß gewisse
Erkenntnisse an eine Denkform gebunden sind, die – um mit
deinen Worten zu reden – vorsätzlich unter den Füßen den Boden
verliert, und den reinen Raum zur Hilfsvorstellung erhebt. – Geistige Arbeit‹, sagte er plötzlich sich zu mir wendend, ›hat im
Grunde nur das eine innere Glück, das Praktische immer vom
Symbolischen unterscheiden zu können.‹ ›Das ist mir zu hoch‹,
sagte ich lachend und legte Günther Spargeln auf; er hatte die

Augenbrauen hochgezogen und sah genau aus wie ein kleiner Terrier auf einer Gartenmauer, der einen auf der Straße vorbeifahrenden Wagen anzuspringen zuckt, aber sich nicht traut. ›Zu hoch‹, sagte Freinsheim zerstreut, ›ist etwas noch so Hohes für den Menschen nie. Das meiste ist ihm zu niedrig. Ich meine‹, fuhr er lebhafter fort, ›die sonderbaren Aspekte, die ein Urteil annehmen kann, je nach der Sphäre, die es vorübergehend bewohnt. Denken Sie sich einmal, was wir eine schöne Frau aus dem besseren Mittelstande nennen würden, ich meine, was wir drei schön nennen, keine Postkartenschönheit und keine Venus, sondern ein Inneres, das durch seine Hülle scheint und es ganz verklärt, bis es jeden irdisch mangelhaften Zug stilvoll gemacht hat. Versetzen Sie dies Bild, sagen wir, unter oberbayerische Bauern, und es wird nicht bemerkt; erheben Sie es dann zu uns und es ist für uns schön; erheben Sie es zu einem Hofball unter die distinguiertesten und reserviertesten vornehmen Frauen in kostbaren Stoffen und Sternbildern von Juwelen, und es ist eine grobe Trine.‹ ›Schade‹, sagte ich, ›und eben war sie noch schön.‹ ›Keine Not‹, sagte er, ›sie wird es ja gleich wieder; denn nun erheben Sie sie in die Augen des Genies, und sie ist Gretchen; auf dieser Ebene fällt ihr die ganze Menschheit wieder zu, Bauern, Fürsten und wir, ohne Unterschied, denn sie ist ein symbolisches Ideal unser aller; aber eine Stufe höher hat sie die Augen des Genies wieder verlassen und steht vor dem Empyreum, reduziert auf »eine der Büßerinnen«. Auf der höchsten Ebene wird sie vom Göttlichen rezipiert und nicht bemerkt, wie sie auf der untersten vom Menschlichen resorbiert war und nicht bemerkt.‹ ›Ach so‹, sagte ich, und beobachtete Günther, der mit seinen Spargeln fertig war und sich die Finger wusch. Ich war gerührt, wagte keine Zustimmung, um ihn in seiner Nervosität darüber, daß ein anderer als er das Wort hatte, nicht ganz zu isolieren. ›Ja, aber was schließt du eigentlich daraus‹, platzte er, das Wasser von den Lippen wegpustend, hervor, ›ich sehe die Beziehung nicht; natürlich sind Schönheitsbegriffe relativ und was dem einen sein Uhl ist, ist dem andern sein Nachtigall. Aber . . .‹ ›Gewiß, Büdesheimer‹, sagte Freinsheim verbindlich, ›mit den ästhetischen Urteilen hast du ganz recht; aber hier kommen die moralischen Werte hinzu, und um im Zuge zu bleiben, auch das allgemeine wertsetzende Urteil. Denke dir‹ – er verbesserte sich gegen mich hin – ›denken Sie sich eine unendliche Zahl von Ebenen der Voraussetzung übereinandergeschichtet wie einen Strukturdurchschnitt in einem orographischen Buche, und denken Sie sich genau wie im vorigen Beispiele ein Urteil im

Aufstiege durch diese Schichten, ein ganz banales, wie etwa, »die Frau ist dem Manne untertan«, oder »Kongresse sind ein Schwindel«. Dies letztere Urteil zum Beispiel ist in der untersten Schicht – wie Büdesheimer richtig sagt – eine Paradoxie, in der zweiten ein Gesetz, in der dritten ein Irrtum, in der vierten eine fruchtbare Voraussetzung und so weiter. Jede neue Stufe enthält aber wiederum in sich alle tiefer liegenden als Erfahrungsstamm, und ist in diesem Sinne eine Summe von Möglichkeiten der Annahme. Dies ist es, was ich den symbolischen Charakter von Erkenntnissen nenne, gegenüber dem praktischen von Behelfsnutzungen, und dies macht dich und mich in unseren Beurteilungen der Welt um einen Gewichtskoeffizienten leichter, wie den Schwimmer und den Vogel. Gelehrte können als Auguren sowenig miteinander streiten wie Kongreßminister. Sie sind alle in der gleichen Denkform ausgebildet, und sehen einander, wie Bismarck sagte, hinter die Augen.‹ Ich kam, um die Spannung zu überwinden, Günther zu Hilfe: ›Wie interessant‹, sagte ich und bat ihn, nur um ihn zu beschäftigen, um den neben ihm stehenden französischen Kräutersenf zum Salatanmachen – ›wie interessant, Günther, daß Freinsheim deine ganzen Ansichten über die Relativität doch eigentlich bestätigt, die du neulich abends beim Tee bei Dorners auseinandergesetzt hast.‹ Freinsheim schob in seiner drolligen Weise das Kinn vor und horchte auf, seine gleichmäßigen starken Finger strichen den verwirrten Schnurrbart rechts und links ab und die auffallend reine Frische, fast jungfräuliche Frische seines in der Form doch unharmonischen Mundes trat hervor. ›Nein‹, sagte Günther scharf, ›bitte eins nach dem andern; ich verstehe, offen gesagt, nicht, Freinsheim, wie du bei so merkwürdigen – ich will dir gar nicht zu nahetreten – ... ich meine, betrachtest du dich eigentlich noch als exakten Forscher auf streng naturwissenschaftlicher Grundlage? Wenn ich meine Forschungen über die Paukenhöhle statt auf Beobachtungen auf deine Ebenentheorie aufbauen und in Lüften schweben wollte... aber bitte, du wolltest etwas sagen.‹ ›Die Paukenhöhle, Freinsheim‹, warf ich schnell dazwischen, lächelnd natürlich und ganz leicht, ›ist hier ein sehr großes Wort‹, und da Günther gerade die Ente serviert wurde und er nach dem Bruststück stocherte, sah ich Freinsheim unwillkürlich bittend an. Er erwiderte meine Blicke zuerst mit einem leichten Nicken der Lider und Wegsehen, dann kehrte er zu meinen Augen zurück, durchforschte sie mit einem kurzen, strengen Blitz, und dann veränderte sich der Ausdruck seines Blickes in menschliches Verständnis und sein Lächeln in Nachdenklichkeit. Es war eine Sekunde. Dann sagte er: ›Wenn es nie Leute gegeben hätte, die in Lüften schwebten, gingen wir vermutlich noch auf allen vieren. Bedenke, daß unser ganzer Kulturzustand ein schwebender ist, der sehr mühsam und zum Teil unter den größten Anstrengungen und Schmerzen in der Schwebe gehalten wird, und keine Grundstellung, von der aus wir das Unten und das Oben, das Tierische und die Werte, relativieren könnten. Aber dies ist keine Dinerunterhaltung, sondern ein Kongreß. Der französische Witz sagt es ja: Was ist ein Deutscher? Ein Gelehrter. Was sind zwei Deutsche? Ein Kongreß.‹ Er verschluckte etwas. ›Es geht noch weiter‹, sagte Günther süffisant: ›Was sind drei Deutsche? Der Krieg. Ich kann auch zitieren.‹ ›O nein‹ sagte ich mit stürmischer Gutlaunigkeit, ›nicht, wenn ich die dritte bin. Frauen haben das Recht, *terre à terre* zu sein, vor allem wenn Männer »den Boden unter den Füßen verlieren« – und überhaupt, wie kann man zwei Männer und eine Frau addieren; soviel ich weiß, ist das schon nach Adam Riese falsch. Bitte, Günther, schenke doch Freinsheim Rotwein ein; nein, diesen Krieg akzeptiere ich nicht, es steckt hinter ihm, wie hinter den meisten, eine Emser Depesche.‹ ›Wenn ich als einfacher Mann diese auf die Spitze gestellte Konversation überhaupt noch mitmachen kann, oder vielmehr in ihr noch geduldet werde‹, sagte Günther ungezogen, ›so willst du damit erstens sagen, daß unser größter Staatsmann nach der französischen Version einen Kriegsfall durch Fälschung herbeigeführt hat und daß ich zweitens im kleinen ähnliches tue; beides muß ich meinerseits aufs entschiedenste zurückweisen!‹ Seine Oberlippe zitterte, ein Entenknochen emanzipierte sich von seiner Gabel und begann eine Kometenbahn, die unter dem Tische endete. Ehe ich mir noch meinen Schrecken ganz bewußt gemacht hatte, erschallte schon Freinsheims absichtlich übervergnügte Stimme: ›Aber das kommt ja wie gerufen für meine These von vorhin, Büdesheimer, vom Aufstieg durch die Wandlungen der Voraussetzung. Siehst du, für Bismarck war die Emser Depesche die brillante, technische Verwandlung von Unterhand in Oberhand, für die Franzosen ein Symbol von Deutschlands angeblicher Skrupellosigkeit, für deine Frau, der beide Beurteilungen ganz fernstehen, ist sie nur noch eine Anspielung auf eine ganz bekannte Geschichte, wie Damoklesschwert und Salomonisches Urteil. Die tragischsten Dinge werden eines Tages zu Gemeinplätzen, an denen überhaupt nichts Tragisches oder Komisches mehr ist.‹ ›Ich bin dir außerordentlich verbunden für die Verteidigung meiner Frau, die das mir gegenüber aber gar nicht nötig hat‹, bemühte sich Gün-

ther möglichst kühl zu bemerken, und konnte schon nicht mehr
weiter, denn ... ›Um so besser, natürlich‹, lachte Freinsheim, ›natürlich bist du ihr bester Anwalt, wenn sie überhaupt bei so
harmlosen, kleinen Mißverständnissen einen braucht; das sind
die Folgen der Forschernatur, gnädige Frau‹, sagte er lustig weiter
und seine Augen funkelten; ›wie sehr haben wir alle unter der
Angewohnheit, die Dinge zu genau zu betrachten, zu leiden, und
Sie wissen, was schon der vernünftige Horatio sagt – die Dinge so
betrachten, heißt sie zu genau betrachten‹, und ein rascher beru-
higender Blick ging schnell in mich über. ›Nun‹, sagte Günther
plötzlich ganz ruhig, ›da du denn zur Abwechslung – ich bewun-
dere ja deine Vielseitigkeit – mich verteidigst, so will ich dir offen
heraussagen, daß ich mich in dieser Hinsicht – und ich glaube
mich sehr genau zu kennen – schlechterdings unbelastet fühle.
Haarspaltereien – du nimmst es einem alten Freunde gewiß nicht
übel, wenn er frei von der Leber weg redet – wie sie dir gelegentlich nicht ferne liegen, schlagen nicht in mein Fach und würden
mich nur beirren. Kühnheit im Vorgehen durch die verwirrende
Fülle der Beobachtungen, der Forscherdrang, ausgefahrene Geleise
zu verlassen – du weißt ja wohl, daß kein Geringerer als Cherbuliez von mir wörtlich gesagt hat: »L'esprit hardi et innovateur
que le Dr. Büdesheimer« – so? ich dachte, das wäre dir bekannt,
es hat im Journal des Savants gestanden – dies sind sozusagen
meine Leitsterne gewesen. Gewiß hat es in unentwickelten Zeiten,
die den entsagungsvollen Weg der streng experimentellen Arbeit
nicht kannten, spekulierende, mehr so aphoristische Köpfe geben
müssen, und ich will nicht in Abrede stellen, daß wir ihnen gewisse Anregungen verdanken. Aber wenn ich bei meinen Arbeiten über die Paukenhöhle den Boden unter den Füßen verliere,
verlieren meine Patienten unter Umständen das Gehör, mein Lieber, und wenn ich mich im Leben daran gewöhne, meine Urteile
Kletterpartien durch die Voraussetzungsschichten machen zu lassen, dann würden wir hier nicht gemütlich um ein Soufflé Roth-
schild herumsitzen, sondern wären irgendwie, um im Bilde zu
bleiben, drunter durch. Wie du siehst, kann ich auch in Bildern
und Antithesen reden, und zwar ohne dabei den Boden der Tatsachen zu verlassen. Sieh mal, als Spezialist, der sozusagen an
der Spitze der gesamten Wissenschaft marschiert – denn wenn
wir nicht die letzten überhaupt möglichen Verfeinerungen‹ – er
sprach jetzt langsam und suchte nach Worten, hatte einen roten
Kopf und aß nicht mehr – ›die letzten Schliffe sozusagen, wenn
wir sie also nicht weiter ausfeilten – kurz und gut, ein Spezialist

hält sich zwar über die Fortschritte der Gesamtwissenschaft auf dem laufenden, und dazu sind die von dir so verachteten Kongresse gerade da – aber um auch noch als Salonphilosoph Mücken zu seihen, dazu sind die Kranken zu sehr auf ihn angewiesen.‹ In diesem Augenblick telefonierte es hinten. ›Eugen‹, rief Günther, ›lassen Sie das Telefon zu Fräulein Kleinjohn ins Laboratorium umstellen, sie soll alle Telefonate aufnehmen und allen ohne Unterschied sagen, ich sei nicht zu sprechen.‹ Der Diener verschwand. ›Ich habe vor einem Jahre über diesen Punkt in der Klinischen Wochenschrift in einem Aufsatze, der endlich einmal mit allen meinen Gegnern, heimlichen und offenen, abrechnete – nein, danke, keinen Wein mehr; oder warte mal, doch.‹ Er stürzte ein Glas Rotwein herunter, Freinsheim rückte hinter die Blumen, so daß Günther ihn nicht sehen konnte, seine Unterlippe hing etwas; seine Augen sagten: ›Du hast eine armselige Wahl gemacht, kleine Frau‹, aber ich war nicht für Mitleid gestimmt, denn ich hörte Günthers Reklame nur noch mit den Ohren und war in mir vollkommen ausgeglichen und gefühlssicher. – ›Ja, also in diesem Aufsatze, der auch, wenn ich selber das aussprechen darf, berechtigtes Aufsehen gemacht hat, habe ich die allerdings nicht glanzvolle Spezialpraxis gegen die heute moderne theoretische Faselei und alle ihre Ismen energisch verteidigt.‹ ›Außerordentlich interessant‹, sagte Freinsheim mechanisch, ›und ich kann dir fast in allem recht geben. Wir wissen alle, daß leider Gottes der Leistungsumfang des Gelehrten eine schmerzliche Konstante ist, der man rechts nur zuborgen kann, was man von links genommen hat, und also ist, praktisch gesprochen, die Beschränkung weder unsere Schuld noch unser Verdienst, sondern unsere Proportion. Andererseits weißt du, daß der Mensch außer der wissenschaftlichen noch viele andere Persönlichkeiten in sich beherbergt, und daß seine Beschränkung an ihnen ihren Ausgleich immer sucht, manchmal sogar findet.‹ ›Viele Persönlichkeiten? Ist mir nicht bekannt‹, schnarrte Günther, erstaunt tuend. ›Dann tut es nichts zur Sache‹, sagte Freinsheim lächelnd. ›Erlaube mal, warum nicht? soviel ich weiß, ist eine einheitliche Persönlichkeit doch‹ – Ich konnte das so nicht weitergehen lassen, ›Günther meint es, glaube ich, mehr als Charakterfrage, Freinsheim‹, sagte ich und wollte weiter den neuen, albernen Gegensatz vertuschen, und nun brach das Wetter los: ›Ja, brauche ich denn außer einem Anwalt noch geradezu einen Vormund? Willst du es vielleicht mir gütigst überlassen, selbst zu explizieren, was ich meine. Ich bin überzeugt, daß Freinsheim meine Sprache mindestens so gut versteht wie deine, und daß du ihn nicht mit Kommentaren gerade über mich zu füttern brauchst, um ihm zu beweisen, daß du in allen Punkten mit ihm sympathisierst.‹ Es klopfte in diesem Augenblick, Fräulein Kleinjohn stand in der Türe. ›Herr Doktor, Frau von Elsholtz bittet dringend um sofortigen Besuch. Der Kleine soll in Lebensgefahr sein und muß operiert werden.‹ ›Bitte, sagen Sie, ich sei nicht Operateur und sei absolut unabkömmlich; nein, bitte nichts weiter; danke; nein, danke.« Freinsheim hatte aus dem Fenster gesehen, wir sahen uns alle an, ich Günther mit einem sehr deutlichen Blick. Ich hatte mich glücklicherweise noch gerade in der Gewalt gehabt, als die rettende Unterbrechung kam. Freinsheim fragte: ›Ein ernsterer Fall?‹ ›Mittelohrentzündung‹, sagte Günther, ›ich habe alle Anordnungen gegeben und kann jetzt nichts machen. Es gibt Operateure genug, die zwanzig dieser kinderleichten Eingriffe an einem Tage machen, und die Leute wissen, daß ich grundsätzlich nicht operiere; sie sollen Wülfing rufen.‹ Günther schälte mit zitternden Händen eine Banane. ›Wie schöne Bananen Sie in München bekommen‹, sagte Freinsheim. ›In Prag haben wir so minderwertig nachgereifte, daß ich sie seit Jahren nicht gegessen habe, obwohl sie meine Lieblingsfrucht sind von Indien her, wo sie allerdings im Zustande natürlicher Reife ganz anders schmecken.‹ Ich reichte ihm die Schale. ›Ah‹, sagte er, ›das ist ja ein stammechtes Bündel. Es erinnert mich immer, wenn ich es sehe, an ein Erlebnis, einen merkwürdigen Fall von Willensbeeinflussung. In Hassannagar auf Ceylon, wo ich mir einen Schlafkranken angesehen hatte, pflückte eine junge Singhalesin auf einem alten Baume Bananen und warf die Fruchtstände untenstehenden jungen Manne zu, der ihr Gatte oder Geliebter, wie dort meistens, oder Bruder sein mochte; sie stand zehn Meter hoch oben, ein zartes, junges Ding mit einem blauen Schurz. Ich sah aus einer kleinen Entfernung mit Engländern, die mich begleitet hatten, zu. Plötzlich brach und splitterte es im Baume, wir sahen sie einen halben Meter tiefer stürzen, sie hatte einen Pack Blätter mit der rechten Hand ergriffen, ihr einer Fuß suchte im Leeren, die große Zehe des andern hatte im Baume einen für uns unsichtbaren Halt gefunden, im nächsten Augenblick sahen wir sie schon unrettbar tot an den Boden schlagen. In diesem Moment stieß der junge Mann einen hohen, singenden Schrei aus, wie ich ihn nie aus einer menschlichen Kehle vernommen hatte, warf den Kopf aufblickend zurück und versank für uns in eine erzgegossene Starre. Das Mädchen oben, die Augen in seinen, schwankte nicht mehr so grauenhaft, sondern erstarrte gleichfalls in der

482

Schwebe. Er hielt sie, die den Boden unter den Füßen verloren hatte, mit den Augen über dem Abgrunde. Wir standen ratlos und fast so starr wie die beiden, und wollten nach Leitern laufen, als oben durch den zarten, braunen Leib ein Zittern ging, die freie Hand sich bewegte, den Stamm suchte, ihn fand, und der ganze Körper mit tierischer Sicherheit hinabglitt. Zugleich hatte der junge Mensch sich langsam erhoben. Sie küßte ihm die Schulter und sie gingen fort.‹ Günther starrte vor sich hin und hatte augenscheinlich weder zugehört noch verstanden.

›Wie merkwürdig‹, sagte ich so fest wie ich noch konnte, ›ich hätte gedacht, der Bann hätte nicht gebrochen werden dürfen, wie bei Nachtwandlerinnen, bei Gefahr doch noch zu zerschmettern.‹ ›Er hatte wohl auch diesen Befehl auf sie übertragen‹, sagte Freinsheim gleichgültig, ›oder es hatte genügt, ihr für den Moment der grauenvollen Krisis das Quantum Ruhe zu geben, dessen sie bedurfte, um im Gleichgewicht aufzutauchen und zu handeln. Der Mensch in der Krisis ist an und für sich magisch und mit unseren Mitteln nicht erklärlich.‹ Günther fuhr auf. ›Da ist sicher die Kleinjohn wieder, ich höre sie kommen, morgen wird ihr gekündigt‹, sagte er böse. Damit stand das arme Mädchen auch schon aufgeregt in der Türe: ›Verzeihen Herr Doktor, aber ich konnte wirklich Herrn Geheimrat von Wülfing nicht so abfertigen, er hat mich so angeschrieen am Telefon, er müßte Herrn Doktor unbedingt sprechen, es ginge auf Tod und Leben, ich habe das Telefon zu den Herrschaften hinuntergestellt.‹ Und damit war sie weg. Günther stand auf und warf dabei sein Glas um; er war kreidebleich geworden, und sah von Freinsheim zu mir und zu Freinsheim zurück; dann setzte er sich störrig zurück und sagte: ›Ich gehe nicht; mir ist nicht wohl.‹ Wir blickten ins Leere. Das Telefon schrillte, tobte, forderte und schwieg; schrillte wieder und schrillte, mit der idiotischen Stimme der angetriebenen Maschine, die sich weder senken noch steigern noch von selber verstummen kann. Ich wußte, daß er uns nicht miteinander allein lassen würde, und wenn die Glocke zerspränge und seine elende Angst wurde, indem sie in mich überging, in mir zu einer fast unerträglichen Welle, die mir an den Hals ging und mich betäuben wollte, aber ich faßte mich und ging ohne eine Frage oder ein Wort hinaus ans Telefon im Schlafzimmer. Wülfing als der größte Chirurg von München, maßlos einflußreich und maßlos reizbar, durfte nicht außer sich gebracht werden, aber ich konnte mich kaum zur Ruhe zwingen, denn der nüchterne Entschluß, durch den ich meine Erregung scharf durchschnitt, ging mir wie

ans Leben. Ich log: ›Herr Geheimrat? Ja ich, Frau Dr. Büdesheimer. Mein Mann zieht sich schon um. Ja, wir hatten Gesellschaft,
auswärtige alte Freunde. Sie wünschen meinen Mann zur Konsultation? Das ist mir sehr, sehr angenehm, denn er operiert nicht
gerne, am wenigsten nach Alkoholgenuß.‹ ›Gewiß, gewiß‹, Wülfing beruhigte sich langsam, ›Sie müssen ja begreifen, verehrte
gnädige Frau, daß ich einen Kinderkopf nicht aufmeißele in einem
so schweren Fall, ohne die ganze Krankheitsgeschichte zu übersehen. Ich bin auch nicht gern gekommen, meine Frau ist schwer
krank.‹ ›Was?‹ ›Bösartige Angina, Kokken. Aber dafür sind wir
schließlich Ärzte. Also Büdesheimer ist in zehn Minuten hier?
Fünfzehn, nicht eine mehr. Ich kann mich darauf verlassen?
Danke, danke ‹

Ich ging zurück; die Männer waren aufgestanden, Freinsheim
stand am Fenster und sah in die Regennacht, Günther rannte
durchs Zimmer. ›Wülfing erwartet dich bestimmt in fünfzehn Minuten allerspätestens bei Elsholtzens. Konsultation, er operiert
nicht ohne dich. Ich habe gesagt, du zögest dich schon um.‹ Er riß
die Hände aus den Taschen, warf sie in die Höhe, die Augen traten ihm hervor, er drehte sich halb zu Freinsheim, halb wieder zu
mir. Er wollte flüstern, aber er schrie beinahe: ›Da irrst du dich
sehr. Ich denke nicht daran ... ihn jetzt‹, er hatte Freinsheim gemeint, wie ich genau wußte, aber ich sagte mit meiner letzten
Kraft: ›Gerade jetzt darfst du ihn, Wülfing, nicht aufbringen, er
ist dir noch grün!‹ ›Bitte telefoniere sofort an Marietta, daß sie
noch herkommt.‹ Marietta Brandt, eine Kusine von ihm. Freinsheim hatte langsam schlendernd das Zimmer verlassen und sich
im Salon zu einem Büchergestell herabgebeugt. Günther fuhr leiser fort: ›Ich gehe im Frack, sobald Marietta hier ist; was ist?‹
Der Diener, den ich angewiesen hatte, stand in der Tür: ›Der Anzug für Herrn Doktor ist herausgelegt, ich helfe beim Umziehen,
Herr Geheimrat von Wülfing hat das Auto geschickt, es wartet
unten.‹ Wir hatten den lautlosen Wagen überhört; jetzt tönte
seine Hupe und rief. Günther stürzte fort, mit krummem Rücken,
wie von Furien verfolgt.

Das Zufallen seiner Tür verwandelte sich in meinen Ohren in
ein wildes Glockenläuten, mir wurde purpurn und golden vor den
Augen, es hob mich und drehte mich um mich selber, alle meine
Adern stürzten vorwärts. Ich hatte keinen Tropfen Wein getrunken, und schwankte doch in einem Rausche, ich glaube zweimal
um den Tisch; das Licht war mir zuviel, ich fand mich in meinem
tanzenden Außer-mir-Sein an den Schalter, drehte aus und stand

wieder taumelnd und gedankenlos. Dann war ich in einem Strome, der mich riß und, ohne daß ich mein Gewicht noch fühlte, vorwärts trug. Freinsheim hat mir nachher gesagt, er habe mich beim Hereinkommen zu ihm kaum erkannt. Ich wäre wie ein fremdes Bildwerk gewesen, die sterbende Mänade, mit zerfetzten Ärmeln, brechenden Augen, im Tanzschritt stoßweise vorwärts kommend, dunkel von Schamröte im Gesicht, schauerlich und besessen; er hätte mich auffangen wollen, wäre aber von dem Anblick gelähmt gewesen. Das alles weiß ich nicht, man kann sich nicht sehen. Was ich weiß, ist: ich nahm ihn von hinten, die beiden Hände an seinem Kopf, den ich zu mir holte, und küßte ihn hundertmal auf den Mund, nahm ihn unter den Armen, grub mich in seine Lippen, bis sie meine Küsse mit Küssen erstickten, seine Arme mich zu sich hoben und wir verschlungen ineinanderhingen, mit geschlossenen Augen, aus einem einzigen Stücke. Dann ließ er mich los. Günther rief von unten, ich lief ans Speisezimmerfenster, das auf die Straße führt. ›Marietta wird in zehn Minuten hiersein‹, sagte er von unten herauf. ›Prenez garde à ce que vous faites. Souvenez vous de ce que je vous ai dit auparavant. Vous devriez le connaître désormais, par exemple. Je serai de retour aussitôt que je pourrai.‹ Ich lag über die Fensterbrüstung, glühend, atemlos, wollte lachen, aber es wurde nur ein Zittern daraus. Regen schlug mir duftend ins Gesicht, die Luft war aus Blumen. ›Swept off my feet?‹ rief ich hinunter, ›are you afraid I might be? Don't you worry. I may have been, but I am on firm ground now. Habe festen Boden unter den Füßen. Gute Nacht.‹ Ich schlug das Fenster zu, lief ins Schlafzimmer, riß den Hörer hoch und rief Marietta an. ›Aber ich komme ja gleich‹, rief es zurück, ›brennt's denn? Was hat denn Günther?‹ ›Marietta‹, sage ich, ›verzeih, daß man dich gestört hat, aber komme lieber nicht, ich bin gar nicht wohl und gehe lieber zu Bett.‹ ›Nun, das tut mir ja sehr leid, aber offen gesagt‹, ganz unangenehm wäre es ihr nicht, tausend banale Gründe. Als ich in den Salon zurückkam, war er leer. Durch die Spalte von Freinsheims Zimmertür kam Licht. Ich ging wieder nach vorn, drückte die Stirn an die feuchten Fensterscheiben, warf mich auf ein Sofa, sprang wieder auf. Eugen hatte inzwischen abgedeckt, die Leute waren zu Bett. Ich ging wieder nach hinten, ins Schlafzimmer, zog mich aus, war unfähig, einen Gedanken zu fassen, badete mich, um mich zu kühlen, lau. Meine Ohren donnerten Musik, mein Geruch roch Blumen, der Tanz ging durch mich hindurch, stampfend wie der Motor durch das Schiff. Ich hatte plötzlich die Illusion einer ungeheuren Muskelkraft, und daneben die einer ungeheuren allgemeinen Zuversicht. Brechen, Brechen, Zwingen, Zwingen, Durchsetzen, Antun, Handeln – dies stieß in zyklischen Impulsen durch mein tobendes Inneres. Es war nicht Hingabe, es war Aufstand. Ich hätte etwas schleudern mögen, etwas furchtbar Schweres tragen, nackend, wie ich war, steil bergauf tanzen. Ach um eine Betätigung, eine Rache, eine Vernichtung und Zerknirschung, Zermalmung meiner unstillbaren Raserei! Wie? Nein! Ich kann dir schwören, ich wäre unfähig gewesen, in diesen Augenblicken, ihm zu gehören. Tun, nicht leiden, harte Lust, nicht weiche. Ich hätte tausend Frauen mit mir haben mögen, die alle mein Schicksal hatten, aber nicht einen Mann, außer um ihn zwischen meinen nackten Händen zu zerreißen!

Wieder kam das Telefon nebenan aus dem Schlafzimmer. Günther rief an. Ich sagte ihm kurz, Freinsheim wäre schlafen gegangen, ich ginge auch zu Bett. Wo Marietta wäre? Ich überdeckte die Frage mit der Frage, ob er nicht käme. Nein, vermutlich spät; der Fall sei schwer, aber nicht hoffnungslos; er käme kaum vor den Morgenstunden. Pause. Ob er nicht heute abend sehr unverträglich gewesen sei. Oh, sagte ich. Ja, der Beruf habe ihn sofort wieder ins Gleichgewicht gebracht. Arbeit ernüchtere glücklicherweise. Ich fragte, ob er mir das nicht lieber morgen weitererzählen wolle. Ja, aber er würde sich gerne noch bei Freinsheim entschuldigen, ob ich ihn nicht ins Laboratorium schicken könne, und umstellen. Ich könne ja sagen, er bitte um einen kollegialen Rat. Mich durchzuckte es. Ich könnte Eugen wecken, sagte ich, daß er ihn hole und nach oben geleite; inzwischen würde ich umstellen, und er könne in einer halben Stunde anrufen, bis dahin wäre er dann wohl oben. ›Gut‹, sagt er. ›Bist du mir böse? Du bist so sonderbar.‹ Da ich wußte, daß ich nicht seine Frau bleiben würde, sagte ich: ›Auf Morgen also, heut bin ich einfach zu müde‹, und hing an; umstellen tat ich nicht. Meine ganze erste Frenesie war mit dem Moment des Sprechen-Müssens dahin gewesen, aber ich war ein anderer Mensch geworden, in Minuten.

Ich nahm einen dicken chinesischen Schlafrock, der bis auf die Füße und Hände reichte, und ging ohne anzuklopfen in Freinsheims Zimmer. Er lag halb ausgezogen in Unterkleidern auf dem Diwan, ein Bein am Boden, die Hände unter dem Kopfe, mit bloßem Halse, der wieder wunderlich schlank und knabenhaft aussah, so kraftvoll er war. Ich blieb vor ihm stehen, er richtete sich halb auf und griff nach meiner Hand, die er noch festhielt, nachdem er mich sitzend neben sich gezogen hatte.

»Günther will Sie später anrufen, sagte ich, ›und sich, ich weiß nicht genau was, bei Ihnen ausbitten oder erbitten, es liegt ja wohl nicht viel daran. Ich habe es so geordnet, daß eine halbe Stunde bis dahin ist. Er nimmt an, ich sei schlafen gegangen und der Diener rufe Sie. Ich komme selbst zu Ihnen, um Ihnen zu danken, mein Geliebter, und Abschied von Ihnen zu nehmen.‹

›Warum Abschied, Rosie‹, sagte er sanft, ›jetzt schon?‹

›Ich meine nicht schon jetzt. Aber man kann nicht früh genug damit anfangen, und wir haben keine Ewigkeit. Ich werde zwar Büdesheimer gleich morgen sagen, daß ich ihn verlasse, aber wir beide, Sie und ich, haben kein Leben vor uns.‹

›Wissen Sie‹, sagte er und küßte meine Hand, ›daß ich Sie nicht –‹ ›Ich weiß es. Ich weiß, was Sie wissen; Sie wissen, was ich weiß. Und ich glaube sogar, daß wir uns von morgen an nicht wiedersehen können. Mein Dank für Ihr hohes Herz, für Ihren großen Sinn, für Ihre menschliche Hilfe, ja Ihre Hilfe und Teilnahme besteht darin, daß ich Ihnen das Wort, das Sie nicht sprechen würden, von den Lippen nehme.‹ Ich küßte ihn und drückte ihn an mein Herz. ›So wie die Minute vorhin, fängt kein neues Leben zwischen Mann und Frau an, und, wenigstens für Sie und für mich, nicht einmal eine menschliche Beziehung. Sie sollen nicht glauben, daß eine schlechte Frau, die Vorwand suchte, Sie im eigenen Hause nach einem halben Tage überrumpelt hat. Sie haben mir über meine tiefe Wunde die Augen aufgetan, in dem Augenblick, in dem Sie sie schon heilten. Sie haben mir die Arme frei gemacht durch Ihre Freiheit und ich habe sie gleich dazu brauchen müssen, wozu sie da waren – Sie an mich zu ziehen, mein Einziger, weil Sie das Erste auf Erden waren, wozu ich gern gehörte, denn ich bin eine Frau.‹

›Rosie‹, sagte er, ›warum entschuldigen Sie sich?‹ Und hier fuhr er ganz leise fort, mich so zu schildern, wie ich vorhin den Saal betreten hatte. ›Wozu glauben Sie, hätte ich mein inneres Gesicht? Ich habe den schönsten Moment meines Lebens erlebt und gehe von Ihnen mit dem Bewußtsein, daß vielleicht kein Mensch meiner Zeit erfahren hat, was ich erfahren habe. Darum kann ich Sie nicht von hier, wissend und wissentlich in etwas anderes verwandeln. Sie sind vor meinen eigenen Augen ein Naturereignis gewesen. Ich habe Sie zerspringen sehen wie eine Gußform und daraus hervorgehen wie etwas Neues. Und wenn Sie sagen, Sie seien eine Frau – wohl, ich bin ein Mann. Ich getraue mich nicht zu sagen, daß ich Sie liebe. Aber ich sehne mich danach, Sie noch einmal, und wäre es nur einmal noch im Leben, sagen zu hören

»mein Geliebter«. Das Wort, wenn Sie es sprechen, hat zum ersten Male im Leben für mich eine Bedeutung.‹

Ich sagte es ihm zwischen Küssen und nahm ihn in die Arme, jedes lächelnde, verlegene Widerstreben in ihm mit neuen Küssen besiegend, bis seine Arme Zutrauen zu sich gewannen und ich ihn sich selber völlig abgerungen hatte. Dann zog ich ihn mit mir; die halbe Stunde war fast vorbei. ›Wohin?‹ sagte er zögernd, ›warum nicht hierbleiben?‹ Ich bedeutete es ihm, und er ließ sich nachziehen, mit einem Scherze. Er war wie ein edles Kind in diesen spielenden Entzückungen, es bewegt mich, an ihn zu denken.

Wir saßen zu zweit auf den Betten, mit untergeschlagenen Beinen wie in Tausendundeiner Nacht, auf das Glockenzeichen wartend, und erfanden uns Geschichten. Der Mond sah durch zerrissene Regenwolken dann und wann in das unbeleuchtete Zimmer und meißelte seinen schlanken Körper mit dem schweren Kopfe märchenhaft aus. Er sagte mir verlegen lachend, jene Bananengeschichte habe er im Augenblick erfunden, um die platte und erbärmliche Minute zu veredeln. ›Nicht auch‹, sagte ich, ›um eine geheime Zwiesprache mit mir zu zaubern?‹ ›Ich weiß nicht‹, sagte er unschuldig, ›vielleicht. Sie bewohnten in Ihrem unverdienten, häßlichen Unglücke mein Inneres und es wird sich wohl bemüht haben, mit diesem vornehmen Besuche, einer beleidigten Prinzessin, zu prahlen.‹

Das Telefon schrillte, er sprang vom Bette, das Herz stand mir still. Ich hörte ›Freinsheim... Ja. Um Entschuldigung? Nein, Büdesheimer, Sie müssen sich selber um Entschuldigung bitten, nicht mich. Wieso? fragen Sie? Sie haben sich gegen sich selber vergangen, nicht gegen mich. Ja, das kann ich Ihnen telefonisch schwer auseinandersetzen. Warum nicht? Es wäre feige von mir, weil Sie telefonisch nicht reagieren könnten. Nein, Sie werden mich morgen nicht mehr vorfinden, ich muß unvorhergesehenerweise sofort nach Prag zurück und fahre mit einem Frühzug, vier Uhr zehn. Das alte Du. Nun wenn du willst, Büdesheimer, du tust mir leid.‹ Er wandte sich um. ›Er hat abgehängt, »wegen meines zu den Vorgängen in keinem Verhältnisse stehenden beleidigenden Tones«. Er ist noch der Alte.‹ Der große wunderliche Mensch stand neben meinem Bette, setzte sich halb und griff nach meinen Händen.

Ich habe ihm mehr als die Hände gegeben, mehr als seine Hände genommen. Ich habe ihm jeden Abschied unmöglich gemacht, den er die ganze Nacht hindurch immer wieder nehmen wollte, und das Schicksal, das mich zwölf Jahre lang zum Werkzeug der Gemeinheit gemacht hatte, mit der ganzen Pracht und Herrlichkeit des freien Entschlusses, an einer solchen Brust, für immer gewendet. Ich kann nichts davon sagen, aber ich kann nicht daran denken ohne einen Triumph. Ich habe ihm eine schöne Gewalt angetan und mich unwiderstehlich gefühlt, einen, der den Sieg wert war, mit allen freien Mitteln der Natur, wieder und wieder, mit den Scherzen der Überirdischen, zu mir gehoben und in mir verzückt. Als er morgens ging, sich leicht von mir lösend wie eine Morgenwolke vom Berge, ohne Riß und ohne Trauer, habe ich gewußt, wozu man geboren wird und wenn man sofort stürbe. Mein Mann war schon da. Er ist auf nackten Zehen bei seinen Schuhen vorbeigeschlüpft, hat rasch gepackt und aus dem Fenster einen verschlafenen Wagen angerufen. Dann hörte ich die Haustür gehen und schlief sofort ein.

Als ich kam, war Günther mit dem Frühstück fast fertig. Ich ließ schweigende Minuten vergehen und sah seinen glatten Kopf über die Medizinische Wochenschrift gebeugt lange an, ehe ich es ihm sagte, mit den Worten, die du weißt. Als es heraus war, ganz gleichgültig hingesagt vor Aufregung, sah er mich an, als ob er aufspringen und um Hilfe rufen wollte, weil ich etwa vor einer Tobsucht stände. Dann muß er wohl begriffen haben, ließ das Blatt sinken und wurde grün. Er tat mir sehr leid. Abends war ich schon in Frankfurt bei Mama.« – Sie atmete auf. »Rosie«, sagte ich bittend. Sie schwieg. »Rosie!« wiederholte ich, außerstande, mich zu begnügen.

»Ich kann nicht mehr«, sagte sie ohne Ton und strich, immer mit der gleichen Bewegung, die gleiche Falte glatt.

»Früher sagte man, die Zukunft steht bei Gott. Wir glauben wunder wie weit zu sein, wenn wir uns genieren es zu sagen, und denken es dafür doppelt so stark, das heißt so abergläubisch. Was verlangst du von mir? Daß ich sage, ›aus‹? Nie. ›Nie wieder?‹ Ich müßte keine Seele im Leibe haben. Oder daß ich Ährenlese halte, von den Hälmchen und Körnchen, die seitdem zwischen uns geflogen sein mögen? Dafür bin ich einmal zu reich gewesen, und bin ich jetzt zu stolz. Was sonst? Soll ich sagen ›verloren‹? Es wäre pathetisch, und nicht einmal aufrichtig. Oder soll ich sagen ›verloren ist noch nichts‹? Es ist banal, banal.«

»Rosie!« sagte ich und rückte näher zu ihr. »Hoffnung!« sagte sie und verbarg endlich ihr von mir abgewandtes Gesicht.

Erschienen 1929

ALFRED DÖBLIN *1878–1957*

Die Statistin

Ein junges Blut stand vor dem Spiegel und blickte sich an.

Es war nackt bis auf den Nabel und vertiefte sich in sein Bild.

»Ich bin nicht schön«, dachte es, »der Körper geht, die Beine, ich bin schlank. Aber sonst, der Hals, der Mund.«

Je länger sie hinsah, um so wehmütiger wurde ihr. Sie wollte die drüben trösten, stieß auf Glas. Wir erreichen uns nicht, wir wollen gute Freunde bleiben.

Sie hatte kein Geld. Sie wollte was vom Leben. Auf der Straße war kein Geld zu holen. Die Leute hielten sich die Taschen zu. Es gab Läden, man sollte nur kaufen. »Ich muß auch was verkaufen«, dachte sie, sie ging als Statistin ins Theater. Sie konnte sich hinstellen, es sprang nicht viel dabei heraus, kaum für Strümpfe und Schuhe.

Hinter dem Theater am Bühneneingang rauchte ein alter, häßlicher Mann eine Zigarre. Er betrachtete die Schauspieler und Schauspielerinnen. Das Mädchen dachte, er sucht sich eine. Es kümmerte sich keine um ihn. Er hatte einen steifen Hut, einen borstigen braunen Schnurrbart und welke Hosen. Wie sie ihn wieder am Tor sah, den Schirm aufgespannt, obwohl es nicht mehr regnete, ließ sie sich einholen und unter den Schirm nehmen. Im Bierrestaurant ließ er sie essen, was sie wollte, er haute kräftig ein. Ihr kam vor, daß er viel Geld hätte. Es ist ein alter Mann, der kriegt keine, man muß ihn ordentlich ausnehmen. Darauf saßen sie eine Weile Hand in Hand beim Bier auf ihren Stühlen. Sie fuhr nach Hause und war mit sich zufrieden.

Er holte sie später ein paar Straßen entfernt ab, sie wollte sich mit dem schäbigen Mann nicht zeigen, sollte ihn ihr auch keine wegnehmen.

Zu Ostern hatte er von dem Abendbrotessen genug und lud sie zu einem Ausflug ein, auf drei Tage. Sie hatte noch immer kein Geld. Den kleinen Handkoffer brachte er selbst, den Frühlingshut kauften sie zusammen. Das war alles. Sie rechnete auf die Fahrt, wollte sich neue Kostüme, Schuhe und Wäsche kaufen, um sich unter eleganteren Leuten bewegen zu können. Sie trollte mit ihrem zweibeinigen Geschäft zur Bahn und verstaute ihn aufmerksam in ein leeres Coupé und umgab ihn mit Zärtlichkeit.

Unterwegs fing er an, ihre Zärtlichkeit zu erwidern, der düster langweilige Mann, er seufzte, ließ sie die ganze Fahrt nicht los. Hätte sie doch nicht das leere Coupé gewählt. Erst als sie ausstiegen, stieg zu ihrem Gram einer ein, ein netter Herr, der ihr einen Blick zuwarf. Und als sie Arm in Arm, langsam und dicht aneinander geschlossen, durch den kleinen Ort gingen, blickte man auf sie. Liebespaare werden angesehen, jeder ist neugierig, was sie machen, es sehen einen auch feine Herren an.

Das Wetter war schön, sie streiften durch den Wald, ganze Familien zogen mit ihnen. Er ließ sich nicht lumpen, aber nur für Essen, Trinken und Autofahren.

Am Abend im Schiff seufzte er gewaltig, ihr wurde bange und weinerlich, ob er wohl der Richtige war, über das Geländer gebückt, erzählte sie in das Wasser hinein eine Lüge nach der andern, was sie schon erlebt habe, Schlimmes, ihr großes Geschäft wurde weich, der eklige Kerl, sie schämte sich, wie er sie auf dem Schiff umarmte. Wie sie aber kurz vor der Ankunft so umschlungen standen und sie über seine Schulter blickte, sah sie ein Fräulein unter einem großen Federhut an, Kopf und Hals über der Schulter ihres Herrn, lächelnd lugte das Fräulein mit dem Federhut, unbekümmert, spitzbübisch, frech, gleichgültig, ihre Blicke trafen sich. Das Federfräulein rieb zärtlich kräftig mit ihrer Wange die ihres Herrn und schnüffelte da, sie zwinkerte der schicken Statistin zu, der kam es vor, als wenn sie in den Spiegel blickte, sie nahm ihre Hände vom Rücken des Mannes, die im Federhut streckte ihr an den Armen ihres Liebhabers vorbei die Hände zu, sie berührten sich mit den Fingern, an jeder Hand umklammerten sich zwei kleine Finger. Das Theaterfräulein preßte sich kräftig an ihren Herrn, damit er nichts merke, die andere aber legte ihrem das Kinn auf die Schulter wie auf ein Fensterbrett, ließ sich unten gleichgültig einwickeln, während sie oben Ausschau hielt.

Die grellen Lampen der Landungsbrücke stachen, man ließ sich los. Man stand getrennt und mußte gehen. Noch einmal auf der kleinen Schiffsbrücke traf man sich, so rasch war man auseinandergekommen. Aber im Hotel war das Theaterfräulein doch zufrieden, daß sie Schiff gefahren war.

Sie tranken am Morgen einsilbig den Kaffee auf der Veranda. Der Mann saß da und zeigte kein Geld. Sie wollte, wie der Kellner kam und er zahlte, seine Brieftasche sehen, er ließ sie ruhig hineinblicken, es war ein großer Schein und mehrere kleine. Er sagte ernst: »Wir werden damit reichen.« Da fiel ihr ein, daß sie schon am Abend zu Hause sein müßte, denn morgen mittag müßte sie zu einer Probe. Und grimmig ging sie mit ihm in der schönen Sonne spazieren und quälte ihn, er war ein lammsgeduldiger Mann, der erzählte, das Biertrinken bekomme ihm sehr gut; seitdem er sich gewöhnt habe, täglich und regelmäßig einige Schoppen zu trinken, sei er ein umgänglicher Mensch geworden und reize keinen; sie solle das auch so machen.

Und im Grünen legte er sich auf den kalten Rasen und äußerte innige Gefühle, zu denen er sonst nur, wie er erklärte, nach Biergenuß gelange. Von seiner Brieftasche wollte sie gern sprechen, er lag aber darauf, sie saß aufrecht neben ihm. Er erklärte ihr die Schönheit der Natur, es würden jetzt bald die Maikäfer kommen, man dürfe sie nicht quälen und in Zigarrenkisten stecken, auch die Vögel würden kommen, das sei seine Hauptfreude im Sommer, im Wald auf dem Rücken zu liegen und zu schlafen. »Tut Ihnen dann nicht der Rücken weh?« fragte sie, sie siezte ihn wieder. »Das nicht«, antwortete er, »aber die Jacke kriegt Falten, und dann muß ich sie abends wieder bügeln.« Sie rupfte Gras aus und stopfte es ihm in die Ohren. Er ließ es sich gefallen. Als sie es ihm in die Nase stopfen wollte, bat er, ein Nasenloch frei zu lassen. »Die Mädchen haben alle solche Launen«, meinte er, »voriges Jahr Pfingsten zog mir eine die Stiefel aus, und nachher lief sie mit einem Stiefel weg, und ich mußte bis auf die Chaussee mit einem Strumpf hopsen.« »Sie machen öfter solche Ausflüge?« »Seit dem Tod meiner Frau. Wenn ich ein nettes Mädchen fände, würde ich sie auch heiraten. Aber sie machen alle nur Spaß.« Das Theaterfräulein: »Es ist wohl auch ganz hübsch, was? Sie haben Abwechslung, und es kostet nicht viel.« »Das sag nicht, Kind. Wenn du alles addierst, was wir ausgeben, Hut, Koffer, Fahrt, immer zu zweit, Hotel, Essen, Trinken, kommt auch genug heraus. Ist man verheiratet kostet es noch nicht die Hälfte, man nimmt alles mit, und dann rechnet die Frau auch selber.« »Und das tun die Mädchen nicht?« »Nein. Aber man gönnt ihnen die paar Tage.«

Das war ihr großes Geschäft. Sie warf sich plötzlich über ihn und stopfte, was sie an Gras bekam, in sein Gesicht. Er schob sie mit Gewalt beiseite: »Jetzt fängst du auch wie die andern an.« Und er säuberte sich, setzte sich auf und zog sie sanft an sich: »In deinem Alter wollen die Mädchen nur Dummheiten machen. Für eine richtige Hausfrau paßt du auch nicht.« »Ich will Sie auch gar nicht heiraten.« »Ich weiß, Kind.«

Am Abend an der Bahn trafen sie das Paar vom Schiff. Die mit dem Federhut erkannte das Theaterfräulein nicht gleich. Als die Statistin eine kleine Kopfbewegung auf ihren Kavalier machte, verzog das Mädchen mit dem Federhut mokant das Gesicht und streckte ihre Krallenfinger hin. So Hand in Hand gingen sie ein paar Schritte zur Bahn. »Sie machen ja solche böse Miene«, flüsterte der Federhut. »Kopfschmerzen«, flüsterte die Statistin. »Verstehe«, nickte der Federhut. Die beiden Herren blickten ernst und reisefertig vor sich. Im Zug kamen sie auseinander.

Unter ihren Kolleginnen gewann das Fräulein an Ansehen, teils durch den Ausflug, teils durch den neuen Hut und die Handtasche, die er ihr geschenkt hatte. Die Herren hielten sich respektvoll von ihr fern, weil sie glaubten, sie wolle heiraten. Darauf ging sie noch einige Zeit mit dem Herrn zum Bier, um diesen Eindruck nicht zu verderben.

Nach Pfingsten aber ließ er sie sitzen. Sie lauerte ihm auf und sah ihn am Hintereingang eines andern Theaters, in seinem steifen schwarzen Hut, den welken Hosen. Ich bin neugierig, dachte sie zornig, ob eine anbeißt. Und es dauerte nicht lange, da drehte sich eine nach ihm um, und er setzte sich in Bewegung. Sie folgte nur ein paar Straßen, sie kannte den Weg, jetzt ging es in das Bierlokal. Mit der ging er vielleicht in die großen Ferien, und für keine hatte er Geld. Da erzählte sie im Theater, sie hätte mit ihrem Herrn gebrochen, der wolle sie heiraten, am liebsten schon Weihnachten Hochzeit machen, er ist zu alt.

Sie fand bald etwas anderes, weil sie schick war und nicht nachgab. Immer hatte sie die Furcht, sich anzustecken oder ein Kind zu kriegen. Den andern Mädchen ging es ebenso, sie sprachen darüber und gaben sich Ratschläge, manche kamen aus der Angst nicht heraus, manche taten übermütig, aber sie fürchteten sich alle. Bei den Herren war es dasselbe, die wollten möglichst rasch ein Mädchen los sein und sich nur nicht eins an den Hals packen, um für das Kind zu zahlen.

Und da geschah es, daß ein eleganter, fremder Herr auf das Fräulein flog und sie zwei kurze, lebenslange Wochen nicht losließ. Es geschah mehr, als sie erwartet hatte. Er hatte Geld, er sparte nicht damit, sie konnte während der Wochen nicht ins Theater gehen und verlor die Stelle. Es war mit diesem Polen die Liebe, das Glück, die ganze Seligkeit.

Dann verschwand er und hinterließ ihr eine Handvoll Geld. Und dann das Kind. Da war es aus mit der Jugend.

Sie ging als Platzanweiserin ins Kino, heiratete einen Kellner. Der hatte auch andere Mädchen. Und wie der Mann vom Bierlokal stand er gern am Hintereingang des Theaters und wartete.

Als die Frau ihn einmal verfolgte, rauchte da auch der Alte in den welken Hosen seine Zigarre. Es blickte ihn keiner an. Als ihr Mann weg war, ging sie auf den Alten zu. Er erkannte sie nicht, sah aus wie früher. Sie gingen durch das Tor, er führte sie die Straße, an die sie sich erinnerte, in dasselbe Bierlokal. Sie wußte nicht gleich, ob sie mit hineingehen sollte. Aber warum ihn ärgern. Er sprach drin wie das erste Mal. Der Alkohol erhielt ihn. Nur mit dem Geld war er großzügiger geworden. Er legte ihr nach dem ersten Bier einen Geldschein hin und sagte: »Man soll ausgeben, solange man's hat. Wer älter wird, soll's nicht sparen. Ins Grab legen sie's einem nicht. Außerdem wird es entwertet.«

Sie betrachtete den Schein und steckte ihn zu sich. Hätte er mir damals Geld gegeben, hätte ich einen feinen Kavalier bekommen. Bis so weit dachte sie. Da fiel ihr ihre große Liebe, der Pole, ein, das Glück, die ganze Seligkeit, sie hatte ihn ja auch so gefunden, und das Kind war gekommen und ihr Mann. Sie saß eine Stunde auf dem Stuhl, dann hatte der Alte genug, er wollte morgen an derselben Stelle warten, sie sagte zum Schein zu. Dann ging sie nach Hause.

Ihr Mann war noch nicht da. Das Kind schlief. Sie kramte im Kleiderschrank den kleinen Kasten hervor, wo sie Andenken an den Polen aufbewahrte, keine Briefe, keinen Federzug, aber seine goldene Uhr, in eins seiner feinen Taschentücher gepackt, die Kette dazu, ein Armband von ihm, zwei Schlipse, die er getragen und bei ihr gelassen hatte und einen Mantelknopf, der ihm am letzten Tage abgesprungen war und den sie annähen sollte. Sie nahm ein Blatt und legte den Geldschein des Alten zuunterst, machte zu, trug den Kasten weg in den Schrank, unter die Wäsche.

Dann setzte sie sich an die Lampe, strickte. Sie konnte nicht müde werden, sie wußte nicht, warum. Es kam ihr vor, als ob sie im Kino säße und unzählige Bilder rollten vor ihr ab. Aber sie konnte keins erhaschen.

Als der Kellner auf Strümpfen in die Stube trat, wunderte er

494

sich, daß sie auf war. Sie räusperte sich, sagte dies und jenes, packte ihre Sachen zusammen. Er schob sich hinten unter seine Decke.

Sie lag noch stundenlang da. Immer die Bilder, Erinnerungen, eine rastlose Mühle, ein Feuerwerk, sie wußte nicht, wie ihr geschah. Mitten in der Nacht hörte es mit einem Ruck auf. Es war abgebrannt. Sie schlief.

Als sie sich morgens wusch und im Spiegel besah – der Kellner lag noch –, erkannte sie sich nicht wieder. Steif und blaß sah sie aus. Eine fremde Person im Spiegel. Das Gesicht bewegte sich mit ihr. Auf dem Schiff blickte sie ein Fräulein im Federhut an, streckte nach ihr die Hände hin. Das Gesicht im Spiegel blieb steif. Sie zitterte, drehte sich um.

Der Mann im Bierlokal hat recht, man wird alt.

Sie zog sich rasch an, hob das Kind aus dem Bett, trug es durch die Stube. Es schrie. Der Mann bat um Ruhe. Es dauerte lange, bis sie zu sich kam.

Erschienen 1948, geschrieben wesentlich früher

HANS CAROSSA 1878–1956

Wege der Finsternis

Der folgende Tag brachte Regen und Sturm. Dr. Goebbels sandte einen Offizier mit seinem Wagen und ließ um einen Besuch bitten. Der junge Leutnant war ein stiller, zurückhaltender Mann; ich hatte etwas unüberlegt zu ihm gesagt: »*Muß* denn das sein?«, als er die Einladung überbrachte; das schien ihn erheitert zu haben. – »Ich bitte *sehr* darum«, antwortete er und sah mich während der Fahrt von Zeit zu Zeit mit freundlicher Neugier an, schwieg jedoch und überließ mich meinen Gedanken.

Ein Zufallsblick auf Goethes herbstlaubumwirbeltes Gartenhaus machte mich noch stärker fühlen, in welche Unordnung mein Leben geraten war. Mochte ich mir noch so oft sagen, der Weg, den ich seit meiner Ankunft in Weimar ging, sei nur ein Umweg und nähere sich dem Ende, so war dies doch nur eine Beschwichtigung für den Augenblick; bei tieferem Nachdenken kam ich nicht um gewisse Selbsterkenntnisse herum, an denen leider nichts zu ändern war. Sekundenlang hielt ich es wohl für möglich, den Mann, der mich erwartete, durch ein offenes Wort unter vier Augen über meine wahren Daseinsbedingungen aufzuklären und ihn um Befreiung von dem sogenannten Ehrenamt zu bitten; aber das hätte bedeutet, daß ich Goebbels bitten wollte, nicht Goebbels zu sein. Jemand hatte mir vorausgesagt, er werde mich zum Eintritt in die Partei bewegen wollen, ein anderer von seinem reizbaren Wesen gesprochen, so daß ich mich auf einen kategorischen Ton gefaßt machte; doch weder vom einen noch vom andern war die Rede. Dem Alternden zeigt sich das Leben gern in abgemilderter Form. Nicht nur, daß er selbst es weniger heftig aufnimmt, die Leute haben auch schon eine gewisse ererbte Scheu vor den grauen Haaren; sie glauben sich vor ihnen verbindlicher zeigen zu müssen, als sie sind. Goebbels und seine Frau, die eben von einer Ausfahrt zurückgekehrt war, noch Regenperlen an dem blauen Hut, sie waren beide geübt in jener Höflichkeit, die den denkenden Menschen schweigsam macht, weil er einen Zweck dahinter spürt. Sie sprachen zu mir bald wie zu einem Sonderling vom Lande, bald wie zu dem Gesandten einer neutralen Macht, mit der sie einen Pakt zu schließen wünschten. Für die Übernahme des Präsidiums dankten sie beide mit einer Ernsthaftigkeit, die mir das Fatale dieser Wahl aufs neue zu fühlen gab. Ich schlug nachträglich zwei Schriftsteller vor, die ich vor allem für geeignet hielt, einer solchen Vereinigung vorzustehen; er schien nicht überrascht, schüttelte aber den Kopf, lächelte schlau, als ob ich ihn hereinlegen wollte, und entkräftete meinen Widerstand, den er vielleicht für unecht hielt, mit einer Schmeichelphrase, die er mit einer verneinenden Handbewegung begleitete.

An seiner Erscheinung war eigentlich nichts, was ihn zum Rassenhochmut berechtigte; denn was man an ihm schön nennen konnte, die ungemein lebhaften dunklen Augen, wäre in Ländern wie Polen, Italien und Frankreich keine Seltenheit. Seinem Kopf war trotz des normalen Umfangs etwas Knabenhaftes geblieben, und dieses stand in eigentümlichem Gegensatz zu der biedermännischen sonoren Stimme, die so dämonisch berückend auf die Massen wirkte, daß sie ihr alles glaubten, auch die greifbarsten Lügen, wenn sie nur mit ein paar Tröpfchen Wahrheit versetzt waren. Wieder einmal fragte man sich, wieviel dieser Mann von allem, was er öffentlich aussprach, wohl selbst glauben mochte; sobald er jedoch auf die letzten Kriegsereignisse zu reden kam, die ihn augenscheinlich beunruhigten, machte man sich darüber keine Gedanken mehr. Der gesunde Wahrheitssinn, der im gutgearteten Mann von Jahr zu Jahr empfindlicher wird, schien bei diesen Parteiführern schon in der Anlage gestört. Sie hatten eine eigene Logik, innerhalb deren sie oft richtige Schlüsse zogen; aber die Grundvoraussetzungen waren falsch. Ihr Leben verlief längst nur noch auf einer Bühne, deren Kulissen und Hintergründe aus fälschenden Spiegeln bestanden, und es bedeutete daher nicht viel, wenn sie mitunter auch die Wahrheit sagten. Hätte mich eine mutwillige Regung verführt, zu erklären, es wäre mir vor drei Tagen leider zur Gewißheit geworden, daß ich von jüdischen Eltern abstammte, so würde jedes von mir geschriebene Wort in den Augen des Mannes, der es noch eben gelobt hatte, jeden Wert verloren haben. Es ist begreiflich, daß Menschen, die unablässig andere treiben müssen, nie dazu kommen, den Dingen auf den

Grund zu gehen und so das Wachstum ihres eigenen Wesens zu vollenden; sie sind die wahrhaft Unfreien, jeder Tag schmiedet ihnen eine Fessel, in die sie der folgende schlägt. Sie bleiben auf einer mittleren Stufe stehen, auch wenn sie sich noch so viel Wissen aneignen, und an Wissen fehlte es Goebbels wahrlich nicht; man merkte dies, wenn er sich über Entlegenes äußerte, wenn ihm also jene Verdunklung der seelischen Gesichtsfläche nicht im Wege stand. Im Gedächtnis geblieben ist mir seine Bemerkung, es gebe wenige Deutsche, die sich nicht in Anakoluthen unterhielten: die meisten unterbrächen jeden begonnenen Satz und überließen es dem Gesprächspartner, ihn zu vollenden. Auch hob er den Wert der Vokale hervor und bewies, daß er, ohne Ernst Jünger zu nennen, dessen bekannte geistvolle Schrift »Lob der Vokale« aufmerksam gelesen hatte. Die immer wieder aufflimmernde Intelligenz machte jedoch den Mann doppelt unheimlich; sie stand in krassem Widerspruch zu vielen seiner öffentlichen Äußerungen und bestätigte die Gespaltenheit seiner Natur.

Frau Magda Goebbels hatte schweigend zugehört. Nun öffnete sie lächelnd und errötend ihre Ledertasche und fragte, ob es mich nicht freuen würde, ein Bild von ihren Kindern zu sehen. Ihrer Erscheinung nach unterschied sie sich durchaus von der mannweiblichen Form, die sich bei den Führerinnen der Partei herausgebildet hatte. Gesichtsausdruck und Stimme waren sanft; jede betont gebieterische Gebärde schien ihren schönen Händen zu widerstreben. Ein Argloser, Unwissender, der in der Minute, wo wir auf der schon etwas verblaßten Fotografie die anmutigen Geschöpfe bewunderten, den Raum betreten hätte, konnte den Eindruck empfangen, als wäre hier alles in bester bürgerlicher Ordnung, Familienglück und erfreuliche Zukunft gesichert, kein Dämon im Hause. Ich benützte die nächste Pause des Gesprächs, um mich zu empfehlen. So geht wohl ein erfahrener Arzt von Kranken fort, denen er's nicht sagen darf, daß er sie nur als Noli me tangere behandeln kann; noch halten sie sich für heilbar, machen große Pläne und wollen sich dem alten Doktor in besonders guter Verfassung zeigen, während in seinem Tagebuch die trostlose Prognose des merkwürdigen Falls längst verzeichnet steht.

Unter den Postsachen, die ich bei der Rückkehr von einer kleinen Reise vorfand, lag ein Briefkärtchen, gesandt von einer mir persönlich Unbekannten, das neben einigen unbedeutenden Mitteilungen den Satz enthielt: »Schreiben Sie nicht mehr an Marie; sie ist mit Anneliese abgereist!« Auf einem beigefügten Zettelchen stand in hastigen Bleistiftzügen: Gruß, denkt an uns! Wir wollen durchhalten. Marie.

Marie war eine jüdische Kaufmannsgattin aus Darmstadt, die regelmäßig zu den Vortragsabenden des Freien Deutschen Hochstifts nach Frankfurt herüberkam. Eigentlich war jüdischen Personen der Besuch dieser Veranstaltungen bereits verboten; aber der Vorsitzende, Ernst Beutler, brachte es nicht über das Herz, die beiden Damen zurückzuweisen. Mutter und Tochter sahen sich nicht ähnlich. Marie hatte sprödes rabenschwarzes Haar, und ihr schmales, wie vom Wüstenwind gebleichtes Gesicht erinnerte mich immer an jene Asra, »welche sterben, wenn sie lieben«, während Anneliese ein blondes hübsches Mädchen war, eher mit einer leichten Andeutung von Behäbigkeit. In einem aber glichen sich die beiden zu ihrem Unglück: sie sahen die Wirklichkeit erst, als es zu spät war, und lebten in Begriffen von deutscher Humanität, die etwa der Lessing- oder Herderzeit entsprachen. So verkannten sie auf unbegreifliche Weise die ihnen drohende Gefahr und ließen die Frist verstreichen, wo noch eine Flucht ins Ausland möglich gewesen wäre. Schon der kleine Satz »Wir wollen durchhalten« bewies ja ihre fast kindliche Ahnungslosigkeit. Das kaum lesbare Blättchen hatte an Alfred Momberts bekritzelten Briefumschlag erinnert; aber die Reise der Frauen war, wie wir nach dem Krieg erfuhren, nicht nach dem Westen, sondern nach Litzmannstadt und später nach Auschwitz gegangen, also in den Tod.

Der kleine Brief regte mich zum Nachdenken an, wann ich eigentlich die beiden zuletzt gesehen hätte. Es war während eines ganz kurzen Frankfurter Aufenthalts, im März 1941, gewesen. Ich wohnte damals bei meinen Freunden Max und Erika Kommerell und war etwas verwundert, als zwei Stunden vor meiner Weiterfahrt nach Gießen Frau Marie Trier dort anrief und mich um eine Unterredung bat. Am Abend vorher waren Mutter und Tochter unter meinen Zuhörern gesessen, aber ganz hinten, in einer der letzten Reihen, und gleich nach dem Vortrag weggegangen. Ich bestellte Frau Trier auf elf Uhr, und sie kam pünktlich. Sie trug ein schwarzes Kleid, das sie noch bleicher machte; ihre Augenwinkel lagen in tiefen Schatten. Ich fragte: »Haben Sie Trauer?« Sie sagte nein und begann zu weinen, beherrschte sich aber gleich wieder und erzählte von ihrer Freundin Helene, einer Sprachenlehrerin, die eine amtliche Aufforderung erhalten hätte, sich zu einer bestimmten Stunde an einem genau bezeichneten Platz außerhalb der Stadt einzufinden, jedoch sofort entschlossen gewesen sei, der behördlichen Absicht zuvorzukommen und sich mit einem zusammengesparten halben Gramm Morphium zu töten; seit kurzem wußte man ja in jüdischen Kreisen, was Aufforderungen dieser Art bedeuteten. Frau Trier erzählte noch von der Sterbenden, sagte, sie hätte von Zeit zu Zeit mitten in der Atemnot gelächelt und schließlich, fast unfähig zu sprechen, mehrmals das eine Wort hervorgehaucht: Grab – Grab. Um dies zu verstehen, muß man wissen, daß es für den jüdischen Menschen, wie einstmals für den Hellenen der homerischen Zeit, nichts Entsetzlicheres gibt, als unbestattet zu bleiben, und mit jenem letzten Wort habe sie nur ihrer Genugtuung darüber Ausdruck geben wollen, daß man ihr nun ihren Wunsch erfüllen müsse und das Begräbnis nicht verweigern könne. Ich sagte, Morphium lähme leider nur die Atmung, das Herz könne noch Stunden lang weiterschlagen, das sei kein angenehmer Tod. – »Ja, es hat einen halben Tag gedauert und eine ganze Nacht«, bestätigte sie und fragte dann leise, sachlich: »Wissen Sie ein humaneres Gift?« Mir war das Wort »Blausäure« auf der Zunge gelegen; ich sprach es aber nicht aus, und diese Unterlassung empfand ich in der Erinnerung wie ein begangenes Unrecht. In der Frau war große Unruhe; sie vermochte nicht stillzusitzen und wanderte wie ein gefangenes Tier im Zimmer hin und her, wobei sie manchmal durch ein Fenster auf die Bockenheimer Anlagen hinuntersah. Endlich blieb sie vor mir stehen und zwang sich zu einem Lächeln: »Anneliese wird gleich kommen, mich abzuholen. Sie hat bald Geburtstag und wünscht sich ein paar Bücher; aber Sie wissen ja, wie es mit uns steht. Wär's Ihnen wohl möglich, mir etwas Geld zu geben?« Ich hatte bereits vom Hochstift mein Honorar erhalten, schuf mir jedoch für die Zukunft neue Gewissensunruhe, indem ich ihr, aus irgendwelchen Hemmungen oder Bedenken heraus, nur die Hälfte überließ und also unbewußt den heiligen Martin nachahmte, den mancher heute noch tadelt, weil er dem Bettler nur seinen halben, nicht den ganzen Mantel schenken mochte. »Ich kenne mich an dem Kind nicht aus; bald ist mir, als wüßte sie genau, was auf uns zukommt, bald bringt sie mit ihren mutwilligen Einfällen alle zum Lachen.«

Während Frau Trier noch sprach, ging die Klingel; die Tochter war angekommen. Sie mußte stark im Wachsen sein; der pelzbesetzte braune Wintermantel wurde schon zu kurz; auch das graue Kleidchen, das sie darunter trug, schien noch aus der Schulzeit zu stammen. Dagegen war das hübsche grüne Hütchen offenbar ganz neu; dichte dunkelblonde Zöpfe schmiegten sich darunter an den feinen Hals. Sie ist bezaubernd, man wird ihr nichts tun, ging es mir durch den Sinn; doch sagte mir gleich eine kleine Überlegung, daß Ideologien stärker sein konnten als jeder Sinn für Schönheit. Frau Kommerell hatte die Gelegenheit wahrgenommen, mich freundschaftlich an die nahe Zeit der Abfahrt des Zuges zu erinnern. Frau Trier und ihre Tochter empfahlen sich auch sogleich. Anneliese drehte sich auf der ersten Treppenstufe noch einmal um und hielt mir einen Büschel Schneeglöckchen entgegen, den ich noch nicht bemerkt hatte. »Sie sind leider schon ein bißchen welk«, sagte sie. Der Blick, mit dem sie mich dabei ansah, ließ mir keinen Zweifel darüber, daß ihr klargeworden war, was bevorstand.

Es hätte nahegelegen, ein tröstliches Abschiedswort zu sagen; aber der Glaube an eine göttliche Lenkung menschlicher Schicksale war völlig aus dem Leben geschwunden, und da an eine Flucht nicht mehr zu denken war, so hielt man es für barmherziger, zu schweigen als zu lügen.

Was mit den »benachrichtigten« oder »abgeholten« Personen geschah, erfuhren wir freilich noch lange nicht; man wußte nur, daß kaum jemals eine von ihnen zurückkehrte. Über Konzentrationslager wurde da und dort gesprochen, doch leider meistens nur in der unsittlichen Form böser Witze und Anekdoten, was oft zur Folge hatte, daß man es für übertrieben hielt. Von Gaskammern, Vergasungswagen und dergleichen verlautete kaum etwas vor 1943. Es eröffneten sich aber Blicke auf Szenen anderer Art, die sich außerhalb der Lager abspielten, und sie wurden uns keineswegs von irgendwelchen ausländischen Sendern übermittelt. Es waren einfache Frontsoldaten, also Bauernsöhne, Arbeiter und Studenten, die uns ihre Beobachtungen anvertrauten. Ihre knappen Berichte trugen das Gepräge der Ehrlichkeit; woher hätten auch die jungen Leute die Phantasie nehmen sollen, um dergleichen zu erfinden? Der Soldat, nur seinem Dienst verpflichtet, fühlt sich gern der persönlichen Verantwortung überhoben, und besonders unter den bäuerlichen gab es primitive Naturen, die das Wahrgenommene wiedergaben ohne es zu beurteilen, etwa so, als hätten sie eben in einem Panoptikum schauerliche Seltsamkeiten gesehen. Ein paar Nachdenkliche nur gelangten bereits zu der schulknabenhaften Folgerung, wir müßten schon deshalb in diesem Kriege siegen, weil wir zuviel Unrecht getan hätten, um die Vergeltung zu überstehen. Bezweifelte man aber das Erzählte, so zog mancher ein Lichtbildchen aus der Tasche, um uns zu überzeugen.

Da sah man links und rechts von einem Bächlein je eine Reihe erhängter Männer und Frauen, die schlaff geneigten Leichengesichter doppelt ergreifend über hübschen östlichen Trachten und städtischen Anzügen. Davor stand eine Tafel mit zweisprachiger Aufschrift: So wird jeder bestraft, der die Befriedung Rußlands verhindern will. Fragte man, was die armen Leute denn verbrochen hätten, so erfuhr man, eine kleine Brücke – dem Umfang des Bächleins nach war es wohl nur ein Steg – sei zerstört worden, und weil man den Täter nicht finden konnte, so habe man sich eben Einwohner aus den nächsten Ortschaften herangeholt. Im Vergleich zu den Vorkommnissen, die später bekannt wurden, gehörte dieses gewiß zu den harmlosen, dem noch ein Schein von Kriegsrecht anhing; mir war es bedrückend genug, und mein Abscheu wurde nicht geringer, wenn die Erzähler den Getöteten in einem widrigen Gemisch von Bewunderung und Genugtuung nachrühmten, wie mutig und gefaßt sie in den Tod gegangen wären. So ist mir denn auch kein deutscher Soldat begegnet, der nicht die Unnahbarkeit russischer Mädchen und Frauen bezeugt hätte.

Ein anderes Bildchen zeigte eine von Soldaten halb eingekreiste Menschenschar; die Unseligen mußten mit gebeugten Knien wie Frösche hüpfen und wurden in dieser Haltung in einen halbvereisten Strom hineingetrieben; diese sonderbare Form des militärischen Dienstes, die in der alten deutschen Armee unmöglich gewesen wäre, nannte man »Juden filzen«.

Andere Mißhandlungen wurden so anschaulich geschildert, daß es keiner Fotografien bedurfte. Ein alter Jude, der, um Gnade bettelnd, vor dem Leutnant niedergekniet war und dessen Füße umfaßt hatte, wurde zur Strafe für diese Störung der Exekution auf ein Mühlrad geknebelt und, während es sich drehte, als Schützenscheibe benützt, bis er tot war.

Einen Francisco de Goya hätten solche Szenen vielleicht zu grausig großen Werken angeregt. Für den Schreibenden, der sich nicht allzutief in einzelne Realitäten hineinversenken darf, wenn er den freien Blick über das Ganze behalten will, waren sie kein dankbarer Stoff. Die Offenbarung des Teuflischen in der Welt hat eine sonderbare Macht; sie kann auch in den Guten das tiefgebundene Böse in Bewegung bringen. Manche Seele aber gleicht einem Spiegel, der sich einfach weigert, gewisse Höllenbilder aufzunehmen, und lieber zerbricht.

Alfred Mombert und seine Schwester hatten also insofern Glück gehabt, als sie nach dem Westen und nicht nach dem Osten gebracht worden waren; sonst würden wir wohl nie wieder etwas von ihnen vernommen haben. Das Barackenlager, in das man sie sperrte, befand sich unter Südfrankreichs mildem Himmel; auch stand es durch das Rote Kreuz von Genf gewissermaßen unter internationaler Beobachtung, und die Vereinigung der Quäker schützte die Gefangenen vor dem Verhungern. Auf jeden Fall gehörte es zu den halbwegs erträglichen, war nicht mit jenen Mißhandlungs- und Mordanstalten zu vergleichen, die wir aus den Büchern Eugen Kogons, der Isa Vermehren und anderer kennen; auch fehlte es den beiden nicht an Fürsprechern und hilfreichen Freunden. Dem treuen Richard Benz war es sogar gelungen, mit Unterstützung der Heidelberger Stadtverwaltung Manuskripte, Briefwechsel und Bibliothek des Dichters sicherzustellen, und es fand sich Gelegenheit, ihn durch briefliche Anrufe zu ermutigen. Bei Mombert kam noch dazu, daß ein Geist wie der seinige ja im Unendlichen zu Hause war, daß ihn eine beschwingte Phantasie zuweilen über das Elend verzweifelter Stunden hinweghob. Die Millionen anderer aber, die in schrecklicher Verlassenheit der erfinderischen Satanie verkommener Feiglinge ausgeliefert wurden, wer trat für sie ein, wer tröstete sie? – Von allen Berichten zuverlässiger Soldaten bewegte mich und die Meinigen nichts so sehr, als zu hören, wie gefährlich die leiseste Bekundung des Mitleids für sie war. Wenn einer den polnischen oder jüdischen Kindern, die vor Hunger Gras kauten, eine Brotrinde zukommen lassen wollte, so mußte es heimlich geschehen, und wenn eine jüdische Frau mit einem Kind im Arm, auf dem Weg zur Mordgrube von dem Offizier immer wieder mit der Peitsche zu schnellerem Gehen angetrieben, wenn eine andere geschlagen wurde, weil sie auf dem gleichen Todesweg sich bückte, um mit einer Hand voll Schnee noch einmal ihren Durst zu stillen, so gewärtigte der einzelne, der etwa zu zeigen wagte, daß ihn dies entsetzte, nicht nur den Hohn der führergläubigen Kameraden, sondern auch die Versetzung in eine Strafkompanie. Ein befreundeter Maler, der als Gefreiter im Osten diente, leidet heute noch unter den Erinnerungen an Charkow, wo er sehen mußte, wie Mädchen und Knaben von zwölf und mehr Jahren auf Straßen und Plätzen zusammengefangen wurden, um sogleich in Bahnzüge gepreßt und irgendwohin zur Arbeit verfrachtet zu werden, ohne daß man ihnen gestattete, von ihren Eltern Abschied zu nehmen. Das verzweifelte Weinen dieser Kinder glaubt er noch öfters vor dem Einschlafen zu hören.

Viele meinen dem deutschen Volk einen großen Liebesdienst zu erweisen, wenn sie über diese Dinge schweigend hinweggehen. Wie gern würde man auch selbst alle Beispiele haltloser Verblendung aus dem Gedächtnis tilgen und die Blicke der Menschen zu freundlicheren Bildern lenken! Wir haben aber schon in der Kriegszeit allzusehr durch unser Verstummen die Schlechten im Schlechten bestärkt. Wir wünschen keine Generalabsolution, wie man sie Sterbenden erteilt. Eine Weltstunde ruft, und wer das Künftige bedenkt, muß jenen für den wahren Volksfeind halten, der da spricht: Nun ja, gewiß, man ist zu weit gegangen – man hat Dummheiten gemacht – wo gehobelt wird, fliegen Späne – jede Nation hat ihre Flegeljahre – warum redet man immer nur von der deutschen Grausamkeit, nie von der türkischen, polnischen, tschechischen, russischen, chinesischen? Nie von den Greueln der Inquisition oder der italienischen Städtekriege? – In dreißig Jahren denkt niemand mehr daran – wer weiß, ob's gar so schlimm gewesen ist und so weiter. Nun, wenn wir Deutschen keinen Wert mehr darauf legen, im geistigen Raum der nächsten Jahrhunderte wieder gültig mitzuraten, so können wir ja diese Dinge wie eine lästige Privatsache unberedet lassen und uns damit begnügen, daß da und dort ein freundlicher Ausländer alles in Ordnung findet oder fremdländische Firmen wieder mit uns Handel treiben, daß unsere Lebenshaltung dank der Spannung, die zwischen den Weltmächten wächst, sich wieder der Norm nähert – wir werden dann eben als verantwortungslose Schatten weiterleben oder auf großartig romantische Weise die Geschehnisse deuten.

So steht es aber noch nicht mit uns; wir haben es noch mit dem Geisterreich zu tun, wo nichts vergessen wird. Wir dürfen auch immer noch glauben, daß die Welt uns eine Ehre erweist, wenn sie deutsches Verhalten genauer betrachtet und schärfer beurteilt als das Gebaren manches anderen Volks, über das sie nicht viele Worte verliert...

Die Juden sind heute noch das unverstandenste Volk der Welt und in dieser Hinsicht höchstens noch mit den Deutschen zu vergleichen; sie sollten uns erforschenswürdig, doch unantastbar sein. Um durch alle Mängel und Entartungszeichen der einzelnen hindurch das Wesentliche und Wertvolle des jüdischen Volkes zu erkennen, dazu muß einer selbst wesenhaft und wertvoll sein.

Was für den großen Rembrandt Modell für einen Patriarchen oder Propheten war, das wäre für einen beschränkten Fanatiker des Dritten Reiches vielleicht nur ein alter Jude gewesen, den man in die Gaskammer schleift. Schuld aber ist ein mächtiges Bindemittel, und man muß kein Erspürer des Übersinnlichen sein, um zu ahnen, wie die Seelen der unzähligen Getöteten sich als ein schweres finsteres Gewölk auf unserer Zukunft niederlassen werden. Ein Volk wie das deutsche, dessen Sein und Sinn so tief im Urgründigen wurzelt, darf nicht hoffen, daß durch bloß verstandesmäßige Mittel sich Fluch in Segen verwandle. Wir haben uns auf eine schauerliche Weise mit dem Judentum verbunden; aber wenn uns noch ein Weniges von alter indogermanischer Weisheit verliehen wäre, so würden wir den Weg zur Heilung finden. In der ungeheueren Krise des Menschengeschlechts, die wir gegenwärtig durchleben, wird vielleicht unversehens unser Verhältnis zum Judentum das wichtigste werden. Entsühnen kann kein irdisches Gericht. Und der Versuch, alle düsteren Erinnerungsbilder beiseite zu schieben und so zu tun, als wären sie nie gewesen, ach, er wird meistens nur von solchen unternommen, auf die es nicht ankommt, oder von solchen, die das geringste Recht dazu haben.

Vernunft und Liebe waren zu jeder Zeit sehr selten in der Welt, weit seltener als Kenntnisse, Verfeinerung der Nerven, Dämonien und mittlere Talente. Ein einziger Gedanke redlichen Wohlwollens würde mehr bedeuten als alle halb erzwungenen Wiedergutmachungen. Es ist ja nicht genug, jüdische Menschen von hohem Rang, einen Martin Buber, einen Max Liebermann, einen Ludwig Strauß, einen Franz Werfel, eine Regina Ullmann anzuerkennen und zu verehren; wir müssen auch für die nicht berühmten, die nicht besonders liebenswerten, sogar für die verbitterten und verblendeten eine Form finden, die es ihnen und uns möglich macht, miteinander in Frieden zu leben. Es könnte sein, daß irgendwann einmal in einem anderen Volk der Judenhaß emporflammt; dann werden es die Deutschen sein müssen, die den Verfolgten Schutz gewähren.

Wenn freilich nun ein Rachegeister-Chor der andern Seite dem gesamten deutschen Volk entgegenheulte, es habe um alles Unrecht gewußt und es mitverschuldet, so war damit weder der Welt noch uns etwas genützt. Die Beschimpfungen und Verhöhnungen des deutschen Führers, die täglich aus den fremden Ländern herüberschallten, waren auch keineswegs geeignet, das Los der deutschen Juden zu verbessern. Einem Manne, der zwischen den Pranken eines Tigers liegt, erweist man einen schlechten Dienst, wenn man von einem sicheren Standort aus die Bestie mit Kieselsteinchen und Papierpfeilen bewirft; es müßte sonderbar zugehen, wenn sie dadurch nicht noch gereizter würde und ihre Wut an dem Unglücklichen ausließe, den sie in der Gewalt hat. Auch später konnten wir die Schreie nach Vergeltung und Strafe, soweit sie unser ganzes Volk betrafen, nicht ersprießlich finden. Wir fühlten dann sogleich den stillen großen Vorgang einer allgemeinen Genesung unterbunden, jede mögliche Selbstbesinnung vereitelt; es war, als wollte man nach dem Erlöschen einer Pest auch die gesund Gebliebenen oder die halb Geheilten gleich mit begraben.

Mittlerweile sind auch unsere strengsten Richter mild geworden; sie wollen uns nur zeitlebens etwas zu verzeihen haben. Die Menschen guten Willens aber, die nur dadurch das Leben ertrugen, daß sie mit ihren schwachen Kräften den Verfolgten zu helfen versuchten, wer sprach überhaupt je von ihnen? In Berlin gab es eine Vereinigung frommer alter Männer, die sich jede Woche versammelten, um gemeinsam für die Juden zu beten, und wie viele kleine Geschäftsfrauen ihnen Brot, Fleisch, Milch und Gemüse an verabredeten Stellen bereitlegten, obgleich es bei schwerer Strafe verboten war, das wissen manche; es galt aber jederzeit als unschicklich, davon zu reden. Wie immer und überall so wuchs auch hier die ewige Heilkraft der Welt in den vielen unbeachteten kleinen Handlungen, von denen keine Zeitung, kein Rundfunk berichtet. Wer hat je von den drei Schwestern Eick aus Köln gesprochen, unseren Freundinnen, die nach dem Untergang ihrer dortigen Wohnung in unsere Nähe zogen? Sie haben gewiß nur getan, was in ganz Deutschland zahlreiche ungenannte Menschen taten, wenn sie spät abends die Schuhe auszogen, um leise mit Obst und anderen Speisen zu ihren jüdischen Hausgenossen schleichen zu können. Wie ferner, in einzelnen Fällen, auch Angehörige der Partei, für die es besonders gefährlich war, dem einen oder andern von der Gestapo Gesuchten Versteck und Pflege gewährten, wie mancher menschlich fühlende Beamte belastende Schriftstücke verschwinden ließ, um die jüdische Abstammung eines Mannes oder einer Frau unbeweisbar zu machen, auch davon wird die selbstgerechte Welt nie etwas hören wollen.

»Wer andere Völker haßt, beweist damit noch keineswegs, daß er das eigene wahrhaft liebt«, so lautet, dem Sinne nach, ein Wort Masaryks, an das wir in der letzten Zeit des Krieges oft zu denken hatten. Je deutlicher nämlich die kommende Niederlage sich abzeichnete, um so bewußter arbeitete die oberste Führung darauf hin, die deutsche Gesamtheit vor aller Welt so gründlich ins Unrecht zu setzen, daß keine versöhnliche Stimmung mehr aufkommen konnte.

Erschienen 1951

MECHTHILDE LICHNOWSKY *1879–1958*

Das Rendezvous im Zoo

Für
DOROTHY BLACKMORE
die mich fast 20 Jahre lang
auf dem Kontinent suchte und
in London fand

Teini glich einer schrägäugigen Pantherkatze, vor der sich viele
fürchteten, was sie aber nicht wußte, weil sie selber noch viel mehr
Angst vor den bösen Menschen hatte, obgleich sie gut mit ihnen
umzuspringen verstand. Ihr Mund war kein Panthermund, sondern ein Mund wie ihn Menschen haben, die Bösem und Gemei-
nem aus dem Wege gehen, die lustige und kluge Dinge denken
und sich Trauriges viel zu sehr zu Herzen nehmen. Menschen,
die ihr nicht gefallen konnten, wußte sie sehr bald ins neutralste
Gebiet ihrer absoluten Gleichgültigkeit zu deportieren, wo auch
die landeten, die in ihr nur ein Gefühl von Sympathie ohne viel
Hochachtung erweckten.

Sie war eine ziemlich gute Menschenkennerin oder zum mindesten Menschendurchschauerin, und man konnte ihr nicht leicht
etwas vormachen; die besten Sicherungen, die naturgetreuesten
Masken, nichts konnte auf die Länge vor ihrem geschärften Auge
bestehen. Aber sie ließ sich nur da etwas merken, wo es ihre Absicht war, die eigene Maske fallenzulassen, wenn man Maske
nennen kann, was jahrzehntelange Beherrschung des Gesichts,
der Stimme, des Wortes an äußerer, mit Liebenswürdigkeit ge-
paarter Neutralität hervorbringen oder vielmehr verschweigen
und verbergen kann.

Es war neun Uhr früh, das Fenster weit offen, draußen mußte

der Asphalt noch Spuren von Nachtfrische zeigen, aber schon brannte die Messingkugel am Junihimmel, und die Hühner des Portiers hatten das Morgengackern schon eingestellt. Teinis Papagei, Phileas Fock, murmelte unverständliche Töne vor sich her und plusterte sein Smaragdgefieder auf.

Noch zwei Stunden, dachte sie, dann kommt vielleicht etwas Schönes. Was sonst als ein Rendezvous zum Spazierengehen. Mit wem sonst, als mit dem Boy, den man seit Jahren kennt. Seit so viel Jahren, daß man ihn kennen müßte wie seine Tasche. In den Röcken gab es keine Taschen mehr, also wie die Handtasche, von der Teini allerdings nicht wußte, ob sie Feuerzeug, Taschentuch, Notizbuch, Puder und so weiter enthielt oder nicht; also stimmt der Vergleich, denn von dem Boy wußte sie nur, daß sie ihn seit vielen Jahren oberflächlich kannte und erst seit wenigen intimer. Zwischen oberflächlich und intim aber lag seine Persönlichkeit, sein Denken, sein Fühlen, und davon wußte sie so gut wie nichts. Er war der große Unbekannte, mit dem sie eine Intimität verband, die ganz eindeutig, aber in nichts aufschlußgebend war. Teini liebte ihn, das stand sicher, alles andere war Geheimnis. Keine Erfahrung half dagegen, und so blieb es. Es gab keinen nennenswerten Gedankenaustausch, keine Enthüllung von Gefühlen, weder in Gesprächen noch in Briefen.

Reizvoll und unerwartet war der Anfang ihrer Beziehungen gewesen: Der Boy saß einmal in Teinis Zimmer zum Tee, plötzlich war Phileas Fock auf die Stuhllehne geflogen und von dort auf die unwillkürlich zur Abwehr erhobene Hand, wo er sich ein kleines Stückchen Haut holte, das er dann mit ernster Begeisterung auf dem oberen Rand eines Bilderrahmens verspeiste. Dann rief er in seinem Papageienfalsett mehrmals »Braver Vogel!«, während Teini hinauseilte, etwas für den blutenden Finger zu holen. In diesem Augenblick war ihr Gatte hereingekommen.

»Braver Vogel Phileas Fock«, sagte der Papagei. – »Hat er Sie gebissen?« fragte der große Verleger und packte den kleinen Autor bei der Schulter.

Der Boy gab seinem Verleger die linke Hand: »Ja, das hat er, und Ihre Frau war so liebenswürdig, etwas Verbandzeug zu holen.«

»Ach was, Verbandzeug, kommen Sie mit mir, waschen Sie die Wunde aus, und geben Sie etwas Jodtinktur darauf.«

Als Teini mit einer Porzellanschale, einer Flasche und Watte wieder an der offengebliebenen Tür stand, hatte sie das Zimmer leer gefunden. »Braver Vogel«, sagte der Papagei, mit der schwarzen Zunge befriedigt lallend. Er saß noch immer unerreichbar auf der Kante des Rahmens. »Du Trottel«, sagte Teini.

Dann war der Boy mit einem jodbraunen Finger in Begleitung des Hausherrn zurückgekommen und hatte sich bald darauf verabschiedet. »Gehen seine Bücher eigentlich?« fragte Teini. »Augenblicklich nicht, in fünfzig Jahren vielleicht.«

»Da hat er wenig davon, kannst du nicht mehr Propaganda machen?«

»Ich kann die Menschen nicht zwingen, sich für Schmetterlinge zu begeistern.«

»Man kann die Massen zu allem zwingen, wenn man sie richtig führt. Warum machst du nicht mehr Reklame? Wir haben so wenig Bücher über Käfer und Schmetterlinge.«

So hatten die beiden Gatten eine Weile geredet. Ein paar Tage später war der Boy wieder zum Tee gekommen, wie er es seit fünfzehn Jahren tat, seit er zu den Autoren des Verlags gehörte. Seine Hand war mit Leukoplast verklebt, und es entspann sich das übliche Gespräch über Brasilien, Insekten und Reptilien, über Europa und Insassen, und mit einem Male, als er ein schwarz-weiß gestreiftes Pumpernickelsandwich mit der linken Hand ergriffen hatte, hielt er folgende unerwartete Rede:

»In Haiti besteht ein altes Gesetz, daß ein Gast, der von einem Haustier verletzt worden ist, das Recht hat, einen Kuß von der Hausfrau zu verlangen, falls eine solche zur Stelle ist.«

»Das haben Sie soeben erfunden«, sagte Teini; aber gleichzeitig dachte sie, daß es ja wohl stimmen könnte. Der Boy machte ein ganz ernstes Gesicht: »Nein, nein, das ist tatsächlich so auf Haiti, und es steht bei Ihnen, ob Sie sich irgendwie verpflichtet fühlen, mich für die erlittene Unbill zu entschädigen. Ich kann mit dem Finger seit Tagen weder schreiben noch sonst etwas tun.«

Teini war es nicht möglich, Empörung zu heucheln, die sie nicht empfand, und schließlich war das Gesetz, mit allen anderen verglichen, sehr nett und harmlos, dachte sie und sagte freundlich: »Also, wenn es Ihnen Spaß macht, spielen wir Haiti.«

Schnell entschlossen war sie aufgestanden, auch der Boy hatte sich erhoben, und auf seiner Wange suchte sie sich eine Stelle aus, auf die sie einen halblangen Kuß drückte. Er aber hatte schleunigst die Profilstellung zugunsten einer besseren geändert, und aus dem haitianischen, gesetzmäßigen wurde ein europäisch gesetzwidriger, ganz unbußfertiger Kuß, der ihnen beiden bewies, daß das Leben bei aller Eintönigkeit ungeahnte Überraschungen zu bringen vermag. Sie waren wohl beide, jeder in seiner Art, betroffen, Teini am meisten über sich selbst, denn sie gehörte keineswegs zu den Frauen, die sich leichtsinnig in ein Abenteuer begeben.

Nun waren drei Jahre vergangen, und Teini mußte sich sagen, daß all ihre Menschenkenntnis an dem Boy, den sie seit nunmehr achtzehn Jahren kannte, zerschellte, das heißt, sie kannte ihn ziemlich genau, wußte, wie er bei dieser oder jener Gelegenheit handeln und sprechen würde, und kannte alle seine Gedanken und Gefühle, sofern sie sich nicht auf sie selbst bezogen. Darüber herrschte tiefstes Schweigen. Noch nie hatte er ihr gesagt: Ich bin so glücklich mit dir.

Er war ein Mensch von naturhafter Einfachheit in der Kundgebung. Worte waren für ihn ein Notbehelf oder ein Mittel zur Aufrechterhaltung sozialer Beziehungen; seine Stimme war leise und ausdrucksvoll, und nichts lag ihm besser als das objektive Gespräch. Von sich selbst redete er wenig und vom Angeredeten überhaupt nicht.

Im Anfang ihrer Beziehung zu ihm hatte Teini, ihrem Naturell entsprechend, fröhliche Zwiegespräche eingeleitet, aber der Boy setzte nach dem ersten Zwie einen einfachen Punkt, den Teini nicht in ein Komma verwandeln konnte, weil ihr wiederum der Eingriff in die Interpunktion ihres Partners nicht lag. Sie schwieg also. Aber der Liebende hat nur einen Wunsch – dem anderen sein Gefühl zu offenbaren, nicht ein für alle Male, sondern immer wieder, als sei noch nichts in der Sache getan. Und solange eine Liebe besteht, ist auch in der Sache nichts getan. Sie hoffte vor jeder Zusammenkunft auf die Enthüllung, aber der Boy war so flächenlos, daß er nie an Verhüllung dachte. Er ist wahrscheinlich vor lauter Schmetterlingen und Käfern, die er gefangen hatte, eine Art Hirschkäfer geworden, braun, hart, reizend, zielbewußt, vorsichtig, praktisch aber etwas unmenschlich sagte sie sich. Sie kannte alle seine Gewohnheiten, Vorlieben und Antipathien für das tägliche Leben und den Umgang mit Menschen, war ihm auch darin nicht ungleich, aber für sie bestand noch eine andere Welt, in der sie wie in der Natur zu Hause war, und jener wußte der Boy nur wenig Lebendigkeit entgegenzubringen: der Welt der geistigen Errungenschaften. Indessen war das weiter kein Unglück, denn des Boys Undurchsichtigkeit bot ihr genug Nüsse zum Aufknacken und zeigte sich ebenso reizvoll wie ungelöste philosophische oder künstlerische Probleme. Für eine verbale Liebesbezeigung von ihm hätte sie zehn zurückgegeben, aber sie fühlte sich qualvoll befangen und gehemmt, eine einzige selbst zu wagen, weil er, vielleicht aus Bescheidenheit, vielleicht einfach aus Unkenntnis dieses besonderen Spieles, die eine durch verlegenes Lächeln oder eine abweisende Antwort zu quittieren verstand. War der Grund seines Verhaltens eitel Schüchternheit, so wäre es ihr ein leichtes gewesen, sich noch schüchterner als er zu verhalten, um ihm die Rolle des Unternehmers zu lassen und ihm später die Schönheit und den sicheren Ernst ihrer Liebe zu offenbaren. Aber die Geschichte mit dem ersten Kuß bewies bei ihm eigentlich das Gegenteil von Schüchternheit, viel eher eine reizvolle Unverfrorenheit, die sie um so mehr gefangennahm, als er sich fünfzehn Jahre hindurch als der korrekteste Käfer- und Schmetterlingssammler gezeigt hatte, unter Ausschluß jeglichen Versuchs, bei ihr Sympathie zu erwecken oder einen leisen Flirt anzubahnen. Es gibt Menschen der Wortschüchternheit in Dingen des Gefühls und solche der Tatschüchternheit. Zu diesen gehörte der Boy keineswegs, vielleicht zu jenen, wer wollte das wissen? Sein Gefühlsleben war ein unerforschtes, vielleicht unbetretbares Gebiet geblieben wie die Urwälder des Amazonas. Man hätte denken können, daß drei Jahre intimer Freundschaft einen oberflächlichen Einblick gestattet haben würden, der nur dazu dienen sollte, diese Freundschaft selbst als das zu erklären, was sie war. Aber Teini stellte niemals Fragen, und der Boy sprach nie von einem inneren Leben. Zwei Gelegenheiten gibt es in der Freundschaft, die zur Lösung gewisser Hemmungen führen: der Abschied auf längere Zeit und das Wiedersehen nach Trennung. Freude beim Wiedersehen und Niedergeschlagenheit beim Abschied verraten etwas von der Intensität des Gefühls, das zwei Menschen miteinander verbindet; wo nicht vorhanden, wird es sogar vorgetäuscht, wie an Geburtstagsfeiern, Begräbnissen oder Bahnhofsszenen, weil die menschliche Gesellschaft übereingekommen ist, daß hier gewisse Texte, Mienen und Gefühlsausbrüche am Platze sind. Der Liebende kehrt sich nicht an diese Übereinkunft, er wird immer besseres finden in der Art des Schweigens, des Sprechens, des Blicks, er hat tausend Geheimzeichen, siebenhundertundfünfzig Anspielungen und unzählige physiognomische und Fingerfertigkeiten, die den Partner außer Zweifel über die Natur seines Gefühls lassen. Wie aber war der Boy? Kein Schweizer so neutral, kein Marmorblock so kalt, keine Kokosnußschale so trocken.

Und doch hat er mich lieb, sagte sich Teini. Er hat; denn – – – und nun suchte sie die paar Beweise zusammen.

Und anscheinend liegt ihm an der Fortführung unserer Beziehung, fuhr Teini in Gedanken weiter, er spricht vom nächsten

Jahr, will im März schon wissen, wie der Oktober für uns wird, er sagt »für uns«; aber sie, die darauf lauert wie die Katze auf die Maus, nur nicht tückisch, sondern voller Liebe, vermißte, was man mit Zärtlichkeit bezeichnet. Nein, zärtlich war er keineswegs, dieser nette, originelle Hirschkäferboy mit der sanften Stimme.

Tausend Fragen drängten sich ihr auf: Wie war er mit anderen Frauen gewesen?, wenn er verliebt war, also sagen wir zum Beispiel, es wäre da eine Argentinierin gewesen, mit schlanken Hüften und langen Augen, die wie Schwalben seitwärts schossen, und vorher wochenlanges Waten durch unerforschte Gebiete hinter Schmetterlingen. Wie war er mit dieser Rosalbita? Schon gewitzigt oder Hals über Kopf begeistert und gläubig? Und wie hatte sich Rosalbita benommen? Und Madame Trois – Etoiles in Paris, und Mrs. Whois – She, denn die hatte es doch in seinem Leben gegeben in Unmassen oder vereinzelt.

Manchmal war die Rede von anderen Frauen, die bei irgend etwas, das der Boy erzählte, als mitwirkende Figuren vorkamen, und dann fiel ein Wort wie: Sie hatte die schönsten Zähne, die ich je gesehen habe. Also meine, dachte Teini, sind nicht so schön. Oder es war die Rede von der Frau, die sich am besten anzog. Also, dachte Teini, ich nicht. Oder sie hatte die schönsten Beine, die man sehen konnte. Also meine selbstverständlich nicht. Prachthaare, sagte er; aber nie von den meinen. Eine Haut wie Atlas. Meine ist vielleicht wie Putzleder. Die Erzählungen waren natürlich so gehalten, als hätte er zu diesen Frauen wie ein mehr oder minder langjähriger Bekannter dritten Grades gestanden. Das war ja auch Nebensache; was sie wissen wollte und wissen mußte, war die Art seines persönlichen Erlebens Frauen gegenüber, insbesondere, soweit sein Herz dabei beteiligt war. Sie hatte sich allerlei zusammengereimt. Vielleicht hatte er einmal eine große Liebe, wie man sagt, und hätte sie noch, wenn der Krieg nicht alles zerstört hätte. Die Frau lebte vielleicht in New York und war in Paris und an der Riviera zu sehen, war vielleicht insofern gefährlich reizvoll, als ihr Zauber ebenso zwingend wie ihre Rücksichtslosigkeit den Boy immer von neuem gefangengenommen hatte. Vielleicht stammte der Name Boy von ihr, und er liebte es, von Teini den vertrauten Namen wiederzuhören. Vielleicht war alles ganz anders gewesen, es änderte jedenfalls nichts an ihren Gefühlen, aber viel hätte sie darum gegeben zu wissen, wer ihr Geliebter war. Er hatte sicher in seinem gar nicht so kurzen bisherigen Leben Erfahrungen gemacht, die ihn zum Mißtrauen Frauen gegenüber erzogen hatten oder zu äußerster Vorsicht, jedenfalls unter Verzicht auf die eigene seelische Hingabe. Vielleicht hatte er das Bedürfnis hierzu überhaupt nie empfunden. Schlimmer war, daß er es unterließ, ihr gegenüber ein derartiges Interesse zu zeigen. Der Liebende erhofft beim Geliebten ein Aufblühen unter seinen Augen, kraft gewisser Maßnahmen, dank seiner Liebe. Teini war zum Blühen bereit, aber es schien niemand speziell darauf zu warten. Man hätte ja vielleicht einmal von diesem wichtigen Thema reden können, aber wenn sie es einzuleiten versuchte, sah sie sich einer geradezu kindlichen Ahnungslosigkeit gegenüber, die entwaffnete, wenn man das in diesem Fall sagen konnte, wo sie weiß Gott nicht mit Waffen, viel eher mit einem Lebenselixier vor ihm stand oder neben ihm einherging. Dummer Boy!

Sie war so weit gekommen, daß sie brüderlich mit ihm spazierenging, wenn sie sich nicht ungestört unter Dach und Fach sehen konnten, ohne auch nur eine Zärtlichkeit im Wort zu wagen, und so gut wie nichts Persönliches, das heißt Seelisches, besprach. Sie erzählten sich den Verlauf der getrennt verbrachten Tage oder Stunden und drückten sich beim Abschied förmlich die Hand, jeder im Begriff, den Heimweg in verschiedener Richtung anzutreten.

»Boy, ich habe dich sehr lieb.«

»Ich auch, Teini.«

Das kam alle drei Monate vor, und jetzt erschien es selbst ihr schon als eine unmögliche Wiederholung, weil es keine Fortsetzung gab. Außerdem hatte er gar nicht immer mit »ich auch« reagiert, sondern sicherlich nicht unerfreut, aber wortlos gelächelt. Ein Punkt, und die kleine Episode war vorbei.

Streng voneinander getrennt, wurde offizielles und inoffizielles Sichsehen behandelt. In seiner Wohnung war sie ein einziges Mal mit ihrem Gatten vor langer Zeit gewesen, als ihnen beiden die Schmetterlings- und Käfersammlung gezeigt werden sollte. Seitdem nie wieder, das wäre viel zu gefährlich, sagte der Boy, der noch hinzufügte: »Alles muß vermieden werden, wodurch Teini kompromittiert würde und ich sie verlieren könnte. Ich aber möchte sie behalten.« Das war einer der verbalen Liebesbeweise, an die sie gern dachte, wenn sie nach Beweisen suchte. Aber zuweilen sahen sie sich nachmittags ungestört in der Wohnung eines abwesenden Freundes, Geologen und Naturforschers, dessen Bibliothek und Schreibmaschine dem Kollegen auch früher schon zur Verfügung gestanden hatten, so daß es nicht auffiel, wenn der Boy dort arbeitete und gelegentlich einem Tippfräulein in die Maschine diktierte. Und dieses inoffizielle Sichsehen ließ nichts zu wünschen übrig, obgleich auch hier der Aussprache nicht viel Zeit bemessen wurde. Manchmal ließ er auf Spaziergängen, weil er oft krank war, ein Wort über sich selbst fallen, in der Art: »Teini muß sich einen anderen Boy anschaffen, der ist kaputt, taugt zu gar nichts.«

»Ich habe aber nur diesen lieb«, sagte Teini schnell und von Herzen überzeugt, unter Vermeidung aller nach Mitleid klingenden Worte der Aufmunterung, denn die haßte er ebenso wie sie selbst. Sie trafen sich auch regelmäßig im Schachklub, er war ein erstklassiger Spieler, sie eine Anfängerin und nach seiner Meinung hoffnungslose Schülerin. Er zeigte sich nur als trockener Lehrer, nie als Geliebter, so daß sie zuweilen in eine Gegnerschaft gerieten, die sie tief verletzte, weil sie auch beim Schachspiel eine unbezähmbare Freude an seinem Dasein und an seiner Nähe hatte. Verstohlen und erfreut betrachtete sie seine Hände und seinen gut gebauten Kopf, war in angenehmer Spannung und spielte vor Glück wie ein Nachtwächter. Dann wurde er ironisch, tadelte kalt und unverliebt, und sie, die den Tadel gern einkassierte, nicht aber die Ausschaltung ihrer privaten Beziehung, war schwer bekümmert. Da kam es leicht zu Konflikten, weil der Boy dachte, sie könne keinen Tadel vertragen, und sie mit »nein, aber« reagierte, während er die Angelegenheit mit »kindisch« bezeichnete.

Es hatte auch schon andere Plänkeleien gegeben, deren Zustandekommen sie nicht begreifen konnte. Kleinigkeiten waren es; zum Beispiel der »Du«-Fall. »Weißt du«, hatte sie ihm auf der Kurpromenade gesagt, ganz glücklich, selig vergnügt, und er, ganz schnell, selig wütend: »Schon wieder, ›du‹!!« Auf der Kurpromenade wollten sie sich der bösen Menschen wegen »Sie« sagen.

Versteinert über seinen Ton, brachte sie kein Wort mehr hervor. Er hätte in der gleichen Stimmung frohen Einverständnisses mit ihr sein und sie liebevoll an die Verabredung erinnern können, zumal seine Antwort eben wieder jenes verpönte »Du« enthielt und außerdem nur zwei alte Trauertanten auf einer Bank, in eifrigem Gespräch begriffen, die Vorübergehenden kaum beachteten.

Ein paar Schritte war der Boy mit ihr weitergegangen, dann hatte er sie gefragt, ob sie am Nachmittag mit ihm Tennis spielen wollte. »O ja, gern«, hatte sie erwidert. Wieder ein paar Schritte. »Und was es doch für komische Menschen gäbe, da hätte kürzlich jemand behauptet...«

Warum mich so anfahren, denkt sie, warum nicht immer den lieben Ton beibehalten. Bei ihr ist ja keine Gefahr, daß sie der Hafer sticht. Kleine Kinder muß man zuweilen trocken anfahren, um dann sofort wieder in den neutralen Ton zu fallen, weil eben kleine Kinder erzogen werden müssen ... (Kleine Frauen sind ja auch kleine Kinder ... würde der Boy hier einschalten, könnte er ihre Gedanken verfolgen.) Indessen erwidert sie auf das Stichwort korrekt: »Ja, komische Menschen gibt es.« So ging es eine Weile. Nie begann sie ein Gespräch, ließ es in den Antworten nicht an Sachlichkeit fehlen. Sich selbst schaltete sie aus. Was für ein kleiner Satan, mochte er denken, vielleicht seinen sekundenlangen Ärger bereut haben. Nach seiner Ansicht war die Liebesordnung wiederhergestellt. Ging sie auf den Handel ein, indem sie das Intermezzo zu vergessen schien, so würde sie als ein guter Charakter gelten. Das konnte alles gemacht werden, da sie ihn liebte, aber den Kunstfehler in der Liebe auf seiner Seite, den liebte sie nicht. Ihm das zu erklären ging nicht, ohne daß er ihr mit dem unmöglichen Wort »keine Diskussionen« die Rede abschnitt. Endlich meinte er, schulbubenhaft entmutigt, lehrerhaft kühn und väterlich gutmütig:

»Ich glaube, Teini brummt sich ihre schlechte Laune am besten zu Hause aus«, und gab ihr die Hand zum Abschied.

»Schlechte Laune? Ich war so heiter und glücklich wie nur je. Ich bin unfreundlich angefahren worden und ...«

»Natürlich, wenn sich Teini auf der Promenade kompromittiert.«

»Das Anfahren ist bei mir nicht nötig, und in unserem Fall kann ich es nicht natürlich finden.«

»Was haben wir davon, wenn wir erwischt werden?« – »Ganz meine Ansicht, das letzte, was ich mir wünsche, aber es waren nur zwei Menschen in der Nähe, und die haben es nicht gehört. Ich passe schon auf. Ich bin die erste, die sich schuldig fühlt, nur muß man es mir lieb sagen, dann schmelze ich.«

»Ich hasse Diskussionen!« sagte er kurz und bündig. (So muß man es mit Frauen machen.) Wenn man Diskussionen haßt, darf man sie nicht herbeiführen, denn nachträglich das Wort einem anderen, Gleichgestellten entziehen, ist untunlich, will man nicht gegen gewisse ungeschriebene Gesetze verstoßen ...

Dann war auch noch der »Nurmi«-Fall in einem Kurort, wo sie sich getroffen hatten: Sie wollte sich den Spaß machen, durch unerhört schnelles Gehen und da, wo es die Straßenleere erlaubte, selbst durch Laufen ihn, seinen Wechsel kennend, einzuholen. Sie dachte, er werde sich freuen, sie doch noch zu sehen, obgleich er sie nicht mehr erwarten konnte, da die Minute verstrichen und nun der Trennpunkt woanders und eine halbe Stunde später sein würde. Endlich erkannte sie ihn von weitem und wußte, ihn angenehm mit den Augen haltend, daß er ihr nicht mehr auskommen konnte. Ein fliegender Nurmi hinter ihm, stand sie plötzlich, unterdrückt atmend, neben ihm, keines Wortes fähig, nur eines strahlenden Lächelns, während ihr Herz sichtbar unter der Bluse hämmerte. Diese Wut bei ihm! Diese Ironie! Auf dem Weg, den sie dann gemeinsam zurücklegten, fand er für sie nicht ein freundliches, gerührtes Wort.

»Du bildest dir ein, ha, ich kann alles, mir schadet es nicht, so ein Blödsinn! Wie dein Herz geht! Mir macht es gar keine Freude, dich zu sehen!« Die trockene Pädagogik als Übersetzung seiner Sorge um ihre Gesundheit war ihr unfaßbar. Sie war kein Baby. Mochte sein, daß sie sich als ein solches benahm, in der Liebe ist jeder ein Kind, glücklich wie ein Kind, phantastisch wie ein Kind, siegesgewiß wie ein Kind, auch empfindlich wie ein Kind und wohl auch oft so töricht; aber ihr zu sagen, aus pädagogischen Gründen, daß er sich nicht freue, sie zu sehen ... Sie sagte ihm das, stockend und verwundet.

»Erst freute es mich, dann aber war die Wut stärker. Dich so anzustrengen!«

Dann fuhr er fort, sie regelrecht auszuzanken, war aber nett und freundlich während der Mahlzeit und vereinbarte Pläne für den Nachmittag. Nie gab es ein Zurückkommen auf solche Erlebnisse. Sie überdachte sie nachträglich im stillen. Ein anderes Mal, als er ihr auf dem Spaziergange mit dem berühmten »das ist unlogisch« kam, meinte sie scherzhaft: »Der stereotype Witz aus den Fliegenden Blättern, Frauenlogik betitelt.« Und nun wollte sie dartun, daß ihr Ausspruch von vorhin keinen Denkfehler aufwies. Er aber, sehr bald verärgert, schnitt mit einem »jetzt habe ich genug!« in ihre Rede.

»Du hast genug!«

»Ja, ich habe genug!«

Was hatte sie noch hier zu tun? Ebenso schnell umdrehen und die entgegengesetzte Richtung einschlagen, genau im gleichen Tempo, das sie soeben gemeinsam gegangen waren, erschien als einzig mögliche Antwort. Den Tod im Herzen, erledigte sie verschiedene Besorgungen und traf dann pünktlich zum Essen ein. Er führte ein freundlich gefärbtes Gespräch, sie erwiderte das Nötige, vom Zwischenfall war keine Rede. Aber ihre Stimme hatte keinen Klang, ihr Auge kein Lächeln. Beim Auseinandergehen sagte er ihr lieben Tones »Teini Darling, I'm sorry«, nicht weil er ein Engländer war, sondern weil Gefühle manchmal besser in der fremden Sprache zu verbergen sind, und fügte noch hinzu: »Ich kann dich nicht traurig sehen.« Nicht traurig sehen konnte er, das war ja nun lieb, warum aber machte er sie traurig? Er hatte es in der Hand. Ein merkwürdiger Boy! Für den Nachsatz schlug ihm ein dankbares Herz entgegen, aber sie konnte noch nicht so recht sprechen, nur ihm die Hand drücken. Und dann grübelte sie über die Warum und Wie und ganz besonders ehrlich und sachlich über ihr eigenes Verhalten. Seiner Natur nach dem Schatten einer Pose abhold, unsentimental wie ein junger Falke und vernünftig wie ein Kondor, konnte er sie, die gleichfalls keine Zeit und kein Bedürfnis für Pose hatte, in einen Zustand von Stummheit versetzen, den ihr Temperament schwer ertrug; nur das ihrer Natur Zuwidere hätte sie vielleicht retten können: Sentimentalität oder eherne Wurstigkeit, Kampf oder Tränen, Flucht oder Stier-bei-den-Hörnern-Nehmen. Aber der Boy hatte sich in seinem bisherigen Leben die Hörner geschickt abgestoßen; zur Flucht hatte sie ihn viel zu lieb, und Tränen verachtete sie. Kampf? Wozu, sie wollte doch selig mit ihm leben; allgemeine Wurstigkeit? Erst können vor Lachen! Und Sentimentalität? Hole sie der Teufel! Gerade seine trockene Einfachheit unter Ausschluß jeglicher Pose war ihr besonders sympathisch und auch die dazugehörige sanfte Stimme des kleinen Novizen, der nicht bis drei zählen konnte; dabei war er recht firm im Rechnen, und, was den Novizen betrifft, gerissen wie ein Liftbub. Freilich würde sie gern in seinen Augen zuweilen ein Aufleuchten, das ihr galt, oder von ihm einen begeisterten Ausspruch in gleicher Richtung wahrgenommen haben. Doch blieb er merkwürdig neutral und geistig uneinnehmbar.

Nun war es bald Zeit zum Rendezvous im Zoo. Leichten Schrittes ging sie daran, sich möglichst hübsch für ihn herzurichten.

Kleine Hüte haßte er. Na also in Gottes Namen einen mit breiterer Krempe. Ein gewisses Grün liebte er. Also her mit dem lichtgrünen Kashakostüm. Wenn nur der Rock nicht bei jedem Schritt rückwärts an den Kniekehlen klebt, kein Mensch weiß, warum. Auf Seidenstrümpfen und Seidentrikothose hat er nicht zu kleben. Er tut's nur, damit der Boy eine Bemerkung anbringen kann. Glänzt die Nase? Ja, sie glänzt vor Erregung. Sie wird bestäubt. Glänzt das Auge? Natürlich nicht genug! Immer alles verkehrt. Ein lustiges Taschentuch, aus der Brusttasche vorlugend, und frische Veilchen am Knopfloch machen die Augen brauner, und jetzt noch ein bißchen Blond an den Ohren vorziehen. Es ist noch reichlich Zeit, aber sie kann nicht mehr warten. Wenn sie sehr langsam geht, wird es gerade recht sein.

Boy, kleiner Boy, ich freue mich aufs Wiedersehen!

Sie sitzt auf einer Bank und wartet. Die Sonne scheint, wie sie das im Juni kann, Babys wetzen umher, alle Höschen spannen, und Kindsfrauen zupfen daran herum. Einem Buben, der noch gar nichts getan hatte, wird gesagt: »Wenn du nicht artig bist, gehen wir nicht zum Lewen.« – »Ich will aber 'n Lewen sehn«, schreit der Enttäuschte und stampft. – »So, jetzt gehn wir nicht zum Lewen!«

Zu dieser schreienden, raffiniert egoistischen Ungerechtigkeit brüllt der Kleine und stellt sich vor Verzweiflung auf die Fußspitzen. Ein Vater mit drei Kindern geht vorüber und präpariert im Gehen drei Zündhölzchen. »So«, sagt er, »nun wird jeder von euch ziehen, und wer das längste erwischt, darf sagen, wo wir zuerst hin sollen. Ernachen fängt an.«

Ernachen zieht das kürzeste, das war vorauszusehen. Nun ziehen die beiden Buben, und der Sieger weiß vor Stolz und Glück nicht mehr, welches Tier er zuerst sehen will. Ernachen bläst ihm ins Ohr: »Sag, daß du 'n Känguruh sehen willst.«

»Sag zu den Affen!« souffliert der Bruder.

»Also dann schon lieber zu . . . m«, er denkt angestrengt nach . . .

»Sag Seelöwen!« rät Ernachen, die das Känguruh aufgegeben hat. Jetzt weiß er's:

»Zum Landlöwen will ich!«

Die vier gehen also zum Landlöwen.

Sie sitzt noch immer auf der Bank und stellt sich das Wiedersehen vor. Gleich wird er dasein. Fünfzehn bis dreißig Minuten Spielraum waren ja vereinbart. Sie denkt, daß er vielleicht einen hellgrauen Anzug tragen wird, es kann auch ein dunkelblauer sein. Sein Gesicht unter dem Hut wird so und so aussehen, sie kann sich seinen Schritt vorstellen, die Art, wie er den Fuß setzt, gefällt ihr sehr. Wie ein Asket sieht er nicht aus, Gott sei Dank! Wie kann man diese mageren, dunklen ausdruckslosen Film-Beaux gern haben! Aber man hat. Ihr Boy war ein reizender, kleiner Nichtasket. Wahnsinnig gern habe ich ihn, gesteht sie sich ein. Wenn Heringe Beine hätten, wären sie so wie die von meinem kleinen Boy. Immer hat er hübsche Krawatten an. Und die Hände sind so knochig und haben angenehme rundlängliche Nägel. Aber das beste ist der Mund. Er sieht wie schlechte Laune aus, aber, wenn man näher hinsieht, lächelt er unschuldig. Blau ist der gerade Blick, wie von Hundsveilchen, schneeweiß im Profil. Mein Boy ist nicht groß. Nur keine Riesen! Da fehlt's oft am Nötigsten, und es ist Überfluß am Belanglosen. Der Riese hat zuviel leere Stellen.

Aber jetzt müßte er bald kommen ... Sie geht auf und ab, erst bis zum Löwen und zurück zum Rendezvous-Platz, dann bis zum Tiger, dann bis zum Bären, dann probiert sie eine neue Bank. Hat er vergessen? Vorgestern hatten sie Stunde und Treffpunkt vereinbart. Was damals Dienstag war, ist heute vielleicht ein verwechselter Montag. Sie versucht den Text wiederherzustellen. Dienstag 11.15 oder 11.30, je nachdem, wie schnell er sich frei machen könnte. Jetzt war es 11.45. Er ist entweder krank, oder der Käfermann, dem er die Insektensammlung zeigen sollte, hält ihn auf. Vergessen hat er sicher nicht, denn er ist sehr genau im Einhalten einer Vereinbarung. Nur nicht krank sein.... Er hat eine so unsichere Gesundheit.

Sie stellt sich vor, wie eine Fee ihr sagt: »Wenn du dich entschließen kannst, dir eine Hand abhacken zu lassen (es darf die linke sein), dann wird er überhaupt nie mehr krank.« Also sofort abhacken lassen! Sie hat ja ihren Boy wahnsinnig gern. Ob wohl ihr Brief schon angekommen ist? Das war so ein kleiner Zwischenbrief gewesen, um die Wartezeit abzukürzen und ein Scheinzusammensein zu schaffen. Was hatte sie ihm denn geschrieben? Daß sie ihn wahnsinnig gern hatte. Sie versucht die Worte wiederzufinden. Es gibt hunderttausend Millionen Arten, das zu sagen. Es genügt eben nicht, daß man sich's im Jahre 1923 einmal gegenseitig mitgeteilt hat, und dann bis 1926 schweigt, wo es sich vielleicht zeigt, daß man sich nicht mehr so gern hat. Ist man verliebt, so beschäftigt man sich mit dem geliebten Partner und mit sich selbst. Wenig anderes interessiert außer diesem. Man wünscht genauso gesehen zu werden, wie man sich selbst sieht, oder sehen will, und man wünscht, daß der Partner viel, viel verlangt, weil man selbst zu allem bereit ist, was ihn beglücken könnte. Tagelang vermögen Liebende voneinander zu reden, darum sind sie für die übrige Menschheit so langweilig. Welche Wonne, einmal endlich immer tun zu können, was einem sonst verboten wird: von sich zu reden, einen Brief mit »ich« zu beginnen. Das hatte sie nun nicht. So war der Anfang: »Du darfst nie mehr sagen, daß ich mir einen anderen Boy aussuchen solle, einen besseren, jüngeren und so weiter. Den, den ich habe, bete ich an, jedes Stückchen von ihm ...« Was dann folgte, war Vermischtes, kleiner Anzeiger, letzte Nachrichten.

Was hatte sie ihm noch geschrieben? Oh, ja richtig: »Lieber, dummer, alter Boy, ich bin zu der Überzeugung gekommen, daß Du ganz trottelhafte ›Systeme‹ mit Frauen‹ hast, die Du ganz trottelhaften Erfahrungen verdankst. Ich habe das schon öfters bemerkt. Zwar bin ich leider eine Frau, habe trotzdem einige boyverwandte Eigenschaften, bin ein fester, braver Ziegelstein, kein pappiger Zement; ein sicherer Kastanienbaum, kein affektierter wilder Wein (Ampelopsis Veitschii), ich kann schweigen, ich kann denken, es fällt mir was ein, ich kann kombinieren, habe Geistesgegenwart, bin ein absoluter Gentleman, bloß Schach kann ich nicht spielen. Das ist das Elend. Da leidet unsere Liebe, Deine Liebe . . . Schiffbruch. Da wird der Boy ironisch, verliert das kostbare Gut, das sie nie verliert, die Freude am Geliebten.« Dieses letzte hatte sie ihm aber nicht so geschrieben, sondern etwa so: »Ich habe so Angst, daß Du mich nicht gern hast, wenn wir Schach spielen, und doch bin ich vom besten Willen beseelt, hatte nur einen Gedanken, meinen Kopf auf Deinen Schoß zu legen und remis vorzuschlagen. Du mußt immer davon ausgehen, daß ich Dich unendlich gern habe, auch wenn ich schlecht spiele.« Wird sie wieder stundenlang mit diesem merkwürdigen Boy spazierengehen, ohne ein persönliches Wort zu sprechen, keins, das nicht mit ganz gleichgültigen anderen Leuten gewechselt werden könnte? Das schnürt ihr die Kehle zu, denn sie kann nicht von Besserem anfangen, weil er darauf mit Bramaschlössern reagiert, die, einmal zugesperrt, schwer zu öffnen sind. Sie kennt seine Texte; wo sie nicht einer Ansicht sind, läßt sie die Gespräche fallen, weil er ein Thema, das im Verlauf des Gesprächs zum drittenmal an ihn zurückgelangt, mit dem tötenden Wort »argumentieren«, das einen Vorwurf für sie enthält, parieren könnte. Argumentieren . . . Jedes Thema lebt davon, daß man sich ihm von allen Seiten nähert, und ein Thema ist rund, hat also nicht nur Seiten, sondern Millionen von Punkten, auch ist es nicht hart wie eine Billardkugel, sondern weich wie Knetgummi. Sich nähern ist alles – ganz hinkommen kann man selten.

Als bewährtes Mittel zur Verständigung und Annäherung steht dem Liebenden die Geste zur Verfügung, aber obgleich sehr beredt, sagt sie nicht alles. Sie kann alle Sprachen, aber sie ist wortarm; wenn sie auch nicht lügt, fehlt es ihr doch an Klarheit. Sie sagt kurz und bündig: »Ich liebe dich!« Aber sie kann auch bedeuten: »Sei mir zu Willen« oder »Hier hast du dieses, gib mir dafür jenes!«

Ob er noch kommt? Sie hat fast alle Bänke ausprobiert. Der

Löwe spielt mit der Gattin. Ein Kind hat seinen Reifen durch das Gitter gehalten, und geschickt hatte ihn der Löwe mit einem Prankenschlag zu sich hereingezogen. Jetzt, nach längerem Hin- und Hergeplänkel, um des Reifens habhaft zu werden, gehen beide dicht aneinandergepreßt, gravitätisch-graziös, Rachen an Rachen den Reifen haltend, wie ein Juckergespann in leichtem Trab auf und ab, und die Zuschauer jubilieren, die Sonne scheint, man hört Papageien lachen und räsonieren, der Sprengwagen tut seine Pflicht, nur der Boy erscheint nicht.

Da ist er!

Taubengrau, beschleunigten Schrittes.

Gott sei Dank.

Ihr Herz springt zum Halse. Er erklärt die Verspätung, während sie in den hundsveilchenblauen Augen zu entdecken sucht, ob er sich ebenso auf das Wiedersehen freut wie sie. Sie kann es natürlich nicht feststellen, nimmt es aber an, Optimistin, die sie doch ist.

»Natürlich konntest du den Käfermann nicht hinauswerfen«, sagte sie, ganz beglückt, daß er nicht krank war. Er erzählte ein wenig, und sie schielte zu seinem Gesicht hinüber, maß die Wimpern nach, beobachtete die Bewegung des Mundes, die ihr immer angenehm zu sehen war, weil sie nie anders als natürlich und diese Natürlichkeit nie häßlich wirkte.

»Lieber Boycie!« sagte sie, aber so leise, daß er es nicht hören konnte. Das ist Pech, zweimal ansetzen kann man bei so feinen Feststellungen nicht. Nun sagte er: »Ich habe für einen reizenden Brief zu danken.« Ganz konventionell, liebenswürdig. Sie antwortete ebenso konventionell:

»Was? Der ist schon gekommen?«

»Ja, mit der ersten Post.«

»Ich dachte, vor Mittag könnte er nicht dasein.« – »Du hast mir schon ähnliche Briefe geschrieben«, fuhr er fort, »eigentlich sind es Vorwürfe.« – »W... was? Oh... Ich glaube, du liest nicht richtig...« Vorwürfe, diese Angst, daß er sie nicht so unumschränkt liebhat wie sie ihn, diese Angst, die sie niemals los wird, welcher Liebende kennt sie nicht? Diese Angst der Unzulänglichkeit, die er durch unendlich vollkommene Liebe zu parieren sucht. Vorwürfe? Liebesgeständnis! Sie ist betroffen. Einiges tut weh. Sie schweigt, und in dieser Sekunde Schweigens tauchen allerlei ähnlich erlebte Situationen auf.

»Nun bist du böse«, sagt er und erinnert sich – so denkt sie – an die bewußten »trottelhaften Erfahrungen mit anderen Frauen«, die es ganz leicht und recht oft zustande brachten, mit dem Geliebten böse zu sein. Das kann es doch nicht geben, oder die Liebe ist nicht weit her. Was soll sie antworten. Böse ist sie nicht, also die Wahrheit:

»Böse? Nein.«

Sie lächelt ein wenig traurig, denn all das vom Nichtböseseinkönnen muß sie hinunterschlucken, weil sie die Erfahrung gemacht hat, daß er das nicht glaubt, einfach weil er's nicht kennt, weder bei sich selbst noch bei andern. Querelles d'amoureux nennt man's, das weiß sie und hat doch gar nie zu dieser Sorte banaler Liebenden gehört. Wie ihn eines Besseren belehren? Die Bezeichnung muß einer erfunden haben, der nicht so liebte wie sie. Mittlerweile haben sie sich dem afrikanischen Zwergelefanten genähert, der vor Langerweile einfach nicht weiß, was anfangen. Der arme Zwerg, dem der große Urwald fehlte, ringt den Rüssel vor Verzweiflung und klatscht ungeduldig, aber ergeben mit den Ohren gegen sein steiles Schulterblatt. Dann legt er sich in den Sand und, unartig genug, aber niemand zankt ihn aus, holt er sich Sand und wirft ihn salopp in seinen aufgesperrten grauen Mund, der so sorgfältig rosenrot gefüttert ist. Alles sieht sie, was der Elefant tut; aber durch ein graues Licht, ein viel graueres als das Lederkleid des Zwergelefanten. Und der Boy, das versteht sich von selbst, macht sich Gedanken über die »Launen der Frau«. Schlechte Laune zu verscheuchen, denkt er gewiß, gibt's nur ein Mittel – man muß sie unterhalten. Er unterhält also, erzählt von großen Nachtschmetterlingen, die er in der Nähe von des Zwergelefanten Heimat gefangen hatte. Während sie schmetterlingsmäßig auszusehen sich bemüht und rastlos ihren Boy liebhat, brav ihre Antworten auf die Schmetterlingserlebnisse gibt, kann sie nicht umhin zu erwägen, wie sie ihm begreiflich machen könnte, daß sie nicht böse sei – im Gegenteil – erstens; und zweitens, daß das System, von Schmetterlingen zu reden, um sie wie ein Baby auf andere Gedanken zu bringen, ein dummes und unwürdiges System sei, drittens, daß sie in keiner Weise ein kleines Frauchen ist und kein Zwergelefant, den man fangen und sich halten kann. Aber wie erklären, ohne daß er mit dem tödlichen Wort »argumentieren« kommt! Also schweigen und den harten Gurgelknopf hinunterschlucken. Dabei gehen leicht die Augen über. Vorsicht! Der Geo-Zoo-Schachologe hat eine Art, sie in ihr Weibtum hineinzudrängen, das ganz und gar nicht ihre eigenste Natur bedeutet, sondern einer Art von Zufall gleichkam, und da kann alles passieren, wogegen sie von Haus aus gefeit wäre. Sie würde es sich nicht zu Herzen nehmen, wenn sie nicht schon bei früheren Anlässen mit größtem Erstaunen erkannt hätte, daß der so zärtlich, so selbstlos, ja so ziellos geliebte Boy doch mitunter ein Mann ist wie viele andere, das heißt ein Wesen, das nicht immer unter dem gleichen Stern des Idealismus fühlt, handelt und spricht, sondern manchmal überhaupt unter keinem Stern zu stehen scheint, viel eher unter einem großen Starenhäuschen, wie man es im Winter über Standbilder stülpt, um den Marmor zu schützen. Doch die Zeit hält nicht still, Situationen dehnen sich mit ihr, und die Menschen bleiben ohne Hilfe mittendrin. Und meistens ist es so, daß jeder nur seine Lage kennt, nicht die des andern. Was einfacher, als daß zwei Liebende, denen alles zu Gebote steht, Hindernisse zwischen ihnen zu beseitigen, um möglichst nahe aneinander zu gelangen, das Wort, das liebe, so brauchbare, rettende Wort gebrauchen. Passiert es aber, daß einer das Wort, das liebe, brauchbare, »Streit« nennt, bitte, wie rettet sich der andere davor? Im geschlossenen Raum wird die Sache häufig so gemacht, daß der andere, in diesem Falle die Frau, mit einem Kuß den Beweis erbringen will, daß ihr nichts entfernter im Sinne liegt als Streit; schweigt sie nach dieser Versöhnung, die keine ist, weil kein Streit vorlag, so ist alles gut auf der anderen Seite. Hat sie aber das Unglück, zu denken, daß sie nun nach diesem Beweis ihrer Liebe den kleinen Satz zu ihrer Rechtfertigung anbringen kann, ohne Gefahr zu laufen, daß er ihr als »Streit« ausgelegt wird, so heißt es plötzlich: »Fängst du schon wieder an?« Also mit dem Wort, dem lieben, brauchbaren, ist gar nichts anzufangen. Sicher ist, daß mit dem, der das Wort »Streit« nennt, nicht so gut Kirschen essen ist, wie man sich das gedacht hatte. Mit einem Kuß im Zoo ist auch nicht viel zu wollen, abgesehen davon, daß ein Kuß, auf den dann nicht der kleine Satz folgen kann, der liebevoll alles erklärt, der Küssenden nicht hilft. Denn wenn er bedeuten soll: »Liebster, du bist mein Herr und Gebieter und insbesondere Schweigen Gebietender, ich, deine unwürdige Magd, die dir die berühmten Sorgenfalten auf der Stirn zu glätten hat, wenn du mir auch Unrecht tust, mich verletzest, es macht gar nichts und so weiter und so fort«, so ist dies wohl für den Empfänger ein sehr lieber Kuß, aber eigentlich kein annehmbarer ...

Er und sie hatten die Elefanten besucht und begaben sich Seite an Seite, wie vorher die Löwen mit dem gemeinschaftlich im Rachen gehaltenen Reifen, zu den kleinen Raubtieren. Die kleinen Raubtiere waren pelzig und aufgeregt. Sie schnupperten, und im

Aufundablaufen klopften ihre bekratzten Söhlchen auf dem Parkett der Käfige. Es roch bitter bei ihnen, und manchmal hielten sie in ihrem kleinen Trab inne, um intensiv in die Höhe zu blicken, wo nie etwas zu sehen war.

Auch sie suchte etwas an ihrem inneren Horizont, während ihr Auge, an der Schulter des Freundes vorbei, die nervösen Dachse betrachtete.

Natürlich denkt er: »So muß man es mit Frauen machen.« Und sie: »Bin ich denn Frauen?«

Und warum muß man es mit Frauen »so« machen? Welches ist das Resultat, wenn man es »so« macht? Ah, da sitzt die Häsin im Pfeffer! Man will Grenzen, steckt sie ab und spielt Grenzwächter. Mag sein, daß lockende Weibchen, weil sie manchmal Krallen zeigen können wie die kleinen Raubtiere, auch so gehalten werden müssen. Sie erinnerte sich und war traurig, wie man eben bei der Andeutung einer Wiederholung unangenehmer Erlebnisse traurig ist: O weh, da stehen sie wieder an dem Punkt... Das erinnert an damals... Während sie von den kleinen Raubtieren über die Affen zu den lieben, sanften Antilopen gingen, dachte sie: Hab mich lieb, Boy, hab mich doch lieb! Von Bösesein keine Spur. Es war aber nicht der Augenblick, das zu sagen, denn wenn er schon uneinnehmbar schien, war sie die letzte, die sich zu Lockungen entschließen konnte, lieber schwieg sie. Er aber begann mit versöhnend sanfter Stimme ein Gespräch über Schach:

»Während ich dich beim Spiel mit D. beobachtete und sehnsüchtig hoffte, du würdest deinen Läufer, der gefährdet war, schützen, hast du den Turm derangiert. Aber ich wußte es ja! Jetzt wird sie mit dem Turm vorgehen, richtig – schon war's gemacht!«

Sie lächelte und meinte: »Dann begreife ich, das war ja Suggestion, jetzt weiß ich, warum ich den Turm bewegt habe!«

»Wenn du mit Witzen antwortest, wo ich mich bemühe, dir etwas ernst zu erklären!«

Sie dachte: Sei doch froh, daß ich Witze mache, obgleich ich gar nicht in der Stimmung bin! – dann, schnell wie Wetterleuchten, dachte sie noch: Wenn ich ernst von Liebe spreche, machst du auch immer Witze, das ist viel schlimmer! Sie sagte nichts, sondern horchte weiter.

»Aber es ist ja alles umsonst, du machst immer die gleichen Fehler, du lernst es nie!«

»Oh, ich werd's schon noch lernen«, erwiderte sie sanft. »Ich weiß, daß ich Talent habe und Ehrgeiz und Ausdauer.«

»Und wenn man ihr was sagt«, fährt er fort, ihre Antwort

überhörend, »dann wird sie bös.« – »Wenn man lieb mit mir ist, werde ich niemals bös; ironische Bemerkungen verwirren den besten Schüler.« – »Du mußt begreifen, wenn der Lehrer keinen Erfolg hat mit seinen Schülern, so ist es für ihn ärgerlich, denn die Schüler, wenn sie auch zum Prügeln sind, macht niemand verantwortlich.« – Ach, dachte sie, das kann ja alles so nett gemacht werden, wenn sich Lehrer und Schüler über alles gern haben... Aber so lieb hat er mich eben augenscheinlich nicht...

Laut sagte sie: »Ich bin ein Pferd, das nur mit der Stimme und mit dem guten Reiter geht; mit Sporn und Peitsche gehe ich hinter den Zügel, nicht aus Eigensinn, sondern aus Verzweiflung, denn ich bin ein ausgezeichnetes Pferd.«

»Teini will immer recht behalten, da kann man nichts machen.«

Welch ein Mißverständnis! Kann er denn ihre Liebe nicht sehen? »Liebe hat mit Schachspielen nichts zu tun.«

Großer Irrtum. Gibt es etwas außerhalb oder neben der Liebe? Kann der Liebende auch eine Sekunde lang nicht lieben? Kann man Läufer schützen, wenn der Geliebte darauf lauert, daß man jetzt sicher den Turm in die Hand nimmt, anstatt mit dem Bauern den Läufer zu schützen. Mit der Zeit wird man es können, man hat ja so guten Willen. Und ebendieses stand in dem Brief, der so viele Antworten, die nie kommen wollen, verlangt, warum *ihn* nicht besprechen, warum in dieser herrlichen Sonne bei den lieben Antilopen einen armen Schüler herunterputzen. Gibt es denn Musterschüler? Es gibt nur blinde Lehrer.

Aber schließlich war dies alles Nebensache, Hauptsache, daß dieser kleine Boy sich eine große Pantherkatze, namens Teini, die viel größer als ihr Name war, gefangen und gezähmt hatte, die nichts anderes wollte, als bei ihrem Herrn schnurren und ihn in die Geheimnisse des Pantherlebens einweihen. Das erste, das ich täte, dachte Teini, wenn ich mir einen Panther fange, der sich zu attachieren scheint, ist, daß ich auf ihn horche, ihn zu ergründen suche und ihn streichle, um zu erfahren, wie es bei ihm aussieht. Mit der Zeit sagt er mir alles in der Panthersprache, falls er mich nicht aufgefressen hat.

Aber der Boy schien seinen Panther nicht zu kennen, da er sich in liebenswürdigem Ton zu ihm wandte:

»Teini tut eben nicht, was man ihr sagt, dazu ist sie viel zu eigensinnig!«

Ein harter Vorwurf für einen klugen, lernbegierigen, von Dünkel freien Schüler. Eigensinn, die Energie der Dummen, wie man treffend sagt, heißt auf einem Standpunkt beharren, weil man nicht nachgeben will, also eine durchaus unwürdige Haltung. Teini weiß, daß der Boy seine Worte nicht wägt und nichts Schlimmes meint, wenn er ihr so Unzutreffendes vorwirft; aber sie möchte, daß er lernt (ebenso wie sie das Schachspiel erlernt), daß es nicht genügt, nichts Schlimmes zu meinen, sondern daß die positive Absicht zur guten Meinung stets lebendig sein müsse, zwischen zweien, die sich lieben. Wie soll sie sich gegen das Wort Eigensinn, das sie empört, wehren, ohne vom Schachthema abzuweichen? Ihre Augen werden immer trauriger, die Gurgel immer härter.

»Aber ich sage nichts mehr«, fährt der blinde Boy fort, »ich lasse Teini einfach ihren Stiefel weiterspielen. Wenn man es gut mit ihr meint, wird sie gleich böse.«

Jetzt steigen wahrhaftig zwei Geysire in die Augen, das letzte, was sie brauchen kann. Sie versucht, die heißen Quellen abzuleiten, durch einen resoluten Blick nach dem blauen Himmel, der voller Geigen hängt und sie so blendet, daß die Geysire auch von dort Zufluß bekommen und das Auge überfluten. Daß man weinen muß, wenn man gar nicht weinen will, das ist wirklich zum Weinen. Widerwillig geht man in der Rolle der Weinenden einher, einer abgespielten, unmöglichen Rolle, die einem nicht liegt, aber offenbar nicht mehr abzuleiten ist, denn der erwachte Geysir sendet neue Wellen, und Teinis große Pantheraugen sind zu klein, die Flut muß überlaufen. So also kann man weinen, wenn einem gar nicht danach ist, und nebenher schreitet ein trockener Boy, der nicht lockerläßt. »Ich habe eben den Ehrgeiz, daß meine Schachschüler ihren Lehrer nicht blamieren. Aber du lernst es nie! Mein alter Schachlehrer, der auch Damen unterrichtete, sagte mir, alle machen sie dieselben Fehler, und wenn man ihnen diese Fehler zeigt, räsonieren und argumentieren sie, und zum Schluß gibt es Tränen.« Teini hätte für nichts in der Welt einen Schritt weitergehen können. Jetzt auch noch mit einer Herde dummer Damen verglichen zu werden, sie, die für den Boy die Einzige, Unvergleichliche sein wollte, das empörte ihr freundlich gesinntes Herz auf das schmerzlichste. Zum Glück stand dem indischen Elefanten gegenüber eine leere Bank, auf die sie wortlos zusteuerte.

Da saßen sie nun. Es ist schwer zu sprechen, wenn man ein Gedankensextett auf Lager hat, aber nur einen einzigen Gedanken auf einmal aussprechen kann, noch dazu mit der leidigen umflorten Stimme, die dem klaren, sachlichen Wort ein Pathos verleiht, das nicht hingehört. Es ist sehr schwer. Eigentlich möchte sie ihm sagen: »Im ganzen Zoo ist kein so großes Kamel zu sehen wie das, was hier neben mir sitzt.« Dann wollte sie ihm zu verstehen geben, daß die Schülerinnen, die seinen schmierigen Schachlehrer angeweint, mit ihr nichts zu schaffen hätten, drittens, daß sie mit Leib und Seele, Aug und Ohr gern Schüler ist, frei von Dünkel und frei von Empfindlichkeit, daß sie ihre Fehler kennt, daß übrigens jeder Schüler verschieden lange Zeit brauche, um klar dem Lehrmaterial gegenüberzustehen, fünftens, daß sie hier zusammengekommen sind, weil sie sich liebhaben, und sechstens, daß, wenn schon von Schülern die Rede ist, er der ungelehrigste Liebesschüler sei, der ihr je untergekommen wäre.

Und das ist der Boy, der heute früh einen sehr lieben Liebesbrief gelesen haben sollte und nun in Gegenwart von Elefanten und Antilopen, unterm blauen Himmel seinen Lehrermißmut an der Geliebten ausläßt. Jetzt hilft nichts mehr, sie muß ihr Taschentuch gebrauchen. Sprechen ist unmöglich geworden: aber, unabhängig von ihrem Gedankensextett, stellt sie noch fest: »Ich weiß wirklich nicht, was du unter Liebhaben verstehst!«

Zwischen zwei tüchtigen Blasversuchen in ihr Taschentuch hört sie ihn sagen: »Ich hasse Tränen und ich hasse dein Schachspiel, das weiß ich!« Als ob sie Tränen liebte! Aber, war das vielleicht eine Antwort auf ihre Frage?

Weil er aber hilflos und keineswegs feindlich gesinnt ist, lächelt er begütigend und sagt ihr: »Teini ist so ein großes Baby, so groß«, und dabei sperrt er Daumen und Zeigefinger auf, um das Maß anzuzeigen.

Aber das bringt einen auch nicht weiter. Auf der einen Seite gewiß keine gute Schachspielerin, auf der anderen bestimmt kein sehr begabter Liebesschüler. Er haßt Tränen, und gerade er ist ihr Urheber.

Baby, wieso Baby? Sie gab sich die größte Mühe, ihr Gesicht zu meistern, und es gelang nach kurzer Zeit. Aber alle Melancholie ihrer heiteren Natur beherrschte Gefühl und Gedanken, und weil sie wirklich nicht wie andere Frauen war, schwieg sie bedrückt und erschüttert. Der Boy hätte sie vielleicht in seine Arme genommen, wenn etwas weniger Elefanten und Menschen zugegen und sie in einem Zimmer allein gewesen wären. Für solche Situationen gibt es erlösende Worte. Zum Beispiel »Teinichen, ich habe dich über alles lieb und bin todunglücklich, dir weh getan zu haben, ich Esel, verzeih mir!« Aber erlösende Worte fielen ihm nicht ein, er glaubte nur zu wissen, daß man hier nichts tun könne. Sie übersah ihn und sich, wie immer, und zwang sich zu philosophischer Unbeteiligtheit. Sie gingen an den Straußen vorbei. Der eine benahm sich unzivilisiert in der Wahl seiner Nahrung, die ihm ein Kollege brühwarm, man kann nur sagen, hinterlassen hatte, und ein dritter bewegte seinen Hals zwischen Kopf und Gekröse so wie der Komiker Paul Becker, wenn er den Gockel mimt. Teini fand diesen Tieren gegenüber keine Möglichkeit, sich auszusprechen. Sie sehnte sich nach der rotbraunen Antilope, die zwischen Auge und Mund auf jeder Seite Platz für sieben Küsse bot und sich so gern ihren Liebkosungen hinzugeben schien, den Kopf weit aus dem Gitter streckend.

Nun waren sie also bei der rotbraunen Antilope. Teini umklammerte den Nasenrücken, der hart und lang wie ein menschliches Schienbein zwischen zwei deutlich sichtbaren Adern lief. Ein überlebensgroßer zart durchlochter Trüffel schnupperte über dem melancholisch lächelnden Mund, und hoch oben glänzte das feuchteste, schwärzeste Auge, ein Meer von Sanftmut. Teinis streichelnde Finger waren am Ansatz der Lauscher angelangt, und ihre leichte schwedische Massage schien die Antilope besonders zu lieben. Sie legte den Kopf auf Teinis Schulter und atmete befriedigt aus und ein. Man hätte denken können, daß sie lächelte. Teini sprach sie leise an, und im Spiegel des nahen Auges sah sie sich selbst, in kleinem Format, aber unheimlich deutlich. Sie schämte sich ihrer gräßlichen menschlichen Klugheit, die zu nichts langte.

Dann wandte sie sich um, blickte den kleinen Boy an und liebte ihn mit Antilopenweisheit, überlegen und bescheiden. Sie lächelte ohne Melancholie, Pantherkatze plus Antilope, minus Adam und Eva, und Pan-Europa, hol's der Kuckuck! Dann standen sie zum Abschied in der Sonne, der Boy lächelte, als wollte er einen sehr guten Witz machen und sagte das Beste, was er wußte:

»Teini, Darling, also morgen um?«

»Um 4.30, du Zebra«, sagte sie.

Erschienen 1927

OSWALD SPENGLER *1880–1936*

Der Sieger

I

Am letzten Tage der Schlacht von Liaoyang gingen Schwärme japanischer Infanterie, die eben erst aus der Heimat eingetroffen waren, gegen eine furchtbare russische Batteriestellung vor.

Die gelbe Ebene brannte. Vom stauberfüllten Morgen an, wütete der Kampf weithin in der langsam steigenden Glut eines Hochsommertages. Immer wieder drangen Reihen der kleinen tapferen Wesen, hingetragen von einem zähen Willen zum fast schon erstrittenen Siege, auf die brüllenden, rauchumwogten Geschütze ein, in denen der russische Zorn sich gesammelt hatte.

Eine blinde Hand besäte die Ebene mit Hügeln regungsloser oder zuckender Körper. Die tiefen Gräben füllten sich, schweigend gleichsam, wenn auch der blutige Boden bebte und Schreie die Luft durchgellten. Und in das letzte schwindende Bewußtsein der Fallenden drang der Gedanke, mit dem Leib eine Brücke wenigstens dem Ziele zu gebaut zu haben.

Und es ward Mittag. Die Ebene glühte. Ein totes Auge stand die Sonne hoch im Dunst. Unten aber, weithin über die zertretenen Felder, dröhnte, funkelte, lief und schrie es weiter. Der kleinen Kämpfer waren wenige geworden. Da gingen die russischen Massen noch einmal vor, finster und schwer. Ein hochgewachsener Offizier mit einem Ausdruck trostlosen Ernstes in jeder Bewegung des Armes und der Miene erblickte dort, wo die Gefallenen am dichtesten lagen, plötzlich einen kleinen Soldaten vor sich, der staubig bis zur Mütze hinauf, atemlos, schwitzend und eifrig allen anderen voranlief. Er war nicht stark und das Gewehr zitterte in der mageren Hand, aber etwas leuchtete in seinen Augen, etwas Unergründliches, Schreckendes. Ein verzweifelter Schmerz verzog das faltige Gesicht, als sie zurück mußten und das dröhnende Geschütz wieder in die Ferne wich. Er hatte den Großen erblickt. In ihm schien sich der gesamte Feind, ganz Rußland, die ganze andre Hälfte der Menschheit verdichtet zu haben. Es ward wie ein Zweikampf aus der Ferne zwischen den beiden, die einander nie gesehen hatten und sich jetzt, Säbel gegen Bajonett, allein sahen, während rings unter dem tiefen Blau eines wolkenlosen Himmels die Ebene mit ihrer ungeheuren Schlacht als Zuschauerin wartend lag. Und im Bewußtsein wuchs beiden das Gefühl, daß im Fall des andern das Schicksal der ganzen Welt beschlossen sei. Der Große blutete, aber er ging langsam weiter vor und zog dichte dunkle Schwärme hinter sich her. Sie hatten schon den ersten der Gräben erreicht, welche die kleinen Helden vom frühen Morgen an mit ihren Leibern gefüllt hatten; da faßte den zu Tode erschöpften Soldaten etwas wie heiße Angst, Angst um alles, was tief in seiner Seele und der Weite ringsum auf dem Spiele stand. Mit wilden Schreien faßte er die andern zusammen, die längst alle Offiziere verloren hatten. Er weckte sie, er rüttelte sie auf.

Und so wild war der Angriff, daß die Linie drüben sich löste und zurückbog. Der Kleine aber führte, ohne daß jemand sich darüber wunderte, und er ahnte stolz, wie jedes Auge an seinen Schritten hing.

II

Er war aus einem Hause nahe bei Osaka, dessen Garten im Frühjahr unter einem Traum von Kirschblüten verschwand, und dort hatte er, weltverloren und still, kleine unbedeutende Bilder gemalt, die den ganzen Sinn seines Daseins erfüllten. Vor einigen Wochen war er einberufen worden. Man hatte ihn gekleidet und mit unzähligen andern hinübergeschifft.

Gestern abend war er in dieser unermeßlichen Fläche angelangt, die nach gewaltigen Schlachten sich eben unter noch einer noch größeren dehnte und die Ahnung einer letzten entscheidenden in sich trug. Er war noch immer betäubt von der neuen Welt, die plötzlich auf ihn eindrang, eine arme scheue Seele, die sich in der Menge verloren sah. Die ungeübten Hände rieben sich wund. Die andern, Reisarbeiter und Sänftenträger, spotteten. Das Haus unter den Kirschblüten, das ganze frühere Leben mit seiner kleinen

Wichtigkeit, weich und süß, schwand verblassend dahin, als sei es niemals mehr als Traum gewesen.

Der Mond war in der Kühle aufgestiegen. Eine strahlende Nacht entfaltete sich über dem gequälten Boden, der sich mit tausend Lagerfeuern, den hallenden Rufen, fernem Geschützdonner und Schritt vorbeiziehender Kolonnen zu schwerem Schicksal rüstete. Da saß er, der stille magere Mann, den niemand beachtete, und hörte zum erstenmal, wie aus den andern das mächtige Bewußtsein sprach, für ein großes Volk dazusein, den Tod vor sich, die mit Toten übersättigte Erde unter sich, in der Ferne aber das Ziel einer ruhmreichen Bahn. Er schwieg. Ihn erdrückte dieses Wollen durch alle die Leiber hindurch, während ein lautloser Wind um seine bebenden Schläfen strich.

Und langsam erwachte in ihm ein heißer Wunsch, auch so zu sein, und nahm ihn gefangen, unter atemlosen, selig-süßen Schauern, wie er im bleichen Mondlicht dasaß, winzig, einsam im ewigen All, ohne daß jemand die große Wandlung bemerkt hätte, die sich in seinem Innern vollzog.

Das einstige Leben wanderte in die Ferne. Kaum möglich, daß es jemals wirklich war, wie es nun erschien mit seinen Bildchen und Farben und den freundlichen Gesichtern derer, die davorstanden und sie mitnahmen.

Er blickte staunend in das Feuer und auf die geröteten Gesichter ringsum, während der Silberrand einer Wolke, die am Mond vorbeizog, seltsam blinkte. Sie spiegelte sich langsam in glitzernden Waffen. Lärm und Gelächter erscholl. In der Nähe sang man, und leise fortgesetzt verlor sich das Lied in die Nacht. Niemand achtete auf ihn. Ein heißer Strahl des Wollens von Millionen hatte sich in ihn gesenkt. Das Gefühl einer Sendung erfüllte ihn jäh und streifte alles ab, was von kleinen Wünschen je in ihm war. Seine Schultern hoben sich, die Brust atmete tief, das Auge glänzte, aber er allein fühlte sich wachsen und kein Auge eines andern sah, wie es sich in ihm erschloß.

III

So stürmte er am andern Morgen vor, in die erste Gefahr seines Lebens, über zerstampftes Gras, über aufgewühlte Felder, daß alle nach und nach fühlten, wie dieser schwächliche Körper sie in seinen Bann zog, und so rannte er jetzt wieder auf den Großen zu. Etwas Unirdisches hob ihn und trieb ihn weiter, unwiderstehlich. Neben ihm blitzten Bajonette und stürzten Menschen. Über ihm schwangen sich wilde Streifen von Rauch und vor ihm tauchte wieder das Antlitz des Russen auf, verbissen, in erdrückkendem Ernst. Er verstand es, er sah es durch und durch, wie das Antlitz der gemarterten Erde, die nun schon in längeren Schatten des Nachmittags vor ihm lag. Liebeleer, von einem mitleidlosen Verhängnis hierhergestellt, um zu töten und zu sterben, leistete er Widerstand im Gefühl seiner Pflicht, irgendwo in einem fremden Lande, für etwas, das er haßte, das er vielleicht nicht einmal begriff. Und hinter dem Russen erschien wieder das große, immer noch blitzende und krachende Geschütz, das einzige, das er von allen sah. Die ganze Welt drängte sich ihm entgegen in diesem offenen heißen Rohr inmitten eines wildbewegten Knäuels feindlicher Wesen.

Neben ihm fauchten Granaten, liefen und stürzten Menschen. Er stolperte vorwärts, todmüde und beklommen, über Leichen und Schollen losgerissener Erde. Ein dumpfes Gefühl preßte seine Brust, wie er es nie gekannt hatte, von dem er nicht wußte, war es eine abgrundtiefe Angst oder die drängende Nähe des heiligen Ziels.

Das kam näher, immer näher. Er erkannte die Räder, die Uniformen, schmutzige und blutige Stiefel, wild umherschlagende Arme Verwundeter. Eine Woge triumphierenden Stolzes bäumte sich hoch in ihm auf. Die Bestimmung von Jahrtausenden erfüllte sich. Die Erde hob sich, um ihn vorwärts zu tragen, ihn allein. Um ihn kreiste der Horizont. Auf ihn blickte der sinkende Sonnenball. Selbst die langen Schatten glitten nebenher und zeigten ihm den Weg. Er hörte nicht mehr das Wüten der Schlacht. Er sah die kämpfenden Haufen nicht mehr. Die Ewigkeit war in diesem Augenblick gebannt. Er erreichte den letzten schon verschütteten Graben. Er erhob den Arm und winkte zurück. Er fühlte, wie ihn jetzt alle sehen mußten, rings auf der weiten Welt – da kam etwas näher, immer näher, riß unter ihm durch und im betäubenden Lärm stürzte er zusammen, über andre, die mit ihm fielen.

Er lag unter den Tritten des stürmenden Heeres, in wildem Schmerz, aber entsetzlich klarem Bewußtsein. Der Weg war zu Ende. Dort vor ihm stand das Geschütz und blickte grinsend herüber. Es wartete, es prahlte laut.

Rechts und links tobte es vorbei und sein armes Wissen darum schloß sich mit dem Hier, dem letzten Ort seines Lebens, zu einem unbarmherzigen engen Ring zusammen. Er suchte die Schultern zu erheben, aber der Rumpf gehörte nicht mehr ihm und regte sich nicht. Es war zu spät. Ein Augenblick verrann.

Da ging es wie ein heiliges Leuchten in ihm auf. Ein Lächeln durchbrach den irrsinnigen Schmerz. Er rückte den Tornister mit schon unsicher tastenden Händen vor sich hin. Er zog einen Fetzen der weißen blutgetränkten Gamaschen von dem armen Rest seiner Beine. Der Rücken lehnte an dem toten Körper eines andern. Er nahm ein Blatt heraus und begann hastig zu zeichnen. Mit breiten roten Strichen seines eigenen Blutes entstand das Geschütz auf dem Hügel und er stand neben ihm, er allein, und legte die Hand darauf.

So sah ihn der Russe, der im rasenden Gefecht noch einmal in seine Nähe kam. Er fand ihn zusammengeschrumpft im bleichen Abendlicht, hohl, fast regungslos. Der Kleine blickte ihn starr an. Sprechen konnte er nicht mehr, aber die Hand fuhr unablässig fort, blutige Striche zu zeichnen. Der Russe verstand und ein schmerzliches Lächeln ging über sein Gesicht. Er gab dem Künstler einen Schluck zu trinken. Der öffnete die Lippen und fuhr fort. Er nickte mühsam und fuhr fort. Das Bild des Sieges war vollendet, als die letzten Feinde wichen und über dem Geschütz das japanische Banner erschien.

Und auch der Große fiel, und die Seele, die aus diesem gramvollen Antlitz geredet hatte, schwand hin, namenlos und ungetröstet, unter dem Hügel von andern Namenlosen. Das Gefecht zog sich in die Ferne. Das Tageslicht verglomm, in dem die Flagge einsam wehte.

Am Horizont lagerte sich ein Streifen düsteren Abendrots. Ein großes Schweigen breitete sich aus. Der Wind blies kühl über die Ebene und warf dem toten Soldaten die Mütze vom Kopf. Der aber saß da, gelb und kalt, das Auge mit triumphierendem Lächeln auf die fürchterliche Zeichnung geheftet, die er auf seinen zerschmetterten Knien hielt.

Geschrieben 1910

OTTO FLAKE *1880–1963*

Des trockenen Tones satt

I

»Nach Abzug der Erbschaftssteuer und der Abwicklungskosten
stehen Ihnen 800 240 DM zur Verfügung. Der Betrag ist sofort
greifbar; ich bitte um Mitteilung, wohin er überwiesen werden
soll. Ihr ergebener Alex Sörensen, Notar, Oldenburg.« Mit diesem Satz endete das Schreiben, das Hasso durch die Nachmittags-
post erhalten hatte. Die Briefe aus Norddeutschland trafen offenbar erst am Vormittag ein.

Am 15. August, an meinem Geburtstag, dachte er – was fängt
ein Mann von Fünfundsechzig mit so viel Geld an? In der Tat,
er war um sechs Uhr früh fünfundsechzig Jahre alt geworden,
und unter den drei Briefen der Morgenpost hatte nicht einer Bezug auf dieses Ereignis genommen. Niemand in der Welt kümmerte sich darum, daß Erich von Hasso das Pensionsalter erreicht
hatte – ein Lehrer der Mathematik, der Botanik und der Philosophie im Ruhestand. Die Pension reichte gerade, um sich bescheiden durchzubringen. Sie war geringer als die seiner Kollegen,
denn die Jahre zwischen 1920 und 1930 hatte er, europamüde,
unter Buddhisten in Siam, in Japan, auf Ceylon verbracht.

Er las den Brief des Notars nochmals. Frau, Familie, Kinder
hatte er nie gehabt. Was fing ein Mann ohne Anhang mit acht-
mal hunderttausend Mark an? Bei sechs Prozent Verzinsung
brachte diese Summe achtundvierzigtausend Mark ein, viertau-
send im Monat, weit über hundert am Tag. Er schaute versonnen
aus dem Fenster. War er ein verbrauchter Mann? Wenn ihm die
schlanke, blonde Frau vom ersten Stock begegnete, hatte er alle
Mühe, seine Gedanken vor törichten Sprüngen zu bewahren.

Es klingelte. Er ging an die Tür und sah, nicht ohne ein Gefühl der Gereiztheit, den schwarzlockigen Emerald im Eingang stehen. Emerald war beim Rundfunk angestellt, verwaltete eine der Sparten in der Abteilung *Kulturelle Belange* und erwies sich schwerhörig gegenüber den Wünschen Hassos, der ihm mehr als einmal nahegelegt hatte, ihn eine Reihe von vier oder fünf Aufsätzen über die Unterschiede zwischen Buddhismus und Christentum schreiben zu lassen.

»Wir verschließen uns in diesem Land nicht gegen die fremden Religionen«, hatte Emerald gesagt, »aber unser Kurs ist doch ein bewußt christlicher – gleich vier Aufsätze über hinterindische Anschauungen, das würde mir Unannehmlichkeiten einbringen.«

Emerald wohnte im selben Haus mit Hasso.

»Eine Tasse Kaffee?« fragte Hasso.

»Gern, haben Sie welchen? Ich bin abgebrannt, ich pfeife überhaupt aus dem letzten Loch.«

»Ja?« fragte Hasso; »wieviel brauchen Sie?«

»Fünfhundert, noch lieber tausend Mark«, erwiderte Emerald auflachend.

Hasso betrachtete ihn nachdenklich, während er den Kaffee bereitete.

»Was würden Sie für tausend Mark tun?«

»Schon einiges«, sagte Emerald, »haben Sie vielleicht so viel übrig?«

Hasso goß bedächtig den Kaffee ein. – »Ich könnte Ihnen tausend Mark verschaffen«, sagte er. »Das Honorar, das Sie mir für einen Aufsatz zahlen, beträgt zweihundertfünfzig Mark. Ich überlasse Ihnen viermal diesen Betrag, innerhalb eines Jahres, wenn Sie vier Aufsätze bei mir bestellen. Und«, fügte er mit einem Funkeln in den Augen hinzu, »ich gebe Ihnen noch fünfzig Mark pro Aufsatz bar, sobald der Aufsatz angenommen ist.«

»Haben Sie geerbt?« fragte Emerald.

»Kümmern Sie sich nicht darum, ich habe im Toto gewonnen. Wie ist es? Das Angebot gilt fünf Minuten.«

Etwas Neues klang in seiner Stimme an, eine unerwartet gewonnene Einsicht, daß man, mit Geld versehen, Bedingungen stellen kann.

»Wenn Sie glauben – ich bin bereit«, sagte Emerald.

»Schicken Sie mir eine Übereinkunft: Sie bestellen bei mir vier Aufsätze über das Thema Buddhismus und verteilen sie über ebenso viele Monate.«

»Abgemacht.«

Die nächsten Aufsätze werde ich nicht mit dir verabreden, sondern mit Müller, deinem Chef, direkt, dachte Hasso und betrachtete den schwarzgelockten Burschen mit abschätzenden Blicken.

Emerald verließ ihn, Hasso schlug den Weg zur Post ein, um die Antwort an den Notar in Oldenburg einzuwerfen. Auf dem Heimweg verspürte er Lust, bei Herzog eine Tasse Kaffee zu trinken, ging aber weiter. Erst wenn das Geld auf der Bank lag, durfte er darüber verfügen, ohne sich fragen zu müssen, ob ein Traum ihn narre. Nach einigen Schritten machte er kehrt – das ist ein eingeschriebener Amtsbrief gewesen, achthunderttausend sind dir sicher, ob du es glaubst oder nicht.

Herzog war ein teures Café, Treffpunkt der Snobs, die diesen Kurort im Schwarzwald besuchten. Jetzt, in der Stunde zwischen sieben und acht des Abends, saßen wenig Gäste auf den Polsterbänken und in den Sesseln.

Die Kellnerin, ein junges Ding, in weißer Seidenbluse und schwarzem Rock, mit einer Schmetterlingsschleife im Goldhaar, lächelte ihn zutraulich an. Das gedämpfte, abgeschattete Licht gab jedem das Gefühl, vorteilhaft beleuchtet zu sein.

Am Nebentisch bediente ein anderes Mädchen, eine Hebe mit hoher Brust und schwingenden Hüften. Schöne Person, dachte er und merkte nach kurzer Zeit, daß alle diese Bedienerinnen anziehende Frauen waren, blond oder schwarz, in der Haustracht, keine über drei-, vierundzwanzig.

Hebe vom Nebentisch setzte eine Silberplatte mit Schinken und Aufschnitt vor ihren Gast – man konnte in diesem Café auch etwas zu essen bekommen. Hasso erkundigte sich bei seiner Kellnerin, was sie empfehlen könne.

»Wir haben nur wenig warme Gerichte«, sagte sie, »aber was wir haben, ist vorzüglich, ein Wiener Schnitzel zum Beispiel mit Pommes frites.«

Da er das Schnitzel unpaniert wünschte, hieß es Kalbssteak. Er nahm grünen Salat und, auf Empfehlung der Kellnerin, eine halbe Flasche roten Affentaler. Das war die Mahlzeit für einen älteren Herrn, vieux gaga, aber schließlich, nicht wahr, war sie auch einem jüngeren oder jedem männlichen Verzehrer angemessen. Es gab Meerrettich mit Sahne und süße Früchte als Zugabe.

So kannst du nun immer essen, da du hundertdreißig Mark am Tag verbrauchen darfst, dachte er, und zum erstenmal seit der verblüffenden Nachricht machte er sich klar, was die Änderung seiner Lebensumstände in Wahrheit bedeutete. Er konnte in einem Hotel ersten Ranges siebzig Mark am Tag zahlen und doch noch fast die Hälfte seiner Einnahmen zurücklegen. Die Steuer allerdings würde ein Wort mitsprechen; aber die Steuer ließ sich ertragen, das bewiesen die anderen, die trotz der Steuer gut lebten.

Was die Steuer verschlang, ließ sich vielleicht durch Schriftstellerei wieder ersetzen. Wie oft wohl hatte er gedacht, daß Erich von Hasso etwas zu sagen habe und daß er sich nur selbst zu organisieren brauche – eine Schreibmaschine, eine Sekretärin, geregelte Arbeitsstunden. Ein paar Reisen, einige Anknüpfungen und Verbindungen – was war denn nötig, um als Schriftsteller Fuß zu fassen?

Während seine Gedanken sich so an unbestimmte Zukunftsmöglichkeiten verloren, beobachtete er, Beobachtungen gewöhnt, die Arbeit der blonden und schwarzen Heben, um nicht zu sagen Huris, in dieser Gaststätte. Es waren fleißige Mädchen, die flinke Beine hatten, große Strecken zu bewältigen, die Hände, gefüllte Tabletts zu tragen. Was mochten sie verdienen? Er schätzte mindestens sechshundert Mark, vermutlich mehr.

Sein Interesse erwachte. Zahlte die Blusen der Unternehmer, beköstigte er die Damen?

Das für seinen Tisch zuständige Mädchen bat, die Rechnung vorlegen zu dürfen – sie werde abgelöst, ihr Turnus sei zu Ende, sagte sie.

»Was machen Sie nachher«, fragte er, »sind Sie frei?« Sie schaute ihn abweisend an. – »Bedaure.«

»Ich möchte Sie interviewen, ich bin Journalist; die Lebensverhältnisse, die Arbeit der jungen und nicht jungen Menschen beschäftigt mich. Wenn Sie mir einige Fragen beantworten, habe ich zwanzig Mark für Sie übrig. Ihnen zu nahe zu treten ist nicht meine Absicht, bella mia. Sie sind nachher frei?«

»Nicht heute«, erwiderte sie, »aber übermorgen abend um dieselbe Zeit könnte ich mich einrichten.«

»Richten Sie sich ein, übermorgen vor sieben esse ich hier und warte auf Sie, Fräulein...?«

»Änne Weber«, sagte sie.

»Fräulein Änne«, wiederholte er und schaute ihr nach, die zur Theke enteilte, gutgewachsen, zierlich und so jung, daß man vermuten mußte, sie sei erst achtzehn, oder siebzehn womöglich. Wie rasch und energisch sie die Schritte setzte – Leben ist Bewegung, Jugend ist der elastische Zustand. Konnte man die kleine Änne kaufen? Wenn man ihr zweihundert bot, sagte sie vermutlich entrüstet nein. Was sagte sie, wenn das Gebot auf fünfhundert, auf tausend stieg? Jungfräulich war sie schwerlich mehr – was kostete eine Jungfernschaft, wann wurde eine Intakte schwach?

Pardon, sagte er in Gedanken zu dem Mädchen – sie persönlich hatte ihm keinen Anlaß gegeben, so häßliche, indiskrete Fragen zu stellen, wohl aber lagen sie in der Luft. Die Nachricht des Notars hatte seinem Temperament und seiner Neugier aufs Leben einen Anstoß gegeben.

Das Haus, das Hasso bewohnte, war gediegen, es sah patrizisch aus und lag in der Altstadt, auf ihrem höchsten Punkt, noch höher als Marktplatz und Kirche. Wer hier hauste, vergaß, daß es unten auf der Talsohle Autos und Kurgäste gab. Nachts hörte man das Wasser aus den Brunnenröhren in die Steintröge rieseln, und der Nachtwächter mit Hellebarde und Laterne hätte nicht gestört.

Die Zimmer Hassos waren so altmodisch wie das Haus. In den Zeiten, als das Haus jung gewesen war, hatte man noch keine Badezimmer gekannt. Das seine war ein schmaler Raum, in dem eine Blechwanne mit Entenfüßen stand. Die Wahrheit zu sagen, warmes Wasser ließ sich hier überhaupt nicht herstellen, da es keinen Ofen gab. Reichtum verpflichtet, du wirst ausziehen müssen, dachte er.

Am nächsten Morgen begann er seine Ausführungen über Buddha. Von Buddha konnte man sagen, er sei der erste Mensch der Geschichte, dessen Leben offen daliege, von der Geburt bis zum Tod: erzogen als Knabe aus vornehmem Haus, heiratete er, wurde Vater und hatte noch als jüngerer Mann das entscheidende Erlebnis – die Vergänglichkeit der Dinge, der Tod, das Leiden, die Krankheiten, die Armut sprangen ihn an. Er ging in die Einsamkeit, durchzog die Lande, verzichtete auf alles, was lockt, kehrte zurück, lehrte den Unterschied zwischen dem Nichtigen und dem Wichtigen und starb in hohem Alter, kein Religionsstifter, nur ein Weiser.

Gegen elf überlegte Hasso, ob er die Seiten gleich mit der Maschine abschreiben solle, und fand, das sei eine Aufgabe für den Nachmittag. Er verließ das Haus; enge Gassen und steile Staffeln standen für den Abstieg zur Verfügung. Unten drängte sich Laden an Laden; kaum einer, der nicht in diesen Jahren der neuen Geschäftigkeit erweitert, umgebaut, frisch eingerichtet worden wäre.

Oft hatte er diesen Gang gemacht, die Schaufenster entlang, und immer die gleiche Empfindung gehabt, daß er alle diese vielen Dinge nicht brauche, sie nicht vermisse. Man kam mit wenig aus, und wenn diese Maxime auch den amerikanisch umgefärbten Geschäftsleuten mißfiel, so machte sie doch unabhängig. Freiheit war in ihrem wesentlichen Teil Anspruchslosigkeit.

Aber nun merkte er, daß sich in diese Grundempfindung eine andere, neue, doch scheue einmischte: es besteht keine Notwendigkeit mehr, anspruchslos zu sein. Du kannst dir das alles leisten, schau es dir einmal an.

Er war ein guter Beobachter. Die Zahl der Geschäfte, die Stilmöbel vertrieben, hatte sich innerhalb eines Jahres stark vermehrt. Im Teppichhandel mußten sich gewaltige Kapitalien zusammengetan haben. Einige große Schaufenster gaben den Blick frei in Lager, die so tief waren wie die eines orientalischen Basars. Er verstand sich ein wenig auf Teppiche, in seiner Wohnung lagen zwei erstrangige Seidenteppiche. Was er in den Auslagen sah, war mittelmäßige Ware und übermäßig teuer.

Er erblickte das Schild einer Druckerei und dachte, daß ihm die Besuchskarten fehlten. Brauchte er sie, machte er je Besuche? Aber wenn er eine neue Wohnung mietete, in den Villenvierteln am Oberlauf des Flusses, draußen vor der Stadt, tiefer im Gebirge, waren auch Besuchskarten angebracht. Er hatte den Freiherrntitel, der ihm zustand, kaum mehr benutzt, sich mit dem Erich von Hasso begnügt. Die Deutschen waren Snobs, gerade in der Wirtschaftswunderrepublik. Für sie also konnte er sich Karten drukken lassen – wenn er wollte.

Ein neues Schild warb um seine Aufmerksamkeit: »Wohnungsmunke, Villenmunke bringt Sie unter, wenn nicht heute, so doch morgen, billig, teuer.« Dieser Wortlaut, abgeschmackt, stand in den Wagen der Straßenbahn, er stand in den Zeitungen des Auslandes, er stand überall.

Warum nicht, dachte Hasso und trat in den Hauseingang. Ein Pfeil zeigte an: »Zum Munkestock.« Der Angestellte, der Hasso empfing, war zehnmal so elegant angezogen wie er selbst.

»Sechs Zimmer könnte ich Ihnen sofort beschaffen«, sagte er, »drei Zimmer sind Mangelware, weil alle Welt sie sucht. Seit einer Stunde haben wir ein einmaliges Objekt an der Hand, aber es kommt, wenn ich so sagen darf, nur für einen sowohl kapitalkräftigen wie entschlossenen Käufer in Betracht.« Sein Blick glitt über Hassos Anzug. Hasso bemerkte die Einschätzung und erwiderte: »Ich verstehe, worum handelt es sich?«

»Nun, um das Haus des Grafen Droßt, der neulich starb«, antwortete der junge Mann. »Der Graf nahm, wie Sie vielleicht wissen, vor zwei Jahren seinen Abschied als Kurdirektor und richtete sich auf einem Gartengrundstück einen Pavillon ein – drei Zimmer, Küche, Bad und ein Sekretariat dazu.«

»Und?« fragte Hasso geduldig.

»Der Pavillon ist angefüllt mit ausgesuchten Sachen, altgriechischen und chinesischen Vasen, englischen Porzellanen von 1750 und Lithographien von 1830, diese Einrichtung allein kostet vierzigtausend Mark, der Pavillon mit dem Grundstück ebensoviel, es wird Ihnen zu teuer sein.«

»Kann man das Objekt besichtigen?«

»Ich müßte die Gräfin anrufen.«

»Tun Sie das und besorgen Sie ein Auto.«

»Das der Firma steht zur Verfügung.«

»Schön, fahren wir mit dem wohlbekannten Munkewagen«, sagte Hasso.

Der Pavillon lag auf der rechten Talseite, in halber Höhe, und war ein Betonwürfel mit großen Scheiben ohne Fensterkreuz. Kannas, Hortensien, Gladiolen, Luxusblumen umstanden ihn. Die üppigen Gewächse bereiteten auf die Hausherrin vor, die eher nach einer wohlgenährten Gastwirtin als einer Gräfin aussah. Die hellen Farben, die sie trug, waren zu hell für ihre reife Figur. Vermutlich spielte sie Bridge und machte gern Konversation.

Die Renaissancetruhen, die Porzellane, die Rubingläser, die Gobelins, die Seestücke der holländischen Schule, die Buddhastatuen, alles war echt, wie die Erwerbungen eines Museums.

Hasso verabschiedete sich kurzerhand und erklärte dem jungen Mann von Munke, er gehe zu Fuß nach Hause. Das Bewußtsein, reich zu sein, förderte offenbar die Neigung, mit den Leuten kurzerhand umzuspringen – es machte ungeduldig. Ein kleiner Vorfall am Nachmittag bestätigte diese Vermutung. Emerald schellte, trat ein und brachte den Brief, durch den der Rundfunk vier Aufsätze über Buddha und den Buddhismus bestellte. Die Verteilung auf vier Monate sei für die Wirkung unvorteilhaft, sagte er, das Wort Monate war durch das Wort Wochen ersetzt.

»Ich nehme an, daß Sie mit mir zufrieden sind, Herr von Hasso?«

»Durchaus, Sie haben schnell gearbeitet.«

»Dann darf ich unsere zusätzliche Verabredung zur Sprache bringen. Sie erinnern sich – sie betrifft viermal fünfzig Mark.«

»Ich war zu voreilig. Begnügen Sie sich damit, daß ich Ihnen das ganze Honorar für die vier Aufsätze überlasse.«

»Wie, Sie stehen nicht zu Ihrem Wort?«

»Ich berichtige mich. Sie verdienen tausend Mark an mir, das genügt. Ich werde Ihnen einen Scheck geben, und Sie werden ihn bei meiner Bank vorlegen.«

»Was soll das? Ich liefere mich Ihnen ja aus.«

»Sie brauchen keine Furcht zu haben. Es ist mir nur um ein Belegstück für den Notfall zu tun. Ich habe beschlossen, mir einen Namen als Schriftsteller zu machen. Sie sollen mir an die Hand gehen. Das ist alles. Ich werde in Zukunft jeden Monat einen Aufsatz bei Ihnen veröffentlichen, und Ihre Aufgabe besteht darin, diese Mitarbeit zu verabreden, ohne weitere Vorteile für Sie.«

Emerald nahm wortlos den Scheck in Empfang und ging. Hasso bedauerte nicht den Verlust der tausend Mark. Soviel war bereits die Genugtuung wert, einen Intriganten merken zu lassen, was man von ihm hielt.

Er drückte auf die Kurzwellentaste und stellte das Jazzgeplärre gleich wieder ab, ließ sich in den Sessel fallen und war zu träge, eine seiner guten Platten aufzulegen. Im Pavillon des Exkurdirektors hatte er gedacht, wer eine gepflegte Wohnung habe, brauche auch eine Haushälterin oder eine Sekretärin oder beides. Der Sekretärin hätte man sagen können: Suchen Sie doch bitte das Violinkonzert von Beethoven heraus.

Am Abend war Hasso gegen sieben Uhr im Café:

»Warum kommen Sie so spät?« fragte Fräulein Änne, »in fünf Minuten bin ich mit meinem Dienst zu Ende, und bis dahin werden Sie mit dem Abendessen nicht fertig sein.«

»Sehr einfach, wir essen zusammen anderswo – wenn es Ihnen recht ist, Sie kleine energische Person.«

Das war sie, und es gefiel ihm. Er nahm nur eine Tasse Kaffee und wartete dann an der Ecke auf sie.

»Wohin, haben Sie einen Wunsch?« fragte er.

»Ich kenne mich nicht recht in der Stadt aus.«

»Und im Rebland?«

»Gar nicht.«

»Wir fahren ins Rebland und trinken Bocksbeutelwein«, sagte er.

Die Haltestelle für Mietautos war ganz nahe, der Sommerabend lind. Hasso bestand darauf, daß das Verdeck zurückgeschlagen wurde. Sie war schweigsam, vielleicht aus Verlegenheit.

Um etwas zu sagen, sagte er: »Man merkt schon, daß wir Ende August haben. Als ich, vor sechs Wochen, zum letztenmal um diese Zeit aus der Stadt hinausfuhr, saßen auf den Bäumen die Amseln und sangen hinter der sinkenden Sonne her.«

Sie mochte auf diese Art der Unterhaltung nicht gefaßt sein und sah verwundert zu ihm auf; dann lächelte sie und sagte:

542

»Ich weiß zuwenig von den Dingen der Natur.«

»Wo sind Sie aufgewachsen, in der Großstadt?« erkundigte er sich.

»In Stuttgart, ja, und wenn Sie mich fragen, ob die Bäume, unter denen wir jetzt fahren, Linden oder Birken sind, kann ich es nicht sagen.«

Es waren Buchen und Lärchen, vermischt. Er behielt es für sich, ein Gespräch über Baumsorten hätte sie vermutlich gelangweilt. Viele Dinge trennten die Menschen – die Erziehung, der Stand, die Neigung, vor allem das Alter. Dieses Mädchen stand in den Jahren der blutjungen Julia, und der Romeo, der sie ausführte, zählte fünfundsechzig. Er war nahe daran, den Fahrer umkehren zu lassen, dem blonden Kind einen Schein als Schmerzensgeld in die Hand zu drücken und ihr zu gestehen, er sei kein Journalist, sondern ein alter Esel.

Er verschwieg die zweite Hälfte dieser Mitteilung und weihte sie in die erste ein – er habe nichts mit Zeitungen zu tun, wolle keinen Aufsatz über Kellnerinnen schreiben.

Aber er wünsche doch etwas von ihr, fragte sie.

»Nur Ihre Gesellschaft«, erwiderte er, »ich kenne kaum Damen in unserer Stadt. Ich dachte ganz einfach, man könne sich zu einem Abendessen im Freien zusammentun, zwanglos, unbefangen. Widerstrebt es Ihren Grundsätzen?«

»Gar nicht, ich verlasse mich auf mein Gefühl.«

Er erkundigte sich, wie sie das meine, was das Gefühl ihr sage, und sie gab zur Antwort:

»Daß Sie ein gebildeter Mann sind. Ich glaube nicht, daß der Herr von Hasso nach dem zweiten Glas über mich herfallen wird, wie es neulich geschah, als ich mich von unserem Geschäftsführer nach Hause bringen ließ.«

Sie wußte also, wer er war.

»Kellnerinnen erkundigen sich immer nach Gästen, die regelmäßig ins Lokal kommen.«

Das Auto fuhr in einen Hof ein. Hasso wies den Fahrer an, sich etwas zu essen geben zu lassen, durchschritt mit seiner Begleiterin die Wirtsstube und suchte den kleinen Garten, wo unter den gestutzten Linden einige Tische standen. Zwischen den Bäumen hingen Papierlampen, grüne, rote und gelbe. Die Fenster der Wirtsstube waren geöffnet, das Radio spielte Verdi. Auf Verdi folgten Donizetti, Bellini, Rossini – es war eine italienische Sendung, Belcanto.

Er merkte, daß sie aufmerksam zuhörte. Aber sie kannte keine

Namen, Verdi war ihr kein Begriff. »Ich bin nur auf die Volksschule gegangen, ich bin die Tochter eines Briefträgers«, sagte sie.

Unterer Mittelstand, dachte er; von vornherein durfte man annehmen, daß von hundert Mädchen, die einem über den Weg liefen, fünfundneunzig aus diesem Kreise stammten; die Masse war in die Arena des Geschehens eingebrochen, die Gesellschaftsschranken waren niedergelegt.

Es ging in diesem Wirtshaus noch ländlich zu. Die Bedienerin war eine Magd mit rotem Rock und schwarzem Samtmieder. Hasso bestellte für sich Schwarzwälder Schinken und Bauernbrot. Änne fragte, ob sie unbescheiden sein dürfte, und eine Forelle aus dem Kasten draußen im Bach mußte ihr Leben lassen.

Der Wein, den sie tranken, wuchs in der Gemarkung, hieß »Stich der Buben« und wurde in bauchige Flaschen gefüllt. Das Radio ging von den Italienern zu Offenbach über und spielte die Barkarole, Song an die Sommer- und Liebesnacht. Fräulein Änne im Schimmer der Papierlampen sah wie eine blonde Geisha oder wie ein zierliches Tanagrafigürchen aus.

Daß man immer vergleichen mußte; sie kam weder aus Japan noch aus Hellas. Kleine, hohe Brüste rundeten die weiße Seidenbluse. Was für ein zierliches Geschöpf, mit dem Körper einer Tänzerin. Die Hände fielen ihm auf: gedrungen, aber nervig, gutgeschnitten, und nun sagte sie:

»Wie hübsch, daß Sie mich hierhergeführt haben, ich war noch nie im Rebland. Bisher war das für mich nur ein leerer Begriff – fortan kann ich mir darunter etwas vorstellen – Lampions, Wein, Musik und eine warme Nacht, die nach Rosen duftet.«

Impulsiv streckte er ihr die Hand hin und zog sie sofort zurück, aber die unwillkürliche Geste mochte ihr nicht entgangen sein. Eine Schranke war gefallen, sie kamen ins Plaudern. Er hatte viel von der Welt gesehen, sie noch nicht die Nase aus dem süddeutschen Raum herausgestreckt.

Ihre Augen glänzten, als er von den Tempeln Hinterindiens erzählte und sagte, die Menschen seien dort freundlicher, harmloser und gütiger als im Westen. Die Frauen im Westen waren auf dem besten Wege, zu berechnenden, anspruchsvollen Geschöpfen zu werden, die ihre von der Natur verliehenen Reize an den Mann zu bringen, auf dem Markt zu verwerten suchten. Naturhafte, warme, naive Weiblichkeit starb unter den Amerikanerinnen und Europäerinnen des hochkapitalistischen Zeitalters aus.

»Erbarmen« sagte sie, und ihre Hand legte sich wie bittend auf seinen Arm. Er begriff, daß sie unmöglich ihm folgen konnte.

Wie hübsch sie aussah, dunkle Augen und goldblondes Haar, die zarte Haut eine Mischung aus Milch und Blut.

Der Fahrer setzte zuerst sie in der Altstadt ab. Hasso wußte nicht, ob der Abend ihr zugesagt hatte.

Er saß noch eine Weile auf dem Sofa in seinem Studio; am Tag sah man durchs Fenster den nahen Wald, die Porphyrfelsen, darüber die Ruine der Ritterburg. Schon ein Mann von sechzig war ein alter Mann und doch fünf Jahre jünger als einer, der fünfundsechzig zählte. Unwillig wandte er sich zur Seite und drückte auf die Radiotaste. Er hatte Glück, es gab zu belauschen ein Zwiegespräch zwischen Flöte und Klavier.

Wenn das Stück nicht von Beethoven war, dann war es von Schubert. Wie lieblich klang das Holzinstrument, von leiser Melancholie durchbebt wie alles Schöne. Ein Hauch von Schwermut war auch um das Mädchen Änne – warum, was hatte sie erlebt? Er erinnerte sich an den Augenblick, als sie ihm im Café aufgefallen war; das blutjunge Ding schrieb mit diesem humorlosen Ernst, den das Geld verlangte, die Rechnung für den Gast und zog dann mit der Würde eines alten Oberkellners die Brieftasche aus dem weißen Schürzchen, das nicht größer war als ein Lendenschützer.

Er lachte hell auf; mit ihren dunklen Augen und dem goldnen Haar war sie selbst ein Flötenseelchen, dem Walde Pans, der Mittagsstunde entsprungen, eine leichtfüßige Nymphe, eine Wildblume. Vielleicht daß, wer sie umfing, den Humusduft ihrer Achselhöhlen roch.

Er sprang auf und stellte das Radio ab. Sein Zustand beunruhigte ihn, was ging in ihm vor? Daß einer die zweite Jugend erlebte, war eine geläufige Redensart. Die wievielte war es bei ihm, die dritte, vierte? Oder flackerten die Reste des Begehrens nur noch ein letztes Mal auf, übersteigert, senil?

Am nächsten Morgen erstieg er einen der Hügel des linken Bachufers, dort lag unter den Resten eines Parkes der trotzige Granitbau des Römer-Sanatoriums. Die Römer hatten auf der Talsohle, schwerlich schon auf den Abseitshängen gebaut.

Hasso fragte nach dem leitenden Arzt. Der Doktor war sein Halbbruder, sie führten denselben Namen, Erich und Albert von Hasso mochten sich. Albert war zehn Jahre jünger. Er kam gerade die Treppe herunter, das Hörrohr in der Hand, die Schwester hinter ihm trug den Kasten mit den Blutdruckbinden.

»Am Vormittag macht man keinen Besuch, kommst du als Patient?« fragte Albert.

»Ich möchte, daß du eine Bestandsaufnahme vornimmst.«

»Fühlst du Beschwerden?«

»Gar nicht. Ich habe das Bedürfnis nach einer gründlichen Generaluntersuchung; ist das so ungewöhnlich?«

»Den Blutdruck und den Blutzuckerstand können wir gleich messen. Aber für das übrige wäre eine Woche Aufenthalt nötig. Kardiogramm, Röntgenbild, Beobachtung nehmen Zeit in Anspruch.«

»Es ist vorerst kein Einzelzimmer frei«, fiel die Schwester ein.

»Wir werden dir Nachricht geben«, entschied Albert, »geh ins Labor, die Laborantin wird dir einen Blutstropfen abzapfen, die Schwester den Blutdruck messen.«

Eine halbe Stunde später hatte Hasso erfahren, daß sein Blutzuckerspiegel normal, sein Blutdruck der eines Jünglings sei, und auch das Herz war auf einen ersten Eindruck hin abgehorcht worden – überraschend schlank für einen Mann seines Alters, keine Spur von Verfettung, vermutlich völlig gesund.

Das war eine wohltuende Feststellung. Er setzte sich auf eine Bank, die unter zwei Tuyabäumen stand, und dachte nach. Eine senile Überhitzung lag also nicht vor, wenn seine Phantasie ihn dazu trieb, von einem Mädchen anzunehmen, es heiße nur pro forma Änne Weber und sei in Wahrheit eine Sylphide aus dem dunkelsüßen Land der Flöte. Es war nur indiskret, zu vermuten, ihre Achselhöhle röche wie Walderde.

Phantasie war immer indiskret – man versetzte sich in andere, man trat in ihr Inneres ein, als wären ihre Haut und ihr Fleisch keine Wand. Bei einem Lehrer der Mathematik und der Botanik konnte Phantasie überraschen. Auch hatte er fünfundsechzig Jahre lang nicht viel Gebrauch von ihr gemacht, sein Leben war recht ernst gewesen.

Diese achthunderttausend Mark waren ihm glücklicherweise in den Schoß – nicht auf den Kopf gefallen. Den Blutdruck schienen sie nicht erhöht zu haben, aber immerhin also die Vorstellungskraft.

In den Besitz von achthunderttausend zu kommen, war ganz einfach eine Aufforderung, ein neues und gesteigertes Leben zu beginnen. Ein neues Leben begann man nicht allein. Es gehörten andere dazu, Reisen, Interessen, Freunde allgemein, eine Freundin insbesondere.

Wie seltsam, daß Erich von Hasso ohne die Erbschaft es vermutlich für selbstverständlich gehalten hätte, daß mit fünfundsechzig ein Leben beendet sei. Er versank in Gedanken. Wo stand geschrieben, daß ein Mann von fünfundsechzig zu verschwinden oder zum mindesten zu verstummen habe? Solange einer lebte, war es sein Recht, zu wollen und zu fühlen.

Am Nachmittag wurde sein zweiter Aufsatz fertig. Er war in Schwung geraten und hatte Lust, sofort den dritten zu schreiben. Das Altstadtviertel, die Wohnung darin war wunderbar zur Klausur geeignet. Man brauchte nicht zur Stadt hinunterzugehen; am Marktplatz, neben der Kirche, gab es ein behagliches Gasthaus. Hier nahm er am Abend und am nächsten Tag die Mahlzeiten ein.

Wieder einen Tag später ging er am frühen Morgen in eine der nahen Badeanstalten, schwamm, schwitzte, ließ sich kneten und ruhte. Die Aufsätze waren fertig, sogar mit der Maschine abgeschrieben.

Als er zurückkehrte, war unter den Briefen einer von Fräulein Änne. »Am Tag nach dem Ausflug ins Rebland wollte ich Ihnen für den hübschen Abend danken, aber Sie kamen nicht. Sie ließen sich auch am zweiten Tag nicht sehen, so daß ich fürchtete, Sie seien krank. Um mich zu erkundigen, schreibe ich – nur aus diesem Grund. Ich möchte nicht, daß Sie mich für zudringlich halten. Ihre Änne Weber, mit freundlichen Grüßen.«

Das hatte er nicht erwartet; warf sie ihm das Tuch, den Ball, die Herausforderung zu? Er fand, das einfachste und anständigste sei, für wahr zu halten, was sie geschrieben hatte. Er betrat gegen sieben das Café. Es war wie neulich; ihr Dienst ging zu Ende; sie willigte ein, ihn draußen zu treffen.

»Sind Sie müde?« fragte er.

»Gar nicht.«

»Möchten Sie eine halbe Stunde gehen?«

»Mit Vergnügen.«

Sie wandten sich nach Westen. Die Straße stieg, die Häuser hörten auf, die Laternen gingen an, die Grillen zirpten.

Die Stadt hatte ein großes Areal; dort, wo es begann oder endete, stand ein Hotel, bis hierher fuhr auch der Obus. Sie saßen in einem Glasbau, sahen auf die Stadt hinab und plauderten schon wie Freunde miteinander, vertraut und unbefangen. Er erfuhr, daß sie einen Zusammenstoß mit dem Geschäftsführer gehabt hatte.

»Ich werde den Laufpaß bekommen, ich werde mich nach einer anderen Stelle umsehen müssen«, sagte sie.

»Macht das Schwierigkeiten?«

»Nicht die geringsten. Die Nachfrage, das Angebot von seiten der Unternehmer ist enorm.«

»Wieviel legen Sie im Monat zurück? Würden Sie mir es sagen?«

»Warum wollen Sie das wissen?« fragte sie.

»Aus Neugier. Es interessiert mich.«

»Im Durchschnitt dreihundert Mark.«

»Sie können dreihundert Mark auf die Sparkasse tragen, nachdem Sie das Essen, das Zimmer, die Kleidung und den Rest bezahlt haben?«

»Ja, so kann man es ausdrücken.«

»Würden Sie zu mir kommen, wenn Sie alles frei und vierhundert Mark übrig hätten?«

»Zu Ihnen kommen? Was verstehen Sie darunter, als was würde ich beschäftigt?«

»Als Hausgehilfin, als Sekretärin, als Gesellschafterin – was immer Sie wollen.«

»Auch als Freundin?«

»Gewiß, als Freundin in gutem Sinn. Ich würde Sie nie belästigen.«

»Haben Sie denn einen Haushalt?«

»Ich will ihn einrichten, mit neuen Möbeln, im Villenviertel, im Grünen draußen.«

»Haushalten können Sie, wenn eine Wohnung vorhanden ist. Ist sie vorhanden?«

»Noch nicht, aber ich habe schon begonnen, Objekte anzusehen.«

»Hausgehilfin oder Haushälterin«, sagte sie, »was ist das? Ein weibliches Wesen, das dem Herrn das Bett macht, die Strümpfe stopft, das Essen kocht – nein, das wäre nichts für mich. Als Haushälterin bringt man es nicht weiter, man wechselt nur die Stelle, und die Aufgaben sind immer die gleichen.«

»Gibt es denn in Ihrem Beruf Möglichkeiten, es weiterzubringen – weiter, als eine Angestellte es bringt?«

»Man kann selbstverständlich eigener Unternehmer werden. Ich habe mir vorgenommen, als Besitzerin eines Hotels zu enden – wie dieses hier«, sagte sie, »es hat einen guten Namen, Endstation, bereits Höhenlage, hundert Betten schätze ich – auch zweihundert würden mich nicht schrecken.«

Er mußte lachen über dies so energische Persönchen, das so geschmeidig wie eine Eidechse war.

»Wie alt sind Sie eigentlich?« fragte er, »ich vermutete zuerst achtzehn oder neunzehn.«

»Ich bin zweiundzwanzig«, entgegnete sie.

»Verlobt, versprochen?«

Sie schüttelte den Kopf. »Nein, ich bin unabhängig, und es ist schön, unabhängig zu sein.«

»Es macht auch einsam«, sagte Hasso, »Sie haben nicht viel Verkehr, irre ich mich?«

»So gut wie keinen«, bestätigte sie, und damit war dieses Thema erschöpft; es ging nicht an, sie auszufragen. Er erzählte von seiner Arbeit und daß es lästig gewesen war, sie auch noch ins reine übertragen zu müssen.

»Wie schade!« sagte Änne. »Hätten Sie ein Wort gesagt, so hätte ich sie abgeschrieben. Ich schreibe nicht schnell, aber mit allen zehn Fingern.«

»Damit sind wir doch wieder bei meinem Angebot«, meinte er; »schreiben können Sie, mit Lesen und Rechnen wird es sich nicht anders verhalten – Sie bringen die Eignung zur Sekretärin mit. Sekretärin klingt besser als Hausgehilfin; sagen wir also, Sie kämen als Sekretärin zu mir, um Briefe aufzunehmen, um Aufsätze abzuschreiben, um gelegentlich ein Kapitel aus einem Buch vorzulesen. Gewiß, wenn das Hemd von der Waschanstalt mit beschädigten Knöpfen zurückgeschickt wird, würde ich Sie bitten, neue anzunähen, aber diese Gefahr läuft jedes weibliche bei jedem männlichen Wesen. Als ich noch Studienrat am Gymnasium war, kaufte ich mir eines Tages einen Satz solcher Knöpfchen und versuchte gerade, sie anzunähen, als es schellte. Mein Direktor schaute bei mir herein, weil er just vorüberkam, und seine Frau begleitete ihn. Ich klagte meine Kragennot, die Frau Direktor sagte, so etwas, lassen Sie mich das machen, und der Herr Direktor bekam einen roten Kopf. Zum Glück war acht Tage später meine Pensionierung fällig, anderenfalls hätte er mich mit Schande fortgejagt.«

Sie sah ihn verblüfft an. –

»Wenn es nicht der Respekt verböte, würde ich Sie einen Kindskopf nennen. Sie haben mich richtig aufs Eis geführt, am Anfang hörte ich dieser Geschichte ernsthaft zu. Ist überhaupt ein wahres Wort daran?«

»Forse che sì, forse che no«, sagte er, übersetzte: »Vielleicht, vielleicht auch nicht«, und fügte hinzu: »Es wird Ihnen nicht entgangen sein, daß ich kein junger Mann mehr bin – bisweilen vergesse ich es, verzeihen Sie.«

Ein kleiner Blitz aus ihren dunklen Augen streifte ihn, und sie sagte: »Es ist mir bisher entgangen, ich entschuldige mich meinerseits.«

»Wie reizend, Änne. Ihr Kompliment ist so hübsch wie Sie selbst. Das ist schon der zweite Abend, den Sie mit mir verbringen. Es wäre doch ein leichtes für Sie, mit Männern Ihres Alters auszugehen?«

»Gewiß, es fiele mir nicht schwer. Einmal zumindest am Tag macht mich im Café ein Gast darauf aufmerksam, daß er einen Wagen besitze und gern eine Fahrt mit mir machen würde.«

»Das Auto dürfte mehr junge Frauen zu Fall gebracht haben als jede andere Einrichtung«, sagte Hasso.

»Sie haben nie einen Wagen gehabt?«

»In den zwanziger Jahren trieb ich mich in Ostasien herum, in den dreißiger Jahren hatte ich nicht das Geld, in der ersten Hälfte der vierziger Jahre war Krieg, in der zweiten Hälfte befahlen hier die Franzosen, in den fünfziger Jahren fand ich, es sei gesünder, zu laufen, ich war ja kein Geschäftsmann, und heute, da ich es mir leisten könnte, habe ich keine Lust mehr, das Fahren zu erlernen. Sie haben wohl nie am Steuer gesessen?«

»Doch, ich kann fahren. Mein erster Lehrherr, ein Spezereienmann in Konstanz, belieferte die Orte am Nordufer des Sees, und ich fuhr den Wagen.«

»Sind Sie eine Bodenseenixe? Woher kommen Sie?«

»Aus Vorarlberg, von Sankt Anton.«

»Daher die dunklen Augen.«

»Vielleicht, vielleicht auch nicht«, sagte sie.

Er lächelte.

»Sie sind schlagfertig, Sie sind lebhaft. Wenn Sie zu mir kämen, würde ich ein Auto anschaffen und mich sogar Ihnen anvertrauen. Gehen wir.«

Er zahlte, sie brachen auf, er nahm ihren Arm, sie widerstrebte nicht. Wärmere Abende hatte es im Hochsommer nicht gegeben; nur stiller und verhaltener schien die Natur zu sein. Die Straße verlief lange Zeit eben. Bänke kamen, er ließ sich auf eine sinken und zog sie neben sich. Er legte den Arm leicht um ihre Schulter und sagte:

»Soll ich schweigen, soll ich sprechen?«

»Nicht sprechen«, bat sie, »der Abend ist so schön. Schweigen zerstört nicht, Sprechen könnte zerstören. Morgen, übermorgen ist auch noch ein Tag.«

Er schwieg. Ihr Gesicht wandte sich ihm mit einer halben Drehung zu, und ihre Wange schmiegte sich an seine Schulter. Er schwieg und dachte, daß er ihr gut sei. Nur einmal in seinem Leben war er einer Frau so gut gewesen, einem burmesischen Mädchen mit hohen Backenknochen, spitzen Brüsten und heißem Mund, das kein Englisch, geschweige denn Deutsch, wohl aber die Sprache der einfachen Dinge kannte, es war lange her.

Die Erinnerung überfiel ihn; noch einmal ein Mädchen finden, das mit ihm ging und mit ihm schwang. War es denkbar, war es möglich? Er wandte sich begehrend Änne zu und hielt, sich bezwingend, inne.

»Wir wollen gehen«, sagte er.

Der Weg sank plötzlich steil ab, zur Talsohle, zum Bach. Sie gingen über die Brücke und waren in der Hauptstraße der Stadt. Die Bäume in der Mitte standen unerhellt, schwarz und schattig. Die Schaufenster, blau und rot und grün beleuchtet, reihten sich zur Avenue, als seien hier die Champs-Elysées.

»Wir sollten noch einen Mokka nehmen«, sagte Hasso, »aber wo, im Café Herzog?«

»Wir können uns dort nicht sehen lassen, es gäbe Gerede«, erwiderte Änne.

Die anderen Lokale waren provinziell.

»Ich habe alles zu Hause«, sagte Hasso, »es wäre die beste Gelegenheit, Ihnen mein Viertel zu zeigen, die Altstadt um die alte Kirche.«

Eine Autodroschke fuhr vorüber, er hielt sie an und machte mit dem Fahrer aus, daß er um halb elf beim Forstamt sein solle; das Forstamt lag neben Hassos Haus.

Nach fünf Minuten stiegen sie die schwere, breite Eichentreppe zur Wohnung Hassos hinauf. Er führte sie in die Küche; Kaffeemühle, Gas, Kondensmilch, alles war da. Er nahm inzwischen aus dem Kirschholzschränkchen zwei Tassen und aus der Getränkenische den Curaçao. Änne brachte den Kaffee ins Studio und füllte die Täßchen. Er füllte die Gläser und wies ihr die linke Ecke des Sofas an, er nahm die rechte ein.

Das Radio spielte spanische Tänze. Er reichte ihr Zigaretten und sah fasziniert, mit einem wunderbar oder verwerflich sinnlichen Gefühl, auf die schwellenden Lippen, die sich um die Zigarette schlossen. Immer, mit zwanzig und mit fünfundsechzig, liebte ich die Frauen, dachte er, die Ephebinnen und die Mütter, die gierigen und die zärtlichen Lebewesen – ich werde sie immer lieben, bis zu meinem letzten Tag. Nie könnte ich eine Frau roh behandeln, jede, noch die ärmste, ist eine heimliche Königin, jede verwaltet das Geheimnis, es gibt kein anderes als das Geschlecht.

Die Zeit verflog, schon tutete der Chauffeur. »Eine Frau ist gut aufgehoben bei Ihnen«, sagte sie am Haustor, und ihre Lippen streiften seine Wange. Er sagte dem Fahrer die Adresse und gab ihm fünf Mark.

Die nächste Post brachte einen Brief seiner Bank. Der Notar in Oldenburg hatte als Testamentsvollstrecker die Erbschaft überwiesen. Sie bestand aus einem Effektenkonto in Höhe von siebenhunderttausend Mark und einem Barguthaben von hunderttausend. Er ging zur Bank und sprach mit einem der Prokuristen oder Direktoren. Die Effekten bestanden aus der letzten sechseinhalbprozentigen Anleihe der Bundesbahn, die 103 notierte.

»Ein vorzügliches Papier«, sagte der Direktor, »heute bekämen Sie nur noch fünf Prozent. Andererseits befindet sich eine Reihe von Aktien in einer geradezu stürmischen Aufwärtsbewegung. Wenn Sie, sagen wir, für hunderttausend Mark Anleihe verkaufen und dafür Aktien nehmen, können Sie über Nacht ein kleines Vermögen hinzuverdienen.«

»Was würden Sie an meiner Stelle tun?« fragte Hasso.

»An Ihrer Stelle? Sie sind ein unverheirateter Mann. An Ihrer Stelle würde ich mit einem Viertel meines Vermögens einen Vorstoß wagen. Man kann bei vorsichtigem Vorgehen recht erfolgreich spekulieren.«

»Gewiß. Aber wenn man damit erst angefangen hat, gehen einem die Summen Tag und Nacht im Kopf herum. Ich habe mehr, als ich brauche – ich werde nicht unter die Spekulanten gehen.«

Die siebenhunderttausend allein brachten fünfundvierzigtausend im Jahre ein. Mit den Zinsen aus dem Rest und seiner Pension kam er auf weit über fünfzigtausend. Die Zahlen stimmten ihn ernst, es war ihm nicht wie einem Springinsfeld zumute.

Die Uhr zeigte zwölf, das Kaffeehaus lag in der Nähe, er konnte Änne guten Tag sagen und sich überzeugen, daß die schwarze Schleife, der Schmetterling, vom Gold des Haares sich reizend abhob. Aber als sie an seinen Tisch kam, dachte er ein wenig gereizt, sie sehe wie eine Geisha aus – wozu, nur damit alle sie anstarrten.

Er bestellte das übliche, Kalbssteak mit Pommes frites, Salat, Spätburgunder, und fragte:

»Wie geht es, schon lange im Dienst?«

»Seit acht, um zwei ist er zu Ende – ganz, ich gab die Stelle auf, heute ist der Monatsletzte.«

»Oh, und was haben Sie vor?«

»Zum Agenten zu gehen und mich anzumelden.«

»Besprechen Sie sich vorher mit mir. Wollen wir uns um zwei beim Springbrunnen in den Anlagen treffen?«

Änne nickte ihm zu; ein neuer Gast kam und nahm sie in Anspruch. Er verließ das Café um eins und ging zu seinem Buchhändler, der offenhielt. Im Laden stand ein Sessel. Hasso sah die Neuerscheinungen an und plauderte mit der Verkäuferin, die den Laden hütete.

Bis zu den Anlagen waren es nur ein paar Schritte. Ein lebhafter warmer Wind ging. Der Springbrunnen sprühte über den Weg hinweg, und der Rock Ännes, die über das Brückchen kam, wehte nach rückwärts. Sie kämpfte gegen den Windstoß an, wie die junge Tänzerin auf einem der antiken Reliefs, man sah ihre schlanken Glieder.

Er ging ihr entgegen, sie nahm dankbar seinen Arm, er führte sie über die Straße zum nahen Kurhaus.

Hier standen Tische und Stühle, vor dem Wind geschützt, aber nicht vor dem heißen Atem, den die Sahara über die Länder hinweg in die Rheinebene blies. Änne sagte, sie sei so nervös, als liefen ihr Ameisen über den Rücken; Hasso fühlte sich getragen und beschwingt; es war ein ungewöhnliches, seltsames Wetter.

»Wann haben Sie zum letztenmal Ferien gemacht, Änne?« fragte er.

»Ferien? Zu Ferien kommt man in meinem Beruf nur, wenn man ein Jahr lang in demselben Lokal arbeitet und auch ein zweites Jahr bleiben will. Ich habe zu oft die Stellungen gewechselt, ich habe überhaupt noch nie Ferien gehabt.«

»Es wird also Zeit, damit anzufangen.«

»Es wären unbezahlte Ferien. Ich bin jung, es macht mir nichts aus, mit den Erholungen noch zu warten.«

»Ich könnte Ihnen etwas wie bezahlte Ferien anbieten«, erklärte er. »Sagen wir zunächst nur auf vier Wochen. Für die nächsten vier Wochen, also für September, miete ich Ihre Zeit. Sie haben nichts anderes zu tun, als mir Gesellschaft zu leisten, mit mir spazierenzugehen, zu essen, zu plaudern. Wenn Sie wollen, schieben wir gelegentlich eine Stunde ein, in der ich Ihnen Briefe diktiere. Oder auch Manuskripte können Sie abschreiben, falls ich welche herstelle und wenn Sie wollen.«

»Warum tun Sie das? Um mir zu Ferien zu verhelfen?«

»Nur zum Teil. Ich tue es auch, weil es mich langweilt, immer und immer allein zu sein. Ich mag Sie gern um mich und weiß schon, was ich tue.«

»Wenn Sie mich jedesmal zum Essen mitnehmen, wird es eine teure Sache.«

»Wir bereiten uns abends gelegentlich eine Mahlzeit selbst«, meinte er, »dann kommt es billiger. Lassen Sie mich gleich das Geschäftliche erledigen. Ich übernehme alle Ihre Ausgaben, Wohnung, Tisch und so weiter, vierhundert Mark zahlen wir auf Ihr Sparkonto ein, und ein wenig Taschengeld werden Sie auch brauchen.«

»Sind Sie so wohlhabend?«

»Nehmen Sie an, ich könnte mir allerlei leisten. Abgemacht?«

Sie sah ihn lange an, dann nickte sie.

»Wünschen Sie, daß ich morgens schon um acht Uhr bei Ihnen bin?«

»Ich wünsche gar nichts. Wenn Sie um acht Uhr da sind, frühstücken wir zusammen. Wenn Sie um neun kommen, habe ich mir meine Milch bereits heiß gemacht.«

Sie klingelte am nächsten Morgen um acht an seiner Tür, aber er war früh erwacht und saß bereits bei seiner Milch. Die Milch stand auf dem Tisch, wie sie auf dem Gas gestanden hatte, im Emailletopf und die Butter lag nicht auf einem Teller, sondern steckte in der mitgelieferten Folie; kein weißes oder buntes Tischtuch war aufgelegt.

»So essen Männer, wir sind Stoiker«, erwiderte er auf ihre Vorwürfe.

»Arme Männer«, sagte sie und drückte ihm die Zeitung in die Hand. Fünf Minuten später war der Tisch verwandelt.

Der Briefträger und die Aufwartefrau kamen. Als das Studio in Ordnung gebracht war, setzte er sich mit Änne in diesen Raum und erledigte die Post. Eine Stuttgarter Zeitung, der er manchmal Beiträge lieferte, hatte angefragt, ob er einen Aufsatz schreiben wolle über das Armeemuseum, das im Rastatter Schloß eingerichtet worden war.

»Meine besten Jahre brachte ich in den Schützengräben Flanderns zu, verdreckt und verlaust«, sagte er, »ich habe keine Lust, in Erinnerungen an die Armee zu schwelgen.«

»Sie könnten sich die Sammlungen ansehen, man kann nie wissen«, sagte sie.

»Wie schön, daß mir einer sagt, was ich zu tun habe. Fahren wir – fahren wir gleich heute morgen.«

Als beseitige ein freundlicher Geist alle Hindernisse, ging, kaum daß sie den Bahnhof erreicht hatten, ein Zug, und eine halbe Stunde später lösten sie bereits die Karten fürs Museum. Die Schau begann mit den Erinnerungen an die letzte Markgrafenzeit, Ende des achtzehnten Jahrhunderts. Die Uniformen, die Orden, die Waffen der napoleonischen Ära folgten; Hassos Interesse erwachte.

Mit viel Liebe und großem Fleiß waren die Zeugnisse des neunzehnten Jahrhunderts zusammengetragen – der Zeit des Großherzogs Friedrich, Wilhelms von Preußen und Bismarcks. Änne strich im Katalog an und trug Stichworte in ein Heft ein, das sie dem Aufseher abgekauft hatte.

Nach anderthalb Stunden waren sie müde und hungrig; Hasso erinnerte sich an ein Lokal, das als schlemmerhaft galt. Den Namen hatte er vergessen, aber sie fragten sich durch, und dann erkannte er die Räume wieder. Es gab gespickte Krammetsvögel und einen guten Wein. Wieder hatten sie Glück am Bahnhof, es ging gerade ein Zug.

Auch am nächsten Tag fand sich ein Ziel. Änne erinnerte ihn daran, daß er zum Rundfunk gehen und sich neue Bücher zum Besprechen geben lassen wollte, sie begleitete ihn. Die Funkstadt lag abseits am Fuß der letzten Hügel, die den Wall gegen die Rheinebene bildeten, und der Blick über den Talkessel war bezaubernd. Der Bibliothekar, nach den Neuerscheinungen gefragt, gab Hasso eine dreibändige Geschichte der Kreuzzüge aus englischer Feder. Änne las noch am Nachmittag Hasso das erste Kapitel vor.

Sie aßen in der Stadt, zu Hause, im Rebland, wie es sich ergab, und zwischen ihnen war Unbefangenheit, Vertrauen, Freundschaft. Sah er sie an, die geschmeidigen, zierlichen Bewegungen der Eidechse, des tadellos gewachsenen Mädchens, so dachte er wohl, daß ihr in den Armen zu liegen die Erfüllung aller Wünsche sei; aber Erfüllung war schon, ihren Arm zu nehmen, sie bei sich zu wissen, gelegentlich du zu sagen. Er hatte oft die ausgesprochene Empfindung, daß man eine so hübsche Vollkommenheit wie dieses Figürchen behutsam anfassen müsse.

So kam der große Regentag heran. Schon am Mittag wagten sie sich nicht in die Stadt hinunter, weil es goß, und aßen in der Wirtschaft bei der Kirche. Am Nachmittag hellte es sich auf, aber gegen Abend, gerade als sie ausgingen, kehrten die Böen wieder. Sie aßen abermals am Marktplatz und eilten in seine Wohnung zurück. Es wurde kühl, er drehte die Sonne und alle Lichter an.

Änne bereitete Kaffee; die Stationen Frankfurt, Stuttgart, Baden-Baden überboten einander. Sie hörten das fünfte Klavierkonzert von Beethoven und das Violinkonzert von Tschaikowski mit Oistrach. Die Zeit verging, aber der Regen ließ nicht nach, und um elf schüttete es.

»Übernachten Sie hier«, sagte er.

Seine Wohnung bestand aus drei Zimmern, er benutzte nur zwei; das dritte enthielt ein Bett, die blauen Matratzen hatten keine Tücher und keine Decken.

»Ich werde hier schlafen, ein Kissen vom Sofa und Ihre Reisedecke genügen«, sagte sie.

»Das werden Sie nicht tun«, erwiderte er. »Sie brauchen ein ordentliches Bett. Nehmen Sie meines, wickeln Sie sich in ein frisches Laken ein.«

»Und Sie?«

»Ich schlafe auf dem Sofa im Studio, gute Nacht wünscht der Studien-Sofarat – es ist zwar nicht ganz der mir zustehende Titel, aber beinahe und ungefähr. Wenn Sie den Pfau schreien hören, ist es sechs. Doch, es gibt ihn, in der Nachbarschaft.«

Er hörte sie noch eine Zeitlang im Nebenzimmer sich bewegen, verbot sich die versuchenden Gedanken und schlief ein.

Die Kühle weckte ihn; durchs Fenster kam nicht der geringste Schimmer, aus der Höhe über den Wäldern stürzte das Wasser noch immer herab. Er stand auf, um den alten Lodenmantel zu holen, der in der Diele hing. Änne hörte ihn, sie rief zweimal Hasso – ob man Hasso nicht als Vornamen behandeln könne, hatte sie ihn gestern gefragt.

Er gab keine Antwort, aber nun öffnete sich die Tür zur Diele, und sie fragte zum drittenmal ins Dunkle hinein:

»Hasso, was ist?«

»Ich fror ein wenig«, sagte er. »Sie sollten nicht aufstehen, es ist wirklich recht kühl.«

»Sie sollten nicht auf dem Sofa schlafen. Es war unrecht von mir, das anzunehmen.«

Sie stand vor ihm, er spürte ihre warmen Glieder. –

»Komm, ich bin dir ja gut«, sagte sie und zog ihn ins Zimmer, zum Lager.

»Ich bin dir gut«, wiederholte sie, »ich wollte es dir oft sagen.«

Draußen war Rauschen und Finsternis, im Zimmer war Stille und Wärme und Zärtlichkeit. Sie gab sich nicht stürmisch, nicht mänadisch, sie überließ sich der Zärtlichkeit. Ihm war, als sinke er zum erstenmal in die Tiefe und Süße des weiblichen Schoßes. Und es war der Schoß eines Mädchens, einer Novize.

Seine letzte Empfindung war das Staunen – eine Zweiundzwanzigjährige hatte sich bewahrt, in dieser Zeit und in diesem Milieu überdies. Als er erwachte, fiel sein Blick auf den gelockten Schopf, der ihn umhüllte, das Goldene Vlies. Er suchte ihren Mund

und versank noch einmal wie in einem Abgrund in der Süße des Weibes.

Nachher, später, irgendwann stand sie bestürzt vor ihm. Es lief kein warmes Wasser in seine Badewanne, nur kaltes, der Ofen fehlte.

»Was tun, wir siedeln in ein Hotel über, es ist höchste Zeit, daß ich ausziehe«, sagte er. Sie war bereits wieder im Badezimmer, er folgte ihr, sie stand unter der Dusche.

»Nicht herschauen, geh«, bat sie.

»Laß mich. Nimm an, ich sei ein Bildhauer, ich glaube, ich bin es wirklich, verliebt in den schönsten Mädchenkörper.«

Sie lachte und kümmerte sich nicht mehr um ihn, seifte und rieb sich und öffnete den Wasserhahn. Dann, als das Naß über den Leib lief, hielt sie still. Etwas Schöneres als die hohen, kleinen Brüste, den fettlosen Bauch, die schlanken Schenkel hatte er nie gesehen und dachte, das sei ein wahrhaft griechischer Augenblick.

Über dem Stuhl vor dem Spiegel hing ein Badelaken, er öffnete es und hüllte es um Änne, als sie über den Rand der Wanne stieg. Er führte sie zurück ins Zimmer. Eine heiße Welle stieg in ihm auf, ungemessene Freude. Was immer sie verlangte, war er bereit zu tun.

Sie richtete das Frühstück. Inzwischen sah er im Kursbuch nach.

»Um eins geht ein Zug nach Basel. Jetzt ist es zehn. Genügen drei Stunden, um zu packen und an der Bahn zu sein? Dies ist keine Wohnung für junges Glück; ich denke, wir treiben uns zwei, drei Wochen in der Schweiz herum. Nimm wenig mit, alles bekommt man unterwegs – Koffer, Wäsche, Blusen, Schlüpfer. Wie hübsch, daß die Deutschen auch ein Toilettewort gefunden haben – Schlüpfer – es klingt anschaulich und gar nicht schlüpfrig. Auf dem Weg zum Bahnhof müssen wir zur Bank gehen, damit ich mich mit Geld versorgen kann.«

»Wir haben Zeit. Setz dich in dein Studio, ich will hier noch etwas aufräumen«, bat sie.

Aber im Studio fiel ihm ein, daß der Koffer hervorgeholt werden müsse, und er betrat die Diele. Hier sah er, daß sie im Bad etwas Großes, Schweres auswusch, und wollte verwundert fragen, was sie da tue. Dann erkannte er das Bettuch und das Blut, und ging leise ins Studio zurück und war ihr gut. Ein Mädchen wusch, wie in alten Zeiten, die Spuren der Brautnacht selber aus.

Um nicht den Koffer durch die halbe Stadt tragen zu müssen, trug er ihn zum Marktplatz und rief hier eine Kutsche herbei.

»Vorarlberg«, sagte er, »bist du katholisch?«

»Ja.«

»Wurdest du in strengen Anschauungen erzogen?«

»Was verstehst du darunter, warum fragst du gerade jetzt danach, auf dem Wege zur Bank?« wollte sie wissen.

»So, es war ein Einfall«, erwiderte er ausweichend und fügte hinzu: »Warum es nicht sagen? Ich suchte nach einer Erklärung für etwas, das bereits ganz unwahrscheinlich geworden ist. Ich glaube nicht, daß viele deines Jahrgangs dem Mann noch nicht begegnet sind.«

»Das Katholische mag hineinspielen, es kann schon sein, weniger bei mir als bei dem jungen Mann, mit dem ich zwei Jahre lang verlobt gewesen bin. Er war katholisch, er hatte die festen Anschauungen.«

»Das ist ein Tag der Überraschungen«, sagte er und mußte aussteigen, das Auto hielt vor der Bank.

Als Hasso wieder im Auto saß, fragte er, als seien nicht unterdessen zehn Minuten vergangen:

»Und wer war dieser junge Mann?«

»Jemand aus meiner, nicht aus deiner Welt. In deiner Welt, unter Akademikern, würde man wahrscheinlich beim Wort Konditor die Nase rümpfen – genau das war er, Konditor. Aber ein Konditor, der etwas kann, ist ein gesuchter, gutbezahlter Mann.«

»Und weshalb wolltest du nicht Frau Konditor werden?«

»Weil er maßlos eifersüchtig war. Er verbot mir, weiter zu arbeiten, ich sollte nur noch zu Hause auf ihn warten. Das war in Freiburg, ich nahm die Stelle hier im Café Herzog an und er aus Trotz eine in Dublin.«

»Schreibt er noch?«

»Bisweilen. Es geht ihm glänzend.«

»Hängst du noch an ihm?«

»Er war ein hübscher und nicht alltäglicher Mensch. Ich bin nicht verliebt in ihn, das war ich nie, aber ich mag ihn gern.«

Hasso schwieg. Was war hier zu sagen? Auch hielt das Auto wieder. Änne meinte, es würde zehn Minuten dauern. Er riet ihr, das Zimmer zu kündigen. Nach einer Weile erschien sie hinter einem Postboten, das Köfferchen in der Hand. Sie fuhren zum Bahnhof und glitten auf den stählernen Schienen mühelos durch das schöne Land, das die ersten herbstlichen Färbungen zu zeigen begann. Sie stiegen jenseits der Grenze in einem Hotelpalast ab, in zwei Zimmern, die ein Bad verband.

»Wir werden uns umziehen müssen«, sagte sie; zum Glück war ein Abendkleid in ihrem Koffer. Er trug sowieso dunkle Stoffe. Aber als Änne angezogen war, stellte sich heraus, daß sie keinen brauchbaren Schmuck besaß. Er schaute auf die Uhr.

»Dreiviertel sieben, versuchen wir unser Glück.«

Der Juwelierladen war unweit des Hotels. Er wählte einen Anhänger und eine goldene Armbanduhr – nun war sie angezogen und machte gute Figur neben ihm.

Von ihrer Jugend ging ein so großer Zauber aus, daß alle im Hotel herschauten, die älteren Amerikanerinnen und die Männer aller Jahrgänge.

Änne hatte keine Lust, nach Tisch noch auszugehen. Sie freute sich darauf, ein Bad zu nehmen und dann im Bett eine Stunde lang zu lesen. Vorerst plauderten sie im Salon mit einem Hamburger Ehepaar. Dann ging Änne nach oben, und Hasso, der sich ein Viertelchen Rotwein geben ließ, begann in seinem Sessel Pläne zu machen.

Man saß auf einem Floß und trieb im Gefälle des Lebensstromes dahin. Der Mann auf dem Floß konnte sich abwartend verhalten oder zu steuern versuchen. Die Steuermöglichkeit besaß er insofern, als er einen Willen besaß. Das Abwarten hatte viel für sich.

Änne war freiwillig zu ihm gekommen – sie würde ohne Zweifel vorerst bei ihm bleiben und Hausgenossin, Liebste, Gefährtin sein. Ging sie eines Tages, so war es schön gewesen, und er hätte nichts unternommen, um ihr hineinzureden – eine Haltung, die seinen Auffassungen und wohl auch denen Ännes, eines Mädchens von heute, entsprach.

Andererseits, er wünschte für sie zu sorgen, auch hatte er den verständlichen Wunsch, sein Geld jemand zu hinterlassen, der ihm dafür danken würde. Starb er heute, so beerbte ihn sein Bruder, der Arzt. Sie standen gut miteinander, aber Albert hatte sein Auskommen. Hinterließ er Änne einen Betrag, so kam das Finanzamt und erklärte ihr: Sie sind mit dem Erblasser nicht verwandt, führen Sie sechzig bis siebzig Prozent an uns ab. Vielleicht waren es sogar achtzig Prozent, er wußte nicht Bescheid. Am wenigsten nahm der Staat einer Frau ab, wenn sie mit dem Erblasser verheiratet war. Warum sollten sie nicht heiraten?

Nachdem Änne ihn nicht zu alt gefunden hatte, um das Lager mit ihm zu teilen, war kein Grund zu ersehen, weshalb sie nicht mit ihm im Rathaus aushängen konnte.

Sollte doch im Verlauf der Zeit der Altersunterschied eine Rolle spielen – wenn der Organismus krank wurde, plötzlich rasch verfiel –, nun, so war er bereit, privat eine Abmachung mit ihr zu treffen: sie heirateten, und Änne verpflichtete sich, drei Jahre lang als getreue Ehefrau mit ihm zu leben, ohne Trug und Lüge; nach diesem Termin stand ihr frei, zu tun, was sie wollte, und zu wohnen, wo es ihr beliebte – sie blieb seine Frau und Erbin. Rechtlich war diese Verabredung unverbindlich, aber er würde sich an sie halten. Drei heitere, beschwingte Jahre, das war schon etwas, und wer ihrer teilhaftig wurde, konnte in guter Haltung Abschied nehmen.

Er holte sein Notizbuch hervor und trug neben dem achten September ein: Basel, Ä. W. Dann ging er versonnen nach oben.

In einem gewissen Sinn war der heutige Tag der Höhepunkt seines Lebens. Nicht jeder dieses Alters hielt am Morgen eine geschmeidige Diana im Arm und stieg abends federnd die Treppe hinauf. Warum nicht, wer lebt, darf wagen – forderte er die Götter heraus?

Die Götter vernahmen die Frage und schlugen zu.

Acht Tage darauf war Hasso wieder daheim, in einem Zimmer des Sanatoriums seines Bruders. Später kaufte er sich ein paar Hefte und schrieb zunächst den Rückblick nieder; es wurde ihm dann weiterhin zur Gewohnheit, seine Erlebnisse aufzuzeichnen.

II

Als ich an jenem Abend zu Basel nach Änne schaute, lag sie schon im Bett und las. Es war ein bemerkenswert schöner Raum, mit abgestimmten Farben, ein Cello- und Flötenadagio verschwebte darin. Wir sagten uns gute Nacht, aber in der Dämmerung der Frühe huschte sie durchs Badezimmer und sagte mir guten Tag. Wir waren uns bereits einig darin, daß diese Stunde der Morgenrotgöttin die zärtlichste sei.

Es war die Stunde der Süße des Weibes. Ich war erotisiert, und es war schön. Der Schoß der Frau hat uns empfangen, gehegt, geborgen, er hat uns ausgetragen. Selbst wenn sie zu uns gemein waren, sollten wir nie gemein zu Frauen sein. Wir mochten alles über ihre Schwäche und Unzulänglichkeit wissen – wir kamen vom Weib und suchten das Weib. Auch wenn sie uns betrügen und belügen, sind sie doch das Unmittelbare; sie sind die Hüterinnen und Verwalterinnen des Lebens.

Nach dem Frühstück drängte es mich ins Kunstmuseum. Aber in Basel will es der Stadtplan, daß beim Bundesbahnhof der

Zoologische Garten liegt. Änne war schon von dem bloßen Wort fasziniert.

»Ob sie afrikanische Elefanten haben, ich möchte afrikanische Elefanten mit den großen Lappenohren sehen«, sagte sie.

Wir drangen an diesem Morgen nicht in die fünfzig Säle des Museums am Sankt-Alban-Graben vor. Am Nachmittag mußte ich zufrieden sein, sie ins Münster zu ziehen. In einem Schaufenster hing ein Täfelchen, darauf stand: S' isch düsse deggt – das hieß: es ist draußen gedeckt.

»Wer ist Königin Anna?« fragte sie im Chorumgang des Münsters und verwirrte mich. Mir war nur eine Königin Anna bekannt, die letzte Stuart; aber die Engländerin lag doch nicht in Basel begraben. Es stellte sich heraus, daß die Königin Anna hier die Gemahlin Rudolfs von Habsburg gewesen war, mit dem eine neue, nicht mehr hochmittelalterliche, die nachstaufische Zeit begonnen hatte.

»Warum Königin, war der Habsburger nicht Kaiser?« fragte Änne.

Die Antwort konnte ich geben:

»Er wurde nie in Rom gekrönt, es zerschlug sich immer wieder. Sein Vorgänger, Friedrich, der große Staufer, war 1215 zum Kaiser gekrönt worden, und die nächste Krönung fand erst 1312 statt – Heinrich von Luxemburg.«

»Wieviel du weißt«, meinte Änne, »ich bin schrecklich unwissend. Ich kann nicht einmal den gotischen Stil von den anderen Stilen unterscheiden.«

»Es erlernt sich, Prinzessin«, sagte ich, »andere Frauen wissen auch nicht mehr, sie tun nur so. Folge ihrem Beispiel und warte, bis du mehr gesehen hast. Wenn du vor der Kathedrale von Reims und vor Sankt Peter und vor dem Stephansdom in Wien gestanden hast, bereiten dir die Unterschiede keine Schwierigkeiten mehr. Ich werde dir das alles zeigen.«

»So sicher bist du meiner?« fragte sie. Daß sich in dieser Antwort eine Abwehr verbergen könne, wurde mir nicht bewußt.

Der zehnte September war unser dritter Tag. Den Morgen verbrachten wir im Kunstmuseum, am Nachmittag fuhren wir im Auto nach Augst, das einst Augusta geheißen hatte und eine römische Garnison gewesen war. Am Abend streiften wir in der Altstadt herum. Ein neuer Gedanke beschäftigte mich: Ich überlegte, ob es nicht besser sei, mich mit Änne in einer Schweizer Stadt niederzulassen. Daheim würde der eine oder andere sich erinnern, sie im Café gesehen zu haben; in Basel oder Zürich oder

Bern oder Freiburg war sie Freifrau von Hasso und betrat Neuland.

Ich hatte noch nicht von der Heirat gesprochen. Die geeignete Szenerie, schien mir, war der Zürichsee: Sie saß mir im Boot gegenüber und steuerte, ich ruderte und sagte meinen Spruch.

Am nächsten Tag fuhren wir nach Zürich und stiegen, da alles besetzt war, im Christlichen Hospiz ab. Ich hatte zwei Bekannte in der Stadt, geborene Schweizer. Der eine war Verlagslektor, der andere Redaktor, wie man hierzulande sagte, an einer der großen Zeitungen, deren es mehrere gab. Schon am ersten Abend saßen wir mit beiden in einer der alten Zunftstuben, und beide ermutigten mich, als ich andeutete, daß ich, durch eine Erbschaft unabhängig geworden, Lust hätte, in Zürich eine Wohnung zu mieten, ein Haus zu machen und mich schriftstellerisch zu betätigen.

In Zürich gebe es herrliche Wohnungen, auf dem Dolder oder am See, allerdings teuer, wahre Millionärsappartements, erfuhr ich. In der Tat, Zürich lag noch immer nicht nur auf der Ostwestachse, sondern auch an der Nordsüdlinie, ein geistiger Knotenpunkt, mit zwei Hochschulen, einem zentralen Flugplatz, prächtigem See und grandiosem Hinterland. Ich hatte etwas nachzudenken.

Wir gingen heim – auf der Brücke, unter der der See ausfließt und zur Limmat wird, fragte ich Änne, wie es mit ihren Sprachkenntnissen stände.

»Schlecht«, erwiderte sie, »mein Englisch ist nicht weither, und Französisch wird mir immer unzugänglich sein, ich kann diese Laute nicht aussprechen.«

»Alles lernt sich. Bevor wir uns in Zürich niederlassen, gehen wir auf ein Vierteljahr nach Genf und richten es so ein, daß du hundert Tage lang ausschließlich Französisch sprichst.«

»Du hast mich nicht gefragt, ob ich mit dir nach Zürich ziehen will, und auch nicht, ob es mir zusagt, Französisch zu lernen.«

Ich blieb unwillkürlich stehen, ihre Worte bestürzten mich. Dann zwang ich mich zu sagen:

»Du hast recht, ich habe dich nicht gefragt. Die Erklärung ist einfach – ich wollte dich morgen romantisch auf den See entführen und dir angesichts der großen Szenerie den großen Antrag machen. Die Phantasie hat mir wieder einmal einen Streich gespielt. Ich vergaß, daß wir noch nicht auf dem See gewesen sind; auch war ich deiner Zustimmung sicher.«

Wir gingen lange stumm nebeneinander her, bis zum Paradeplatz.

Dann sagte sie:

»Hasso, ich bin unglücklich. Für mich ist diese Schweizer Reise nicht das, was sie in deinen Augen ist.«

»Und was ist sie in meinen Augen?«

»Der Anfang unseres Zusammenlebens.«

»Und für dich?«

»Ich wage es nicht zu sagen.«

»Wage und sage nur. Ich weiß es schon – sie ist die kurze, schöne Begegnung, die Episode.«

Sie widersprach nicht, es war die Bestätigung.

»Ich werde dir einen Brief geben«, sagte sie. »Ich erhielt ihn am Achten, er kam als Eilbrief, gerade als ich in meinem Zimmer packte und du im Auto gewartet hast. Ich versuchte ihn nicht gleich zu lesen, ich las ihn vorhin, bevor wir zu deinen Freunden gingen.«

Im Vestibül des Hospizes gab sie mir den Brief. Ich setzte mich in einen Sessel, sie ging nach oben. Der Brief trug eine irische Marke – ich begriff, er kam von dem jungen Konditor, mit dem sie verlobt gewesen war. Der Unterschrift zufolge lauteten seine Vornamen Franz Xaver.

Er war in einem Unternehmen angestellt, das sich Pâtisserie française nannte. Er teilte Änne mit, daß die Deutschen überaus beliebt in Irland seien, daß er, zu den günstigsten Bedingungen, das Geld haben könne, um sich selbständig zu machen. Er plane, etwas Neuartiges zu eröffnen, Weinlokal mit drei Abteilungen: Teestube, Wiener Café, Konditorei. Aber er könne es nur, wenn Änne ihm helfe – an der Kasse, in der Verwaltung, als Gattin. Er betrachte sich noch immer als verlobt; er hoffe, daß sie ihn glücklich mache und zustimmend kable.

Wie in Basel stieg ich eine Treppe hinauf und sah Änne im Bett liegen. Das war die einzige Übereinstimmung zwischen dem glücklichen ersten Tag und dem heutigen. So rasch veränderte sich alles – Situationen, Charaktere, Gefühle, Stimmungen.

Ich legte den Brief aus Dublin auf ihr Nachttischchen und fragte: »Angenommen, er wäre nicht geschrieben worden oder hätte dich nicht rechtzeitig erreicht, er läge also in diesem Augenblick bei dir zu Hause, ohne daß du es wüßtest, würdest du mir dasselbe gesagt haben wie vorhin, daß du nämlich in unserer Schweizer Reise nur eine Episode siehst?«

»Worauf willst du hinaus?«

»Warum hast du ihn erst heute gelesen, warum ihn einige Tage lang ungeöffnet gelassen?«

»Mein Gott, ist das so schwer zu verstehen?«

»Du dachtest in jener Nacht, bei mir in der Wohnung, nicht an den ehemaligen Verlobten?«

»Nein, ich fühlte mich ganz frei.«

»Das ist eine wohltuende Antwort«, sagte ich, »Änne, besinne dich, bleib dir treu. In jener Nacht in meiner Wohnung, sagen wir der Kürze halber in unserer Liebesnacht, warst du nicht entschlossen, mich nach ein paar Wochen wieder zu verlassen. Aus welchem Grund hast du deine Haltung geändert? Weil ein Brief kam, worin steht, daß jemand, von dem du dich gelöst hast, sich noch als verlobt betrachtet? War da nicht die einfachste Reaktion, ihm in Gedanken zu antworten: zu spät, ich traf einen anderen, und wenn der andere mich bittet, bei ihm zu bleiben, werde ich es tun, Dublin kann mir nichts mehr bedeuten.«

Ich saß auf ihrem Bett, sie nahm meine Hand und sagte:

»Geh in dein Zimmer, erwarte mich, wir wollen ruhig sprechen.«

Ich gehorchte. Nach einer Weile kam sie in mein Zimmer, schlüpfte zu mir, wie rosiger Marmor schimmernd, in durchsichtiger Seide, löschte das Licht aus und sagte:

»Nimm mich zuerst ganz still in den Arm und fühle, daß ich dein bin. Du darfst nicht ungerecht gegen mich sein, du sollst nicht mit mir hadern, du sollst mich verstehen. Sag, hast du mir vorschlagen wollen, deine Frau zu sein?«

Ich bewunderte sie in diesem Augenblick, sie ergriff die Initiative.

»Ja, das hatte ich vor.«

»Und du bist, wenn ich richtig vermute, ein reicher Mann, der ein Vermögen anzubieten hat?«

»Ja, das bin ich.«

»Und du würdest, wenn ich mir die Sprachen angeeignet habe, mich zur Herrin eines Salons machen, mit mir reisen und alles tun, um mich vergessen zu lassen, daß ich nur das weiß, was man in der Volksschule lernt?«

»Auch das«, sagte ich.

»Du bist ein nobler Mann. Und obendrein wärest du gut zu mir gewesen, am Ende hättest du mich als deine Liebste auf den Händen getragen?«

»Genau das«, bestätigte ich.

»Wie, glaubst du, reagiert eine Frau mit gesunden Sinnen auf einen Mann, der das alles anbietet? Es bleibt ihr nicht viel anderes übrig, als ihn zu lieben. Ich liebe dich, ich kann dich nie vergessen. Aber ich werde dich verlassen, nach dieser Schweizer Reise. Willst du die Gründe hören?«

Ich bewunderte sie, eine Zweiundzwanzigjährige, die einen Willen hatte und ihn zu übermitteln verstand.

»Der erste Grund«, sagte sie, »könnte dir weh tun, sei mir nicht böse. Ich möchte Kinder haben, und es sollen gesunde Kinder sein, Nachkommen eines jungen Vaters. Der zweite Grund tut dir nicht weh. Wenn ich zu dir käme, hätte ich nur auf Knöpfe zu drücken und die Oberaufsicht auszuüben. Ich möchte jedoch selber tätig sein, mich einsetzen. Ich bin ein praktischer Mensch, wenig geeignet, in Museen zu gehen, vor Kathedralen zu stehen. Zuletzt, zuallerletzt vielleicht, brauchst du doch eine Frau aus anderen Kreisen, eine gebildete Frau, eine geborene Dame. Das bin ich nicht; laß mich zu dem Mann gehen, den du wohl etwas von oben ansiehst, er ist nur ein Konditor, ein arbeitender Mensch.«

Sie hatte gesagt, daß sie ihn nicht liebe, doch achte. Wie aber hielt sie es mit der Offenheit? Würde sie ihm sagen, daß sie, vor der Ehe mit ihm, bei mir gewesen war?

»Jede Frau besitzt das Recht, über sich zu verfügen, solange sie sich nicht gebunden hat«, erwiderte sie. »Ich war frei, als ich dir begegnete. Treue darf er von dem Tage an erwarten, an dem ich mich ihm angelobe.«

Es war alles gesagt, es war nichts zu erwidern. Mit einem Fünfundsechzigjährigen hatte sie ihre romantische, beschwingte Zeit, dem Ehemann wurde die nüchterne, aber zuverlässige Zusage gemacht. Im Innersten, im Tiefsten war ich enttäuscht. Aber wozu dabei verweilen? Eine Art Befriedigung überkam mich, nicht ohne eine zynische Färbung. Ich suchte ihre Lippen und die Süße des Schoßes. Lippen und Schoß des Weibes waren das Schönste, was das Leben für den Mann bereithielt.

Am nächsten Morgen öffnete ich meine Brieftasche und überreichte Änne zehn Hundertmarkscheine.

»Die Löhnung für September – erlaube, daß ich ein neues Lederköfferchen hinzufüge, dein altes sieht nicht nach viel aus.«

Wir gingen in die Stadt. Die Geschäftsstraße hieß zwar nur Bahnhofsstraße, wie in einem Provinznest, aber sie enthielt wunderbare Läden. In das Lederköfferchen kam noch allerlei hinein, was einer jungen Frau Freude machte und gut stand. Dann führte ich sie an den See zurück, nahm ein Boot und ruderte sie hinaus, zum Zürichhorn hin.

Die Hügel, mit Häusern bedeckt, die Wälder darüber, auf dem

See die Dampferchen und die Jachten mit weißen Segeln – es war eine schöne große Szenerie. Und Änne hätte dort, am Belvoirpark, an der sogenannten Enge, wohnen können, in einem Großprotzenstockwerk, und ich hätte sie, wie man so sagt, auf den Händen getragen. Im Ernst, ich hatte ihr anbieten wollen, was ich anzubieten hatte, nicht nur Geld oder gesellschaftliche Stellung, die beste Automarke eingeschlossen, sondern auch Kameradschaft, Zuneigung, Liebe.

Änne, du bist töricht, dachte ich, was hätte es dir ausgemacht, drei Jahre bei mir zu bleiben. Mit fünfundzwanzig hättest du noch immer deine Familie gründen können. Zu spät, vorbei.

Eine neue Haltung, ihr gegenüber, zwang sich mir auf. Ich bewunderte sie, die Gesundheit des Instinktes, der ihr gebot, für ihre künftige Brut einen Erzeuger im besten Alter zu suchen, und diesen anderen Instinkt, der ihr sagte, daß es ihr angemessener sei, eine Teestube oder ein Hotel in die Höhe zu bringen, als eine gebildete Frau zu werden, die zwischen der Gotik der Ile de France und Spaniens zu unterscheiden weiß. Aber ich war nicht einverstanden mit der Behandlung, die sie diesem Franz Xaver zudachte. Sie hatte einen Rechnungsfaktor aus ihm gemacht. Er bekam sie und ihre Arbeitskraft, er durfte sie zur Familienmutter und zum Wirtschaftsvorstand machen, aber die süße, sich verschenkende, blutjunge, in den Mythos entrückte Änne würde er nie kennen.

Wir fuhren von Zürich nach Luzern, in die Landschaft des Wilhelm Tell. Ein Engländer hielt uns an und nannte einen Namen, der wie Peiletes klang. Erst nachher kam ich darauf, daß er den Pilatus gemeint hatte; wir lachten, und ich wirbelte Änne mit dem biegsamen Körper um ihre Achse. Einst, als die Frauen noch nicht im Erwerbsleben standen, wäre sie, statt die Laufbahn einer Teestubenbesitzerin anzustreben, mit der einer Tänzerin zufrieden gewesen.

Die Tänzerin, die in der jungen Änne steckte, würde Franz Xaver nicht kennenlernen – auch nicht die laszive Änne, die sich erregte, wenn ich ihr half, sich des Vorbeugemittels zu bedienen, das sie sicherte.

Als sie wartend, wie eine Statuette aus Bronze oder Silber erstarrt, auf dem Bett dalag, kam die Unbekümmertheit oder Herausforderung über mich; ich spielte den Helfer nur und ließ das Mittel fort. Wenn sich Folgen ergaben, würde Franz Xaver einspringen müssen. Ich hätte es nicht zugegeben, aber die Verwundung saß tief.

Wir besuchten den Pilatus und den Brüning, wir drangen bis Uri vor. Am achten Tage unserer Reise weilten wir in Interlaken, und für den Nachmittag war eine Fahrt zur kleinen Scheidegg vorgesehen, einer Station der Jungfraubahn.

Bei Tisch vernahm ich plötzlich eine Mahnung in mir: was du da tust, seit Tagen schon, ist nicht sauber; du bist auf dem besten Wege, so zynisch wie ein Wüstling des achtzehnten Jahrhunderts zu werden; trenne dich von ihr, sofort, stelle sie vor eine vollendete Tatsache.

Auf dem Wege zur Bahn überlegte ich, daß Änne nicht in Bedrängnis geraten konnte, mit Geld war sie reichlich versehen. Als wir auf unseren Plätzen saßen, stieg ich, kurz vor der Abfahrt, unter dem Vorwand, eine Zeitung zu kaufen, aus. Kurz danach setzte sich der Zug in Bewegung.

Ich ging zum Hotel, verlangte die Rechnung und verfaßte ein Briefchen, das Änne übergeben werden sollte, wenn sie im Verlauf des Nachmittags zurückkehrte. In dem Brief stand nur eine Unwahrheit, daß ich nach Italien fahre. In Wahrheit fuhr ich nach Hause.

Aus Zufall hatte ich nie etwas über das Sanatorium meines Bruders erzählt. Bereits das Abendessen nahm ich im Sanatorium ein, ein Zimmer war gerade frei geworden.

Acht Tage vermied ich es, in die Stadt hinunterzugehen. Im Sanatorium hörte man viel Württembergisch und viel Elsässisch. Eine dritte Gruppe bildeten Juden aus New York, Paris und Brüssel – sie verzehrten, wie ich hörte, Wiedergutmachungsgelder an Ort und Stelle.

Als erste in der Frühe erschien die Schwester, um zu wiegen, die Tabletten zu verteilen und den Puls zu messen. Jeden Morgen machte der Chefarzt, begleitet von einer Hilfskraft, die Runde. Auf dem Rasen unter der Hängebuche stand ein Dutzend Liegestühle. Der September war warm, eine Decke genügte, ich las viel. Jede Stunde stand ich auf und ging fünfzehn Minuten lang durch den Park. Auf diese Weise kam man leicht zu zwei Stunden Bewegung am Tage.

Nach einer Woche beschloß ich, die Tageseinteilung zu ändern. Ich würde nach Tisch in meine Wohnung gehen, dort arbeiten und abends zurückkehren. Auf die Gefahr hin, Änne zu begegnen, machte ich mich auf den Weg. Aber es war anzunehmen, daß sie dem Ruf aus Irland gefolgt war.

Als ich die Wohnung betrat, überkam mich ein Schock. Im Schlafzimmer hing das Bettuch, das Änne ausgewaschen und zum

Trocknen aufgehängt hatte. Ich stopfte es in den Wäschekorb, aber die Wohnung war mir verleidet, und ich verließ sie.

An diesem Abend machte ich mir klar, was Einsamkeit ist. Zwar war in jedem Lebensalter ein Mensch allein, selbst wenn er eine Frau und Kinder besaß. Aber er war nur »eigentlich« allein, und das Eigentliche hatte die Eigenschaft, sich nicht in Erinnerung zu bringen. Für einen Fünfundsechzigjährigen hingegen fielen Wirklichkeit und Eigentlichkeit zusammen – er war hoffnungslos allein.

Ich versuchte im Bett zu lesen; das Buch war fade. Ich ließ es sinken, und eine Art Vision kam über mich. Ich war in Afrika, in der gelben Wüste, und die Gedanken zogen wie Kamele an den Augen vorüber – bedächtig und doch kurz belichtet, einer nach dem anderen entschwand dem Gesichtskreis. Gedanken waren vergänglich, das Leben war vergänglich, der einzelne, die Jugend, die Süße der Frau. Wer wird dich beerben? fragte ich mich und zuckte die Achseln. Das würde sich finden, die Liebhaber würden sich schon melden.

Ganz ruhig, ohne Erregung stand ich auf, ging zur Kommode, fand im Waschbeutel das Päckchen mit den Rasierklingen, schälte eine aus dem Papier, legte mich wieder und fuhr zweimal mit der Klinge über jeden Arm, zweimal über jeden Fuß, löschte das Licht und drehte mich zur Seite. Zu spät fiel mir ein, daß ich einmal gelesen hatte, bei Entleerung der Adern stellten sich, zuletzt, Krämpfe ein – der Wunsch, in den Schlaf zu gleiten, war übermächtig.

Ich erwachte wie jeden Morgen, das Licht drang durch die dünnen Vorhänge und weckte mich. Aber selten hatte ich mich so unbeschwert, so beschwingt gefühlt. Dann sah ich die Klinge, sie lag auf dem Kopfkissen, blutbefleckt. Befleckt waren auch die grüne Decke und das weiße Bettuch. Verwirrt schaute ich meine Handgelenke an: blutbefleckt und verkrustet. Im gleichen Augenblick öffnete sich die Tür, die Schwester trat ein.

»Guten Morgen«, sagte sie, »sind Sie schon wach?«

Dann stieß sie einen Laut des Erschreckens aus. »Was ist das?«

Ich sagte:

»Schwester, nehmen Sie sich zusammen. Rufen Sie meinen Bruder an und sagen Sie: der Patient auf Zimmer drei hat sich die Adern geöffnet, aber er fühlt sich wohl und denkt darüber nach, daß die Ärzte der alten Schule nicht so schlecht beraten waren, als sie Aderlässe verordneten.«

Sie hastete hinaus, zehn Minuten später erschien Albert. Er

fuhr mich persönlich ins Krankenhaus, wo ich nach allerlei Vorgängen zuletzt mit Wattemanschetten an den Händen aufwachte.

Nach zehn Tagen wurden die Fäden entfernt, und Albert brachte mich mit seinem Wagen ins Sanatorium zurück. Ich gab der Schwester, die Verstand genug gehabt hatte, zu schweigen, hundert Mark und sagte: »Für den Gott, zu dem Sie beten.«

»Ich nehme doch an, daß es derselbe ist, den Sie verehren.«

»Ich verehre keine Götter, weil ich sie weder kenne noch brauche.«

Sie erregte sich, und ich erfuhr, wie beklagenswert es sei, daß die Gleichgültigkeit der Gebildeten in den religiösen Dingen zunehme. Sie war eine zuverlässige Person, sah auch gut aus, ich mochte sie gern. Vermutlich gehörte sie einer protestantischen Sekte an und fand in ihr einen Ersatz für die entgangene Mutterschaft.

Mein Bruder erkundigte sich, ob man mich beobachten müsse.

»Wir haben einen Coiffeur, der täglich kommt«, sagte er, »laß dich von ihm rasieren, dann brauchst du keine Klingen mehr. Gib sie mir, im Labor haben wir Verwendung dafür.«

»Ob du es glaubst oder nicht, niemandem liegt der Selbstmord ferner als mir«, erwiderte ich.

»Nun, ich habe die Rechnung des Krankenhauses in der Tasche, und sowohl die der Wäscherei wie der Färberei liegen auf meinem Tisch – du hast gleich drei Unternehmen beschäftigt.«

»Trotzdem ist wahr, was ich sage. Nichts in mir drängt zur Selbstvernichtung.«

»Aber neulich trieb es dich dazu. Was war es, ein Augenblick der Sinnesverwirrung?«

»Im Gegenteil, ich hatte nicht einmal Herzklopfen, als ich aufstand und die Klinge aus ihrem Papier wickelte. Ich weiß noch, was ich dachte: Man muß zu jeder Zeit bereit sein, die Tafel zu verlassen und in die Nacht hinauszugehen.«

»Gewiß, du bist schon immer ein halber Buddhist gewesen. Ich hatte allerdings angenommen, es stecke eine Frau dahinter.«

»Das war auch der Fall, aber nicht so, wie du meinst. Ich verlor nicht die Nerven, weil eine Frau sich versagt hatte.«

Da er mein Bruder und Arzt war, erzählte ich ihm von der Begegnung zwischen Änne und mir. Sie hatte mir gegeben, was ein Mädchen geben konnte, und sich, was schließlich ihr Recht war, die Verfügung über ihre Zukunft vorbehalten.

»Du erinnerst mich an unseren Großvater, den General von 1870«, sagte Albert, »er war ein Herrenmensch, alles mußte nach seinem Willen gehen. So auch du – sie sollte für immer bei dir bleiben, mit allen Sinnen dein Geschöpf sein. Solche zugleich leidenschaftlichen und demütigen Frauen gibt es nicht mehr. Mit dem Mythos legten sich auch die schönen Frauengestalten der Dichter zum Sterben. Was du verlangtest, war eine Art lenkbarer Penthesilea.«

»Nicht übel gesagt, und in der Tat, es ist vorbei«, mußte ich bestätigen.

»Was wirst du nun tun? Hier im Sanatorium bleiben? Ist das nicht zu teuer für einen Studienrat oder seine Pension?«

Er wußte nichts von meiner Erbschaft. Wir waren Halbbrüder, von verschiedenen Müttern. Der Erblasser in Oldenburg, ein Verwandter meiner Mutter, hatte Albert ausdrücklich ausgeschlossen, weil er meinem Vater die zweite Ehe nicht verzieh; es gab allerlei Käuze. Im übrigen hatte Albert eine reiche Frau und eine sehr gute Praxis.

Als ich ihm jetzt von der Erbschaft erzählte, sagte er:

»Dieses Sanatorium, eine Goldgrube, ist zu verkaufen. Ich könnte im Augenblick nur die Hälfte aufbringen, der Preis ist sechshunderttausend. Übernimm diese zweite Hälfte und stelle die Bedingung, daß du bis an dein Lebensende Pension und Zimmer mit fünfzig Prozent Ermäßigung bekommst – du bist alle Sorgen los und erfreust dich mancher Vorteile, immer Ärzte zur Hand und immer Gesellschaft.«

Ich begann das Treiben in der Anstalt mit verstärktem Interesse zu beobachten. Wenn ich mich mit dreihunderttausend beteiligte, blieben mir noch fünfhunderttausend und die Pension. Ich brauchte keine Möbel anzuschaffen, mich nicht um Köchin und Putzfrau zu kümmern. Auf der Minusseite stand: immer kränkliche und alte Menschen als Umgebung, dazu die ewigen Krankenschwestern mit den ewigen Thermometern und die Tabellen über dem Bett. Auch genügte mir ein Zimmer nicht, ich benötigte zum mindesten zwei, und ein schöngekacheltes Bad obendrein.

Ich meldete mich wieder einmal bei Munke und fuhr abermals in seinem Wagen zur Besichtigung von Objekten. Keines sagte mir zu. Die Wohnung in der Altstadt war mir verleidet, und ich kündigte sie nur deshalb nicht, weil die Miete nicht viel teurer kam als der Umzug und die Unterstellung der Möbel. Munke versicherte, innerhalb eines Vierteljahres werde etwas Passendes gefunden sein. Ich beschloß, in ein Hotel zu ziehen.

Das erste am Platz war das Kapitol, in den Anlagen am Bach. Die guten Zimmer gingen nach dieser Seite, man hörte nichts von

Auto und Omnibus; nachmittags, wenn der Talwind wehte, kam aus dem Gebirge würzige Luft und stieg aus dem gemähten Rasen der Geruch des Grases. Die Balkone hatten bei dieser Lage einen Sinn. Ich nahm ein Zimmer mit Balkon und Bad.

Im Speisesaal vergaß man, daß es Garküchen und Nahrungsmittelmanipulationen gab, die Weine waren vorzüglich, im Salon lag ein riesiger Aubusson; die Gäste folgten aufeinander und wechselten wie die Seiten eines Bilderbuches. In diesem teuren Haus wohnten reiche Leute, ältere Männer vom Direktorentyp mit meist jüngeren Frauen, die zum mindesten unter dem Gesichtspunkt der Ansprüche zur hochgezüchteten Rasse zählten. Ost reiste nach West und West nach Ost. Überraschend groß war die Zahl der Leute aus Japan, Indien, Siam, Persien.

Die Sache mit Änne enthielt eine Lehre, und ich hatte sie wohl verstanden. Es war nicht so einfach, eine Gefährtin zu finden, die mit einem ging und schwang. Vielleicht, daß es sie irgendwo gab, wie aber ihr begegnen? Ich mochte manches zu bieten haben, doch eines fehlte darunter, das zu fordern für eine junge Frau natürlich war – daß auch der Partner jung sei.

Was hätte ich erwidern können, wenn mir einer erklärt hätte, ein Mann von fünfundsechzig habe sich an eine Frau von fünfzig zu halten, vielleicht könne es auch eine von vierzig sein, gewiß aber keine von zwanzig.

Da ich mich bemühte, ehrlich zu sein, ging mir diese Zurechtweisung im Kopf herum. Der Einwand lief darauf hinaus, daß die jungen Jahrgänge tabu für die älteren zu sein hätten – die jungen Frauen waren für die jungen Männer da. Zum Unglück hatten auch die älteren Männer Augen und sahen die Reize der Jugend. Niemand, der Obst kaufte, nahm überreife Früchte, und keiner, der Blumen erstand, wählte welkende Blüten. Lockend waren nur das Frische und Knospende. Eine Frau von Fünfzig konnte nicht mehr als Botin des Eros gelten; ältere Männer, wenn sie gesund und elastisch waren, vernahmen noch immer seine Flöte und vergaßen ihre Falten.

Frauen wie Blumen und Früchte anzusehen, beleidigte die älteren Semester unter ihnen, denn es bedeutete, zugespitzt gesagt, daß man die Frau unter dem Gesichtspunkt des Genußmittels betrachtete. Was aber waren schwellende Lippen, wenn nicht lockende Reizungen?

Wir standen nun schon im Oktober. Zwei von den Buddha-Aufsätzen waren bereits gesendet. Ich lud Emerald zum Essen ein, um neue Themen für den Winter mit ihm zu besprechen. Nach Tisch begleitete ich ihn durch die Anlagen und bekam Lust, noch einen Mokka zu trinken. Zum erstenmal nach Ännes Zeit betrat ich das Café Herzog. Der Geschäftsführer machte seine Runde und die üblichen Verbeugungen. Ich fragte ihn, ob ihm etwas über Fräulein Weber bekannt sei. Er versteifte sich und bedauerte. Aber die Kellnerin, die meine Frage gehört hatte, sagte mir nachher, Änne habe aus Irland geschrieben, im Dezember wolle sie heiraten.

Einer der Redaktoren, die ich in Zürich getroffen hatte, besuchte mich auf der Durchreise, wir verstanden uns gut, er war ein gescheiter, aufgeschlossener Kopf. Wir unterhielten uns über die nicht mehr aufzuhaltende Merkantilisierung des Denkens, der Literatur, der Frauen, und ich zeigte ihm zwei Hefte mit Aufzeichnungen. Er überraschte mich durch den Vorschlag, sie ihm mitzugeben, er werde die Betrachtungen drucken.

Nach acht Tagen waren bereits einige Fortsetzungen erschienen, und ein Brief folgte nach: die Aufsätze gefielen, ich sollte neue schicken. Ich begann mich mit dem Gedanken vertraut zu machen, daß ich ein ernsthafter Schriftsteller werden, Wirkung anstreben könne. Für die Abschrift der Manuskripte sorgte die Hotelsekretärin, die Freundinnen an der Hand hatte.

Arbeit beruhigt, Arbeit schaltet Gedanken und Wünsche um. Die Erotisierung klang ab, seitdem es keine Änne mehr gab. Manchmal, in den Träumen gegen Morgen, kehrte sie zurück und gewann Macht über mich. Es gibt Vorstellungen und Erinnerungen, die überwältigen. Das Bild Ännes wurde von zwei schwerkranken Frauen verdrängt. Es war seltsam genug, daß beide am gleichen Tage schrieben.

Der eine Brief kam aus dem Krankenhaus, der andere aus einer privaten Anstalt. Die zweite Absenderin lag schon seit fünfzehn Jahren gelähmt im Melanchthonhaus. Ihr Mann, längst verstorben, war Kapellmeister im Kurorchester und ein guter Klavierist gewesen. Seit fünfzehn Jahren besuchte ich sie jedes Vierteljahr, aber diesmal hatte ich sie Ännes wegen vergessen, und sie erkundigte sich nun, wie es mir ging.

An ihrem Bett zu sitzen kostete mich Überwindung. Sie war noch herber als eine Puritanerin, sie war eine Kalvinistin strengster Observanz. Der Herr hatte ihr diese Krankheit geschickt, um sie zu prüfen. Sie stand mit der Gottheit in Verrechnung, die Leidenszeit wurde ihr gutgeschrieben, und sie war gewiß, nicht zu denen zu gehören, die von vornherein verworfen sind.

Der zweite Brief, aus dem Krankenhaus, kam von Ilse Trenk. Sie war ein Kind dieser Stadt gleich mir, aber jünger als ich. Eines Tages hatten wir die Ehe ins Auge gefaßt, aber sie war Schauspielerin und wollte nicht seßhaft werden. Wir hatten, statt zu heiraten, uns zu einer Nordlandreise zusammengetan. Später wurde sie Regisseurin im fernen Hamburg. Jetzt teilte sie mir mit, sie sei heimgekehrt, um zu sterben – schweres Sarkom, keine Hoffnung mehr.

Ich kannte den Internisten, es gab in der Stadt einen Akademikerstammtisch, und ich bat ihn, mir die Wahrheit zu sagen. Sie sei einfach, gab er zur Antwort, die Patientin stehe, um ihr die Schmerzen zu erleichtern, unter Morphium, sie habe noch vierzehn Tage zu leben.

In ihren lichteren Augenblicken bäumte sie sich auf: »Erst fünfundvierzig, und schon sterben, warum?« fragte sie bitter. Nach acht Tagen wurde ich nicht mehr vorgelassen; ein Anruf des Chefs unterrichtete mich von ihrem Ende.

Sie hatte eine Schwester in der Stadt, die der Zeitung die Todesanzeige übergab:

»Gott dem Allmächtigen hat es gefallen, die teure Verblichene in die ewige Heimat abzuberufen.«

Das Bürgertum überdeckte alles mit seinen matten Phrasen. Ich wohnte der Feier in der Friedhofskapelle bei. Man hatte dem Pfarrer ein paar Daten gegeben; er entwarf das Bild eines der Pflicht, der Familie und der Kunst geweihten Lebens.

Der Oktober ging, der November kam. Eines Tages war in meiner Post ein Flugbrief mit irischer Marke, das erste Lebenszeichen seit der Trennung in Interlaken. Änne teilte mir mit, daß sie in anderen Umständen sei und sich scheue, Franz Xaver ins Vertrauen zu ziehen. Was sie machen solle, ob ich bereit sei, sie aufzunehmen; sie erinnere sich an den Züricher Plan.

Ich legte das Blatt vor mich hin, und der Kellner kam gelaufen, ich hatte unwillkürlich nein gesagt.

Von einem Gang durch die nächtlichen Anlagen kehrte ich mit demselben Nein zurück. Gefühle, die aus Mangel an Erwiderung starben, leben nicht mehr auf. Der Elan, die Freude, die Erwartung, die ich ihr entgegengebracht hatte, waren verflogen. Ich setzte mich hin, um ihr abzuschreiben, es war eine unangenehme Aufgabe. Ich verschob sie auf den nächsten Tag. Aber vierundzwanzig Stunden später kam ein Telegramm: »Bitte den Brief als ungeschrieben betrachten, ich bleibe. Lebewohl und Grüße.«

Ich wußte nicht, was in Dublin geschehen war. Hatte sie sich

ihrem Franz Xaver anvertraut oder beschlossen, ihm die Vater-
schaft zuzuschreiben? Wie gern hätte ich mich selbst zu dem Kind
bekannt, es zu meinem Erben gemacht. Andererseits würde es bei
Änne keine Not leiden, in geordneten Verhältnissen aufwachsen.
Ich begann einen Brief an sie, zerriß ihn aber:

In meinem Stockwerk wechselten zwei Stubenmädchen einander ab. Das jüngere war eine jener dunkeläugigen Schwarzwäl-
derinnen, die schon, vor hundert und mehr Jahren, Freiligrath
aufgefallen waren, als er sie, Auswanderinnen nach den Vereinig-
ten Staaten, auf den Bahnhöfen mit ihren Bündeln und Siebensachen warten sah: »Ihr Schwarzwaldmädchen, braun und schön.«
Vielleicht stammten sie von römischen Soldaten und Kolonen ab,
vielleicht auch von viel älteren Rassen, die schon am Oberrhein
siedelten, als es noch keine Kelten und keine Germanen gab.

Sie war fast eine Schönheit, doch eine etwas angegriffene – ich
vermutete, daß sie schon durch manche Hand gegangen war, in
diesem Beruf, der sie täglich mit Männern zusammenführte, die
am Montag im Hessischen, am Dienstag im Badischen, am Mittwoch im Bayrischen übernachteten.

Eines Nachmittags, gegen Abend, als sie das Bett abdeckte, begann ich eine Unterhaltung mit ihr und legte dann, ohne sonst
etwas zu sagen, einen Fünfzigmarkschein vor sie hin. Sie nahm
ihn und ging – einige Stunden danach, am späteren Abend,
klopfte sie leise an, trat sofort ein und fragte, ob ich noch etwas
wünsche.

»Nein, danke, gar nichts«, erwiderte ich. Auf diese Antwort
nicht gefaßt, zog sie sich verwirrt zurück. Am Morgen aber, als
sie das Frühstück brachte, lag unter dem Teller ein Umschlag und
darin der Schein. Ich gab ihn ihr zurück.

»Warum haben Sie das getan?« fragte sie. »Um mich zu be-
schämen, um mir Ihre Mißachtung zu zeigen?«

»Können Sie sich unter dem Wort Soziologie etwas vorstellen?«
erkundigte ich mich meinerseits.

»Halbwegs schon, es hat etwas mit der Gesellschaft oder Wirtschaft zu tun.«

»Soziologen sind neugierige Leute, die die anderen Leute gern
ausfragen, ob sie als Kinder ein Zuhause hatten, wie sie in ihren
Beruf gerieten, was sie verdienen, wo sie überall gewesen sind,
was sie über die Kirche, die Kommunisten, die Ehe und die freien
Verhältnisse denken.«

»Und was Sie so zusammengetragen, verwenden Sie für Aufsätze?«

»Sie haben es erraten. Mit Ihnen würde ich mich gern über ihre Erfahrungen und Einblicke unterhalten, in einer freien Viertelstunde. Ich nehme an, daß es in Ihrem Tagwerk solche Pausen gibt?«

»Am geeignetsten wäre die Zeit zwischen zwei und fünf, da habe ich keinen Dienst.«

»Schön, kommen Sie heute nachmittag um drei, es wird eine Tasse Kaffee geben.«

Ich hatte alles angeschafft, was zum Kaffeebereiten benötigt wurde. Auch zwei Täßchen waren dabei, außen Silber, innen Porzellan. Ich bot ihr Zigaretten an und stellte eine Flasche Gin auf den Tisch.

»Es wäre nicht gut, wenn man mich so bei Ihnen sähe«, sagte sie und drehte den Schlüssel um.

Sie kam öfter, ich ersetzte den Gin durch Curaçao, den sie vorzog. Ich belästigte sie nie; Frauen nicht zu bedrängen, gehörte zu meinen wenigen Grundsätzen. Sie kam öfter und ging aus sich heraus. Nach und nach fügten sich die Steinchen zu einem Bild zusammen. Sie stammte aus dem Renchtal, von einem kleinen Hof, der für fünf Kinder nicht ausreichte. Fünfzehnjährig, wurde sie beim Metzger des Städtchens als Kindermädchen untergebracht und vom Metzger weniger verführt als genommen. Die Frau zeterte, er fand eine Stelle für das Mädchen Sabine in Baden-Baden, in einem Wurstgeschäft, zuerst als Lehrling, dann als Verkäuferin.

»Der Absatz von Aufschnitt zum Abendessen der Junggesellen des Viertels hob sich merklich«, sagte sie nicht ohne Humor und setzte ihre Biographie fort.

Zwei Jahre lang war sie die rechte Hand eines Unternehmers, der ein Hotel oder Motel an der Autobahn, Gegend Ulm, unterhielt, und dieses Haus war eine Goldgrube. Ein amerikanischer Sergeant, der zwischen Rheinland und Augsburg hin und her fuhr, schlug ihr vor, mit seinem Geld in Baumholder eine Bar aufzumachen, zwei Drittel des Gewinns für ihn, ein Drittel und freie Station für sie.

Die Flittchen, Nutten, Huren, Prostituierten Mitteleuropas strömten in dieses pfälzische Städtchen, zu Diensten der schwarzen und der weißen Amerikaner. Sie rettete sich nach einem Vierteljahr, fast war es zu spät, fast fand sie schon nicht mehr die Entschlußkraft.

Sie war nicht dumm und auch nicht gemein, gewöhnlich. Man konnte sich gut mit ihr unterhalten, sie hatte Beobachtungsgabe.

Eines Tages zeigte sie mir ihr Sparkassenbuch; die Fünfundzwanzigjährige hatte zwanzigtausend Mark zurückgelegt. Noch fünf Jahre, und sie konnte, ins Renchtal zurückgekehrt, ein Gasthaus oder eine Gärtnerei oder eine Sägemühle erstehen, als Partner der Knecht oder der jüngere Sohn, der nicht nach Herkunft der Mitgift, nur nach ihrer Höhe fragte.

Die jungen Dinger in den Bauerngemeinden hielten es alle so. Manche setzten das, was sie einzusetzen hatten, nämlich sich selbst, noch unbedenklicher ein – sie verdingten sich in die Nachtlokale, in die öffentlichen Häuser, die es in dieser oder jener Form noch immer gab. Einige, durchaus nicht wenige, verkamen, das war nun einmal so.

Eines Tages brachte sie Zeitungsausschnitte mit, die sich mit den Call-Girl-Ringen beschäftigten. In Rom und Mailand, in Paris und Lyon, in San Franzisko und Chikago gab es sie, und ihre Mitglieder waren nicht mehr Bauernmädchen aus den Gebirgsdörfern, sondern junge Damen aus den Familien, Studentinnen und Jahrgänge, die ins Gymnasium gingen.

»Tausend, zweitausend Mark bekommen sie pro Nacht, und man kann sie durchs Telefon bestellen, oh!« sagte sie, hingerissen von der Entfesselung, die den ganzen Kontinent, die ganze Welt durchtobte – oder auch von der Überlegung, daß die wohlbehüteten Töchter es nicht anders trieben als die ärmeren des Volkes.

»Was machen sie mit dem Sündengeld? Sie kaufen sich teure Wagen und noch teurere Nerze, Eigentumswohnungen und antike Möbel.« Sie dachte nach und schloß befriedigt: »Der Dumme ist zuletzt der reiche Mann, der diese Mädchen in den Rendezvous-Häusern trifft, die freiwilligen Hetären aus der führenden Schicht. Vielleicht heiratet er dieselbe Schöne, die vor drei Jahren schon bei ihm gelegen hat, unkenntlich durch ein schwarzes Lärvchen, das die Augen bedeckt.«

Sie phantasiere, sagte ich, aber sie brachte mir das Groschenabendblatt. In einer Villa zu Florenz war, wenn sie auch sonst nichts anhaben mochten, das Seidenlärvchen Vorschrift. Den Reportern und Journalisten des Zeitalters war jedes Mittel der Verdeutlichung recht. Bis zum sogenannten harten Stil, den gewisse amerikanische Kriminalromane pflegten, war nur ein Schritt. Zum harten Stil gehörten Entkleidungsszenen, Vergewaltigungen und Mißhandlungen, die Folterungen gleichkamen.

Wenn Sabine frei hatte, nahm Elfriede ihre Stelle ein. Das Fluidum, der Sex-Appeal gingen ihr ab. Sie hatte etwas Zuverlässiges, das mir zusagte.

Sie fragte mich, ob sie in eines meiner Bücher hineinschauen dürfe.

»Ohne weiteres«, sagte ich und nahm an, sie habe einen Roman im Auge. Aber sie zeigte auf den Band über Spina, diese seltsame Handelsstadt an der Pomündung, die in den Jahrhunderten vor und nach Christus dieselbe Rolle wie später Venedig spielte. Venedig, das im Ende des ersten Jahrtausends aufzublühen begann, war geradezu die Nachfolgerin von Spina.

In Spina hatten griechische Kaufleute gelebt, die der Lombardei und Etrurien die Erzeugnisse Attikas und Kleinasiens brachten. Ihre Friedhöfe beherbergten Tausende von Toten und wurden neuestens vom italienischen Staat ausgegraben. Das verblüffende Ergebnis war, daß in Ferrara die großartigste Sammlung von griechischen Vasen der klassischen und hellenistischen Zeit zusammenkam.

Die Scherben wurden sorgsam aneinandergefügt, die Gefäße erhielten ihre edle, einfache Gestalt zurück, und die vergessenen alten Motive lebten wieder auf – die Mänade mit der Natter, der Satyr mit dem Tierschwanz, die Amazone, die von Achilleus mit dem Schwert durchbohrt wird. Hunderte und Tausende von Gefäßen gingen aus jeder dieser attischen Werkstätten hervor – Massenwerke und doch geadelt durch die Sorgfalt des Handwerker-Malers, der ein Künstler war.

Dieser Sammelband also interessierte Fräulein Elfriede, eine Studentin, die in der griechischen und lateinischen Welt zu Hause war. Nein, der erotische Reiz ging ihr ab, aber die Freude, die sie darüber empfand, daß auf meinem Tisch das Wörterbuch der Antike lag, sprach mich an. Dieses Buch, das die Antike nach Stichwörtern behandelte, war 1938 in erster Auflage erschienen; ich erstand mir jetzt die fünfte und überließ das nicht mehr gebrauchte Exemplar dem klassisch gebildeten Zimmermädchen.

Ich erkundigte mich nach ihren nächsten Plänen. Über Winter wolle sie im Kapitol bleiben; im Frühjahr in Heidelberg sich zum Staatsexamen melden. Ich dachte einen Augenblick lang daran, ihr meinerseits Vorschläge zu machen. Der eine lief darauf hinaus, daß ihr, wenn sie die Energie besaß, zwei Jahre bei mir auszuhalten, zwanzigtausend Mark sicher wären – nach zwei Jahren mochte sie noch immer nicht zu alt für den Schuldienst sein.

Aber das war ein Rest der romantischen Pläne, mit denen ich zur Zeit Ännes Umgang gehabt hatte.

»Schriebe man achtzehnhundert«, sagte ich zu Fräulein Sabine, die immer noch gelegentlich den Weg zu mir fand, »so würde ich nach Alexandria fahren, um auf dem Sklavenmarkt eine reizende Georgierin zu kaufen; Anno zweitausend wiederum wird vielleicht die Technik so weit sein, daß sie einem Junggesellen eine reizende Roboterin zu annehmbarem Preise liefert. Zwischen Mameluckenzeit und Utopia leben wir in diesem gesegneten Jahrhundert.«

Aber wenn sie auch Witz hatte, so sah mich Sabine doch recht verständnislos an.

Im Dezember drehte man den großen Springbrunnen in den Anlagen ab und fegten die Arbeiter wochenlang das gefallene Laub zusammen. Hundertzwanzig Lastwagen wurden jeden Herbst fortgefahren, ließ mich einer von ihnen wissen.

Von Zeit zu Zeit erkundigte ich mich bei der Firma Munke nach ihren Objekten, aber sie konnte mir nicht das anbieten, was ich brauchte – eine schön gelegene, nicht zu große Wohnung. In diesem Kurort, der den Bomben entgangen war, gab es wenig Neubauten, wohl aber eine Unmenge altmodischer Villen aus der Zeit Wilhelms des Ersten und Wilhelms des Zweiten.

Dann trat, im Februar, ein kleines Ereignis ein, das meinem Aufenthalt im Hotel Kapitol ein Ende setzte. Im Speisesaal stürzte der Kronleuchter herab, und die Verwaltung benutzte diese Gelegenheit zum Umbau des Erdgeschosses. Das Personal wurde entlassen, die Gäste in anderen Hotels untergebracht – ich siedelte wieder in das Sanatorium um.

Ich erhielt diesmal ein Zimmer im Nebenhaus, einer Villa, in die mein Bruder Gäste einwies, die nachts nicht nach den Schwestern klingelten, also die gesündesten Patienten. Mein Zimmer lag im Erdgeschoß; es gab in diesem Haus keinen Pförtner, es wurde um zehn abgeschlossen, um sieben geöffnet, und ich hatte meine eigenen Schlüssel.

Auf dem riesigen Grundstück, das sich anschloß, standen Gewächshäuser von Gärtnern und ein aufgelassenes Hotel, in dem nun alte Menschen wohnten. Nachts war es hier so still wie einst, in der Vorautozeit, überall.

Schwester Mechthild begrüßte mich, als ich einzog, freundlich, am Ende sogar freudig. Wir konnten uns gut leiden seit jenem Morgen, an dem sie den Arzt hatte wecken müssen. Eines Tages fragte sie mich, weshalb eigentlich ich in Hotels und Sanatorien weile, weshalb ich nicht in eigener Wohnung hause.

»Weil ich erstens nicht die geeignete Wohnung und zweitens nicht die geeignete Hausgenossin finde«, erwiderte ich.

»Was hätte sie zu tun?«

»Mich zu betreuen, zu bekochen und ein wenig zu bemuttern – worunter ich bereits den Glücksumstand verstehe, daß mir ein Kragenknopf, kaum abgesprungen, alsbald angenäht wird. Sie müßte drei der altmodischen Tugenden besitzen, auf die unsere Großmütter Wert legten – Sauberkeit, Zuverlässigkeit, Ehrlichkeit.«

Zwei Tage später sagte sie:

»Ich habe mir Ihre Wünsche durch den Kopf gehen lassen. Sehen Sie, ich habe Ihrem Bruder zum April gekündigt. Hauptgrund: Die Füße weigern sich, zwanzig-, dreißigmal am Tag die Treppen vom Erdgeschoß bis zum dritten hinaufzulaufen – der Aufzug ist nicht für uns, das ist Ihnen vielleicht unbekannt. Zweiter Grund: Die Schwestern sind mir nicht freundlich gesinnt, weil ich ihrem Getuschel und ihren Intrigen aus dem Weg gehe. Ich habe von meinem Vater eine kleine Rente geerbt – sie reicht nicht. Ich muß mich also nach einer Beschäftigung umsehen, die mir Zeit für mich selbst läßt – ein Garten oder Gärtchen sollte dabeisein.«

»Finden Sie mir eine Wohnung, in schöner Lage, außerhalb und oberhalb der Talsohle, und wir fangen an«, sagte ich, da etwas gesagt werden mußte. Als sie mich aber wissen ließ, es liege ihr weniger an einer Anstellung als an einer Verabredung zum gemeinsamen Haushalt, wurde ich aufmerksam. Ich hatte ein Vorurteil dagegen, Angestellte um mich zu haben.

Es war die Abneigung gegen das, was ich die Merkantilisierung des Daseins nannte. Ein Angestellter war darauf bedacht, möglichst viele Vorteile für sich herauszuholen und möglichst wenig zu leisten. Angestellter und Ansteller befanden sich in einer ewigen Verrechnung.

Ich erfuhr, sie habe ihre Liebhabereien, sie wolle in der Kinderfürsorge arbeiten. Es schwebe ihr ein Abkommen mit mir vor, wonach die Stunden bis zwei Uhr mittags dem Haushalt gehörten, einerseits der Zimmerpflege, andererseits der Küche. Um zwei sei die Küche fertig aufgeräumt, von da an wünsche sie frei zu sein. Was ich abends zu mir nehme?

»Das ist die geringste Sorge. Nur Milch oder Kakao, Vollkornbrot, Butter, Obst, ein.Ei – alles Dinge, die keine Schwierigkeiten machen.« Milch zu kochen sei meine Leidenschaft, versicherte ich. Sie lachte und erkundigte sich, ob in der Küche ein Eisschrank stehen werde. »Selbstverständlich«, sagte ich.

»Schön, im Notfall bereiten Sie sich das Abendbrot selbst«, meinte sie; »wenn ich da bin, ist es meine Sache. Wären Sie einverstanden mit folgender Regelung? Ich habe bei Ihnen Zimmer, Kost, Licht, Heizung und Bad frei, Gehalt zahlen Sie mir nicht.«

»Durchaus«, erwiderte ich, bezweifelte allerdings, daß sich bis April eine Wohnung finden ließ.

»Ich bin überzeugt davon«, erwiderte sie mit jenem angenehmen Optimismus, dem zu widersprechen zu unbequem ist.

Im Speisesaal saß neuerdings am Tischchen neben mir ein jüngerer Mann, der als Doktor angeredet wurde. Wir nickten uns nach ein paar Tagen zu und kamen schließlich ins Gespräch. Da er sich nicht vorstellte und ich ebenso lässig war, blieb mir nichts anderes übrig, als mich bei der Saaltochter zu erkundigen, wer er sei. Sein Name klang seltsam, Ulanus; dem Beruf nach war er Rechtsanwalt in Karlsruhe.

Er kleidete sich sorgfältiger als ich und machte den Eindruck eines wohlhabenden Mannes. Nach dem Abendessen versammelten sich die meisten Gäste im Musikzimmer vor dem Fernsehkasten. Der Salon daneben war leer.

»Wir scheinen die gleiche Meinung über das Fernsehen zu haben«, sagte ich zu ihm am zweiten Abend.

»Die Menschen sind verschieden«, erwiderte er; »ich bin abends froh, dem Getriebe oder, wenn Sie wollen, dem lieben Zeitgenossen entronnen zu sein, und habe eine Abneigung dagegen, ihn durch diese Maschine wieder ins Zimmer zu rufen. Die Dame, mit der ich verlobt war, hatte eine andere Auffassung – als ich erklärte, ich wünsche in meiner Wohnung keinen Apparat zu erblicken, stellte sie ein Ultimatum.«

»Was taten Sie?«

»Ich telefonierte ins Rathaus, man solle den Aushängezettel entfernen.«

Im Salon standen schöne alte Sachen, Biedermeier und Empire. An den Wänden hingen italienische und englische Stiche des achtzehnten Jahrhunderts.

»In einem Jahr wird von alledem nichts mehr vorhanden sein, abstrakte Tuschzeichnungen werden Sie von der Tapete anblicken«, sagte Ulanus. »Aber das dürften Sie als Bruder des Chefarztes wissen.«

Ich wußte gar nichts. Ich hatte nur gehört, das Sanatorium sei an einen Steuerberater, der sein Geld anlegen wolle, verkauft worden. Oder war es ein Wirtschaftsprüfer, das klang noch besser.

»Wie denken Sie über die abstrakte Malerei?« fragte Ulanus.

»Ich habe es aufgegeben, darüber nachzudenken; für mich ist es keine Kunstrichtung, sondern eine Belästigung des Publikums.«

Er lachte. – »Ich mache so meine Erfahrungen. Sie müssen wissen, daß ich als Anwalt viel mit den Neureichen zu tun habe. Sie bauen Villen, und die Architekten bringen ihnen bei, daß die neue Zeit einen neuen Stil verlangt. Im Treppenhaus läßt man sich manches gefallen, die Kosten werden zum Gesamtpreis geschlagen, und der ungegenständliche Maler bezahlt den Architekten für die Vermittlung.«

Da wir nun zweimal am Tag bei den Mahlzeiten nebeneinander saßen, entstand zwischen Ulanus und mir eine Art Freundschaft. Ich neigte zu dem Fehler, im Verkehr mit Menschen mein Alter zu vergessen, bei Frauen und bei Männern. Aber ich wußte es auch, das heißt, ich hatte allmählich gelernt, achtsam zu sein.

Als Ulanus, der einen Wagen hatte, mir anbot, mit ihm zur Höhenstraße und in den Schwarzwald zu fahren, dachte ich: Nichts zwingt ihn, es mir anzubieten, es ist also nicht ausgeschlossen, daß er Vergnügen an deiner Gesellschaft findet.

Ich nahm an und bestand darauf, bei der Einkehr in Wirtsstuben die sogenannte Zeche zu begleichen. Auch lehnte ich manchmal eine Einladung mit den Worten ab: »Heute nicht, ich habe zu tun, vielen Dank.«

Als er hörte, daß ich zwar eine Haushälterin, aber noch keine Wohnung habe, fragte er, weshalb ich nicht baue. Es verbot sich, ihm zu sagen, daß ich, der gar nicht abergläubisch war, doch an den alten Mahnspruch dachte: Wenn das Haus gebaut ist, kommt der Tod. Ich war nun schon nicht mehr fünfundsechzig, sondern wurde demnächst sechsundsechzig. Und wenn ich baute, verging noch ein Jahr, bis das Haus stand.

»Sie müßten einmal den Bungalow sehen, den mein Bruder sich hier auf der Sonnenhalde hingestellt hat – Südseite, Wiesen, dann ansteigend der Wald.«

An den Rosen zuerst merkte ich, daß eine junge Frau meine Nachbarin geworden war – sowohl im Speisesaal als auf dem Stockwerk. Die Anstaltsleitung stellte irgend etwas Gelbes oder Blaues zweimal wöchentlich auf die Tische des Speisesaals. Die dunklen, duftenden Rosen auf dem Nebentisch fielen mir auf, denn wir waren im März. Die habe Fräulein Haeseler besorgt, sagte die Saaltochter, zum siebzigsten Geburtstag ihres Vaters. Ich hatte mich verfrüht eingefunden, der Saal war noch leer.

»Wer ist Herr Haeseler?« fragte ich.

»Ein pensionierter Richter aus Ludwigsburg«, berichtete die Saaltochter.

Das Paar kam Arm in Arm herein. Der alte Herr hatte einen frappanten Kopf, den des Königs Ramses von Ägypten, dessen Mumie ausgewickelt worden war; die rassige vorgewölbte Nase beherrschte das Gesicht. Bei der Tochter waren es die Augen, die den Blick auf sich zogen – dunkle, wärmende Augen, die voll und ohne Hast auf den Dingen ruhten. Die Jugend im engeren Sinn lag hinter ihr, ich schätzte sie auf fünfunddreißig.

Der Richter stützte sich schwer auf den Arm des Mädchens, er war auf sie angewiesen. Man dachte unwillkürlich, dieser Zustand dauere schon lange an, eine Tochter habe ihre jungen Jahre dem Vater geopfert. Früher hatte es das gegeben, kam es noch heute vor?

Schon am ersten Abend merkte ich, daß diese beiden so wenig wie ich sich etwas aus dem Fernsehen machten; sie nahmen im Salon Platz, neben Ulanus und mir. Das wiederholte sich an den nächsten Abenden, am dritten entstand eine Unterhaltung. Der Eindruck des ersten Tages bestätigte sich: durch die dunkeläugige Rosmarie Haeseler kreiste ein Wärmestrom.

Zwischen drei und sechs am Nachmittag war das Musikzimmer so gut wie nie besetzt. An den Schlechtwettertagen suchte ich es seiner tiefen, bequemen Sessel willen um diese Zeit gern auf, und es konnte geschehen, daß das Buch mir aus der Hand sank, der Schlaf über mich kam. An einem dieser Nachmittage weckte mich ein Satz der Pathétique, ausgezeichnet gespielt. Der Spieler hatte mich in meiner Ecke nicht bemerkt, und ich bemühte mich, weder seine Aufmerksamkeit noch seinen Unwillen zu erregen, er spielte die Sonate zu Ende. Dann eine Pause, dann ein Stück Mozart.

Ich wagte, mich vorbeugend, einen Seitenblick. Die Spielerin war Fräulein Haeseler. Ich bemerkte auch, daß sie ohne Noten spielte. Und sie ihrerseits bemerkte mich zuletzt doch noch. Ich bat sie um Verzeihung, ich hatte ja nicht wissentlich gelauscht, und sagte dann, ihr Anschlag sei der einer ausgebildeten Pianistin – der einer eifrigen Liebhaberin, verbesserte sie.

Ohne Verabredung ergab sich, daß wir an den Nachmittagen zu dieser Stunde uns weiterhin im Musikzimmer trafen. Am zweiten Tag bereits fragte sie mich, was ich hören wolle, und ich gestand ihr meine uralte, aus der Studentenzeit stammende Liebe zur cis-Moll-, alias Mondscheinsonate, die ich nicht hören konnte, ohne die Schauer der Romantik zu fühlen – Musik mußte romantisch sein.

Drei Wochen lang fanden diese Zusammenkünfte statt. Dann hörte alles von einem Tag zum anderen auf, Richter Haeseler und

Tochter Rosmarie reisten ab. Ich wußte nun, wen ich mir als Hausgenossin, Gesellschafterin gewünscht hätte, aber an die Verwirklichung war nicht zu denken.

In der letzten Märzwoche lernte ich auch – die ironische Göttin, das Schicksal, fügte es so – das Haus kennen, das mir zugesagt hätte, wenn sein Besitzer bereit gewesen wäre, es zu verkaufen. Der Besitzer war der ältere Ulanus, ein Bruder des Rechtsanwalts, und das Haus lag auf der Sonnenhalde. Erwähnt hatte der Anwalt es schon gesprächsweise.

Eines Tages ließ er mich wissen, Bruder und Schwägerin würden sich freuen, mich bei sich zu sehen; sie luden zu einem Glase Wein am Abend ein. Es war Vollmond, als wir in die Sonnenhalde einbogen, und die Szenerie ließ sich leicht erkennen. Das Haus bestand aus aneinandergereihten Räumen und besaß kein Stockwerk.

Nach zehn Metern sank der Garten ab, in ein Tälchen. Der gegenüberliegende Hügel war unbebaut, mit Wald bedeckt. Das Haus schaute auf diesen Wald, das heißt nach Süden.

Der Eingang des Hauses war in der Mitte, man trat ohne weiteres in einen großen Raum, der alles zugleich war: Diele, Salon, und Wohnzimmer. Die Gemächer links von diesem Mittelstück wurden mir nicht gezeigt; ich vernahm, sie beständen aus zwei Zimmern, Bad und Küche. Auf der rechten Seite oder im rechten Flügel befanden sich ein großes Herrenzimmer mit schönen Möbeln, das mir sofort gefiel, ein Schlafzimmer, ein Fremdenzimmer und ein Bad.

Das Haus stand seit einem halben Jahr. Ulanus senior war der Inhaber der Firma, die zwischen Straßburg und Rotterdam Schiffe mit Kohlen und Öl laufen ließ. Es waren zwei Frauen zugegen, die Gattin des Kohle-Öl-Großkaufmanns und seine Vertreterin in Rotterdam, eine jüngere Holländerin, die einen Einschlag von hinterindischem Blut zu haben schien. Nach zehn Minuten war ich überzeugt, daß die beiden Frauen sich haßten, die geschmeidige Halbmalaiin und die hochmütige Ganzeuropäerin. Das Haus war schön, aber die Atmosphäre frostig. Ich vermutete, daß die Ehe zerbröckelte, aber es ging mich nichts an.

Der Rechtsanwalt fuhr mich zum Sanatorium zurück. Unterwegs fragte er, ob ich noch Lust hätte, in einer Nachtbar ein Glas Sekt zu trinken; aber ich hatte keine Lust, weder zu Sekt, den ich sowieso geringschätzte, noch zu den willigen Blondinen.

Ich ging in gereizter Stimmung zu Bett. Die Dinge kamen nicht voran – kauf dich in ein Altersheim ein, sagte ich schlechtgelaunt zu mir selbst, mit sechsundsechzig ist man ein Veteran des Lebens, man schafft einen Hausarzt an und läßt sich ein Digitalispräparat geben. Ich griff unlustig nach einem Buch, um mich abzulenken. Aber ich brauchte keine Brille dazu, ich brauchte auch kein Digitalis-Brom.

Ich war an diesem Abend völlig verwirrt – ich wußte tatsächlich nicht mehr, ob ein Mann meines Alters ein Narr war, wenn er noch Pläne machte, oder ob ihm das Recht zustand, nicht nachzugeben, solange er den Willen in sich kreisen fühlte.

III

Ulanus verließ das Sanatorium.

Eines Morgens sah ich in der einheimischen Zeitung folgende Anzeige:

»Angehende Schriftstellerin sucht Beschäftigung als Vorleserin, Gesellschafterin, schreibt auch Briefe nach Diktat und Manuskripte.«

Ich rief die Verwaltung des Blattes an und gab meine Anschrift. Am nächsten Tag bereits wurde mir eine Besucherin gemeldet – es handle sich um die Anzeige im Morgenblatt. Sie trat ein, und ich seufzte unwillkürlich. Schon wieder eine dieser jungen Frauen, und offenbar eine reizvolle – es war nicht meine Schuld.

»Ich bin Olga Wolters«, sagte sie, gewandt und sicher.

Ich schätzte sie auf einundzwanzig. »Zweiundzwanzig«, berichtigte sie, »und geschieden. Ich habe ein einjähriges Kind, mein Mann war Reklamechef. Ich wuchs auf einem Vorwerk in Schlesien auf, wir mußten fliehen und haben alles verloren. Ich spreche gut Polnisch, was mir nichts hilft, leidlich Englisch und schlecht Französisch. Seit der Scheidung ist ein halbes Jahr vergangen, ich war während dieser Zeit in der Buchhalterei eines Hotels tätig, hielt die Monotonie nicht mehr aus und kündigte.«

»Und die Schriftstellerei?«

»Ich beobachte gut und schrieb in der Hotelzeit ein paar Skizzen. Das Morgenblatt brachte sie, aber die Bezahlung war schlecht. Ich bin auf Einnahmen angewiesen, die Kleine befindet sich in einem Kinderheim und kostet monatlich an die zweihundert Mark. Zwar sollte mein ehemaliger Mann die Summe zur Hälfte übernehmen, aber er ist ins Ausland entschwunden, und ich muß für das Ganze aufkommen.«

Nun, sie drückte sich klar aus, man erhielt ein Bild. Was Olga selbst betraf, so war sie ganz einfach eine beklemmende Person. Ich sagte mir, daß es unmöglich sei, sie täglich um sich zu haben, ohne sie als Frau zu beachten. Das Besondere an ihr waren die Farben: das Aschblond der Flechten und das Matt der Haut, das in Gesicht und Nacken sichtbar war, unter dem Kleid sich fortsetzte. Welcher Maler hatte diesen berückenden, gleichmäßigen Ton, dieses Perlmutt gemalt, die Venezianer, Giorgione?

Ich erfuhr, daß sie am Vormittag besetzt sei, einer Generalswitwe vorlese, sie spazierenführe und auch bei ihr esse. Das daure bis eins, dann sei sie frei. Nach kurzer Überlegung fand ich, es passe alles aufs beste.

»Seien Sie um halb drei bei mir«, sagte ich, »zunächst diktiere ich Briefe, und Sie übertragen sie gleich. Dann lesen Sie mir vor, um sechs machen wir einen Gang durchs Freie, um sieben essen Sie mit mir zur Nacht. Das Abendessen gehört zum Dienst, Ihr Dienst ist um halb acht zu Ende – was verlangen Sie für diese fünf Stunden?«

Sie zuckte die Achseln, eine hochgewachsene Frau, und ich schlug ihr vor, mit der Antwort acht Tage zu warten. Es war mir lieber so; nach acht Tagen würde ich wissen, ob eine dauernde Verabredung in Betracht kam. Sie eilte zur Generalin, die in der Nähe wohnte, und bereits am Nachmittag nahm sie den ersten Brief bei mir auf.

Das Buch, das ich dann zum Vorlesen wählte, behandelte die römischen Siedlungen in Deutschland, das heißt die rund vierhundert Jahre, in denen Südwestdeutschland, das Donauufer und die Rheinlande auf dem besten Wege waren, romanisiert zu werden.

Diese Zeit, die noch dem Altertum angehörte, mochte für eine Frau nicht weiter anziehend sein. Aber die neue Vorleserin machte doch eine Bemerkung, die nicht töricht war:

»Ich könnte mir denken, daß auf die Gebildeten unter den Römern diese Stämme aus den Wäldern jenseits des Rheins so phantastisch, ich meine so ursprünglich wirkten wie auf die ersten Europäer die Indianer von den großen Seen und Kanada – gibt es keine Berichte, daß die Germanen ihre Feinde skalpierten und marterten?«

»Nein, Tacitus hätte es sich sicher nicht entgehen lassen«, sagte ich.

An den nächsten Tagen lasen wir, wie die Römer Blockhäuser und Kastelle anlegten, Straßen bis Mainz und Köln bauten, Meilensteine daraufsetzten. Mainz war eine Lagerstadt erster Ordnung an der Militärgrenze. Nach der Zerstörung Jerusalems im Jahre 70 wurde die römische Legion, die dort in Garnison gelegen hatte, nach Mainz geschickt – diese Nachricht entzündete meine Vorstellungskraft. Statt Mainz hätte es geradesogut Britannien oder Xanten am Niederrhein heißen können.

Was für eine imposante Sache war dieses Imperium gewesen. Ich hätte etwas dafür gegeben, das Trier zu den Zeiten des Julian sehen zu können oder das Volk aus drei Erdteilen, das in den Marktflecken am Limes zusammenfloß. Die abenteuerlichsten Blutmischungen mochte das Germanenland erlebt haben, damals schon.

Es war ungewöhnlich, daß ein gesunder Mann sich vorlesen ließ. Aber es war ein angenehmer Zustand, am angenehmsten das Organ der Leserin. Auch befand sie sich in meinem Blickfeld, ein Anreiz zu physiognomischen Überlegungen. Die Backenknochen lagen slawisch hoch, und die Kinnlinie hatte einen kräftigen, trotzigen Zug. Ein sarmatisches Gesicht, dachte ich, um mich gleich danach zu fragen, wie dieser Begriff in meine Vorstellungen gekommen sein mochte. Sarmaten waren vermutlich verwegene Reiter und grausame Töter gewesen. Schön, etwas nicht Alltägliches saß an meinem Tisch, eine Sarmatin.

Wie aber verhielt es sich mit diesem verwegenen Gesicht, mit den schwellenden Lippen? Deckte es sich mit dem Charakter, fühlte sie selbst kühn, oder war es nur ein vererbtes Gesicht, übernommen von einer Ahnin, die vor fünfhundert Jahren gelebt hatte? Das gab es.

Aber diese Fragen hatten Zeit. Ich liebte es nicht, nach zwei Tagen Umgang über einen Menschen zu urteilen. Half man nicht nach, so setzten sich nach vier, fünf Wochen die Eindrücke von selbst in Urteile um. Auch beim Wein konnte man die Gärung auf künstliche Weise beschleunigen, aber die Zunge merkte es.

Ich verkehrte völlig natürlich mit ihr – kein Flirt, keine Galanterie, aber so viel Bereitschaft, wie sie wollte. Ich verstand darunter die Bereitschaft, auf sie einzugehen; eine Frau will spüren, daß man sie beachtet; warum auch nicht, die Jugend ist kurz, der Wettbewerb groß.

In der zweiten Woche, als wir die Läden beim Kurhaus betrachteten, blieb sie fasziniert vor einer Bluse stehen, deren Lila zu ihrem Aschblond passen mochte. Zu teuer, seufzte sie und ging weiter. Ich steuerte sie recht unvermittelt in das Geschäft hinein und sagte zur Verkäuferin: »Fräulein, wir würfen gern einen Blick auf die Bluse im Fenster.«

Die Bluse, über eine Büste aus schwarzem Glas gespannt, wurde vor uns gestellt. »Wir stritten uns«, wandte ich mich wieder an das Fräulein, »meine Tochter meinte, Lila passe zu ihrem matten Teint, ich bezweifle es – wie wäre es mit einem Versuch?«

Die beiden verschwanden hinter einem Vorhang, kamen wieder hervor, Olga trug nun die Bluse, die ihr in der Tat gut stand.

»Wir nehmen sie gleich mit«, sagte ich und ließ ein Paketchen machen.

»Tochter«, meinte die junge Frau draußen; »ich bin nicht Ihre Tochter und kann die Bluse nicht annehmen.«

»Da kommt der Briefträger«, sagte ich, »geben Sie ihm die Bluse mit, für seine Frau.«

Sie mußte lachen. – »Warum haben Sie das getan?« fragte sie. »War es als besitzergreifende Geste gedacht?«

»Gar nicht. Wenn sich Besitzergelüste bei Ihrem Anblick in mir regen, werde ich es Ihnen sagen. Die Bluse gefiel auch mir, und da ich sie nicht selbst tragen kann, darf ich sie Ihnen schenken.«

»Seltsam, daß Sie eine Bluse bemerken, das ist doch nicht Männerart.«

»Männer sind oft recht beschränkt«, erwiderte ich. »Mir machen Frauendinge Spaß, Strümpfe, Puder, Klips, Gürtel, Parfüm, was man so hat. Das nächste Mal, wenn Sie einkaufen, nehmen Sie mich mit.«

»Sind Sie nicht ein wenig schroff?« fragte sie.

»Ich bin des trockenen Tones satt«, erwiderte ich, »stoßen Sie sich nicht daran – in gewisser Hinsicht bin ich ein ungeduldiger Mann; ich liebe das Beschwingte und das Entschiedene.«

Da sie mit mir im Sanatorium zur Nacht aß, leistete sie mir an den meisten Abenden nachher Gesellschaft im Salon. Sie schien wenig Umgang zu haben. An dem einen oder anderen Tag lud ich sie ins Kino ein. Sie wohnte draußen in der Weststadt, und der Weg zu mir war weit. Als sie hörte, daß ich eine Wohnung in der Altstadt hatte, begriff sie nicht, daß man Miete zahlte und die Räume nicht benutzte.

»Lassen Sie mich darin wohnen, ich erspare fünfzig, sechzig Mark«, meinte sie.

Aber von der Altstadt bis zum Sanatorium war noch immer ein weiter Weg. – »Auch gebe ich diese Wohnung bald auf. Mieten Sie in dem Althotel nebenan ein Zimmer, ich übernehme die Hälfte«, sagte ich.

Wir hatten inzwischen ein Abkommen getroffen. Am Vormittag war sie bei der Generalin – für den Nachmittag bei mir zahlte ich ihr außer dem Abendessen zehn Mark täglich, dreihundert monatlich. Die Generalin gab ihr nur halb soviel, so daß die Gesamteinnahmen im Monat vierhundertfünfzig Mark betrugen; sie hatte das Zimmer, das Frühstück, die persönlichen Ausgaben zu tragen und für das Kind rund zweihundert Mark abzugeben. Viel blieb ihr nicht übrig, doch war es immerhin ein Überschuß. Fragte sich, welche Aussichten sie überhaupt besaß. Im günstigsten Fall fand sich der zweite Ehemann, der genug verdiente, um im Meer des Daseins ein Mittelstandseiland zu gründen; im schlimmsten Fall geriet sie durch irgendwelche Fehler unter die Räder. Es gab auch die dritte Möglichkeit – das einst so hübsche Lärvchen verlor seinen Reiz, aber die Larventrägerin wand sich durch die Jahrzehnte hindurch, bis die Sechziger-, Siebzigerjahre kamen, die man in den Altersheimen zubrachte, abgestumpft, vergrämt.

Schwester Mechthild besorgte ihr ein Zimmer in dem Althotel, dem großen Wohnkasten, der zwischen Gewächshäusern und rauschenden Bäumen auf dem benachbarten Areal lag.

So gut wie immer saß sie nun abends bis zehn bei mir im Sanatorium oder verbrachte mit mir den Abend in der Stadt. Um zehn ging sie, ich brachte sie gelegentlich hinüber. Ein Streichholzbriefchen war es, das mich denken ließ, sie sei um Mitternacht nicht immer zu Hause.

Sie war Raucherin, und eines Tages fiel mir auf, daß ihr Streichholzbriefchen den Namen einer Nachtdiele trug. Ich besaß kein Recht, ihr Vorschriften zu machen, hätte aber doch gern gewußt, ob sie in später Nacht, wenn diese Lokale öffneten, noch ausging. Für mich war es nicht unwichtig zu wissen, ob Freundin Olga das Mogreb aufsuchte – Mogreb stand auf den Streichhölzern.

Denn eine junge Frau, die zu den Lebejünglingen, den Sektspendern, den Playboys in den Stunden zwischen zwölf und vier ging, erklärte damit schon halbwegs, daß sie mit sich reden ließ. Ich suchte ein Büro auf, das sich mit Nachforschungen befaßte, und gab Auftrag, Frau Olga Wolters acht Tage oder vielmehr Nächte lang zu beobachten. Zwei oder drei Tage später kamen mir Bedenken.

Die Überwachung ließ sich nicht rechtfertigen. Selbst wenn sie im Mogreb Abenteuer suchte, ging es mich nichts an. Ich sprach mit dem Büro und zog den Auftrag zurück. Einen anderen überwachen zu lassen, nur weil man das Geld hatte, den Spion zu bezahlen, war gemein.

Es war Frühling geworden, das Gelb der Forsythien lohte, verkündete landauf, landab den neuen Kurs. In den Anlagen folgten die Magnolien, auf den Wiesen der Löwenzahn. Der April stand vor der Tür – Schwester Mechthild mußte zugeben, daß die Wohnung noch immer eine Wunschvorstellung war. Sie ließ den Mut nicht sinken und verlängerte ihren Dienst im Sanatorium um einen Monat.

Ich schrieb meine Aufsätze für den Rundfunk und das Züricher Blatt, ich legte mir neuerdings sogar die Frage vor, ob mein Talent zu einem Roman reiche, und machte Entwürfe. Das Sanatorium war ein angenehmer Aufenthalt, und Olga leistete mir Gesellschaft. Ich liebte es, ihr weiches Organ zu hören und ihrem Gang zuzusehen, einer unnachahmlichen Drehung der Hüften.

Auch daß ich über ihren Charakter nichts Genaueres wußte, störte mich nicht. Vielleicht war sie kühn, vielleicht neigte sie eher zu Berechnung, wie heute so viele Frauen. Was schadete es, nicht genau Bescheid zu wissen, das Leben war vieldeutig, warum nicht auch ein Mensch? Ich war froh, ihr nicht nachgespürt zu haben.

An einem dieser ersten Frühlingsabende hatten wir lange im Salon gesessen, gegen elf brachte ich sie nach Hause. Die Dächer der Treibhäuser gleißten im Mondlicht, die Gänge zwischen ihnen waren kleine Schluchten, mit Dunkelheit gefüllt. Dann kam, zwischen zwei hohen Tuyabäumen, jene Bank. Es war ein warmer Tag gewesen, diese Bäume hatten einen eigentümlichen Geruch, ich kannte ihn aus dem Osten. Ein anderer süßer Duft vermischte sich mit ihm, er kam aus einem der Treibhäuser und war der von Azaleen. Ein Käuzchen schrie, ganz nah, in den Bäumen über uns. Über den Mond jagten Wolken, dunkel geballt.

»Setzen wir uns ein wenig«, schlug ich vor.

Einer, der vorüberging, sah uns schwerlich, so dunkel war es zwischen den Tuyas. Dem Käuzchen antwortete ein zweites, hinter uns, vom Dach des Althotels her. Der Duft der Azaleen und Lebensbäume war erregend – ich war wie einst in Burma und vernahm die Stimmen von Malaienmädchen. So unvermutet wie ein Erdstoß überfiel mich das Verlangen nach der Frau, nach Wärme und Umarmung.

Ihm sofort nachgeben können, die augenblickliche Erfüllung gehörte zu den Beglückungen des Lebens – nichts war nötig, als daß die Geliebte mitschwang. Die Frau neben mir war nicht meine Geliebte. Ich wußte nicht einmal, ob sie frei oder an einen anderen gebunden war.

Ich legte den Arm um ihre Schulter, sie widerstrebte nicht. Ich fragte, ob es jemand gäbe, dem die Gedanken gehörten, sie antwortete nein. Das Käuzchen schrie, erschreckend nah, es mußte sich in den Tuyas niedergelassen haben.

Olga erschauerte, ich nahm ihr Gesicht zwischen beide Hände, der Druck formte den Mund zur Schale, zum vollen Rund, zum Quell des Lebens. Ich wollte sie nicht auf einer Bank besitzen, ich wollte sie überhaupt nicht als Beute nehmen, ich wollte sie gewinnen und ihr begegnen.

Da ich wußte, daß sie einen Paß hatte, schlug ich ihr vor, morgen, zum Wochenend, mit mir nach Straßburg zu fahren. Ich brachte sie nach Hause, und am nächsten Morgen um neun holte uns ein Auto ab zur Bahn. Bei der Generalin hatte sie sich entschuldigt.

Wir waren nicht allein im Abteil, sie saß mir gegenüber. Das schöne Gesicht betrachtend, überlegte ich, welcher Vorschlag für unser Zusammenleben der beste sei. Vernünftig war, sie nicht zu fest an mich zu binden, ihr das Gefühl der Freiheit zu lassen. Ich, von mir aus, war bereit, sie wie meine Frau zu behandeln und ihr die Rechte der Ehefrau zuzusprechen. Doch Übereilung taugte nichts. Man mußte eine Bindung finden, die ihr nicht gleich Fesseln anlegte.

Zwei Tage später saß ich ihr wieder in der Bahn gegenüber, bei der Heimfahrt. Ich kannte sie nun besser, zum erstenmal hatten wir Raum und Bett geteilt. Diesmal waren wir im Abteil allein. Ich zog ein Papier aus der Tasche und sagte:

»Ich möchte zwei Abkommen mit dir treffen. Dieses hier behandelt deine Stellung als Gesellschafterin bei mir und ist juristisch einklagbar. Du gibst den Posten bei der Generalin auf und beginnst deinen Dienst bei mir um neun. Er dauert bis abends sieben, mit zweistündiger Mittagspause. Du schreibst für mich, du gehst mit mir spazieren, du liest mir vor. Ich zahle dein Zimmer, beteilige mich an dem Kostgeld deines Kindes mit zweihundert und gebe dir selbst dreihundert. Du ißt mittags und abends zu meinen Lasten. Nun das zweite Abkommen, das nicht einklagbar, für mich aber bindend ist. Es läuft von Monat zu Monat und erlegt dir eine Verpflichtung auf: Du lebst mit mir und bist bereit, mir die Treue zu halten, damit wir nicht in Lüge, Heimlichkeit und Betrug verstrickt werden. Ich lege also Beschlag auf dich, und dafür ist eine Entschädigung angebracht. Ich überweise dir jeden Monat achthundert. Bleibst du ein Jahr bei mir, so liegen zehntausend auf deinem Konto, ich runde den zwölften Monat ab. Angenommen, du hältst es zwei Jahre bei mir aus, so warten am

Ende dieser Zeit zwanzigtausend auf dich, das ist immerhin etwas, und du wirst erst vierundzwanzig alt sein. Solltest du aber im Verlauf der zwei Jahre, nachdem sie abgelaufen sind, mir sagen, daß du noch ein drittes Jahr bleiben willst, so werde ich dir eine andere Möglichkeit anbieten: mich zu heiraten. Mein Vermögen fällt damit an dich.«

Inzwischen legte der Zug die nicht große Strecke zwischen Kehl und Offenburg zurück. In Offenburg stiegen wieder Leute ein. Olga stand auf und setzte sich neben mich. Sie suchte die Berührung mit mir, ihr selbst unbewußt, und dieser Augenblick war schöner als jener erste im Hotelzimmer. Ich zog sie an mich und küßte sie, unbekümmert um die zwei dicken Bürgersleute, die zuschauten.

Sie war weicher, als ihr trotziges Gesicht vermuten ließ. Was schadete es, eine weiche Natur schmiegte sich williger an, und das wünschten wir doch. Wir wollten eine Kameradin, uns nicht an Ecken und Kanten stoßen. Meine Gedanken waren nicht mehr weit vom Lob der weiblichen Schwellungen.

Ich freute mich schon darauf, am nächsten Morgen ihre wohlklingende musikalische Stimme wieder vorlesen zu hören; eine schroffe Person hätte dieses Organes ermangelt. Ich freute mich schon darauf, wieder mit ihr die Auslagen anzusehen – ich würde ihr eine neue Bluse oder Nylonstrümpfe oder, diesmal wohl angebrachter, einen Ring mit einem schönen Stein kaufen. In meiner Hosentasche steckte ein Fläschchen mit teurem Pariser Parfüm; jetzt, nachdem der Zoll hinter uns lag, drückte ich es ihr in die Hand. Sie machte große Augen wie ein kleines Mädchen bei der Bescherung.

Zum Teufel mit der Gleichberechtigung, dachte ich – es hatte noch immer etwas für sich, wenn Frauen sich wie Wesen des sanfteren Geschlechtes benahmen. Sie war oder hatte keine überragende Intelligenz, sie hätte keine Abhandlung über den Limes oder die Bedeutung des Prinzen Eugen oder das Shakespearerätsel schreiben können.

Was lag daran? Ich freute mich darauf, mit ihr in der Glasveranda des Hotels beim Theater zu sitzen: draußen schoß der Bach vorüber und blühten die Kastanien, und die matthäutige Blondine war eine Augenfreude.

Am nächsten Morgen also fingen wir eine neue Lektüre an, die Lebensgeschichte der Dubarry, geschrieben von einem Engländer. Die Dubarry war die Nachfolgerin der Madame de Pompadour gewesen, die ihrerseits der Herzogin von Châteauroux gefolgt war. Die Mätressen wechselten, der König war immer derselbe, Ludwig der Fünfzehnte, dem mit fünf Jahren der Thron zufiel und der lange herrschte, verheiratet mit Maria Leszczynska, einer einwandfreien Frau, die nichtssagend war und nichts zu sagen hatte.

Welch eine seltsame Welt; vor zweihundert Jahren hätte niemand geglaubt, daß sie je verblassen könne. Außer den Maîtresses en titre unterhielt der christliche König zusätzlich den Hirschpark, einen Harem. Die Wahrsagerinnen prophezeiten damals jedem Mädchen, es werde die Geliebte Seiner Majestät werden, wie sie heute die Laufbahn einer Schönheitskönigin oder Filmdiva in Aussicht stellen.

Im Jahre 1744 weilte der Hof in Metz. Der König fiel in ein Fieber, seine letzte Stunde schien gekommen. Die Geistlichkeit wurde energisch; ein König von Frankreich durfte nicht ohne Absolution, ohne Friedensschluß mit der Kirche, zur Hölle fahren. Die Absolution war nur zu haben, wenn er die Mätresse fortschickte. Er befahl der Châteauroux, sich auf ihr Gut zu begeben. Keiner vom Hof grüßte sie mehr, sie war in Ungnade gefallen. Die Priester verkündeten ihre Verstoßung von den Kanzeln. Aber der König genas. Er hatte Reue geschworen und suchte den Schwur zu halten. Doch mit zunehmender Gesundheit wuchs die Langeweile. Die Châteauroux brachte sich durch Stafetten in Erinnerung, es gab noch kein Telefon. Eines Tages schickte auch der König eine Stafette: die Favoritin kehrte zurück.

Sie begann die Leute zu beseitigen, die ihr im Augenblick der Ungnade die kalte Schulter gezeigt hatten. Aber so plötzlich wie vorher der König verfiel sie in ein Fieber, vielleicht vergiftet, und starb mit siebenundzwanzig. Die Bahn war frei für die geborene Poisson, Fisch, die zur Marquise Pompadour aufstieg und 1764 starb: die Bahn wurde frei für die geborene Bécu, ein uneheliches Kind, das die ersten bösen Lehrjahre hinter sich hatte – sie war ein Ladenmädchen, nach einigen nur ein Straßenmädchen. Als es dem verkommenen Grafen Dubarry gelang, sie dem König zuzuführen, verheiratete er sie mit seinem mittellosen Bruder – eine offizielle Favoritin mußte nach den Vorschriften dieser Gesellschaft verheiratet sein.

Jeanne Dubarry sah wie eine der Nymphen aus, die Boucher malte – der Fürst von Ligne beschrieb sie: »Sie ist hochgewachsen, von schönster Bildung und hat, bezaubernd, den hellsten Teint. Die Stirn ist hoch, die Augen strahlen, der Busen ist so wunderbar, daß keine Frau es wagen kann, sich mit ihr zu messen.«

Auch der englische Biograph nahm ihre Partei – sie sei voller Temperament, immer froher Laune gewesen, erstaunlicherweise frei von Intrigen und immer hilfsbereit. Im Jahre ihres höchsten Erfolges traf aus Wien Marie Antoinette ein, die Tochter der Kaiserin, die Gattin des Dauphins.

Soweit waren wir gekommen, als mein Bruder, begleitet von Schwester Mechthild, bei seinem täglichen Rundgang zu mir kam.

»Weißt du das Neueste?« fragte er. »Ulanus ist verunglückt.«

»Welcher Ulanus, der Rechtsanwalt?«

»Sein Bruder, der Kohlenmann. Er fuhr nicht selbst, seine Begleiterin fuhr, eine Holländerin, sie fuhr aus unbekannten Gründen in rasender Fahrt auf einen Baum, und sie zerschellten.«

»Absichtlich?« fragte ich. Er zuckte die Achseln: »Man flüsterte allerlei, ich weiß nichts Bestimmtes.«

Was wurde aus dem schönen Haus auf der Sonnenhalde? Behielt es die junge Frau, die nun eine junge Witwe geworden war? Ich würde es sofort kaufen, aber ich konnte unmöglich fragen. Acht Tage später wurde ich ans Telefon gerufen. Es war Ulanus. Er erinnerte sich daran, wie gut mir Haus Sonnenhalde gefallen habe. Es stehe zum Verkauf, seine Schwägerin wolle es aufgeben, er sei bereit zu kommen. Ich erkundigte mich nach dem Preis.

»Fünfundachtzig Mille Haus und Grundstück«, sagte er, »zwanzigtausend die Einrichtung, Teppiche und alles.«

»Ich müßte mir das Objekt noch einmal ansehen«, erklärte ich.

»Das können Sie ohne weiteres, die Wirtschafterin ist im Haus.«

Ich nahm Olga mit. Sie konnte den Flügel beziehen, in dem die Küche lag.

»Hasso, erlaube mir, mein Kind zu mir zu nehmen«, sagte sie, »ich werde dir ewig dankbar sein.«

Wir fuhren gleich zum Kinderheim, ich sah mir das kleine Mädchen an. Es schien ein zutrauliches, intelligentes Kind zu sein. Ein Plan formte sich. Schwester Mechthild würde den Haushalt führen, Olga als Gesellschafterin und Sekretärin bei mir wohnen, die Sorge für das Kind ging auf mich über, ich hatte genug Geld, warum nicht? Nichts war nötig, als daß die beiden Frauen sich vertrugen.

»Weshalb sollten wir uns nicht vertragen?« fragte Olga. »Ich bringe mein Zimmer selbst in Ordnung, ich helfe ihr in der Küche, und wenn du ausfahren willst, stehe ich als Chauffeur zur Verfügung.«

Ich diktierte ihr noch am gleichen Tage zwei Verträge – den

einklagbaren und den privaten, indem sie sich zur Treue verpflichtete. Mir schien an diesem Abend, ich hätte alles erreicht,
was für mich zu erreichen sei; die Gefährtin und eine kleine Le-
bensgemeinschaft waren gefunden.

Auch damals in Basel hatte es einen solchen Abend des Hoch-
gefühls gegeben.

Ich fuhr mit Olga und Schwester Mechthild nochmals zur Sonnenhalde, dem Garten und dem Blick in die Landschaft zuliebe.
Flieder und Goldregen blühten in diesem milden Frühjahr gleichzeitig, Azaleen und Rhododendren hielten es nicht anders. Danach begaben wir uns in die Stadt, um einen Wagen zu kaufen.

Einige Tage später saß ich mit Olga im Salon des Haupthauses,
kurz vor sieben, Essenszeit. Man rief mich ans Telefon. Als ich
die Kabine verließ, öffnete Ulanus, den ich erwartete und der
offenbar eben angekommen war, gerade die Tür zum Salon. Ich
ging ihm nach, die Tür war nicht aus Holz, sondern aus Glas.
Olga saß in der Ecke und schaute auf, Ulanus stutzte bei ihrem
Anblick und hob erstaunt die Hand. Olga schien zu erschrecken,
richtete sich auf und legte mahnend den Finger an die Lippen.

Dann sah sie mich, aber ich hatte schon den Blick gesenkt. Ich
kann, wenn die Lage es verlangt, rasche Entschlüsse fassen und
unverzüglich handeln. Ich kehrte um, ging in die Telefonzelle und
rief das Büro an, das sich mit Nachforschungen befaßte. Der Inhaber war noch anwesend.

»Kommen Sie sofort«, sagte ich, »und nennen Sie nicht Ihren
Namen, melden Sie sich als Hugo Müller an.«

Dann kehrte ich in den Salon zurück. Olga saß in ihrer Ecke,
Ulanus in einer anderen auf dem Sofa. Ich begrüßte ihn und
fragte:

»Essen wir zusammen? Wir werden zu dritt sein, die Dame
dort ist meine Sekretärin.«

Die Unterhaltung bei Tisch verlangte nicht viel Aufmerksamkeit. Ich überlegte, woher Ulanus Olga kenne, und erriet, wie sich
später ergab, gleich die Wahrheit.

Zur Zeit seines Aufenthaltes im Sanatorium hatte er mich
mehrmals aufgefordert, mit ihm in eines der Nachtlokale zu gehen, wo man tanzte, ich hatte immer abgelehnt. Auch Olga hatte
zu verstehen gegeben, daß sie gern tanzte und an das Mogreb
dachte. Vermutlich hatten sie sich hier getroffen – ich wußte es
nicht, wie sie als geschiedene Frau gelebt hatte. Ich erkundigte
mich bei Ulanus, wie lange er diesmal bliebe.

»Morgen ist der Akt beim Notar und Freitag«, erwiderte er;

»ich werde am Samstag ausschlafen und Sonntag abend nach Hause fahren.«

Gegen Ende der Mahlzeit wurde Hugo Müller gemeldet.

»Wir treffen uns im Salon«, sagte ich zu den beiden, ging hinaus und führte den Detektiv in den Park. Hier setzte ich ihm auseinander, was er zu tun hatte: von heute abend um zehn bis Sonntag nachmittag um sechs die Frau zu beobachten, die ich ihm gleich zeigen werde, und sich das Gesicht des Herrn einzuprägen, der bei ihr saß.

Ich gab ihm genaue Anweisungen, Hauptbeobachtungszeit mochten die Stunden von elf bis zwei, drei Uhr in der Frühe sein.

»Wir gehen jetzt in den Salon und unterhalten uns da zu zweit über Geschäfte. Setzen Sie sich so, daß Sie das Paar im Auge behalten. Nach zehn Minuten gehen Sie.«

Wir saßen uns also im Salon gegenüber, bis Müller ging. Am Freitag rief ich ihn an, er hatte nichts zu berichten. Am Samstag teilte er mit, daß Olga und Ulanus um halb zwölf im Mogreb erschienen waren und bis zwei getanzt hatten.

Ulanus brachte sie mit seinem Wagen zum Althotel, setzte sie aber nur ab.

Der Bericht vom Sonntag lautete: »Aßen um zehn im Restaurant Spiegel, tanzten von zwölf bis zwei im Mogreb, fuhren im Wagen von Ulanus zum Fasanen, nahmen da ein Zimmer und blieben bis morgens zehn, dann Rückfahrt und Trennung.«

Der Fasan, ein ehemaliges Forsthaus hinten im Walde, war als Absteigequartier gutzahlender Leute bekannt.

Am Sonntagabend aß Ulanus noch mit Olga und mir im Sanatorium zur Nacht. Ich betrachtete ihn nachdenklich, er war vierzig Jahre jünger als ich. Gleich nach Tisch nahm er Abschied und fuhr nach Karlsruhe.

»Trinken wir den Kaffee auf meinem Zimmer«, sagte ich zu ihr. Wir gingen hinüber. Ich betrachtete sie, ihr Auge begegnete mir unbefangen. Sie habe die schönste Haut, die man sich denken könne, dachte ich, wie hübsch es sei, sich vorzustellen, daß sie sich unsichtbar unter dem Kleid fortsetze und den ganzen Körper bedecke . . .

»Zieh dich aus, gib mir Liebe«, verlangte ich. Sie sah mich verwundert an, das war nicht mein Ton und nicht mein Stil. Aber sie gehorchte und entfernte dann auch noch die letzte Hülle. Ich ging ins Bad und entkleidete mich. Die Umarmung verlief anders als sonst. Ich mutete ihr einiges zu.

»Mein Gott, bin ich denn eine Dirne?« stieß sie hervor.

»Du mußt am besten wissen, was du bist, Fasan. Zieh dich an«, sagte ich, warf mir selber das Notdürftigste über, setzte mich an den Tisch, holte mein Scheckbuch hervor und schrieb eine Anweisung.

»Erlaube mir, das Kostgeld deiner Kleinen für sechs Monate zu übernehmen, dir selbst zahle ich als Entschädigung für den laufenden Monat achthundert, zusammen zweitausend. Hier bitte. Wir werden uns nicht wiedersehen.«

»Der gerechte Richter, der strenge Richter«, sagte sie nach einer Weile. Das war alles. Dann, die Hand schon an der Klinke, fragte sie: »Was hat dich mißtrauisch gemacht?«

»Du legtest den Finger an die Lippen, das war es.«

»Oh!«

Sie öffnete die Tür.

»Auch ich hätte noch eine Frage«, sagte ich. Sie sah mich an.

»Du warst mit ihm befreundet? Sehr?«

»Ich war einmal in ihn verliebt, damals, und es hätte sogar zur Liebe gereicht, er wollte nur nicht.«

»Er wollte nicht, anders als ich – ich wollte. Ist das die Erklärung dafür, daß du mich verrietest und mit ihm in das Waldhaus fuhrst?«

»Es ist dein gutes Recht, bitter zu sein. Weißt du, ich glaube, die Frauen, die meisten von uns, taugen nicht viel.«

Ich kann mich nicht erinnern, je geweint zu haben. Als sie das Zimmer verlassen hatte, würgte es mich in der Kehle. Ich sah Olga nicht mehr. Sie unternahm keinen Versuch, mich zu sprechen. Es machte Eindruck auf mich.

Nach einigen Tagen tat mir die Demütigung, die ich ihr am letzten Abend zugefügt hatte, leid. Vielleicht hatte sie die Wahrheit gesprochen – die Frauen taugten nicht viel; zum mindesten waren sie schwach und hatten es nicht leicht. Gleichwohl, man konnte zwar alles verstehen, aber alles verzeihen? Nein. Ich hätte sie nicht mehr anrühren mögen, jetzt nicht mehr. Ich wandte mich anderen Dingen zu.

Im Speisesaal und auch im Salon tauchten zwei Gesichter auf, die ich kannte: der Richter Haeseler aus Ludwigsburg und seine Tochter Rosmarie mit den dunklen, magischen Augen. Wir begrüßten uns fast wie alte Freunde, aber der Richter war sichtlich kränker geworden. Meinen Bruder beunruhigte der Gedanke, daß der alte Herr in der Anstalt sterben könnte; dafür seien die Krankenhäuser, nicht die Sanatorien da, meinte er.

Ohne daß ich etwas dazu tat oder daß wir etwas dazu taten,

es kam ganz von selbst, daß Fräulein Rosmarie und ich uns oft sahen; ganz abgesehen davon, daß wir im Speisesaal nebeneinander saßen. Auch im Park stand ihr Liegestuhl neben meinem. Wir trafen uns im Musikzimmer, wir gingen zusammen an die Luft, wir tauschten Bücher, und gelegentlich entführte ich sie ins Kino oder Café.

Unsere Freundschaft glich nicht der, die mich mit Änne Weber oder Olga Wolters verbunden hatte. Änne und Olga hatte ich gesucht, im Fall Rosmarie schien mir, wir begegneten uns. Sie war älter als jene beiden, und sie war stärker, als Persönlichkeit. Seltsam, daß mich das so sehr anzog, ich dachte, sie sei mir verwandter.

Sie half mir, die Wunde zu vergessen, die Olga mir geschlagen hatte, und sie wußte es nicht. Nie sprach ich mit ihr über meine Nöte und Wünsche oder über meine Erfahrungen und Enttäuschungen. Wohl aber wußte sie, daß demnächst ich mit Schwester Mechthild das Sanatorium verlassen würde, um auf der Sonnenhalde ein Haus zu beziehen.

Die letzte Woche kam, nur noch ein paar Tage trennten die Schwester und mich von diesem Termin. Längst hatte ich Schwester Mechthild beigebracht, daß sie nicht mehr in aller Frühe bei mir zu erscheinen brauche, um meinen Puls zu messen. Aber eines Morgens kam sie doch herein und sagte:

»Der Richter ist gestorben, diese Nacht.«

Noch mehr, man hatte ihn bereits ins Leichenhaus gebracht, Tote sind im Sanatorium nicht beliebt. Ich erkundigte mich, in welchem Zimmer Rosmarie Haeseler wohnte, und ging zu ihr. Sie war nicht da; es hieß, sie besorge sich in der Stadt schwarze Kleider; ich wartete.

Ich konnte sie weder bewegen, mit mir an die Luft zu gehen, noch mich in den Speisesaal zu begleiten. Aber sie versprach mir, sich an mich zu wenden, sobald sie das Bedürfnis nach einem Menschen spüre, und schon am Abend suchte sie meine Gesellschaft. Ich erfuhr, daß der Richter verbrannt zu werden wünschte; das war eine Vereinfachung, man brauchte keinen Sarg ins Schwäbische zu schicken.

Ich erfuhr des ferneren, daß Vater und Tochter seit Jahren in zwei Zimmern gewohnt hatten, nicht einmal die Möbel gehörten ihnen. Auch das war eine Vereinfachung, Rosmarie war nicht mit viel persönlicher Habe belastet.

»Was haben Sie vor?« erkundigte ich mich.

»Es ist ziemlich hoffnungslos«, sagte sie, »ich habe den Anschluß verpaßt, ich bin ein altes Mädchen geworden, ich werde eine alte Dame suchen müssen, die ich pflegen kann.«

»Muß es eine alte Frau sein? Was können Sie? Sprachen, Musik, maschineschreiben, Auto fahren?« Sie nickte bei jedem dieser Worte.

»Kommen Sie zu mir«, sagte ich, »als Gesellschafterin, Vorleserin, Sekretärin, Reisebegleiterin. Schwester Mechthild führt den Haushalt, Sie betreuen den Hausherrn.«

Sie sagte nichts. Ich telefonierte im Haus herum, bis Schwester Mechthild gefunden war. Sie kam, und ich sagte ihr, Fräulein Rosmarie werde die dritte in unserem Haushalt sein.

»Da haben Sie eine gute Wahl getroffen«, vertraute mir die Schwester später an, »bei Frau Wolters hatte ich Bedenken.«

Im Traum der Nacht durchlebte ich noch einmal jenen Sonntagabend, an dem Olga fortgeschickt wurde. Aber es gab einen anderen Schluß – ich erwürgte sie nach der Umarmung. Man verhaftete mich, ich stand vor Gericht, es gab nichts zu bereuen. Die Richter verurteilten mich zu lebenslänglichem Gefängnis oder Zuchthaus, ich war es zufrieden. Ob die Villa auf der Sonnenhalde oder eine Zelle – für einen unabhängigen Mann war kein Unterschied. Man würde mir Papier und Feder bewilligen, mehr brauchte ich nicht, um mich zu beschäftigen. Für die achthunderttausend gab es keine Verwendung mehr, ich vermachte sie der Zuchthausverwaltung.

Ich erwachte und war erstaunt, mich in meinem Bett zu finden.

Geschrieben Frühjahr 1962

STEFAN ZWEIG *1881–1942*

Episode am Genfer See

Am Ufer des Genfer Sees, in der Nähe des kleinen Schweizer Ortes Villeneuve, wurde in einer Sommernacht des Jahres 1918 ein Fischer, der sein Boot auf den See hinausgerudert hatte, eines merkwürdigen Gegenstandes mitten auf dem Wasser gewahr, und näher kommend erkannte er ein Gefährt aus lose zusammengefügten Balken, das ein nackter Mann in ungeschickten Bewegungen mit einem als Ruder verwendeten Brett vorwärts zu treiben suchte. Staunend steuerte der Fischer heran, half dem Erschöpften in sein Boot, deckte seine Blöße notdürftig mit Netzen und versuchte dann, mit dem frostzitternden, scheu in den Winkel des Bootes gedrückten Menschen zu sprechen; der aber antwortete in einer fremdartigen Sprache, von der nicht ein einziges Wort der seinen glich. Bald gab der Hilfreiche jede weitere Mühe auf, raffte seine Netze empor und ruderte mit rascheren Schlägen dem Ufer zu.

In dem Maße, als im frühen Licht die Umrisse des Ufers aufglänzten, begann sich auch das Antlitz des nackten Menschen zu erhellen; ein kindliches Lachen schälte sich aus dem Bartgewühl seines breiten Mundes, die eine Hand hob sich deutend hinüber, und immer wieder fragend und halb schon gewiß, stammelte er ein Wort, das wie »Rossiya« klang und immer glückseliger tönte, je näher der Kiel sich dem Ufer entgegenstieß. Endlich knirschte das Boot auf den Strand; des Fischers weibliche Anverwandte, die auf nasse Beute harrten, stoben kreischend, wie einst die Mägde Nausikaas, auseinander, da sie des nackten Mannes im Fischernetz ansichtig wurden; allmählich erst, von der seltsamen Kunde angelockt, sammelten sich verschiedene Männer des Dorfes, denen sich alsbald würdebewußt und amtseifrig der wackere Weibel des

Ortes zugesellte. Ihm war es aus mancher Instruktion und der reichen Erfahrung der Kriegszeit sofort gewiß, daß dies ein Deserteur sein müsse, vom französischen Ufer herübergeschwommen, und schon rüstete er sich zu amtlichem Verhör, aber dieser umständliche Versuch verlor baldigst an Würde und Wert durch die Tatsache, daß der nackte Mensch (dem inzwischen einige der Bewohner eine Jacke und eine Zwilchhose zugeworfen) auf alle Fragen nichts als immer ängstlicher und unsicherer seinen fragenden Ausruf »Rossiya? Rossiya?« wiederholte. Ein wenig ärgerlich über seinen Mißerfolg, befahl der Weibel dem Fremden durch nicht mißzuverstehende Gebärden, ihm zu folgen, und, umjohlt von der inzwischen erwachten Gemeindejugend, wurde der nasse, nacktbeinige Mensch in seiner schlotternden Hose und Jacke auf das Amthaus gebracht und dort in Verwahr genommen. Er wehrte sich nicht, sprach kein Wort, nur seine hellen Augen waren dunkel geworden vor Enttäuschung, und seine hohen Schultern duckten sich wie unter gefürchtetem Schlage.

Die Kunde von dem menschlichen Fischfang hatte sich inzwischen bis zu den nahen Hotels verbreitet, und einer ergötzlichen Episode in der Eintönigkeit des Tages froh, kamen einige Damen und Herren herüber, den wilden Menschen zu betrachten. Eine Dame schenkte ihm Konfekt, das er mißtrauisch wie ein Affe liegenließ; ein Herr machte eine fotografische Aufnahme, alle schwatzten und sprachen lustig um ihn herum, bis endlich der Manager eines großen Gasthofes, der lange im Ausland gelebt hatte und mehrerer Sprachen mächtig war, an den schon ganz Verängstigten nacheinander auf deutsch, italienisch, englisch und schließlich russisch das Wort richtete. Kaum hatte er den ersten Laut seiner heimischen Sprache vernommen, zuckte der Verängstigte auf, ein breites Lachen teilte sein gutmütiges Gesicht von einem Ohr zum andern, und plötzlich sicher und freimütig erzählte er seine ganze Geschichte. Sie war sehr lang und sehr verworren, in ihren Einzelberichten auch nicht immer dem zufälligen Dolmetsch verständlich, doch war im wesentlichen das Schicksal dieses Menschen das folgende:

Er hatte in Rußland gekämpft, war dann eines Tages mit tausend andern in Waggons verpackt worden und sehr weit gefahren, dann wieder in Schiffe verladen und noch länger mit ihnen gefahren durch Gegenden, wo es so heiß war, daß, wie er sich ausdrückte, einem die Knochen im Fleisch weichgebraten wurden. Schließlich waren sie irgendwo wieder gelandet und in Waggons verpackt worden und hatten dann mit einemmal einen Hügel zu stürmen, worüber er nichts Näheres wußte, weil ihn gleich zu Anfang eine Kugel ins Bein getroffen habe. Den Zuhörern, denen der Dolmetsch Rede und Antwort übersetzte, war sofort klar, daß dieser Flüchtling ein Angehöriger jener russischen Divisionen in Frankreich war, die man über die halbe Erde, über Sibirien und Wladiwostok an die französische Front geschickt hatte, und es regte sich mit einem gewissen Mitleid bei allen gleichzeitig die Neugier, was ihn vermocht habe, diese seltsame Flucht zu versuchen. Mit halb gutmütigem, halb listigem Lächeln erzählte bereitwillig der Russe, kaum genesen, habe er die Pfleger gefragt, wo Rußland sei, und sie hätten ihm die Richtung gedeutet, die er durch die Stellung der Sonne und der Sterne sich ungefähr bewahrt hatte, und so sei er heimlich entwichen, nachts wandernd, tagsüber vor den Patrouillen in Heuschobern sich versteckend. Gegessen habe er Früchte und gebetteltes Brot, zehn Tage lang, bis er endlich an diesen See gekommen. Nun wurden seine Erklärungen undeutlicher; es schien, daß er, aus der Nähe des Baikalsees stammend, vermeint hatte, am andern Ufer, dessen bewegte Linien er im Abendlicht erblickte, müsse Rußland liegen. Jedenfalls hatte er sich aus einer Hütte zwei Balken gestohlen und war auf ihnen, bäuchlings liegend, mit Hilfe eines als Ruder benützten Brettes weit in den See hinausgekommen, wo ihn der Fischer auffand. Die ängstliche Frage, mit der er seine unklare Erzählung beschloß, ob er schon morgen daheim sein könne, erweckte, kaum übersetzt, durch ihre Unbelehrtheit erst lautes Gelächter, das aber bald gerührtem Mitleid wich, und jeder steckte dem unsicher und kläglich um sich Blickenden ein paar Geldmünzen oder Banknoten zu.

Inzwischen war auf telefonische Verständigung aus Montreux ein höherer Polizeioffizier erschienen, der mit nicht geringer Mühe ein Protokoll über den Vorfall aufnahm. Denn nicht nur, daß der zufällige Dolmetsch sich als unzulänglich erwies, bald wurde auch die für Westländer gar nicht faßbare Unbildung dieses Menschen klar, dessen Wissen um sich selbst kaum den eigenen Vornamen Boris überschritt und der von seinem Heimatdorf nur äußerst verworrene Darstellungen zu geben vermochte, etwa, daß sie Leibeigene des Fürsten Metschersky seien (er sagte Leibeigene, obwohl doch seit einem Menschenalter diese Fron abgeschafft war) und daß er fünfzig Werst vom großen See entfernt mit seiner Frau und drei Kindern wohne. Nun begann die Beratung über sein Schicksal, indes er mit stumpfem Blick geduckt inmitten der Streitenden stand: die einen meinten, man müsse ihn der russischen Gesandtschaft nach Bern überweisen, andere befürchteten von solcher Maßnahme eine Rücksendung nach Frankreich; der Polizeibeamte erläuterte die ganze Schwierigkeit der Frage, ob er als Deserteur oder als dokumentenloser Ausländer behandelt werden solle; der Gemeindeschreiber des Ortes wehrte gleich von vornherein die Möglichkeit ab, daß man gerade hier den fremden Esser zu ernähren und zu beherbergen hätte. Ein Franzose schrie erregt, man solle mit dem elenden Durchbrenner nicht so viel Geschichten machen, er solle arbeiten oder zurückspediert werden; zwei Frauen wandten heftig ein, er sei nicht schuld an seinem Unglück, es sei ein Verbrechen, Menschen aus ihrer Heimat in ein fremdes Land zu verschicken. Schon drohte sich aus dem zufälligen Anlaß ein politischer Zwist zu entspinnen, als plötzlich ein alter Herr, ein Däne, dazwischenfuhr und energisch erklärte, er bezahle den Unterhalt dieses Menschen für acht Tage, inzwischen sollten die Behörden mit der Gesandtschaft ein Übereinkommen treffen; eine unerwartete Lösung, welche sowohl die amtlichen als auch die privaten Parteien zufriedenstellte.

Während der immer erregter werdenden Diskussion hatte sich der scheue Blick des Flüchtlings allmählich erhoben und hing unverwandt an den Lippen des Managers, des einzigen innerhalb dieses Getümmels, von dem er wußte, daß er ihm verständlich sein Schicksal sagen könne. Dumpf schien er den Wirbel zu spüren, den seine Gegenwart erregte, und ganz unbewußt hob er, als jetzt der Wortlärm abschwoll, durch die Stille beide Hände flehentlich gegen ihn auf, wie Frauen vor einem heiligen Bild. Das Rührende dieser Gebärde ergriff unwiderstehlich jeden einzelnen. Der Manager trat herzlich auf ihn zu und beruhigte ihn, er möge ohne Angst sein, er könne unbehelligt hier verweilen, im Gasthof würde die nächste Zeit über für ihn gesorgt werden. Der Russe wollte ihm die Hand küssen, die ihm jedoch der andere rücktretend rasch entzog. Dann wies er ihm noch das Nachbarhaus, eine kleine Dorfwirtschaft, wo er Bett und Nahrung finden würde, sprach nochmals zu ihm einige herzliche Worte der Beruhigung und ging dann, ihm noch einmal freundlich zuwinkend, die Straße zu seinem Hotel empor.

Unbeweglich starrte der Flüchtling ihm nach, und in dem Maße, wie der einzige, der seine Sprache verstand, sich entfernte, verdüsterte sich wieder sein schon erhellteres Gesicht. Mit zehrenden Blicken folgte er dem Entschwindenden bis hinauf zu dem hochgelegenen Hotel, ohne die andern Menschen zu beachten, die sein seltsames Gehaben bestaunten und belachten. Als ihn dann einer mitleidig anrührte und in den Gasthof wies, fielen seine schweren Schultern gleichsam in sich zusammen, und gesenkten Hauptes trat er in die Tür. Man öffnete ihm das Schankzimmer. Er drückte sich an den Tisch, auf den die Magd zum Gruß ein Glas Branntwein stellte, und blieb dort verhangenen Blicks den ganzen Vormittag unbeweglich sitzen. Unablässig spähten vom Fenster die Dorfkinder herein, lachten und schrien ihm etwas zu – er hob den Kopf nicht. Eintretende betrachteten ihn neugierig, er blieb, den Blick auf den Tisch gebannt, mit krummem Rücken sitzen, schamhaft und scheu. Und als mittags zur Essenszeit ein Schwarm Leute den Raum mit Lachen füllte, Hunderte Worte um ihn schwirrten, die er nicht verstand, und er, seiner Fremdheit entsetzlich gewahr, taub und stumm inmitten einer allgemeinen Bewegtheit saß, zitterten ihm die Hände so sehr, daß er kaum den Löffel aus der Suppe heben konnte. Plötzlich lief eine dicke Träne die Wange herunter und tropfte schwer auf den Tisch. Scheu sah er sich um. Die andern hatten sie bemerkt und schwiegen mit einemmal. Und er schämte sich: immer tiefer beugte sich sein schwerer, struppiger Kopf gegen das schwarze Holz.

Bis gegen Abend blieb er so sitzen. Menschen gingen und kamen, er fühlte sie nicht und sie nicht mehr ihn: ein Stück Schatten, saß er im Schatten des Ofens, die Hände schwer auf den Tisch gestützt. Alle vergaßen ihn, und keiner merkte darauf, daß er sich in der Dämmerung plötzlich erhob und, dumpf wie ein Tier, den Weg zum Hotel hinaufschritt. Eine Stunde und zwei stand er dort vor der Tür, die Mütze devot in der Hand, ohne jemanden mit dem Blick anzurühren: endlich fiel diese seltsame Gestalt, die starr und schwarz wie ein Baumstrunk vor dem lichtfunkelnden Eingang des Hotels im Boden wurzelte, einem der Laufburschen auf, und er holte den Manager. Wieder stieg eine kleine Helligkeit in dem verdüsterten Gesicht auf, als seine Sprache ihn grüßte.

»Was willst du, Boris?« fragte der Manager gütig.

»Ihr wollt verzeihen«, stammelte der Flüchtling, »ich wollte nur wissen . . . ob ich nach Hause darf.«

»Gewiß, Boris, du darfst nach Hause«, lächelte der Gefragte.

»Morgen schon?«

Nun ward auch der andere ernst. Das Lächeln verflog auf seinem Gesicht, so flehentlich waren die Worte gesagt.

»Nein, Boris . . . jetzt noch nicht. Bis der Krieg vorbei ist.«

»Und wann? Wann ist der Krieg vorbei?«

»Das weiß Gott. Wir Menschen wissen es nicht.«

»Und früher? Kann ich nicht früher gehen?«

»Nein, Boris.«

»Ist es so weit?«

»Ja.«

»Viele Tage noch?«

»Viele Tage.«

»Ich werde doch gehen, Herr! Ich bin stark. Ich werde nicht müde.«

»Aber du kannst nicht, Boris. Es ist noch eine Grenze dazwischen.«

»Eine Grenze?« Er blickte stumpf. Das Wort war ihm fremd. Dann sagte er wieder mit seiner merkwürdigen Hartnäckigkeit: »Ich werde hinüberschwimmen.«

Der Manager lächelte beinahe. Aber es tat ihm doch weh, und er erläuterte sanft: »Nein, Boris, das geht nicht. Eine Grenze, das ist fremdes Land. Die Menschen lassen dich nicht durch.«

»Aber ich tue ihnen doch nichts! Ich habe mein Gewehr weggeworfen. Warum sollen sie mich nicht zu meiner Frau lassen, wenn ich sie bitte um Christi willen?«

Dem Manager wurde immer ernster zumute. Bitterkeit stieg in ihm auf. »Nein«, sagte er, »sie werden dich nicht hinüberlassen, Boris. Die Menschen hören jetzt nicht mehr auf Christi Wort.«

»Aber was soll ich tun, Herr? Ich kann doch hier nicht bleiben! Die Menschen verstehen mich hier nicht, und ich verstehe sie nicht.«

»Du wirst es schon lernen, Boris.«

»Nein, Herr«, tief bog der Russe den Kopf, »ich kann nichts lernen. Ich kann nur auf dem Feld arbeiten, sonst kann ich nichts. Was soll ich hier tun? Ich will nach Hause! Zeige mir den Weg!«

»Es gibt jetzt keinen Weg, Boris.«

»Aber, Herr, sie können mir doch nicht verbieten, zu meiner Frau heimzukehren und zu meinen Kindern! Ich bin doch nicht mehr Soldat!«

»Sie können es, Boris.«

»Und der Zar?« Er fragte es ganz plötzlich, zitternd vor Erwartung und Ehrfurcht.

»Es gibt keinen Zaren mehr, Boris. Die Menschen haben ihn abgesetzt.«

»Es gibt keinen Zaren mehr?« Dumpf starrte er den andern an. Ein letztes Licht erlosch in seinen Blicken, dann sagte er ganz müde: »Ich kann also nicht nach Hause?«

»Jetzt noch nicht. Du mußt warten, Boris.«

»Lange?«

»Ich weiß nicht.«

Immer düsterer wurde das Gesicht im Dunkel: »Ich habe schon so lange gewartet! Ich kann nicht mehr warten. Zeig mir den Weg! Ich will es versuchen!«

»Es gibt keinen Weg, Boris. An der Grenze nehmen sie dich fest. Bleib hier, wir werden dir Arbeit finden!«

»Die Menschen verstehen mich hier nicht, und ich verstehe sie nicht«, wiederholte er hartnäckig. »Ich kann hier nicht leben! Hilf mir, Herr!«

»Ich kann nicht, Boris.«

»Hilf mir um Christi willen, Herr! Hilf mir, ich ertrag es nicht mehr!«

»Ich kann nicht, Boris. Kein Mensch kann jetzt dem andern helfen.«

Sie standen stumm einander gegenüber. Boris drehte die Mütze in den Händen. »Warum haben sie mich dann aus dem Haus geholt? Sie sagten, ich müsse Rußland verteidigen und den Zaren. Aber Rußland ist doch weit von hier, und du sagst, sie haben den Zaren ... wie sagst du?«

»Abgesetzt.«

»Abgesetzt.« Verständnislos wiederholte er das Wort. »Was soll ich jetzt tun, Herr? Ich muß nach Hause! Meine Kinder schreien nach mir. Ich kann hier nicht leben! Hilf mir, Herr! Hilf mir!«

»Ich kann nicht, Boris.«

»Und niemand kann mir helfen?« – »Jetzt niemand.«

Der Russe beugte immer tiefer das Haupt, dann sagte er plötzlich dumpf: »Ich danke dir, Herr«, und wandte sich um.

Ganz langsam ging er den Weg hinunter. Der Manager sah ihm lange nach und wunderte sich noch, daß er nicht dem Gasthof zuschritt, sondern die Stufen hinab zum See. Er seufzte tief auf und ging wieder an seine Arbeit im Hotel.

Ein Zufall wollte es, daß derselbe Fischer am nächsten Morgen den nackten Leichnam des Ertrunkenen auffand. Er hatte sorgsam die geschenkte Hose, Mütze und Jacke an das Ufer gelegt und war ins Wasser gegangen, wie er aus ihm gekommen. Ein Protokoll wurde über den Vorfall aufgenommen und, da man den Namen des Fremden nicht kannte, ein billiges Holzkreuz auf sein Grab gestellt, eines jener kleinen Kreuze über namenlosem Schicksal, mit denen jetzt Europa bedeckt ist von einem bis zum andern Ende.

Erschienen 1926

QUELLENNACHWEIS

Der Abdruck der Erzählungen dieses Bandes erfolgte mit freundlicher Genehmigung der folgenden Verlage und Erben:

Rudolf G. Binding, *Das Peitschchen* – Rütten & Loening Verlag GmbH, München

Rudolf Borchardt, *Der Hausbesuch* – Ernst Klett Verlag, Stuttgart

Alfred Döblin, *Die Statistin* – aus: »Die Ermordung einer Butterblume«, Erben Alfred Döblins und Walter Verlag, Olten und Freiburg i. Br.

Hans Carossa, *Wege der Finsternis* – aus »Ungleiche Welten«, Insel Verlag, Frankfurt am Main

Paul Ernst, *Der weiße Rosenbusch* – S. Mohn Verlag, Gütersloh

Otto Flake, *Des trockenen Tones satt* – S. Mohn Verlag, Gütersloh

Hans Grimm, *Mordenaars Graf* – Klosterhaus-Verlag, Lippoldsberg

Gerhart Hauptmann, *Der Schuß im Park* – Propyläen Verlag, Berlin

Hermann Hesse, *Im Presselschen Gartenhaus* – Copyright 1954 by Suhrkamp Verlag, Frankfurt am Main

Hugo v. Hofmannsthal, *Das Erlebnis des Marschalls von Bassompierre* – aus: Hugo von Hofmannsthal, Gesammelte Werke in Einzelausgaben, Die Erzählungen. S. Fischer Verlag, Frankfurt 1953
Copyright 1945 by Bermann-Fischer Verlag A. B., Stockholm

Ricarda Huch, *Der letzte Sommer* – Insel Verlag, Frankfurt am Main

Eduard v. Keyserling, *Schwüle Tage* – aus: Eduard von Keyserling, Gesammelte Erzählungen in vier Bänden. S. Fischer Verlag, Berlin 1922
Copyright 1922 by S. Fischer Verlag, Berlin

Mechthilde Lichnowsky, *Rendezvous im Zoo* – Bechtle Verlag, München

Hermann Löns, *Der Zaunigel* – Adolf Sponholtz Verlag, Hannover

Heinrich Mann, *Eine Liebesgeschichte* – Claassen Verlag GmbH, Hamburg

Thomas Mann, *Unordnung und frühes Leid* – aus: Thomas Mann, Stockholmer Gesamtausgabe, Die Erzählungen. S. Fischer Verlag, Frankfurt 1958
Copyright 1926 by S. Fischer Verlag A.-G., Berlin

Alfred Polgar, *Das Kind* und *Brief an Ingrids Sohn* – beide aus Alfred
  Polgar, »Im Lauf der Zeit«, rororo Nr. 107, Rowohlt Verlag GmbH,
  Reinbek bei Hamburg
Rainer Maria Rilke, *Die Weise von Liebe und Tod des Cornets
  Christoph Rilke* – Insel Verlag, Frankfurt am Main
Roda Roda, *Schweigen ist Gold* – Paul Zsolnay Verlag, Wien
Wilhelm Schäfer, *Die Gräfin Hatzfeld* – J. G. Cotta'sche Buchhandlung,
  Nachf. GmbH, Stuttgart
Arthur Schnitzler, *Spiel im Morgengrauen* – aus Arthur Schnitzler, Ge-
  sammelte Werke in Einzelbänden, Die Erzählenden Schriften. Zweiter
  Band
  Copyright 1961 S. Fischer Verlag, Frankfurt am Main
Wilhelm von Scholz, *Der Auswanderer* – Volksbund für Dichtung,
  Karlsruhe
Oswald Spengler, *Der Sieger* – C. H. Beck'sche Verlagsbuchhandlung,
  München
Hermann Sudermann, *Miks Bumbullis* – J. G. Cotta'sche Buchhandlung,
  Nachf. GmbH, Stuttgart
Jakob Wassermann, *Adam Urbas* – Albert und Charles Wassermann
Frank Wedekind, *Die Schutzimpfung* – Albert Langen-Georg Müller
  Verlag GmbH, München
Stefan Zweig, *Episode am Genfer See* – aus: Stefan Zweig, Verwirrung
  der Gefühle
  Copyright S. Fischer Verlag GmbH, Frankfurt am Main 1960

Alle Rechte an der Art der Zusammenstellung
liegen bei der Bertelsmann GmbH, Gütersloh
Einbandentwurf Willi Wörmann
Gesamtherstellung Mohn & Co GmbH, Gütersloh
Printed in Germany · Buch-Nr. 880